U0919122

《符号江苏》丛书编委会

南京云锦

张道一◎著

图书在版编目(CIP)数据

南京云锦 / 张道一著. 一南京：译林出版社，2013.1
(符号江苏)
ISBN 978-7-5447-2689-4

Ⅰ.①南… Ⅱ.①张… Ⅲ.①地方文化—文化史—江苏省 ②织锦缎—介绍—南京市 Ⅳ.①K295.3 ②J523.1

中国版本图书馆CIP数据核字（2012）第047267号

《符号江苏》丛书
丛书主编 张道一

第一辑书目

昆 曲
明孝陵
南京云锦
宜兴紫砂
苏 绣
徐州画像石

书 名 **南京云锦**
作 者 张道一
责任编辑 费明燕
封面设计 胡 苨
版式设计 陆 莹 常 征
技术编辑 黄 晨 韦 枫
出版发行 凤凰出版传媒股份有限公司
译林出版社
出版社地址 南京市湖南路1号A楼，邮编：210009
电子邮箱 yilin@yilin.com
出版社网址 http://www.yilin.com
经 销 凤凰出版传媒股份有限公司
印 刷 南京爱德印刷有限公司
开 本 889毫米×1194毫米 1/16
印 张 13.5
版 次 2013年1月第1版 2013年1月第1次印刷
书 号 ISBN 978-7-5447-2689-4
定 价 98.00元
总 定 价 580.00元（第一辑全六册）

文化符号的魅力

罗志军

上世纪五十年代，一首来自江苏的民歌《茉莉花》走上国际舞台，让世界记住了江苏。时至今日，这首优美的乐曲，已演化为中国的文化符号，成为中外文化交流的纽带。许多国际友人就是寻着《茉莉花》的韵味，认识江苏并种下了对江苏特有的情结，这便是文化符号的魅力。

位于中国大陆东部沿海的江苏，是中华文明的重要发源地之一。在这片美丽富饶的土地上，一代代江苏人辛勤耕耘，不仅创造了辉耀古今的物质文明，而且形成了吴越古韵、楚汉雄风、金陵人文、维扬风物的文化特色，可以引为江苏符号的资源不胜枚举。

在江苏众多文化符号中，延续六百多年的昆曲，不仅是中国戏曲的“百戏之祖”，也是世界戏剧的三大源头之一；明孝陵空寂神道上的巨大石像，印证着南京虎踞龙盘

的王者气象；“咫尺之内再造乾坤”的苏州园林，代表了中国风景式园林艺术的最高水平；发端于南京的云锦纹样图案和以精、细、雅、洁蜚声的苏绣，以及宜兴紫砂、惠山泥人、江苏书画、江苏美食、南京城墙、徐州画像石、扬州漆器等等，都是江苏历史文化的名片。

随着中国改革开放的深入推进，开放的江苏与世界的联系日益紧密。江苏需要把更多代表自身特色的文化资源介绍给世界，世界亦需要借助更多的文化符号来感知江苏。由江苏省人民政府新闻办公室策划、凤凰出版传媒集团译林出版社编辑出版的《符号江苏》丛书，以图文并茂的形式，介绍了江苏最具公认度和代表性的特色文化资源，其中不少已列为世界物质和非物质文化遗产。这些经过长期积淀形成的标志性符号，体现着江苏这方水土独有的人文精神和文化基因，展示出江苏文化的源远流长与灿烂多彩。相信捧读《符号江苏》的朋友，无论你是否来过江苏，都会为她悠久的历史、灿烂的文化而心驰神往。

现在，江苏正致力于全面建成更高水平小康社会、开启基本实现现代化新征程。我们期望，通过《符号江苏》这套丛书，让更多的海内外读者朋友认识江苏、了解江苏。同时，我们热忱欢迎世界各地朋友走进江苏，亲身体验这方灵秀水土的无穷魅力，与这里的人们一起分享江苏独特的文化、优美的环境和美好的生活。

（作者系中共江苏省委书记）

目　录

引言

天上的彩云流动自如，变幻无穷，古人以为祥瑞，称为“卿云”、“庆云”或“景云”。《史记·天官书》说：“若烟非烟，若云非云；郁郁纷纷，萧索轮囷，是谓卿云。”云气飘流而交错，引人产生无限的想象。传说远古的黄帝受命时有云瑞，故以云纪事，官名皆为云。春官为青云，夏官为缙云，秋官为白云，冬官为黑云，中官为黄云。虞舜在晚年时也看到这情景，以为祥瑞，便禅位给夏禹。他和臣僚们在一起唱起了《卿云歌》：

卿云烂兮，
糺缦缦兮；
日月光华，

旦复旦兮！

灿烂的卿云交错飘动，日月不停地如梭轮回，一天接着一天，以至永远。

屈原有一首诗为《云中君》，是“九歌”之一。云中君也就是云神。郭沫若认为，九歌“情调清新而玲珑，可能是屈原年轻得意时的作品”。以下，我们将屈原的《云中君》和郭沫若的“今译”并列，看那彩云的美丽。

浴兰汤兮沐芳，	我把香草熬水洗了澡。
华采衣兮若英。	衣裳多漂亮，样子多么好！
灵连蜷兮既留，	云神翩跹来，已经在等待。
烂昭昭兮未央。	灯烛亮煌煌，天还没有亮。
蹇将憺兮寿宫，	云神快要到神堂。
与日月兮齐光。	云神放辉光，比赛得太阴和太阳。
龙驾兮帝服，	坐在龙车上，身穿着五彩的衣裳。
聊翱游兮周章。	她要往空中翱翔，游览四方。
灵皇皇兮既降，	云神已出现，
猋远举兮云中。	忽然飞上天。
览冀州兮有余，	看了中国还要看四海，
横四海兮焉穷。	几时才看完？
思夫君兮太息，	思想你，好凄凉！
极劳心兮忡忡。	心神不定暗悲伤。

是美丽的女神掌管着美丽的彩云；难怪它的出现，在人间视为吉祥。又是谁剪裁了美丽的云朵，织成彩锦呢？神话的圆满是为了释解现

实的矛盾，以求达到心理的平衡。按照神话的铺垫，玉帝的女儿们都是织云锦的高手。一方面是织女下凡，一个嫁给了牛郎，一个与董永为伴；由于天庭与凡人之间的隔阂无法逾越，他们的爱情和婚姻遇到了阻碍，不尽美满，却把织锦的巧艺留了下来。所谓："天孙机杼，传巧人间。从本质而见花，因绣濯而得锦。乃杼柚遍天下。"另一方面是"嫘祖先蚕"，为织锦提供了最优异的物质材料。嫘祖亦作"傫祖"，为西陵氏之女，是黄帝的元妃；据说她教民养蚕取丝，奉为"先蚕"之神，受到后人的祭祀。

神话并非现实，却又隐约地看出历史的影子。考古证明，我们的先民早在原始时代就已发现了蚕，称其为"任丝之虫"，并开始植桑、养蚕、缫丝、织锦。用蚕丝织出的锦缎绫绸，精美无比，确实可与天上的彩云相媲美，为世界所希求。因而早在两千多年之前，便出现了一条通达西方的"丝绸之路"，经千年而不衰。

华美的衣饰可以为人仪表。《天工开物 · 乃服》说："人为万物之灵。五官百体，骸而存焉。贵者垂衣裳，煌煌山龙，以治天下。"意思是说，人在万物之中是最有智慧的，五官和肢体都长得很完备，高贵的君主穿着富丽堂皇的龙袍，光采焕发，治理天下。这是一种象征。古代的皇帝是代表国家的形象，要有尊严和气度。所谓"垂衣裳而天下治"，出自《易经 · 系辞下》，是说黄帝和尧舜时，已建立起较高的文明，丝织的长袍代替了简陋的兽皮；宽衣大袖，落落大方，意味着文化的提高和发展。

古代的皇帝自称"天子"和"龙种"。他们的"龙袍"制作得极尽人工之美，上面装饰着各种美丽的图案。有所谓"十二章"者，即在皇帝的礼服上织出日、月、星辰、山、龙、华虫、宗彝、藻、火、粉米、黼、黻等十二种纹样，寓意天地和人间的方方面面，都是由他来统领和管理。由装饰而上升为政治符号，成为一种权力的象征，在当时是最神圣和高贵的，无数次的改朝换代，历经数千年，"十二章"的符号是不改变的。

中国古代尚礼，将礼节、礼制看作治理国家的一种手段。古人的服饰也被纳入到这一系统，特别是官员的礼服，多有严格的规定。《后汉书 · 舆服上》说："夫礼服之兴也，所以报功章德，尊仁尚贤。故礼尊尊贵贵，不得相逾，所以为礼也。非其人不得服其服，所以顺礼也。顺则上下有序，德薄者退，德盛者缛。”这里所指的“服”，就是服饰。服饰要“顺礼”，才能“合礼”。在古代礼制下，“合礼”也就是“合理”。

自从有了蚕丝，并用来织成美丽的彩锦，便受到了上层社会的高度重视。从皇帝的礼服龙袍到后妃、大臣的“命服”，都用不同的彩锦制作。为了满足宫廷的需要，皇家设立了庞大的锦绣作坊，派有专门的官员管理。仅以汉代的东织室和西织室为例，从事劳作的织绣艺人数以千计。历代相传，在中国政治中心城市，必有大规模的织锦制造，同时也在一些发达地区设有“服官”，组织生产。

汉代以来，中国的经济和文化重心逐渐向南转移。经过南北朝，尤其是隋唐之后，出现了“孔雀东南飞”的局面。宋元时期，有所谓“上有天堂，下有苏杭”，赞美江浙的富庶。而南京处于长江南岸，龙蟠虎踞，地势险要，雄踞江南之首，号称十朝之都，是我国历代建都最多的城市之一。

不论是自然条件还是人事社会的变迁，江南发展丝织的基础要优越得多。所以说在江苏南部等地区，很快出现了“家家养蚕，户户织绣”的风气。

就现有资料看，南京丝织业发展并显示出自己的特色，在中国丝织史上，不是最早，而是最好，颇有后来者居上的意味。蒋赞初先生认为，南京云锦的历史可上溯至东晋政府创建“锦署”之时，即公元 417 年。他说：“织金锦（金银薄）在金陵（南京）的开始织造与‘云锦’一名在记载中的出现，至少也有了整整一千五百年的历史。特别是从元代至元十七年（公元 1280 年）起，其生产流程和技术传统就一直没有中断。时至今日，全国乃至全世界唯一的南京云锦研究所还能应用云锦大花楼木质织机，复制出明代万历皇帝下葬时所穿的孔雀羽织金妆花纱龙袍和织金孔雀羽团龙纱袍料、金代织锦的‘双鸾朵梅纹织金绸’……等。”有人说云锦是中国丝织的“活化石”。我倒以为，它是一种珍贵的未曾消失的传统文化。因为它辉煌灿烂，高超的技艺不能为机器取代，故而具有顽强的艺术生命力。

本书之旨，不是介绍南京云锦的技艺，而是从人文艺术的角度，阐明它的文化内涵和艺术价值。因此，对于那些交错在经纬之中的复杂技术，仅仅作一般性的说明，避免不谙此道的读者如入五里雾中。相反，对中国传统文化的历史背景则要铺得宽一些。譬如说在文化上的联系，说到云锦，很自然地会想起曹雪芹及其《红楼梦》。吴新雷先生说：“南京云锦在历史上与曹雪芹创作的《红楼梦》有着内在的关系，因为作者曹雪芹是南京人，而且恰恰就出身于江宁织造的簪缨世家。他以南京曹氏家族的生活形态作为创作素材，在小说中描写了有关云锦的织造服饰。”又说：“曹雪芹是在江宁织造府里成长起来的，他从小耳濡目染，对于南京云锦镶金嵌银的色泽纹样是有所感知的。在《红楼梦》灿烂的艺术境界中，曹雪芹发挥灵性的象征手法，表现了织造世家的感悟智能。例如《红楼梦》第三回记荣国府正堂的对联有一句是‘堂前黼黻焕烟霞’，其中黼黻是指华丽的服饰花纹，恰好隐喻了声势煊赫的织造世家。”

作为一种手工艺品，云锦是华贵的，又是辉煌的，具有一种典丽、庄重之美；就像南京城一样，繁华之中隐含着静穆，气度非凡，令人向往，为之流连。云锦是物质的精华，又是精神的承载，在它的背后，凝结着中华民族五千年的丝织技艺。它标志着全人类手工丝织的最高水平，于2009年9月30日被联合国教科文组织列入《人类非物质文化遗产代表作名录》。

机杼之声在南京城中回旋。我们应该领略云锦所孕育的典丽之美。

繁华似锦（云锦图案）

第一章 ◎ 锦绣中华与丝绸之路

第一节 ◎ 由『任丝之虫』所代表的古代文明

中国是一个多民族国家，有十多亿人居住在九百六十万平方公里的土地上，被称为『神州大地』。虽说五十多个民族有不同的生活方式，但汉族的人数最多，占了全国人口的百分之九十多，而且从很早的时候起，便以从事农业为生。

人类的文明总是与文化相伴而发展演进的。在汉语中使用“文明”一词，多是与“野蛮”相对。而历史学家和考古学家对于文明和野蛮，在历史分期上则有严格的界定。一般认为，只有创造了文字、出现了人口集中的城市和人们的交往活动多起来，才算进入了“文明期”。中国的文明期从夏商周开始。但是，在此之前，文明的曙光已经升起。围绕着衣食住行的需要和审美，出现了多方面的创造，诸如陶器、玉器等。功能各异、形式多变的陶器，特别是彩陶上绘制的几何形纹样，和谐优美，说明那时候人的抽象思维能力已经很高。温润的玉器有不少用于礼仪，成为一种文化的表征。

夏鼐先生在《中国文明的起源》一书中说：“中国是全世

界最早饲养家蚕和缫丝制绢的一个国家，长期以来曾经是从事这种手工业的唯一的国家。有人认为丝绸或许是中国对于世界物质文化最大的一项贡献。”

“根据近二十多年考古发掘的结果，一般认为中国丝织物开始出现于中国东南地区的良渚文化（约公元前 3300 — 前 2300 年）。到商代（约公元前 1500 — 前 1100 年），中国丝织物便已达到相当高的水平。当时除了平织的绢以外，已有了经线显花的单色绮和多彩的刺绣。到了战国时代（公元前 475 — 前 221 年），又添了织锦，色泽鲜艳多彩。最近 (1982 年）我们在湖北江陵的一座战国墓中（约公元前四世纪）发现了美丽的织锦和刺绣。后来汉文中‘锦绣’二字成为‘美丽’的同义语。今天我们常说中国是‘锦绣河山’，便是‘非常美丽的国土’的意思。”

以上所引是夏鼐先生于 1983 年 3 月在日本讲演中的话，其中提到的“良渚文化”，是指 1958 年在浙江吴兴县钱山漾遗址中发现的丝织品，有绢片、丝带等，经过鉴定，是以家蚕丝为原料的。

丝织品实物的发现是确凿的证明，但不表明绝对的创始年代。有些间接的物证，同样可以说明丝织的年代更早。因为自从人们发现了蚕可吐丝之后，不但对这种小小的昆虫倍加珍爱，并且视为生产的一部分，在手工艺品上也刻画它的形象。有两件器物上都刻有蚕纹，而且均出自江浙。1976 年在浙江余姚河姆渡遗址，发现了一个用象牙雕刻的小盅，上面雕刻着蚕纹。河姆渡文化属于新石器时代，其年代为公元前 5000 — 前 3300 年。

新石器时代蚕纹象牙盅 浙江余姚河姆渡出土

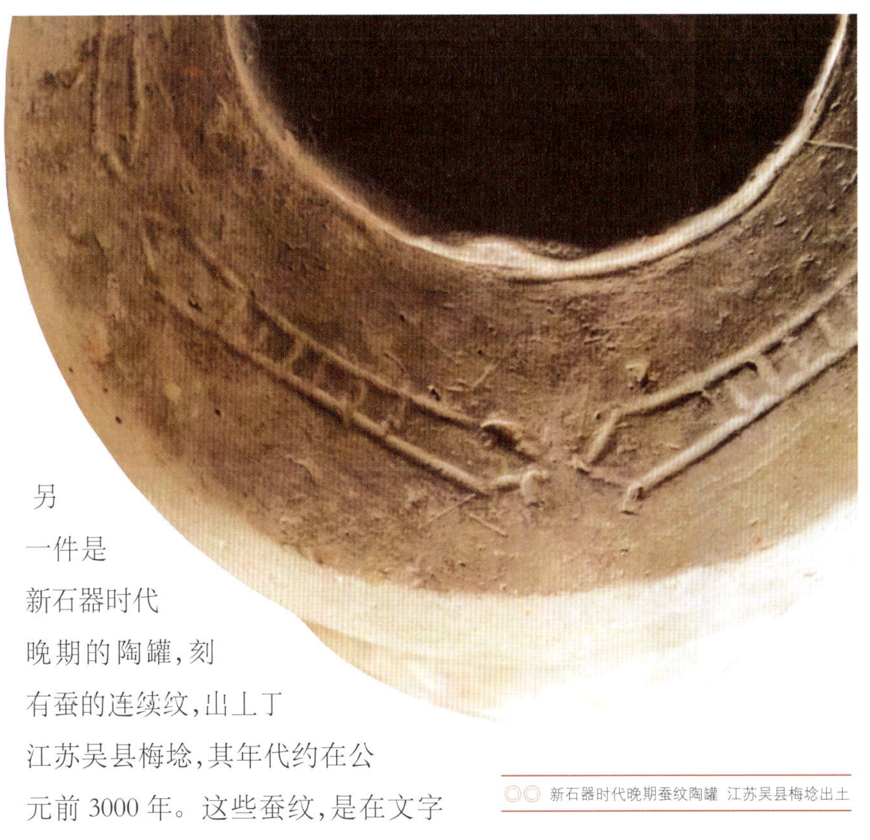

另一件是新石器时代晚期的陶罐，刻有蚕的连续纹，出土于江苏吴县梅埝，其年代约在公元前3000年。这些蚕纹，是在文字出现之前数千年的记录，是非常可贵的。

◎◎ 新石器时代晚期蚕纹陶罐 江苏吴县梅埝出土

遥想我们远古的祖先，最初为了解决温饱问题，也曾有过狩猎的生活，整日与野兽搏斗，也就以兽皮做衣服。只是很久以后，取得了生活经验，开始傍水而居，刀耕火种。从事农业的特点，是吃穿都向土地索取，而以劳动为代价。除了驯养家畜和家禽之外，他们所关心的是春种秋收，以及周围的小动物。在那时，人们已经学会了纺纱织布，各地发现的小小的纺轮，便是用来捻线的。有趣的是，这种纺轮在中国至少被使用了八千年之久，直到20世纪50年代，在江南农村还能见到，不过已经不再是主要的生产工具，而变成了老年妇女之间相互聊天的谈助。她们一边谈话，一边捻线，表现出一种生活的情趣。古代纺织的材料来源，并非全是蚕丝，除蚕丝外还有麻、葛、毛、棉等，有的材料的使用，比蚕丝还早。在这些材料中棉花最晚，直到宋元时代才在全国普及。

从最早的意义上讲，中国人发现蚕能吐丝，并利用来进行织造，并非是偶然的，而是长期农耕实践的结果，因为在大自然中会接触到各种昆虫。我们现在所指的蚕丝，主要是家蚕丝，是出自经过驯育的蚕。最早的野蚕是在田间的灌木上放养的。以后的植桑、养蚕、缫丝、织锦，不仅形成各自的职业，并且都有很大的学问。

在古人创造文字的时候，养蚕已经普遍。甲骨文中的“蚕”字和“桑”字都是象形。蚕有节，仿佛在蠕动；桑有枝，但没有画桑叶。待到汉朝人编《说文解字》，其解释是很有趣的：

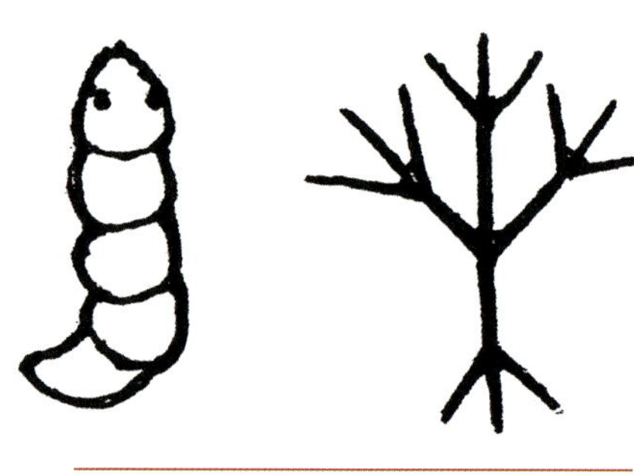

◎◎ 甲骨文的“蚕桑”二字 （左为蚕字，右为桑字）

蚕，任丝虫也。

桑，蚕所食叶木。

蚕是担任吐丝的虫子；桑是蚕所吃叶子的树木。还有人解释那个任丝的“任”字，是“妊”字的借用，像是妇女怀孕，蚕是专门孕育丝的。我们不谈文法和事理，单看这些现象，说明人们对蚕是何等看重。

“丈人屋上乌，人好乌亦好。”由“爱屋及乌”的典故使我们认识到人们的一种心理，因为珍爱用丝线织成的绸缎，因而也喜欢那吐丝的虫子。对于养蚕人另当别论，如果从装饰艺术的角度看，蚕的形象是难以摄取的。然而，它是“任丝之虫”，反倒成为工艺纹样的时髦。在商周时代的青铜器上，出现了排列整齐的或相互交错的蚕纹。屈曲的蚕儿衬以云雷回文，夸张了两只小眼睛，也颇有神气。一般的器物装饰，多是将连续的蚕纹做成花边，还没有占据主体部位。1963 年湖南衡东县出土了一件战国时期的青铜尊，尊的腹部主纹是由五片桑叶形纹构成的，桑叶内外饰有蠕动状的蚕纹。这在青铜器的装饰纹样中是不多见的。它不但反映了当时的蚕桑业在经济中的重要地位，也由此加深了人们植桑养蚕的观念。

◎◎ 蚕桑纹 战国青铜尊纹饰 湖南衡东县出土

战国时期的荀子写有一篇《蚕赋》，说蚕“冬伏而夏游，食桑而吐丝，前乱而后治，夏生而恶暑，喜湿而恶雨”，谓之“蚕理”，反映了当时人对蚕的认识和体验。他说那些裸着身子蠕动的蚕“屡化如神”，吐出的丝“功被天下，为万世文”，就是制造了美丽的纹饰。“礼乐以成，贵贱以分”。礼乐借它而形成，贵贱借它而分明。但“名号不美，与暴为邻。功立而身废，事成而家败”。因“蚕”字与“残”同音，所以称暴；吐丝已尽，也就毁灭。他问神巫，这是什么原因？神巫说：“此夫身女好而头马首者欤？屡化而不寿者欤？……”接连讲了蚕的若干特点。首先就是一则古老的神话故事：一位美好柔婉的女子长着一个马头。

这是传说中的一位蚕神，即马头娘，或称蚕女、马明王、马鸣王、马明菩萨等。传说很广，版本很多，也多有附会。兹举其二：

旧题晋干宝撰《搜神记》卷一四“女化蚕”曰：

旧说，太古之时，有大人远征，家无余人，唯有一女。牡马一匹，女亲养之。穷居幽处，思念其父，乃戏马曰：“尔能为我迎得父还，吾将嫁汝。”

马既承此言，乃绝缰而去，径至父所，父见马惊喜，因取而乘之。马望所自来，悲鸣不已。父曰：“此马无事如此，我家得无有故乎？”亟乘以归。为畜生有非常之情，故厚加刍养。马不肯食。每见女出入，辄喜怒奋击。如此非一。父怪之，密以问女。女具以告父，必为是故。父曰：“勿言，恐辱家门。且莫出入。”于是伏弩射杀之，暴皮于庭。父行，女与邻女于皮所戏，以足蹙之曰：“汝是畜生，而欲取人为妇耶？招此屠剥，如何自苦？”言未及竟，马皮蹶然而起，卷女以行。邻女忙怕，不敢救之。走告其父。父还，求索，已出失之。后经数日，得于大树枝间，女及马皮，尽化为蚕，而绩于树上。其茧纶理厚大，异于常蚕。邻妇取而养之，其收数倍。因名其树曰“桑”。桑者，丧也。由斯百姓竞种之，今世所养是也。言桑蚕者，是古蚕之余类也。

清代《三教源流搜神大全》卷三“蚕女”曰：

高辛时，蜀有蚕女，不知姓氏。父为人所掠，惟所乘马在。女思父，不食谓母，因誓于众曰：“有得父还者，以此身嫁之。”马闻其言，惊跃振迅，竟至其营，不数日，父乃乘马而归。自此马嘶鸣不肯断。母以女誓众之言告父。父曰：“誓于人，不誓于马，安有人而偶非类乎？能脱我之难，功亦大矣，所誓之言不可行也。”马跑，父怒，欲杀之；马愈跑，父射杀之。曝其皮于庭，皮蹶然而起，卷女飞去。旬日，皮复栖于桑上，女化为蚕，食桑叶，吐丝成茧，以衣被于人服。一日，蚕女乘云驾此马，谓父母曰：“上帝以我心不忘义，授以九天仙嫔。”

古人编造故事，表面看来有的荒诞不经，以博取视听，但内里多隐含着人生的道理。不论是悲剧或喜剧的结尾，都要归结到做人的美善。可是，为什么要有蚕神呢？试想一下，那些养蚕的妇女，谁不想把蚕养好，多收优质的茧子？在她们的精神世界里，萌生着希望和理想，能够满足这种精神要求、从中得到情感慰藉的，不就是蚕神吗？从历史现象看，蚕神越多，说明养蚕者越普遍；香火越盛，意味养蚕业越兴旺。

古代重教化，每年都以隆重的仪式祭祀农业的开创者。自周代以至明清，国家设有先农坛，祭祀先农，祈祷风调雨顺、五谷丰登；也设有先蚕坛，祭祀先蚕。既然有皇帝的躬耕藉田，也就有皇后的躬桑劝蚕。这是一种仪式，表示对农桑、耕织的重视。

“先蚕”是谁呢？古有“伏羲化蚕，西陵氏养蚕”的说法。西陵氏是黄帝的元妃，即嫘祖，传说最初教民养蚕治丝，被奉为先蚕，也就是第一个蚕神。以后蚕神很多。一般祭祀时，常有另外三个蚕神陪享。一个是蜀地的蚕丛氏，据说他为四川一带的蚕桑发展做出了很大的贡献；第二个是天驷星，传说他是蚕精；第三个便是以上介绍的蚕女“马头娘”。在一些文献中，汉代以来还有祭祀菀窳妇人和寓氏公主的，但两位先蚕的事迹已然失载。

在民间，一些蚕业发达的地方也建有先蚕祠。江苏吴江的盛泽镇，周围地区蚕桑发达，镇上的先蚕祠据说初建于明代，规模较大，现存雕花门楼与正殿，颇为壮观；中拱门上方原有

◎◎ 先蚕祠 江苏吴江盛泽镇

"先蚕祠"匾额，东西两拱门之上嵌有华版，分别题为"织云"和"绣锦"。先蚕祠当地俗称"蚕花殿"，称先蚕嫘祖为"蚕花娘娘"。据说这座先蚕祠的后院原有戏台，在小满节要上演酬神戏，谓"小满戏"，以纪念蚕花娘娘，希望保佑蚕桑丰收，丝业盈利。

山东人统称蚕神为"蚕姑"，因为都是女性。他们将想象当中的"蚕姑宫"描绘在喜气洋洋的年画上：三位蚕姑端坐殿中，有香火供奉；殿前两对女子分别采桑和饲蚕。

◎◎ 蚕姑宫 山东潍县清代民间年画

清代浙江余杭有"蚕王殿"，我们是通过两幅"纸马"知道的这个名称。纸马多印神像，是同纸钱一起焚烧传递信息的。一幅纸马题为《蚕花五圣》。画面的上部并列着五位官员，他们身上的官袍可能是清代之前的服制，大概都与蚕业有关，为地方做了公德事，在民间传颂，被蚕农推举为"圣"，但他们的事迹已失考。画面的下部，左边是两名妇女托盘，右边是一名男子推船捕鱼，中间是养蚕的支架，放着一层层盛蚕茧的竹箩，上面是个聚宝盆，放射出金钱的光芒，并题有"咸茂蚕

◎◎ 蚕花五圣 浙江余杭清代纸马

田”。江南的养蚕人亲昵地称蚕为“蚕宝宝”、“蚕花”，视蚕室为“蚕田”。也就是说，像养育孩子一样地养蚕，像种田看待禾苗一样地待蚕，希望有一个好收成，得到美满的结果。江南富庶，是中国的鱼米之乡，在这里，养蚕有了“蚕花五圣”的保佑，同样会发财兴旺。

另一幅纸马，实际是两幅画面印在一起，中间盖着“蚕王殿”的朱印。右边的一幅，是一群神像，中间的一尊是女性，可能为马鸣王，但非马头，据说人们对她的马头形象是回避的。画面上标“马鸣王送蚕花廿四分”。左边的一幅，刻一只似虎的大猫，刻工欠佳。猫之左右刻“蚕猫多壁鼠”（“壁”为“辟”字之误），上标“送蚕猫廿四分”。

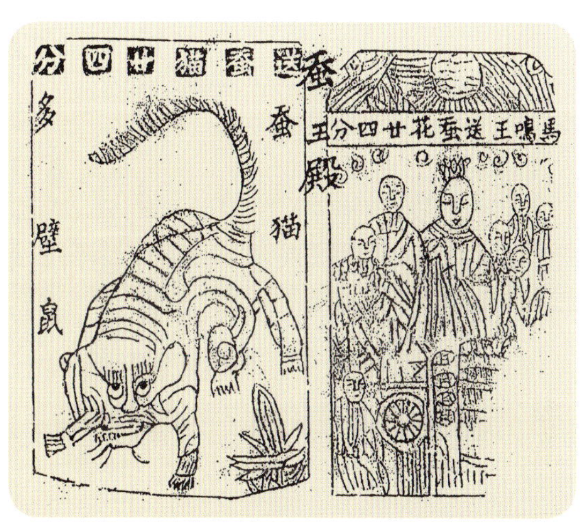

◎◎ 马鸣王送蚕花廿四分 送蚕猫廿四分 浙江余杭清代纸马

“马鸣王送蚕花廿四分”和“送蚕猫廿四分”，是什么意思呢？“蚕猫”又是做什么的呢？关于“廿四分”，是十二分的一倍，可能表示最好的成绩，最优的效果。这幅纸马或许与祝福、祈愿有关，表明了蚕神的最高赏赐。至于“蚕猫”，就是捉鼠护蚕的猫。据说古时的养蚕人家都要养猫的。

旧时的农村平房，老鼠较多，养蚕须有猫的卫护，避免老鼠伤害。蚕娇嫩，畏寒怕冷，又怕有异味熏染。特别在“三眠”期间，蚕室是禁止闲人入内的。蚕

◎◎ 逼鼠蚕猫 桃花坞木版画

自出生至成蛹，要蜕皮三四次。蜕皮时不食不动，其状如眠，故称三眠。在蚕室的门上贴一幅《逼鼠蚕猫》的木版画，既提醒养蚕人注意防鼠，又警告外人不得入内。

蚕食桑叶。那张小嘴不停地、一点一点地咬食，一片长圆的绿叶，很快就能吃完，叫做“蚕食”。可见，丝织的基本条件既是蚕，又是桑。我国商周时期，已在黄河流域普遍种植桑树。关于栽桑一事，战国时代的青铜器上刻的采桑图便表示已有两种桑树，即高株的普通桑和矮株的“地桑”（或“鲁桑”）。后者是人工改良的结果。栽桑者将普通桑树的主干上部砍去一段，又使其他树枝只能达到一定的高度。这样一来，这种“地桑”低矮，易于采摘，并且枝叶茂盛，增加桑叶的生产量，而枝嫩叶阔，宜于饲蚕。

◎◎ 战国青铜器上的采桑图（上为“地桑”，下为普通桑树）

古代的桑树，有栽种于屋后或路边的，也有成片成林的。《诗经》中有不少诗篇表现采桑或与桑树有关。如《豳风 · 七月》，其中描写采桑：

春日载阳，	春天温暖的太阳，
有鸣仓庚。	黄鹂鸟儿在歌唱。
女执懿筐，	姑娘拿起深竹筐，
遵彼微行，	沿着小路走，
爰求柔桑。	去找嫩叶桑。
……	……
蚕月条桑，	蚕月里选桑叶，
取彼斧斨，	拿起快斧头，

以伐远扬，　　砍那高枝条，
猗彼女桑。　　嫩枝儿绿油油。

《魏风·十亩之间》是写采桑完毕，采桑人相邀回家：

十亩之间兮，　　大片粮田之间栽种的桑树啊，
桑者闲闲兮，　　妇女们悠闲地采完了桑叶，
行与子还兮！　　对着男子说：咱们一齐回家吧！
……　　……

《庸风·桑中》是男女在桑林约会的歌：

爰采唐矣？　　在哪儿采菟丝呢？
沬之乡矣。　　在沬邑的郊野。
云谁之思？　　一心想着谁呢？
美孟姜矣，　　那漂亮的姜家大姐，
期我乎桑中。　　约我等待在桑林。
……　　……

在古代，有关采桑的故事，影响最大的可说是《秋胡戏妻》。这个故事被写在《列女传》和《西京杂记》中，流布甚广。自汉代以来成为文学艺术表现的题材。汉代刘向《列女传》卷五说：

洁妇者，秋胡子妻也。既纳之五日，去而宦于陈，五年乃归。未至家，见路旁妇人采桑，秋胡子悦之。下车谓曰："力田不如逢丰年。力桑不如见国卿。吾有金，愿以与夫人。"妇曰："采桑力作，纺绩织维，以供衣食，奉二亲，养夫子，吾不愿金……"秋胡子遂去。至家，奉金遗母，使人唤妇至，乃向采桑者也。秋胡子惭。妇污其行，遂去而东走，投河而死。

秋胡戏妻（汉代画像石）四川新津崖墓石函画像

这是一个为宣扬礼教而创作的悲剧，表彰的是秋胡之妻的贞洁，同时也揭露了作为高官的秋胡“中道怀邪”。有关这一题材的各类作品很多，有的哀而赋诗，乐府有“秋胡行”，敦煌有“秋胡变文”；在山东嘉祥武氏祠和四川新津的汉代画像石中，都有这一内容的画面。“秋胡戏妻”一词出自戏曲，并有“桑园会”等名目。有的作了改编，甚至为秋胡之妻取了名字。据曾白融主编《京剧剧目词典》记，《桑园会》的本事是：“鲁人秋胡，在楚为光禄大夫，返里省亲。其妻罗敷，自秋胡离家后，二十余载立志坚守，与婆母务农桑，养蚕度日。罗敷在桑园采桑，秋胡路过见似己妻，因相别日久，不便贸然相认，下马问罗敷秋胡家住处，以便递交书信，并告以与秋胡有八拜之交。罗敷以秋胡家事相诘，秋胡一一言之不爽。罗敷喜甚，以为将得良人音信。秋胡念离家日久，恐其妻不贞，以言挑之，诈称秋胡已在楚国娶妻，并告以愿与罗敷成为夫妇，罗敷怒斥秋胡出言无状。秋胡取黄金一锭，以动其心，罗敷鄙其为人，不受而去。秋胡归，见母，母唤罗敷出。罗敷见秋胡，大骂，愤然入后堂自缢。秋胡与母急相救，秋胡屈膝请罪，罗敷怒始解。夫妇复归于好。”这是近代的一种演绎，由悲剧转向了“大团圆”结局（但罗敷之名，另有其人）。

在商周直到汉代的墓葬中，常有各种不同材料的蚕形出土，有玉蚕、陶蚕、铜蚕以及镀金蚕等。这些蚕形做得都很逼真。最有趣的是，在山东济阳的一座西周墓内，一次出土了大小不等的玉蚕二十二件：有的是幼蚕，有的是大蚕，有的正在入眠，表现了蚕的发育过程。

或有人问，一条小小的蚕虫，会有如此大的本领，竟然能搅动中国文化？不错，确实如此，因为蚕能吐丝，而丝能够织锦。这就像将一枚石子掷入水中，在平静的水面上激起美丽的浪花，产生一圈一圈的涟漪，引起人们的思绪。

第二节 ◎ 男耕女织的文化升华

古代中国以农桑为本业，形成了男耕女织的基本模式，直接关系着家庭和生活。文化也是围绕着这一特点而发展。妇女的社会地位虽然不高，但在生产和生活中所起的作用是很大的，确实支撑了『半边天』。

农业社会的所谓“小农经济”以家庭为单位，家庭既是社会的细胞，又是生产和经济的基本单元。而家庭的自然分工便是“男耕女织”。《汉书 · 食货志》引贾谊《论积贮疏》说：“一夫不耕或受之饥，一女不织或受之寒。”《新唐书 · 韩思彦传（附韩琬上言）》说：“一夫耕，一妇蚕，衣食百人，欲储蓄有余，安可得乎？”《新唐书 · 来济传》说：“老人曰：春不夺农时，即有食；夏不夺蚕工，即有衣。”衣食之重，由此可见。关于蚕桑之事，操作的手续非常复杂。不仅是植桑、养蚕，待蚕儿结茧之后，如何缫丝，如何练丝，这一治丝的过程，最后完成的是一束束的丝线，不过是为丝织提供了原料，然后才能进入织造。

一条蚕儿能吐多少丝呢？有多长呢？

蚕丝是长纤维。一条蚕所吐的丝长约800至1000米。也就是说，最长的可达一公里。它的直径，根据实测，汉代蚕丝的直径是20至30“穆”(一“穆”为0.001毫米)，近代中国广州丝是21.8“穆”。说明汉丝是相当纤细的，当与养蚕的技术和细心管理有关。

糸 mì	絲 sī

◎◎ 甲骨文的“丝”字

在商代的甲骨文中，“丝”字和与丝有关的文字已经很多。象形，画成麻花状，两端扎起，露出三根线头。这是一把丝束，但不读为“丝”字，只是表示细丝，多作为其他字的绞丝偏旁使用。《说文》：“糸，细丝也，像束丝之形。”甲骨文中的“丝”字是两束丝，即两个“糸”字。

从采桑养蚕到缫丝成束，虽然还没有织成丝绸锦缎，却已是丝织的原料成品了。犹如一部书分作上下两册，均可相对独立。有的农民拿到集市上出售，丝束进入了商品领域，成为一种财富。(我们所讲的丝线，是由许多条丝纤维组合而成的。)

早在《诗经》中已有“抱布贸丝”的描写。用麻布换丝，是当时的一种以物易物的交换方式。如《卫风·氓》中有这样一段文字：

氓之蚩蚩，	那个男子笑嘻嘻，
抱布贸丝。	抱着麻布来换丝。
匪来贸丝，	并非真的来换丝，
来即我谋。	有事找我来商议。
……	……

商业的产生，促生了办理物品沟通和交换的中间人。古代已有蚕市和丝市。像在苏州这样的江南名城，明清以来，在农历四月就有名为“卖新丝”的活动。清代顾禄《清嘉录》卷四(四月)说：“茧丝既出，各

负至城，卖与郡城隍庙前之收丝客。每岁四月始聚市，至晚蚕成而散，谓之‘卖新丝’。蔡云《吴歈》云：‘蚕家多半太湖滨，浮店收丝只趁新。城里那知蚕妇苦，载钱眼热卖丝人。’案：新丝，绵丝也。《吴县志》：‘近湖诸山家，蓄蚕取之，每岁四月始登市。’”

◎◎ 执丝而舞（汉代画像石）江苏徐州睢宁官山出土

江苏北部的徐州，在两汉四百年间经济发展较快，表现在男耕女织的生产模式上，农业使用了牛耕，纺织普及于农家，在画像石上充分表现出来。有一幅《执丝而舞》图反映了一个家庭从事丝织的情况。它没有描绘丝织的生产场面，而是表现了一对夫妇穿着华丽的服装，女的手执丝束，男的手举一卷锦帛，正要高兴地起舞，或是走向市场。在山东诸城出土的画像石中，刻在门额上的吉祥装饰纹样，有象征安详的垂幛，有变体简化的方胜和双钱（双全），有平静如水的波纹，还有两把作对称配置的丝束。在汉代，丝可能有一种新的寓意，代表财富和对于财富的积累，成为富裕和富贵的象征。

《美貌女子的沉思》是汉代徐州画像石的一个画面，表现的是一名贵妇人和拥彗者。与许多资料进行比较，可以看出，那名美貌女子的穿戴

◎◎ 丝束纹等汉画像石 山东诸城前凉台村出土

和打扮，从头到脚，在当时都是最时髦的。头上戴着步摇，即所谓“步则摇动”的穿珠首饰；衣着锦绣，曳地长裙上的锦纹清楚可见，说明那时的织锦已达到相当高的水平。她若有所思，好像是在漫步，还没有停下来。上下的云鸟和草虫说明，所在的地点是野外，旁边还有一个手持扫帚的人。他们在这里做什么呢？在离阙门不远的郊外，等待出门归来的丈夫或是迎接尊贵的客人？令人不安的是，时间已经过了，怎么还不到来呢？旁边的持扫帚者，并非是为了扫路，而是古代的一种礼节，叫做“拥彗”，所谓“恐尘埃之及长者”，表示对来者的尊敬。

从这名贵妇人的锦绣衣着可以看出，汉代的服装不论在质料上还是在装饰上，贵贱之分已很明显。长沙马王堆汉墓出土的丝织品实

◎◎ 美貌女子的沉思（汉代画像石）江苏徐州睢宁县张圩出土

物，充分证明了这一点。马王堆出土的丝织品，仅 1 号墓就有 46 卷，另外还有 15 件制成的衣物。

夏鼐先生说："马王堆出土织锦的经纬线，每根纱由 4 至 5 根丝线组成，而每根丝线又由 10 至 14 根丝纤维组成，所以每根纱有时多达 54 根丝纤维。另一出土物的木瑟上的丝弦，是由 16 根多根丝纤维拼合的丝线所组成。捻度（扭转的数目）是每 1 厘米只有 1.35 转。铜山洪楼出土的纺织图，一边是织机，另一边那名在'调丝车'旁边的妇女，似乎正在从事调丝的工作。

"我曾利用这洪楼画像石和其他几块汉画像石的织机图复原了一幅汉织机结构图。这是为平织物用的较简单的织机。这种织机有卷经线的轴和卷布帛的轴。还有为开梭口运动的'分经木'和'综片'，分开经线以便投梭。织机下有脚踏板二片，用以提综片开梭口。有了脚踏板，提综的工作不用手而用脚，可以腾出手来打筘或投梭。东汉（公元 1—2 世纪）画像石上的织机都已有脚踏板，可见至迟东汉时中国的织机上已用脚踏板，这是全世界织机上出现脚踏板最早的例子。欧洲要到公元 6 世纪才开始采用，到 13 世纪才广泛流行。所以许多人相信织机上的脚踏板是中国人的发明，大概是和中国另一发明提花机一起输入西方。

汉代纺织图（汉代画像石局部）江苏铜山县洪楼出土

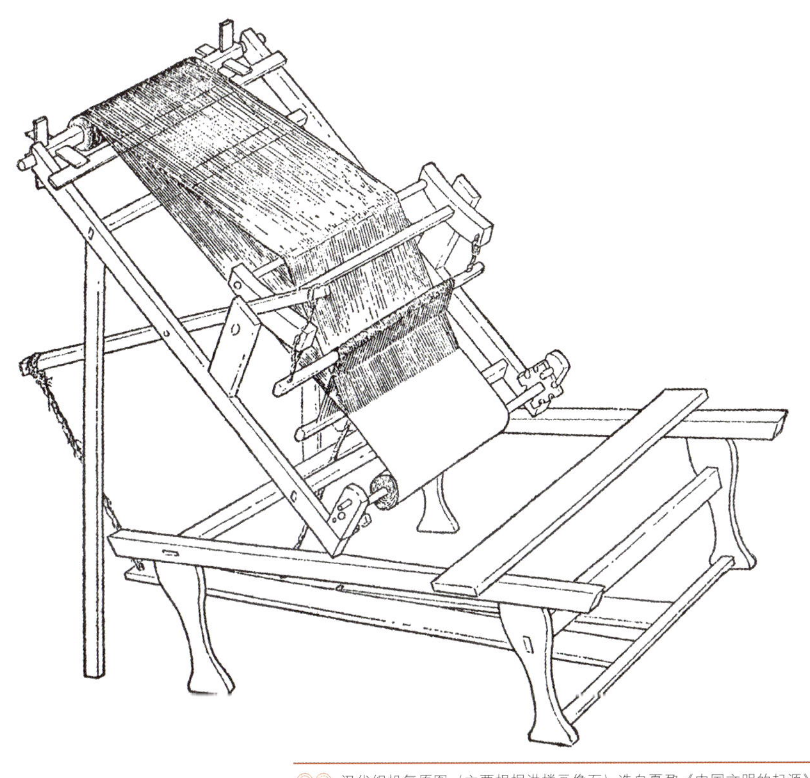

汉代织机复原图（主要根据洪楼画像石）选自夏鼐《中国文明的起源》

“这种简单的织机，一般只能织平纹织物。至于罗绮、平纹绮、织锦、绒圈锦等具有反复花纹的丝织物一般便需要提花机。我从前曾根据我对于新疆出土丝织物的观察，推断有些丝织物需要提花综四五十片之多，因之推测当时织机已有提花设备，可能是‘提花线束’而不是有长方架子的‘综框’。最近我研究了马王堆汉墓的丝织物后，我同意 H.B. 柏恩汉 (Burhan) 的意见，汉代提花织物可能是在普通织机上使用挑花棒织成花纹的。真正提花机的出现可能稍晚。”

观察各地之汉代画像石，所刻家庭的纺织图，大都是织平纹织物的简单织机，但出土的汉代织锦，已有复杂的花纹。它是怎样织造出来的呢？有两种可能：一是在官方丝织部门或技术条件较高的家庭作坊，有了初步的提花装置；二是在普通的简单织机上使用挑花棒。对于后者，最原始的“腰机”早已这样做了，现在海南黎族妇女所织的“黎锦”，仍然如此。

东汉王充《论衡 · 程材篇》说：“齐郡世刺绣，恒女无不能；襄邑俗织锦，钝妇无不巧。日见之，日为之，手狎也。”齐郡在今山东。襄邑即今河南睢县。由于普遍，每天都看到，并且动手去做，“狎”可释为亲近和学习，即所谓“附而近之，习其所行也”。所以那里的人都会织绣。

夏鼐先生说：“战国以后，中国丝织品的生产在各地广为盛行。这些地方生产该地方固有的、具有特色的产品。其中，生产丝织品最为繁盛的地方，是以青州、兖州、徐州等以山东为中心的地区。兖州的襄邑所生产的各种锦及刺绣，以临淄为中心的青州，所生产的罗、纨、绮、缟和刺绣，都是非常有名的。到汉代，纺织业作为普遍的民间手工业而日益发展，主要在山东地区和四川省为中心的一带地方。尤其是，在襄邑和临淄都设置了专门织造皇室所用丝织品的大规模官营作坊（服官），招雇当地女工，付以高额工资，进行生产。汉代为皇室制造各种用品的官署为少府；在少府中虽然特设织室，以掌其事，但其规模、产品质量，皆远远不及服官。”

这是关于“丝织品制造”的一条注释。其中提到的徐州，在今江苏省北部，其丝织在当时虽不及青州和兖州，但很普遍，而且地域偏南，说明我国丝织的中心已开始向南移动。经过南北朝之后，丝织的中心已转到江南地区了。

◎◎ 愉快的纺织业（汉代画像石）江苏邳州占城白山汉墓出土

汉代的画像石，遍及全国八九个省区。其中的“纺织图”，就目前所知，以徐州地区出土最多，说明丝织在当时的活跃。有一方石刻，表现家庭手工业的情景。画面分上中下三格：第一格是纺织图，墙壁上挂满了丝束，有人在织机上操作，有人在调丝，还有人在称丝束的分量；第二格是歌舞的场面，大概就是他们劳动之后的娱乐；第三格是一驾奔驰的马车，说

◎◎ 徐州地区汉代纺织图　上：铜山县张集乡征集　中：新沂市炮车乡汉墓出土　下：徐州市贾汪区青山泉散存

明主人与外界的联系，可谓富裕的小康之家了。

以上所谈，是我国丝织早期的一些情况。由自给自足的妇女自织发展起丝织的家庭手工业，也由此托起了皇家织造。因此，这一切构成了南京云锦发展的基础。如果没有这样普及而雄厚的基础，云锦便无从由起，更难以升高。

蒋赞初先生说："在以金陵为中心的长江下游地区，在三国时代以前，就有了较为发达的丝织业。东吴在此建都以后，更设置了由皇室直接控制的'织室',以生产高端的丝织品。织室的规模在末帝孙皓时已发展到上千人。西晋灭吴以后,东吴皇家的织室虽被撤销,但江南民间的丝织业仍然兴盛。对于金陵织锦最具历史意义的是在东晋晚期。当时的大将刘裕率军北伐,攻灭建都于长安的后秦国,迁汉魏以来集中于长安的包括织锦工匠在内的中原地区百工前来建康(今南京市),并于义熙十三年(417年)在建康设置了'锦署'。由于地处秦淮河南岸的斗场市,故史称'斗场锦署',这对金陵丝织业的发展起着决定性的影响。所以,南朝人山谦之在《丹阳记》中说:'斗场锦署、平关右,迁其百工也。江东历代未有锦,而成都独称妙,故三国魏则市于蜀,而吴亦资西道,至是始有之。'斗场市是东晋南朝时建康都城南郊的重要市场之一,因位于名刹斗场寺(又名道场寺)之前,故名斗场市。刘裕将长安迁来的百工设置于此并以'锦署'命名是很合适的。鉴于后秦是继前秦的一个北方少数民族政权,而前秦的苻坚曾经短期统一过北方中原地区,所以这批百工中的织锦工匠既承袭了两汉魏晋的传统,又融合了少数民族统治者喜爱加金织锦的技艺,这正符合于日后南京云锦的主要特征之一。因此,我们有理由认为东晋晚期刘裕从长安迁来的后秦百工,乃是南京云锦业的先驱者。"

这是一般人难以想象的,然而,却与南京城的气度相吻合。南京城虽然雄踞于长江南岸,但处于江南而不完全同于江南。在地理形势和文化积淀方面,它既有江南的秀美,又不失北方的壮丽和中原的厚重。惟其如此,才为云锦创造了得以发展的优越条件。

第三节◎机杼声声与对外贸易交流

当中国的男耕女织普遍发展，并在家家机杼之声的基础上扩展了丝织的商品生产之后，华丽的丝绸也使西方人倍加喜爱。于是打通了一条商路，直通罗马。自汉至唐，成为中西经济、文化交流的『丝绸之路』。

丝织的种类很多，至汉代已发展得品种齐全，并且生产数量巨大。翦伯赞先生在《秦汉史》中说：“纺织业是西汉最发达的一种手工业。关于这一点，从西汉布帛的使用量之大可以看出。据《汉书》所载西汉政府有着无数赐帛的事实。…… 汉武帝一次就赏赐百余万匹；一年之中，收天下帛五百万匹。由此可以想见一般。…… 又如武帝时，张骞使西域，也带了大量的丝绸，作为外交的馈赠。唐蒙通夜郎，也以缯帛（丝绸）为先锋。此外，西汉的纺织物，并以商品的性质而输出国外。当张骞至大夏时，在大夏市场上曾见蜀布。据说这种蜀布是经由印度商人之手运到中亚的。及汉通西域，中国的丝绸，大量地运到中亚乃至地中海沿岸一带，成为国际市场上最著名的商品。

中国的商人，并因此而有‘丝绸人’之称。”

这就是为全世界所称赏的著名的“丝绸之路”。它以西汉当时的都城长安（今西安市）为起点，向西延伸，一直通到地中海东岸的安都奥克（安谷城），长达七千多公里。往来的商队要过葱岭，穿沙漠，驼铃之声延续千年之久。据说“丝绸之路”的名称，是德国地理学家李希霍芬在1877年首先提出的，是为了强调这条路的开辟，主要是为着运输中国的丝绸到罗马去。罗马帝国是当时世界上除了中国之外的另一个强大国家。

夏鼐先生在《中国文明的起源》中说：“公元64年罗马帝国占领了叙利亚以后，中国丝绸很为罗马人所赏识。当时及稍后，罗马城中的多斯克斯区有专售中国丝绸的市场。那时候的罗马贵族不惜高价竞购中国丝绸。罗马作家奥利略亚尼说：‘罗马城内中国丝绸昂贵得和黄金等重同值。’另一位罗马作者培利挨该提斯（公元2—3世纪）说：‘中国人制造的珍贵的彩色丝绸，它的美丽像野地上盛开的花朵，它的纤细可和蜘蛛丝网比美。’近代历史学家中有人以为，罗马帝国的亡灭实由于贪购中国丝绸以致金银大量外流所致。另有人以为，罗马帝国的兴衰是和‘丝绸之路’畅通与否息息相关的。这些说法虽然有点夸张，但是当时在中西的交通和贸易中，中国丝绸确是占有非常重要的地位。”

翦伯赞先生说：“（东汉时期）中原的商人不到西域，已经五六十年了。现在他们又走上西北的国际商路。一批一批的商队，由洛阳或长安出发，蹈着他们祖先的足迹，经由武威、张掖、酒泉以至敦煌，到了敦煌以后，或走南道，或走北道，以进入塔里木盆地。或由当时之伊吾庐，今日哈密以西之西堡，以入天山

汉晋“五星出东方利中国”锦护膊 新疆考古研究所藏

以北之准噶尔盆地。其中有些商队则逾越帕米尔高原，远贾于中亚西亚，其前锋甚至到达今日之波斯湾头。当此之时，我们可以看到一批一批的骆驼队，通过一望无涯的盐泽大沙漠，通过吐鲁番洼地，沿着天山的南麓和北麓，沿着昆仑山的北麓，慢慢地西进。我们也可以看到，在帕米尔高原的雪山中，在中亚的原野里，到处都是贩卖丝绸的中国商人。西汉时代的商人，遗留在沙漠中或雪山中的尸骨，现在却变成了他们子孙们最可靠的指路牌了。”

丝绸是美丽的，但当时往来于“丝绸之路”上的商人是非常艰苦的。他们为了进行国际间的贸易交流，作此长途跋涉，对于国家和后人来讲，不仅在经济上，在文化上更具伟大的意义。

在这条漫长的道路上，当年运往罗马的丝绸是什么样子，已不得而知，但在沿途许多著名的中间站，历年来出土了不少实物，在我国新疆地区也发现了很多，不难窥见当年的辉煌。汉代的织锦已经成熟，生产量很大，并且足以供应出口的需要。纹样也颇有气势，多是祥瑞动物和几何形图案，为了丰富纹样的寓意内涵，喜欢添加一些祝颂的吉祥语。如“延年益寿”、“君宜子孙”和“富贵”、“常乐”之类。用文字作装饰是我国艺术的一个传统，不仅能够发挥汉字之美，也能充分表达其意。在新疆民丰出土的一块织锦，已经做成了护膊，上面织出“五星出东方利中国”，显示出一种民族自豪感。

◎◎ 夔纹绵 新疆吐鲁番阿斯塔那出土

唐代是继汉代之后的另一个繁荣强大的朝代。范文澜先生说：“长江流域（附浙江流域）经东晋南朝将近三百年的开发，经济、文化都逐渐上升到黄河流域的水平，并且继续在上升，…… 唐朝比以前的统一朝代 —— 两汉，更显得强盛而繁荣。唐前期，奠定了这个雄厚的基础。唐中期，藩镇叛乱，战争连年不息；唐后期，朝廷内部愈益分裂，统治力大为削弱。虽然如此,唐中期以至后期,在国外,声威还是很崇高,在国内,经济和文化还是在发展。这是因为唐朝廷的财政收入,主要依靠长江流域,而长江流域的经济在免于战乱的情况下,一直在上升。”

随着水上交通的发展,航海开始了,在陆地上也有了车马之便。唐代的对外贸易已经不限于陆上西北的“丝绸之路”,虽然这条路仍在继续,并且仍然以输出丝绸为大宗。

国际间的交流,不论是经济的还是文化的,从来都不是单向的。唐代与当时的波斯(今伊朗)往来密切,那时候彼方已经有了丝织,但仍然喜欢中国的丝织品。波斯萨珊王朝的织锦,有一种称作“联珠纹”的图案,锦的基本纹样为圆形,在圆形之外有一圈白色的圆珠;圆形之内配置对鸟、对兽,也有单一的如猪头之类,还有表现武士等人物的。一个个的圆形连缀起来,在圆形之间添加一些四面均齐的小花草,以加强连续效果,使之产生视觉的“统觉”感。这是一种很有特色的构成方法,不仅花纹明晰,眉清目秀,并且挑“花本”时简便省工,可以使单位纹反复,也便于“提花”。这种方法传到我国以后,很快便出现了圆形散点连续的“团窠纹”。云锦艺人将这种圆形的或并非圆形的单独纹样叫做“则”,在幅面中“则”越多花纹越小。七则八则的纹样,就是所谓小花锦。

这种“联珠纹”在古代波斯非常普遍,据说带有天体星斗的寓意,在我国北朝时期已经出现,见于敦煌等地的佛教艺术中,也用于织锦,但为数不多。到了隋唐时期,“联珠团窠纹”流行起来,成为织锦的一种格式。

唐代张彦远《历代名画记》卷十,记陵阳公窦师纶曰:“创瑞锦宫绫,章彩奇丽,蜀人至今谓之陵阳公样。”他所设计的“对雉”、“斗羊”等,实际上即是取法于波斯萨珊王朝的“联珠纹”。

◎◎“贵”字锦(带有汉字的联珠纹锦)新疆吐鲁番出土

当我国的经济中心转移到长江下游之后，江南的蚕桑和丝织也普遍地发展起来，机杼之声响遍整个农村。由于丝织量的扩大，不仅供应人们的穿用，也通过各种渠道出口。古老的“丝绸之路”已渐渐冷落，成为历史的陈迹。有人提出了“海上丝绸之路”、“南方丝绸之路”，实际上，随着社会的发展和国际间交往的频繁，形式多样，并不限于哪一种方式了。

"胡王"锦（带有汉字的联珠纹锦）新疆吐鲁番出土

譬如与东邻日本的交往，既可能在海上，也可能通过高丽（朝鲜）。夏鼐先生在《中国文明的起源》中说：“唐代的丝织物比汉代的更是华丽多彩。它们有许多传入日本，有的现仍藏在奈良东大寺正仓院。”关于正仓院，他在注释中介绍其所珍藏的染织遗宝，包括残缺不完整者，远远超过了十万件。如果再加上法隆寺中保存下来的丝织品，可以说七八世纪的染织品大体上网罗殆尽。丝织品中除罗、绫、锦之外，还有施以蜡缬、绞缬的染色丝绸，施以印花彩绘的丝绸，以及带有刺绣的丝绸。其中主要的藏品，是天平胜宝八年（756 年）时，皇室捐献给东大寺的圣武天皇生前所用的衣物。其中，大部分的衣物，应是遣唐使从唐朝带回日本的。

新疆出土的小花锦

◎◎清康熙五彩耕织图盘 法国吉美博物馆藏

两宋时期,北宋的都城在北方,但南宋时迁到了江南的杭州。宋代重文,在文化上有较大发展。南宋时的江南,在丝织和制瓷方面都达到了极高水平,并成为经济命脉。《耕织图》的出现,标志着对于丝织的重视。

《耕织图》有多种版本。有石刻,有木刻,最早的是南宋楼俦的版本。

楼俦,浙江奉化人,字寿玉。在他任于潜县令时,曾观察农业耕织的生产操作过程,于绍兴年间(1131—1162年),作了“耕”与“织”两套组画,合称《耕织图》。其中,耕图自“浸种”以至“入仓”,共21幅;织图自“浴蚕”以至“剪帛”,共24幅,合计45幅。各幅皆有五言诗一首,以诗配图,对于男耕女织、安居乐业,作了形象的说明。据说楼俦的《耕织图》得到宋高宗的赏识,曾有刻石,现已不存,但后代有多种摹本刻印,日本也有翻刻本,受到广泛重视。到了清代,康熙南巡时曾见到此图,所以他所策划刻印的《耕织图》以其为蓝本,在内容上稍有调整,区别不大。康熙的《御制耕织图》,所绘耕图和织图各23幅,合计46幅。绘图者焦秉贞,山东济宁人,是清初受西洋绘画影响的画家之一,在《耕织图》中运用了透视画法,效果很好。刻版者朱圭和梅裕凤,都是当时镌刻的名手。朱圭字上如,江苏吴县人,技艺精巧,后以效力得官,授鸿胪寺序班。《御制耕织图》在民间产生了很大的影响。

长期以来,作为衣被之需是丝麻并重,棉花的采用面很小,仅限于南方的木棉和新疆地区的草棉。就多数人来说,对它的认识不足,还不知利用的方法。元代时,沦落海南崖州的松江乌泥泾人黄道婆,从黎族人处学得纺织技术，于元贞年间（1295—1307 年）搭海船回到故乡，教乡里制造和改进工具，传授纺织技术，使棉织的优异性得以发挥，很快传遍了附近乡镇，并逐渐波及长江下游，又传至黄河流域，普及于全中国。未及多久，松江成为我国的棉织中心，素有“衣被天下”之称。

元代的松江府，在江苏省的南部，清代改为县。1958 年由江苏省划归上海市。当年的松江乌泥泾镇，为现今的徐汇区华泾镇。

在上海开为商埠之前，江南地区的商品出口贸易都集中在长江下游的南京，从元明及至清朝前期，在英文中出现了一个有趣的名词——Nankeen（南京棉布和南京瓷器）。这里所指的“南京棉布”，实际上就是松江棉布，并且特指一种淡赭色的“紫花布”；瓷器则是江西景德镇的“青花瓷”。可能在那时都要运到南京出口，才出现了这样的称呼。

棉织的普及虽然影响很大，但是，并没有削弱丝织在人们心目中的地位，这是由两者的所谓贵贱定性的。宋应星《天工开物 · 乃服》说：“贵者垂衣裳，煌煌山龙，以治天下。贱者裋褐枲裳，冬以御寒，夏以蔽体，以自别于禽兽。”又说：“凡织布，有云花、斜文、象眼等，皆仿花机而生义。然既曰布衣，太素足矣。”他是不主张棉织物织花或印花的。

明清两代，江南成为中国蚕桑和丝织的重心，达到了历史的最高水平。早在元代初年，南京的匠户人口就有 2.6 万。明代洪武年间，先后设立了“供应机房”和“神帛堂”两家织造机构，另外还有一家“工部织染所”。明代初年，曾从全国各地征调匠户 4.5 万户来南京，安排在城南的 18 个坊内。清代前期，南京丝织业进入全盛，直接与丝织业有关的男女匠人达 5 万左右；另外还有相关的机店、梭店、筘店、范子行、挑花行、拽花行、边线行、染坊和纸坊等，以此为生者有数十万人。

苏州也是如此。明代嘉靖、万历年间，苏州东北半城已形成丝织专业区，机户数千户。到了清代乾隆年间已达万家，苏州附近的一些乡镇，如吴江县的盛泽镇，明代嘉靖年间，以绸绫为业者不过百家，到清代乾隆年间已增至十数倍。随着商品经济的发展，为了便于商业活动，各地在苏州修建的会馆多达几十处。乾隆二十七年（1762 年）《陕西会馆碑记》说：“苏州为东南一大都会，商贾辐辏，百货骈阗。上自帝京，远连交广，以及海外诸洋，梯航毕至。我乡之往来于斯者，或数年，或数十年，甚至成家室，长子孙，往往而有。此会馆之建所宜亟也。”乾隆四十二年（1777年）《重修东齐会馆碑记》说：“历观大江以南之会馆，鳞次栉比，是惟国家休养生息之泽，久而弥厚，故商贾辐辏，物产丰盈，因以毕集于斯也。”

这就是南京云锦所处的历史环境及其发展的重要条件。

第四节◎是物质的，也是精神的

物质和精神，本是哲学的一对基本范畴。在现实生活中，对于具体的文化，所谓『物质文化』和『精神文化』，甚至延伸到『物质文明』和『精神文明』，只是就其倾向相对而言，不可能是绝对的。因此不能简单化地理解，必须具体分析。

有些美学家和美术史论家，往往把实用性的艺术称作物质文化，表现了生活之美，有些设计家也为此提出“功能主义”。这些判断不能说是错误，但并不确切。所谓“功能主义”，不外是充分发挥物质材料的性能，譬如做出的衣服能穿，穿得合身，就像宋应星在《天工开物》中说的：“冬以御寒，夏以蔽体。”可是，为什么有的还要“垂衣裳，煌煌山龙，以治天下”呢？如此说来，就不是物质文化所能起的作用了。

《尹文子·大道上》曰：“齐桓好衣紫，阖境不鬻异彩；楚庄爱细腰，一国皆有饥色。”这是春秋战国时期的故事：齐桓公喜欢穿紫色的衣裳，“上行下效”，竞相模仿，全国人都穿紫衣；除了紫色之外，到处没有别的色彩。楚庄王喜欢细腰的美女，为

◎◎ 左：三名细腰侍女（画像砖）河南新野后岗出土 右：高髻大袖舞者（汉代盘舞）山东济南历城出土

了细腰，女孩子都勒紧了腰带，饿着肚子，不吃饭或少吃饭。这种"细腰美女"，在汉代画像石中还能见到。

"城中好高髻，四方高一尺。城中好广眉，四方且半额。城中好大袖，四方全匹帛。"这是一首民谣，描述了汉代长安城中流行的时尚。"上之所好，下必甚焉。"那些高髻、广眉、大袖流传开来，四方趋风，有过之而无不及。这也不单是物质的作用，而是借物质之形，在人们的心理上、观念上形成的一种流风。流风成习，变为民俗，在精神方面起了很大的作用。

从哲学的观点看，物质是客观的，精神是对于物质的反映。但物质的表现形态在一定条件下会转化。水既会结冰，也会蒸发成气体。而精神对于物质的反作用，会使同一种物质表现为种种形态。精神是指人的意识、思维活动和一般心理状态；它是在大脑中反映出来的。其实，人的大脑也是一种高度发展的物质，具有影摄外部世界的机能。艺术家的创作或设计，正是将大脑中的思维结果体现出来。听觉艺术借助于声音，造型艺术借助于光，舞蹈艺术靠人的自身。声、光和人体都是物质。也就是说，艺术依靠载体而存在，物质是艺术的基础，没有物质就没有艺术品。作为艺术的载体，美术和设计艺术最为复杂。

它不但借助于各种材料作为载体，而且在表现形态上有两种截然不同的方式，一种是将载体掩盖起来，如绘画，欣赏国画的人无须知道用的是什么纸，欣赏油画的人也无须知道用的是什么布。但实用性的艺术（工艺美术、建筑和各种设计），就要将材料（载体）凸显出来，甚至构成艺术评价的一个重要方面。我们当下所研究的丝织和棉织，即是如此。两者的差距很大。

现在有一种新的提法叫做“非物质文化遗产”，是联合国教科文组织有鉴于人类传统技艺面临消失，而发起的保护和传承。这是非常重要的一项文化措施，在我国已定为国家方针，建立起有待保护的“非物质文化遗产名录”。不过，由于文化习惯的不同，“非物质文化”和“遗产”两个概念需要绕一个大弯子，才能弄清楚。

我们知道，艺术载体的选择只是一个重要的因素，并不等于艺术创作的完成，相反，仅仅是开始。这就像做一件衣服，选了理想的衣料，不等于有了好衣服，还要研究衣服的式样，讲究裁缝的手艺，注意穿着的场合以及最后的整理等。艺术的技艺、技巧、技术和使用的种种手法，是塑造艺术、实现为艺术品的关键和重要手段。目的和手段互为因果，紧密联系。没有手段的目的是空想，缺乏目的的手段是盲动。譬如丝织，一块华丽的锦缎是为了做衣服，明明是物质的，而且是一种贵重的高级物质，怎么称作“非物质文化”呢？每种事物都有若干方面，人们看问题的角度不同。名贵的锦缎当然是物质的，但它所体现的风貌又是艺术的。艺术是精神的产物，在其背后，即织造锦缎的过程，相当复杂，有很多技艺需要经过专门的训练，并且要相互配合，这些技艺本身是无形的，只有在制作的过程中和完成之后，在作品上，看出它的高妙。如果这件作品不再制作了，随着作品的消失，技艺也会失传，出现人亡艺绝的局面。因此，有许多传统的、高明的技艺，只有看到具体的东西，才能显见其技艺。所以，如要保护和传承某种技艺，必须保留具体作品的制

◎◎ 战国时的妇女（彩绘木俑）湖南长沙仰天湖楚墓出土

作，最终落实到具体的人，现在特称“非物质文化传承人”。

“遗产”在汉语中一般有两种含义：一是指死者给后人留下的财产、财物等，二是历史上留下来的精神财富。如古老的神话传说、文学名著等。以丝织为例，江陵出土的战国丝绸，长沙马王堆出土的汉代丝织品，新疆出土的汉唐锦缎，这些珍贵的文物，都是重要的文化遗产。令人费解的是，“非物质文化遗产”的传承者都是活着的艺人，他们的手艺虽有消失的可能，但毕竟还存活在世上，怎么能说是“遗产”呢？唯一的解释是，他们所掌握的手艺，不是一般的技艺，更不是他本人的独创，或者说其中有他的改进和增益，并不完全是他的创造。他主要是一个传承者，是从师傅和师傅的师傅手上学来的，一代接一代，已经传了若干代。从这个意义上讲，那技艺也应属于“遗产”的范畴。

总之，“非物质文化遗产”的保护和传承非常重要。它所保护的是我们民族的智慧和才能，是传统文化在不同历史阶段的光辉业绩。此外，这些“非物质文化遗产”都是手工的，表明了手的灵活与奇迹般的创造。只有手的灵活，才促成了大脑的想象和创造。正像现代的设计：设计带动了制造，制造促进了设计，是一个美好的良性循环。

所以，我们研究丝织，必须明确既是物质的，又是精神的。特别像南京云锦这类高级丝织品，它在精神方面的比重更大。

《诗经·卫风》中有一首《硕人》，据说是歌咏卫灵公妻子姜氏出嫁时的盛况。诗中唱道：

硕人其颀，	那人儿丰满匀称身材高高，
衣锦褧衣。	内穿锦衣外罩麻纱袍。
齐侯之子，	她是齐侯的女儿，
卫侯之妻。	卫侯的娇妻。
……	……
手如柔荑，	十指像茅草的嫩芽，
肤如凝脂，	皮肤如凝冻的膏脂，
领如蝤蛴，	项颈白得像蝤蛴之虫，

齿如瓠犀，	牙齿整齐得如瓠瓜子，
螓首蛾眉，	蝉的方额弯弯的蛾眉，
巧笑倩兮，	笑起来两个酒窝，
美目盼兮！	美目清亮眼珠黑白分明！
……	……

子夏读《诗经》，不一定是这首诗，但就美人的打扮，问他的老师孔子：“‘巧笑倩兮，美目盼兮，素以为绚兮。’何谓也？”孔子举了绘画的例子，以“绘事后素”作答（见《论语·八佾》）。后人对“绘事后素”有不同的理解，有的说是在白纸上画五彩的画，有的说是画好后勾以白线，也有的说是画后用白粉修整。总之，是说明“素”与“彩”的相互关系，白素对于五彩是很重要的。他们师生的对话，还由此引申到儒家的政治主张，认为仁德在先，礼仪是后起的。如果我们从这一角度看古代，不同时期的风气和服饰变化，都不是单纯的形式问题，必然有其丰富的内涵。

一般地说，不论什么纺织品，包括丝织在内，主要的是作衣料，而人们在穿着上又有不同的情况。礼服和常服不同，工作服和休闲服不同，因此，它们在物质上和精神上起的作用也不一样，从精神的方面看，有政治的、宗教的、习俗的和一般装饰的，而其内容主要表现在纹样上。

譬如1995年在新疆民丰县尼雅遗址的汉晋墓中发现的王侯合婚锦。它是一幅锦被，叫做“衾”；出土时完好，是极为少见的一件珍品。它的纹样，骤然看去是很匀称的几何形花纹，花纹的间隙中嵌着一行文字，自右至左为篆文“王侯合昏千秋万岁宜子孙”。当时“昏”字和“婚”字是通用的，“王

◎◎ 两名南朝妇女（陶俑）左为南朝少女俑 右为南朝宋高髻俑 南京博物院藏

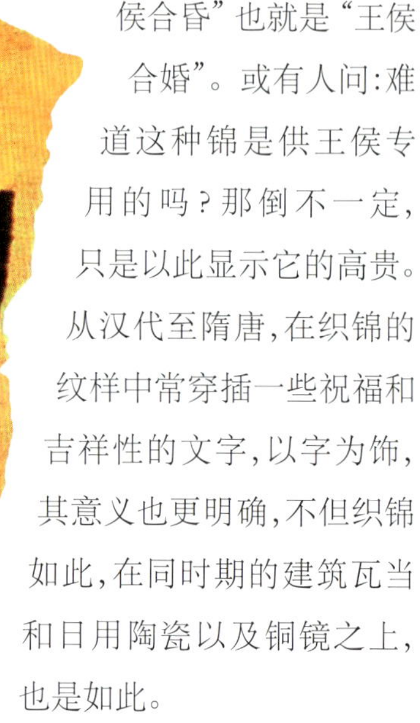

侯合昏”也就是“王侯合婚”。或有人问:难道这种锦是供王侯专用的吗？那倒不一定,只是以此显示它的高贵。从汉代至隋唐,在织锦的纹样中常穿插一些祝福和吉祥性的文字,以字为饰,其意义也更明确,不但织锦如此,在同时期的建筑瓦当和日用陶瓷以及铜镜之上,也是如此。

花纹与文字有什么关系呢？织锦受到“挑花本”的制约,不可能太复杂,更不可能表现结婚礼仪的场面,于是,便将相关的人物在造型上作了几何形化的处理,看似抽象,却又能觉察出人物之间的关系,说明汉时期的设计意匠是很聪明的。

织锦的挑花本决定着锦面花纹的连续效果。按照图案学的规则,纹样中的基本单独花纹叫做“单位纹”,由一个单位纹或几个相同、不相同的单位纹相互交错,构

◎◎ 穿胡服的唐代妇女（绢画·残）新疆吐峪沟出土

成一个较大的画面，叫做“完全纹”。这个完全纹就是挑花的主体，也是锦面纹样的基本单元。一幅织锦是由若干个“完全纹”连续排列而成的。

◎◎ 汉晋王侯合婚锦 新疆民丰县尼雅出土

这幅锦上的“完全纹”设计颇有意趣。中间是一朵云，对称的云朵下边生出三道斜曲线，表示正在下雨；左右对角，有一对男女平卧在那里，姿势略有不同，有一个男子似乎已入睡，正在打呼噜。另有一个女子，正在生孩子。构图上两两交叉！只是上边的两个字不同，最醒目的是中间那朵云，意在点题，不是隐喻着“巫山云雨”吗！

因为是表现“合婚”，不能太严肃，必须着眼于活泼、舒畅，还要切中主题。在不同历史时期，人们的观念是不同的。闻一多在《神话与诗》中说：“文化发展的结果，是婚姻渐渐失去保存种族的社会意义，因此也就渐渐失去繁殖种族的生物意义，代之而兴的，是个人享乐主义，于是作为配偶象征的词汇，不是鱼而是鸳鸯、蝴蝶和花之类了。”由此看来，这幅“合婚”锦还带有一定的原始味；后来的“合欢被”已经改变了做法。“文彩双鸳鸯，裁为合欢被”，使用象征语言了。

清雍正绿地龙凤花卉纹妆花缎 故宫博物院藏

第二章 ◎ 虎踞龙蟠南京城

第一节 ◎ 中国经济与文化的『孔雀东南飞』

中国地域广阔，有两条巨大的母亲河。北有黄河，南有长江，横贯东西。由于夏、商、周三代发源于黄河流域，所以早期的政治中心在北方，经济和文化也是在北方发展。尤其是经济和文化，南北朝后开始向东南转移。

“孔雀东南飞”是从一首著名的古诗中借来的，在内容上并没有直接的联系。只是因为孔雀是美丽的，东南是富庶的；她飞向了东南。

神州大地的东南部分，主要在东南沿海一带，包括了现在江苏、浙江、上海、安徽，向南可通到福建等地，因为不是行政区划，并没有严格的边界。古代文人所说的“江南繁盛地”，也是在这一范围之内，通常主要是指江浙。在整体的经济和文化上，江南开发较晚，却是后来者居上。

梁白泉先生说：“江南地区，是指苏皖沿江平原的长江以南部分，包括苏南、上海、浙北和皖南，…… 本地区气候温和湿润，物产丰富，水资源丰富。长江在境内有800公里，是著名的‘黄金水道’,境内湖泊纵横,是我国典型的水网地区。太湖流域是我国著名的‘鱼米之乡’,是我国最重要的粮、棉、油生产基地和淡水水产基地。吴、越时期,苏、浙、皖三省交界处的居民交汇聚居,古代吴、越族,都融合成汉族的构成部分。最古老的城市是会稽郡,后叫吴郡,治苏州,东汉时移治山阴(今绍兴),史称‘吴会’。…… ‘入世’和‘出世’是世情的两个方面,一方面是城市的繁华,一方面有‘山中’的宰相。苏、浙、皖交界处的山区,散布延伸的林泉,成为佛、道寺观麇集之所。南朝建康(南京)有‘四百八十寺’,梁武帝宣布佛教为国教。九华山是地藏菩萨的道场,牛首山是佛教南宗的发祥地,栖霞寺是三论宗的祖庭,金山寺是禅宗名寺,宝华山隆昌寺是律宗道场,苏州灵岩寺为净土宗所主持,上海静安寺是内地唯一弘扬密宗的地方。道教方面,葛洪曾隐居茅山,善炼丹药。陶宏景是秣陵人,隐居茅山。茅山是茅山道的开创地,历史上道教曾有四派立坛,其中包括茅山道的上清法坛、葛仙翁派的灵宝玄坛,在元时统一归到贵溪龙虎山去了,江南是道教的主要活动地区。东晋、南朝时,代表汉族文化的南方政权,大大地发展了这个地区的经济和文化。从唐末到南宋,我国经济、文化的重心,完成了从黄河流域向太湖地区的转移。隋开江南运河,唐初筑浙江海宁到吴淞江的海塘和苏州、常熟、松江、常州的堤堰。10世纪,修治太湖水系,实现了‘二里一横塘,十里一纵浦’的农田水利建设;百年之后,太湖周围又大量开辟圩田。至此,天下财赋,半出江南;‘苏湖熟,天下足’;‘上有天堂,下有苏杭’。”

事实上,江南的开发不止于此。单就丝织而言,江浙一带是发现蚕丝和利用蚕丝最早的地区,早在五千年前的新石器时代就出现了丝织品。可是到了商代晚期,周泰伯为了让王位,与二弟仲雍奔避江南;那时的江南人还是“文身断发”,处于半原始状态。《韩非子·说林上》中有一个故事,说是鲁国(在山东)有一对夫妻,各有编织的手艺,男的善于编麻鞋(称“屦”),女的善于织丝绢(称“缟”);他俩要到越国(在浙江)去谋生。有人劝他们说:到那边会穷困吃苦的。为什么呢?因为越人跣足被发。说:“屦,为履之也,而越人跣行;缟,为冠之也,而越人被发。以子之所长,游于不用之国,欲使无穷,其可得乎!”—— 你们的特长是编麻鞋和织绢做冠，可是到一个赤脚披发，不穿鞋、不戴帽的国家去，怎能发展呢？

由此可见，普遍性的丝织业北方早于江南，但后来的事实证明，江南发展起来不但条件优越，而且会快得多。范文澜先生说："《史记·吴世家》记吴楚两国边邑妇女争桑树，引起战争（前518年），足见远在春秋时期，南方丝织业已很普遍，东晋以来，愈益发达。耕织都前进，奠定了社会财富的基础。"又说："司马迁在《货殖列传》里描写西汉时长江流域的经济状况说，江南卑湿，人多夭死。地广人稀，生活依靠稻米鱼羹。种稻用火耕水耨法，懒散成俗，缺乏积蓄，少有冻饿的穷人，也少有千金富家。经过东汉和孙吴，经济逐渐上升，到东晋南朝时，长江流域成为富饶的地区。沈约《宋书》孔季恭等传论里说，江南地广，田亩肥沃，民众勤于本业（耕织），一郡丰收，可供数郡食用。会稽滨海傍湖，良田有数十万顷，上等田地，一亩值一金，北方上等田地还比不上它。荆州、扬州盛产鱼盐木材、丝绵布帛，运销四方，满足天下人的需要。看司马迁和沈约两种描写，显然，南朝时期长江流域的面貌大不同于西汉时期了。"他指出："隋唐文化继承南朝，隋唐经济也依仗南方。数全国财富，'扬一益二'，就是长江流域开发的结果。到唐中期，韩愈说'当今赋出天下而江南居十九'，长江流域地位更见重要。所以，将近三百年的东晋南朝，在政治上是偏安一隅，在经济文化上却有巨大的成就。"

第二节 ◎ 六朝之都

南京是一座著名的历史文化名城。唐代以来的文人和史学家常称南京为『六朝之都』，或『帝王都』、『六朝金粉地』，形容其雄伟和繁华。实际上唐代之后，仍有几个朝代定都于此，合称十朝古都。

南京这块土地，一直被人们所重视。建城之后也成为历代政权交替的一个焦点，历史上出现了许多名称，“南京”之名反而较晚：

冶城——相传吴王夫差在此设冶铸造铜铁兵器，规模很大，故名冶城。

越城（越台）——越王勾践灭吴后，由范蠡主持，于公元前472年在此筑城屯兵。是为南京建城之始。

金陵——公元前333年，战国时楚夺越地，楚威王在此设金陵邑。

秣陵——秦始皇三十七年（前210年），改金陵邑为秣陵县。

石头城——东汉建安十六年(211年),三国(吴)孙权从京口(镇江)徙治秣陵,次年改秣陵为建业,筑石头城。

建业——太和三年(229年),孙权从武昌迁都建业,是为南京第一次成为首都。

建邺——西晋统一全国后,改建业为建邺。

建康——自东晋至南朝(宋、齐、梁、陈)都城皆称建康。东晋朝(317—420年)经十一帝,共104年。宋朝(420—479年)经八帝,共60年。齐朝(479—502年)经六帝,共23年。梁朝(502—557年)经四帝,共56年。陈朝(557—589年)经五帝,共33年。南朝共计172年。

蒋州——589年,隋灭陈,结束了南北长期对峙的局面。将建康"荡平耕垦",立蒋州。

升州——唐代继续采取压抑建康的方针,先称蒋州,又称升州。五代十国时,又改升州为金陵,并重建城垣。

江宁——北宋时设江宁府,南宋改建康府。

集庆——元代改建康府为建康路,继又改为集庆路。

应天——1356年,朱元璋攻克集庆,改为应天府。

南京——明代洪武元年(1368年),朱元璋称帝,改应天为南京。永乐十九年(1421年),朱棣迁都于北京,南京体制不改。

天京——清代在南京设江宁府和江宁织造局,织造南京云锦。清咸丰三年(1853年),太平军攻克南京,建立太平天国,改南京为天京。同治三年(1864年)七月天京失陷;清湘军焚掠南京达七天之久,南京受到极大破坏。

南京城两千五百年,兴衰变化很大。李白诗曰:"金陵昔时何壮哉!席卷英豪天下来。冠盖散为烟雾尽,金舆玉座成寒灰。"有人说南京是个风水宝地,得到的难以保全,得不到的就想毁掉它。战国时,楚威王熊商从越国夺得南京,在石头山筑金陵邑,便埋金以镇"王气"。秦始皇时,据说曾见东南方有紫气流动,对他可能不利。所谓"紫气",就是帝王气。帝王气本是瑞兆,但对另一个帝王来说确是不利的。这是迷信,也可能是一种政治的敏感。清代余宾硕《金陵览古》说:"钟山,一名金陵山,道

◎◎秦秣陵县图 选自明代《金陵古今图考》

书所谓朱湖大生洞天也。《金陵地记》云:秦始皇埋金玉杂宝于钟山,以厌天子气。其后宝物之精,上见时有紫气,俗呼为紫金山。”隋代统一全国,包括唐代三百年,对南京也是采取了这种态度。更恶劣的是,将南京“荡平耕垦”。

589 年,隋兵攻进建康城。随着陈朝的灭亡,结束了南北对峙的局面。为了镇厌这里的“帝王气”,消灭南朝贵族士大夫赖以生存的社会经济基础,竟将一座繁华的建康城夷为平地,垦殖种田。历史学家范文澜先生说:“三一七年,晋元帝在建康立国,至五八九年隋灭陈,前后共二百七十二年。西晋灭亡后,黄河流域在少数族统治下,长期遭受严重的破坏,汉族在长江流域建立本族政权,抵抗少数族的南来蹂躏,这是有利于民众的事业,不能看作分裂和割据。长江流域比起黄河流域来,一向是落后地区,东晋时期,北方汉族人大量南迁,长江流域经济有很大的发展,逐渐接近黄河流域未遭破坏时的经济水平,文化的兴盛,更远远超过当时的北方。南朝文化为隋唐统一时期的高度文化奠定了基础。”

在中国人的传统观念中,有一种很重的“正统”思想,对于不同时期的少数民族,也是这个问题。对于所谓分裂、割据、偏安等,是非曲直,应以人民利益为重，作具体分析。从隋唐两代统治者对南京的态度和做法中，我们可以看到，不是巩固了自己的经济基础和文化地位，而恰恰相反，是削弱了这种基础，对自己是不利的。

建康城的消失，只是一种表象，破坏了一个都市的外壳。但是，江南已经开发起来了，富裕起来了，江南人的聪明智慧也发动起来了。建康城所代表的内在精神并没有消失，谁也阻止不了他们的创造。南唐（937—975 年）虽短，还不到四十年，很快又建起了新的建康城。如若观览一下明代陈沂编绘的《金陵古今图考》，将秦代的秣陵县与南朝的建康图作比较，前者空旷，仅显山水地势，后者则是人文密集的大都会。再看隋代的蒋州图，稀稀落落，好像又轮回到过去，而南唐的江宁府图又热闹起来。历史证明了南京的生命力很强，坚韧而持久。到了明代，已是辉煌无比了。

我编过《中国陵墓雕塑全集·两晋南北朝》卷，考察了南京周围的南朝陵墓仪卫石雕、遗存的帝王公侯墓前石兽和石柱三十多处，看了深感气势非凡，为之震撼。那些生动的神兽，不论是叫天禄、辟邪还是麒麟，都是出自美好的想象，也不论它们来自天上还是什么仙界，都带有吉祥的内涵。躯体不是太大，但显示出的力量无比。威严而飘逸，浑厚而流动，

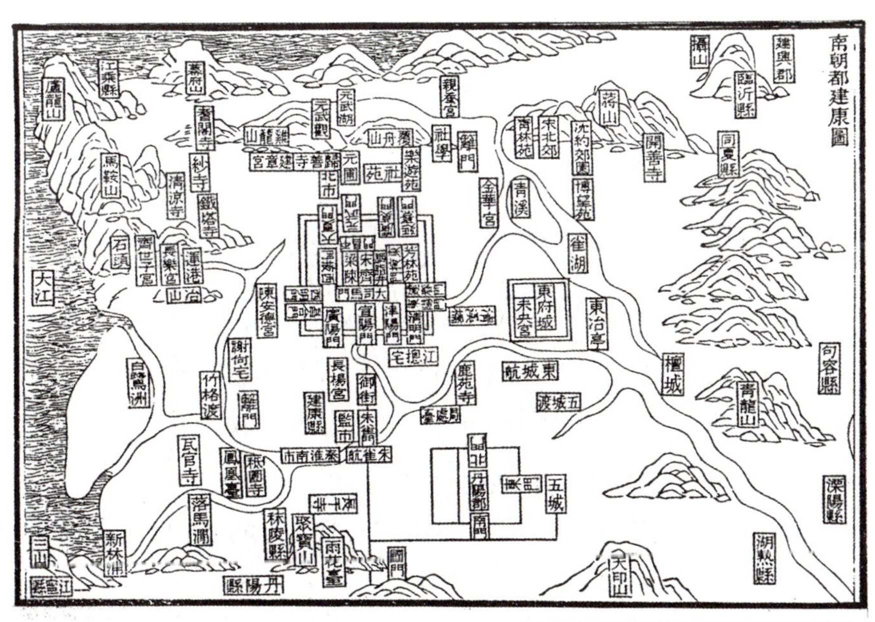

◎◎ 南朝都建康图 选自明代《金陵古今图考》

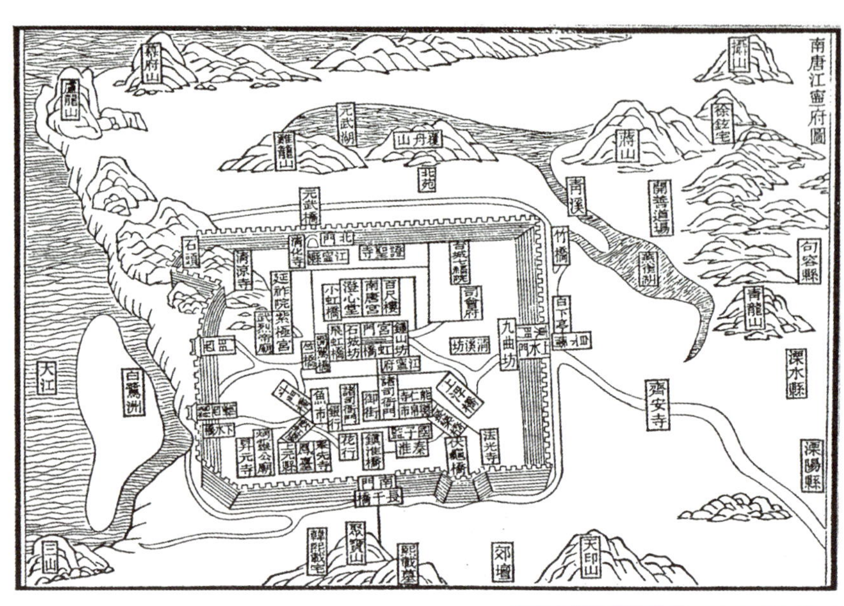

南唐江宁府图 选自明代《金陵古今图考》

庄重而自信，似乎带着笑容，仰首向前，颇有压倒一切之势。在这些石头的形象中，看出了一个时代的精神，是创造，是进取，是要走向新的境界。由物及人，由人及事，无不表现出江南人的一种朝气。

一千多年来，南京为何有这么大的魅力呢？古人看待事物，不外天时、地利、人和。这三个方面，南京都占了，而且结合得很好，才决定了南京的历史地位。

南京有个“驻马坡”，在清凉山的后坡，为诸葛亮的驻马处。相传诸葛亮为了联吴抗曹，赴京口时途经秣陵，骑马观看秣陵的山川形势，至此驻马兴叹，留下了“龙蟠虎踞”的名言。

三国时的吴国大帝孙权，于229年称帝于武昌，又徙治于京口。关于他来南京，以南京作都城，《太平御览》卷一五六引《吴录》说：

张纮言于孙权曰：秣陵，楚武王所置，名为金陵。秦始皇时，望气者云，金陵有王者气，故掘断连岗，改名秣陵。有别小江，可以贮舡，宜为都邑，刘备劝都之，自京口迁都焉。《吴志》：先乱时，童谣云：宁饮建业水，不食武昌鱼；宁归建业死，不就武昌居。乃迁都建业。

案《江表传》，汉建安中，刘备曾宿于秣陵，睹江山之秀，劝帝居之初，张纮当谒帝曰：秣陵都，楚威王所置，名为金陵，地势岗阜连石头。访问故老云：昔秦始皇东巡会稽，经此县，望气者云：金陵地形有王者都邑之气。故掘断东岗，改名秣陵。今处所见，存地有其气象，天之所会，今宜为都邑，帝深善之。后闻刘备语，曰：智者意同。案《吴录》：刘备曾使诸葛亮至京，因睹秣陵山阜叹曰："钟山龙盘，石头虎踞，此帝王之宅。"

"江南佳丽地，金陵帝王州。"及至近代，当历史的车轮碾碎了两千多年的帝王统治，共和肇始，仍是选择了南京为都。2010年10月，南京市博物馆重新开馆，推出了名为"龙蟠虎踞"的常设展，展览说明中引了孙中山先生赞美南京的一段话。他说："(南京)其位置乃在一美善之地区，其地有高山，有深水，有平原，此三种天工，钟毓一处，在世界中之大都市诚难觅如此佳境也。"

◎◎南朝陵墓墓前神兽（梁）萧恢墓神道辟邪 在南京东北郊甘家巷

第三节 ◎ 南京文化的贮蕴

南京位于长江流域下游的南岸，在我国历史上，是经济和文化发展的一个大熔炉。大江南北的经济和文化在这里汇聚，它不但起着融合的作用，并且生发出更优秀灿烂的文化和巨大的财富，推向全中国。

从三国的吴国到东晋和南朝（宋、齐、梁、陈），经历了六个朝代，三百多年，不仅对南京的发展是个关键时期，对于全国的经济和文化，也起了不可低估的重要作用。

长江像一条彩带，长达 6300 公里，将神州大地分成南北两片。长江之水宽又深，古代交通不便，难以渡过，号称天堑。当遇战祸，北方的少数民族骑马射箭，驰骋于长城内外，民不聊生时，长江以南的生活是比较安定的。因此，凡是战争年代，北方就有大量的难民流向江南。范文澜先生说："西晋末年，中原士族逃奔江南，建立东晋以及后来的南朝政权。他们在政治上、经济上享受特殊的权利，生活非常优裕，地位非常巩固，因之黄河流域的文化，移植到长江流域，不仅是保存旧遗产，而且有极大的发展。中国古文化极盛时期，首推汉唐两朝，南朝却是继汉开唐的转化时期，唐朝文化上的成就，大体是南朝文化的更高发展。”

文化的发展是一个民族和国家文明的标志，随着江南经济的大发展，文化与科学等也发展到很高的水平。儒学、佛学、史学、文学和艺术等，在当时，都居于全国领先的地位，并且造就了大批人才。像《世说新语》、《文心雕龙》、《诗品》、《文选》、《后汉书》、《宋书》、《南齐书》等名著都成书于此。出现了如祖冲之、葛洪、范缜、王羲之、顾恺之、法显等伟大的思想家、科学家、书法家和画家。

1960 年，南京西善桥的南朝墓中出土了一幅模印砖壁画《竹林七贤与荣启期》。画高 80 厘米，全长 240 厘米，分两段砌于墓室的东西两壁。一壁为嵇康、阮籍、山涛、王戎，另一壁为向秀、刘伶、阮咸和荣启期。以上前七人号称“竹林七贤”。他们都是魏晋时期的文人名士，相与友善，据说常在竹林中相聚。但这里所画的不是竹林，而是树下。或有人问：荣启期是何许人呢？他是春秋时的一名隐士，“鹿裘带索，鼓琴而歌”。在他九十岁的时候遇见孔子，说：“以得为人，又为男子，又行年九十，为‘三

◎◎竹林七贤与荣启期（南朝模印砖壁画）南京西善桥出土

韩熙载夜宴图（局部）五代南唐顾闳中作（宋摹本）

乐'。"他与"竹林七贤"并非同时代人，之所以画在一起，主要是气味相投，很可能也是在构图上凑成偶数，使两壁的画面相等。在造型和构图上，人物动态潇洒，线条屈铁盘丝，坚挺劲利，使人联想到顾恺之的《女史箴图》，颇有异曲同工之妙，而用模印砖砌出的壁画，在当时还是创见。

建康城空前繁荣，在方圆 40 里的地区内，聚居着 28 万户约 140 万人口。市场众多，商业繁盛。佛教也进入了盛期，诗人说"南朝四百八十寺，多少楼台烟雨中"，实际的数字还要多。虽然这座城市在隋代被毁，落得"荡平耕垦"，但到了五代十国又恢复起来了。南唐时词人、画家辈出，像李璟、李煜、董源、周文矩、顾闳中、徐熙等，在我国文学史和美术史上都是很有名的。

如顾闳中的《韩熙载夜宴图》，表现的是南唐大臣韩熙载的夜生活。他出身于北方豪门，入士南唐，在当时的局势下，感到"世事日非"，无力图强，便以声色自娱。画面分“听乐”、“观舞”等五段，气氛豪华，举止高雅，从那些舞伎和乐工的穿戴打扮，可以看出，江南的富庶和文化程度之高。现代人研究古代丝织，惟其从这些画面中，感受当时的情况。

两宋提倡文治，在文化上有很大的发展，但北宋的汉族政权亡于少数民族之手，包括亡国的皇帝宋徽宗赵佶，就是一位艺术水平很高的画家。南宋建都于杭州，在丝织、陶瓷等方面也有较大的发展。历史的经验证明，武备是一个国家安全的保证，没有强大的国防力量，一旦外族入侵，再高的文明也会被摧毁。元代统一了中国，蒙古人是个骑马射箭的游牧民族，汉族以农耕为基础的文化受到很大的破坏。但他们非常看重丝织中的织金锦。

元代时，意大利威尼斯人马可·波罗，于1275年来中国，受到元世祖忽必烈信任，待遇优厚，仕元十七年。游历几遍中国，回国后口述见闻，成书为《马可·波罗游记》。书中“盛道东方之富庶，文物之昌明”。他曾到过南京及其周围的若干城市。当时称灭亡的南宋为“蛮子国”。有趣的是，对不少城市大都提到丝织：

南京是蛮子的一个著名大省的名称。…… 当地出产生丝，并织成金银线的织品，数量很大，花色繁多。这地区稻米丰足，六畜兴旺。（第六十九章）

镇江是蛮子省的一个城市。居民是佛教徒，属于大汗的臣民，使用他的纸币。他们靠经营工商业谋生，广有财富。他们制造丝绸和金线织物。（第七十三章）

常州：离开镇江府，朝东南方向行走四天，…… 到第四天的黄昏，便到达常州城。这是一个美丽的大城市，盛产生丝，并且用它织成花色品种不同的绸缎。这里的生活必需品很充足。（第七十四章）

苏州城漂亮得惊人，方圆有三十二公里。居民生产大量的生丝制成的绸缎。不仅供给自己消费，使人人都穿上绸缎，而且还行销其他市场。他们之中，有些人已成为富商大贾。（第七十五章）

吴江：离开苏州后，我们要介绍离这里只有一天路程的另一座城市吴州。这里也同样生产大量的生丝,并有许多商人和手工艺人。这地方出产的绸缎质量最优良,行销全省各地。除此之外,它没有什么好值得叙述的了。(第七十五章)

由此可见,蒙古人很喜欢“金银线的织品”,也就是织以金箔或银箔制品的织金锦。这种织锦豪华富丽,技术性最高,也正是南京云锦的特点。

在《马可·波罗游记》中,也介绍了杭州,称为“雄伟壮丽的京师”,但没有提到丝织。还有一点,马可·波罗错误地理解了“上有天堂,下有苏杭”的谚语,把杭州解释成“天上的城市”,苏州是“地上的城市”。

正因为南京的丝织以织金著名,就像江南的丝织如绿树茂密,非常普遍,而南京的织金像是万绿丛中的一棵苍天大树。元代政权建立不久,即南宋灭亡的第二年(至元十七年,1280年),便在南京设立了两座“织染局”——东织染局和西织染局,直接为皇家织造锦缎。据《至正金陵新志》记载:“东织染局,至元十七年于城东南隅宋贡院立局,有印。设局使二员,局副一员,管人匠三千六户,机一百五十四张,额造缎匹四千五百二十七段,荒丝一万一千二斤八两,隶资政院管领。西织染局,至元十七年于旧侍卫马军司立局,设官与东织染局同。”两座织染局的设置既然相同,其生产的规模也应相当。合计应有工匠六千多户,每年织造缎匹上万段。值得注意的是,这里的“工匠”不是指人口,而是以户计算。因为元代实行的是“匠户制”,即全家老幼都要参加生产,而且世代相继。所以,六千多户的工匠就要几倍的人口了。

明清两代,以南京为中心的江南地区,在经济和文化上得到全面发展,其中当然也包括了丝织业。它既是一种明显的物质生产,带有很高的经济价值,又具有文化的内涵,起精神上的作用,特别在衣饰穿着上,受到上层人士的喜爱和重视。

1368年,朱元璋定都南京,国号大明。吴晗先生在《朱元璋传》中说:“明初定都于应天(南京)的重要理由是从经济上出发的:第一因为江浙富庶,不但有长江三角洲大谷仓,而且还是纺织工业、盐业的中心,应天

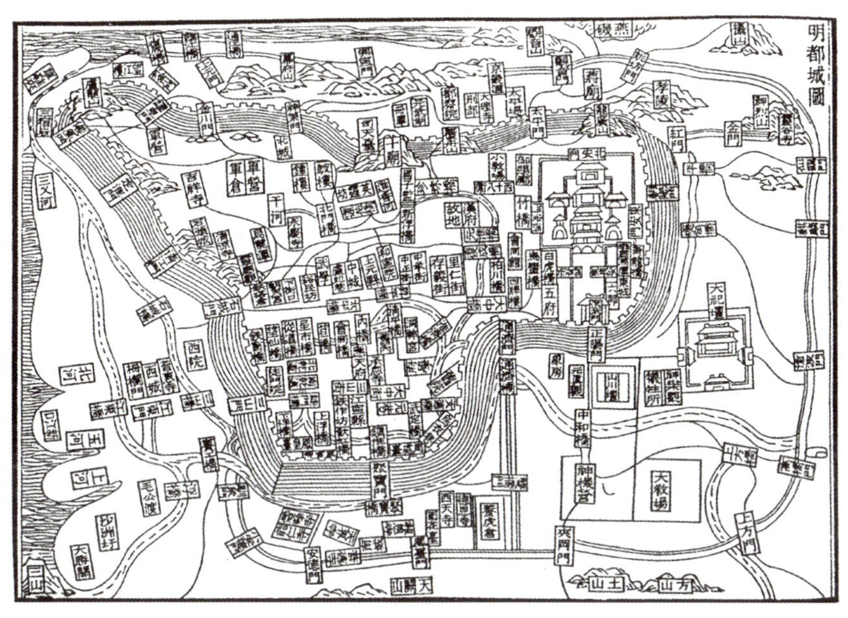

◎◎ 明都城图 选自明代陈沂《金陵古今图考》

是这些物资的集散地，所谓‘财赋出于东南，而金陵为其会’。第二是吴王时代所奠定的宫阙，也不愿轻易放弃，而且如另建都城，则又得再加一番劳费。第三是朱元璋的左右文武重臣都是江淮子弟，也不愿意远离乡土。第一个理由是主要的，后两个是次要的。虽然如此，朝廷上下又觉得不是十分妥当，因为从照应北方军事的观点来说，这个都城的地理位置偏在东南，显然是不合适的。”这大概就是永乐皇帝朱棣迁都北京的原因。不过在建都南京时也有一种意见，认为“进则越两淮以北征，退则画长江以自守”。为此朱元璋曾犹豫不决，最后还是决定在南京。在他死后二十三年，即永乐十九年，由他的第四个儿子明成祖朱棣迁都北京，以南京为“留都”。

朱元璋和朱棣，两个明朝的皇帝。一个在南京，一个在北京，都是有所作为的。朱元璋出身贫苦农民，少年时当过和尚，读书不多，深感知识的重要。明代建国之初，便在南京建立了国子监。用现在的话说，这是一所规模很大的国立大学，拥有近万名学生，其中还有朝鲜、日本等国的留学生。

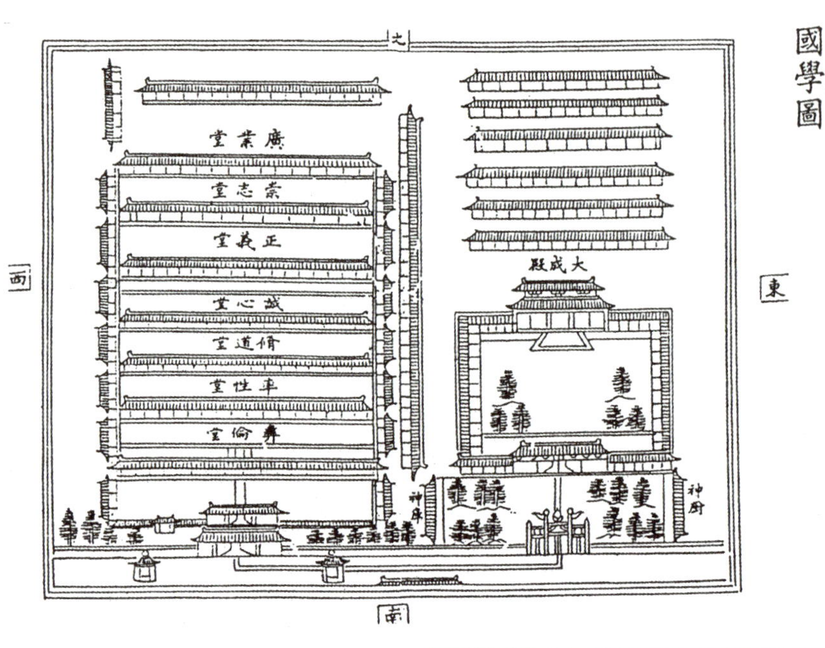

明初南京国学图 选自明代礼部纂修《洪武京城图志》

南京城里壮观的明代宫殿已经不存，只剩下一些巨大的石柱础和墙基。但洪武年间修的城墙依然巍立，周长达 33.65 公里，为世界上最大的城垣。从面对聚宝山的正南门（当时叫聚宝门，即现在的中华门）走进南京城，气势宏伟，令人感到雄壮威严，仿佛见到当年筑城者的高大身影和豪放胸怀。吴晗先生说：“吴兴财主沈万三，多年来在海外作买卖，是全国第一富户，被迫捐献家财修南京城墙三分之一，城修好了，检校们还是不时寻事。又忍痛出钱犒劳军队，不料反而触犯忌讳，元璋大怒，以为平民要犒赏皇帝的军队，是何居心？这般乱民不杀，还杀谁来？经马皇后劝解，沈万三才免死充军云南，家产籍没。”有关沈万三的故事在民间流传很多，山东等地还有民间木版年画刷印，主要是说他靠打鱼为生，因行善放生，救了一批青蛙，得了一只聚宝盆，将各种财宝放进去，便取之不尽，由此成为巨富。吉祥文化中的“聚宝盆”由此而生。朱元璋修建南京城，他出资修了正南门和两边的城墙，所以称此门为“聚宝门”。这都是讲故事。虽然实有其人，但很多情节是虚构的传奇。实际上沈万三是靠了经商，做对外贸易，很可能是通过经营丝绸锦缎等中国特产发了大财，成为江南巨富。

右：南京中华门（明代“聚宝门”）

中華門

早在三国时期的吴国，造船业已很发达。海上大船长达二十余丈(约66米多)，可载六七百人，装万斛(古代以十斗为一斛，南宋末年改为五斗为一斛，两斛为一石)重的货物。梁时，大船可载两万斛。到明代，南京的龙江宝船厂已能造长达170米、宽60米的大海船。郑和下西洋，曾多次乘着这样的船在大海上航行，访问过亚非许多国家，为中外友好往来和文化交流作出了重大贡献。

南京——江苏——江南，是连在一起的；要了解南京，必须熟悉江苏和江南。云锦——丝织——文化，也是连在一起的；要了解云锦，必须熟悉丝织和文化。如果想了解南京，却不知南京在江苏和江南的位置与重要性；想了解南京云锦，又不知它与整个丝织的关系及其文化内涵，不但得不到深刻的认识，甚至会产生误解。“坐井观天”所看到的天虽是圆的，却是很小的；如果出得井来，走向广阔的大地，可就大不一样了。因此，我们谈南京云锦，要放到一个大环境里进行考察。一个民族的传统文化是互为影响、相互联系的，就像我们的丝织，经纬线交织在一起，不能分开，也分不开的。

第四节 ◎『衣被天下』——江南纺织的集散地

江南的富庶，表现在物质生产上是多样的、全面的。不仅是『鱼米之乡』，也是『衣被天下』。人生之需，衣食充实，真正地做到了丰衣足食。正因为有了这样雄厚的基础，才在文化上绽放出多彩的百花，从而确定了它在全国的历史地位。

在中国历史上，六朝之首起始于三国时期的吴国。当时蜀国以锦著名，成都被称为“锦城”，诸葛亮视锦的生产为军费来源，可见规模之大。吴国的丝织也很发达，技艺很高。东晋时王嘉在《拾遗记》中讲了一个“三绝”的故事：

吴主赵夫人，丞相达之妹。善画，巧妙无双，能于指间以彩丝织云霞龙蛇之锦，大则盈尺，小则方寸，宫中谓之“机绝”。

孙权常叹魏、蜀未夷，军旅之隙，思得善画者，使图山川地势军阵之像。达乃进其妹。权使写九州江湖方岳之势。夫人曰：“丹青之色，甚易歇灭，不可久宝；妾能刺绣，作列国方帛之上，写以五岳河海城邑行阵之形。”既成，乃进于吴主，时人谓之“针绝”。虽棘刺木猴，云梯飞鸢，无过此丽也。

权居昭阳宫，倦暑，乃褰紫绡之帷。夫人曰：“此不足贵也。”权使夫人指其意思焉。答曰：“妾欲穷虑尽思，能使下绡帷而清风自入，视外无有蔽碍，列侍者飘然自凉，若驭风而行也。”权称善。夫人乃析发，以神胶续之。神胶出郁夷国，接弓弩之断弦，百断百续也。乃织为罗縠，累月而成，裁为幔，内外视之，飘飘如烟气轻动，而房内自凉。时权常在军旅，每以此幔自随，以为征幕。舒之则广纵一丈，卷之则可纳于枕中，时人谓之“丝绝”。故吴有三绝，四海无俦其妙。

这个故事也载于唐代张彦远的《历代名画记》，并且将“吴王赵夫人”列为吴国两大画家之一，与曹不兴并列。所谓“三绝”，可能有些夸张，但不会是空穴来风，出于虚构。就像黄帝之妃嫘祖被奉为先蚕一样，反映了养蚕的现实。这是古代帝王常用的一种手法，说明了三国吴的织绣水平已经很高。这种高水平应是在普及的基础上升华的。

江南的丝织，特别是南京的织金丝织物，真正的大发展是在明清两代。明代丝织已进入盛期，而南京处在制高点上。朱元璋早在明代建立的前一年（1367 年）就在南京设立了“尚染局”（内织造局）；洪武年间，又先后设立了“神帛堂”和“供应机房”，分别织造皇帝的龙衣、祭服和宫中所用的各种彩锦。另外还有一家“南京工部织染所”，不知与“后湖织造局”是否是一家机构。

明初洪武年间，礼部纂修《洪武京城图志》。历史学家柳诒徵在该书“跋”中说：“明祖定鼎金陵，虽上六朝、南唐之绪，然规恢宏伟，远非前代所可同日而语。”其中的“街市桥梁图”标有“织锦”三坊，并考释曰：

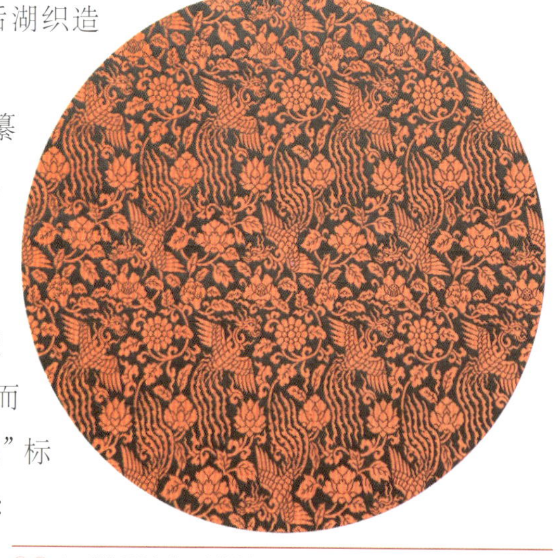

上：明代黑地红花凤串枝花缎　右：明代大黑天抹梭妆花唐卡　私人收藏

明万历黄地云龙海水孔雀羽织金妆花缎 故宫博物院藏

织锦一坊　在聚宝门内，旧桐树湾街。

织锦二坊　在镇淮桥北，旧国子监街。

织锦三坊　在织锦二坊北，旧关王庙巷。

这一带大约都是手艺人的聚集地。三条街上所住的织锦机户，有可能是官署的，也有可能是民间的。另外，南京市场很多，其中“上中下塌坊，在清凉门外屯卖段匹布帛、茶盐纸□等货”。当是丝绸锦缎的贸易之处。

钟山巍巍，大江滔滔；
钟山苍苍，大江洋洋。
地辟天开，金陵大哉！

这是《洪武京城图志》的作者在序言中的诗句。南京是可爱的，也是可敬的。两千多年来，她不知孕育了多少财富和人文。1644年，明朝在中国历史上谢幕了，但南京和南京云锦的脚步并没有停止。

明朝覆亡的第二年，清兵南下，福王朱由崧及大学士马士英等遁走，明朝官员开城出降，因而南京城没有遭受大的破坏。社会秩序也比较平稳，丝织业又恢复起来了。清王朝在开国之初，皇室朝廷所需的各式锦缎供服饰、陈设、赏赐等数量极大，江宁织造局也很快奉命开工。但苏州、杭州两个织造局恢复较晚，因为早在明天启七年（1627年）就奉旨停织了。

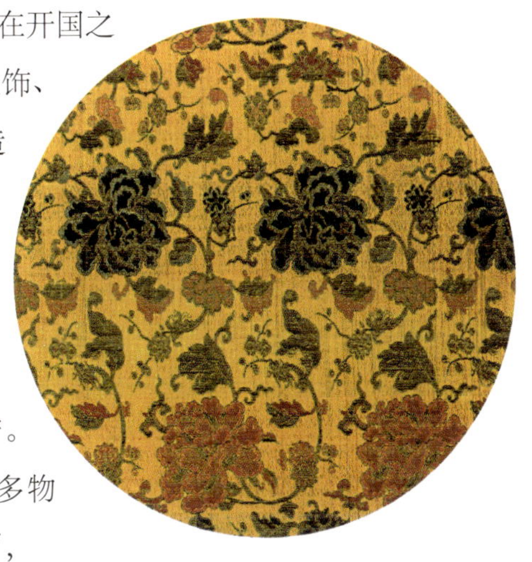

◎◎ 清代黄地缠枝牡丹纹芙蓉妆 选自金文《南京云锦》

清朝建都北京，改南京为江宁。虽然政府在北方，但在经济和许多物资的供应上仍靠江南。丝织方面，除江宁之外，在苏州、杭州也都设有宫廷的织造局，并有所分工。

据《清会典》记载："织造在京有内织染局，在外江宁、苏州、杭州有织造局，岁织内用缎匹，并制帛诰敕等件，各有定式。凡上用缎匹，内织染局及江宁局织造；赏赐缎匹，苏杭织造。"

又据光绪《大清会典事例》卷一一九〇"内务府库藏"记载："顺治初年定：御用礼服，及四时衣服，各宫及皇子公主朝服衣服，均依礼部定式，移交江宁、苏州、杭州三处织造恭进。"

清代的"江宁织造"，通常分为两个部分：一是"织造衙署"，督理织造官吏驻扎及管理织造行政事务，带有官署性质；二是"织局"，系织造生产的官局作场。

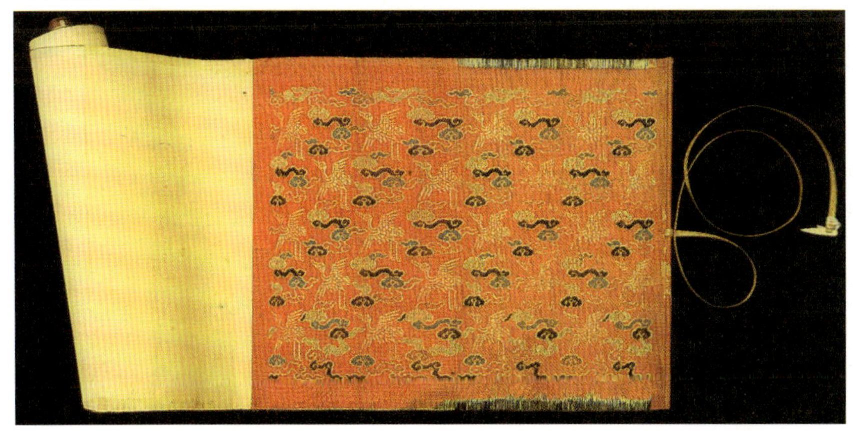

◎◎ 清康熙云鹤纹诰封卷头织锦 选自金文《南京云锦》

江宁织造局作为宫廷的直辖机构，其隶属关系和官员人选，经常变动。从顺治二年(1645年)开织，到光绪三十年(1904年)裁撤，中间还夹着一个太平天国，间断了若干年。前后二百多年，主管织造的官员先后达数十人，惟独曹家祖孙三代四人——曹玺、曹寅、曹颙、曹頫，连任达六十多年之久，影响很大。主要是与康熙皇帝有特殊的关系，尤其是曹玺、曹寅父子，在南京所从事的活动，方面很多，远远地超出了织造事务的范围。小说《红楼梦》的作者曹雪芹，就出身于这个“织造世家”。其中涉及到有关衣着穿戴和丝织的一些情况，我们将在后面讲述。

1853年，太平天国定都南京，改名为“天京”。朝内宫中设有“织锦匠”，主织“绛丝”和“妆缎”(妆花缎)；城内设有“织营”，有织匠三千多人。太平天国失败后，清王朝于同治四年(1865年)重建江宁织造局。

南京的民间丝织业，在明代已出现了独立经营的机户。至清代乾(隆)嘉(庆)年间，南京民间丝织机台(包括缎、锦、绸、纱、绒等织机在内)已发展

◎◎ 左：清光绪粉色地玉堂蝴蝶富贵团花纹妆花缎 故宫博物院藏 上：清同治红地折枝牡丹纹闪缎 清宫旧藏

至三万多台。至道光年间,包括城厢内外,各类机台的总数已达五万多台。这是南京历史上丝织的鼎盛时期。

但是在清朝初年,对民间丝织业的发展限制很严。曾有机房开机不得超过百张的规定。如若超过,每张须交税五十金,还要向织造衙门申请文凭(执照),经批准注册后才能开织。这条规定,据说最初是从供求关系方面考虑的。因为丝织品是一种贵重商品,供求关系不能失衡,否则会造成市场紊乱,产品质量下降。这是一项很严肃的思考,其中大有学问。当然,规定太严会束缚手脚,不利于发展,但取消限制也会造成失控。当时的江宁织造是曹寅。机户要求向朝廷奏免额税,取消开机不得超过百张的限制。曹寅对申请的机户说:“此事吾能任之,但奏免易,他日思复则难,慎勿悔也。”结果,经奏请,还是“得旨永免”了。

清代南京籍的学者甘熙写了一本《白下琐言》,记述南京各方面的趣闻逸事。在卷八中谈到南京的丝织和棉织,大约是清代中后期的情况。他说:

蚕桑盛于苏浙,金陵间亦习之。然丝质粗肥,远逊湖宁,惟织工,推吾乡为最。入贡之品出自汉府,民间所产均在聚宝门内东西偏,业此者不下千数百家,故江绸贡缎之名甲天下。翦绒则在孝陵卫,其盛与绸缎埒。交易之所在府署之西,地名绒庄。日中为市,负担而来者,踵相接也。自屡经荒歉,贸易日就消减,以今较昔,不过什之二三,观此而民生之凋敝可知矣。道光庚子,静斋叔父在常州奔牛镇及浙江石门斜桥等处,雇觅职工来省,捐赀备办棉纱,于孝陵卫一带设机织布,令绒机失业。男、妇习之,价廉工省,日用必需,此业一开,补救不小,洵百世之美利也。惟织布所用棉纱,必得崇明、通州所产者,绪理紧密,绵绵不断。若孝陵卫及乌江之花,只可作衣棉,不堪织布。所望有力者,赴崇明、通州等处广为才买,轻其值以鬻之,则习之愈多,流通以广,安见民气不可日振耶?直隶无木棉。乾隆间,方恪敏公为总督,教民种之,有《种棉图》石刻传世。迄今百余年来,北地木棉广出,民利无穷,可见为政在人,顾力行何如耳?

◎◎ 纺线与织布二图局部 清嘉庆十三年刊《授衣广训》

从这段文字中，可以看出，由丝而棉，丝棉并重，并非是物质生产的简单转移，表面上是受到经济的影响，实际上在生活的深处，是新的充实和扩展，是对古代文明的调节和细化，而且早在元明时代已经认识到这一点，朱元璋也已重视于此了。吴晗说："朱元璋起事的地区，正是元代的种植棉花中心之一，灭东吴后，又取得东南棉纺织业中心的松江，原料和技术都有了基础，使他深信推广植棉是增加农民副业收入和皇朝财政收入的有效措施。龙凤十一年下令每户农民必须种木棉半亩，田多的加倍。洪武元年又把这一法令推广到政令所及的一切地区。…… 到明代中叶以后，棉布成为全国流通的商品，成为人民普通服用的服装原料。"

甘熙在上文中所举的《种棉图》，即方观承编的《棉花图》，亦称《授衣广训》。有石刻版与木刻本，构图基本一致，明显受前代《耕织图》的影响。共图十六幅，分别为布种、灌溉、耘畦、摘尖、采棉、拣晒、收贩、轧核与弹花、拘节、纺线、挽经、布浆、上机、织布、练染等，表现了从棉花种植到棉布织染的全过程。木刻本分上下两卷，由方观承写说明，乾隆皇帝弘历、嘉庆皇帝颙琰和方观承三人题诗，由内廷于嘉庆十三年 (1808 年) 刻印出版，对于推广植棉和棉织，在全国产生了很大影响。棉织的普及，对于中国人的生活，在物质功能上，与丝织起了互补的作用。

◎◎明代万历皇帝妆花纱龙袍料（局部）南京云锦研究所复制

第三章 ◎ 皇帝的龙袍

第一节 ◎ 摘下天上的彩云

中国古人敬天，视云为天之气。在全人类的造型艺术中，古往今来，惟独中国人画云是有形的，并且能够叫出它的名称，如行云、流云、卧云、连云及四合云、如意云等。人们通过想象，能把天上的彩云摘下来，织成云锦。

在云锦中有“四合云”，是个传统的纹样。由四朵云组合在一起，四边连着流云，各朝着一个方向作回旋状。东西南北，四方联合，象征着祥和一统，它与“六合同春”的含义是基本相同的。南京云锦艺人的创作口诀说：“行云绵延如流水，卧云平摆像如意。小云巧而生灵，大云通神连体。”云锦中有不少以四合云为主体的图案，有的与龙凤相组合，有的与八仙、八吉祥等组合，或者间以蝙蝠、花卉等。用金线和彩线织成的云纹，同各种寓有吉祥内容的形象交错在一起。画面生动，金碧辉煌，不知是在天上还是人间的天堂。

云气本是一种水雾。因地面湿润，水气上升，在高处遇冷而凝成无数细微的水点，成团浮游于空中，这就是云。因为云是水的结晶，在太阳斜照时会反射出五彩的色晕，非常美丽，飘动着而变化无穷。于是，人们由这绚丽的云霞联想到天上的神仙。在想象中，那些仙人就是乘着云彩飘来飘去，平稳、舒展而潇洒，没有颠簸，不会相撞，既胜过古代的豪华马车，也比现在的小汽车优越得多。

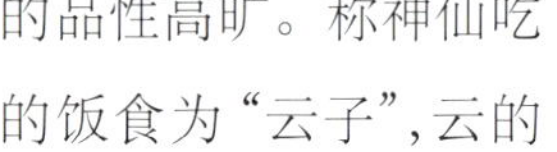

◎◎ 四合云（明代《大藏经》封面）蓝色地织黄色云龙纹两色缎 故宫博物院藏

然而，想象不是现实。即使如此，人们还是喜欢仰望天空，看那美丽的彩云。以“云上”形容人的品性高旷。称神仙吃的饭食为“云子”，云的脂膏叫“云腴”。《云笈七签》说：“云腴之味，香甘异美，强骨补精，镇生五脏，守炁凝液，长魂养魄，真上药也。”神仙之食一般人是得不到的，便称生在高山上的茶叶为“云腴”。“衰翁剧饮虽无分，且喜云腴伴独醒。”这是宋朝人谢人送茶的心情。

古乐舞有“云门”，那是天上的舞蹈。“广水浮云吹，江风引夜衣。”“云吹”是乐府的歌曲。“遥知玉窗里，纤手弄云和。”“云和”是周礼的乐器。僧道云游、名士隐居的地方称“云房”。“石路特来寻道者，云房空见有仙经。”元代以来，民间妇女俗以锦绣做成四垂云的披肩，青缘嵌金，黄罗五色，称作“云肩”。现在的民间婚礼上，有的新娘还披着这种云形的装饰，一个“云”字，会如此搅动人们的心，就因为它有仙气，在想象中是神仙的所在。

传说中能够将彩云织成云锦的，最初只有天庭中的七仙女，也就是“织女”。宋应星在《天工开物》中说“天孙机杼，传巧人间”。只说织女是天帝的孙女（有的说是外孙女），并没有说明怎样“传巧人间”。由牛郎星和织女星演绎而来的“牛郎织女”故事，也因为织女下凡的复杂情节，而掩盖了织锦的细节。后来的“董永卖身葬父”感动了七仙女下凡，所演绎的《天仙配》（《槐荫记》），两人由老槐树做媒成婚，织女以织锦助董永还清了债，也没有交代织锦的事。至于天上究竟有几个“七仙女”，更不必认真追究，因为故事的编造都是相对独立的，并非一个系统；就像她们的祖母西王母（王母娘娘），什么时候成了玉皇大帝的皇后？最早的配偶“东王公”哪里去了？因为不是一回事，不能将不同的故事连在一起。

“云锦”名称的出现虽然很早，但最初并不是特指某一地方织锦的专用名称，只是织金锦出现之后，才以其称誉那高超的技艺和创造的绚丽之美。蒋赞初先生说：“从南朝织锦的命名来看，首次出现了‘云锦’的名称，见于南朝的文献《殷芸小说》，该书的原文为：‘天河之东有织女，天帝之子也，年年机杼劳役，织成云锦天衣。’作者借神话的叙述，道出了人间巧妇的精湛技艺，这也是云锦之名在文献之中的最早出现。而《齐书·舆服志》亦有‘加饰金银薄，世亦谓之天衣’的记载，可与同时代的《殷芸小说》所述相互印证。据《太平御览》卷八一五引魏文帝曹丕之诰：‘自吾所织如意、虎头、连璧锦，亦有金薄，来自洛邑。’研究者认为加金薄的锦即是织金锦，其做法始于三国。由此，亦可证明‘云锦’之名始于南

◎◎ 清雍正香色地片金云蝠纹织金绸 故宫博物院藏

朝，而且特指加饰金银薄的织金锦而言。”

可能是因为“云锦”之名太金贵了，只能织“天衣”，在人间也只有皇帝才能服用，一般人是不能随便乱用的。在往时的南京，不论是官府织局还是民间机房，一般都不使用“云锦”这个名称。官方多称织造，民间直呼缎匹、妆缎、库金等。元明时代，云锦的织造大都由官府织局操办，主要为皇家贵戚服务；工匠来自固定的徭役机户，民间个体经营的“小机织”不多。清代时有所改变，但在经营规模上受到严格的限制。清初规定，民间机户开机不得超过百张，超过的不但要申请批准，还要交很高的税金。后经江宁织造曹寅（曹雪芹的祖父），奏请免除了机数的限制和税额，民间机户得到迅速发展。自康熙至道光年间，南京的丝织业进入了鼎盛期，除了织匠之外，包括一些辅助行业（如颜料、染丝、金箔、梭具等），从业者达到二三十万人。这也是民间行会建立较晚的一个原因。清光绪二十一年（1895 年）云章公所成立，使用“云章”之名，而不用“云锦”。

云章公所是南京民间丝织业的同业公会，坐落在南京城南秦淮河畔机户聚居区的一条巷内，名叫黑簪巷，南侧十三号，一座突兀高大的门楼，檐下正中悬挂着“云章公所”四个端庄大字的匾额。一百多年的风雨变迁，内院已是面目全非。同巷的一家老字号“吉公兴”旧址，是一座四进的传统灰砖建筑。这是当年的机户，与云章公所相呼应，触景生情，仿佛还能听到隐约的机杼声，但不知还能存在多久。

故宫博物院收藏着不少南京云锦，都是当年江宁织造局为宫廷所织

◎◎南京“云章公所”匾额 清光绪二十一年（1895年）立

的。在成卷的匹料末尾，都要织上江南织造臣的名字。所见者如“江南织造臣七十四”、“江南织造臣忠诚”、“江南织造臣庆林”、“江南织造臣贵存”等官员。这些官员的名字，有的在今天读起来可能不习惯：“七十四”是人名，江宁织造臣，道光三年(1823年)在任；“忠诚”也是人名，三品衔造办处郎中，江宁织造臣，同治八年(1869年)十一月在任；庆林，二品顶戴升补三品卿银库郎中，同治十年(1871年)八月在任；贵存，光绪年间在任。历年来江宁织造臣调换得很频繁，有几十人之多。

清朝末年，江宁织造局于光绪三十年(1904年)奉命裁撤。以后数年宫廷所需丝织品都是向民间机户采购。当时机户的字号已经很多，如清末民初的正源兴、涂东元玉记、源丰、方永泰等。另外，还有在锦角上织出“机匠吴膑”、“机匠夏德”、“机匠王援”等的。这种在丝织品上织出负责人、机户字号和机匠名称的做法，今天的人们看来颇有广告意味，实际不然。它是从秦汉以来所实行的“物勒工名”制度。在古代，既非广告宣传，也不是对劳动者的尊重，而是为了便于监督检查，追究责任。

◎◎ 云锦仙鹤纹（织金妆花缎）

云锦典丽辉煌，豪华富贵，但织造复杂，精工费时。在片片彩锦的背后，不知流淌着多少织造者的泪水和汗水。即使如此，身怀绝技的艺人还是以此为荣，具有一种自豪感。因为他织的是“天衣”，是天上的“织女”所传授的人间巧艺。

第二节◎『垂衣裳而治天下』

古代社会的最高统治者是皇帝，所谓『君权天授』。
这些『真龙天子』，对人民有绝对的权威。
历史证明，开明有为的皇帝可使国家富强，
但君位世袭，遇到昏庸的继承者只好国家遭难。
他们穿着煌煌的龙袍，
所谓『垂衣裳而治天下』。

为什么叫“垂衣裳而治天下”呢？语本《易经·系辞下》：“黄帝尧舜垂衣裳而天下治，盖取诸《乾》、《坤》。”通常所引与原文在“治”字上有前后出入，“治天下”（治理国家）与“天下治”（国家安定）是大不一样的。不论“治天下”还是“天下治”，历来的解经者多是就字面解释。黄寿祺、张善文《周易译注》说：“黄帝、尧、舜改进服制，让人们穿着长垂的衣裳而天下大治，这大概是吸取了《乾》、《坤》两卦（上衣下裳）的象征吧。”注说：“垂衣裳而天下治——指黄帝以后，制衣裳为服饰而天下大治。《集解》引《九家易》曰：‘黄帝以上，羽皮革木以御寒暑，至乎黄帝，始制衣裳，垂示天下。’《正义》：‘以前衣皮，其制短小；今衣丝麻布帛所作衣裳，其制长大，故云‘垂衣裳’也。”

以上的解释不能说错，但没有触及事物的本质。穿上长长的衣裳怎么就会天下大治了呢？一个国家的兴旺，安定只是一个方面，不仅要富强，人民安居乐业，还必须有高度的文明。如果一个统治者穿着杂乱的兽皮治理国家，说明这个国家的文化与文明是不高的。因此，“垂衣裳”不仅标志着生产与生活的提高，更重要的是文明的象征。长袍本身是不能治理国家的，但有了产生长袍的各种条件，天下就会得到治理。同样，礼仪的作用也是如此。秦始皇是我国历史上的“始皇帝”，看他的画像，身着冕服（礼服），即“垂衣裳”，确实会产生一种气派，所谓“非壮丽无以重威”也。

◎◎秦始皇像 选自《中华古文明大图集》

汉刘邦“以布衣提三尺取天下”，他出身平民，只是在农村当过一个小小的亭长，没见过大世面，也看不起当时读书的儒生。他当了皇帝，宫廷中仍然杂乱无章。翦伯赞先生在《秦汉史》中说：“刘邦初都洛阳，不久移至长安。初即位时，曾大宴功臣，但是当时的所谓功臣，多半不懂什么朝拜皇帝的仪式，他们喝醉了酒，就拔剑击柱，说刘邦封赐不平。当时有一位投降汉代的秦博士叔孙通，他曾经看见过秦始皇的派头，对于这样拔剑击柱的情形，有些看不惯。于是自告奋勇，愿替新朝起朝仪。他奉了刘邦的命令，去征聘鲁国的儒生，结果征集了三十余人。其时有两位儒生不肯来，并且把叔孙通大骂一通。他们说：‘公所事者且十主，皆面谀以得亲贵。今天下初定，死者未葬，伤者未起，又欲起礼乐。礼乐所由起，积德百年而后可兴也。吾不忍为公所为，公所为不合古，无不行，公往矣，无污我。’叔孙通碰了一个大钉子，只好说了一句：‘若真鄙儒也，不知时变。’就带着那三十几位投降新朝的儒生回到长安，然后在长安郊外，用稻草人，导演朝仪。教了群臣，又教皇帝。教了一个多月，群臣也知道如何磕头呼万岁,刘邦也知道了当群臣向他磕头呼万岁的时候,他应该如何不动声色,就像没有看见一样。适逢长乐宫成,于是就正式演示一次,果然味道不错。于是刘邦不觉高兴地说了一句,'吾乃今日知为皇帝之贵也。'从此以后,那位以儒冠为溺器的马上英雄,也觉得那些下流儒者,颇有用处,因而叔孙通及其弟子,也都得到了一官半职。"

古代儒家所提倡的"礼",是以仁德为前提的。所谓"道之以德,齐之以礼,有耻且格"(《论语·为政》)。用德来治理老百姓,用礼来约束他们,他们就会有羞耻之心,也就守规矩了。《礼记·曲礼上》说:"道德仁义,非礼不成。教训正俗,非礼不备。分争辨讼,非礼不决。君臣上下父子兄弟,非礼不定。宦学事师,非礼不亲。班朝治军,莅官行法,非礼威严不行。祷祠祭祀,供给鬼神,非礼不诚不庄。是以君子恭敬撙节退让以明礼。……是故,圣人作,为礼以教人,使人以有礼,知自别于禽兽。"也就是说,以礼为管理社会的重要手段,而礼乐、礼仪则是一些表现形式。在这些表现形式中,服饰便是重要的一种。贾谊《新书·服疑》说:"贵贱有级,服位有等,……天下见其服而知贵贱。"自周代以来,每逢改朝换代,都要先易服色,制定本朝的冠服制度,以此视为统治者的威仪,借以安定社会秩序。特别是历代帝王所服用的龙袍,是至高无上的。

所谓"龙袍",既是因为"真龙天子"所服,也确实在上面织绣着许多

明代万历皇帝黄缂丝十二章福寿如意纹衮服 南京云锦研究所复制

◎◎ 清乾隆明黄地云龙纹织金妆花缎戏衣 故宫博物院藏

龙的纹样。闻一多说："就最早的意义说，龙与凤代表着我们古代民族中最基本的两个单元——夏民族与殷民族，因为在'鲧死，……化为黄龙，是用出禹'和'天命玄鸟（即凤），降而生商'两个神话中，我们依稀看出，龙是原始夏人的图腾，凤是原始殷人的图腾……图腾式的民族社会早已变成了国家，而封建王国又早已变成了大一统的帝国，这时一个图腾生物已经不是全体族员的共同祖先，而只是最高统治者一姓的祖先，所以我们记忆中的龙凤只是帝王与后妃的符瑞，和他们及她们宫室舆服的装饰'母题'，一言以蔽之，它们只是'帝德'与'天威'的标记。"

的确，在中国古代社会，龙与凤这两种虚拟的祥瑞禽兽主要成了帝后的象征。在皇家的服装器用上满饰着龙凤。虽然如此，在民间并没有完全禁绝，只是避开了与皇家在形式上的一致，否则也会惹出麻烦。

所谓"龙袍"，只是一个统称。大体可分二类，一类是朝服（礼服），即皇帝上朝时所穿的龙袍，或在登基、大婚、庆典、祭天地等重大典礼和祭祀活动时所穿的礼服；另一类是日常所穿的礼服。不论朝服、礼服、常服，都织绣着龙的纹样。宋应星《天工开物》说："凡上供龙袍，我［明］朝局在苏杭。其花楼高一丈五尺，能手两人，扳提花本，织过数寸即换。龙形各房斗合，不出一手。赭黄亦先染丝，工器原无殊异，但人工慎重与资本皆数十倍，以效忠敬之谊。其中节目微细，不可得而详考云。”

关于龙袍的织造，这里只说是苏州和杭州，没有提到南京，实际上，主要的朝服都是用南京的织金云锦制造的。当时在南京有朝廷直属的三家织造机构。明太祖朱元璋早在建立明朝的前一年（1367 年），就在南京设立了“尚染局”，即“南京内织造局”的前身。洪武年间，又先后设立了“供应机房”和“神帛堂”两家织造机构。据史料记载，供应机房亦生产龙衣和彩锦等丝织物。单就嘉靖二十四年（1545 年）一年，就曾织造上用丝纱罗织金彩妆等龙袍料共 1125 匹，物料工价银达 17878 两之多。至于神帛堂，主要是织造皇帝用于祭祀的各色丝织品，有织机 40 张，食粮匠人 1200 名。

不难设想，这些设在宫廷中的织造机构，外人所知甚少，正如宋应星所说：“不可得而详考云。”

清代三百年，是北方的少数民族贵族统治汉族，因而许多民族习惯不同于汉族，服饰方面也是很明显的。《清通志 · 器服略》载：“皇帝龙袍，包明黄，领、袖俱石青色金缘，绣化金龙九，列十二章，间以五色云，领前后正龙各一，左右及交襟处行龙各一，袖端正龙各一，下幅八宝，主水。裾左右开。”皇太后、皇后等也是龙袍，各有规定。

龙袍的制作是非常复杂的。织造一件龙袍的面料，需要专门的设计。因为全体都有花纹，故称作“定位设计”。即按照服制的规定和图样，根据皇帝的身材高度，确定龙纹的位置，以及各部分花纹的大小方位，由一件龙袍各部组合所占的面积，定出匹料的长度。一件龙袍的用料，就是一匹织锦。织好以后，裁剪缝纫时只要按照各部分图案的外边剪开就行了。中国丝绸博物馆陈列的清代龙袍料，门幅为 76. 5 厘米、匹长 7. 31 米。南京云锦以织造龙袍最能显示其特色。一般的织锦是以花纹的反复连续为单元，编结“花本”小者几厘米，大者几十厘米，超过一米的不多。但是，一件龙袍的花本长达七米多，可见其难度和费工费时。

龙袍的图案纹样也很复杂，而且各部分都有吉祥的寓意。譬如前身下摆的正中，有对称的龙纹和山水纹等，艺人专称“云龙八宝寿山福海纹”，实际上已是祝颂词。这种花纹，通俗的则称“飞龙在天，江山万代”。

◎◎ 右：清末云龙八宝寿山福海纹妆花局部 南京云锦研究所复制

第三节 ◎ 服制与服饰

皇帝被称作『人君』，奉为『圣人』；
在他的礼服上装饰着十二种符号，象征无所不晓。
为了稳定社会秩序，人分尊卑和等级，
在官员衣服的胸背上缀一个方形的动物纹样，
区别官位高低，不能僭越。

古代皇帝所穿的龙袍，画龙是表明尊贵，并说明与上天可通的关系。作为人间的帝王，日理万机，治理一切，如何表现这种智慧和能力呢？又在他的袍服上画出十二种符号，代表着十二个方面，称为“十二章”。这十二章的形象是：日、月、星辰、山、龙、华虫（雉，即山鸡）、宗彝（祭祀用的礼器）、藻（水草）、火、粉米（白大米）、黼（斧头形的花纹）、黻（两个相背的“弓”形纹）。

《尚书》是我国现存最早的关于上古时期典章文献的汇编。相传曾经由孔子编选，儒家列为经典之一。原来分作《虞书》、《夏书》、《商书》、《周书》四个部分，秦始皇焚书之后已经不全，并且有作伪的篇章。《虞书》原有五篇，有关“十二章”的记载既在《益稷》篇中，又在《皋陶谟》篇中。是舜对禹说的话。

原文是:“予欲观古人之象,日月星辰山龙华虫作会,宗彝藻火粉米黼黻絺绣,以五采彰施于五色,作服,汝明。”古人上衣下裳,这里的上衣“作会(绘)”是画出花纹,下裳“絺绣”是绣上花纹,说明那时还没有织锦出现。“汝明”是让你辨别明白。直到汉文帝刘恒,也没有弄清楚。他说:“盖闻有虞氏之时,画衣冠异章服以为僇,而民不犯。何则?至治也。”(《史记·孝文本纪》)这里所讲的“画衣冠异章服”当有两种情况,一种如十二章,另一种则是对犯罪者,所谓“画衣冠而民知禁”。

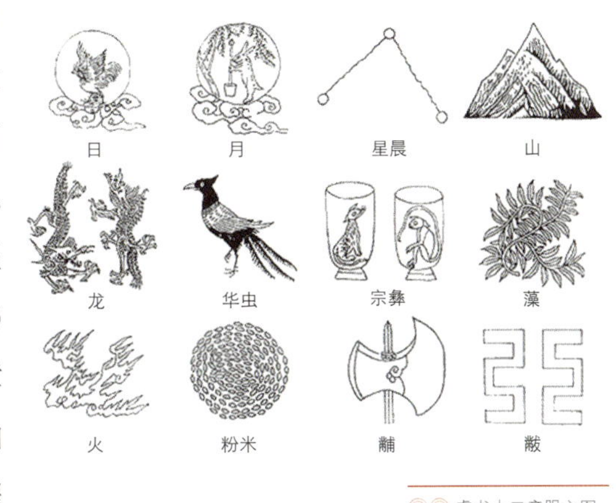

◎◎ 虞书十二章服之图

隋代顾彪在《尚书疏》中说:“日月星辰取其照临,山取其能兴雷雨,龙取其变化无方,华取文章,雉取耿介,藻取有文,火取炎上,粉取洁白,米取能养,黼取能断,黻取善恶相背。”

夏鼐先生在《中国文明的起源》一书中说:“至于汉代丝织物的花纹,它们是以装饰性为主的。《后汉书·舆服志下》中说:‘乘舆(皇帝)备文,日、月、星辰十二章,三公诸侯用山、龙九章,公卿以下用华虫七章,皆备五采。’这些富有象征意义的花纹当是刺绣或彩绘的。但是一般作衣服之用的绮、锦等类丝织物,它们的花纹就考古发掘所得的实物来看,主要是装饰性的,并不一定有宗教性或象征性的意义。”原书注说:“所谓十二章,乃指日、月、星辰、山、龙、华虫、宗彝、藻、粉米、黼、黻十二种花纹而言,是饰于古来天子的衣服之上的。各种不同的花纹都具有象征性的意义,本来表示帝王统治下的各氏族(或与各氏族相关的天神地祇)。天子的衣服,饰以这些花纹,便表示他能够得到诸神的帮助,且能使臣下知晓并承认天子将这些神祇(进而将各氏族)置于统属之下。”

很明显,在我国的传统纹样中,“十二章”是古代帝王的专用标志。虽然在文献中也有帝王之下的“九章”、“五章”之类,但未见实物。明代

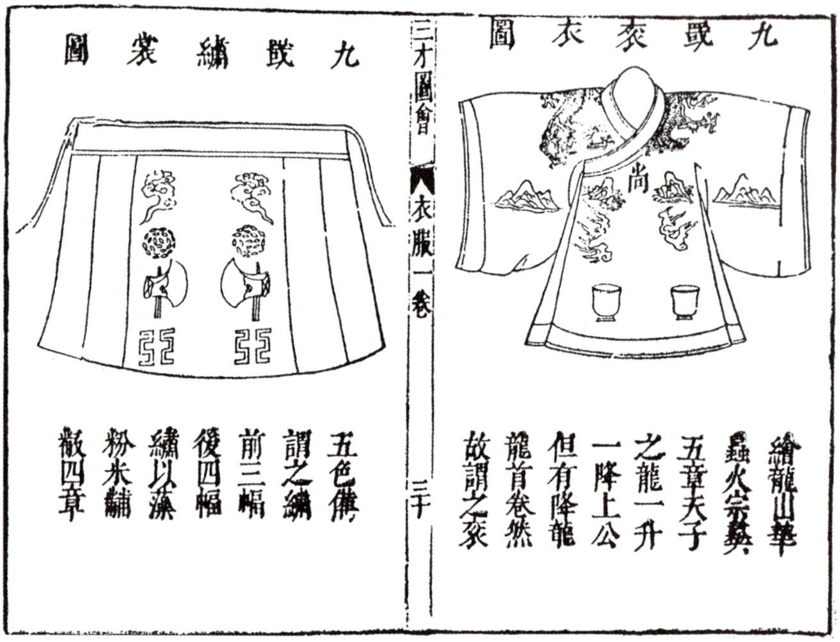

九罭衮衣圖

繪龍山華蟲火宗彝五章天子之龍一升一降上公但有降龍龍首卷然故謂之衮

三才圖會 衣服一卷 三十

九罭繡裳圖

五色備謂之繡前三幅後四幅繡以藻粉米黼黻四章

◎◎九罭衮衣图·九罭绣裳图　选自明代《三才图会》

《三才图会》所列的“九罭衮衣图”、“九罭绣裳图”只可供参考。《诗经·豳风》有《九罭》，是一首贵族宴饮留客的诗。“九罭”是捕捉小鱼的细孔网，诗中有“我觏之子，衮衣绣裳”句。说明这种衣裳只能贵族服用。

在漫长的古代社会中，皇帝的龙袍代表着“帝德”与“天威”，是“天子”专用的服装。龙袍上的龙纹，多是正面张口的团龙，全是五爪，狰狞可怖，见而生畏，它象征着至高无上的权威和尊严。现代人看了，真有所谓“张牙舞（五）爪”之感。这是天下只准一件的衣服，又为云锦所织，织造技巧也是最高的；典丽厚重，金光灿烂，其意义是很明显的，难道不值得织造者夸耀吗？

第四节◎丝、麻、葛、棉的变奏

地球上有许多国家，各国气候都有差异。像中国这样四季分明的不多。春暖、夏热、秋凉、冬寒；寒来暑往，有利于农作物生长，也适于人居住。我们的民族在这片神州大地上生存衍息，发展农业，解决衣食之需。

人的生存，衣食为重。远古的人与动物搏斗，借以获得肉食，并以动物的皮作衣服。以后逐渐分离，有的耕种粮食，开始了农耕生活。传说中的炎帝神农氏，便是我国农业之祖。《周书》说："神农之时，天雨粟，神农遂耕而种之。作陶冶斧斤，为耒耜锄耨，以垦草莽。然后五谷兴助，百果藏实。"《拾遗记》说："炎帝时，有丹雀衔九穗禾，其坠地者，帝乃拾之，以植于田，食者老而不死。"这是一些传说，由此不难窥见历史的影子。人们不但从耕种粮食中获得食物，连穿衣也向土地索取。据考古发掘证明，早在六七千年之前，新石器时代的仰韶文化陶器中已有纺轮，样子像个小圆饼，中间有孔，可以插一根细竹棒，是用来转动捻线的。在河南陕县庙底沟仰韶文化遗址中出土的一个器耳上，印有清晰的布纹。这是在制作陶器时，由垫布所压上的。布纹在一平方厘米内，经纬各有十根，已和现代的粗麻布相近，可能是采用野麻纤维纺织的。就目前资料所知，麻类纤维是我国最早的纺织原料，直到殷周时期还占着重要的地位。

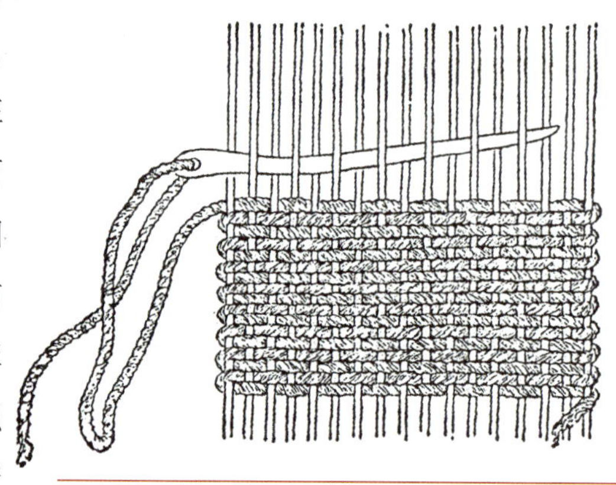

◎◎ 新石器时代骨针的使用（浙江余姚河姆渡遗址出土，复原示意图）

《韩非子·五蠹》说："尧之王天下也，茅茨不翦，采椽不斫，粝粢之食，藜藿之羹，冬日麑裘，夏日葛衣，虽监门之服养，不亏于此矣。"意思是早在尧统治天下的时候，住的是没有修剪过的茅草房，连椽子也没有刨光；吃的是粗粮，喝的是野菜汤；冬天披块鹿皮，夏天穿着葛布衣，就是现在守门奴仆的生活，也不比这个差。这是在不同的文明阶段，物质条件和技术水平的程度差异。1972 年在江苏吴县草鞋山新石器时代的居民遗址中，出土了三块织物残片，据上海纺织科学研究院分析，就是用葛纤维织造的。

遥想古人的生活，每前进一步，都是向大自然索取，发现和利用自然物的某些特性，进行各种造物活动。所谓智慧型的创造，是经验的历史性积累。当原始人进入文明期之后，人们的生活指向也分离了。有的着重于弯弓射箭，以狩猎为主；有的赶着羊群，逐水草而居；也有的固守在一块土地上耕耘，种植粮食作物。在这些不同的自然环境和条件下，人们取得的经验是什么呢？当然不会一样。狩猎者与那些凶猛的野兽搏斗，靠的是力量和机智，曾有过"弱肉强食"的理论；所谓"生态平衡"也不是人为的干预。1958 年我国搞过"除四害、打麻雀"运动，麻雀被消灭了，农业害虫也多起来了。从事农业要复杂得多，需要掌握天时地利的规律，还要了解农作物自身的特点。中国人强调以农立国，以农为"本业"，是与文化的高度发展分不开的。从伦理道德到人文技术，尽管农耕时代的技术是手工经验型的，物理性大于化学性，局限性很大，但仍高于同时代的狩猎民族，建立起民族文化博大精深的完整体系。

在中国古代，如果没有以农业为“本业”，不可能优选出葛、麻作为纺织的原料，更不可能将野蚕培育成家蚕，进而出现全民性的植桑、养蚕、缫丝、织锦。

纺织与编织，从造物的先后序列看，可能是编织在前。陈维稷主编《中国纺织科学技术史（古代部分）》说：“编织技术最初大概是从编结捕捉鱼、鸟的网罗发展到编制筐席，再由编制筐席发展到编织织物的。它们的编制方法基本相同，区别只在于使用的原料不同，成品的结构、紧密程度和用途也不同。”如此看来，从竹藤篾条的编织到利用长纤维的纺织，中间还夹着捻线、缫丝和缝纫，实际上是一个相互联系的系列，只是材料、工艺和用途有所区别。山西永济县张村出土的一块彩陶残片，是新石器时代仰韶文化的遗物。原来的器形已不可知，但花纹比较完整。透过几何形的纹样结构，好像是对于编织纹的模拟。两排连续的椭圆形，每一椭圆中均有十字交叉的编织纹；其间有两条细的饰带，上边的一条像是缝连的针脚，下边的一条却是一排织物的线头。这是一个装饰图案，是受到编织物的启发呢，还是来源于纺织品？即使全然没有这样直接的形象思维，在那时大量的彩陶图案中，抽象形与具象形之间，必然会产生联系。

◎◎ 新石器时代彩陶片上的编织纹 山西永济县张村出土

至于棉花，本是一种热带植物。古代文献和出土文物证明，我国南部和新疆地区早就种植和利用棉花，但中原内地利用较晚。宋元时逐步向长江流域和黄河流域推广，明代普及全国，并得到空前的大发展。植棉和棉纺、棉织不仅淘汰了葛、麻，在数量上和利用率上甚至超过了蚕丝和丝织。

古文献所称之“棉”可分两种，一种是多年生落叶乔木，另一种是一年生棉花，现在多指后者。

元代王祯在《农书》中说棉花的优点是：“不蚕而绵，不麻而布，又兼代毡毯之用，以补衣褐之费。”他又说：“比之桑蚕，无采养之劳，有必收之效；埒之枲苎，免绩缉之工，得御寒之益。”

棉花的推广和普及，除了种植之外，工具和工艺方法的传授非常重要。元代陶宗仪《南村辍耕录》介绍松江黄道婆说：“初无踏车椎弓之制，率用手剖去子。线弦竹弧，置案间振掉成剂，厥功甚艰。国初时，有妪黄道婆者，自崖州来，乃教以做造捍［赶］弹纺织之具。至于错纱配色，综线挈花，各有其法。以故织成被褥带帨，其上折枝、团凤、棋局、字样，粲然若写。人既受教，竞相作为。转货他郡，家既就殷。”

反映在艺术上，宋代有《耕织图》组画，其中织图为丝织。清代有《棉花图》(《授衣广训》)，民间也宣扬植棉和棉纺、棉织。各地木版年画多有《男十忙》、《女十忙》的作品，题材都是男耕女织，清代武强年画题为《纺织全图》，表现了手工纺织的全过程，包括轧棉核、弹棉花纺线、互线、浆线、络线、经线、镶线、织布等工序，并且组织在一幅画面中，既是农村妇女劳动生活的写照，又反映出她们劳动的喜悦心情。

纺织全图 清代河北武强年画

有比较才有鉴别。任何事物都是相比较而显见其特点的。当我们将丝、麻、葛、棉并列在一起时，才明显看出物质的功能（物尽其用）和审美的作用（人文精神）并非是完全一致的。在此还没有提及皮毛制品，以及海南黎族人的树皮衣和黑龙江赫哲族人的鱼皮衣。清代黎族人所织绣的木棉大被（龙被）是向皇帝进贡的，其繁丽之美为汉族所不及。数千年来，中华民族在农耕文化中创造的衣被之需，从大自然的精华中筛选出了“丝”和“棉”。与其说由此分了贵贱，有了“锦衣”和“布衣”，不如说是棉织的朴实和温暖衬托出了丝织的华贵。直到现在，科学技术发达，合成纤维层出不穷，还没有优异于丝棉。值得自豪的是，明清以来，不论丝织或棉织，其发展的中心均在江苏地区，誉为“衣被天下”。

◎◎ 明代绿地仙人祝寿图妆花缎 故宫博物院藏

第四章 ◎『大花楼』——云锦的技艺

第一节 ◎《天工开物》的『乃服』样本

我国的锦缎织造，作为一种丝织的手工技艺，在经历了几千年的实践之后，到明代已升至顶峰，其工巧可说是达到了出神入化的地步，而《天工开物》又作了全面记录。南京云锦既是当时的见证，又是后来的继续。

明代科学家宋应星所著《天工开物》，初刻于明代崇祯十年(1637年)。是记述三百多年前，我国农业和手工业科学技术成就的一部巨著，也是最早的详细介绍云锦织造技艺的文献，可说是与云锦关系最密切的一部书。

《天工开物》共十八卷，分别记述了谷物种植和加工、纺织、染色、制盐、制糖、陶瓷、车船、锻造、油料、造纸、冶炼、采矿、武器、丹青、曲蘖、珠玉等方面的技术成就。有不少工艺措施和科学创见，在当时世界上居于领先地位。

在《天工开物》中，有两卷与纺织有关，即“乃服”和“彰施”。“乃服”卷共分三十五节:

（一）蚕种（做种用的蚕卵。“承借卵生者，或纸或布。”）

（二）蚕浴（浴洗蚕卵，有消毒和复壮两个作用。）

（三）种忌（蚕种的禁忌。对蚕纸的保管方法。）

（四）种类（蚕的品种，利用杂交优势，培育蚕良种的早、晚两种方法。）

（五）抱养（蚕的孵化和饲养。）

（六）养忌（养蚕的禁忌。主要谈气味方面，“凡蚕畏香复畏臭”。）

（七）叶料（蚕的食料。主要有桑叶和柘叶两种。）

（八）食忌（饲蚕方面的禁忌。）

（九）病症（蚕病的症状。）

（一〇）老足（老熟。指蚕的幼虫成熟了，即将吐丝结茧转化为蛹。）

（一一）结茧（嘉兴、湖州结茧有两条经验：经火，透风。）

（一二）取茧（下箔摘茧，剥去茧壳外的乱丝，一名“丝匡”。）

（一三）物害（“凡害蚕者，有雀、鼠、蚊三种。”）

（一四）择茧（“凡取丝，必用圆正独蚕茧，则绪不乱。”双宫茧丝粗。）

（一五）造绵（造丝绵。可用来御寒，也可坠打成线，制成湖绸或花绵。）

（一六）治丝（缫丝，即煮茧抽丝。）

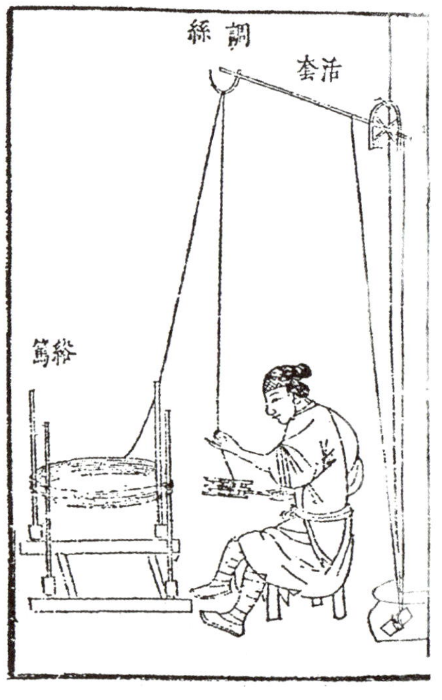

◎◎治丝·调丝 选自明代《天工开物》初刊本

（一七）调丝（把丝绕在篗子上。）

（一八）纬络（把丝绕在纬线管上，又叫卷纬、摇纡。）

（一九）经具（溜眼、掌扇、经耙、印架。）

（二〇）过糊（上浆。用做面筋所剩的小粉，纱罗所必用。）

（二一）边维（边经。丝织品不论是绫还是罗，都要另外牵边。）

（二二）经数（经线的数目。）

（二三）机式（花机式样。即提花织机。高起的部分叫花楼。）

（二四）腰机式（一种用来织绢、绸、纱的小机。）

（二五）花本（织花的样稿，即图案纹样。根据纹样结成花本叫结本。）

（二六）穿经（穿综度经的简称。）

（二七）分名（丝织物的种类和名称。）

（二八）熟练（又叫“精练”或“脱胶”。织后水煮，使生丝变成熟丝。）

（二九）龙袍（皇帝穿的织有龙纹的朝服。）

（二〇）倭缎（即漳缎。但本节所述实为漳绒。）

（三一）布衣（棉织。将棉花取出棉籽、弹花、纺纱。）

（三二）枲著（棉被服。）

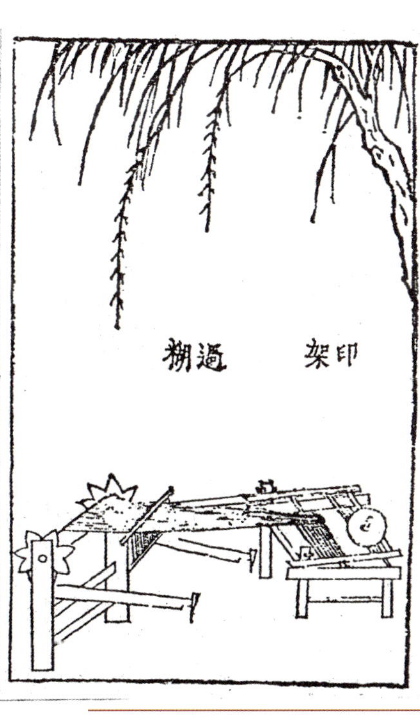

◎◎纺纬 · 过糊　选自明代《天工开物》初刊本

◎◎经具 选自明代《天工开物》初刊本

（三三）夏服（夏天穿的衣服，主要指麻布和葛布。）

（三四）裘（皮衣。“凡取兽皮制服，统名曰裘。”）

（三五）褐毡（粗毛布和毛毡。“毛毡”系毛制无纺布。）

“彰施”卷共分五节：

（一）诸色质料（纺织品的各种染料。）

（二）蓝淀（即蓝靛。“凡蓝五种，皆可为淀。”都是从植物中提取。）

（三）红花（菊科，一年生直立草本。可提炼红色染料。）

（四）造红花饼法（附：燕脂）

（五）槐花（指豆科植物槐树的花蕊和开放的花，黄绿色。）

以上共四十节，以丝、棉为主的纺织工艺，可谓全面。至此，中国的纺织在解决人的衣被之需上达到了完美的程度。当然，这样的成就并非一蹴而就，竟然走了一条漫长的路，长达三四千年。宋应星在列举丝绸锦缎的织造时，在无数的织机中，只是举出了一大一小的两种——“花机”和“腰机”。他在“机式”一节写道：凡花机，通身度长一丈六尺，隆起花楼（提花织机上用人力按花纹样稿编制的部件，以控制部分经线的起落），中托衢盘（调整经线开口位置的部件，今称“目板”），下垂衢脚。

他又在“腰机式”一节写道：凡织杭西、罗地等绢，轻、素等绸，银条、巾、帽等不必用花机，只用小机。织匠以熟皮一方置坐下（腰间），其力全在腰尻（脊骨的末端）之上，故名腰机。普天织葛、苎、棉布者，用此机法，布帛更整齐坚泽，惜今传之未广也。两种织机，一大一小，实际上是一早一晚、一繁一简。小者“腰机”较简，是纺织进入机械操作的初始阶段，而“花机”是经过了无数次改进之后的结果，两者在时间上至少要相差三千多年。但是，当两者在后来并列的时候，又能看出各自的优异。

丝织的品种很多，绝不是“丝绸”、“绸缎”、“锦缎”和“绫罗绸缎”所能概括的。由于各个品种的产生有早有晚，有些在历史上产生的名词，始终没有经过系统的归纳整理。现在有上百个名称。只是，从纺织学的角度，对织物的组织作了定义和图解，有所谓“组织图”和“基本组织”的

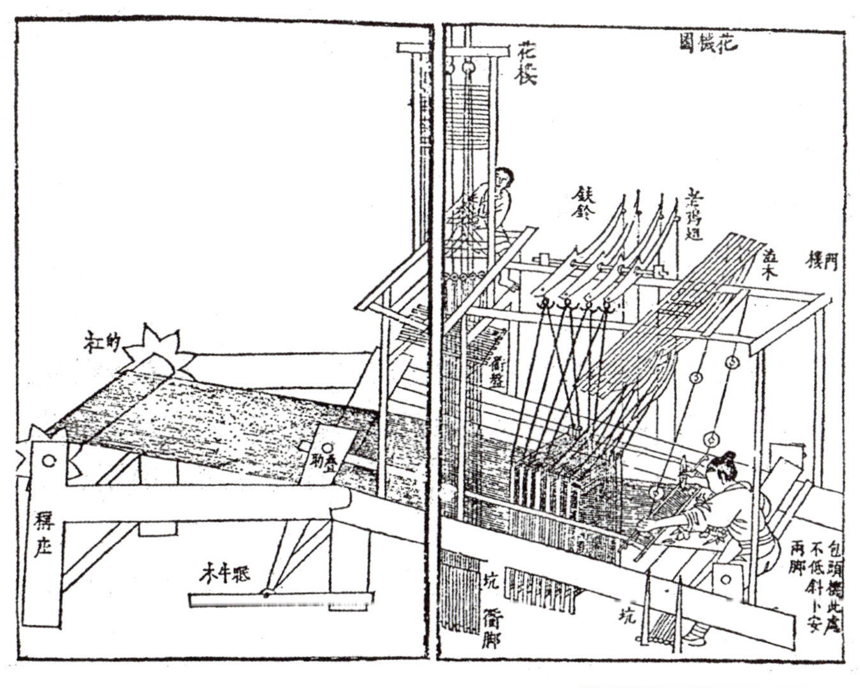

◎◎花机 选自明代《天工开物》初刊本

提法。

“组织图”是表示织物中纱线交织规律的图式。有方格法与线条法两种，方格法应用较多。以方格纸上的纵行表示经线，横行表示纬线；线条也是如此。由此可以看出经纬线交织的规律。

机织的“基本组织”有三类，即平纹组织、斜纹组织、缎纹组织。“平纹组织”的经纬线作一上一下相互交织而成。织物紧密坚牢，素而无花。如棉布中的市布、绸缎中的纺绸、呢绒中的凡立丁皆是。如以平纹为基础，而在其横向或纵向增加连续的经线或纬线，即成平纹变化组织。“斜纹组织”的经纬组织点构成斜线，织物表面呈明显的斜纹。斜纹组织的应用甚广，如卡其、哔叽、华达呢等均是。“缎纹组织”的经纬线交织，其位置按一定的规律分散，且有较多的经线或纬线浮现于织物表面，其跨度都很大。表面平整，富有光泽，手感柔软，如软缎、直贡呢、横贡呢等。以缎纹组织为基

纺织工艺组织图（方格法·线条法）

平纹

斜纹

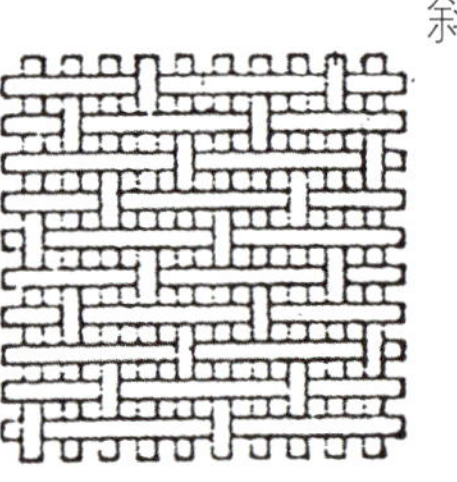
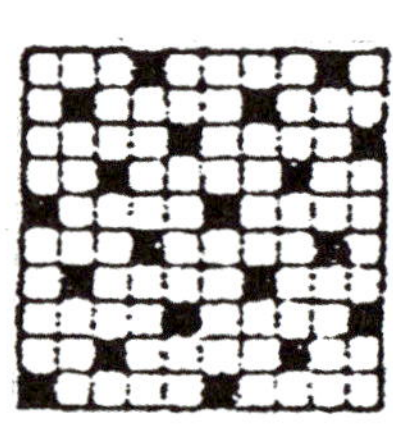

缎纹

织物基本组织（平纹·斜纹·缎纹）

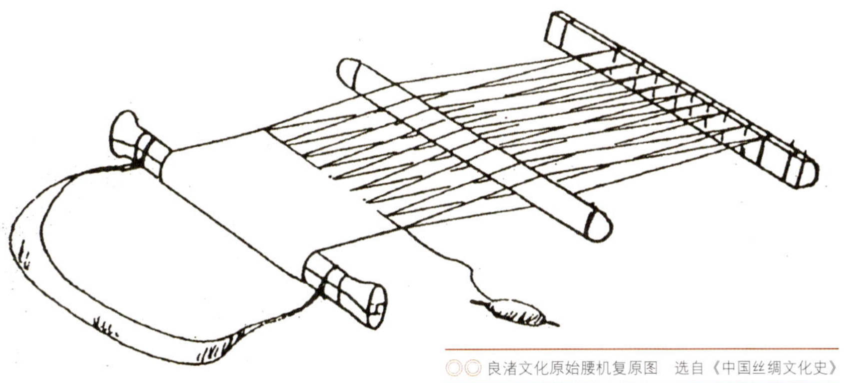

◎◎良渚文化原始腰机复原图　选自《中国丝绸文化史》

础，在其上增加组织点，即可构成缎纹变化组织。

我们一般所称的“缎”，是以缎纹或缎纹作地组织提花织成。一般缎纹是没有花纹的，织有花纹的称作“花缎”。花缎是在缎纹地上提花，又有单色的和彩色的两种。单色的以明暗显花，称“花累缎”，彩色的如“织锦缎”。织锦缎以缎纹组织为地，用多种彩色纬丝在提花机上织造。人们通常所说的“锦缎”，即是指这一种，为丝织物中之富丽者。

从历史上看，人的造物最初都是经验型的，实验型出现很晚，已是“工业革命”时期的发明创造。由生活的需要出发，在制造某一种物品时，逐渐制造出相应的工具。所谓“工欲善其事，必先利其器”，其本身就是一种经验。由工具到机械是一个飞跃，是将一些费工费时的劳作用机械代替了。原始腰机的出现，显然是在编织基础上的发展，也是机织的开始。新石器时代良渚文化反山遗址 23 号墓出土的腰机部件，经复原可以看出，其主体由卷布轴、经轴和开口打纬刀三部分组成，即可织出简单的织物了。宋应星在《天工开物》中所举的“腰机”，显然已有改进，但不知为什么，他在介绍时最后说“惜今传之未广也”。

就是这种“传之未广”的简单工艺，至今还在流传。海南黎族的“黎锦”便是用腰机织造。黎族妇女在椰林中席地而坐，将简单的织机扎在腰上，迎着海风，一梭一梭地在经线中穿递。她们不满足于素织，而要在布面上织出心中的花。只是工具过于简单，没有花本和花楼，无法提花，怎么能织出花纹呢？事实上是能够织出来的，早在发明提花之前，织花已经出现。也就是说，每个人的思考就是“花本”，可以缓慢地拨动经线，进行穿纬，实际上等于编织花本。丝织中的“缂丝”就是明证。缂丝亦称“刻丝”，早已发展成一个独立品种。它的织机也很简单，但织出的成品非常复杂，不但能织衣料，并且以织书画成为特长，宋代以来为文人所推崇。缂丝的织造特点是“通经断纬”，即经丝贯通织品，但不同色彩的纬丝根据画面分段织出，在背面减少了多余的浮丝，更为平整。缂丝称“刻”而不称“织”，实际上是对照画稿“编”出来的。费工很大，但艺术效果很好。明定陵出土的一件“缂丝十二章衮服”，就是皇帝所穿的龙袍。

◎◎ 黎锦（海南黎族现代腰机织锦）

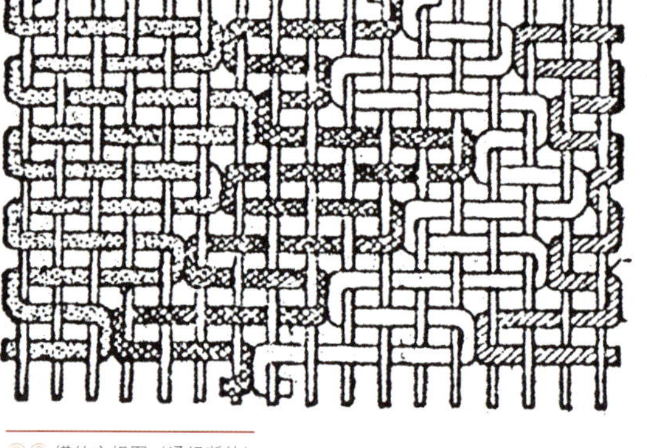

◎◎ 缂丝交织图（通经断纬）

装有花楼的织机，可以按照程序进行提花。所谓“花楼”，也叫“龙头”，即“花本”的所在。是用以控制经线升降的开口装置，也叫提花装置。所提之花，必须编入花本，才能织出花纹来。

一般地说，凡是装有龙头的织机都可提花，在丝织物上织出花纹来。但是，品种既多，织造方法也有差异。《天工开物》所载的“花机”，便是用来织造早期云锦的；它与现在的“大花楼云锦织机”，不论从织造高级丝织物的性质上，还是基本结构上，都是一脉相承的。

南京云锦有许多品种，其织物可分三大类：库缎、库锦、妆花。之所以用“库”字冠名，是因为在清代江宁织造局时期，织成后输入宫廷内务

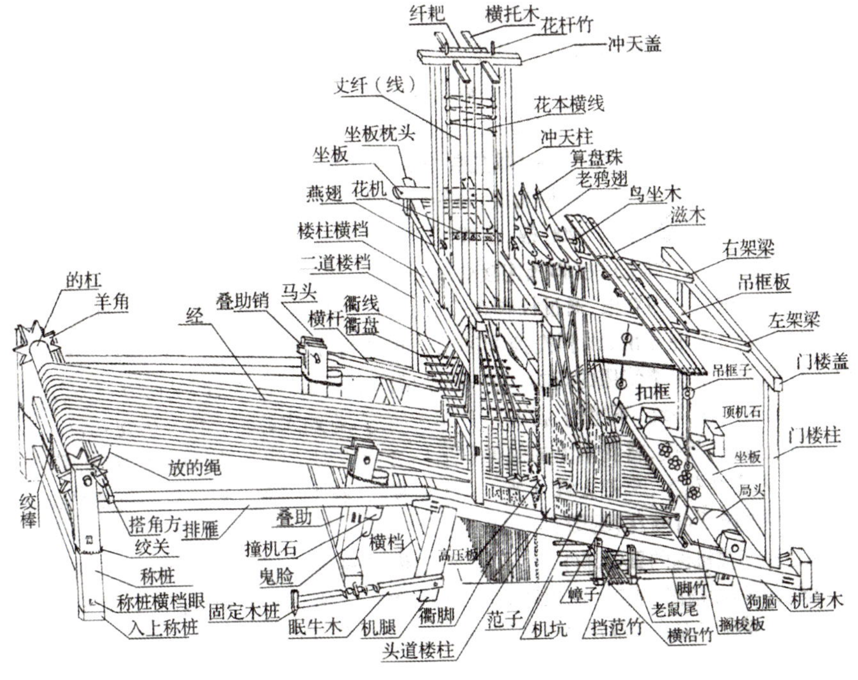

大花楼云锦织机

府的“缎匹库”，故称为库缎、库锦，一直沿用至今。

库缎即花缎，亦称“摹本缎”，是一种本色的提花缎，在缎地上起本色或其他颜色的花纹，花纹有亮花与暗花两种。除此之外，还有“地花两色库缎”，即地部与花纹分别为两种颜色；有在部分花纹中以金线织出的，称“妆金库缎”；有用金银两种线织花的，称“二色金库缎”；以及“金银点库缎”，是点缀以很小的金银花，或称“挖金花库缎”等。

库锦包括“织金库锦”和“织彩库锦”。织彩库锦又分“彩花库锦”、“抹梭妆花库锦”、“抹梭金宝地”、“芙蓉妆库锦”等。织金库的花纹全部用金线织成，或将满地金花大花纹的地部，织成细密的连续纹加以衬托；也有的用银线，但习惯统称“织金”或“库金”。彩花库锦属于小花纹单位的彩库锦，除用金银线外，还用少量的彩线。抹梭妆花库锦之“抹梭”，是指整个花纹的配色，是用通梭织彩，也叫“长跑梭”，必须整段换梭，局限性较大。抹梭金宝地是用圆金线（捻金）织满地，花纹轮廓用片金绞边（称

“金包边”),显得金碧辉煌。芙蓉妆库锦最初是以花纹题材命名,后来变成了一种格式的名称。芙蓉妆是一种配色比较简单的大花型织锦,花纹的各部分不用边线,而是空出地纹,具有艳而不繁、单纯明快的效果。

妆花是云锦中织造工艺最为复杂的品种,也是最具有特色的云锦之代表性品种。它的特点是用色多,色彩变化丰富;在织造上也像缂丝一样“通经断纬”,用绕有各种不同颜色的彩绒纬管,对织料上的花纹作局部的盘织妆彩,配色没有任何限制,非常自由。花纹常分出色彩层次,可多达十几色乃至几十色。由于妆花的配色复杂、用料严格、织造特别,譬如通经断纬和大量使用黄金、白银以及孔雀羽毛等,其工艺尚无法用现代化的机器取代。

◎◎左:大红地加金龙凤祥云妆花　选自南京云锦研究所《云锦图案》

第二节 ◎ 黄金和孔雀羽的妙用

云锦以典丽著称，色彩复杂。如果能够将灿烂的黄金和反射宝石光彩的孔雀羽毛织到锦缎上，不是更加绚丽和更加贵重吗？难题的解决使云锦增强了特色，对于很多人来说，也会产生一种神秘感。

《红楼梦》第三回有一段描写，说林黛玉带病投奔外婆家，外婆贾母见了悲喜交加，正谈话时，来了一个人：

一语未完，只听后院中有笑语声，说："我来迟了，没得迎接远客！"黛玉思忖道："这些人个个皆敛声屏气如此，这来者是谁，这样放诞无礼？"心下想时，只见一群媳妇丫鬟拥着一个丽人，从后房进来：这个人打扮与姑娘们不同，彩绣辉煌，恍若神妃仙子，头上戴着金丝八宝攒珠髻，绾着朝阳五凤挂珠钗，项上戴着赤金盘螭璎珞圈，身上穿着缕金百蝶穿花大红云缎窄褃袄，外罩五彩刻丝石青银鼠褂，下着翡翠撒花洋绉裙；一双丹凤三角眼，两弯柳叶掉梢眉，身量苗条，体格风骚：粉面含春威不露，丹唇未启笑先闻。

黛玉连忙起身接见，贾母笑道：“你不认得他：他是我们这里有名的一个泼辣货，南京所谓‘辣子’，你只叫他‘凤辣子’就是了。”黛玉正不知以何称呼，众姊妹都忙告诉黛玉道：“这是琏二嫂子。”黛玉虽不曾识面，听见他母亲说过：大舅贾赦之子贾琏，娶的就是二舅母王氏的内侄女；自幼假充男儿教养，学名叫做王熙凤。

“凤姐”在《红楼梦》中是个非常活跃的人物。天生丽姿、装束打扮衬托出她的性格特点。这是作者曹雪芹的安排，他长于以物衬托人，将人物写得各有个性。曹雪芹出生于织造世家。清康熙年间，从他的曾祖父起，三代四人连任江宁织造局的主事，长达六十年之久。曹雪芹在这个环境中成长，熟悉云锦织造的情况。所以在《红楼梦》中对于女性服饰描写得具体入微，并且对每个人都非常贴切。吴新雷先生说：“《红楼梦》中描写贾宝玉和金陵十二钗等各种人物的衣衫服饰，更显示了花样翻新、色泽靓丽的锦缎风采。即以云锦工艺的做工技术来看，书中就出现了四十多种术语。如‘掐金挖云’、‘锦边带墨’、‘累丝嵌宝’、‘盘锦堆纱’、‘缕金百蝶’、‘五彩刻丝’、‘宫制堆纱’、‘盘金彩绣’、‘挖云鹅黄金里’、‘青金闪绿双环四合’、‘二色金百蝶穿花’、‘江牙海水五爪坐龙’、‘靠色领袖秋香色盘金色绣龙’等等，真是美不胜收。在用料方面，书中还揭示了‘云缎’、‘妆缎’、‘蟒缎’、‘羽纱’、‘彩绣’等名目，缎、纱都是织金的底料。第二十八回写王熙凤叫宝玉记下库房里有‘大红妆缎四十匹，蟒缎四十匹，上用纱各色一百匹’，这披露了贾府藏有供奉皇上的贡品，拥有惊人的上等云锦，凸显了豪门的荣华富贵之态。”

云锦的织造，围绕着一台四米高、五米多长的大型织机，在穿梭的前后，需要进行大量的准备和整理工作。且不说对于工艺规程的编制，仅丝线染色和特殊的金银线、孔雀羽线的捻制，就要有专门的技术，并形成独立的工种。

先说丝线的染色和云锦妆花的配色。

丝织物的色彩有两种染色方法，一是织成后浸染，二是先将丝线染色，然后用各种不同的彩丝织成锦缎。前者多用于素织品或是单色显明暗花的织物；后者则是用于多彩的织物，即所谓“纬线起花”，用不同色彩的各种纬线织出花纹。尤其是云锦的妆花，色彩复杂，需要专门染出各种不同的深浅色彩的丝线来。

以往的百工匠艺，多是不识字或识字不多，缺乏书本知识，如像《考工记》、《髹饰录》之类的书，与他们几乎是无缘的。因此，便有一种误解，说他们没有“文化”。这是一种偏见。只能说他们缺少书本上所记录的文化，实际上他们掌握着丰富的专业知识。这些知识主要是通过身传口授，有些是书本上所没有的。最可贵的是，他们把优秀的经验编成“口诀”，成为一套口传的教科书。南京云锦艺人就有一部《妆花色谱》，是在20世纪50年代，从老艺人的口述中记录下来的。

民间的裁缝常年为人做衣裳，就有一句口诀叫做：“远看色，近看花。”不论花布还是锦缎，做成衣服、被人穿上之后，在远处能看到色彩，走近了才能分辨出花纹，因此，这句口诀成了衣料设计的原则。云锦也是如此，特别是妆花的配色，为了使花型硕大丰满，连每片花瓣也要分出色彩的深浅层次，艺人称作“间晕”。如：

【两色间晕】

玉白、蓝。（带有蓝味的白玉为玉白，玉质温润，其白如羊脂。）

◎◎ 云锦妆花的间晕（两晕）

深、浅红。（红分深浅，是为同类色。）

葵黄、绿。（葵黄带点绿味，与绿色相配更亲近。）

古铜、紫。（古铜色有两种：一是带绿味的焦茶色，一是带黄味的咖啡色。）

银、大红。（金与银均为金属色。）

【三色间晕】

水红、银红配大红。(水红清澈,银红透着金属的光泽。)

葵黄、广绿配石青。(石青与石绿为矿物质颜料,沉着厚重。)

藕荷、青莲配酱紫。(藕荷与青莲均带紫味,前者较淡。酱紫少红味。)

玉白、古月配宝蓝。(古月,会不会是较浅的灰蓝色呢?)

秋香、古铜配鼻烟。(鼻烟是带红味的咖啡色。)

蜜黄、秋香配古铜。(秋香,可能是较深的金黄色。)

银灰、瓦灰配铁灰。(瓦灰带蓝味,铁灰带红味。)

深浅古铜配藏驼。(藏驼是西藏骆驼的毛色。)

深浅古铜配葡灰。(葡灰是熟葡萄的紫灰色。)

秋香古铜紫。(黄赭色调与紫为类似色。)

葵黄深浅绿。(黄与绿为类似色。)

枣酱深浅灰。(灰色为中性色,可与任何色彩相配。)

玉白羽灰蓝。(羽灰不明。)

大白圆扁金。(大白指白色或银色。圆扁金系圆金线和扁金线的色彩。)

◎◎ 云锦妆花的间晕(三晕)

【边色和地色】

"扁金绞边,白绒做陷",最显亮。(陷:实即"掐边"。)

"扁金绞边,大白相间",使之统一调和。

大白(银白)可镶介于任何色晕;大花介其色晕之间,小花镶于外缘。

妆花地色七种:朱红、明黄、宝蓝、广绿、白、古铜、金黄(后三种较少)。

其他妆花,织钱包、椅垫等,间或用黑、元青、酱紫色。

以上是云银妆花的配色谱。可惜已有散失,更为遗憾的是,当时只记其名,没有问清复色的色相,诸如"古月"、"秋香"等,已不知是什么颜色了。

《天工开物·彰施》有"诸色质料"一节,只是举了一些染料的名目以及原料和制作,可以看出古人是如何向大自然索取,但没有说明如何配色。

【诸色质料】

大红色。(其质红花饼一味,用乌梅水煎出,又用碱水澄数次。……)

木红色。(用苏木煎水,入明矾、棓子。)

紫色。(苏木为地,青矾尚之。)

赭黄色。(制未详。)

鹅黄色。(黄檗煎水染,靛水盖上。)

金黄色。(栌木煎水染,复用麻稿灰淋,碱水漂。)

茶褐色。(莲子壳煎水染,复用青矾水盖。)

大红官绿色。(槐花煎水染,蓝靛盖,浅深皆用明矾。)

豆绿色。(黄檗水染,靛水盖。今用小叶苋蓝煎水盖者名草豆绿,色甚鲜。)

油绿色。(槐花薄染,青矾盖。)

天青色。(入靛缸浅染,苏木水盖。)

葡萄青色。(入靛缸深染,苏木水深盖。)

蛋青色。(黄檗水染,然后入靛缸。)

翠蓝,天蓝。(二色俱靛水,分深浅。)

玄色。(靛水染深青,栌木、杨梅皮等分煎水盖。……)

月白、草白二色。(俱靛水做染。今法用苋蓝煎水,半生半熟染。)

象牙色。(栌木煎水薄染,或用黄土。)

藕褐色。(苏木水薄染,入莲子壳、青矾水薄盖。)

附:染包头青色法。(此黑不出蓝靛,用栗壳或莲子壳煎煮一日,漉起,然后入铁砂、皂矾锅内,再煮一宵即成深黑色。)

这些染料和染色方法,大都是最普通的材料和做法,有的已经废弃不用了,但是它体现着古代劳动者的智慧创造,是数代人的实践经验总结;从艺术的角度看,不仅色相的韵味浓,看起来不浮不飘、雅致大方,并且都有个富有形象感的名字。它不同于一般的色彩学,但在光色原理上并没有违背色彩的规律。特别是那些妆花色谱的口诀,体现了颜色之间配作的良好实例，好看又好记，非常可贵。

顺便讲一下，妆花的配色口诀并非只适用于云锦，为它所独有。实际上也可用于其他的设计。这是规律使然。至于色彩的名称，如果熟悉了，是很有意味的。我国现行的色彩学，基本上是采用了光学的色谱。作为原理都是一致的，但在艺术设计的运用上，有很多不足之处。陈之佛先生曾指出：在颜料中，三原色等量相加为黑色，这是分析光色所得出的结论。但颜料的物性不同，不论什么颜料，三色相加只能是黑浊色，不可能是纯黑色。对色彩相互配合的关系，不论是“色轮”、“色带”还是“色立体”，虽说是可用颜料调出千百种色彩，实际上能够叫出名称的只有六种，即三原色（红黄蓝）和三间色（橙绿紫），如若将原色和间色再行混合，即所谓第三次色，也就是“复色”，已经没有正式名称了。事实上，有些颜色是调不出来的，如玫瑰红、柠檬黄、群青等，是特殊颜料之名。在这方面，我国古代民间艺人的思维要灵活得多。除了《天工开物》和云锦妆花之外，也见于其他文献和民间工艺。如在《南村辍耕录》、《扬州画舫录》等书中，就有很多。如果将其汇集起来，系统整理，可谓一部精彩而实用的民族色彩学。

马克思在《政治经济学批判》中说：“金银不只是消极意义上的剩余的、即没有也可以过得去的东西，而且它们的美学属性使它们成为满足奢侈、装饰、华丽、炫耀等需要的天然材料，总之，成为剩余和财富的积极形式。它们可以说表现为从地下世界发掘出来的天然的光芒，银反射出一切光线的自然的混合，金则专门反射出最强的色彩红色。而色彩的感觉是一般美感中最大众化的形式。”

金银，都是贵重的金属，怎么能织到锦缎中去呢？

这就要看人对物性了解的程度和对物驾驭的能力。四川成都金沙遗址出土了“四鸟绕日金箔刻花”和“蛙形金箔刻花”等，捶打金箔的厚度只有0.02厘米，说明早在三千多年前的商代晚期，黄金便可以打薄、卷曲了。据宋代王栐《燕翼贻谋录》卷二记载：“大中祥符八年三月庚子诏令：禁中宫以下，衣服不得以金为饰”，说明当时在服饰方面的用金已很普遍，在诏令中所列就有十八种之多，这十八种金工艺是：销金、贴金、缕金、间金、戗金、圈金、解金、剔金、捻金、陷金、明金、泥金、榜金、背金、影金、阑金、盘金、织金金线等。就字面看,这十八种与金有关的工艺,有的明显是用于丝织的。云锦所用的金线有两种:一种是"圆金",另一种是"扁金"。圆金是将金箔的长条螺旋式绕在丝线上,因为过去用手捻,所以也叫"捻金线"。扁金也称"片金"或"缕金",是将金箔裱在绵纸上,切成细丝。圆金质地牢,扁金光泽亮。

陈维稷在《中国纺织科学技术史》中归纳了古代金箔、金线的制作工艺,写道:"古时用捶制方法先制成金箔,粘覆于薄皮上,然后切成丝作片金线用。如果作捻金线,则须将金箔先粘于纸基上,然后切成窄条,并捻于丝线上。这种捶制并切丝的方法起源很早,出土的东周金箔厚仅 0.04 毫米。经金相鉴定,该金箔是经反复冷加工和再结晶退火处理的。并且是打成薄片后再切成丝的。"世传手工制作金箔的方法可分八个过程:(一)熔铸,将金块熔化成片形长条。(二)拍叶,将 1.2 两一块的金锭,用锤砧打成 0.01 毫米厚的叶片,分为 128 小片。(三)下料一,将上述小片,再分成 16 片,分层夹入乌金纸中。(四)打箔,在平砧上捶打 4—4.5 小时。(五)下料二,将打好的金箔用竹挑棒逐张移入大乌金纸中。(六)打箔,将下料好的金箔用牛皮纸裹牢,在石墩上由两人打。(七)切箔,将打好的金箔置于绷紧的猫皮板上,用竹刀割成规定尺寸。(八)成包,用羽毛刀将箔移入竹纸内成包。制箔所用的乌金纸是关键用品,为特制的竹纸,并用油烟熏黑。

金线的制作过程是:(一)褙金,先将特制的竹纸刷鱼胶裱成两层,然后粘贴金箔。(二)砑光,在野梨木板上用玛瑙石对纸基金箔砑光。(三)切箔,扁金线宽度切成 0.5 毫米。用于圆金线的宽度切成 0.35—0.4 毫米。

孔雀属于雉科鸟类,我国产的为绿孔雀,雄鸟体大,包括尾羽有两米多长。毛羽色彩绚烂,以翠绿、亮绿、青蓝、紫褐等色为主,多带有金属光泽。尾上覆羽延长成尾屏,上有五色金翠线纹,开屏时尤为艳丽。古人多将它与凤凰相比,视孔雀开屏为吉祥。人们把孔雀的尾羽覆在车顶上,显示华贵,叫做"孔盖";以孔雀和翠鸟连称,用"孔翠"比喻最美的事物;认为孔雀和大雁行有仪、飞有次,是知礼,故以"孔雁"为威仪。曹雪芹见多识广，还在《红楼梦》中写了“晴雯病补孔雀裘”的故事。

◎◎ 晴雯病补孔雀裘　选自《红楼梦图咏》清光绪五年刊本

定陵为北京明十三陵之一，是明神宗万历皇帝朱翊钧的陵墓，同葬的有两位皇后。1956—1958 年对定陵进行发掘，出土了两千多件文物。其中就有孔雀羽线织成的龙袍。

20 世纪 80 年代，南京云锦研究所对这件龙袍进行了复制。当时参与复制工作的骨干人员金文，在所著《南京云锦》一书中说：“定陵出土的明朝万历皇帝的‘织金孔雀羽妆花纱龙袍’，这件用孔雀羽毛捻成线织成龙袍的妆花精品，就是南京云锦艺术的杰作。其绛色纱罗地薄如蝉翼，细看上面布满四合如意云纹，又用真金线、孔雀羽线和五彩丝绒线盘织出十七条龙和海水江牙、火珠云纹图案，镶金点翠，富丽堂皇。由于花底透薄，图案有浮雕之感，十七条龙仿佛在霞光万道、瑞气千条的红云中浮游翻动，栩栩如生。孔雀羽闪烁着宝石般的七彩光泽，色彩随视觉的移动而变幻，其难度之大、水平之高，令人叹为观止。”

◎◎ 织金妆花纱团龙袍料（纹样主体龙身由孔雀羽线织成，金文织造）

第三节◎『为解挑纹嫁不得』——挑花结本

织机上的经纬线，一上一下的交织，怎样才能织出花纹呢？必须用缎纹方法，即让纬线能够跨过数根经线。如果单纯用手拨动，不但太慢，也不易准确。于是，设计一个能控制少数经线的装置，装在花楼上提经，这装置叫做『花本』。

“花本”即“挑花结本”的简称。有的也称“挑花”或“挑纹”。它是由花纹图样转化（织造）成锦缎的关键，是丝织的灵魂所在。在画好的图纸与织造之间，要先用丝线（俗称“脚子线”）作经线，用棉线（俗称“耳子线”）作纬线，对照图样上所打的方格，以竖格为经，横格为纬，编挑成“花本”。花本就是样本。然后将其装到花楼上，与牵线等相接，起提经织纬的作用，织出花纹。

挑花工作非常繁杂，而且要通观全局，细心谨慎，如若弄错一根丝就会造成缺陷。明代宋应星在《天工开物·乃服》中说：

凡工匠结花本者，心计最精巧。画师先画何等花色于纸上，结本者以丝线随画量度，笄（算）计分寸杪（秒）忽（十忽为秒）而结成之。张悬花楼之上，即织者不知成何花色，穿综带经，随其尺寸度数提起衢脚，梭过之后，居然花现。盖绫绢以浮轻而见花，纱罗以纠纬而见花。绫绢一梭一提，纱罗来梭提，往梭不提。天孙机杼，人巧备矣。

在丝织专业中，挑花师的工作最为重要。不仅要全面熟悉丝织技术，并且要有艺术的修养。有的挑花师本身就是图案纹样的设计者。现在的挑花方法，是在传统方法的基础上改进而成的。首先是将图案纹样的彩稿制成严格准确的“意匠图”，即在细密的方格纸上标出经纬线的交错关系。挑花时按照意匠图将耳子线、脚子线和明纤等装上挑花绷子（挑花架），即可挑出原始花本（俗称“祖本”）。一般说祖本也可上机，但多不轻易使用，只作复制的模本。复制花本叫做“倒花”，有的在上机前还要做对称纹样或连续纹样的拼接，叫做“拼本”。

过去清代官办的江宁织造局，专门设有“挑花堂”，人数不多，但很重要，技术水平也最高。他们不但设计纹样，并且做挑花结本。宫廷为皇帝设计的龙袍等，一般是送来彩色的纹样稿，由织

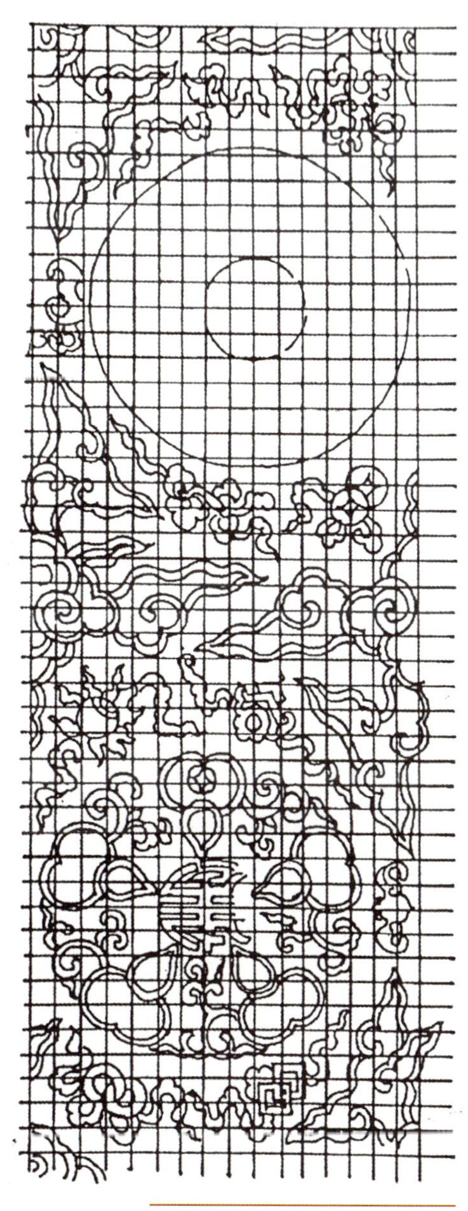

◎◎ 往时的挑花稿样　选自金文《南京云锦》

造局的挑花堂进行挑花。在民间的云锦织造业中，也有专门从事“挑花业”的，他们人数不多，不受雇于任何业主，有相对的独立性，是个不挂牌的小行业，但在丝织行业中颇有名气，大都求他们“出花样”或是“挑花本”。至20世纪中期，云锦的“挑花业”只有张福永、吉干臣、任寿彭、李宝桂等几位老艺人。

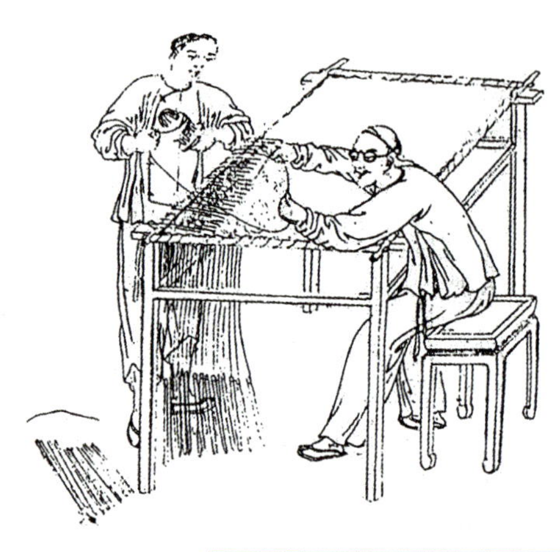

◎◎清末卧式挑花架 选自戴健《南京云锦》

自古以来，丝绸锦缎是美丽的，但那些从事丝织的人却很辛苦。每当提起灿烂的丝织，很容易使人想起唐代诗人元稹的《织妇词》，特别是那两个因挑花不能出嫁的姑娘：

织妇何太忙？蚕经三卧行欲老。
蚕神女圣早成丝，今年丝税抽征早。
早征非是官人恶，去岁官家事戎索。
征人战苦束刀疮，主将勋高换罗幕。

缫丝织帛犹努力，变缉撩机苦难织。
东家头白双女儿，为解挑纹嫁不得。
檐前袅袅游丝上，上有蜘蛛巧来往。
羡他虫豸解缘天，能向虚空织罗网。

这是一首丝织女工的歌，全篇分作两章。第一章是说丝织品的用量大，税收高；第二章是说丝织难，生活苦，感叹不如蜘蛛。

《织妇词》开篇就问：丝织的女工缘何这样忙呢？蚕儿经过三眠之后就要老了。靠蚕神保佑和蚕女的养护，今年的蚕丝抽得早，但丝税也征得早了。不是征税的人凶恶，而是因为官家的战事需要。出征的战士用丝帛包扎刀伤，立功的将领要更换丝织的帐幕。

缫丝织帛倒还容易，要在经纬线的变换中织出花纹，可就难得多了。织户老人的头发已白，两个女儿大了，却因为有挑花的技术不能出嫁。屋檐下被风吹动的蜘蛛网，有蜘蛛在上面轻巧地来回走动。多么羡慕那些虫儿呀！它们能够自由地结网，但是人就做不到。

一台高大的云锦织机，
通常需要两名技术熟练的艺人紧密协作。
一个拽手在上，坐在花楼上提花；
一个织手在下，坐在机前投梭和盘织。
两人配合默契，日日月月地织造，一件龙袍，经年才能完成。

第四节 ◎『变绢撩机』的奥妙——织手与拽手

云锦妆花的织造最为复杂，特别是过去所织的龙袍，每个部分都是专门设计，缝好后花纹必须完整，接缝之处真要做到天衣无缝。由于成料不是连续花纹，织成一件袍料长达十几米，为其挑结的花本首尾连接可达五十多米。整件袍料共要挑结十二本花本（九个妆花花本，三个地纹花本），依次上机织造，织成的一件龙袍重量不过两斤，但其花本就达一百几十斤。

“拽花”有许多称谓，也叫挽花、攀花、提花、拉花。拽花艺人的操作是在花楼上与花楼纤线相兜连的花本上进行，可拉动相应的经丝提升，使经丝形成梭口，以便穿梭。下边的“织手”负责投梭引纬、纹刀引纬、过管挖花和打纬。用手织梭引纬即普通的穿梭，它与一般的织机相同。所谓“纹刀引纬”是指片

◎◎ 云锦织造　选自黄能馥《中国南京云锦》

金（扁金）而言。因为片金像是很细的面条，不能卷折，而且是一段一段的，又有正反面，只能将其放入一根类似竹管的纹刀送进经线中。“过管挖花”是用于“通经断纬”的织法，即所谓“盘织”。这是云锦妆花最独特的一种织法。它不受色彩的限制，由不定数的彩绒管引纬，可在纬向的同一梭内配织七八种颜色，甚至更多。一名经验丰富、技艺高超的织手，可以发挥他的想象和才能，将每朵花

◎◎ 云锦织造拽花　选自金文《南京云锦》

变换色彩。当然，这种运用多色纬线的随意性只能在特定的轮廓线之内进行，并非是无条件的。

◎◎ 云锦挖花盘织 选自金文《南京云锦》

打纬的行话也叫“碰框”，一个“碰”字道出了它的实质。譬如片金打纬只能轻轻的拉向织口，防止将片金打翻，翻了就不是金线，而是纸基了。又如织造龙袍，对纬线的密度要求非常严格，否则拼缝时花纹对不齐。在云锦的图案中，四方连续的纹样较多，其中尤多圆形的“团花”，有小团花和大团花；在同一幅面上，大者三四个，小者十数个。每个团花就是纹样的一个单位，云锦的专业术语叫“则”。每则团花的外廓都是圆形的，因此要求经纬线的密度必须一致，如果纬线的打纬有松有紧，外廓也就不圆了。

深知织锦甘苦的工艺美术大师金文说：“织锦是一项繁琐的活儿。一台织机要完成一件锦衣也要一年的时间。机房很高，因为织机高，差不多四米左右，云锦织造的过程就像是计算机编程，要背的口诀也有上百个，要织一个纹样，首先要把小图放大成大图，再填上颜色，然后在图案上打上一个个小格，将图案结成一团团纱线，整个过程很像计算机编程。有趣的是，下面的人只能看到反面，必须通过一面小镜子才能看到正面的花纹，及时纠错。两人一唱一和，念唱着织码口诀，编织云锦，这是要求很高的技术活。当织技熟练得无需唱口诀时，为了调剂单调的织锦生活，织锦工人们开始自娱自乐，唱一些小曲、方言调子，说身边的生活，讲稀奇古怪的事物，谈金陵四十八景，题材多半轻松诙谐，偶尔也有时事段子，以倾吐心中的郁闷，抒发情感，宣泄对封建统治的不满，用土语描摹技工痛苦的生活等。”

这段文字写得很好，揭示了艺术与生活的关系，简直是一部《艺术发生学》的缩影,也就是丰子恺先生所说的“劳者自歌”吧。

过去的云锦机房设备虽简陋,但为了保证织造的质量,要求甚高。织手成年累月要在潮湿的半坑中操作,拽手高高在上,几乎顶着屋梁;那时没有恒温设备和安全措施,冬天不能生火,夏天不能开窗。织工们编了歌自嘲:

前世打爹骂娘,后世投进机房;
冬天不得烤火,夏天不能乘凉。

是自嘲,也是苦诉。南京白局中有一个段子叫《机房苦》,在云锦行业中一直流传。那时候的织工多是受雇于业主,工作和生活没有保障。他们唱道:

机房不好做,这几天我又被坐板疮来磨。
三万六千头的库缎,老板要七天织一个。
怎奈我疼痛一天,只能摺上它几十梭。
那个叫“鸡头”的老板,还要天天催生活。
初二大荤只有八块肉,切得消零如纸薄。
遇着一阵风,吹到北极阁。
我趿着一双烂鞋头,追也追不着。
地上的茅草桩,戳了我的脚。
连忙跑回来,揭开锅盖看:哟! 连汤也没得喝。
朋友劝我改行,没得生意做。
我肩背拎桶,手提着腰子箩:
卖热老菱呵,带卖鸡头果!

清光绪宝蓝地团桃纹妆花缎马褂料 故宫博物院藏

第五章 ◎ 繁花团——云锦的图案

第一节◎和谐典丽之美

笼统地说，锦绣之美毋庸置疑，谁不是以锦绣形容我们的祖国？不论刺绣还是锦缎，之所以为美，既在其质，又在其纹。以蚕丝的柔和光泽表现出装饰图案，是人的智慧创造。那么，具体地说，云锦所体现的，是怎样的一种美呢？

云锦之美,可从两个方面进行分析:一是和谐之魂,二是典丽之式。

和谐是装饰的内涵。我们通常所说的图案,既有立体的,如陶瓷器皿、竹藤编织、漆木家具等,乃至建筑物,为其所设计的图样和方案;又有平面的,如为印刷品或染织物等设计的纹样,也包括立体物表面纹样。因为在实际工作中纹样的应用多于器物造型,所以常常将“图案”与“纹样”混称,实际概念上是有大小之分的。但有时也会连称“图案纹样”或“装饰纹样”,因为纹样是属于图案的,纹样之用是为了装饰。

装饰即点缀,所谓“物既成而加以纹彩”,赏心悦目,也有净洁之意。而装饰的主旨则是为了好看,看了顺心,起一种愉悦心情的作用。这是所有工艺品共同的精神意义，当然云锦也不例外。至于古代皇帝的龙袍、官员的补服之类，有的纹样是带有政治内容或标志级别的，一方面可谓特殊，另一方面与前者并不矛盾，包括众多的吉祥寓意纹样，反而增强了装饰的效果。

现代图案学已为装饰构建起一套形式美的系统法则，如：

统一与变化——美学的形式美概括为“多样的统一”。

动感与静感——形象的塑造有动有静，两者均可进入美的境界。

简约与繁复——既结合物象特点，又根据设计需要，形象可简可繁。

均齐与平衡——均齐是等量等形，平衡是等量异形。

对称与照应——对称是形体的平衡，照应是虚实的平衡。

调和与对比——调和是形色的亲近，对比是高频率的调和。

组合与连续——组合有结构线的组合与巧合，连续有线和面的延伸。

填加与适合——在特定的外廓之内，适合形是完整的，填充形不完整。

渐变与突变——形的远近大小和色的深浅浓淡，递减与骤减。

统觉与错觉——形象之间，由并列对照所产生的视觉效应。

以上十大法则，应用于所有的艺术设计，不论立体造型、装饰纹样，还是色彩，都是行之有效的。有趣的是，这些现代图案理论的研究成果，与我国古代纹样的处理颇为吻合，有的甚至如出一辙。

中国是一个装饰大国。从七千年前的彩陶图案算起，历经朝代更迭，各朝各代，装饰有增无减，极尽变化之能事，证明了中华民族酷爱装饰的传统。当西方的洛可可艺术流行，崇尚纤细轻巧和繁琐的“虚饰”时，有人提出了“装饰的罪恶”，甚至在建筑和工艺品上主张“无装饰设计”；我国的装饰却被赋予吉庆祥和的新内容，增强了艺术的生命力。究其原因，就是因为它具有和谐之美，为大众所喜闻乐见。

和谐体现为一种观念，既是中国人的心理诉求，也是传统道德的信条。夫妇之间要和睦、和好；待人要和气、和蔼；乃至整个社会要和顺、和乐，国家要和平安定。所谓“以和为贵”，“和气致祥”，是有古训的。

古代汉字的造字者很有意思，他们苦思冥想，转弯抹角，要为每个字找到精确合理的解释。现在楷书的“和”字，偏旁为“禾”。禾即是农作物的谷类,《说文》解释说:“禾,嘉谷也。二月始生,八月而孰(熟),得时之中,故谓之禾。”古代农业社会重视禾,把它画成一个沉甸甸的大谷穗,但禾并不是“和”字的本义,只是取其当做音符,“和”字的原文是“龢”。《说文》:“龢,调也,从龠,禾声,读与和同。”“龠”是一种竹制的乐器。《说文》:“龠,乐之竹管,三孔,以和众声也,从品仑,仑(伦)理也。”说明这根三孔的竹管既是调和众声的,又是象征伦理的。“龢”字旁边的那个“禾”字,是用来注音的。古人使用这个字,嫌它笔画太多,写起来麻烦,往往借用“和”字取代。和字的古文是“盉”。盉是调味的器皿。《说文》:“盉,调味也,从皿,禾声。”但后来的“和”字,却变成了答话的回应。《说文》:“和,相譍(应)也。从口,禾声。”成为“倦童呼唤譍复眠”了。

◎◎龢·盉两个篆字

绕了这么多的弯子,不论“和”、“龢”、“盉”,都带有“禾”字,但与字义无关,只是用来标音。那么,“和”的本义是什么呢?如和声的音乐,如调和的美味。由此引申开来,是调和、和谐,是人伦之和。

在我国的传统艺术中,最为表现和谐的有两种题材,一是“和合二仙”,二是“一团和气”,都是出现于宋代前后。“一团和气”的成语出自朱熹《伊洛渊源录》卷三引《上蔡语录》说:“明道(程颢)终日坐,如泥塑人,然接人浑是一团和气……”后来将此形容和蔼可亲,待人和气。不知为什么,人们在使用这个成语时,语气中带有不讲原则、好好先生的贬义,这是在原文中没有的。有人说是在明朝的宫廷中,大臣之间借此讽刺那种毕恭毕敬、毫无气节的人,不知确否。更早的还有一则“虎溪三笑”的故事。相传庐山东林寺主持慧远,送客未曾过虎溪。诗人陶渊明与道士陆修静同访,三人谈得非常投机,语道契合,相送时不觉过溪,连山上的老虎也感到惊奇,吼叫起来,三人相与大笑。这个故事启发了“三教合一”的思想,元明以来有不少论说。《南村辍耕录》就列有“三教一源图”,并说："释如黄金，道如白璧，儒如五谷。…… 黄金、白璧，无亦何妨，五谷于世其可一日阙哉。”嵩山少林寺有一座明代的《混元三教九流图》碑，有图有赞，图为三教之首画成一人团坐，手持九流之图；赞为“佛教见性，道教保命，儒教明伦，纲常是正。…… 为善殊途，咸归于治。…… 要在圆融，一以贯之。三教一体，九流一源。百家一理，万法一门。”明代，画这种漫画式的、将三人画为一人的图画很多，有的印在书上。一本《太和图》的扉页画上还画有条幅，明确写着：“一团和气现三身，本性原来共一真；众生休别分三教，一体同看即一人。”据说带头这样做的是明朝的成化皇帝朱见深。他善绘画，而且画的就是“虎溪三笑”的三人合一，并且在题记中指出：“伟哉！达人遐观高视，谈笑有仪，俯仰不愧，合三人以为一，忘彼此之是非，蔼一团之和气。”

◎◎ 一团和气图 近代扬州民间木版年画

这里涉及的问题很多，包括古代的皇帝在内，不过是表达了一种对和谐的愿望。人的思想、认识、观点不同，求同存异、合而不同，相反而相成，不也是一种和谐嘛！

然而，漫画毕竟是漫画。民间大众还是喜欢那团团的一个童子，称作“一团和气”。往时的民间年画，许多地方都有刻印，并且冠以“和气致祥”，寄托着一种美好的理想。

“和合二仙”是两个民间俗神。两人友好，形影不离，以助人为乐，浪游于山水之间。据说源于杭州，宋代时以“万回哥哥”为和合之神，能在万里之外使亲人回归，如意团圆。可能为了“和合”二字的吉义，由一人演变为二人，并给他们增加了道具，一人手持荷花，一人怀抱竹盒，以“荷一盒”谐音和合。这是我国常用的一种寓意手法。因为汉字多而读音少，在口语中不易分出具体的字句。于是，就将荷花与盒子的组合，成为和合二仙的表号。在民间的吉祥图案中，常画一个半开的竹盒，露出一枝盛开的荷花，表示和合；有的加上如意，也就组合成“和合如意”了。

什么是典丽呢?

如果有人问：“何谓美?”答曰：“丑之对。”虽然没有错，但是等于没说，因为对于是非不分的人是难以区别美丑的。中国人的传统观念，常把美与好、善连在一起。美学家说美是人的一种感觉和意识，有的强调和谐，有的强调理念。在美之中，有雄壮之美，有秀丽之美，有粗犷之美，有精致之美。孔子说：“质胜文则野，文胜质则史。文质彬彬，然后君子。”(《论语·雍也》)这是指人的修养和仪表，也可对其他审美而言。质与文即是质地与文采。野与史就是粗野与华丽。彬彬为配合的意思。也就是说，君子的仪表既不能太粗野，也不能过分修饰，要两者配合得当。审美也是如此。任何一种美都是相对而存在的，既不能无，也不能偏。

◎◎ 和合如意 山东济南剪纸绣花样

美丽，好看，漂亮，在修辞中有许多不同程度的侧重。如：鲜丽、艳丽、绚丽、富丽、绮丽、繁丽、秀丽、瑰丽、壮丽、靓丽等。为什么我称云锦是“典丽”呢?还有一个小故事。记得20世纪50年代，我跟陈之佛先生研修图案和工艺美术史论，参加了南京云锦的整理研究工作，曾写过一篇介绍云锦的文章，请陈先生审阅。他看了之后，只改了一个字，将“富丽”改成了“典丽”，并且告诉我，云锦的庄重并不是偶然的。

历史上的云锦，就其性质而言，基本上属于宫廷艺术，并不单纯是炫耀富贵，更重要的是显示威严和博大。当这种帝王之气织在了锦缎之中，所表现出来的是雄伟厚重，大气凛然，具有庄重、典雅之美。即使这里的民间织锦，聚集在它的周围，也必然受到影响。

和谐之魂，典丽之式，成就了南京云锦的艺术，得以升华和提高，在中华织锦中独树一帜。作为一种装饰的样式，人们可能司空见惯，熟视无睹，虽知道它的名贵，却很少用心揣摩。这正是它的特点所在，即在日常生活中发挥潜移默化的功能。就像人的滋养，是在长期的进补中产生作用的，并非一日之功。所以说，它成为和谐的元素，融入了人的灵魂，又以典丽的形式锻炼了“形式美的眼睛”，胸怀坦荡，落落大方。

第二节◎云锦图案教科书

中国传统的百工之艺，其传承方式，至今仍以口传身授为主。师傅继承了上代的经验，再传授给徒弟。除了实际操作之外，并有许多『口诀』。这些口诀不但精炼，而且顺口。云锦的口诀非常丰富，可说是一部图案教科书。

我们所说的艺术传统，并非是一条渠道流传。自古以来，由于服务对象的不同，至少有宫廷艺术、文人艺术、宗教艺术、民间艺术的区别。四种艺术相并列，均以各自的面貌和规范进行发展。即使到了现在，皇帝和贵族没有了，文人的性质改变了，甚至农业社会正在向工业社会转型，但是已经形成的艺术面貌并不轻易改变，仍然保持着原来的品质和趣味。

四种艺术并行发展，并不意味着各不相干，相互之间的影响也是明显的，甚至有的会界限不清。一般地说，民间艺术质朴面广，带有原生态的意义，其他几种艺术都是在它的基础上发展起来的，但在成熟之后，又往往给民间艺术以影响。宗教（主要是佛教和道教）尤为复杂。为了显示高贵和重要，其建筑是模仿宫廷的，但为了争取大众信徒，其绘画和雕塑等又是民间的，以致研究者将其视为民间艺术。云锦的织造本来就分官、民两种，在品种、纹样、用途和对象等方面是有区别的。不过，有区别也有联系，包括被雇用织工的自然沟通，相互影响是免不了的。在这种情况下，南京云锦图案就具有更为优越的条件。这一点在云锦作品和图案口诀上均得到了有力证明。

各行各业都有口诀，特别是民间工艺，艺人的口诀就是他的本领和经验的概括，除了教徒弟之外，一般是不外传的，外行人所知甚少。南京云锦口诀宝库的打开，是在 1954 年。南京云锦整理小组成立之后，请了张福永和吉干臣两位老艺人。包括他们两位在内，南京云锦仅剩下四位挑花艺人。那时候云锦的织造分木机与铁机两种。铁机是近代化的，采用方格意匠纸和打纸板，吉干臣老艺人擅长做意匠纸。张福永老艺人则是完全传统的木机挑花，可说是云锦技艺的全能者。他不但满腹口诀，并且有一个包纹样稿的包袱，更是视如瑰宝。听张福永先生讲云锦口诀，

◎◎ 清顺治石青色地云龙纹妆花缎袷褂 故宫博物院藏

头头是道，深刻易懂，而且有问必答。一口南京方言，犹如说书一般。他在讲到关键处时，会解开盛纹样稿的小包袱，找一个相关的图样说明。当时我正在跟陈之佛先生研究图案学原理，听了张福永先生讲云锦口诀，仿佛开启了中国纹样学的大门。我曾记有一本厚厚的笔记，非常可贵，可惜在“文革”中被抄家当做“四旧”抄走了。现在回忆起来，已经不是全部。

云锦的口诀有总有细。总的是纹样设计的整体思考，细的是具体对象的画法要点，清晰而实用。

以下是“纹样总诀”：

量题定格，依材取势。
行枝趋叶，生动得体。
宾主呼应，层次分明。
写实如生，简便相宜。
花清地白，锦空匀齐。

四言一句，两句一条。共五条，也就是纹样设计的五个方面：

【量题定格，依材取势】根据织造的需要，估量题材的特点，决定纹样的格式。任何丝织物的织造都是有目的的，什么品种，怎样的制造方法，准备做什么用。在这个前提下研究题材的征象特点，确定纹样的格式和处理方法。譬如库锦是单色地、满金花，金色显亮，色块和线条都要匀称。妆花多彩，适宜于饱满的大花。同样是花，有草本和木本之分，草本枝条软，可做缠枝花；木本枝干硬，只能做散点（如团花）或折枝。取势之“势”可有多义，纹样姿态的动与静，形象的线与面，以及肥与瘦、深与浅等，都是依材取势所要考虑的。在艺术上，只有将题材、造型、构图、色彩以及用途等合理配置，别出心裁，巧于意匠，才能收到好效果。

【行枝趋叶，生动得体】系指物象的结构明确，构图的脉络清晰。如像花卉的叶子是跟着枝条走的，而枝条的弯曲走向要妥帖自然，生动有节，突出物象的生态特征，显示其旺盛的精神。所谓“有条不紊”，就能统

一到一个主点上来，不至于分散。“得体”是顾全大局，防止偏倾于一端，出现疏密不匀和局促的情况。

【宾主呼应，层次分明】花有大小，鸟有动静，任何内容均有主次之分；喧宾夺主固然是颠倒错乱，平均对待也会主题不明。也就是说，一个构图中所有的部位都不是相等的。锦缎的纹样有地纹和浮纹，浮纹是主体，地纹是衬托。“红花尤须绿叶扶”，其宾主关系是很明确的；实际上花朵也有大有小，有饱满盛开的花，有含苞欲放的花，还有长出不久的花蕾，从欣赏的角度看，各有生机，

◎◎ 清乾隆黄地云蝠万寿纹妆花缎棉常服袍 故宫博物院藏

也都有主次。但主次只是相对而言，主要者不是独揽全体，次要者也非可有可无，而是宾主相敬，主次有序，紧密配合。构图中的层次，如音乐之节奏，文学的铺垫，实际是主次、宾主关系的另一面。不分层次的画面会显得单调，层次不清的构图也会感到紊乱。

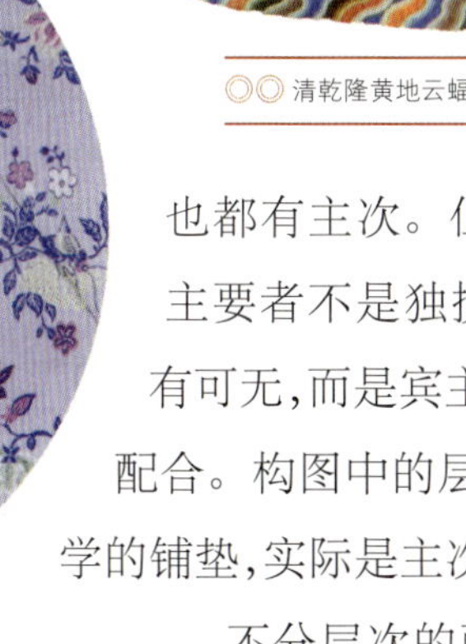

◎◎ 清光绪湖色地折枝花卉纹妆花缎 故宫博物院藏

【写实如生，简便相宜】是指物象的造型。对于装饰纹样来说，也就

◎◎ 左：清雍正蓝地勾莲纹织金缎 故宫博物院藏

是形象的图案化、装饰化。所谓写实和生动，可有不同的程度和不同的手法，不能理解成一般绘画的素描。“图案学”中有“便化”一词，曾有人误解成“变化”，是不恰当的。所谓“便化”亦即“便宜变化”，带有因地制宜、随机应变的意思，也就是云锦艺人所讲的“简便相宜”。当然，纹样的造型，即装饰化的手法很多，包括“夸张 — 变形”在内，虽然不是图案所独有的，却是最有特色的。

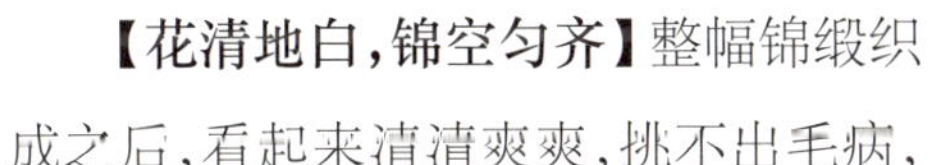

◎◎ 明代绛红地喜字并蒂莲锦 南京云锦研究所复制

【花清地白，锦空匀齐】整幅锦缎织成之后，看起来清清爽爽，挑不出毛病，不留遗憾。本来，云锦从挑花时起就分地纹和浮纹（主纹），要求花清地白。锦空匀齐是强调疏密有致、平脱齐整，因为锦缎主要是做衣料之用，要求平整匀称，与一般绘画是有区别的。

◎◎ 左：民国蓝地牡丹莲花纹织金妆花缎 清华美院藏

第三节 ◎ 从口诀看云锦

云锦的口诀很多，题材内容也多样，这是与其技艺高超和经验丰富分不开的。遗憾的是，我们对口诀的记录很不全面。仅就已掌握的材料，如果将琅琅上口的口诀与彩锦相对照，联系起来看，便会感受到其中的奥妙。

生产部门有一个术语叫做“终端产品”，即按照生产与消费的关系，直接进入消费者手中可用的东西，否则均带有原料的性质。云锦所织造的，主要用作高级的衣被，还须经过裁剪和缝纫。由于它在过去的特定用途，除龙凤题材为帝王所专用外，在装饰纹样上以各种花卉居多。所以，艺人的口诀有“花卉总诀”和“具体画诀”两类。前者也是画法，但不限于具体的哪种花卉，后者系分门别类的具体画法，又不限于花卉。

花卉总诀是：

花大不宜独梗，果大皆用双枝。
枝长用叶遮盖，叶筋不过三五。

一枝三叶分三岔，老干折枝不露根。

聚叶总宜之，独叶不能行。

叶从果间出，不露大块。

果中有斑纹，不显全身。

【花大不宜独梗，果大皆用双枝】在植物中，如果花大、果大，也应有较粗的枝梗托着，否则是支撑不住的。但若在纹样中将枝梗画得很粗，势必会破坏构图，影响视觉美感。怎么办呢？有一个创举，恐怕连植物学家也做不到的。即一般的枝梗照样很细，只是在与大花、大果连接的地方，"长"出双枝、双梗来。在现实中，只有并蒂莲和连生的果物，没有一朵花或一个果物有两根枝条的。这正是妙趣的所在。因为有了双枝、双梗，再大的花果也能托稳了。艺术的夸张有时是很大的。譬如"燕山雪花大如席"、"白发三千丈"，人们读诗，只会感到燕山太冷了，思念太深了，不会计较雪花和白发应该多大、多长。画花果也是如此，为了形容它的丰满硕大，可以大到现实之不及，但周围也要处理协调，不能感到生硬，由双梗托花，不是显得花更大吗？这就是艺术的真实不同于生活的真实。在装饰上是很了不起的创造。

至于花型之大，艺人称作"花头"，可说是云锦的一个特色。不论什么花头，大都带有程式化的特点。所谓"程式化"，也就是类型化，不仅云锦，几乎所有艺术，包括戏曲、音乐等都是如此，也可说是中国传统艺术的总的特点，只是所使用的具体手法不同而已。如戏曲的唱板、音乐的曲牌等。云锦的花头，是根据花瓣和花瓣的生长规律，先将花瓣作团便化，然后以花心为起点，将花瓣向外层层交错叠起，层次越多，花头越大。艺术的类型化成为造型的基础，再进一步使之个性化。这种方法，一般常用于牡丹、莲花之类，其特征也在于花瓣，牡丹

◎◎ 缠枝牡丹（云锦图案，局部）

牡丹

花的花瓣是圆的，莲花的花瓣是尖的。有一种称作“宝相花”的，起始于佛教艺术，其花瓣是莲花与牡丹的混合型，在花瓣的组合上，不求花型的立体，但求花盘的硕大，可说是艺术中一种想象的最大的花。

绣莲

【枝长用叶遮盖，叶筋不过三五】花是美的，但是没有枝叶的支撑与衬托，它的美不知会减色多少。而在艺术的画面上，不论画家还是图案设计师，又不知为枝叶的搭配花费了多少心思。艺术的长短，本来就是在有与无、多与少之间下功夫。一条花枝，横竖有节、曲直有度，应该多长才算完美呢？云锦艺人不可能规定出长短，也无法预见到长短，他们所考虑的，是在遇到这种情况时，如何化解矛盾，使长者不显其长，短者不感其短。也就是用叶遮盖，等于切断其长枝，将其分成几段，反觉自然协调。同样，叶有大有小，有老有嫩，上面的叶脉如同人的血管，细密如网，应该怎样表现呢？如果不画显得单调，画多了又嫌繁琐。云锦艺人的经验是“叶筋不过三五”。叶筋即是叶脉，主脉像是一条条的筋，每片大叶上画出三至五条就够了。

芙蓉

香莲

蔷薇

木笔

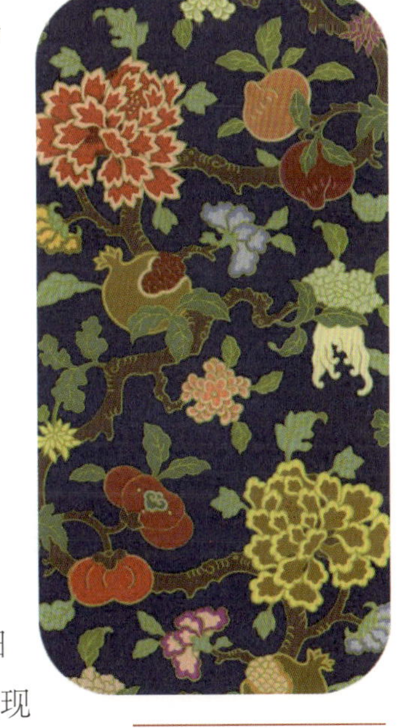
富贵三多（清代云锦图案）

上：各种花头造型 选自徐仲杰等《南京云锦》
左：翠蓝地加金缠枝莲花牡丹妆 选自《云锦图案》

艺术的内容和形式是互为作用的一对关系。内容有主次之分，形式也有轻重之别。在实际的构图中，主体在前，置于显明的部位，次要的内容隐在背后。然而，真正起骨架作用的，正是那些不显眼的东西。这就是枝干对于花卉的重要。

【一枝三叶分三岔，老干拆枝不露根】枝干如何分叉，一条枝上有多少叶，虽无定数，却应适中。太少了感到空，太多了感到挤。所以归纳出三叶、三岔（叉）的数目。这个数目并不是死板的，需要视具体情况而定。花卉中的“折枝花”较多，但尽量避免产生伤残、破损之感，多是将折断处藏起来（用叶遮盖），工笔画家也有这个做法，叫做“藏枝”（就是藏根）。即使不藏，也须注意画面的完整性。

我国的传统观念，以三为多数，三、五、九都是多的意思。在艺术中对三数的应用也很多。不仅有视觉上的效果，也有心理上的反应。

【聚叶总宜之，独叶不能行】花的叶子三三两两，宜聚不宜散，更要忌讳单独一个叶子长在枝干上。画法如此，自然生态亦如此。云锦的打样师傅牢记在心，不论画什么，信手都是画叶“三三两两”。清代中期，西风东渐。云锦的纹样设计，除了皇帝的龙袍必须有严格的规定、一般纹样仍有一套程式外，对于日常的便服，从宫廷到社会，尤其是殷富之家的妇女，趋风时尚，以“洋”为新。故宫博物院藏有一块乾隆年间（1736—1795 年）的“织彩玫瑰花金宝地锦”，从题材到构成，采用了以玫瑰花为主的“菱形连缀”，即四方连续斜长格的二分之一错位。而且不画明显的骨式线，用大小不同的正面花朵组成。这种格式曾长期流行于欧洲，成为他们的世俗花样。

◎◎ 左：宝蓝地五彩芙蓉妆花缎 南京云锦研究所藏 上：三多葡萄纹锦（云锦图案）

还有一种花样，时间与此差不多，采取了小花小叶自由延伸的无特定格式的设计方法。原标题是“浅绿色地折枝大洋花妆花缎”，一改宫廷艺术的庄重严整，变得活泼随意，犹如一篇抒写繁花绿茵的散文。所谓“大洋花”，花并不大，只是花叶信手勾出，不名其状而已。起点确像“折枝”，在枝干上露出明显的斜口；然后是细枝细梗随着正反的圆弧线（如S形）任其蔓延，以致很大一片。这只是锦缎幅面的一个单位，如果再将其他单位连续在一起，繁杂的效果可想而知。

◎◎ 织彩玫瑰花金宝地锦 故宫博物院藏

◎◎ 浅绿色地折枝大洋花妆花缎 故宫博物院藏

这种别出心裁的装饰，似树非树，似藤非藤，虽大却不能竖立起来，只能织在锦缎上。不过看起来很匀称，小花小叶，疏密有节，颇为新鲜，产生一种异样的情趣。可能因为这个缘故，连设计者也叫不出它的名字，就称作“大洋花”吧。

其实，有新创意不见得必是“洋”的。如果从图案构成的特点看，可称为“缠枝花的自由式”。还有一点非常明显，在艺人的心中有“聚叶总宜之，独叶不能行”，

清代三多果实纹织金妆花缎局部　选自金文《南京云锦》

那些细瘦的小叶总是三三两两。

【叶从果间出，不露大块。果中有斑纹，不显全身】云锦图案中的果物，多是“三多”之类，即桃子、佛手、石榴，以此寓意多寿、多福、多子，祝颂吉祥。但画这些果物，如果只画轮廓，未免显得单调，因此与叶子搭配，使叶子遮盖一部分，看不到全貌。或者在轮廓之内加一些斑点，包括简单的万字符、如意头、方胜等，既充实了内容，又不显得虚空。这种手法并不是云锦图案所独有的，在民间年画、剪纸等艺术中也有很多。

云锦图案的题材内容非常丰富，常见者不下百种之多。过去艺人画这些图案，大都有口诀。但是，关于纹样的“具体画诀”，我们了解的并不多，有的未经记录，有的虽然记下来，却又散失了。现在看来，这是真正可贵的非物质文化遗产，其中包含着丰富的民族艺术智慧。

现存的云锦纹样“具体画诀”有画龙、画凤、画缠枝莲、画梅、画牡丹、画蝙蝠、画云等七种。分述如下：

清康熙蓝地瓜蝶纹锦　选自金文《南京云锦》

【画龙】

龙开口，须发齿目精神有。

头大、颈细、身肥、尾随意。

掌似虎，爪似鹰，腿伸一字方有劲。

神龙见首不见尾，火焰宝珠衬威严。

中国的龙，是个虚拟的特殊动物，从最早的意义讲，可能带有原始部落图腾的性质。传至历朝历代，又成了帝王的象征。龙的形象，五千多年来变化很大，早期的龙有的像蛇，有的像马，还有的像猪、像鳄鱼等，直到汉代还是差异很大。龙的形象在唐宋时开始定形，我们现在看到的，主要是明清两代已经定形的，差不多一个样了。

◎◎双龙戏珠"团龙"（南京云锦图案）

古代皇帝自称受命于天，是“真龙天子”，如飞龙在天，所以皇帝的龙袍上饰满了龙，有的多达二十多条。明清以来，朝廷在南京设有织造局，专门为宫廷织造丝织品，其中“龙袍”是最重要的一项。除了龙袍之外，在其他丝织品上也有龙。所以说，明清两代画龙，南京云锦的龙可称是标准的了，也是数量最多的。

一般地说，虽然以龙象征皇帝，但在民间并不禁止画龙，只是到了较晚的时期，有一个明显的区别，民间的龙只能是侧面和四爪，唯有皇帝才能画五爪的龙和正面的龙，以此表明皇帝是“群龙之首”。

清代皇帝的龙袍，带有满服的结构特点，但纹样不同。在龙袍上饰有正面的龙和侧面的龙、施展的龙和团龙，以及游龙等。如故宫博物院收藏的康熙皇帝所穿的“明黄地云龙纹妆花纱夏朝袍”，是按照皇帝的身材整体设计的。它的主纹，以脖颈为中

◎◎明代龙袍纹样中的“团龙”（两种）

◎◎ 清代石青云龙妆花缎织成袍料 南京博物院藏

心，包括左右两肩和前后胸背，组成一个完整的大型"柿蒂纹"，每边都有一条正面的龙。下边的装饰带，织有连续的游龙纹，浮在海水上，中间从水中耸起高山，称作"江山万代"图，并衬有祥瑞的"四合云"和火焰宝珠等。所有的龙都是五爪。南京博物院收藏的"石青云龙妆花缎织成袍料"也是如此，只是花纹大同小异。除了五彩妆花主纹，有的袍料上还满织细密的暗花地纹，为四方连续的"团龙升云"，花纹在阳光的照射下若隐若现。变幻莫测，颇带几分神秘。

云锦口诀中之"龙开口，须发齿目精神有"，实践证明，画侧面之龙容易见效，如画正面之龙，口张大了适得其反。龙袍上用的团龙较多。古人相信"天圆地方"。皇帝用团龙，象征"飞龙在天"；而官员用方形的补子，说明在地，因为他们是在人间做官的。

◎◎ 左：清康熙明黄地云龙纹妆花纱夏朝袍 故宫博物院藏

“三停”，民间或称“三挺”，着重于颈部、胸部、臀部的曲线突出和转折。不仅画龙如此，对于四足的走兽均适用，如画虎、马等，以显示其力度。

◎◎ 龙凤呈祥（清代云锦图案）

云锦的连续纹样中龙的形象很多。有大大小小的“团龙”，也有“云龙”、“游龙”和“龙戏珠”等。

在纹样中，龙常与凤相配，以龙象征帝王，以凤象征后妃。在民间的婚礼上也以此为象征，并不禁忌。所谓“龙飞凤舞”、“龙凤呈祥”。凤即凤凰，但古人又称“凤”与“凰”有雌雄之别。雄者为凤，雌者为凰。另外还有一种类似凤凰的鸟叫“鸾”。如果两只凤凰或一凤一鸾在一起，称作“凤凰于飞”、“鸾凤齐鸣”，其中的“凤”又变成了雄性，同样象征男女和夫妇。为什么会产生这样的矛盾呢？因为龙、凤、凰、鸾这些祥禽瑞兽，都是虚拟、想象出来的。它们的产生并非出自统一的思考，象征性的内涵是后来逐渐形成的。也就是说，在它们之间并不存在伦理的或逻辑的关系。

◎◎ 左：宝蓝地加金三则龙戏珠妆花缎 南京云锦研究所藏

【画凤】

首如锦雉，冠似如意，头如腾云，翅似仙鹤。

龙有三停：脖停，腰停，尾停。

凤有三长：眼长，尾长，腿长。

凤即凤凰，传说中的大鸟，为百鸟之王。汉代许慎《说文解字》说：“凤，神鸟也。天老曰：凤之象也，鸿前麟后，蛇颈鱼尾，鹳颡鸳思，龙文虎背，燕颔鸡喙，五色备举，出于东方君子之国，翱翔于四海之外，过昆仑，饮砥柱，濯羽弱水，暮宿风穴，见则天下大安宁。”

在商周的青铜器上，考古学家所指的龙凤，夸张变形较大，特征并不明显。直到汉代，龙凤的形象还没有定型。

汉代人画凤凰（朱雀）多是大冠长尾，基本上是孔雀的形象。沂南

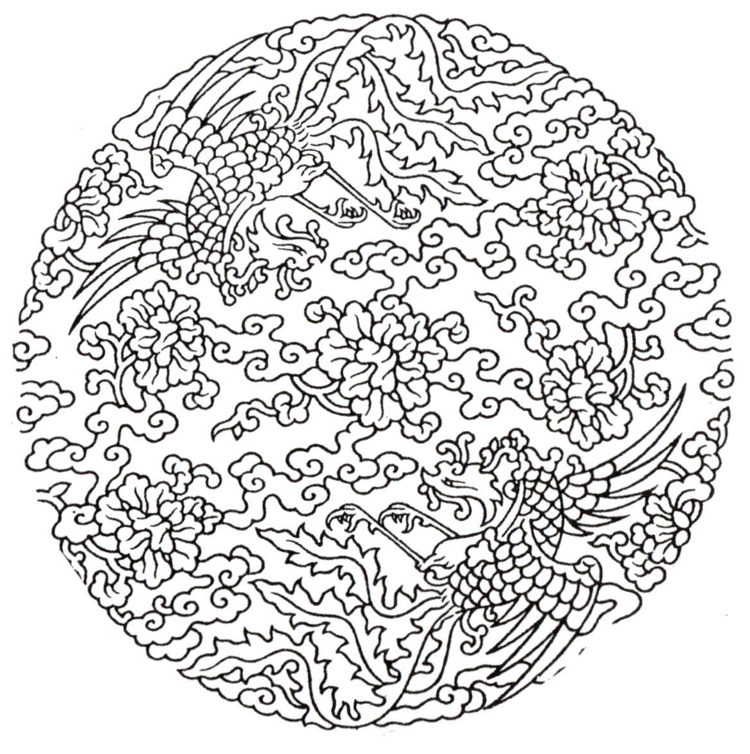

◎◎上：凤戏牡丹团花（南京云锦库锦纹样）右：黄地凤莲纹妆花缎 南京云锦研究所藏

画像中的凤凰，高翘的长尾，实际就是孔雀带有宝珠的一根尾羽，但是看起来丰满健壮。云锦画风的口诀，只强调几个特点，而且所谓“三长”重在秀美。民间画美人也有“三长”之说，即脸蛋长、脖子长、身段长。脸长是“瓜子脸”、“柳叶眉”，颈长是修肩，身段长是腰细、腿长，整体显得苗条。女性化的凤凰也应是清秀苗条的，看那“凤穿牡丹”的纹样，便会感受到这一点。

【画缠枝莲】

梗细恰如明月晕，
莲藤形如老苍龙。
莲梗细如绳曲，
莲头粗如云头。

◎◎古铜地织金大凤莲花锦　选自《云锦图案》

研究装饰艺术的历史，有一个奇特的现象，远古时代草木繁盛，可是人们对花卉似乎不感兴趣，没有在艺术上留下明显的痕迹。商周时代的青铜纹样中几乎也不见植物花纹。直到汉代，植物题材多了起来，但花卉仍旧很少。到了唐代前后，花卉才在人们的心目中普遍开放。不但赏花、养花，并且以花抒情，以花喻人。孟浩然诗：“看取莲花净，方知不

◎◎莲花团花（南京云锦纹样）

染心。”《旧唐书》九〇卷载：杨再思曲意奉承一个受宠的人说：“人言六郎面似莲花，再思以为莲花似六郎，非六郎似莲花也。”可见以花喻人之普遍。

莲花即荷花，古称芙蕖，生在浅水中，文人称赞它的“出于污泥而不染”。《尔雅 · 释草》说：“荷，芙蕖，…… 其华菡萏，其实莲，其根藕。”疏：“芙蕖其总名也，别名芙蓉；江东呼荷；菡萏，莲华也。”又：“荷 …… 其实莲。”注：“莲谓房也。”今称莲蓬。

佛教崇尚莲花，以为圣洁，有莲座、莲台、莲经等。在中国人的心目中，由于汉字的谐音，“莲”与“荷”，是两个好字眼。“莲”与“连”谐音，可组成“连年有余”、“连生贵子”、“连升三级”等吉祥语和吉祥图；“荷”与“和”谐音，成为“和合二仙”之一，手中持一枝荷花，象征“和气致祥”。民间图案画莲花（荷花），是透过水和泥的，从花、蕾、茎、叶和莲蓬，一直画到水中的茎和泥中的根与藕。由内容到形式，完全而圆满，实在是难得的吉祥艺术。

花卉的枝干有两类，一类是木本的老干，即使抽出的新枝也是硬的；另一种是草本的枝条，容易弯曲，蔓藤植物尤其如此。在装饰图案中，如何将无数的花朵组合在一起，仅靠枝干的自然形态是不可能的。于是，聪明人观察到软枝条的弯曲，使之有规律的“纠缠”在一起，“穿连”在一起，创造了“缠枝花”。缠枝花又叫“穿枝花”，是艺术思维的一种高创意，它按照人的理想将不同的花卉组合在一起。在图案学上称作“波线连续”，既可以构成无限长的装饰带（如花边），又能够组成大块面的锦缎，如“缠枝莲”、“缠枝牡丹”等。这种艺术的格式与手法，虽然最适宜于锦缎，但不限于织造。唐宋以来，被广泛用于陶瓷和

◎◎ 莲花花头造型　选自徐仲杰等《南京云锦》

◎◎ 缠枝莲库锦　选自《云锦图案》

建筑彩画上。在敦煌壁画中，以缠枝花的装饰宽带分割壁面，有的长达几十米，蔚为壮观。

云锦中的花卉纹样，以“缠枝莲”和“缠枝牡丹”较多，也有将两者画在一起的。现在还能看到零星的当年江宁织造局的挑花图纸，艺人称作“汉府稿”。云锦艺人所要记取的已非一般的方法，因此在他们的口诀中，只强调了两点：一是花头要大（“莲头粗如云头”），二是花梗要细（“莲梗细如绳曲”）。且看那些枝梗的处理，粗的用叶遮盖，细的“恰如明月晕”。这样就突出了硕大的花朵。至于“莲藤形如老苍龙”，那断断续续的枝节，不是苍老，而是厚重，说明云锦艺人的艺术境界，可谓“大匠若拙”了。

◎◎ 墨绿地加金缠枝莲花纹妆花缎　南京云锦研究所藏

【画梅】

枝不可对发，花不可并生。

垒花如品字，发梢如飞燕。

梅花开于早春，有红白二种，白者初开时微带绿色，叫绿萼梅。梅花耐寒，孤芳独放，清新淡雅。文人喜欢咏梅画梅，称赞它的雅致。孟浩然“踏雪寻梅”；林逋植梅养鹤，人称“梅妻鹤子”。后者的《梅花》诗脍炙人口：“众芳摇落独暄妍，占尽风情向小园。疏影横斜水清浅，暗香浮动月黄昏。”画家乐于画那稀疏的老枝和点点花朵。对于云锦来说，却是难以做到的。不仅枝干苍老疏放，连那小小的梅花花朵也不知怎样处理为好。所以云锦的口诀说“枝不可对发，花不可并生”，不能采取对称式，否则会显得单调。“垒花如品字，发梢如飞燕”，是指花朵的参错排列相增强画面的动感。高雅的梅花在云锦中多是处于陪衬地位。或是画成小团花，或是组成三三两两的“皮毬花”（即“品”字形的不规则处理）。还有一种称作“冰梅”的小花锦，连续成章之后却也很别致。

◎◎ 寿字梅花（南京云锦图案）

故宫博物院收藏的明代丝织物中，有一块题作《五湖四海》的织金

◎◎ 民国青色冰梅纹库锦 南京博物院藏

缎，是运用谐音借物表达。画的是五个葫芦与四个海螺。以葫芦之“葫”谐音“湖”，借海螺之“海”，组成“五湖四海”。五个葫芦构成一个团花，中心由五片叶子饾起，在五个葫芦之间嵌以四朵梅花。与团花交错并列的四个海螺，则是围绕着一个圆形花纹。梅花五瓣同心，圆形花纹也是突出了花心，整个画题，可能是取“五湖四海同心”之意。

明代红地五湖四海纹团花织金缎 故宫博物院藏

【画牡丹】

小瓣尖端宜三缺，
大瓣尖端四五最。
老干缠枝如波纹，
花头空处托半叶。

牡丹团花（云锦库锦纹样）

牡丹花硕大而娇艳，瓣肥圆曲，层层围拢，呈现出一种豪门富贵的气派，位居群芳之首，素有“花王”之称，被誉为“国色天香”。唐代之前，并无牡丹之名，它是由芍药培育出来的一种名花，主要供观赏之用。自此以后，成为诗人画家乐于书写、描绘的题材。在云锦的图案中，表现牡丹的纹样也特别多，各种形式都有。这样的选择并不是偶然的，而是华贵富丽的一种合韵。

云锦“画牡丹”的口诀，主要集中于花瓣和花的整体造型，以及缠枝牡丹的枝干处理。牡丹花的花瓣肥大圆曲，不论小瓣大瓣，边缘上都要有圆缺，甚至规定出三与五的比例。这样的花显得更丰满，更复杂。一朵大花，在整个构图中要匀称适中，安排好疏密关系。如果在周围有空的地方，可用叶子衬托，但叶子只能露出一半。

◎◎ 富贵万代（南京云锦图案）

民间有一句谚语：“牡丹虽好，还要绿叶扶持。”画牡丹，由于花头太大，需要有多片叶子衬托，否则，那圆圆的硕大花头反而缺少对比，显得孤立和单调了。在云锦图案中，凡画牡丹团花，除了主体的牡丹之外，多在外围加以花边。有的是规则的几何形，或组合一些小花朵，其目的就是增加对比，更显出牡丹的富贵之气。就像几个水果，散乱地放在桌子上，和摆在果盘中，感觉是大不一样的。有一个团花，外边画了蔓藤植物，是一串连续的有规律的小葫芦，绕成一周，中间是一枝三朵大牡丹。牡丹象征富贵，葫芦表示子孙传代。这样就形成了“富贵万代”的寓意。

缠枝花的特点在于缠绕，连绵不断，图案学上称作“波线连缀”，缠枝莲是如此，缠枝牡丹等也是如此。缠枝的枝干也就是波线的骨式，粗

细要适中，太细了眉目不清，太粗了像条铁箍，会把花头框死。从艺术的处理手法看，关键还在于“藏枝”和叶子的遮盖，不能把所有的枝干全显露出来。艺术上的“似全非全”、“似有非有”是很重要的。

缠枝花中最有意味的构想是“牡丹莲花连枝”。两种不同的名花竟然长在了一根枝干上，艺术家的想象力恐怕连植物学家也要惊叹。

黄地牡丹纹锦 南京云锦研究所藏

【画蝙蝠】

蝙蝠从来形不拘，
如龙似虎方称奇。
虎头、云耳、身似鼠，
两翅斜飞有高低。

在动物学中，蝙蝠与众不同，它属于哺乳纲翼手目，前肢除第一指外均极细长，指间以及前肢与后肢之间，有薄而无毛的翼膜，是具有飞翔能力的哺乳动物。蝙蝠的种类很多，一般以昆虫为食。我国常见的一种叫“伏翼”（或作“服翼”），亦

上：福寿万年（清代云锦图案）
左：雪白地加金缠枝牡丹莲花妆 选自《云锦图案》

五福长庆（清代云锦图案）

称"家蝠"，是蝙蝠科中较小的一种。形似鼠，栖息人家附近。多是昼伏夜出，捕食蚊、蝇、蛾类；白天则倒悬在洞窟等处睡眠。

许慎《说文解字》说："蝙，蝙蝠也，从虫，扁声。蝠，蝙蝠，服翼也，从虫，畐声。"段玉裁注："方言曰：蝙蝠，自关而东谓之服翼，或谓之飞鼠，或谓之老鼠，或谓之仙鼠。自关而西秦陇之间谓之蝙蝠。北燕谓之蟙蟔，音职墨。"

一个像老鼠样的动物怎么会飞呢？昼伏夜出、干些什么呢？怎么会倒挂着睡眠呢？蝙蝠的这些特点和习性，令人感到奇异。西方人说它非鸟非兽，不伦不类。我国人有的称为"仙鼠"。早在新石器时代的红山文化中，就将蝙蝠的形状制作成玉器。由于谐音取吉的习惯，将蝙蝠之"蝠"作为"福"的代表。单纯论容貌，蝙蝠实在无可取处，但因为它成了幸福的标志，在人们的心目中，也大不相同了。在山东泰安大汶口一带，产有一种远古的无脊椎动物化石，形状很像蝙蝠，但比蝙蝠小得多，其名字便叫“蝙蝠石”。明代崇祯年间用这种化石制作成砚台，名为“多福砚”。

明清两代，以蝙蝠表“福”者非常普遍，而“五福”的吉祥语盛行，各种工艺品上都有诸如“五福捧寿”等的吉祥图。南京云锦艺人掌握了蝙蝠“虎头、云耳、身似鼠”的形象特点，又了解它“两翅斜飞有高低”的活动规律，因此，所画之蝙蝠较为夸张。而所谓“蝙蝠从来形不拘，如龙似虎方称奇”，只是相对而言，且只用于局部，如“虎头”，并非虎的整体。

【画云】

行云绵延似流水，
卧云平摆像如意。
大云通身连气，
小云巧而生灵。

云气飘忽无定，它有固定的形象吗？科学家说没有，因为它是由水气聚合而成的；图案家说有，因为人们心目中已经形成了云的印象。世间画云，只有中国人画得最为具体，好像具有生命，带着感情。不但有行云、卧云，并且有愁云、喜云和吉祥云。云锦艺人说“行云绵延似流水”，这是波线形的流动；“卧云平摆像如意”，这是团坐式的静立。漫天云霞连成一片，像是一匹锦缎铺开；小小的云朵飘动，会激发人们的灵感。

云锦本来就是彩云的物化，所以能够代表云锦的也只能是云，不是天上那朵原生的云，而是由艺人创造的“四合云”。东西南北，四合为云，犹如人间的四方人和。当你拿着一枚古代的方孔铜钱，

◎◎ 清代如意云纹库锦　选自金文《南京云锦》

清代明黄地云龙纹织金缎 故宫博物院藏

上面铸着“天下太平”四个字，对准那方孔看天时，便会感悟到古人的吉祥立意，是多么善良。

云儿飘在天空，祥龙漫游其中。它在高处，据说能“兴云雨，利万物”。低处是蝙蝠在云中飞舞，又据说能够消灾纳福。这是云锦艺人的美好愿望，将其制成美锦，流传天下。

【其他】

云锦艺人的分工很细，图案纹样的设计除原来的宫廷织造局设有专职外，民间主要由挑花本的师傅担任，织造师傅则是负责配色。20 世纪 50 年代初，老艺人张福永的设计经验非常丰富，对于

清嘉庆明黄地八仙八吉祥云蝠纹织金绸 故宫博物院藏

云锦的方方面面都很熟悉。我们在研究“纹样设计总诀”时，谈到了“量题定格，依材取势”的原则。之后，我向他请教，如何构图以达到“行枝趋叶，生动得体”、“宾主呼应，层次分明”的最终效果，他笑着说：“拼拼、凑凑、摆摆、饾饾。”然后他指着自己的那包宝贝资料（平时的手稿和收集的素材，有的是画在香烟盒背面的）对我说：“把这些东西摆开来，硬要拚在一起，是糅不成团的。你心中要有盘算，它只能给你提个醒，作参考，要画出自己的图案来。画图案最重要的是‘顺气’，‘四面连接，八方成章’，好图案是拆不散的。”

◎◎ 明代“锦上添花”选自金文《南京云锦》

我曾经根据云锦残片复原过一幅仙鹤图，请张福永先生审视，他指着那仙鹤说：“鹤是神仙驾的，所以叫仙鹤。颈细长而曲，像龙；腿细长而直，像凤。背驼像龟，嘴里含着桃枝，长寿。”

有一次在闲谈时，我问他听说过“锦上添花”的成语吗？他笑了。他说那是文人想出来的。花上加花，美上加美，好上加好。虽然有的刺绣也在锦缎上绣花，但他们不了解织造，实际上多数云锦都是锦上添花，云锦的“地纹”和“主纹”（浮纹），挑花本都是分别挑的，织造时再拼在一起。地纹多是小花或几何形花纹，细密匀整，如果单独织出来，其本身就是锦缎了。在地纹上加花，要疏朗粗大，生动得体，不就是“锦上添花”嘛！

与民间老艺人谈话会学到许多知识，而且都很实际，是书本上没有的。对于工艺美术来说，深感有一部口头传承的“民族图案学”在各地流动，其中，南京云锦极具代表性，因为它融合了宫廷艺术和民间艺术，同时又受到文人艺术和佛道艺术不同程度的影响。

云锦艺人的口诀应该很多，但我们知道的只有以上数种。从流传下来的许多作品看，那些精彩的图案纹样不会没有口诀，可惜都消失了。面对一幅幅锦缎，揣度艺人的创意，是很有意思的。我们可以通过几种不同类型的云锦图案，了解其丰富性。

天华锦：犹如建筑的平棊和藻井，以各种规矩的几何形如方形、菱形、圆形、六角形、八角形等互相套接，构成图案的骨式。中间分别添加各种锦纹或单独形象，为“锦群”或“添加锦”。天华锦的最早格式，唐代叫“云裥瑞锦”，宋代叫“八达晕”，其格式近似。有些式样并非云锦首创，也不是它独有。几经借鉴取法，也就形成了自己的特点。

◎◎ 菊花天华锦（南京云锦研究所库缎纹样）

◎◎ 上：藏青地加金雷纹宝照天华妆 选自《云锦图案》 右：海蓝地加金如意富贵天华妆 选自《云锦图案》

灯笼锦：最初的创意是以灯谐“登”音，表现“五谷丰登”。画一宫灯，下边垂着谷穗，围绕着谷穗还有蜜蜂在飞舞。以谷穗代表五谷，以“蜂、灯”谐音丰登。后来演化的结果，只画灯彩，并直呼“灯笼锦”。宋代时以四川成都所织的最有名。云锦于清代所织者多为灯笼，有的与天华锦结合，将灯笼配置于中心部

◎◎ 清代灯笼纹样（南京云锦研究所图稿）

◎◎ 豆灰地加金天下乐妆 选自《云锦图案》

位，称作“天下乐”。

婴戏锦：中国古人对儿童的培养是以家族的兴旺为前提的，并由此发展起人伦之情。宋代民间的“泥孩儿”塑得水平很高，生动逼真；先后又有“磨睺罗”、“黄胖”等，无锡惠山的“大阿福”也属于这一类。画家则喜欢画带有世俗情调的儿童题材，从宫廷画师到民间画工，多有婴戏图、货郎图之类的作品问世，货郎图也是表现妇女和儿童，有许多惹人喜欢的玩具。影响所及，也成为工艺美术的热点，诸如刺绣、剪纸、陶瓷和锦缎等，民间木版年画更不必说。并由此发展成较复杂的《百子图》。云锦纹样中除百子图外，古代还有“太子骑羊”、“童子骑凤”

◎◎ 明代红地太子绵羊纹妆花缎 故宫博物院藏

◎◎ 清代红地百子图妆花缎被面 故宫博物院藏

◎◎仙童骑凤妆花缎 选自金文《南京云锦》

等，都是寓意吉祥的。

瑞节锦：我国有许多岁时节令，一年十二个月，几乎每个月都有一个什么节。如春节、元宵节、清明节、端午节、中秋节、重阳节等。随着时序的变化，结合各地民俗，有吃、有玩、有教化，形成一种民族文化的集中表现，以及生产劳动的有节奏调节。

每个节令都有相关的历史典故、传说故事、节日风情、风味食品、娱乐活动以及儿童的玩物，甚至有应时的穿戴。在云锦的纹样中也反映出这一特点，表现出民族情感的无比凝聚力。譬如五月初五的端午节，人们纪念爱国诗人屈原，划龙船、吃粽子、喝雄黄酒。天气热了，各种毒虫也活跃起来了；为了提醒人们防止毒蛇、蜈蚣、蝎子等的伤害，有“辟除五毒”的活动。所谓“五毒”，泛指一切危害人身健康的毒虫，但具体数目并不统一。吕种玉《言鲭·谷雨五毒》说：“古者青齐风俗，于谷雨日画五毒符，图蝎子、蜈蚣、蛇虺、蜂、蜮之状，各画一针刺，宣布家户贴之，以禳虫毒。”潘荣陛《帝京岁时纪胜》“端阳”条说：“五月朔，家家悬硃符，插蒲龙艾虎，窗牖贴红纸吉祥葫芦。幼女剪彩叠福，用软帛缉逢老健人、角黍、蒜头、五毒老虎等式，抽作大红硃雄葫芦，小儿佩

◎◎明万历红地艾虎五毒纹妆花纱 故宫博物院藏

◎◎左：黑地童子攀枝妆花缎 选自金文《南京云锦》

之，宜夏避恶。”云锦中有明代“艾虎五毒纹”的红地妆花纱，画一虎除“五毒”，五毒中包括壁虎、蟾蜍等。

又如“玉兔”，是八月十五中秋节的主要角色之一。我国古代神话，说“日中有乌，月中有兔”。乌是一只三条腿的乌鸦，玉兔就是白兔。但玉兔又是为西王母捣制“长生不老”之药的侍者。在佛教的本生故事中，兔子曾是佛的前身，因舍身助人而被升入月中。后来的“嫦娥奔月”，也是吃了它所捣的长生不老之药，才升入月宫。中秋月圆，人间家家祈求团圆。明锦中有“玉兔牡丹菊花纹”浅黄地妆花纱。中秋正是菊花盛开的季节，人们把酒赏月，讲述玉兔的故事，祝愿长寿。

明宣德浅黄地五彩玉兔牡丹菊花纹妆花纱 故宫博物院藏

小花锦：云锦的图案纹样，过去为皇家织造的强调花纹大、有气派，而且龙凤较多；民间的织造以日常穿用为主，多是小花朵朵，题材内容也丰富得多。虽然宫廷的常便服也有小花者，花色品种显然没有民间多样。

上：清代蓝万字地三多纹妆花缎 故宫博物院藏
右：清代松绿地织金满地小三多纹锦 南京云锦研究所藏

云锦小花锦的纹样在形式上可分两类：一类是花草果物，有折枝花、小团花、皮毬花或花果与篆文“寿”字、“喜”字等的组合；另一类是格子式四方连续的几何形纹，或在中间嵌一些小花朵，以及“暗八仙”、“八吉祥”等。

◎◎ 民国青地八吉祥纹织金银库缎 南京云锦研究所藏

纹样的吉祥寓意并非是云锦所独有的，但云锦的设计非常强调这一点，几乎体现在所有的织锦上。我国的民族文化，有所谓『讨口彩，取吉利』的传统，尤其在民间艺术中，可说比比皆是，反映出人民大众的祥和心态。

第四节 ◎ 图必有意，意必吉祥

人们在吉凶祸福面前，谁不想趋吉纳福呢？古时候甚至有相命术士为人推算命运。实际上并非真实，不过是一种心理反映罢了。由于装饰的目的主要是美化品物，点缀生活，应用所及不适于表现重大题材，很自然地成为吉祥文化。自汉代至南北朝，曾一度风行“谶纬”之说，由儒家的经典派生出一系列的纬书，假托天意，附会时事，为帝王歌功颂德，所谓祥瑞的预兆，从麟凤龟龙到一草一木，出现了大量的“符瑞图”、“祥瑞图”、“瑞应图”之类。儒家在历史上带有宗教特点，也与此有关。当谶纬的迷信色彩淡去之后，便逐渐转向了祝颂。吉语、吉图、吉兆，遍及生活的各个方面，就像人们相见问好、送别祝福一样，体现着美好的愿望。

"吉祥"的概念是抽象的,如何使其形象化呢?巧思者运用隐喻、比方、假借等手法,借物寄情,以物喻人,采用了"象征"、"谐音"、"表号"的寓意方式,形成了一个庞大的文化体系。特别是我国的汉字,单字、单义、单音,一个个的方块,多达数万个,但其读音很少,基本音只有几百个,加上四声,也不到两千个,因此,同音字很多。看文字很清楚,读起来便容易出岔子。语言学家赵元任曾写过一篇《施氏食狮史》,一个小故事,近百字,竟是一个读音,读起来谁也听不懂是什么意思。因此,吉祥语和吉祥图,便利用这一谐音的特点,出现了数不尽的成语和纹样。譬如祝贺老人长寿,有"七十曰耄,八十曰耋"之说。吉祥纹样中画了一只小猫与蝴蝶相戏,富有生活情趣。不明个中奥妙的人看了这幅《猫蝶图》,可能为那自然之美所感动,怎会知道这是为人祝寿呢?

它之所以成为通俗易懂的大众文化,靠的是大量的传播和约定俗成。其内容与形式是没有严格规定的。因为是吉祥,也无人细心计较,但若有人以此做坏事,可能会酿成大祸。清代早期的几个皇帝,都用这种办法实行过"文字狱",杀过不少人。

中国是一个多民族的大国,汉族人数最多,占全国人口的九成以上,因此,文化也是以汉文化为主。清代是满族贵族统治全国,他们处处疑心汉族的文人不服,从其著作中摘取所谓违碍字句,罗织罪状,大兴"文字狱"。他们最担心的是"反满复明"。如文字中有不利于"满"或颂扬"明"者,就会受到怀疑。眼疾"失明"是不管的,如果是"复明"(恢复明朝),可能会惹来麻烦。紫禁城的太和殿中悬挂着"正大光明"的匾额,幸好是皇帝自己写的,否则可要人头落地了。

这种思想的禁锢影响到社会,使所有人都要谨小慎微。所以说,南京云锦之"图必有意,意必吉祥",其实,早先织造局的纹样并不多。除各种龙凤纹样之外,常见的花卉有牡丹、莲花、菊花和宝相花等,果物有佛手、桃子、石榴所组成的"三多"(即多福、多寿、多子),其他还有篆文"寿"字、万字、喜字,以及"八吉祥"和"暗八仙"等。这些纹样的形式和内容都是较稳妥的,不会引起怀疑和麻烦。据说有的(如龙袍)是北京宫廷来样,由南京放大、挑花、织造。较多的纹样还是出在民间织户,他们竞相创新,新花样是会招徕客户的。

就吉祥纹样的整体而言，多是以“三星高照”等为主，由福禄寿三星拓展到各种动植物，其他也有表现生育的（如“连生贵子”），希望发财的（如“招财进宝”），祝愿和谐的（如“和合如意”）。概括起来可有十个方面，我称之谓“吉祥十字”。这十个字是：

“福”即幸福，福祉。多以蝙蝠之“蝠”或佛手之“佛”谐音。如画五只蝙蝠围绕一个篆文“寿”字，叫做“五福捧寿”。

“禄”即俸禄，或物质方面的收入。多以“鹿”谐音，或以官印代表。画一头梅花鹿或手托官印的官员。

“寿”即长寿，以蟠桃、仙鹤象征，或以绶带谐音。或直写篆文“寿”字。如画蝙蝠、桃子及两枚铜钱在一起，为“福寿双全”。

“喜”即喜庆，生男育女，有双“喜”字，喜鹊、鸳鸯、蝶恋花等。如画喜鹊站在梅花枝头，叫做“喜上眉梢”。

“财”即财富、财产、金钱。有铜钱、银锭、元宝等。另有想象的摇钱树和聚宝盆。“肥猪拱门”是进财的象征。

“吉”是吉利，吉庆。以兵器之“戟”和乐器之“磬”谐音。还有以鸡谐音，称作“大吉大利”。

“和”即和气，和谐。画“和合二仙”（荷花与盒子），“一团和气”（和气致祥）。云锦的“四合云”也属于这一种。

“安”即平安，安定。画鹿与鹤为“六合同春”。一只鹭鸶高飞，叫做“一路平安”；一条船行驶，叫做“一帆风顺”。

“养”即养生，修养。“琴棋书画”，“渔樵耕读”，“四季花开”，“岁朝清供”。画如意与笔、锭为“必定如意”；双柿与如意为“事事如意”。

“全”即全面，圆满。古代钱币称“泉”，以泉谐音“全”。画一串铜钱为“十全图”。

“吉祥十字”基本上涵盖了吉祥图的全部。

云锦中有“八吉祥”图，是藏传佛教的八种所谓“法器”（吉祥物）。因云锦在历史上一直行销西藏和内蒙古地区，故而这种纹样较多。据北京雍和宫《法物说明册》介绍，这八种吉祥物是：

法螺，佛说具菩萨果，妙音吉祥之谓；
法轮，佛说大法圆转，万劫不息之谓；
宝伞，佛说张弛自如，曲覆众生之谓；
白盖，佛说偏覆三千，净一切药之谓；
莲花，佛说出五浊世，无所染着之谓；
宝瓶，佛说福智圆满，具完无漏之谓；
金鱼，佛说坚固活泼，解脱坏劫之谓；
盘长，佛说回环贯彻，一切通明之谓。

以上，“金鱼”不是人工培养的金色之鱼，而是金银之金鱼。“盘长”在民间俗称“八吉”。所织的金线库锦，将八个吉祥物作两两组合，分别填充在龟甲式的六角格中，匀称整齐，极有规律。还带着几分神秘感。

◎◎八吉祥纹织金库锦（南京云锦研究所库锦纹样）

“八仙”是八位神仙的总称，他们潇洒飘逸，风度翩翩，相互间时散时聚，逍遥自在，在民间流传甚广。八仙在道教中属于“散仙”，尊位不高，但在民间故事中常为人做善事，分人之忧，助人解难，为大众所乐道。据说他们都是汉唐时人，修道成仙，但神仙的事迹则是虚构的。闻一多说：“神仙是随灵魂不死观念逐渐具体化而产生的一种想象的或半想象的人物。”因而模糊了神与人之间的界限。这八个人物，起初并非预设的组合，而是逐渐汇合在一起的。元代杂剧中已开始表演他们的故事。明初朱有敦写《吕洞宾花月神仙会》，第二折中有一段“长寿仙献香添寿”，神仙聚会，为人祝寿。其中“八仙”人物到了七位，只缺何仙姑；另外也来了三位非八仙人物，包括东方朔。这段唱词的最后两句是：“总都是神仙作戏，庆千秋福寿双全。”说明“八仙”还未最后定型。不过，由“神仙会”而“群仙祝寿”，距离“八仙祝寿”，也就不远了。

在古人的心目中，神仙为人祝寿是了不起的，不仅光彩体面，好像“寿”的质量和品位也提高了。直至吴元泰写《八仙出处东游记》，才确定了汉钟离、吕洞宾、张果老等八个人。八仙东游，面对东海汹涌的波涛，吕洞宾提出：为显出仙家本身，此行不得腾空驾云；试以一物投入水中，借物漂游。于是，各人施展法术，将身边一物投入海中，乘风逐浪而渡。由此，为后人留下了“八仙过海，各显神通”的成语。

近人徐蔚南在《翦画选胜》中将“八仙”各人所执的法宝，分别作成七言一句，兹录于下：

汉钟离，轻摇小扇乐陶然，常执一扇。
吕洞宾，剑现灵光魑魅惊，常背一剑。
张果老，鱼鼓频敲有梵音，常执鱼鼓。
曹国舅，玉版和声万籁清，常执玉版。
铁拐李，葫中岂只存五福，常带葫芦。
韩湘子，紫箫吹度千波静，常执一箫。
蓝采和，花篮内蓄无凡品，常携花篮。
何仙姑，手执荷花不染尘，常执荷花。

八仙各有一物，形成了他们的标志。设计家取了这八样东西，饰以飘带缠绕，组合在一起，见物如见人，称作“暗八仙”。暗八仙在民间纹样中应用很广，云锦也有这样单独的丝织品。故宫博物院藏有一件清代的“雪青地八仙万寿纹妆花缎怀档”，视其形式，“怀档”可能是肚兜之类，即以暗八仙围绕几何形的“万寿”纹。

还可以鱼为例，也是传统文化中一个隐喻的典型。早在汉代，甚至汉代之前，以鱼为象征的内容很多，有的比喻爱情，有的寄托思念，有的喜欢它的多子。古人相信“鱼龙变化”，以为黄河的大鲤鱼每年积于河津，竞登龙门。《艺文类聚》九六引《三秦记》说：“上者为龙，不上者故云曝鳃龙门。”这就是“鲤鱼跳龙门”的典故，后来也以此比喻科举考试，所谓“一登龙门，身价百倍”。汉代画像石中刻鲤鱼甚多，图其肥美和吉利；唐代帝王尤其喜爱，因为鲤鱼之“鲤”与“李”姓谐音，连大臣进入宫廷佩戴的“金鱼袋”（出入证）也绣着鲤鱼。

清光绪雪青地八仙万寿纹妆花缎怀档 故宫博物院藏

云锦中的鲤鱼，故宫博物院藏有“蓝地鲤鱼跳浪纹织金妆花缎”，所谓“跳浪”，其实是对跳龙门的隐语。

明清以来，多以鱼谐“余”音。如鲤鱼与莲花组合，为“连年有余”。画双鲤鱼与“戟、磬”组合，为“吉庆双余”。鲤鱼与牡丹组合，则为“富贵有余”等。云锦中的鲤鱼纹样，除“八吉祥”中的鲤鱼（金鱼）之外，大都属于这一类。

明代蓝地鲤鱼跳浪纹织金妆花缎 故宫博物院藏

◎◎ 宝蓝地“吉庆双鱼”织金妆花缎 南京云锦研究所藏

第六章 ◎ 进入新时代

第一节◎研究、继承、创新

1949年10月1日，中华人民共和国成立，从此中国进入了一个新的时代。新中国的建立，百废待兴，南京云锦的设计、生产和销售应该怎么办，不论在认识上，还是在做法上都没有明确的方针。最初几年，是以恢复生产为主。

新中国初期的云锦业，能够维持生产，但产量不大，多为小业户，他们组织起“联购联销”的机构，恢复生产的云锦织机有140多台。至1951年，南京市共建立手工业生产合作社27个。1954年8月，南京市手工业管理局对云锦业作了一次全面调查，全业共有生产机台228台，从业人员908人。

1953年12月，国家文化部在北京举办了一个“中国民间美术工艺展览会”，规模很大，并在展出期间举行了“著名艺人座谈会”，影响不小。著名工艺美术家陈之佛教授参加了这次会议。当时，我正在跟陈先生研修图案和工艺美术史论，也随之列席。在展览和座谈期间，聆听了朱德的讲话和文化部领导的报告，以及各地艺人的经验介绍。这是中国民间工艺美术有史以来的一次大会合、大检阅，不但引起了社会各界的积极反应，也得到了各级领导的关心和支持。在展览会上，南京云锦的亮相，大幅的五彩龙凤和大朵的织金牡丹花等，辉煌灿烂，气派非凡，使观众为之震惊。很多人好奇地询问，这样精美的锦缎是怎么织出来的？

这次展览影响深远。同年，华东文化部发出了"积极开展对民间工艺美术遗产进行挖掘、整理、研究工作"的指示。

1954 年 7 月，南京市人民政府文化处为了贯彻上级的指示，组建了"云锦研究组"，由陈之佛任名誉组长，何燕明任组长。成员有朱枫、徐仲杰、汪印然、朱冬生等，他们都是原文化处的美术干部；两个老艺人张福永和吉干臣，他们是硕果仅存的优秀挑花、设计艺人；还有陈之佛先生的两位图案研修生张道一和李有光，也参加了研究组的工作。他们深入作场，与挑花艺人、丝织艺人交谈，收集和复原云锦图案，记录云锦设计和配色的口诀，做出了很大的成绩，为今后的研究和发展奠定了基础。

云锦研究组的工作，主要有两方面：一是记录、整理了云锦艺人的图案设计口诀和配色口诀，其中体现着一些创作的规律和民族传统艺术特点，讲述口诀的主要是两位老艺人张福永和吉干臣。二是发掘、收集、整理了数以千计的云锦图案资料，有的对一些原稿作了设色摹绘，有的根据实物残片进行了复原。研究组曾从云锦的彩色图中精选了 40 幅，分妆花、库锦、库缎三大类。由陈之佛先生题名《云锦图案》，何燕明主编，并写了《云锦的艺术成就》作为前言，交人民美术出版社出版；不久赶上了"反右"运动，搁置了好几年，于 1959 年 3 月以"中国古典艺术出版社"的名义出版，为散页套装，署名也取消了，只用了"南京云锦研究所编绘，陈之佛校订"。现在看来，这是一本严谨的选集，记录了南京云锦以往的艺术成就。《云锦图案》彩色图集要送

◎◎《云锦图案》封面（中国古典艺术出版社出版 1959 年）

交人民美术出版社出版的时候，陈之佛先生说：“这是一个段落。然后在这个基础上往上联系，就可以找出丝织发展的总规律，推陈出新也就有基础了。”

还有一本黑白的《南京云锦》，大都是当年的摹绘稿，于1958年由上海人民美术出版社出版。陈先生在该书的前言中说：“解放以后，由于党和政府对于祖国优秀的工艺遗产异常重视和珍惜，南京云锦业在政府的扶持之下，生产上得到恢复和发展，国内外销路均先后打开，目前出现了供不应求、欣欣向荣的现象；并先后多次出国参加工艺美术展览，以及供应外销与兄弟民族的需要，都受到欢迎和赞扬。数百年来始终继承和保持着优秀传统的南京云锦，今天又重新焕发它灿烂的光彩了。”

中国的纺织工业主要集中在华东地区。1956年初，华东文化部和华东美协在上海举办“花布、丝绸、织锦座谈会”，并进行了作品观摩。陈之佛先生亲自带领云锦研究组的人员赴沪参加了座谈。云锦像是一颗重被发现的明珠，引起广泛的重视。可以说，这是云锦研究工作的一次检阅，加强了研究者的信心。朱枫、徐仲杰、朱冬生后来曾兴奋地在信中说：“今年年初我们从上海参加‘花布、丝绸、织锦座谈会’回来以后，在认识上，有了极大转变，看到自己的辛勤劳动受到广泛的鼓励和支持。因此，我们几个人下定决心，把毕生的精力贡献于这个事业。”由此表明，过去的一些美术干部，一般都不熟悉工艺美术，经过两年的努力，其心思已经同云锦织在一起了。

1956年，对于手工艺来说，包括云锦在内，是很重要的一年。在这一年里，全国进行了“手工业的社会主义改造”，先后成立了各级的手工业管理局。1956年3月5日，毛泽东作了《加快手工业的社会主义改造》的指示。指示中说：“提醒你们，手工业中许多好东西，不要搞掉了。王麻子、张小泉的刀剪一万年也不要搞掉。我们民族好的东西，搞掉了的，一定都要来一个恢复，而且要搞得更好一些。”又说：“提高工艺美术品的水平和保护民间老艺人的办法很好，赶快搞，要搞快一些。你们自己设立机构，开办学院，召集会议。杨士惠是搞象牙雕刻的，实际上他是很高明的艺术家。他和我坐在一个桌子上吃饭，看看我，就能为我雕像。我看人家几天，恐怕画都画不出来。”

筹备了两年多的“中央工艺美术学院”也在这一年建立，并由文化部改为中央手工业管理局领导。云锦研究组提出了筹建“南京云锦研究所”的规划。陈之佛先生多次在报刊上介绍云锦的艺术成就，呼吁重视这一重要的民族文化遗产。

1957 年初春，埃及工艺美术展览会在北京举行，当时的中央工艺美术学院才成立几个月，庞薰琹副院长带着我们一批年轻教师参加了开幕式。不多时，周恩来总理来了；当看到埃及的展品中有两幅织锦时，周总理问起了我国的织锦情况。庞先生要我作了汇报，周总理问得非常具体，最后嘱咐说：“你转告南京的同志们，一定要把云锦的工作做好，继承下来，发扬光大，不要把它丢掉。”事后我将周总理的话写信告诉了在南京的陈之佛先生，陈先生非常高兴，并说建立“云锦研究所”已是刻不容缓的事了。

南京云锦研究所的筹建得到了中央手工业管理局的重视和支持。1957 年 3 月，江苏省人民政府批准建所，于同年 12 月正式运作。南京云锦研究所是新中国建立后由国家批准的第一个工艺美术专业研究机构。

“旧时王谢堂前燕，飞入寻常百姓家。”数百年来，为皇帝织龙袍的地方，将要服务于平民大众，而且已经有了很好的起点。南京云锦研究所的建立，使我们看到了云锦未来的希望。它不仅标志着新与旧的变换，更重要的是由自发的发展走向了自觉的发展，其性质是大不相同的。

第二节 ◎ 木机与铁机并举

南京云锦的研究和实验，如果从1954年成立的『云锦研究组』算起，主要是1957年『南京云锦研究所』的建立，至今已57年。半个多世纪所走的路并非平坦，经验证明，它的艺术生命力虽然很强，但若茁壮成长还须顽强努力。

云锦是一种实用性的艺术，一般不作独立欣赏。因此，云锦的研究不可能是书斋式的，必须同实践紧密结合。早在云锦研究组时期便设立了小型的实验工场，并聘请了织造艺人。织造技艺的研究也很复杂，包括挑花艺人，招收了学徒，一开始便考虑到它的延续性。

南京云锦研究所至今经历了三任所长：首任所长陈子彬，是位老干部；继任的是汪印然；现任者是王宝林。他们在不同的历史时期各展其能，也各有特点，作出了不同的贡献。

徐仲杰在《南京云锦》一书中说："研究所建立后，面临两项重要工作，一是结合现实生活需要积极进行织造创新设计；二是为1959年的建国10周年庆祝大典服务。当时，全国都在

为国庆大典而忙碌。研究所也接到两项任务：一项是为庆祝建国 10 周年而出的《中国》摄影画册织造封面面料；另一项是为首都人民大会堂江苏厅设计沙发面料和其他装饰织料。这两项任务所需要的云锦，要求在继承传统的基础上织造出带有发展创新成分的新云锦。”

◎◎ 牛郎织女挂屏（织金妆花缎，朱枫作）

云锦的品种有十多种，分别由木机和铁机织造。木机是传统的织机，主要是织妆花的大花楼木机。铁机也称“电机”，已经是机械化的，但不是最现代化的织机，花本不用绳结，而是根据格子的意匠纸在厚纸板上打孔。在木机与铁机的织造上，对于速度和质量，一直存在不同的议论，有的看作先进与落后。虽然技术上已有不少改革，但两种织机在实践中并不能相互替代，它们是互补的关系。

“文革”中，云锦作为封建主义的遗产受到严重打击；云锦研究所工作停顿，艺人被“下放”到南京艺新丝织厂。时任中共南京市委书记的彭冲说："谁要搞掉南京云锦，谁就是历史的千古罪人！"但在那时，他的话已不起作用。至1973年，根据国务院批转的《关于发展工艺美术生产问题的报告》和《加强少数民族特需用品生产和供应的报告》两个文件的指示精神，重建南京市工艺美术工业公司，云锦研究所也恢复了工作。

1984年，南京云锦研究所成立三十周年时（从云锦研究组成立算起），汪印然所长要我以顾问的名义写文章，我写了一篇《三十而立》。我在文中提到，回顾南京云锦研究所已经走过了三十年的历程，可以看出，很"自然地"分作三个阶段，形成了研究工作的"三部曲"。

第一个阶段是在最初的几年，以收集整理资料为主，搜集云锦实物，摹绘和复原云锦图案；整理老艺人的图案手稿，记录他们的设计经验与创作、配色的口诀。并在此基础上出版了两本介绍云锦的图册，初步编写了云锦的发展史料。在这一阶段，首先摸清了云锦的历史沿革和艺术特点。

第二阶段是"文革"之前和之后，从纯实验性的织造进入实际生产。由于当时的种种原因，研究人员直接从事生产劳动，熟悉了工艺。研究所经济困难，需要找出路，通过市场调查，开发新品种，改进工艺的同时，使某些产品逐渐适应生活需要，不仅取得了一定的经济效益，并且给云锦注入了新的活力。

第三阶段是近几年，从单一地区的织锦研究到纵横发展。纵的方面，突破了云锦研究局限于清代中晚期的僵局，开始探讨我国丝织两千多年来的发展脉络和艺术成就；横的方面，通过中国织锦研究中心的成立，着手研究各地的织锦，特别是少数民族的织锦工艺。这样纵横延伸的研究方法，促进了云锦本身研究的深化。

◎◎ 宝蓝地加金"普天同庆"妆花缎 南京云锦研究所藏

云锦研究工作的"三部曲"，从整个历程来看，很多工作并非事先周密规划和预想的，但是，在回顾走过的道路、评估工作的成就和不足时，却明显地看出三个阶段有着必然的内在联系。也就是说，“三部曲”奏出了一个比较和谐的旋律，比较完整地体现了工艺美术研究的客观规律。如果对其进行深入的而不是表面的、有分析的而不是就事论事的总结，使之上升到科学的理论高度，可以从中找出在我国条件下办工艺美术研究所的具体可行的办法。

我在这篇文章的最后说：“云锦研究所的研究工作，得到了各级领导的重视与支持。全所人员，共同努力。现在第二代的研究和技艺人员已经成长起来，形成了老中青结合的人才结构。在当前改革的浪潮中，希望大展宏图，干出一番新的事业来。特别是对年轻的同志，愿你们放眼未来，认清云锦研究意义，看到光明前途，努力干它十年、二十年、三十年。等到云锦研究所庆祝第二个三十周年的时候，将是怎样一种情景呢？”

◎◎ 云锦邮票 · 双鱼

三十年的改革开放，使中国改变了模样，中华民族走上了复兴之路。云锦的光彩更显亮了，也更活跃了。

云锦的华贵礼服；耳目一新的云锦服装时尚表演；云锦的丝织挂屏和各种装饰品；高僧的袈裟、佛像和复制的珍贵文物；大型的《中国南京云锦》画册和云锦邮票……

当王宝林所长和张玉英副所长提着两瓶酒来我家时，使我怔住了。正在生疑，他们笑着说：这是我们挖掘云锦文化，发现了织工还有酿酒的传统习惯，便起名叫“云锦酒”。曾经二十万人的行业，有“白局”助兴，有喜酒庆贺；现在云锦复兴，就请您干一杯罢。

多么可爱的云锦和织造云锦的人！

第三节 ◎ 重要的非物质文化遗产

在哲学中，把物质和精神看作一对互为作用的关系，即在一定条件下两者可以相互转换。但在现实生活中物质和精神并非是纯然的，两者之间有着错综复杂的关系。所谓『非物质文化遗产』便是如此。

“非物质文化遗产”这个词，是近些年才叫开来的。譬如说云锦，不是物质，难道是精神吗？就云锦本身而言，当然是物质的，但它已不是没有染色、未经织造的生丝，在织出的锦缎中包含了精神，却又不是纯然的精神。也就是说，物质的和精神的，全包含其中了。从云锦的制作过程看云锦，且不说纹样的创意和“挑花结本”的奥妙，以及“通经断纬”的丝管“盘织”；即在织造之前，那五彩丝线的染色和金银线的制作，谁能想象一两黄金能够捶打出一亩地面积的金箔呢？谁又想到能把美丽的孔雀羽毛织到锦缎上呢？诸如这些特点，艺人是怎么想的，又是怎么做的，是怎样把想象变成了现实，通常我们称作“技艺”或“手艺”，实际上已经省略了全过程，只剩下一个简单的外壳了。所谓“非物质文化”,即指在那“技艺”、“手艺”的外壳之内的想象和做法;日本人使用汉字,称此为“无形文化财”。对于掌握这种技艺(手艺)的人,叫做“无形文化财持有者”。我们现在称为“非物质文化遗产传承人”。

问题的矛盾和复杂性在于,那些从事艺术创造的人,他的思维、想象、方法、技巧和操作,确实是非物质的,也是无形的,看不见的;只有通过他的作品,才能显见其高超的本领。有趣的是,显见本领高超的作品又是物质的了。所以说,现在强调保护非物质文化遗产,与其说是保护作品,不如说更重要的是保护人(掌握非物质文化的艺人)。

“保护非物质文化遗产”的提出,不管怎么理解和解释,它的内涵体现了全人类面临的一个重要问题,即在当前的全球经济一体化和现代化的进程中,“非物质文化遗产”依存的环境日益狭窄,濒临消亡。许多历史上形成的优秀文学传统、艺术、工艺、技术等,如何得到保护,是非常现实和紧迫的。

1998 年 10 月,联合国教科文组织通过了《人类口头和非物质遗产代表作宣布计划条例》,正式提出“人类口头和非物质遗产”的概念。2003 年 11 月,联合国教科文组织又通过了《保护非物质文化遗产公约》,为了统一行动,并终止了前一个条例。2004 年 8 月,我国加入了《保护非物质文化遗产公约》,成为该公约的缔约国。

2005 年 3 月 31 日,国务院办公厅颁发了《关于加强我国非物质文化遗产保护工作的意见》;同年 12 月 23 日,国务院颁发《关于加强文化遗产保护工作的通知》,并提出从 2006 年起,每年 6 月的第二个星期六为我国的“文化遗产日”。

2011 年 2 月 25 日,第十一届全国人民代表大会常务委员会第十九次会议通过了《中华人民共和国非物质文化遗产法》,自 2011 年 6 月 1 日起施行。

以上这些条例、公约和我国的若干规定与法律,无疑会起到积极的保护作用。几年来的实践,已取得了显著的效果。

联合国教科文组织颁布的《保护非物质文化遗产公约》界定说:“所

谓非物质文化遗产，是指那些被各地人民群众或某些个人视为其文化财富重要组成部分的各种社会活动、讲述艺术、表演艺术、生产生活经验、各种手工艺技能，以及在讲述、表演、实施这些技艺与技能的过程中所使用的各种工具、实物、制成品及相关场所。非物质文化遗产具有世代相承的特点，并会在与自己周边的人文环境、自然环境甚至是与已经逝去的历史的互动中不断创新，使广大人民群众产生认同，并激发起他们对文化多样性及人类创造力的尊重。当然，本公约所保护的，不是非物质文化遗产的全部，而是其中最优秀的部分——包括符合现有国际人权公约的、有利于建立彼此尊重之和谐社会的、最能使人类社会实现可持续发展目标的那部分非物质文化遗产。”

对照此公约和我国的有关规定，传承了一千多年、在织金妆花方面取得最高成就的南京云锦，理所当然是重要的“非物质文化遗产”，应该受到国家的保护。

2006 年，“南京云锦技艺”被列入国家首批非物质遗产。2009 年 9 月 30 日，又入选联合国教科文组织《人类非物质文化遗产代表作名录》。

第四节 ◎ 在民族复兴中发挥活力

南京云锦列入《人类非物质文化遗产代表作名录》，获得了最高荣誉，只是一个新的起点。实践证明，它在艺术上的表现力很强，有待发挥的潜力很大，除织造衣料外，可向多方面开拓。在中华民族的复兴中发挥更大的作用。

南京云锦向联合国教科文组织申报“非物质文化遗产”曾耗去八年的时间。据说有两个问题长期不得解决：一是“群众不了解”，二是“技术难懂”。

“群众不了解”是历史使然，但是，中国人都知道古代的皇帝穿“龙袍”，只是不了解在哪里织的罢了。你知道皇帝的大印是谁刻的吗？你知道皇帝的龙墩是谁做的吗？这是不允许宣扬的。云锦也是如此。惟其神秘，才更显得高贵。另一方面，那些织龙袍的工匠，他们虽然苦、累、穷，但是在手艺上有一种自豪感。所以过去聚居在城南的云锦织工，像是一个小社会；“好酒不怕巷子深”，“手艺绝技在身，不怕无人问津”。这是中国文化的一个深层现象。就像北京的一种小点心，用栗子粉做的金黄色的“小窝窝”,谁也不知道为什么这样做,一旦点开来,说是当年慈禧太后最爱吃的,大家都了解了。

“技术难懂”,是很自然的。本来,任何语言都有“通用词”和“专用词”。每个专业、行业都有自己的专用名词和术语,对于外行来说,有的确实难懂。技术性越强、越难解释清楚。一般人都知道宣纸,但不一定晓得“生宣”和“熟宣”。不懂国画的人,难以了解什么是“皴法”、“破墨”、“墨分五彩”。同样,云锦的技法越高,经验越丰富,有关的名词术语必然越多。不熟悉的人谈云锦,形容“美如云霞”是不难的,但若解释“通经断纬”、“挖花盘织”、“逐花异色”就很难,不消说外国人听不懂,一般中国人也是难以理解的。

对于事物的理解,在于认识的深度;而介绍某一事物,不仅看理解的程度,还要看你能否深入浅出。如果连自己也不懂,怎能让别人听懂呢?

实践和理论是认识论的一对重要范畴。熟悉某种工作的人不一定了解工作的原理,即所谓“知其然而不知其所以然”。人们在节庆日放鞭炮,点燃“二踢脚”,谁也不会意识到这是“火箭升天”的原理。过去耍皮影的人,谁也不会想到它是电影的鼻祖。千百年来,那些数着丝线和棉线在那里“挑花结本”的艺人,谁能知道,他们所操作的,是现代计算机的祖先呢?

“挑花”这个词,在工艺美术中有两种解释:一是农村姑娘在布上绣花,数着经纬线作依据,因为多是用斜十字作针脚,以此构成花纹,所以也叫“十字绣”;另一种即是织锦的花本。两种“挑花”都是以经纬线为依据,在纸上用方格表示,近代机织称为“意匠纸”。印刷的图像也是用方格,称作“网线”。由于丝织的丝线很细,经纬交叉的一个元点(即一个方格),与印刷133—150线的网目接近。因此,可以说它的表现力很强,不但能织各种装饰纹样,也能织出精密度很高的书画作品。

譬如云锦的大型花头,牡丹花、莲花的花瓣色彩多分“两晕”或“三晕”,并有晕色谱的口诀。之所以将颜色的深浅分出层次,既是为了图案的富丽而平整,又便于使织手在“盘织”时自由配色。南京云锦研究所曾试验了使用“接晕”方法,即将色彩渐深渐浅,不分两晕或三晕。这样做

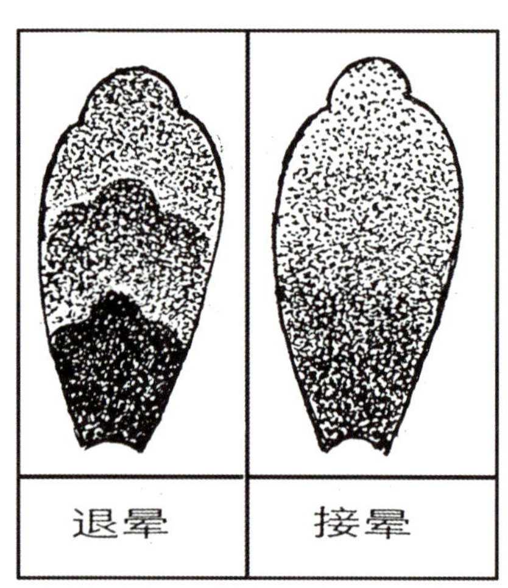

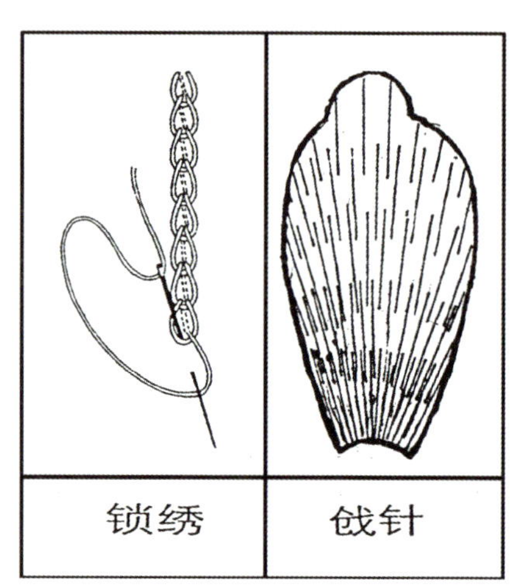

◎◎ 云锦晕色与刺绣针法（左为云锦，右为刺绣）

的结果，花朵的立体感加强了，色彩更鲜艳了，无疑也增加了挑花和织花的困难。如果织一幅画，效果是很好的，但若作衣料，立体的花朵穿在身上，会感到凹凸不平。因为绘是不宜穿在身上的。

刺绣也是如此。早期的绣花针法比较单一，主要用锁绣，即所谓“辫子股”者。这种针法很适合绣花纹的轮廓，但若铺出块面，特别是分出深浅便很困难；以后研究出“戗针”的针法，即将针脚交错起来，有“正戗”和“反戗”，不但可以绣大面积，并且可以使色调变换深浅，因而解决了刺绣书画的难点。艺术的手法真是“隔行不隔理”。云锦的“接晕”如同刺绣的“戗针”，完全可以在丝织书画上大显身手。

明代有一件双色缎的丝织文字挂幅，织的是宋代文学家欧阳修（永叔）的《昼锦堂记》。“昼锦”的典故见于《史记 · 项羽本纪》，说是项羽入关之后，大屠咸阳。有人劝他留在关中；他看秦朝的宫殿已毁，有意回归江东，说：“富贵不归故乡，如衣绣夜行，谁知之者！”后人因称富贵还乡为“昼锦”。相关的成语有“衣绣昼行”、“衣锦还乡”、“荣归故里”等。这是古人的一种“荣誉观”，说是富贵显达之后，穿着华丽的锦绣衣裳回到故乡，向亲友乡里炫耀。刘禹锡诗：“朝服归来昼锦荣，登科记上更无光。”欧阳修的这篇散文，标题的全称是《相州昼锦堂记》，是为韩琦而作。韩琦，相州人，北宋大臣，官至宰相；曾以武康军节度使治相州，因相州是故乡，筑堂刻石，名“昼锦堂”。欧阳修据此有感，写了这篇散文。其实，欧阳修并没有去过他的昼锦堂，只是读了刻在石头上的诗，完全不是为了炫耀。韩琦是个做大事的人，功在国家，是国家的光辉，不单是乡里的荣耀。他视“昼锦”炫耀为鄙陋，把夸耀荣华当作警戒；可贵的是志向，而不是富贵。所以，欧阳修“乐公之志有成，而喜为天下道也”。

织锦字幅为蓝地楷书，四周衬以云鹤纹；泱泱五百多字，锦幅很大，有三米多高，像是一座巨碑，在织锦中是罕见的。

2009 年，南京云锦研究所为庆祝建国 60 周年，织了一幅《万寿中华》图。幅面较大，超过了一般木机的尺寸。他们从改装木机起，并有两位织手和两位拽花工共四人配合操作，用了近半年的时间完成。龙船乘风破浪，群鹤漫天飞舞，象征我们的祖国一往直前，与日高升。

晝錦堂記 歐陽永叔撰
仕宦而至將相富貴而歸故鄉此人情之所榮而今昔之所同也蓋士方窮時困阨閭里庸人孺子皆得易而
侮之若季子不禮於其嫂買臣見棄於其妻一旦高車駟馬旗旄導前而騎卒擁後夾道之人相與駢肩累迹
瞻望咨嗟而其所謂庸夫愚婦者奔走駭汗羞愧俯伏以自悔罪於塵車馬足之間此一介之士得志當時而
意氣之盛昔人比之衣錦之榮者也惟大丞相衛國公則不然公相人也世有令德為時名卿自公少時已擢
高科登顯仕海內之士聞下風而望餘光者蓋亦有年矣所謂將相而富貴皆公所素有非如窮阨之人僥倖
得志於一時出於庸夫愚婦之不意以驚駭而夸耀之也然則高牙大纛不足為公榮桓圭袞裳不足為公貴
惟德被生民而功施社稷勒之金石播之聲詩以耀後世而垂無窮此公之志而士以此望於公也豈止夸一
時榮一鄉哉公在至和中嘗以武康之節來治於相乃作晝錦之堂于後圃既又刻詩於石以遺相人其言以
快恩讎矜名譽為可薄蓋不以昔人所夸者為榮而以為戒於此見公之視富貴為何如而其志豈易量哉故
能出入將相勤勞王家而夷險一節至於臨大事決大議垂紳正笏不動聲色而措天下於泰山之安可謂社
稷之臣矣其豐功盛烈所以銘彝鼎而被絃歌者乃邦家之光非閭里之榮也余雖不獲登公之堂幸嘗竊誦
公之詩樂公之志有成而喜為天下道也於是乎書

◎◎ 明代蓝地双色锦《昼锦堂记》 选自金文《南京云锦》

百花纹织金妆花缎 选自金文《南京云锦》

目　录

的王者气象；“咫尺之内再造乾坤”的苏州园林，代表了中国风景式园林艺术的最高水平；发端于南京的云锦纹样图案和以精、细、雅、洁蜚声的苏绣，以及宜兴紫砂、惠山泥人、江苏书画、江苏美食、南京城墙、徐州画像石、扬州漆器等等，都是江苏历史文化的名片。

随着中国改革开放的深入推进，开放的江苏与世界的联系日益紧密。江苏需要把更多代表自身特色的文化资源介绍给世界，世界亦需要借助更多的文化符号来感知江苏。由江苏省人民政府新闻办公室策划、凤凰出版传媒集团译林出版社编辑出版的《符号江苏》丛书，以图文并茂的形式，介绍了江苏最具公认度和代表性的特色文化资源，其中不少已列为世界物质和非物质文化遗产。这些经过长期积淀形成的标志性符号，体现着江苏这方水土独有的人文精神和文化基因，展示出江苏文化的源远流长与灿烂多彩。相信捧读《符号江苏》的朋友，无论你是否来过江苏，都会为她悠久的历史、灿烂的文化而心驰神往。

现在，江苏正致力于全面建成更高水平小康社会、开启基本实现现代化新征程。我们期望，通过《符号江苏》这套丛书，让更多的海内外读者朋友认识江苏、了解江苏。同时，我们热忱欢迎世界各地朋友走进江苏，亲身体验这方灵秀水土的无穷魅力，与这里的人们一起分享江苏独特的文化、优美的环境和美好的生活。

（作者系中共江苏省委书记）

文化符号的魅力

罗志军

上世纪五十年代，一首来自江苏的民歌《茉莉花》走上国际舞台，让世界记住了江苏。时至今日，这首优美的乐曲，已演化为中国的文化符号，成为中外文化交流的纽带。许多国际友人就是寻着《茉莉花》的韵味，认识江苏并种下了对江苏特有的情结，这便是文化符号的魅力。

位于中国大陆东部沿海的江苏，是中华文明的重要发源地之一。在这片美丽富饶的土地上，一代代江苏人辛勤耕耘，不仅创造了辉耀古今的物质文明，而且形成了吴越古韵、楚汉雄风、金陵人文、维扬风物的文化特色，可以引为江苏符号的资源不胜枚举。

在江苏众多文化符号中，延续六百多年的昆曲，不仅是中国戏曲的“百戏之祖”，也是世界戏剧的三大源头之一，明孝陵空寂神道上的巨大石像，印证着南京虎踞龙盘

图书在版编目(CIP)数据

明孝陵 / 夏维中, 韩文宁著. 一南京：译林出版社，2013.1
(符号江苏)
ISBN 978-7-5447-2677-1

Ⅰ.①明… Ⅱ.①夏… ②韩… Ⅲ.①地方文化—文化史—江苏省 ②朱元璋(1328 ~ 1398)—陵墓—介绍 Ⅳ.①K295.3 ②K928.76

中国版本图书馆 CIP 数据核字（2012）第045093号

《符号江苏》丛书
丛书主编　张道一

第一辑书目

昆　曲
明孝陵
南京云锦
宜兴紫砂
苏　绣
徐州画像石

书　　名　**明孝陵**
作　　者　夏维中　韩文宁
责任编辑　竺祖慈
封面设计　胡　苨
版式设计　陆　莹　常　征
技术编辑　黄　晨　韦　枫
出版发行　凤凰出版传媒股份有限公司
　　　　　译林出版社
出版社地址　南京市湖南路 1 号 A 楼，邮编：210009
电子邮箱　yilin@yilin.com
出版社网址　http://www.yilin.com
经　　销　凤凰出版传媒股份有限公司
印　　刷　南京爱德印刷有限公司
开　　本　889 毫米×1194 毫米　1/16
印　　张　11.5
版　　次　2013年1月第1版　2013年1月第1次印刷
书　　号　ISBN 978-7-5447-2677-1
定　　价　88.00元
总 定 价　580.00元（第一辑全六册）
　　　　　译林版图书若有印装错误可向出版社调换
　　　　　(电话：025-83658316)

明孝陵

夏维中　韩文宁◎著

《符号江苏》丛书编委会

《符号江苏》丛书编委会

昆曲
俞为民◎著

图书在版编目(CIP)数据

昆曲 / 俞为民著. 一南京：译林出版社，2013.1
(符号江苏)
ISBN 978-7-5447-2676-4

Ⅰ.①昆… Ⅱ.①俞… Ⅲ.①地方文化—文化史—江苏省 ②昆曲—介绍 Ⅳ.①K295.3 ②J825.53

中国版本图书馆CIP数据核字（2012）第045082号

《符号江苏》丛书
丛书主编 张道一

第一辑书目

昆 曲
明孝陵
南京云锦
宜兴紫砂
苏 绣
徐州画像石

书 名 昆 曲
作 者 俞为民
责任编辑 李瑞华
封面设计 胡 苨
版式设计 陆 莹 常 征
技术编辑 黄 晨 韦 枫
出版发行 凤凰出版传媒股份有限公司
译林出版社
出版社地址 南京市湖南路1号A楼，邮编：210009
电子邮箱 yilin@yilin.com
出版社网址 http://www.yilin.com
经 销 凤凰出版传媒股份有限公司
印 刷 南京爱德印刷有限公司
开 本 889毫米×1194毫米 1/16
印 张 12.75
版 次 2013年1月第1版 2013年1月第1次印刷
书 号 ISBN 978-7-5447-2676-4
定 价 90.00元
总 定 价 580.00元（第一辑全六册）
译林版图书若有印装错误可向出版社调换
（电话：025-83658316）

文化符号的魅力

罗志军

上世纪五十年代，一首来自江苏的民歌《茉莉花》走上国际舞台，让世界记住了江苏。时至今日，这首优美的乐曲，已演化为中国的文化符号，成为中外文化交流的纽带。许多国际友人就是寻着《茉莉花》的韵味，认识江苏并种下了对江苏特有的情结，这便是文化符号的魅力。

位于中国大陆东部沿海的江苏，是中华文明的重要发源地之一。在这片美丽富饶的土地上，一代代江苏人辛勤耕耘，不仅创造了辉耀古今的物质文明，而且形成了吴越古韵、楚汉雄风、金陵人文、维扬风物的文化特色，可以引为江苏符号的资源不胜枚举。

在江苏众多文化符号中，延续六百多年的昆曲，不仅是中国戏曲的“百戏之祖”，也是世界戏剧的三大源头之一；明孝陵空寂神道上的巨大石像，印证着南京虎踞龙盘

的王者气象；“咫尺之内再造乾坤”的苏州园林，代表了中国风景式园林艺术的最高水平；发端于南京的云锦纹样图案和以精、细、雅、洁蜚声的苏绣，以及宜兴紫砂、惠山泥人、江苏书画、江苏美食、南京城墙、徐州画像石、扬州漆器等等，都是江苏历史文化的名片。

随着中国改革开放的深入推进，开放的江苏与世界的联系日益紧密。江苏需要把更多代表自身特色的文化资源介绍给世界，世界亦需要借助更多的文化符号来感知江苏。由江苏省人民政府新闻办公室策划、凤凰出版传媒集团译林出版社编辑出版的《符号江苏》丛书，以图文并茂的形式，介绍了江苏最具公认度和代表性的特色文化资源，其中不少已列为世界物质和非物质文化遗产。这些经过长期积淀形成的标志性符号，体现着江苏这方水土独有的人文精神和文化基因，展示出江苏文化的源远流长与灿烂多彩。相信捧读《符号江苏》的朋友，无论你是否来过江苏，都会为她悠久的历史、灿烂的文化而心驰神往。

现在，江苏正致力于全面建成更高水平小康社会、开启基本实现现代化新征程。我们期望，通过《符号江苏》这套丛书，让更多的海内外读者朋友认识江苏、了解江苏。同时，我们热忱欢迎世界各地朋友走进江苏，亲身体验这方灵秀水土的无穷魅力，与这里的人们一起分享江苏独特的文化、优美的环境和美好的生活。

（作者系中共江苏省委书记）

目　录

下篇　魅力永存的幽兰经典

引言

昆曲，又有昆剧、昆山腔之称。2001 年 5 月 18 日，联合国教科文组织在巴黎宣布首批“人类口头和非物质遗产代表作”，在全世界 19 个入选项目中，昆曲以全票通过，名列榜首。这不仅说明昆曲的影响与地位，已超越了国界，而且标志着中华民族的文化遗产，受到全世界重视。在我国几百种戏曲剧种中，为什么独独昆曲入选首批“人类口头和非物质遗产代表作”呢？这是因为昆曲所蕴含的历史价值、文化价值和艺术价值是其他剧种所不能比拟的。

昆曲具有悠久的历史，它产生于元代末年，最早是由昆山人顾坚创立的，到了明代嘉靖年间，又经戏曲音律家魏良辅的改革，奠定了其曲坛“正音”的地位。从明代中叶到清代中叶，昆曲风靡全国，流行大江南北。到了清代中叶以后，虽然走向了衰落，但仍未绝迹。流传到今天，昆曲已有六百多年的历史，是我国现存戏曲剧种中最古老者。

昆曲的音乐，汇集了我国古代音乐的精华，它所采用的曲牌体音乐结构，荟萃了唐宋大曲、宋词、元曲、诸宫调、唱赚等的曲调。

昆曲的剧本，代表了中国古代戏剧文学的最高成就。大量文人学士参与撰写剧本，提高了昆曲剧本的文学品位，从明代嘉靖、万历年间至清代中叶，昆曲舞台上涌现了大批经典传世之作，如梁辰鱼的《浣纱记》、汤显祖的《牡丹亭》、李玉的《清忠谱》、洪昇的《长生殿》、孔尚任的《桃花扇》等，这些名作不仅在舞台上经演不衰，而且作为案头文学，为读者所喜爱。昆曲也继承了宋元南戏、元代杂剧的一些优秀剧目，如《荆钗记》、《白兔记》、《拜月亭》、《杀狗记》、《琵琶记》等五大南戏，及《窦娥冤》、《单刀会》、《东窗事犯》等，都在昆曲舞台上争妍斗艳。

在昆曲流传过程中，戏曲理论家们从剧本创作、戏曲音律、演唱、扮演等各个方面，总结了昆曲的内在规律，形成了完整的理论体系。昆曲具有完善的表演体系，而这一表演体系，堪称中国传统戏曲表演体系的代表。

昆曲不仅是中国传统戏曲的集大成者，而且汇集了中国古代文学、音乐以及歌舞、杂技等的精华，因此，昆曲有“雅部”之称，像唐诗、宋词、元曲一样位列经典。然而，一代有一代之文学，昆曲在臻于完美与极致之后，走向衰落也就不可避免；今天，昆曲成了“人类口头和非物质遗产代表作”，保护、传承并在一定程度上振兴昆曲就成为我们要面对的课题。时代与生活环境的变迁，审美情趣的差异，我们无法奢望今天的人们都喜爱昆曲、会唱昆曲，但我们可以让大家了解昆曲的艺术特点，知道昆曲的价值及其在文化史上的地位。而昆曲获得全世界的认可，也在某种意义上为今天中华文化走向世界提供着启示。

六百年的精彩历程

◎上篇

一 南戏的流传与剧唱昆山腔的产生

昆曲最早叫“昆山腔”,是南戏的四大唱腔之一。

十二世纪中叶,在浙江的温州一带产生了一种新的表演艺术,即南戏,它是中国戏曲史上最早的成熟戏曲形式,由于它形成于温州,是在宋金杂剧的基础上形成的,故当时又称“温州杂剧”和“永嘉杂剧”。温州的南戏艺人在创立了南戏后,便带着这一新的表演技艺走南闯北,冲州撞府,到各地卖艺赚钱。

元代的昆山,隶属于江浙行中书省,包括昆山、太仓两地。当时昆山的浏河口是一个重要的对外贸易口岸,时称“六国码头”。各地商旅云集于此,城市经济繁荣。元代末年虽然战乱频仍,但由于张士诚割据苏州十数年,使苏州一带免遭兵火之祸,经济发展不受影响。因此,在元代,昆山、苏州一带的繁华程度不亚于曾是南宋都城的杭州,当时有“上有天堂,下有苏杭”之说。而城市的繁华,为民间技艺提供了一个消费市场。因此,南戏艺人们也来到苏州,卖艺谋生。如南宋末张炎在《山中白云》卷五【满江红】词的小序中提到:“传奇惟吴中子弟为第一流,所谓识拍、道字、正声、清韵、不狂,俱得之矣。”传奇是南戏的别称,可见在当时苏州

一带的南戏不仅广为流传，而且具有很高的演唱水平。

南戏形成于民间，其作者和表演者都是当时的下层文人或民间艺人。南戏艺人们编撰和表演南戏，其目的是为了赚钱谋生，而当时的观众，也多是下层百姓，因此，艺人们不仅在剧作的内容情节上，反映下层民众的情感与愿望，以赢得他们的认同与喜爱，在语言上，亦能顾及下层观众的欣赏水平，通俗易懂，所用的曲调，也多取自百姓耳熟能详的民间歌谣。《张协状元》所用的曲调中，如【东瓯令】、【福清歌】、【台州歌】、【吴小四】、【赵皮鞋】等，便都是温州、福建一带流传的民间歌谣。

民间歌谣是以依腔传字的方式来歌唱的，每一首歌曲，都有其固定的旋律。在传唱过程中，用固定的旋律来换唱不同的歌词，腔定而字声不定。南戏采用民间歌谣为曲调，故也承袭了民间歌谣这种依腔传字的演唱方式。而且，南戏最早产生于温州时，是用温州本地的方言土语演唱。方言虽能受到当地观众的欢迎，但有很大的局限性，如明代祝允明在《重刻中原音韵序》中，就把用温州方言演唱的南戏比作鸟叫声。

为了让不同地区的观众听得懂，南戏艺人们到新的地区演唱时，就

江苏省昆山市千灯古镇，旧称千墩（CFP 图）

改用当地的方言来演唱，因此，南戏在流传过程中，便产生了许多带有各地地方色彩的唱腔，通常就以该地来命名，如海盐腔、余姚腔、弋阳腔等。南戏流传到苏州、昆山一带后，民间艺人用当地方言演唱，从而创立了昆山腔，并成为南戏四大唱腔之一。

那么昆山腔最早是由谁创立的呢？明代的魏良辅在《南词引正》中说，昆山腔是唐玄宗时黄幡绰所传。黄幡绰是开元年间宫廷教坊艺人，在唐代人赵璘的《因话录》、崔令钦的《教坊记》和段安节的《乐府杂录》中都有记载，生性滑稽幽默，如见到教坊歌妓中有肥大年长者，即呼为“屈突干阿姑”，长相像西域胡地人者，则称她们为“康太宾阿妹”。他擅长表演参军戏，调笑机灵，颇得唐玄宗宠幸。时人曾说，唐玄宗一日不见黄幡绰，龙颜为之不悦。安史之乱时，黄幡绰为叛军所俘，在长安被迫为安禄山表演。安史之乱平定后，有人以其为安禄山表演而称其通敌，玄宗却不以为有罪，将他开释了。黄幡绰晚年流落江南，死后葬在昆山正仪绰墩。南宋龚明之《中吴纪闻》载：黄幡绰之墓在昆山县西二十里，村名“绰墩”；因受黄幡绰的影响，村人皆善滑稽及能作三反语。绰墩的遗址今尚在，位于昆山城西十公里处，当地人称之为“绰墩山”，高约十米，面积约十亩，顶上有巨石，巨石下有深沟，当地人称之为“藏军洞”。

黄幡绰为昆山腔创始人之说固不可信，但昆山腔的产生的确与他的

千墩古戏台

影响有关。龚明之所说的“皆善滑稽”和能作“三反语”，这两点都与南戏及昆山腔的产生有联系。南戏是在宋杂剧的基础上发展完善起来的，受宋杂剧滑稽调笑的影响，还保留着许多插科打诨的情节。在南戏的脚色体制中，丑、净、末三个脚色常常在戏中扮演一些滑稽人物，相互间插科调笑。昆山人由于受当年黄幡绰的影响，也善滑稽，因此，对于南戏的这一风格自然很容易接受，这也使得南戏能在昆山一带流行。

再有所谓的“三反语”，在语言学上叫作“反切”，俗称“切口”、“切头”。就是把一个字分成两个字，前为韵母，后为声调，两字急读，合成一字。后来魏良辅改革昆山腔，将一个字分成头、腹、尾三个部分来唱，也就是采用了反切的原理。

正是唐代黄幡绰晚年在昆山播下的种子，到了宋元时期，南戏由温州流传到了昆山、苏州一带后，两者相遇，便产生了昆山腔。

除了黄幡绰的影响外，昆山腔的产生，还与当地的民情风俗有关。六朝以来，昆山一带民间盛行吴歌。当地的老百姓或在劳作之中，为舒缓劳累而唱民歌；或在劳作之余，唱民歌以自娱。明代周玄暐《泾林续记》上记载，朱元璋在南京做了皇帝后，听说昆山有个叫周寿谊的百岁老人，特地将他宣召至京，一方面想了解民情，另一方面，也想吸取长生不老的经验。他问周寿谊说：“平日有何修养，能够长寿至此？”周寿谊回答说：“清心寡欲。”朱元璋又问他：“闻昆山腔甚佳，你亦能唱否？”周答道：“不能，但能唱民歌。”朱元璋便命他唱。周即唱道：“月子弯弯照九州，几人欢乐几人愁；几人夫妇同罗帐，几人飘散在他州。”朱元璋抚掌称赞道：“好个村老儿！”从这则记载可见，昆山的普通百姓都很熟悉民歌且会唱民歌。

善唱民歌的民风，也使得南戏在昆山受到了下层百姓的欢迎，因为南戏所唱的曲调，也就是像周寿谊所唱的“月子弯弯照九州”那样的下层百姓顺口可歌的“随心令”，正符合唱惯了民歌的吴地老百姓的审美情趣。显然，正是因为昆山早已存在的这些艺术内因，使得南戏一旦从温州流传到了昆山一带后，内因与外因相结合，便产生了南戏四大唱腔之一的昆山腔。

二 玉山草堂的文人雅集与清唱昆山腔的产生

南戏艺人采用昆山方言演唱的剧唱昆山腔，虽然为下层百姓喜闻乐见，却因为俚俗而遭文人学士们的排斥。就在剧唱昆山腔产生并流行的同时，在上流社会与文人中间，也产生并流传着一种清唱的昆山腔，用以唱曲自娱，这种昆山腔是由元末顾坚等人创立的。魏良辅《南词引正》说：

> 元朝有顾坚者，虽离昆山三十里，居千墩，精于南辞，善作古赋。扩廓帖木儿闻其善歌，屡招不屈。与杨铁笛、顾阿瑛、倪元镇为友。自号风月散人。其著有《陶真野集》十卷，《风月散人乐府》八卷行于世。善发南曲之奥，故国初有昆山腔之称。

从魏良辅的这一记载来看，顾坚是昆山千墩（今千灯）人。他善作诗赋，尤精于南曲，而且性格孤傲，喜与文人相交，而不肯屈从权贵。（扩廓帖木儿即王保保，其舅父察罕帖木儿死后，袭职拜太尉、中书平章政事、知枢密院事，后封河南王，总天下兵马。）

有关顾坚的材料甚少，最近，经郑闰先生多方搜集查考，终于在日本

顾阿瑛像

国立国会图书馆所藏的《顾氏重汇宗谱》中，查到了顾坚及其父亲顾鉴的生平记载。据郑闰先生考证，顾坚的曾祖父顾祯因犯罪，全家被没入官府为奴，沦为乐户，被遣送至大都。顾坚姑母顾山山亦“因父而俱失身”，沦为乐妓。元末，中原抗元义军起，顾坚全家乘乱回到故乡，居住在松江。至正二十二年（公元 1362 年），在一勾栏内看戏时，勾栏突然倒塌，顾鉴被压遇难，顾坚则双目失明，“沦为瞽瞍”，靠唱陶真卖唱谋生。后为顾瑛收留。明初顾瑛一家被明太祖发配至安徽凤阳，晚年的顾坚孤苦无依，只得栖居昆山千墩延福寺至终老。（参见郑闰：《顾坚身份之谜》，苏州日报，2009 年 12 月 26 日。陶真为宋代民间流行的一种说唱伎艺，元、明至清代一直在演唱，亦作“淘真”。）

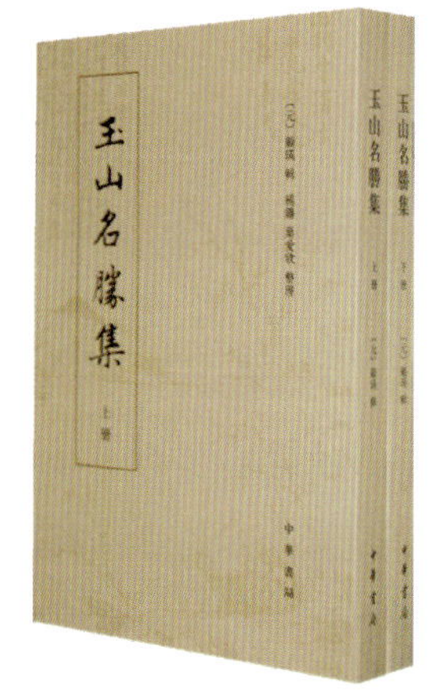

顾瑛，小字阿瑛，出身昆山望族，祖父顾传闻在元朝曾任“总管”，父亲顾伯涛自号“玉山处士”，终身不仕。顾阿瑛博学多艺，诗文词曲皆精，谙熟曲律，早年就有文名，明代文坛上“后七子”之一的大文学家王世贞曾对他极为推崇，在《艺苑卮言》中称赞他“以猗卓之资，更挟才藻，风流豪赏，为东南之

冠”。然而顾瑛虽有才华，也像其父一样，不愿出仕为官，早年就拒绝了元朝授予的会稽县学教谕之职。后来归顺元朝的张士诚为报答早年顾瑛对他的资助，许以高官厚禄，也遭到顾瑛的拒绝。为了表示自己不愿出仕为官的决心，在母亲死后，他削发出家，建金粟庵，为母亲守孝，自号金粟道人。

顾瑛把自己的兴趣放在文学创作和结交文人学士上，《明史·顾瑛传》说他“轻财结客，豪宕自喜”。早年他曾代父理财，因善于打理经营，收获颇丰；然而到了中年，他便将家产交给儿子与女婿去打理，摆脱了俗务琐事后，专心于文学活动，广邀文人学士相聚唱酬，消遣自娱。为此他在茜泾西边构筑了一座别业，名之曰“玉山佳处”。园中有亭台楼阁，池塘水榭，其中有所草堂，是园中的主要建筑，名之曰玉山草堂，顾瑛常在这里邀文人名士相聚唱和。由于顾瑛不仅才学名闻东南文坛，而且性格豪爽，因此，文人学士多喜欢与其相交。在玉山草堂中，每天都有雅集，置酒赋诗，觞咏唱和。据顾瑛所编的《玉山名胜集》记载，自至正八年（1348）至二十年（1360）的十二年间，在玉山草堂举行的雅集有五十多次。参与雅集的文人学士，多是元朝北曲散曲作家，其中有赵孟頫、杨铁笛（杨维桢）、倪元镇（倪瓒）、萨都剌等。

顾坚虽无作品流传下来，但从他所作的《风月散人乐府》书名来看，应是北曲散曲，这是因为在元代，文人将合音律、有文采的北曲称为“乐府”，而不合律、语言俚俗的北曲称为“俚歌”。如元周德清《中原音韵》说：“有文章者曰乐府，无文饰者谓之俚歌，不可与乐府共论也。”显然，顾坚的《风月散人乐府》是乐府北曲。

另外，顾瑛所作的《制曲十六观》今天尚存，其中所论，都为创作乐府北曲

的方法。又据《稗史汇编·曲中广乐》条载：顾瑛广邀文人学士，在玉山草堂雅集唱酬，所编的《玉峰草堂集》，收录的就是雅集时文人学士们的唱和诗作。而且在雅集上，除了赋诗唱和外，也搬演北曲杂剧。

以顾瑛为首的这些文人都精通北曲，而北曲是用“中州音”来演唱的，这种“中州音”是以北方语音为基础的，在当时已具有“普通话”的性质，能通行各地，广泛使用。周德清在《中原音韵》中称，当时“上自缙绅讲论治道，及国语翻译，国学教授言语；下至讼庭理民，莫非中原之音”。周德清为了给元代北曲作家提供一个统一的语言规范，编撰了《中原音韵》一书。既然顾瑛、顾坚、杨维桢、倪元镇等人都是北曲作家，熟谙北曲音律，因此，他们在玉山草堂雅集唱酬时，必定也采用的是这种“中州音”。我们还可以在他们所作的诗文中看到当时唱酬的情形，如顾瑛写给张翥的诗说：

莫辨黄钟瓦釜声，且携斗酒听春莺；
河西金盏翻新谱，汉语夸音唱满城。

“河西”即【河西后庭花】，“金盏”即【金盏儿】，皆为北曲曲调，“汉语夸音”指北方官语，即“中州音”。可见，当时这些文人名士所唱的确是北曲乐府。也正因为他们熟悉并擅长北曲，便采用了北曲的语音，即“中州音”来唱南曲，也就是魏良辅所说的“发南曲之奥”，由此创立了用“中州音”演唱的昆山腔。与南

赵孟頫（上）、倪瓒（中）、萨都剌（下）像

戏艺人不同的是，这种用“中州音”演唱的昆山腔，只是用于文人雅集时的清唱，不是用于舞台演唱。

另外，在玉山草堂雅集的文人中，除了擅长作北曲散曲的作家，也有南戏作家参与，如《琵琶记》的作者高明也曾到过玉山草堂，与顾瑛等人相聚唱酬。顾瑛在《玉山草堂雅集》卷八中记载了与高明会面的情形，说高明“长才硕学，为时名流，往来予草堂，具鸡黍谈笑，贞素相与淡如也”。至正九年（1349），高明应邀参加了玉山草堂的雅集后，留宿在顾瑛的景筠堂，特意写了【鹧鸪天】《题顾氏景筠堂》词，在词中赞扬了玉山草堂主人的热情好客与潇洒豪爽。

由于南戏作家参与雅集，使得南曲与北曲产生了交流，有的文人既作北曲，也创作南曲，如杨维桢除作有北曲小令与散套外，也作有南曲散套【双调·夜行船】《苏台吊古》，这一套曲不仅语言有文采，而且句式、平仄皆合律，后被梁辰鱼用在《浣纱记·泛湖》出。南北曲的交流，也给顾坚等人“发南曲之奥”、创立清唱昆山腔提供了条件。

当时文人创立的清唱昆山腔，有着与南戏昆山腔不同的风格。如萨都剌曾在《雁门集·过鲁港驿和酸斋题壁》诗中云：“吴姬水调新腔改，马上郎君好风采。”所谓“水调”，其指义应与后来魏良辅改革后的“水磨调”相同，都是指唱腔细腻婉转、舒缓清悠的风格。而吴姬所唱的“水调新腔”，也正是顾坚等文人学士所创立的清唱昆山腔。因为在玉山草堂的雅集上，也聚集着一些歌姬，其中技艺出众的有素云、素真、丁香秀、天香秀、南枝秀、翡翠屏、小琼英、小琼花、小瑶池、小蟠桃等。文人们在玉山草堂雅集赋诗唱酬时，这些歌姬在旁侑酒助兴，或表演歌舞，或弹奏乐器。萨都剌、杨维桢、张雨、顾瑛等都曾有诗赞美这些“吴姬”的表演技艺。而且，文人们还亲自教这些歌姬唱曲。杨维桢在《香奁集·演歌》诗中就提到顾瑛亲自教歌姬唱曲，如：“莺莺舌巧言犹獠，字字使君亲口教；今日金钱初受赏，倚声同合凤凰巢。”玉山草堂雅集的文人们创立了昆山腔，又教授给了侑酒助兴的歌姬们，因此，曾为玉山草堂雅集座上客的萨都剌才会说“吴姬水调新腔改”。

三、魏良辅对南戏昆山腔的“引正”与改革

顾坚等人创立的昆山腔虽然也像乐府北曲一样，采用中州音来演唱，而且已具有了细腻婉转、舒缓清悠的风格，但它还只在文人层面上流传，即停留在清唱阶段，还没有被南戏艺人所采用，与剧唱结合。作为南戏四大唱腔之一的剧唱昆山腔，直至明代嘉靖年间，还是采用昆山当地

魏良辅雕像（中国昆曲博物馆供图）

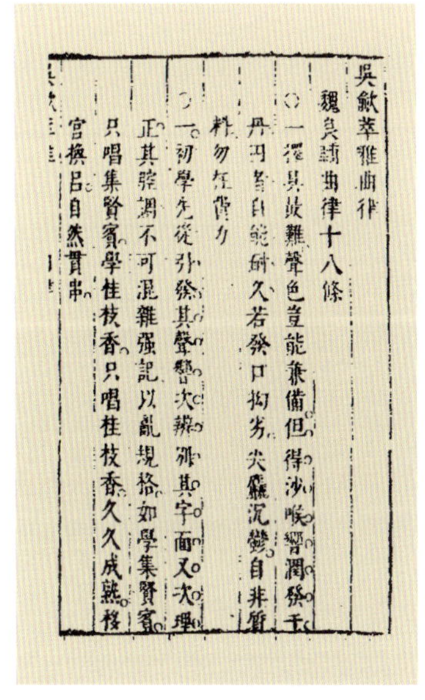

吳歈萃雅曲律
魏良輔曲律十八條
○一擇具最難聲色豈能兼備但得沙喉響潤發于丹田者自能耐久若發口拗劣尖癟沉鬱自非質料勿枉費力
○一初學先從引發其聲響次辨別其字面又次理正其腔調不可混雜強記以亂規格如學集賢賓只唱集賢賓學桂枝香只唱桂枝香久久成熟移宮換呂自然貫串

的方言土语来演唱。由于是用方言演唱，外地人听不懂，故直到嘉靖年间，作为剧唱的昆山腔流行范围还不大，只限于苏州一带。

就在剧唱昆山腔还采用昆山方言来演唱南戏的时候，同为南戏四大唱腔之一的海盐腔在元代经杨梓、贯云石等改革后，已改为用外地人也听得懂的“官语”来演唱，这也使得海盐腔能够南北通行。明代顾起元《客座赘语》卷九“戏剧”条载：“海盐多官语，两京人用之。”而且海盐腔在明初进入了上流社会，在魏良辅改革昆山腔之前，成为上流社会崇尚的南戏唱腔。明杨慎《丹铅总录》（有嘉靖三十三年梁佐写的序）载：“近日多尚海盐南曲，士大夫禀心房之精，从婉娈之习者，风靡如一。”明张牧《笠泽随笔》也说：“万历以前，士大夫宴集，多用海盐戏文娱宾客。…… 若用弋阳、余姚则为不敬。”

由于海盐腔是用“官语”演唱，能通行南北各地，因此，苏州籍的戏曲艺人若到外地演戏谋生，也用海盐腔来演唱。《金瓶梅词话》中多次提到海盐子弟唱戏文之事。其中第七十回写道：“海盐子弟张美、徐顺、荀子孝生旦都挑戏箱到了。”第三十一回也曾提到徐顺与荀子孝等人，当安进士问荀子孝是哪里人时，荀子孝答道：“小的都是苏州人。”可见荀子孝与徐顺都是苏州籍的演员，小说称他们是“海盐子弟”，并不是因为他们是海盐籍演员，而是就他们所唱的海盐腔而言的。这也说明，即使昆山腔早在元代就已产生了，但苏州籍的演员还是以海盐腔来招揽生意的。

采用方言演唱，不仅使得南戏昆山腔的流传范围只能局限于苏州一地，也使之得不到文人学士的青睐，进入不了上流社会。南戏昆山腔的这一状况，到了明代嘉靖年间，经过魏良辅的改革后，才出现了转折。

魏良辅是一位民间音乐家，精通音律，他本来是唱北曲的，因比不过

另一位北曲歌唱家王友山，故退而改唱南曲，欲独辟蹊径，在南曲演唱上作出成就。魏良辅改唱南曲后，不满意剧唱昆山腔的演唱方法，便运用自己的才能，对之加以改革，而且他还得到了其女婿张野塘的帮助。

说起张野塘，也是一位北曲演唱家，原籍河北。那么张野塘是怎么从北方来到吴中，把北曲带到南方的呢？又是怎么被魏良辅招赘为女婿的呢？据明末宋直方《琐闻录》记载，张野塘原本是一名戍卒，因犯了罪，被发配到苏州太仓卫。他刚到太仓时，为当地人唱北曲，由于当地人听惯了南曲，从未听过北曲，因此大家都嘲笑他。有一天，魏良辅来到太仓，偶尔听了张野塘唱北曲，感到十分惊奇，不觉入了神，“留听三日夜”，对野塘大加赞赏。当时魏良辅已改习南曲，正想对南戏昆山腔加以改革，听了张野塘的演唱后，就想把张野塘拉过来，一起来改革昆山腔。这时魏良辅已五十多岁，仅有一女，年已及笄，不仅相貌出众，而且从小受到父亲的指点与熏陶，善唱曲，远近闻名。此前已经有许多人慕名来求亲，其中还有一些门第高贵、有钱有势的人家，但都被魏良辅拒绝了。自遇到张野塘后，魏良辅就决定将张野塘招为女婿。

为何说魏良辅改革的是剧唱昆山腔，即南戏四大唱腔之一的昆山腔，而不是清唱昆山腔呢？这从他改革昆山腔的论著《南词引正》（又名《曲律》）的具体论述中可见。如他在谈到具体的演唱方法时，总是将剧唱与清唱对比着论述，提示剧唱者应注意到剧唱的特殊性。如他说：“清唱谓之‘冷唱’，不比戏曲，戏曲借锣鼓之势，有躲闪省力。知者辨之。”又如在谈到昆山腔的拍板时，他指出：“拍乃曲之余，最要得中。如迎头板随字而下，辙板随腔而下，句下板，即绝板，腔尽而下。有迎头板惯打辙板，乃不识字戏子不能调平仄之故。”所谓“不识字戏子”，也就是剧唱昆山腔的民间艺人，因“不能调平仄”，在演唱时将随字落板的迎头板，误作随腔而下的辙板。这些都说明，魏良辅改革的是南戏艺人们所唱的剧唱昆山腔。

那么魏良辅对剧唱昆山腔作了哪些改革呢？

由于魏良辅翁婿二人皆精通北曲，因此，他们对南戏昆山腔的改革，首先是将原来采用昆山方言演唱，改为采用中州音来演唱，如魏良辅在

《南词引正》中提出："《中州韵》词意高古，音韵精绝，诸词之纲领。"而在魏良辅之前，顾坚等文人创立的清唱昆山腔，已经采用了中州音来演唱，故魏良辅认为，在当时众多的唱腔（包括清唱和剧唱）中，"惟昆山为正声"，他要以这种"正声"来对剧唱昆山腔加以引正。也正因此，他把自己改革昆山腔的理论著作命名为《南词引正》。"南词"，也就是"南曲"和"南戏"，如徐渭也把他的南戏论著命名为《南词叙录》；而"引正"，就是要将南戏的演唱引导到顾坚创立的清唱昆山腔的演唱方法上来，即以中州音来演唱。因当时剧唱昆山腔采用昆山、苏州一带的方言土语演唱，故魏良辅提出要纠正方言土语，他在《南词引正》中列举了剧唱昆山腔演员常用的方言土语，说："苏人多唇音，如冰、明、娉、清、亭之类。松人病齿音，如知、之、至、使之类；又多撮口字，如朱、如、书、厨、徐、胥。"对于这种方言土音，应以中州音为标准语音加以纠正。

魏良辅对南戏昆山腔所做的第二个改革，就是改变了剧唱昆山腔的演唱方式，将原来是依腔传字的演唱方式，改为依字声定腔的演唱方式。如他在《南词引正》中指出："五音以四声为主，但四声不得其宜，则五音废矣。"所谓"五音以四声为主"，也就是字的腔格（音乐旋律），即宫、商、角、徵、羽等五音，须依字的平、上、去、入四声而定。由于南戏艺人皆为底层百姓，文化修养低，不能辨别字声，这样就会影响曲字的腔格（音乐旋律），俗话说：字正才能腔圆；字不正，腔就唱不好。为此魏良辅特地指出："平、上、去、入，务要端正。有上声字扭入平声，去声唱作入声，皆做腔之故。"

在改变演唱方式的同时，魏良辅还对昆山腔的演唱节奏加以改革，即放慢了演唱的速度，将一个字分成头、腹、尾三部分，与悠长的旋律相配合，徐徐吐出。

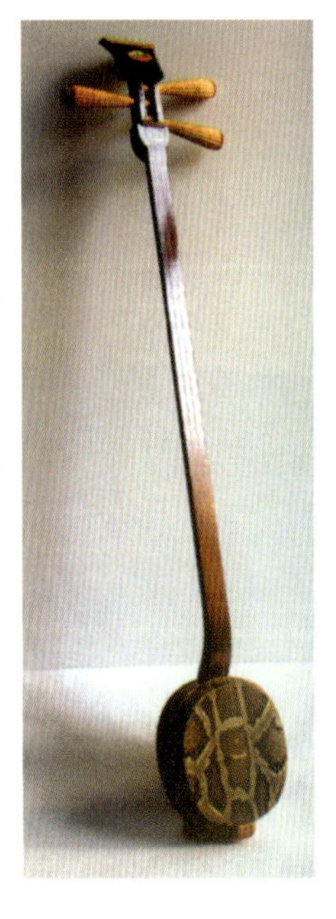

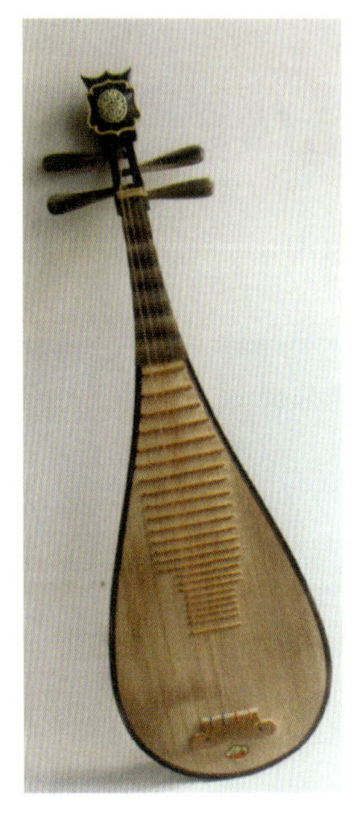

左页：提琴
右：琵琶、三弦
（江苏省昆剧院供图，谢白摄影）

另外，由于剧唱不同于清唱，除了演员的演唱外，还讲究乐器伴奏，以取得较好的舞台效果，为此，魏良辅也对南戏昆山腔的伴奏乐器作了改进。而他的改进，也借鉴了北曲的伴奏乐器，将北曲伴奏乐器中的三弦、琵琶等弦乐器也用于剧唱昆山腔的伴奏。因此，明代沈宠绥认为，自魏良辅对剧唱昆山腔的改革始，剧场所用的伴奏乐器得以完备。

经过魏良辅的改革，剧唱昆山腔与清唱昆山腔一样，也具有了细腻婉转、舒缓悠长的风格，故有"水磨调"之称。自此而后，文人学士对剧唱昆山腔大加推崇，一改当年祝允明那样的不屑与指斥。大书法家文徵明因推崇魏良辅对剧唱昆山腔的改革，对他的《南词引正》加以抄录；身为进士、翰林院编修的曹含斋则特为《南词引正》作叙，大加赞扬。剧唱昆山腔也因此得以像清唱昆山腔一样，在上流社会盛行。经过魏良辅改革后，剧唱昆山腔便取代海盐腔的地位，成为上流社会戏曲舞台上的主要唱腔。明代顾起元《客座赘语》说："今又有昆山，较海盐又为清柔而婉折，一字之长，延至数息。士大夫禀心房之精，靡然从好，见海盐等腔已白日欲睡。"

四 四方歌曲皆宗吴门

剧唱昆山腔经过魏良辅改革以后，具有了清柔缠绵、委婉悠远的风格，迎合了文人士大夫的艺术情趣，吸引了他们来创作昆山腔的剧本，出现了一批为新昆山腔编撰剧本的戏曲作家。梁辰鱼的《浣纱记》是第一部为魏良辅改革后的新昆山腔而作的传奇。

梁辰鱼祖父梁纨曾任泉州府同知，父亲梁介曾任浙江平阳训导，虽出身官宦之家，但是他本人在仕途上很不得志，累试不第，只是出钱捐了一个太学生的资格。做官不成，便走上了消极避世的道路。他游历各地，遍览名胜古迹，广交天下奇士豪杰。他喜好唱曲，常在家中摆酒设席，邀人唱曲自娱。有一次，尚书王世贞、大将军戚继光闻名特地到他家拜访，梁辰鱼在楼船箫鼓之中，旁若无人，顾自唱曲。

梁辰鱼的《浣纱记》是按魏良辅改革后的新昆山腔格律而作，首先在语言上，遵循魏良辅提出的以“中州音”为标准语音，而不再是昆山、苏州等地的方言土语。我们按元代周德清《中原音韵》所订定的“中州韵”来检验《浣纱记》所用曲文韵字，基本相符。而且，作者根据剧情的变化，变换不同的韵部，以韵部的不同，来衬托剧情的转换。如第二出《游春》出所安排的曲调与韵字：

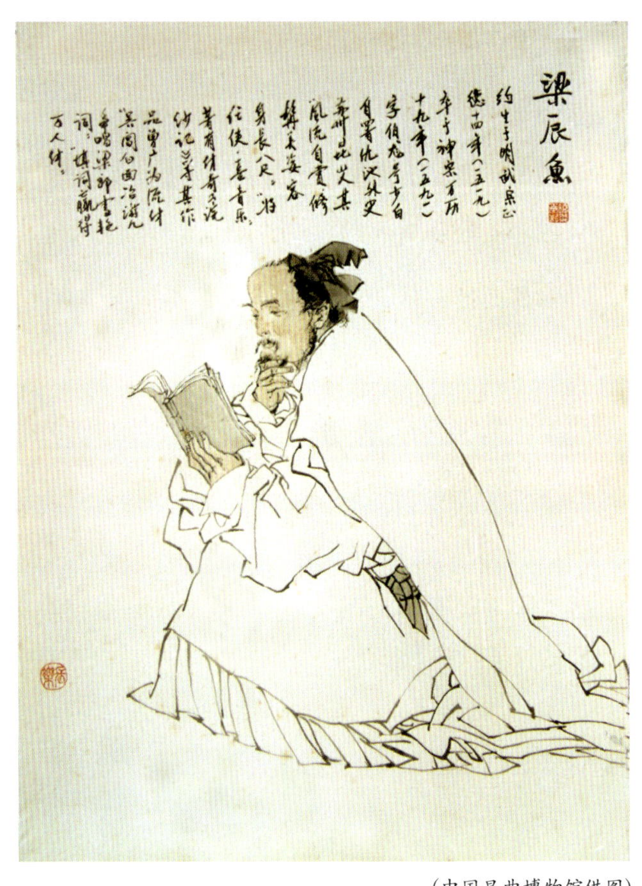

（中国昆曲博物馆供图）

【绕池游】〔生扮范蠡便服上〕尊王定霸，不在桓文下。为兵戈几年鞍马，回首功名，一场虚话。笑孤身空掩岁华。

【金井水红花】农务村村急，溪流处处斜。迤逦入烟霞，景堪夸，峰峦如画。拼把春衣沽酒，沉醉在山家，唱一声水红花也啰。更衣变服，究古论今，较胜争强，不知何年才罢。笑你驱驰荣贵，还是他们是他。笑我奔波尘土，终是咱们是咱。追思今古，都付渔樵话。〔下。旦素衣持竿浣纱上〕

【绕池游】苎萝山下，村舍多潇洒。问莺花肯嫌孤寡，一段娇羞，春风无那。趁晴明溪边浣纱。

【金井水红花】绿水全开镜，清溪独浣纱。波冷溅芹芽，湿裙钗，娇羞谁讶？弄得恹恹春倦，不觉髻儿斜，唱一声水红花也啰。朝朝自出，夜夜空归，树黑山深，恰又夕阳西下。笑我寒门薄命，未审何时配他？笑你王孙芳草，未审何年配咱？花枝无主，一任东风嫁。

〔下。遇生上〕

【玉胞肚】行春到此，趁东风花枝柳枝。忽然间遇着娇娃，问名儿唤作西施。感卿赠我一缣丝，欲报惭无明月珠。〔旦〕

【前腔】何方国士，貌堂堂风流俊姿。谢伊家不弃寒微，却教人惹下相思。劝君不必赠明珠，犹喜相逢未嫁时。

这出戏是写范蠡与西施在溪边相遇的情节，生与旦先后上场，各唱【绕池游】、【金井水红花】两曲，这四曲的韵字皆作"家麻韵"；等到两人相遇后，各唱一曲【玉胞肚】，则改作"支思韵"，以表明剧情的变化。其次，为了突出苏州一带的民间地域特色，作者还在剧中安排了一些带有苏州地域特色的民间歌谣。如第三十出《采莲》出安排了两支民歌：

【古歌一】秋江岸边莲子多，采莲女儿棹船歌。花房莲实齐戢戢，争前竞折歌绿波。恨逢长茎不得藕，断处丝多刺伤手。何时寻伴归去来，水远山长莫回首。

【古歌二】采莲采莲芙蓉衣，秋风起浪凫雁飞。桂棹兰桡下极浦，罗裙玉腕轻摇橹。叶屿花潭一望平，吴歌越吹相思苦。相思苦，不可攀，江南采莲今已暮，海上征夫犹未还。

《浣纱记》是为魏良辅新改革的昆山腔而作，因此，当其问世后，就盛传曲坛，各戏班争相上演。王世贞《嘲梁伯龙》诗云："吴阊白面冶游儿，争唱梁郎雪艳词。"《浣纱记》的大受欢迎，也扩大了新昆山腔的影响，使之成为曲坛"正音"，流行南北各地，出现了"四方歌曲皆宗吴门"的局面。许多文人学士纷纷仿效梁辰鱼，为新昆山腔创作剧本。一般的文人士大夫都把作曲度曲看成是怡情养性、显耀才华的风雅之举。

在万历之前，南京城内的大户人家或官府举行宴会，都要请戏班来演戏，多演北曲或海盐腔，到了万历年间，则改唱昆山腔。明顾起元《客座赘语》卷九载：南京“万历以前，公侯与缙绅及富家，凡有燕会，小集多用散乐，…… 大会则用南戏，其始止二腔，一为弋阳，一为海盐，今又有昆山，较海盐又清柔而婉折。”王骥德《曲律·论腔调》也载：“旧凡唱南调者，皆曰海盐，今海盐不振，而曰昆山。”

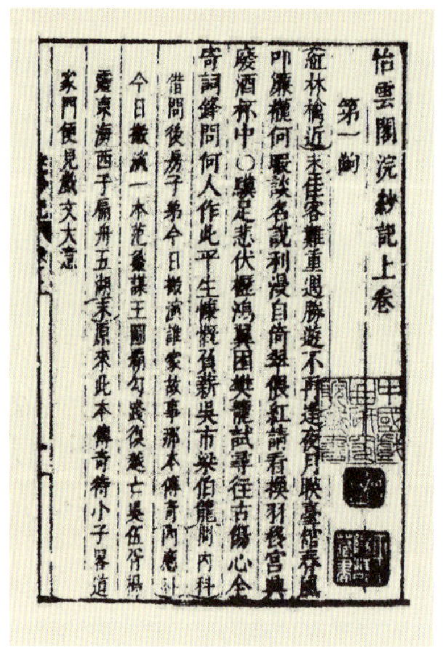
怡雲閣浣紗記上卷

第一齣

紅林檎近（末）佳客難重遇勝遊不再逢夜月映臺館春風叩簾櫳何暇談名說利漫自倚翠偎紅請看換羽移宮興廢酒杯中○驥足悲伏櫪鴻翼困樊籠試尋往古傷心全寄詞鋒問何人作此平生慷慨負薪吳市梁伯龍

借問後房子弟今日搬演誰家故事那本傳奇（內應科）今日搬演一本范蠡謀王圖霸勾踐復越亡吳伍員揚靈東海西子扁舟五湖（末）原來此本傳奇待小子略道家門便見戲文大意

明刊本《浣纱记》

新昆山腔不仅在上流社会盛行，也为平民百姓喜闻乐见。如在明隆庆、万历年间，苏州就有中秋节在虎丘山举办曲会，比赛唱昆曲及演戏的习俗。明代著名文人袁宏道任吴县知县时，就曾亲身经历虎丘曲会，并作《虎丘记》，生动地描绘了中秋之夜“虎丘曲会”的盛况。谓每至是日，倾城阖户，市民连臂而至。以千人石为中心，从头山门到虎丘塔下，皆是唱曲、听曲之人，“如雁落平沙，霞铺江上”。从平民百姓到骚人墨客，人人竞献唱技。开始时，唱者千百，人人可以引吭高歌参与比赛，“声若聚蚊，不可辨识”。经过多轮的比赛淘汰，只剩下数十人而已；到了夜深，月影横斜，唱者只有三四人；快到黎明时分，只见“一夫登场，四座屏息，音若细发，响彻云际，每度一字，几尽一刻，飞鸟为之徘徊，壮士听而下泪矣”。

再如明代中叶松江与上海两地，民间的昆曲活动也十分盛行。明何良俊《四友斋丛说》“正俗”载：“松江近日有一谚语，盖指年来风俗之薄。大率起于苏州，波及松江，二郡接壤，习气近也。谚曰：一清诳，圆头扇骨揩得光浪荡；…… 八清诳，绵绸直裰盖在脚面上；九清诳，不知腔板再学魏良辅唱。”因此，松江一带也成为各地戏班的汇聚之地，其中以昆班为

《虎丘曲会胜景图》,曾平绘(中国昆曲博物馆供图)

明代后期《南中繁会图》所绘南京郊区农村"搭台唱戏"的情形

明代后期《南都繁会景物图卷》中南京城内秦淮河畔的昆曲舞台

多。据潘允端《玉华堂日记》载，万历十六年（1588）前后，在上海演出的昆班除了来自苏州的外，还有许多本地昆班，如曹成班、杨成班、何一班、三峨班、瞿氏老梨园班、香囊班、琵琶班、麒麟班、连环班、浣纱班、金花班、绣襦班等二十多个昆班。

明代中叶的南京，也是昆曲盛行之地。南京虽自明成祖永乐年间迁都北京后，成为留都，但繁华不减当年。当时南京城内既有职业戏班，又有家班。明末侯方域在《马伶传》中提及万历末年南京城内的职业戏班有数十个，最著名的有两个：一是兴化班，一是华林班。在业余演员中，以秦淮妓女串戏最多，演技也最高。

昆曲在万历年间进入北京，不久就得以盛行，成为京城曲坛最流行的声腔。史玄《旧京遗事》在记述万历时的京城遗事时说："今京师所尚戏曲，一以昆腔为贵。"又据袁中道《游居柿录》卷四所记，他在万历年间游历京城时，曾观看了昆曲《八义记》、《义侠记》、《昙华记》等的演出。

五 汤沈之争与昆曲的雅化

魏良辅首次对昆曲加以“引正”与改革，同时梁辰鱼又以文人的身份参与了昆曲剧本的创作，但两人对昆曲的引领与提升，尚只是初步的。如魏良辅虽对昆曲作了“引正”，但他只是指出了昆曲成为经典的方向，没有较多地对昆曲的曲律提出较具体的规范。他在《南词引正》中虽提出昆曲应以中州韵作为标准语音，革除苏州方言，但他没有编著具体的昆曲韵书，也没有编著具体的昆曲格律谱。又如梁辰鱼的《浣纱记》，虽是魏良辅改革后的第一部文人编撰的昆曲传奇，但无论在曲律上，还是在文学性上，都是不完善的。据明代沈德符《顾曲杂言》记载，梁辰鱼写成《浣纱记》后，盛传曲坛，令他很是自得。有一天他去青浦游玩，当时屠隆在此任县令，梁辰鱼去拜访他，受到屠隆的热情款待，在酒席上命优人演其《浣纱记》。当演员唱到好的唱词时，向其敬酒；而当演员唱到《出猎》出时，其中有一句唱词云：“摆开摆开”，屠隆认为是恶语，则当面罚其喝污水。

为了在魏良辅与梁辰鱼的基础上进一步提升昆曲的文学与艺术品位，明代万历年间，汤显祖与沈璟提出了各自的戏曲主张。

汤显祖是从戏曲内容与语言典雅化的角度,提出了自己的戏曲主张。首先,他强调剧作家在创作戏曲的过程中,要充分张扬自己的个性与志趣,他自称“为情所使,劬于伎剧”(《续栖贤莲社求友文》)。他一生创作了《紫钗记》、《还魂记》(《牡丹亭》)、《南柯记》、《邯郸记》等“四梦”,这四部剧作也正是在“情”的驱使下创作出来的,他把自己创作“四梦”的过程称作是“因情成梦,因梦成戏”。同时,在戏曲语言上,汤显祖崇尚典雅,他的“四梦”的语言,也正具有文采典雅的特色。

与汤显祖不同,沈璟则是从昆曲曲律的雅化与精致化的角度提出了自己的见解,他在【商调·二郎神】《论曲》中提出:“名为乐府,须教合律依腔,宁使人不鉴赏,无使人挠喉捩嗓。说不得才长,越有才越当着意斟量。”“怎得词人当行,歌客守腔,大家细把音律讲。”为了给昆曲作家作曲填词与演员唱曲提供规范与准绳,沈璟还特地编撰了《南九宫十三调曲谱》、《南词韵选》、《正吴编》等曲律著作。

汤显祖像

汤显祖因重视内容的表达,在剧作中存在着不合曲律的弊病,沈璟便对汤显祖的《牡丹亭》不合曲律的地方作了修改,改作《串本牡丹亭》。有人将沈璟的修改本送给汤显祖看,汤显祖对沈璟的改动十分不满,对其提出了批评。他认为自己的《牡丹亭》虽不合曲律,但它表达自己的“意”,而沈璟对它所作的改动,是改掉了他的“曲意”。他把自己的原作比作唐代著名诗人王维的冬景芭蕉图,芭蕉是夏天的景物,虽与冬景不合,但这正是自己所要表达的意,而沈璟对《牡丹亭》作了修改,就像是割掉了芭蕉,而加上梅花。这样一来虽然是符合冬天的景色了,但不是自己所要表达的意了。汤显祖还为此作《见改窜〈牡丹亭〉失笑》一诗,云:“醉客

琼筵风味殊，通仙铁笛海云孤。纵饶割就时人景，却愧王维旧雪图。”另外，在《与宜伶罗章二》中，一再叮嘱演员：“《牡丹亭记》要依我原本。其吕家改的，切不可从。虽是增减一二字，已便俗唱，却与我原作的意趣大不同了。”

汤显祖与沈璟的这一争论在当时的戏曲家中引起了很大反响，他们或支持汤显祖，或支持沈璟，并由此形成了两个不同的戏曲流派。支持汤显祖的戏曲主张，而批评沈璟主张的，形成了以汤显祖为首的临川派；支持沈璟的戏曲主张，而批评汤显祖主张的，形成了以沈璟为首的吴江派。属于临川派的作家有冯梦龙、孟称舜、吴炳等人；属于吴江派的作家较多，影响较大的有王骥德、吕天成、卜世臣、袁于令、汪廷讷、范文若、沈自晋等人。

汤显祖与沈璟的这一争论，对昆曲的发展产生了很大的影响：一个追求个人志趣的张扬与文辞的典雅，一个追求格律的精致细密，这使得当时及后来的文人剧作家对他们所追求的昆曲的最高标准有了清晰的认识，那就是要融合汤沈两家之长，使才情、文辞和音律三者得到和谐的

（中国昆曲博物馆供图）

明刊本《牡丹亭·写真》插图

明刊本《义侠记·打虎》插图

统一。因此，经过汤沈之争及戏曲理论家们对两人戏曲主张的总结，使得两者合成了一股强大的驱动力，推动了昆曲的进一步雅化。到了明末清初，出现了一大批才情、曲律双美的文人之作。如以李玉为代表的苏州派，以及南洪北孔的昆曲创作，都是既富才情，又合曲律。这样一大批文人剧作家及其剧作的涌现，也标志着汤显祖与沈璟各自所强调的才情与曲律已得到了完美的融合，昆曲也完成了其雅化的过程。也正因此，到了清代中叶，昆曲被称作“雅部”。

六 明末清初昆曲的流传和苏州派的形成

明末清初，这是一个动乱的时期，先是明末的农民起义与市民斗争，后是清兵入关，明朝灭亡。动乱的社会，也对这一时期昆曲的发展造成了影响。但相对于北方而言，南方的社会较为安定，经济也未遭较大的破坏，因此，在江南一带，昆曲继续流行。如这一时期苏州的昆曲不仅不受明清易代的影响，而且比前一时期又有了较大的发展。与明代中叶相比，苏州的职业戏班大为增多。当时苏州城内已出现演员的行业组织，即梨园总局，设在镇抚司前的老郎庙内。老郎庙是戏曲演员供奉祖师的场所，凡以演戏为职业者，都必须在梨园总局内登记署名，方可在城内演戏。而梨园总局又属苏州织造管辖。若遇皇帝出巡，织造府便选呈戏班承应，因此，当时苏州城内戏班云集，最著名的昆班有寒香班、凝碧班、妙观班、雅存班等。

职业戏班的演出活动十分频繁，尤其是逢年过节时。清人叶绍袁的《启祯记闻录》卷六载：清顺治三年（1646）元旦，苏州"抚院大厅曹虎于望前搭台关帝、城隍二庙，唤上等梨园二班，各演戏七日以款神，士民统观"。又清代褚人获的《坚瓠集》十集载："康熙癸酉春，苏城搭台演戏，

几无隙地。”职业戏班除在城内演出外，还走村串乡，到农村演出，如《逸史残钞》载：清顺治六年（1649）“沿河村落中，当兹春日，必有巡神演戏之事……时河滨有村，曰张王墩者，连日演戏，男女遝而至者，大半舣舟河曲，密如战舰，甚盛会也。”

在清代雍正年间，苏州开始出现戏馆，戏班演戏有了固定的场所，如清顾公燮《消夏闲记》载：“至雍正年间，郭园始创开戏馆，既而增至一二馆，人皆称便。”到乾隆年间，“金阊商贾云集，宴会无时，戏馆数十处，每日演戏。”顾禄《清嘉录》也说：“盖金阊戏园不下十余处，居人有宴会，皆入戏园，为待客之便。”

同样，在明末清初的南京，昆曲演出也依然盛行。清初余怀在《板桥杂记》中记载了当时南京昆曲演出的情形：“金陵都会之地，南曲靡丽之乡，……杂伎名优，献媚争妍。”“入夜而擫笛搊筝，梨园搬演，声彻九霄”。

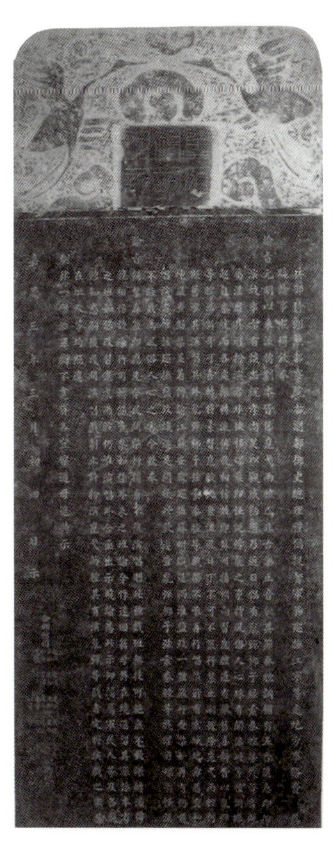
苏州老郎庙内的翼宿神祠碑

扬州则在明清易代的动乱中，遭到了清兵的屠城之祸，使得明代中叶以来兴盛的戏曲受到了影响。但到了康熙年间，随着盐商的聚集，扬州的戏曲又得到了发展。清代诗人赵翼曾作有《扬州观剧》诗：“又入扬州梦一场，红灯绿酒奏霓裳；经年不听游仙曲，重为云英一断肠。回数欢场岁几更，梨园今昔也关情；秋娘老去容颜改，犹仗声名压后生。”十分形象地描绘了当时扬州的戏曲演出情形。当时城内的家庭戏班与职业戏班也日益增多，并且出现了演员的行业组织——梨园总局。

演出的繁荣，加上动乱的社会现实，也对当时的昆曲创作产生了很大的影响，形成了以李玉为首的苏州派戏曲作家

群，在明清昆曲发展史上，又写下了灿烂的一页。

苏州派是由明末清初活动于苏州一带的戏曲作家组成的，主要成员有李玉、朱素臣、朱佐朝、毕魏、叶时章、张大复、邱园等人。苏州派在这一时期形成，其原因是多方面的。首先，从社会和经济方面来看，苏州一带是明代城市经济最繁荣的地区，自明中叶以来，苏州就成为全国丝织业的中心，我国资本主义生产关系的萌芽也最早在这里出现。城市经济的繁荣，促进了戏曲的发展，这样也就有可能在同一地区内同时涌现出一大批戏曲作家。

其次，从文化因素来看，这里是昆山腔的发源地，戏曲活动十分盛行，从平民百姓到骚人墨客，皆嗜好昆曲。在民间，自隆庆、万历以来，每年的中秋节，都要在虎丘山举行曲会，比赛演唱昆曲。这一习俗在明末清初仍沿袭不衰。而为了满足市民的观赏需要，当时在苏州城内汇聚了许多戏班，经年不散。在上流社会，一些达官贵人、富商巨贾为了自娱与应酬，也纷纷设置家班。由于昆曲的普及，戏曲演出活动的频繁，对剧本的需要量也大大增加，要求更多的戏曲作家来创作剧本供戏班演出；因此，早在明代万历年间，就形成了以沈璟为首的吴江派剧作家，而明末清初的苏州派剧作家也同样是在这一文化背景下形成与崛起的。

此外，苏州派的形成，还与明末江南出现的文人结社风气有关。当时活动在江南的一些志同道合、情趣相投的文人学士以文会友，组成了一个个社团，如应社、几社、匡社、羽朋社、复社等。生活在苏州一带的戏曲作家也受到这种结社之风的影响，因此，与之前的戏曲作家相比，他们之间有了更多的联系，以曲会友，经常在一起交流戏曲创作中的问题，或商讨戏曲音律，或合作剧本。如李玉的《清忠谱》写成后，便请毕魏、叶时章、朱素臣等一起修改；再如李玉的《一品爵》、《埋轮亭》，也是和朱佐朝合编的；又如《四大庆》、《四奇观》两剧，是由朱素臣、朱佐朝等四人合编的。另外，李玉在编撰《北词广正谱》时，朱素臣也参与校订。又张大复编撰《寒山堂新定九宫十三摄南曲谱》，也得到了李玉的帮助，有些资料是由李玉提供的。这样，在共同从事戏曲创作的活动中，这些苏州籍的剧作家自发地形成了一个创作团体。并且由于他们在创作上有着相同

清康熙《南巡图》所绘戏曲演出图

或相近的艺术志趣和特色，也由此形成了一个戏曲创作流派。

苏州派的戏曲创作在内容上与艺术上都有着共同或相近的特色。在内容上，都具有强烈的现实性与时代气息。这一特色与明末清初苏州一带特定的社会现实有关。在明末，这里曾多次爆发市民群众反抗统治者压迫的斗争，入清以后，又多次掀起反清斗争。苏州派剧作家大多是布衣之士，出身卑微，他们既目睹了明末社会的黑暗与市民的斗争，又经历了明亡后的社会大动乱。这样的社会地位与生活经历，使他们对现实社会有较深刻的认识，同情并支持市民群众的斗争。在创作上也具有相同的倾向，即以戏曲这种为市民所喜闻乐见的形式来直接过问社会现实，真实地反映和歌颂市民群众的反抗斗争。如李玉的《清忠谱》、《万民安》都是直接描写明末苏州市民反抗统治者压迫的斗争的。再如叶时章的《琥珀匙》歌颂了江洋大盗、农民起义领袖金髯翁，把“绿林内”的农民起义领袖称为“救世菩萨”，而把庙堂中的统治者说成是“衣冠禽兽”，并

为此而遭到统治者的迫害。有的剧作家还借历史题材来反映社会现实，如朱佐朝的《渔家乐》写东汉末年渔家女邬飞霞为父报仇，潜入东汉大将军梁冀府中，刺死梁冀。

入清以后，尽管统治者采取了文化高压政策，来扼杀汉族人民的反清情绪，但苏州派剧作家还是在剧作中曲折地反映社会现实。一是反映明清易代的动乱，如李玉的《千忠戮》（又名《千钟禄》），借明代帝室内部争夺帝位的斗争，来反映易代之际的社会现实。二是宣扬忠义，以谴责那些投降清廷的士大夫的变节行为；如朱素臣的《未央天》，朱佐朝的《九莲灯》、《轩辕镜》等，都描写了一些奴仆的忠义行为，借以抨击那些降清的明朝旧臣的变节行为。有的还借歌颂历史上民族英雄抗击外族入侵的英勇行为，来激励人民的反清斗争；如张大复的《如是观》（又名《倒精忠》），写秦桧矫诏召岳飞班师，岳飞不奉诏，以计大胜金兵，并迎徽、钦二帝还朝，最后将秦桧处死。作者将历史上的悲剧翻改成喜剧，寓意是十分明显的。

在艺术上，苏州派剧作家也有许多相同或相近的特色。首先，在剧作题材上，具有广泛多样性。由于他们都生活在社会下层，熟悉市民生活，并了解他们的爱好与志趣，故多采用一些为市民观众喜闻乐见的题材来编写剧本，或真人真事，或民间传说，或历史故事，所谓"上穷典雅，下渔稗乘"（钱谦益，《眉山秀·题词》）。其次，在语言上，由于苏州派作家编撰的剧本主要是供戏班演出的，为了照顾到下层观众的观赏能力，故都浅显易懂。另外，苏州派作家生活在昆曲之乡，都精通曲律，故剧作大都合律，能搬上舞台演唱。

李玉是苏州派的代表作家，剧作颇多，共有 34 种传奇，今存 18 种；另编有《北词广正谱》。他的剧作在内容上与其他苏州派作家一样，也充满了强烈的时代气息，真实地反映了明末清初这一特定历史时期的社会现实。以明清易代为界，其剧作可分为两个阶段。明末所作的剧作，较真实地反映了当时的一些重大社会现实，所谓"当场歌舞笑骂，寓显微阐幽旨"，"律吕作阳秋"。如《万民安》传奇是根据明万历二十九年（1601）织工葛成率领苏州市民反抗统治者掠夺的事实编撰的，虽已失传，但据《曲

《千忠戮·八阳》:俞正飞饰建文帝(左),郑传鑑饰程济(江苏省昆剧院供图)

海总目提要》的介绍,还可窥其概。作者把“佣工织匠”葛成当作主要人物来塑造,并对他领导抗捐斗争、击毙税监孙隆属吏黄建节的行为加以颂扬。《清忠谱》则把明天启六年(1626)发生在苏州的东林党人与阉党的斗争及苏州市民反对阉党的暴动这一真实事件搬上了舞台,吴伟业在《清忠谱序》中说:“虽曰填词,目之信史可也。”

在明亡以前的剧作里,李玉还对当时世风险恶、道德沦丧作了揭露与抨击。如《一捧雪》,传说是根据严嵩父子谋夺王思质家传的《清明上河图》一事编撰的,作者通过对汤勤这一势利小人的鞭挞,针砭了当时翻覆炎凉的社会风气。又如《人兽关》,通过对桂薪这一人物的刻画,对当时见利忘义的险恶世风加以抨击。

在入清以后的剧作中,李玉不仅真实地反映了明清易代的动乱现实和民族矛盾,而且抒发了对满清统治者的愤懑,寄托自己的故国之思。如《千忠戮》,一方面通过燕王朱棣攻破南京后,大肆杀戮前朝旧臣,建文君臣各自逃生的情节,较真实地反映了清兵南下、明王朝覆灭时的动乱现实;另一方面,塑造了程济、吴学成、朱景光、方孝孺等为建文帝尽忠的忠臣形象,表达了自己对那些坚持气节的明朝旧臣的倾慕,寄托了自己

的民族感情。又如《万里圆》,是根据当时发生在苏州的真人真事编撰的,通过黄孝子跋涉万里寻亲时的所见所闻,形象地描绘了清初动乱的社会现实,真实地描写了清兵南下后,对江南汉族人民的残酷杀戮所造成的苦难,借此寄寓自己的亡国之痛。

为逃避清朝统治者文字狱的迫害,李玉在入清后的剧作中,还借描写历史上的民族矛盾来反映清初满汉之间的矛盾,如《牛头山》写岳飞抗击金兵的故事,《昊天塔》写杨家将抗击辽兵入侵的故事。在这些剧作中,通过对岳飞、杨家将等历史上的民族英雄精忠报国、英勇抗击外族入侵的歌颂,表达民族意识,激励爱国热情。

在李玉的剧作中,描写青年男女爱情的也占有相当的比重,如《占花魁》、《眉山秀》、《千里舟》、《意中人》、《罗天醮》等,都是男女爱情故事。在这些剧作中,李玉描写了青年男女相互爱慕,坚贞不渝,历经波折和磨难,终成姻眷。与前代剧作家所作的爱情剧相比,李玉的这些剧作中增加了新的时代色彩,即表达了市民阶层的爱情与婚姻观念,如《占花魁》中的卖油郎秦钟与歌妓莘瑶琴,他们不计名利,追求诚挚的爱情。

李玉的剧作有着较高的艺术成就。首先在结构上,情节安排既曲折有致、富有戏剧性,又凝练紧凑、线索分明。冯梦龙曾称赞李玉的剧作"颖资巧思,善于布景","能脱落皮毛,掀翻窠臼,令观者耳目一新","文人机杼,何让天孙!"(《墨憨斋重订永团圆传奇叙》)

其次,在设置关目时,能够适应舞台演出的需要,既便于演员的表演,又顾及观众的观赏要

《占花魁·湖楼》:施夏明饰秦钟(左),钱伟饰时阿大(右)(江苏省昆剧院)

求。如对一些市民群众斗争的场面的设置，从舞台实际出发，采用各种人物先后登场、上下穿插，或前台后台、场内场外相互配合的方法，使观众有如亲临其境。李玉在剧作中往往还插入一些民间艺人说书、卖唱、串戏、跳社火等关目，它们与剧本的内容有机地结合在一起，既有助于增强舞台效果，又服务于刻画人物性格、表现剧作主题，如《清忠谱》中的说《岳传》，《麒麟阁》中的玩花灯。

李玉剧作的语言本色通俗。如《千忠戮·惨睹》出建文帝在逃亡途中所唱的【倾杯玉芙蓉】"收拾起大地山河一担装"曲，既质朴自然，又有深邃的意境，酷似元曲的语言风格。而且，李玉剧作的语言也很当行，与人物的身份、性格相合。

另外，由于李玉精通曲律，他的剧作曲律工整。钱谦益称他"既富才情，又娴音律"。

在明清曲坛上，李玉是一位承前启后的作家。在他之前，已经有戏曲作家以戏曲来反映社会现实，如梁辰鱼的《浣纱记》和王世贞的《鸣凤记》，即是两部反映现实的历史剧与时事剧。李玉继承和发展了前人的这一传统，无论在反映现实的广度和深度上，还是在艺术形式上，都使历史剧和时事剧创作达到了新的高度，并对当时及后来的戏曲作家产生了很大的影响。在他的影响下，其他苏州派作家也都创作了一批反映社会现实的历史剧和时事剧。清代中叶《长生殿》和《桃花扇》的产生，也与李玉的影响有关。

李玉剧作深受广大观众的喜爱。清钱谦益《眉山秀·题词》云："元玉言词满天下，每一纸落，鸡林好事者争被管弦，如达夫、昌龄声高当代，酒楼诸妓，咸歌其诗。"在当时的曲坛，出现了"家家'收拾起'，户户'不提防'"的盛况。

七　花雅之争与昆曲的衰落

清代中叶，昆曲的发展受到了新兴起的各种地方声腔的挑战。大量文人学士的参与，大大提升了昆曲的文学品位与艺术品位，语言典雅，旋律婉转高雅，故当时将昆曲称为"雅部"，而将新兴起的地方声腔称为花部，又称乱弹。清初昆山腔盛行之时，花部诸腔戏虽不为文人士大夫所重视，但为下层观众所欢迎，在乡村小镇、偏远地区流行；到了康熙年间，这些地方戏蓬勃兴起，并形成了与雅部争胜的局面。

花部与雅部的第一次争胜发生在扬州。当时扬州是盐商的聚居之地，乾隆首次下江南巡视时，路过扬州，扬州的大盐商们为了迎驾，便出资征集各地戏班来扬州承应。后由于乾隆每隔几年都要南巡一次，而每次都要经过扬州，盐商们便将这些临时征调来的戏班改为家班，长驻扬州，乾隆来时就作为迎驾之用，平时则供自己享用。由此之故，各种地方戏曲随着各地的戏班汇集扬州，这就造成了花雅两部直接争胜的局面，原来分散在各地、不为上层社会所关注的地方戏曲首次在大城市出头露面，以其新鲜活泼的艺术形式，赢得了广大观众的热爱。

继扬州形成花雅之争的局面后，在北京也出现了花雅之争。清代的

清乾隆时徐扬《姑苏繁华图卷》中遂初园戏厅演出《白兔记·麻地》情景

清人绘《玉环记》堂会演出图

北京是全国的政治经济文化中心，也是文人士大夫聚居之地，为了满足他们的娱乐需要，各地的戏班不断流入北京，因此，继扬州形成花雅两部争胜的局面后，在北京也出现了花雅争胜的局面。在北京的花雅之争中，影响最大的是徽班的进京以及与雅部的争胜。乾隆五十五年（1790），乾隆皇帝八十寿辰，各省督抚征集各地名班入京祝寿。在进京戏班中，最突出的是安徽来的“三庆班”。安徽在明清时期是地方戏曲较发达的地区，如青阳腔、徽调、太平腔、四平腔、二黄腔等都出自安徽。这次进京的徽班主要是唱二黄腔的。在入京以前，徽班所唱的二黄腔就已经有很大影响了，乾隆第一次南巡路过扬州时，安庆戏班也曾到扬州迎驾。由于在唱腔与表演上都有特色，故三庆班进京后，立即获得广大观众的赞誉。而三庆班在京城曲坛上打开局面站住脚后，其他一些徽班也相继进京，最后形成四大徽班即三庆、四喜、春台、和春独霸京城曲坛的局面。

随着花部诸腔戏的盛行，昆曲的发展空间大为缩小，演出市场严重萎缩，如北京市民“所好惟秦声、罗、弋，厌听吴骚”。到了乾隆四十九年（1784），檀萃在《杂吟》诗中写道：“丝弦竞发杂敲梆，西曲二簧纷乱哤，酒馆旗亭都走遍，更无人肯听昆腔。”

即使在昆曲的发源地苏州，这一时期也出现了花部逐渐战胜雅部的局面，如钱泳在清代道光年间写《履园丛话》时，原来在乾隆年间为“昆腔第一部”的集秀、合秀、撷芳诸班“绝响久矣”，而当时观众“视《金钗》、《琵琶》为老戏，以乱弹、滩王、小调为新腔。多搭小旦，杂以插科，多置行头，再添面具，方称新秀，观者益多。老戏如一上场，人人星散矣，岂风气使然耶？”

随着雅部的衰落、花部诸腔戏的兴起，这一时期的昆曲创作也日益衰落，不仅作家与作品的数量比前一时期大为减少，而且在内容上，缺乏现实性和时代气息，剧作家或借戏曲来宣扬封建礼教，或抒发自己的闲情逸致，远离现实社会与下层民众。再从艺术上来看，这一时期的昆曲作品多为案头之作，或结构散漫，或音律不协，严重脱离舞台实际。

八　昆曲衰落途中的两朵奇葩：南洪北孔

清代康熙年间，是我国戏曲史上的一个变革时期，花部诸腔戏迅速发展，逐渐取代了雅部在曲坛的霸主地位，昆曲的创作也开始走向衰落。但就在这一时期，出现了两位杰出的昆曲作家——洪昇和孔尚任，史称“南洪北孔”，他们分别以自己的杰作《长生殿》和《桃花扇》轰动曲坛，给已进入衰落期的昆曲注入了新的活力。

洪昇出身官宦之家，高祖洪椿任明都察院右都御史，父洪起鲛在清初也曾出仕，母亲黄氏是大学士黄机之女。洪昇幼年从陆繁弨、毛先舒学。康熙七年（1668）春入北京国子监肄业，因未能求得功名，第二年秋天便回到故乡。回乡后，因旁人离间，与父母关系恶化，从而失去了优裕的物质条件。为生活所迫，不得不再次上京谋生。从三十岁到四十六

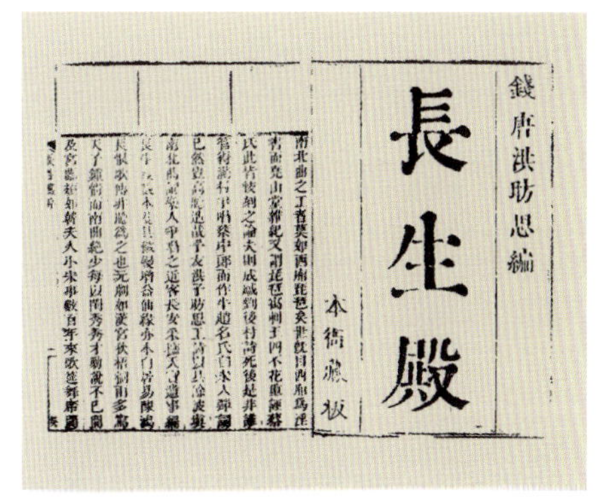
錢唐洪昉思編
長生殿
本衙藏板

岁的十七年间，他基本上是在北京度过的。其间备受坎坷，以致卖文度日。就在这种情况下，他写成了《长生殿》传奇。不过《长生殿》的问世，不但没有改变洪昇的艰难处境，反而给他带来了更大的不幸。在剧本写成的第二年秋天，因在国丧期间演出《长生殿》，洪昇被革除国子监生籍，他的朋友侍读学士朱典、赞善赵执信、台湾知府翁世庸等也因观看演出而被革职，故时人作诗云："可怜一曲《长生殿》，断送功名到白头。"（清梁绍壬，《两般秋雨庵随笔》）被革除国子监生后，第二年便携家眷返回杭州。康熙四十三年（1703）春末，应江南提督张云翼之邀，前往松江。张云翼待之为上宾，设筵上演《长生殿》。江宁织造曹寅听说后，也邀其来宁，集南北名流，在织造府共观《长生殿》，连演三昼夜，一时传为盛事。六月，自江宁回杭，途经浙江乌镇，酒后登舟，堕水而死。

《长生殿》演唐玄宗和杨贵妃的情事，其中也有对安史之乱的描写，所谓"占了情场，弛了朝纲"。剧作语言典雅，曲律严整。《长生殿》写成后，立即引起了强烈的反响，成为当时曲坛上盛行的剧目，"一时朱门绮席，酒社歌楼，非此曲不奏，缠头为之增价"。（《清徐麟〈长生殿·序〉》）"爱文者喜其词，知音者赏其律，以是传闻益远。蓄家乐者攒笔竞写，转相教习，优伶能

《长生殿》：程敏饰唐明皇 王芳饰杨玉环（江苏省苏州昆剧院）

是，升价什佰。”（清吴舒凫《长生殿·序》）

孔尚任，山东曲阜人，是孔子六十四代孙。早年在曲阜石门山中发奋读书，康熙十七年（1678）曾去济南参加乡试，未中而归。康熙二十三年（1684），康熙南巡，回京时路过山东，到曲阜祭孔，孔尚任被荐举在御前讲经，得到康熙的褒奖，破格授予国子监博士。第二年奉召入京。次年，受命随工部侍郎孙在丰出使淮扬，参加疏浚黄河海口工程；直到康熙二十九年（1690）还朝。这一时期的生活对他作《桃花扇》有很大的影响。淮扬一带正是当年南明王朝的根据地，即《桃花扇》本事发生的所在地，孔尚任利用这次出差机会，到扬州、南京等地广泛拜访明朝遗老，搜集南明野史。康熙三十八年（1699）六月，经过十余年苦心经营的《桃花扇》脱稿。就在这年秋天的一个晚上，康熙派内侍向孔尚任索要《桃花扇》稿本。孔尚任匆忙从张平州处觅得一本，连夜送进宫去。与洪昇一样，《桃花扇》的问世与盛行，也给孔尚任带来了灾祸。康熙三十九年（1700），孔尚任刚晋升为广东清吏司员外郎，不久即以“疑案”被罢官。一般都认为这与《桃花扇》有关，因《桃花扇》所表现的民族感情触怒了康熙。罢官后，孔尚任又在北京逗留了两年，至康熙四十二年（1703）冬离京回到曲阜。康熙五十七年（1718）春死于石门山家中。

孔尚任像

《桃花扇》写的是复社名士侯方域与秦淮名妓李香君的爱情故事，以两人的悲欢离合为线索，真实地反映了南明王朝覆灭的历史。所谓“借离合之情，写兴亡之感”。（《桃花扇·先声》）由于《桃花扇》反映了重大的社会现实，且有着较高的艺术成就，因此，在问世后，立即受到广泛欢迎，戏班纷纷上演，“王公荐绅，莫不借钞，时有纸贵之誉”（《桃花扇·本末》）。“长安之演《桃花扇》，

右 《桃花扇》：单雯饰李香君，张争耀饰侯方域（江苏省昆剧院）

岁无虚日，…… 笙歌靡丽之中，或有掩袂独坐者，则故臣遗老，灯灺酒阑，唏嘘而散。”（清金埴，《壑门吟带·题阙里孔稼部尚任东塘〈桃花扇〉传奇卷后》）

《长生殿》与《桃花扇》风靡康熙、乾隆年间的戏曲舞台，金埴《不下带编》云：“今勾栏部以《桃花扇》与《长生殿》并行，罕有不习洪、孔两家之传奇者，三十余年矣。”这使正处于衰落之中的昆曲出现了一时的辉煌。但终究大势已去，“南洪北孔”的出现，只是昆曲在衰落途中的一次回光返照，最终还是不能改变其命运。

九 昆剧传习所的创立与昆曲的传承

到了民国初年，昆曲已是奄奄一息了，昆班星散，后继乏人。这一现状引起了一些热爱昆曲的有识之士关注，他们想方设法，以挽救昆曲衰落的生命。

1921 年 8 月，由苏州的知名人士贝晋眉、张紫东、徐镜清等人发起，联络汪鼎承、孙咏雩、吴梅、李式安、潘振宵、吴粹伦、徐印若、叶柳村、陈冠三等人组成董事会，集资一千银元，在苏州城北桃花坞西大门“五亩园”，创办了昆曲传习所。1922 年 2 月，由上海的民族资本家穆藕初出资接办，并题名“昆剧传习所”，聘孙咏雩为所长。1921 年秋季招收了第一批学员，多为贫苦子弟，也有“全福班”老艺人的子

穆藕初像

沈月泉像

历史上第一张昆曲剧照：晚清名旦朱莲芬和小生陈桂庭合演《玉簪记·琴挑》（中国昆曲博物馆供图）

弟或亲戚。从1921年秋到1922年春，共有学员50多人。传习所负责学员的食宿费用，并提供必要的生活用品，为鼓励学生认真学习，还设有奖金、奖品。传习所给每位学员都取了艺名，皆嵌入“传”字，寓传承昆曲之意。后一字则根据行当的不同而命名，生行用斜玉旁，取“玉树临风”之意；旦行用草字头，取“香草美人”之意；净、末两行均用金字旁，取意“黄钟大吕，得音响之正；铁板铜琶，得声情之激越”；副行和丑行则用三点水，取“口若悬河”之意。据桑毓喜先生《昆剧传字辈评传》考定，传字辈的演员有以下这些：

小生行：顾传玠、周传瑛、顾传琳、赵传珺、沈传球、袁传璠、史传瑜、陈传琦

旦行：朱传茗、张传芳、华传萍、沈传芷、姚传芗、刘传蘅、方传芸、王传蕖、沈传芹、马传菁、龚传华、陈传荑

净行：沈传锟、邵传镛、周传铮、薛传钢、金传铃、陈传镒

末行：施传镇、郑传鑑、倪传钺、包传铎、汪传钤、屈传钟、沈传锐、华传铨、蔡传锐（笛师）

副、丑行：王传淞、顾传澜、张传湘、姚传湄、华传浩、周传沧、徐传溱、章传溶、吕传洪

传习所的教师主要是全福班后期艺人，如被尊称为"大先生"的沈月泉，被尊称为"二先生"的沈斌泉，此外还有吴义生、许彩金、尤彩云、陆寿卿、施桂林等。其中沈月泉主教小生，兼教其他行当；沈斌泉教付、丑、净；吴义生教外、末、老旦、老生；许彩金、尤彩云先后教旦；高步云教曲；另外还有教文化课的傅子衡、周铸九，教武术的邢福海等。学员除了学习各行当的基本功与拍曲外，还必须学习吹笛和其他一种乐器。由于课程设置合理，教师都是具有丰富实践经验的老艺人，教学严格，学员多为穷人子弟，吃苦肯学，因此，这批学员都具有戏路广、懂场面、有文化的共同特

1931年，部分传字辈演员和艺师在苏州老郎庙昆曲梨园公会成立时合影（苏州戏曲博物馆藏）

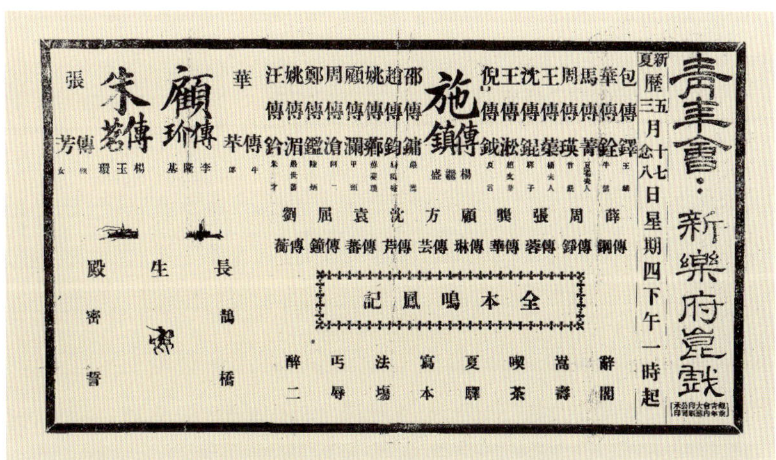

新乐府戏单（中国昆曲博物馆供图）

点，他们中的许多人在日后皆成为传承和复兴昆曲的中坚。

自 1927 年 12 月起，穆藕初因生意失败，不能再提供经费支持，传习所便由上海实业家严惠予、陶希泉的维昆公司接办。维昆公司接办后，将“传”字辈学员组成“新乐府”昆班，租赁上海笑舞台公演。1931 年 6 月上旬，“新乐府”解体，传字辈演员在徐凌云、李惆如的帮助下，组建了自己的昆班“仙霓社”，首演于上海大世界游乐场。但不久，“一·二八”战事爆发，仙霓社先是返回苏州，后因日本侵华战争的全面爆发，生存日益艰难。1942 年 2 月，在东方第二书场公演三场后，仙霓社宣告解散，此后传字辈演员散落于各处谋生。

昆剧传习所及以后的新乐府、仙霓社虽然存在的时间不长，但它们的努力，不仅延缓了昆曲衰亡的进程，而且所培养的传字辈演员，为昆剧的传承保住了一线血脉，为二十世纪五十年代以后昆剧的复苏与振兴储备了珍贵的种子。

十　一出戏救活了一个剧种

中华人民共和国成立后，党和政府重视对传统艺术的传承和保护，制定了“古为今用，推陈出新”的文艺方针，这就给濒临衰亡的昆曲艺术带来了新的生机。

1956 年，浙江昆苏剧团根据清代朱素臣的传奇《十五贯》，改编成昆曲《十五贯》，上演后获得了成功。《十五贯》改编演出的成功，是昆曲推陈出新的一个成功典范。传奇《十五贯》又名《双熊梦》，写淮安熊友兰、熊友蕙兄弟蒙受冤狱，苏州知府况钟监斩时，发现有冤情，重新审理，为二熊昭雪。原作中虽多有迷信的内容，但歌颂了清官的为民请命，谴责了昏官的草菅人命。在歌颂况钟为民请命时，描写了他在昭雪二熊冤案的过程中，重视调查研究，实地查勘察访；而在谴责过于执的草菅人命时，也描写了他的主观主义，凭自己的想象断案。这一内容具有一定的现实意义，尤其是迎合了上世纪五、六十年代政治形势的需要。当时先是在 1955 年发生了批判胡风的事件，6 月又开展了肃反运动，而在党和政府官员中，存在着严重的官僚主义、主观主义，这在当时的运动中，有可能造成冤假错案。为此毛泽东在最高国务会议上做出“提高警惕，肃

《十五贯》：周传瑛饰况钟，王传淞饰娄阿鼠（中国昆曲博物馆供图）

清一切特务分子；防止偏差，不要冤枉一个好人”的指示。1955年下半年，当时浙江省宣传、文化部门的领导黄源、郑伯永观看了浙江昆苏剧团演出的传统昆曲《十五贯》后，觉得剧中所演的况钟为民请命、实事求是的情节和主题，可以推陈出新、古为今用，于是组织人员对传统的演出本加以改编，具体由陈静执笔。根据当时的政治形势，将原作对清官的歌颂和对昏官的谴责转型为坚持实事求是、反对官僚主观主义。

昆曲《十五贯》除了在主题上对原作的改编和提炼外，在表演形式上也作了较大的创新。为了表现人物的个性，突破了传统的行当程式，动作不拘泥于特定行当，而以人物个性来设计。况钟原本是由老生扮演，老成持重，但动作古板拘谨，改编本改用大官生扮演，放宽嗓音，放大动作，显得刚毅大方。当初浙江昆苏剧团在演出改编本《十五贯》时，况钟

是由著名昆曲表演艺术家周传瑛先生扮演的，他在谈到扮演这一角色的体会时说：“我一直是演小生的，而况钟是由老生来演的，这点使我最初接受这一角色时感到困难。但是接受了这个角色之后，我就设法研究如何把小生和老生的动作融汇在一起，来表现况钟稳重严肃而又文雅的风度；我并且尝试打破程式化的表演，使得每个动作都有目的性，简练而不重复。”《见都》、《踏勘》出都是很容易将戏演“冷”、演“瘟”的，而他很好地把握了分寸。身段潇洒，处处表现出动作的目的性，将两出戏演得扣人心弦，妙趣横生。如在《见都》出，很好地运用了传统昆曲的水袖的技巧，十分形象表现出情绪的变化过程，如在时间已过三更，还不见周忱出来时，他一边演唱【石榴花】曲，一边交叉挥动双手水袖，一上穿，一下打，并抬腿用水袖抽打靴底，以表现焦急万分的心情。

娄阿鼠是由另一位传字辈老艺人王传淞先生扮演的，他根据这一人物的特定性格，设计与创造了一些新的表演程式。在谈到扮演娄阿鼠的体会时，他说：“娄阿鼠是旧社会的渣滓，是造祸、造罪恶的人，他一日到夜在下流场所鬼混，在老实人中拐骗偷盗”，“平常是很胆小的，但是惯于

王传淞之子、“南昆副丑”、浙江昆剧团国家一级演员王世瑶饰演娄阿鼠（CFP 图）

因时因地变化态度的”。他根据娄阿鼠这一形象狡黠、多疑的特征，创造了一些模拟老鼠形态的动作，如在《受嫌》这出戏中，娄阿鼠混在人群中，虽只有几句台词，但通过几个动作，挤眉弄眼，缩颈哈腰转身，就将这一人物演得极为生动。

过于执原本是由丑或净行扮演，改编本改为俊扮丑唱，即不勾小白脸。当初浙江昆苏剧团在演出昆曲《十五贯》时，过于执由朱国梁扮演，他将这一人物昏聩而又主观自负的性格表现得栩栩如生。如在《被冤》这场戏中，过于执命熊友兰画供时的一个小动作：将拿笔的右手举到左耳边上，倾斜着上半身，双眼盯着熊友兰，略带嘲讽之意，然后嬉笑一阵，说道：“这样一桩人命重案，不消三言两语，被我判得清清楚楚，明明白白。正是：胸中若无宏才，怎可迎刃而解？”

周忱的形象在原本中用末扮演，改编本则改用外来扮演，戴白髯，以突出这一人物倚老卖老、尸位素餐的性格。

另外，昆曲《十五贯》还对昆曲的传统音乐体制作了改革与创新，这也是其成功的原因之一。

1957年周恩来观看北方昆剧院演出后与演员在一起，由左至右依次为：韩世昌，梅兰芳，白云生

昆曲《十五贯》先在杭州、上海等地演出，受到了广泛的好评。4 月 5 日，应邀进京演出，并于 4 月 10 日至 5 月 27 日在广和剧场公演，观众达 7 万余人，引来“满城争说《十五贯》”的盛况；其间，还到中南海怀仁堂演出，受到了中央领导的接见。后又在天津、杭州、南京等地巡回演出。上海电影制片厂为之拍摄了舞台艺术片。全国各地剧种普遍移植演出了改编的《十五贯》，时称“千千万万贯的《十五贯》”。为此，1956 年 5 月 18 日，《人民日报》特发表《从一出戏救活了一个剧种谈起》的社论，高度评价了《十五贯》对传统昆曲的改革及其现代发展所具有的重要意义。

《十五贯》的改编上演成功，为昆曲在新时期的传承和发展提供了一个很好的典范。在《十五贯》改编成功的示范下，各地的昆剧院团也都整理、创编了一些新剧目。如 1958 年上海市戏曲学校根据同名元杂剧改编了《墙头马上》，浙江省昆苏剧团整理改编了同名昆曲传奇《西园记》，北方昆曲剧院先后创编了昆曲《李慧娘》和《晴雯》；有的还尝试用昆曲来表现现代生活，编演了一些现代戏，如北昆据同名歌剧改编创作了昆曲《红霞》，苏昆编演了《活捉罗根元》，浙昆编演了《红灯记》，上昆编演了《琼花》等。

《十五贯》的成功，也促进了昆曲演出团体的进一步完善和扩大，在原有的浙江昆苏剧团、永嘉昆剧团、宣平昆剧团等三家昆曲剧团外，又先后成立了江苏省苏昆剧团、北方昆曲剧院、郴州湘昆剧团（后改为湖南省昆剧团）、河北省京昆剧团、上海戏曲学校京昆实验剧团（后改名为上海青年京昆剧团），昆曲专业演出人员达七百多人。另上海、南京、天津等地的戏曲学校或招收昆曲学员，或开设昆曲课。除专业演出团体外，各地业余昆曲曲社也纷纷成立，如上海、南京、北京、天津等地皆成立了昆曲曲社。

十一　盛世谱华章，幽兰溢新香

随着十年“文革”的结束和改革开放的开始，昆曲也迎来了新的发展机遇，在“文革”中被撤并或停止活动的各昆剧院团得以重新组建和恢复，全国建立了七个专业的昆曲剧团，即北方昆曲剧院、江苏省昆剧院、江苏省苏昆剧团、上海昆剧团、浙江昆剧团、湖南昆剧团、浙江永嘉昆剧团。各昆曲（剧）院团重建后，很快恢复了演出活动，或上演传统折子戏，或排演新剧目。

作为主管部门的国家文化部，对昆曲的继承和振兴问题十分重视，先后下发了《关于保护和振兴昆剧的通知》和《关于对昆曲艺术采取特殊保护政策的通知》，对昆曲传承工作提出了“保存、继承、创新、发展”八字方针。

为了更好地保证有关方针政策的落实，还成立了专门的机构，指导和协调全国的昆曲传承工作。1986 年 1 月，在上海成立了由著名昆曲艺术家俞振飞任主任委员的“文化部振兴昆剧指导委员会”，确定在两三年内以抢救、继承昆曲传统剧目为工作重点，举办昆曲培训班，并着手研究制定保护和振兴昆剧的若干特殊政策。同年 3 月，又在北京成立了中国

昆剧研究会，主要为昆曲的传承提供学术上的咨询和指导。

改革开放后，社会环境发生了根本的变化，为了在新的历史时期里，让昆曲得以更好地传承和弘扬，各级文化部门联合有关学术团体和高校，多次举办学术讨论会。1978 年 4 月，在南京举行了浙江、湖南、江苏和上海三省一市昆曲工作者座谈会，讨论昆曲艺术的继承和改革问题。1987 年 3 月，“昆指委”在苏州召开传统剧目加工整理问题座谈会，研究了继承与提高传统剧目的表演质量问题。

与此同时，还组织了多次大规模的昆曲会演。1981 年的 11 月 1 日至 9 日，由文化部、中国戏剧家协会等八个单位联合筹办，在苏州举行了昆曲传习所成立六十周年纪念活动。1982 年 5 月至 6 月，在苏州举行了苏、浙、沪两省一市昆曲会演，海内外与会代表计一千四百余人，会演“集中汇报”了中青年演员学戏的成绩，推出了三台大戏、十台折子戏，展示了新一代昆曲演员的艺术风貌。著名昆曲艺术家俞振飞、郑传鑑等做了示范演出。1986 年 10 月在杭州，为纪念《十五贯》演出三十周年，举行了“南北昆剧群英邀请演出”，全国七大昆曲院团选派最佳阵容，一百七十余人参加，演出六台三十出折子戏。1987 年 12 月，在北京举行了全国昆剧抢救、继承传统剧目汇报演出，六大昆曲院团都演出了七台二十八折戏，检阅了抢救、继承工作的成绩。2000 年 3—4 月，在昆山与苏州举行了“首届中国昆剧艺术节”，六大昆曲院团和永嘉昆曲传习所共展演了《牡丹亭》、《桃花扇》、《长生殿》、《琵琶记》、《张协状元》等十台古典名剧，也展示了新时期以来昆曲保护与传承工作的成绩。

俞振飞演《太白醉写》

2001 年 5 月 18 日，昆曲被联合国教科文组织列入首批“人类口头和非物质遗产代表作”名单，昆曲的保护与传承翻开了全新的一页。随后，文化部在 6 月 18 日及时召开了“保护和振兴昆曲艺术”座谈会，确定昆曲为

岳美缇、李雪梅《牡丹亭》剧照（CFP 图）

姚传芗传授张继青演《寻梦》

国家重点保护艺术，出台八条保护振兴措施，即：确定昆曲为国家重点保护艺术；制定长期稳定的扶持政策；建立“保护振兴中国昆曲艺术专项资金”，加大经费投入；提高从业人员待遇，稳定队伍，增强向心力；抓紧培养昆曲艺术人才工作；通过举办各种艺术活动，推动昆曲艺术的保护和振兴工作；加强艺术评论和舆论宣传；扩建或重新选址建立中国昆曲艺术博物馆。制定了《保护和振兴昆曲艺术十年规划》和《国家昆曲艺术抢救、保护和扶持工程实施方案》，并于2005年由文化部、财政部联合颁布实施；成立“国家昆曲艺术抢救、保护和扶持工程”领导小组和专家委员会，设立专项资金，由“工程”办公室具体实施。决定在上海、杭州、苏州分别建立“昆曲表演人才中心”、“昆曲编创人才培养中心”、“昆曲遗产保护研究中心”，另确定每三年在苏州举办一次中国昆剧艺术节。

在国家有关部门的重点扶持下，各昆剧院团也积极展开了工作。一方面向昆曲老艺术家们学戏，及时将昆曲经典折子戏抢救性地继承下来。在“昆指委”的组织和协调下，共开办了三期昆曲培训班。让青年演员向传字辈等老艺术家学习，既传承了昆曲的经典剧目，又通过学习和演出，提高了表演技艺。同时，及时为俞振飞、传字辈等昆曲老艺术家们录像，将他们的舞台演出保存下来。

另一方面，各昆曲院团也努力编创新的昆曲剧目，继承和振兴同时进行。在这一时期，各院团都推出新编剧目，如江苏昆剧院有《小孙屠》、《1699·桃花扇》、《梁山伯与祝英台》等，上海昆剧团有《司马相如》、《班昭》、《一片桃花红》、经典版《牡丹亭》、经典版《长生殿》、偶像版《紫钗记》、经典版《邯郸梦》、印象版《南柯梦》、菁萃版《牡丹亭》等，北方昆曲剧院有《宦门子弟错立身》、《琵琶记》，浙江昆剧院有《公孙子都》、《徐九经升官记》、《红泥关》等，永嘉昆曲传习所有《张协状元》、《杀狗记》、《折桂记》、新排《琵琶记》等，湖南昆剧团有《彩楼记》、《湘水郎中》、《比目鱼》等，苏州昆剧院有经典版《长生殿》、青春版《牡丹亭》、新编《西施》、新版《玉簪记》等。

在新编排的昆曲新剧目中，由白先勇总策划、苏州昆剧院排演的青

2009 年，日本歌舞伎大师坂东玉三郎在排演中日版《牡丹亭》（CFP 图）

2006 年 10 月美国圣芭芭拉市政府命名“《牡丹亭》周”仪式
（中国昆曲博物馆供图）

春版《牡丹亭》是一个成功的典范。编创者在保持昆曲的艺术属性的前提下，为年轻观众量身定做，从内容到形式，都加入了年轻人乐于接受的因素，使古老的昆曲艺术与当代年轻观众的审美意识相融合，受到了他们的喜爱，在各地高校巡回演出，掀起了一股青春版《牡丹亭》热。青春版《牡丹亭》还先后到美国西海岸及英、法、希腊、瑞士等国家巡演，以昆曲独特的艺术魅力，征服了外国观众。尤其是在莎士比亚的故乡、有“戏剧王国”之称的英国演出时，虽纯粹是商业性的演出，票价高达 45 英镑，上座率仍达到 90%以上。当地的戏剧界、学术界、新闻媒体都为青春版《牡丹亭》和中国昆曲呈现出来的精致完美艺术美所折服，主流媒体相继刊登报道，给予高度评介。《泰晤士报》说，舞台上的唱功、歌舞和诗一般的台词，不是西方观众所熟悉的一般歌剧，甚至也不同于所谓的“京”剧，但它是美和奇的结合；这段爱情故事是中国戏曲对“罗密欧和朱丽叶”的回应。该报将青春版《牡丹亭》评为四颗星。实践证明，尽管外国观众因

2008年,江苏省苏州昆剧院在英国伦敦赛德勒温泉剧场演出《牡丹亭》(CFP图)

语言及欣赏习惯的差异，在接受昆曲时有一定的困难，但昆曲独特的表演形式和浓郁的民族美学风格仍为他们所喜爱。

瑰丽璀璨的艺术形式

◎中篇

一 昆曲的音乐体制

作为众多中国传统戏曲中的一种，昆曲区别于其他地方戏曲的特色是什么呢？应该说，就在于“曲”。虽然我国的戏曲都以“唱、念、做、打”为基本表演手段，其中都有“曲”的成分，综合了音乐的因素，但“曲”所占的地位却因剧种不同而有差异。可以说在所有中国传统戏曲中，只有昆曲的“曲”，在各艺术因素中所占的位置最重要。

昆曲虽然也可称为昆剧，但自元末顾坚等人创立昆山腔以来，到魏良辅对昆山腔的改革，戏曲史上多以“昆曲”或“昆山腔”、“昆腔”相称，“昆剧”这一称呼，直至清代嘉庆年间的一些戏曲论著中才出现。这和其他剧种不同，如京剧、川剧、越剧等只能称为“剧”，而没有称“京曲”、“川曲”、“越曲”的；惟有昆曲可以称为“曲”。之所以如此，就在于昆曲最主要的艺术特色与艺术成就是在“曲”上。

昆曲采用的是曲牌体的音乐结构，其所使用的曲牌，包含了唐宋大曲、宋词、元曲、诸宫调、唱赚等的曲调，汇集了我国古代音乐的精华。昆曲的唱腔流丽婉转，悦耳美听。

在昆曲流传过程中，经过历代剧作家、理论家和艺人的不断创造和

丰富,形成了一整套严谨的曲调格律,积累了丰富的艺术遗产。

曲牌体又称联曲体,就是将不同的曲调组合起来,以变换具有不同声情的曲调来与相应的剧情及人物情绪相配合。

联曲体戏曲的曲调都有特定的名称,即曲牌名。曲牌,亦称牌子,是曲调调名的统称。每个曲牌都有专名,如【皂罗袍】、【好姐姐】、【山坡羊】、【集贤宾】、【朝元令】等,每一个曲牌都有固定的字数、平仄、句式、句段、韵位等格律,作家可依据固定的格律,填写新词。如以《牡丹亭·游园》中【好姐姐】曲为例:

【好姐姐】仄平平平仄平,(韵)平平仄平平仄仄。(韵)仄平平仄,(句)平平仄仄平。(韵)平平仄,(韵)平平仄仄平平仄,(韵)仄仄平平仄仄平。(韵)

【好姐姐】遍青山啼红了杜鹃,那荼蘼外烟丝醉软。那牡丹虽好,他春归怎占的先。闲凝眄,听生生燕语明如剪,听呖呖莺声溜的圆。

此曲共四十个字,七句,三个句段,六个韵位。若要作一首新的【好姐姐】曲的曲词,就要依它固定的字数、平仄、句数、句式、韵位等格律,逐字逐句填写,故作曲又称"填词"。

每一个曲牌都有特定的调性与声情,并按其声情,隶属于不同的宫调之中。如元代周德清的《中原音韵》、明初朱权的《太和正音谱》,都将三百三十五支北曲曲调按十二宫调分类;明代蒋孝的《旧编南九宫十三调曲谱》、沈璟的《南九宫十三调曲谱》,都将七百一十九支南曲曲调分别归入"九宫"、"十三调"中。

宫调的起源甚早,古代乐律有黄钟、大吕、太簇、夹钟、姑洗、中吕、蕤宾、林钟、夷则、南吕、无射、应钟等十二律吕,乐音有宫、商、角、徵、羽、变宫、变徵等七音。这十二律吕与七音相乘,便得八十四个宫调。这八十四个宫调随着时间的推移,逐渐被精简,到联曲体戏曲中,通常只用黄钟、正宫、大石、仙吕、中吕、南吕、商调、越调、双调等九个宫调。宫调的作用,

主要在于限定乐器管色，即通常所说的调门高低。由于各宫调所用的调门高低不同，故表现出来的声情也各异其趣，听起来则有悲怨与欢快、婉转与激越、悠扬妩媚与典雅庄重等区别。

昆曲的曲调又有南曲与北曲之分，南曲具有缠绵婉转的声情，北曲则具有粗犷豪放的声情。从曲调结构上看，南北曲也有差异。南曲的曲调分为引子、过曲、尾声三大类，这三类曲调的使用与组合，有着不同的特征。

南曲引子的节奏自由，皆为散板，只在每句末下一截板，节奏由演唱者根据曲文所表现的情感来控制。

引子为脚色上场时所唱的第一支曲，故通常用于全出曲调之首，但由于出场脚色及场合的不同，引子的使用及安排也有异，一般有这样几种情形：

（一）生、旦出场通常须安排一支引子，而且是较长的细曲，用散板演唱，须用全曲，不可减省句子，故整出戏的曲调按引子 — 过曲 — 尾声这一顺序排列。

（二）如在同一出戏中，生、旦先后出场，便可用两支引子，如该出戏除生或旦出场外，尚有老旦、贴、外、末等配角出场，就同唱一引。

（三）净、丑出场不能用引子，只能唱或干念【字字双】、【吴小四】、【光光乍】、【赵皮鞋】、【水底鱼儿】、【金钱花】等节奏较快的过曲代替引子冲场，因此，若生、旦等在净、丑之后出场，引子便可安排在这些过曲之后。

过曲，有人仅从其名称上来解释，以为是由引子过渡到尾声的曲调，但由于过曲是南曲曲调中的主体部分，显然不仅仅是一种“过渡”。其实，过曲之“过”，似为过程之意，即从引子到尾声之间，这是一个节奏由慢到快的过程，而过曲正是这一过程中所使用的曲调。

过曲又有近词之称，这也是受宋词的影响才有的名称，如早期的一些南曲谱便称引子为慢词，称过曲为近词。

过曲按其声情与节奏的不同，分为细曲与粗曲两大类，细曲节奏缓慢，声情婉转细腻，适宜于生、旦等主要脚色抒情时所唱。粗曲多是一些

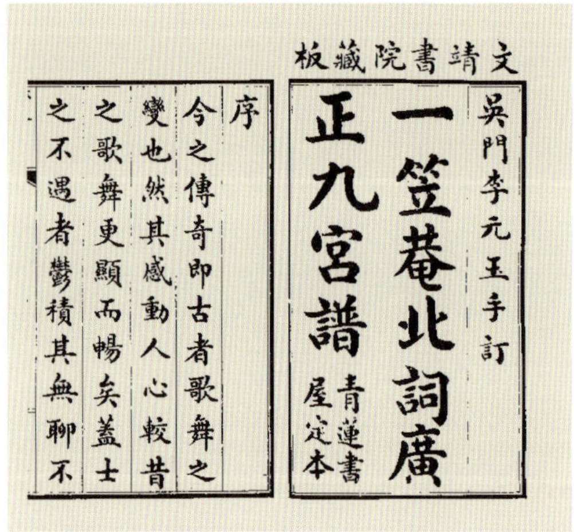

文靖書院藏板

吳門李元玉手訂

一笠菴北詞廣正九宮譜

青蓮書屋定本

序

今之傳奇即古者歌舞之變也然其感動人心較昔之歌舞更顯而暢矣蓋士之不遇者鬱積其無聊不

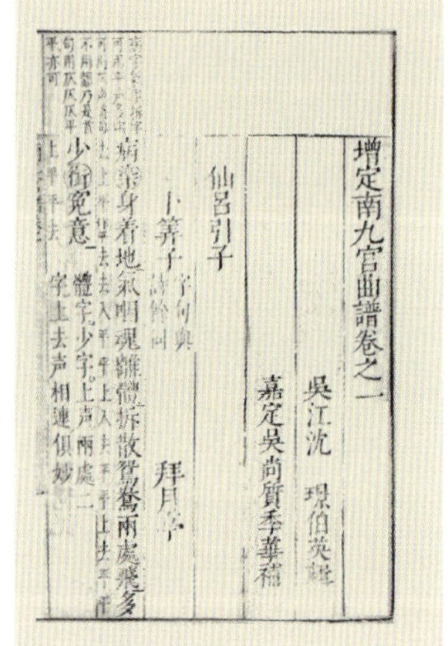

增定南九宮曲譜卷之一

吳江沈　璟伯英輯

嘉定吳尚質季華稿

仙呂引子

卜算子　拜月亭

病染身着地氣暗魂離體拆散鸞鳳兩處飛多少衍究意

来自民间的俗曲，如【光光乍】、【大斋郎】、【五方鬼】、【秃厮儿】等，其节奏急促，往往是一板一眼，近于干念，通常用于净、丑等脚色上场时的冲场曲，以代替引子。

南曲过曲的组合遵循两个原则：

一是依据声情，将相同或相近的曲调组合在一起，组成曲组。如【黄莺儿】与【簇御林】、【画眉序】与【滴溜子】的组合，就是由于这些曲调之间有着相同或相近的声情。又如南曲中常用的【催拍】、【一撮棹】两曲的组合，两曲虽属不同的宫调，【催拍】属大石，【一撮棹】属正宫，但两曲都具有感伤哀怨的声情，所用的笛色相同，结音也相同，故两曲常被组合在一起，多用于敷演别离的场面。

二是依据节奏，即按照先慢后快的次序排列组合。南曲过曲的节奏有快慢之分，通常是慢曲在前，快曲在后。如常用于庆寿、赏景等喜庆欢快场面的【锦堂月】、【醉翁子】、【侥侥令】等曲调的组合，三曲的位置十分固定，以【锦堂月】为首，【醉翁子】居中，【侥侥令】最后，节奏由慢趋紧。又如【二郎神】、【集贤宾】、【黄莺儿】、【簇御林】、【琥珀猫儿坠】等曲调的组合，这一组合形式常用于生、旦等脚色的抒情性场面，其所抒之情往往具有悲伤的性质。在曲调的组合形式上，也是按节奏的由缓趋紧排列，其中【簇御林】与【琥珀猫儿坠】节奏较快，故必居最后。

南曲的尾声又称【余文】、【意不尽】，通常都为三句，每句七字，句句叶韵。尾声也可省略，一是在叠用几曲后，可不用尾声；二是具有悲怨性质的剧情，往往用引子代替尾声，而这些引子通常是【哭相思】、【满江红】、【鹧鸪天】、【临江仙】曲调等。

北曲无引子，只有正曲与尾声，但其中有些曲调，常用作首曲，如：

正宫：【端正好】

仙吕：【点绛唇】

南吕：【一枝花】

黄钟：【醉花阴】

中吕：【粉蝶儿】

双调：【新水令】

商调：【集贤宾】

越调：【斗鹌鹑】

大石调：【六国朝】

这些曲调其性质实与南曲的引子同。

北曲的正曲按其在套曲中的位置和用法，可分为只曲与曲组两类。只曲可单独使用，而曲组，通常由多支曲调组合而成，如仙吕调中的【仙吕·点绛唇】、【混江龙】、【油葫芦】、【天下乐】，南吕调中的【一枝花】、【梁州第七】，正宫中的【端正好】、【滚绣球】、【倘秀才】、【快活三】与【朝天子】、【醉花阴】与【喜迁莺】、【刮地风】与【四门子】，南吕宫中的【乌夜啼】与【玄鹤鸣】等曲组。这些曲组由于曲调之间连结紧密稳定，故常作为带过曲的形式，如【雁儿落带得胜令】、【骂玉郎过感皇恩采茶歌】、【快活三带朝天子】、【十二月带尧民歌】等。

北曲的尾声不仅名称繁多，且体式各异，但从北曲尾声的文体结构与乐体特征来划分，可以分为两大类：一类是本调类尾声，如【尾声】、【收尾】、【煞尾】、【尾煞】等；一类是以曲调代作尾声的，如【浪里来煞】、【啄木儿煞】、【络丝娘煞】、【卖花声煞】、【耍孩儿煞】、【离亭宴带歇拍煞】、【鸳鸯煞】、【慊煞】、【黄钟煞】等。

北曲将只曲、曲组、尾声组合成一个套曲时，采用了按宫调联套的形式，一个套曲内的曲调，必须用同一个宫调内的曲调，叶同一个韵。

北曲套曲一般都是由散板起，然后逐步过渡到上板。故位于套首的曲组，通常是以前散板、后上板的板式相连接。如仙吕套首的【点绛唇】、【混江龙】、【油葫芦】曲组，其板式有两种形式：一是【点绛唇】曲散板起，至【混江龙】末句上板，【油葫芦】则承【混江龙】末句上板；一是前两曲皆为散板，至【油葫芦】首句第三字起上板，前后承接自然妥帖。

昆曲曲调的组合，除了全由南曲或北曲组合成套曲外，还有南北合套的形式。一是一南一北，交错排列，北曲通常由一人主唱，南曲则由其他脚色分唱；二是前南后北排列，北曲仍由该出戏的主角唱，其他人物分唱南曲；三是根据剧情的需要，在南曲中插入一些北曲。

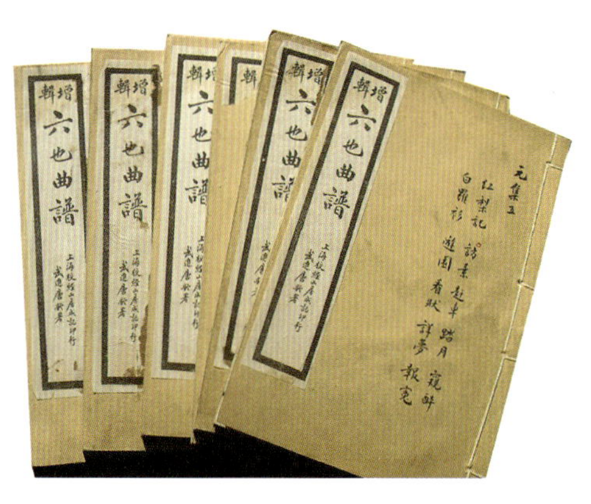

成书于光绪年间的《六也曲谱》，
包括剧本三十余折，注有工尺谱

二 昆曲的字声与腔格

自魏良辅改革昆山腔后，昆曲采用了依字声定腔的演唱方式，因此，必须统一字音，要用一种标准的语音来唱。所谓“字正腔圆”，只有字音正，所定的腔才能正。当时魏良辅提出以中州语音作为新昆山腔的标准字声。无论是南曲，还是北曲，皆用中州音来演唱。但中州音毕竟是北方语音，是北曲所用的语音，南曲如果完全采用中州音，南北曲字声混一不分，也就没有了地域性，这样也就丧失了其自身的特色，而语音上的特色是构成南曲与北曲艺术特色的一个主要方面，也是区别南曲与北曲的一个重要艺术因素。

后经昆曲音律家们反复探讨，逐步形成了一个以中州音为基础、融合南北语音的昆曲标准字声，这种字声有这样几个特征：

一是因南方语音中有入声字，为了体现南曲的特征，故保留入声字，唱南曲用入声，北曲则将入声字派入平、上、去三声中，所谓“南准《洪武》，北遵《中原》”。《洪武》即《洪武正韵》，因其中有入声韵部；《中原》，即元代周德清编撰的《中原音韵》，其中无入声字，入声派入平、上、去三声。为了方便昆曲作家填词，明代沈宠绥还提出了“韵脚遵《中原》，字面

遵《洪武》”的主张；所谓“韵脚遵《中原》”，也就是剧作家都按《中原音韵》所列的标准字声填词，入声字派入平、上、去三声，而演唱者唱曲时，若唱的是南曲，则按《洪武正韵》，唱作入声。

二是《中原音韵》只将平声分为阴平与阳平，其他三声不分阴阳。而昆曲的字声平、上、去、入四声皆分阴阳。

三是《中原音韵》共列东钟、江阳、支思、齐微、鱼模、皆来、真文、寒山、桓欢、先天、萧豪、歌戈、家麻、车遮、庚青、尤侯、侵寻、监咸、廉纤等十九个韵部。昆曲的字声则分列二十一个韵部，将《中原音韵》中的“齐微”、“鱼模”两部，分列为“机微”、“灰回”、“居鱼”、“鱼模”四部。

昆曲的腔格，也就是曲调的旋律，其表现形式不同于西洋音乐的简谱和五线谱，而是工尺谱，用上、尺、工、凡、六、五、乙等俗字来标注曲调的音阶，相当于西洋音乐中的 1（do）、2（re）、3（mi）、4（fa）、5（so）、6（la）、7（si）等七个音符。南曲为五个音阶，无“凡”、“乙”两个半音。其高八度音与低八度音，则是改变字形或在字旁加笔划来表示，若高八度，其最后一笔向上挑或加一“亻”，高两个八度则最后一笔两次上挑或

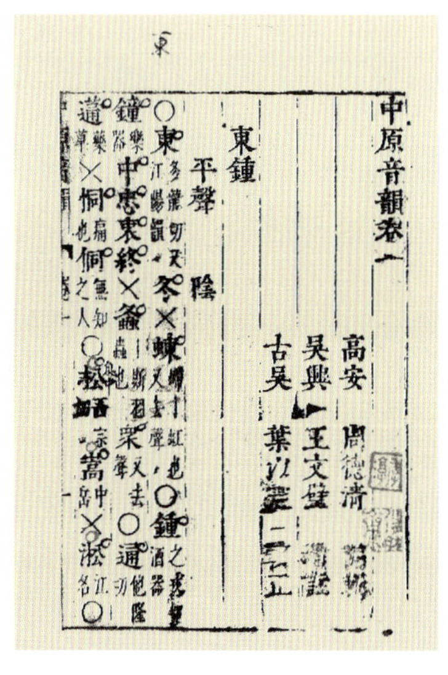
中原音韻卷一
高安 周德清 輯
吳興 王文璧
古吳 葉以震
東鍾
平聲 陰
○東 冬 ✕蝀 ○鍾 中 忠 衷 終 ✕螽 ○通

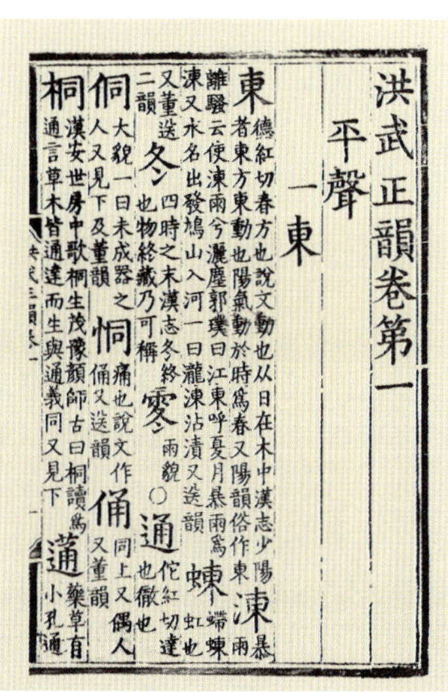
洪武正韻卷第一
平聲
一東
東 德紅切春方也說文動也从日在木中漢志少陽者東方東動也陽氣動於時爲春又陽韻俗作東 涷 暴雨離騷云使涷雨兮灑塵郭璞曰江東呼夏月暴雨爲涷又水名出發鳩山入河一曰瀧涷沾漬又送韻 蝀 螮蝀虹也又董送二韻 冬 四時之末漢志冬終也物終藏乃可稱 𩅽 雨貌 ○通 佗紅切達也徹也 侗 大貌一曰未成器之人又見下及董韻 恫 痛也說文作痌又送韻 [illegible] 同上又偶人又董韻 桐 漢安世房中歌桐生茂豫顏師古曰桐讀爲通言草木皆通達而生與通義同又見下 蓪 藥草有小孔通

旁加"亻";反之,若为低八度,除"六"作"合"、"五"作"四"、"乙"作"一"外,其余各字皆将最后一笔向下勾,若为低两个八度,则两次下勾。这些俗字若草写或简写,则称草字谱;又因草体谱字为正体谱字的半个字形,如"合"字取其半作"ム"或"亼","尺"字取其半作"ユ"或"人","工"字取其半作"つ","凡"字取其半作"リ","六"字取其半作"ス","四"字取其半作"マ","上"字取其半作"ケ",故又称作半字谱。

具体列表说明如下:

高音	仩	伬	仜	𠆾	𠆩	伍	亿
中音	上	尺	工	凡	六	五	乙
低音	上	尺	工	凡	合	四	一
西洋乐符	1 (do)	2 (re)	3 (mi)	4 (fa)	5 (so)	6 (la)	7 (si)

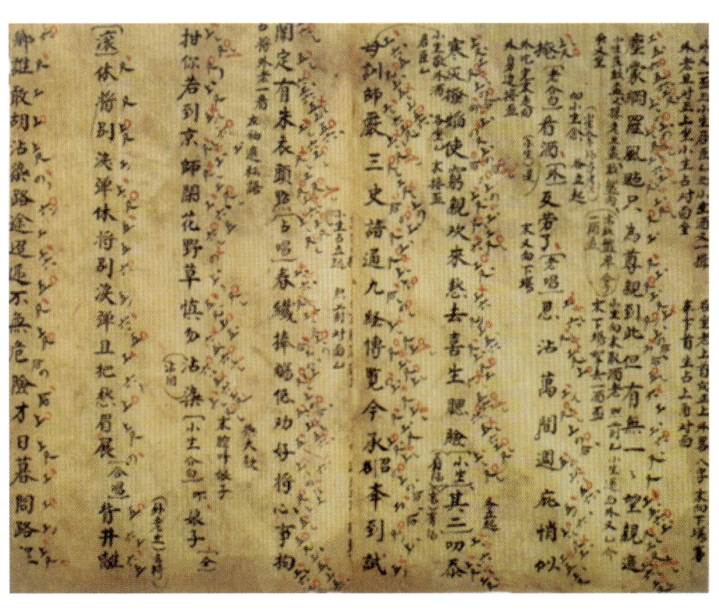

《荆钗记》工尺谱

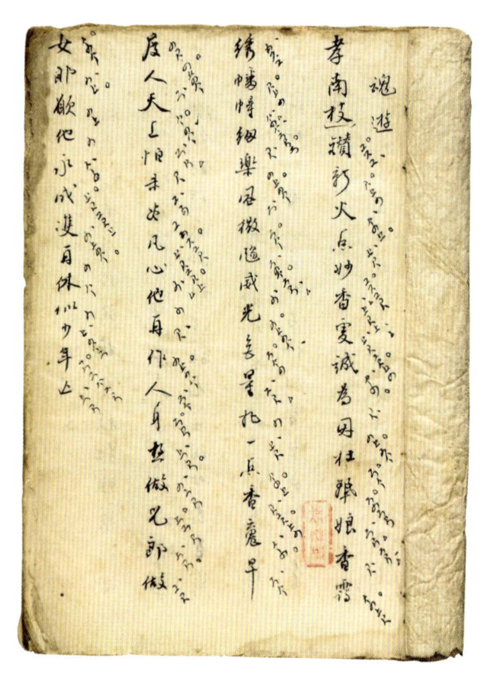

《牡丹亭·还魂》工尺谱

昆曲曲调的腔格，是由多种因素构成的，首先是字声，曲字字声不同，就有不同的腔格。以下对四声的腔格作一介绍：

平声字腔格 无论是阴平声字，还是阳平声字，其腔格总体上皆具有平稳悠长、起伏不大的特征，两者的差别，主要体现在行腔的过程中：阴平声字平出直唱后，可由高转低；阳平声字则出口后上扬，由低转高。

在板缓腔长处，为了保持阴平声字平稳悠长的腔格特征，又要避免行腔的单调呆板之感，便使用“叠腔”，即将某一乐音作同音重复演唱，以扣住首音，使腔头平缓进行，不上升或下降。在演唱谱上用“·”符号表示。如：

《金雀记·乔醋》【仙吕入双调·江头金桂】“休得要乔妆行径”、“你言清行浊太亏心”，“妆”、“心”二字的腔格皆作：工 … 尺。

《满床笏·卸甲》【北南吕·四块玉】“肯妨时兼程进”，“兼”字的腔格：五 · · 六。

上声字腔格 上声字的字声与腔格在四声中是最特别的，也最难掌握。与平、去、入三声相比，上声字的腔格具有两个特征：

一是腔格较长，多起伏变化，其全部腔格呈现出“↘↗”，即先下降后上升的进行形式，在首音高出后，即下降一音，此低音须作虚唱，并略作停顿，有吞咽之意。在曲唱中，上声字的这一唱法称为“嚯腔”，又称“顿腔”，在演唱谱上用“』”符号表示。如：

《浣纱记·采莲》【南大石调·念奴娇序】“见花攒锦绣”，“锦”字的腔格：尺上』工六。

《金雀记·乔醋》【南仙吕入双调·江头金桂】“因此上偶遇私成”“偶”字的腔格：合（低）工』四合。

二是声音低沉，演唱时多以低音起。如：

《浣纱记·打围》【南正宫·普天乐】“前遮后拥”，“拥”字的腔格：四上尺，首音低起。

《单刀会·刀会》【北双调·新水令】“九重龙凤阙”，“阙”字的腔格：上尺工，首音低起。

上声字腔格中，还有一种“哼腔”，即只有上声腔格中的上升部分腔格，以低音起，然后上升一音或连续上升，其上升前的下降部分腔格则在前一字的腔尾中体现，因此，前一字的尾腔必定呈下降的形式，或其最后一音高于该上声字的首音。而为了体现上声字先降后升的腔格特征，在唱该上声字的首音低音前，先须揭高一音，用力喷吐而出，但时间很短，立即下滑到首音低音，使得该上声字的腔格仍呈现出高—低—高的进行形式。在曲唱中，这一演唱方法称为“哼腔”。如：

《牡丹亭·游园》【南仙吕·醉扶归】“艳晶晶花簪八宝填”，“宝”字的腔格：四上尺尺上，首音低起；而其前一字“八”字（阴入作阴去）的腔格作：六五·五六，尾腔呈下降形式。

《单刀会·刀会》【北双调·胡十八】“尽心儿可便醉也”，“也”字的腔格：合工上，首音低起；而其前一字“醉”字（阴去）的腔格作：尺ㇾ上一四，尾腔呈下降形式。

入声字腔格 入声是南曲字声的一个重要特征。入声字的字声特征是短促，首音一出口即止，以表现入声字短促急收的特点，在演唱谱上用"ㄴ"符号表示；在稍作停顿后，再接唱腹腔与尾腔，随腔格的变化，抑扬起伏，以与缠绵婉转的旋律相合。若延长，则似平声，若上升或下降，则成上声或去声，故入声字可代替平、上、去三声。

南曲入声字虽然可以代替平、上、去三声字，但与北曲的入声字派入三声不同，两者的差异主要有二：

一是南曲入声字的腔格中有断腔，出口即断，而北曲入声字派入三声后，无断腔，其腔格与所派定的字声腔格同。

二是南曲入代三声，所代的字声不固定，随谱所需而代之；北曲入派三声，其所派入的字声固定，声变腔格也随之而变。如：

《单刀会·刀会》【北双调·驻马听】"不觉的灰飞烟灭"，"灭"字派作阳去声，其腔格也作阳去声腔格：六凡工。

《长生殿·哭像》【北正宫·滚绣球】"促驾起的忙"，"促"字入声派作阴上声，其腔格作阴上腔格：六凡工六。

去声字腔格 平、上、去、入四声中，去声字的调值最高，发声出口须揭高而有力，因此，去声字腔格总体上具有高亢激越的特色。也正因为如此，去声字常用在领头发调、剧情转折、表现剧中人物的慷慨激昂情绪及煞尾之处。尤其在一曲之首句，若用一去声字，便可领起全曲之曲情，因此，在一些剧中人物抒发悲愤激昂之情的曲调中，多用去声字来发调，领起全曲。如：

《单刀会·刀会》【北双调·新水令】开首两句："大江东去浪千叠，趁西风驾着这小舟一叶"，皆以去声字"大"字和"趁"字领起，与关羽高昂的情绪相应。

《宝剑记·夜奔》【北双调·新水令】开首两句："按龙泉血泪洒征袍，恨天涯一身流落。"皆以去声字"按"字和"恨"字领起，十分形象地表现了生（林冲）此时对陷害他的奸臣的强烈愤恨之情。

去声字的腔格呈现出"↗↘"，即先上升后下降的进行形式，其腔格

有实唱与虚唱两种形式。

实唱的形式，即在首音低起后直接上扬一、二音，然后再下降，也可回到首音，按低 — 高 — 低的进行形式排列。如：

荸荠鼓（怀鼓）

《双珠记·投渊》【南中吕·榴花泣】“绝处未遭殃”、“不知我襁褓儿去向何方”，“未”字（阳去）的腔格：工六五六工；“向”字（阴去）的腔格：五仜五六。

堂鼓

《东窗事犯·扫秦》【北中吕·迎仙客】“则待要灭罪消释，那里是念彼观音力”，“灭”字的腔格：工五六；“力”字的腔格：合 · 四合尺工。

拍板

（江苏省昆剧院供图，谢白摄影）

虚唱的形式，即上扬的一音不是实唱，在从前音上行时，须用滑音，即从前一音符到后一音符间，只能滑进，不能跳进，两者间不能有痕迹。在昆曲的演唱中，这一形式称为“豁腔”，又称“臭腔”，在演唱谱上用“ ノ ”符号表示。如：

《白兔记·回猎》【南正宫·锦缠乐】“有一个白兔儿在面前过”，“兔”字的腔格：五ノ 六工。

《单刀会·刀会》【北双调·驻马听】“可怜黄盖暗伤嗟”，“暗”字的腔格：四ノ 合四。

除了按照字声特征所确定的腔格外，昆曲还有一类修饰性的腔

格，相当于西方音乐中的美声腔格。如：

橄榄腔：在演唱板缓腔长的曲字时，开始控制音量，慢慢放大，到一半处又慢慢收细，两头轻细，中间重粗，有如橄榄状，故名。

擞腔（又称闪腔、颤腔）：演唱时以颐颔部位的开阖，使行腔产生摇曳变化之妙，婉转动听。谱上符号为斜长的波浪线“⁓”。

啜腔：两个上行的相邻工尺组成一拍时，在保持原节拍速度的前提下，重复唱一次，如“尺工”唱作“尺工尺工”。

掇腔：在一个由多个音符组成的腔格中，唱到中间处作短暂停顿，以显示出行腔的顿挫变化。

垫腔：在两个上行的音符之间，若两者相距为一音，如“上”与“工”两个音，在两者之间加一“尺”音，作为垫腔，使腔格顺畅圆润。

拿腔：在相邻两句曲文中，为了强调下句的声情，当唱到前句最后几个字时放慢缓唱，这一唱法叫拿腔。

卖腔：为增强腔格的悠扬细长，特将一音拖长，这一唱法多用于散板曲。

挺腰腔：一音延长数拍，中间可参杂花腔，使行腔有起伏变化，避免过于单调平直。

感叹腔：在行腔过程中，为加强语气，在曲文中加入“啊”、“呀”、“嗏”等感叹词。

节奏，也是昆曲曲调腔格的组成要素。昆曲的节奏叫板眼，以击鼓节拍，强击称板，轻击称眼。板有正板与赠板之分，正板是曲中原有之板；赠板是为增强曲调声情的婉转柔曼，在原有板中增加的板。板眼的位置，按字头、字腰、字尾不同而定。现将昆曲的板眼符号及其用法列表说明如下：

名称		符号	用法
正板	头板	、	点在字头处，故又称“迎头板”。
	腰板	└	也称“掣板”。点在腔与腔之间，唱至一板，等点板后，换腔再唱。
	底板	—	点在腔尽处，故也称“绝板”或“截板”。
赠板	头赠板	X	点在字头处。
	腰赠板	IX	点在腔与腔之间。
中眼	中眼	°	点在字头处。
	侧中眼	△	点在腔与腔之间。
小眼	小眼	•	点在字头处。
	侧小眼	∟	点在腔与腔之间

昆曲常用的板式有散板、一板一眼、一板三眼、赠板、流水板等。

散板：节奏自由，只在一个乐句结束处击一底板。多为生、旦等脚色上场唱引子所用。

一板一眼：节奏较快，相当于简谱中二拍子，第一拍为板，第二拍为眼。多用于叙事性或烘托场面的曲调。

一板三眼：节奏较缓，相当于简谱中的四拍子，第一拍为板，后三拍分别为头眼、中眼、末眼。多用于抒情性曲调。

赠板：在一板三眼的板式上，再增加一板，把原来的中眼改成板，把头眼、末眼都改成中眼，再在两个中眼前后分别增加头眼和末眼。所增加的板，称赠板，原来的板称“止板”。赠板的节奏比原来的一

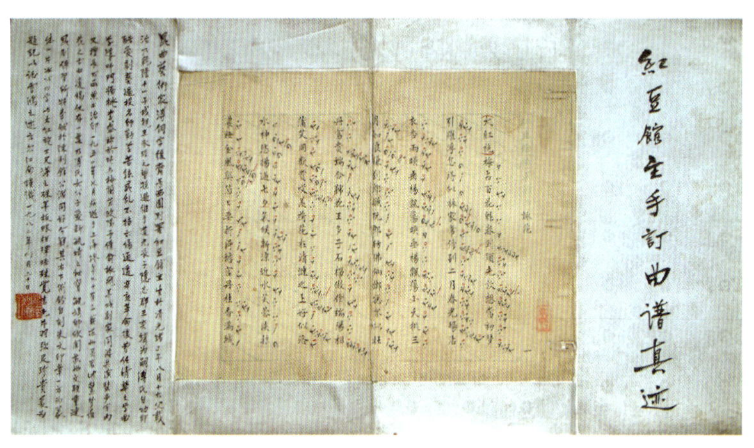

溥侗昆曲工尺手迹(中国昆曲博物馆供图)

板三眼放慢了一倍,成为八拍子,旋律更为委婉缠绵,多用于生、旦等抒情时所唱。

流水板:有板无眼,节奏急促,多用于净、丑等脚色所唱的粗曲,也常用于行路或烘托紧急情形的曲调。

三 昆剧的脚色体制

昆剧与话剧不同，不是以社会人的身份来扮演剧中人物，而是采用了脚色制的形式。所谓脚色，就是指演员扮演的某一类人物。我国古代戏曲将剧中人物按其不同的性别、年龄、性格、身份等划分成不同类别，而扮演某一类人物的演员也相应地分为不同的脚色。每一种脚色具有各自的化妆、服饰、动作等表演程式；既有其特定的性格内涵，又有其程式化的表现方式。因此，戏曲脚色是现实人物性格类型化、规范化和艺术化的结果。

昆剧的脚色是在南戏的脚色基础上发展起来的，宋元南戏共有生、旦、净、末、丑、贴、外七个脚色，昆剧的脚色设置更为系统规范，形成了生、旦、净、丑、杂等五个系统，现分别对这五大类中的主要脚色所扮演的人物、化妆、表演程式等作一介绍。

生行

生指戏曲剧目中的男性形象，脸部化妆清淡素雅，略施彩墨，通常称“俊扮”或“素面”。根据其年龄、身份的不同可以分为大官生、小官生、巾

生、穷生、雉尾生、老生、小生、武生等不同的种类。

大官生：又称“大冠生”，一般扮演风流儒雅的文职官员或帝王，戴髯口。讲究风度，气概大方。如《邯郸记》中的吕洞宾、《彩毫记》中的李太白、《长生殿》中的唐明皇、《千忠戮》（又名《千钟禄》）中的建文帝。

小官生：又称“小冠生”，扮演青年文职官员，因头戴纱帽，故又称“纱帽小生”。唱、念、做并重，表演时须突出人物儒雅飘逸的神态。如《荆钗记》中的王十朋、《金雀记》中的潘岳等。

巾生：又称“儒生”、“扇子生”，头戴方巾，手持折扇。扮演有文才而尚未及第的青年书生，唱、念、做并重，尤重折扇功底。表演时须在儒雅中突出潇洒飘逸、风流倜傥的神态。如《牡丹亭》中的柳梦梅、《玉簪记》中的潘必正、《红梨记》中的赵汝舟、《西楼记》中的于叔夜、《风筝误》中的韩琦仲等。

巾生：石小梅饰柳梦梅（《牡丹亭》）

穷生：又称“苦生”，扮演穷困落魄的青年书生，因多穿黑褶子与蹋后跟的鞋，故又称“黑衣生”和“鞋皮生”。表演时

穷生：王斌饰郑元和（《绣襦记》）

雉尾生：施海涛饰吕布（《连环记·小宴》）

突出剧中人物穷愁潦倒的神态，唱、念中带有悲苦音，两手抱胸，双臂平端，台步慢移，脚上似拖着没有后跟的鞋皮。如《破窑记》中的吕蒙正、《绣襦记》中的郑元和、《永团圆》中的蔡文英。这三个人物是穷生所扮演的代表性人物，被称为昆曲舞台上的“三双拖鞋皮”。

雉尾生：又称“鸡毛生”、“翎子生”，因帽盔上双插雉尾而得名。扮演英武潇洒的青年将领或将门之子。表演时要求嗓音清亮激越，动作刚劲，舞动翎子，舒展洒脱，突出人物英姿飒爽的神态和气概。如《连环记》中的吕布、《白兔记》中的咬脐郎、《西川图》中的周瑜，这三个是雉尾生的代表性人物，故有昆剧“三副鸡毛生”之称。

老生：扮演中、老年男性。如《连环计》中的王允、《牧羊记》中的苏武、

《寻亲记》中的范仲淹、《长生殿》中的李龟年、《千忠戮》中的方孝孺等。挂髯口，故又称“须生”。髯有三绺、五绺、满之分，依剧中人物的身份、性格而定，儒雅文人挂三绺，武将挂满，五绺为三国戏中的关羽专用。又须的颜色根据人物年龄的大小，分为黑、黪、白三种。另根据不同的表演特点，老生有唱老生、做功老生、靠把老生之分，唱功老生注重唱功，动作少，安详稳重，故又称“安工老生”，多扮演帝王或文士等；做功老生以做功见长，多扮演正直刚毅的下层老年男性；靠把老生多扮演武将，扎靠，使刀枪把子，唱、做、念、打并重。

老生：刘效饰沈重（《绿牡丹》）

旦行

旦为戏曲中的女性形象，脸部化妆也为俊扮。根据其年龄、身份的不同可以分为正旦、小旦、作旦、贴旦、刺杀旦、武旦等不同的种类。

正旦：扮演庄重、贞烈的青年女子或中年妇女，多穿青色褶子，故又称“青衣”。以唱工见长，嗓音高亢激越，婉转悲怆，突出人物凄切而贞烈的性格特征。如《琵琶记》中的赵五娘、《金锁记》中的窦娥、

闺门旦：张继青饰杜丽娘（《牡丹亭》）

《烂柯山》中的崔氏、《鸣凤记》中的杨夫人、《双珠记》中的郭氏等。

小旦：又称“闺门旦”，扮演未婚的青年女子，通常为爱情剧中的女主角，多为大家闺秀，也有平民少女、风尘女子或帝王妃子等。表演时须嗓音清丽圆润，身段雍容大方，突出人物端庄妩媚的神态。如《拜月亭》中的王瑞兰、《西厢记》中的崔莺莺、《浣纱记》中的西施、《牡丹亭》中的杜丽娘、《紫钗记》中的霍小玉、《玉簪记》中的陈妙常、《绣襦记》中的李亚仙、《长生殿》中的杨玉环、《西楼记》中的穆素徽等。

作旦：又称“花生”、“娃娃生”、“娃娃旦”，扮演天真活泼的男性少年，有时也扮演少年女子。表演时要求嗓音甜润，动作轻柔，突出人物活泼天真的神态。如《浣纱记》中的伍员子、《寻亲记》中的周瑞隆、《慈悲愿》中的庄旺儿、《鸣凤记》的赛琼、《双红记》中的红绡、《浣纱记》中的春鸿等。

贴旦：通常扮演身份低微的青年女子，如丫环，或次于小旦的女子。注重做与念。若扮演丫环，表演时须突出人物机智活泼的性格，故扮演这类人物的贴旦又称“活泼旦”、“快乐旦”；如《西厢记》中的红娘、《琵琶记》中的牛氏、《牡丹亭》中的春香等。

老旦：顾名思义为老年女性，多扮演教子有方的贤母，如《荆钗记》中的王母、《精忠记》中的岳母、《铁冠图》中的周母，

正旦：徐云秀饰崔氏（《浮生六梦》）

贴旦：钱冬霞饰色空（《思凡·下山》）

合称昆剧“三母戏”。另外老旦也扮演僧人、太监等角色，比如《铁冠图》中的王承恩、《双官诰》中的大太监。老旦所扮演的人物一般都是正面人物，但也有反面人物，例如《义侠记》中的王婆。老旦注重唱工，用本嗓，嗓音宽厚苍劲，台步沉稳缓慢，头微晃，略带龙钟之态，表演时须突出人物端重而又慈祥的神态。

刺杀旦：又称“四旦”，因“四”与“刺”音相谐。刺杀旦所扮演的人物有两类：一类是正面角色，为复仇而刺杀奸贼的女子，如《一捧雪》中的雪艳娘、《渔家乐》中的邬飞霞、《铁冠图》中的费贞娥；一类是反面角色，凶狠淫荡的女子，如《义侠记》中的潘金莲、《水浒记》中的阎惜娇、《翠屏山》中的潘巧云。这些人物都是刺杀旦的代表角色，昆剧舞台上有“三刺”、“三杀”之称。刺杀旦注重做工，尤重武功。

武旦：蒋佩珍饰孙二娘(《义侠记》)

武旦：又称“刀马旦”。扮演有武艺的女将、江湖女侠或神怪精灵等女性人物，多穿紧身衣服，表演上重翻打，如《白蛇传》中的青蛇等。

耳朵旦：扮演宫女，因宫女常站立在皇帝或后妃两旁，有如人的耳朵，故有此称。如《长生殿》中的念奴、永新。

红脸:柯军饰赵匡胤
(《风云会》)

净行

扮演男性人物,面部勾画脸谱,有正净、副净、武净和毛净之分。

正净:又称"大花脸"、"大面",因脸部涂满色彩和勾勒图案,故名。脸谱色彩以红、黑两色为主,红色多扮演举止稳重的朝廷重臣,注重唱功,多用膛音和炸音,声音洪亮,以突出其威武刚毅的神态;黑色多扮演性格勇猛暴烈的人物,唱腔雄浑,声音洪亮,且有叫跳之技,以突出其恢宏气度。如《千金记》中的项羽、《单刀会》中的关羽、《虎囊弹》中的鲁智深、《清忠谱》中的颜佩韦等。

副净:又称"白净"、"白面"。因面部涂白粉,故名。多扮演奸臣,如《鸣凤记》中的严嵩、《精忠记》中的秦桧、《渔家乐》中的梁冀。白面既注重架势气魄,又要在厚重沉雄中透出奸诈凶残之气。

毛净:孙海蛟饰大解子(《武十回·打店》)

邋遢白面:脸部涂白粉,并在眼角、鼻窝处画有黑点与黑线,吴语称不干净为"邋遢",故名。多扮演下层人物,具有诙谐滑稽的性格,如《白兔记》中的庙祝、《绣襦记》中的乞丐扬州阿二、《十五贯》中的屠户尤葫芦等;也扮演反面人物,如《琵琶记》中的大骗、《荆钗记》中的孙汝权等。

油花脸:又称"毛净"。用垫胸、假臂,形象奇特,造型夸张,表演时注重工架,身段动作粗犷,常用 喷火、耍牙等特技;如《单刀会》中的周仓、《钟馗嫁妹》中的钟馗等形象。

丑行

丑所扮演的人物类型较广，既有滑稽风趣而心地善良的正面人物，也有奸诈阴险的反面人物；另根据人物的身份与性格等，分为小丑、副丑。

小丑：李鸿良饰时阿大（《占花魁》）

小丑：又称“小面”、“三面”，俗称“小花脸”，扮演滑稽风趣而心地善良的下层人物，如《寻亲记》中的茶博士、《艳云亭》中的诸葛暗、《绣襦记》中的来兴等。小丑有时也扮演反面人物，如《琵琶记》中的小骗、《十五贯》中的娄阿鼠、《白罗衫》中的强盗李二等

副丑：简称“副”，又称“二面”，俗称“二花脸”，扮演奸诈狠毒的恶吏奸臣、帮闲篾片等人物，如《浣纱记》中的伯嚭、《鸣凤记》中的赵文华、《桃花扇》中的阮大铖等。副丑也扮演一些刁顽恶劣的老年妇女，如《荆钗记》中的姚氏、《白兔记》中的嫂子、《金印记》中的秦嫂等。

方巾二面：副丑的一种，穿戴方巾褶子，外表潇洒如巾生，但内心阴险奸诈，如《义侠记》中的西门庆、《水浒记》中的张文远、《西楼记》中的赵伯将等。

油二面：副丑的一种，扮演滑稽诙谐的人物，如《西厢记》中的法聪、《拜月亭》中的翁郎中。

方巾二面：李鸿良饰张文远（《水浒记》）

杂行

也就是群众演员，因其在不同的场景中扮演不同的人物，也有不同的种类。如：

龙套： 因演员穿着带水袖的龙套衣而得名，扮演帝王、后妃、官员的随员侍从、宫女丫环等，常以四人为一堂，在舞台上变换队形，跑上跑下，即所谓“跑龙套”，用以烘托舞台气氛。

武行： 又称“上下手”、“打英雄”，在武打场面中扮演群众脚色，若扮演正面一方的武打群众，则称“上手”，扮演反面一方的群众脚色，则称“下手”。

龙套：《1699·桃花扇》（江苏省昆剧院）

四 昆剧的表演程式

昆剧在塑造舞台形象、刻画人物性格时，其身段、动作具有一定的规范，通常称为“程式”；这些程式是艺人们在长期的演出实践中，根据追求神似的美学原则，把自然的生活形态经过夸张、浓缩、变形等高度的美化装饰后形成的一种规范。这些程式从外形来看与现实生活相去较远，但从内在的“神”来看，却是逼真的。如《梨园原》总结的“八形”和“四状”等表演程式。

八形

贵者：威容，正视，声沉，步重。

富者：欢容，笑眼，弹指，声缓。

贫者：病容，直眼，抱肩，鼻涕。

贱者：冶容，邪视，耸肩，行快。

痴者：呆容，吊眼，口张，摇头。

疯者：怒容，定眼，啼笑，乱行。

病者：倦容，泪眼，口喘，身颤。

醉者：困容，糗眼，身软，脚硬。

四状

喜者：摇头为要，俊眼，笑容，声欢。

怒者：怒目为要，皱鼻，挺胸，声恨。

哀者：泪眼为要，顿足，呆容，声悲。

惊者：开口为要，颜赤，身战，声竭。

这些程式勾画出了某一类型角色的大致轮廓，从外形来看，这种粗线条的勾画离现实生活较远，变形较大，但由于体现了不同类型角色的“神”，因此，这种程式便可以运用于具有同样神情的各种不同人物。以下是昆剧中常用的一些程式：

亮相：主要脚色上场或表演一段舞蹈动作后，做一塑像式的姿势，突出人物的神态。

整冠：双手平起，手心相向，中指微屈，抬至冠巾间，中指向里伸去，作整理冠巾的动作。

理髯：双手抬起，接近须髯，拇指、中指略并拢，拇指在须后，中指在须前，由上向下理去，理时其他三指略向外翘。

整鬓：主要用于青衣和花旦，整右鬓时，抬右手出兰花指，用食指、中指轻抚鬓，左手抚右肘；整左鬓时反之。

抖袖：有双、单抖袖两种。双抖袖：双臂向胸间蜷曲，由上而下，再由里向外摔袖，然后用腕和拇指慢慢将袖勾起，置于腕部。单抖袖：仅用一手动作，多用于脚色出场时，有时也作为剧中开唱或突出重点念白时对乐队的暗示动作，称作“叫板”或“叫锣鼓点子”。抖袖专用于剧中穿着长服宽袖如蟒、帔、官衣、开氅、褶子、老斗等服装的男女脚色。

翻袖：将水袖翻至腕上，有正、反、单、双诸式，正翻袖由内向外翻，反翻袖则由外向内翻。常用于起“叫头”时。

亮相，孙海蛟饰柳五柳
(《绿牡丹》)

扬袖:剧中穿着长服宽袖脚色所作的动作。分斜扬袖与前扬袖两式，又两者皆有左右之分。左斜扬袖:踏左步，双手抖袖，右手提袖至胸间，再向下盖住左袖，同时左袖从右臂里侧穿出，至左上方，用腕力将袖用力抖出，出袖时须舒展挺直;右斜扬袖的动作则与左斜扬袖相反。前扬与斜扬略同，只是正前方出袖。

洒头:又称“憨脸”。用以表演人物惊恐或愤怒的神态。头与双手一起抖动，若为老生，还须甩髯。

气椅:用于表演剧中人物因气愤或突遭变故而昏厥或死亡。面向观众站立，向后仰倒于椅子上。

僵尸:用于表演剧中人物突然昏厥与死亡，有软、硬两种形式:硬僵尸，身躯突然挺直，向后倒下;软僵尸，上身慢慢向后仰，仰至一定程度时再倒下。

望门:演员上场后，先后走到舞台两侧，向内作观望或找寻事物的动

整冠：柯军饰周遇吉（《对刀步战》）

作，用以表演等待来人或搜寻事物。若分两边向内观望，则称“双观望”。

三笑：用以表演人物兴奋或得意的神态。演员先后面向两侧作两声短笑，然后向正中作一声长笑，口中发出“啊哈、啊哈、啊呵哈哈哈哈”之声。

走边：其名源出山西梆子《白虎鞭·走边》一折，专用于武戏，表现有武艺的人物夜间轻装潜行，靠路边小步快走。有单走边，即单人独行，如《宝剑记·夜奔》中的林冲雪夜上梁山；双走边，即两人同行。又走边时若唱曲牌，称“响边”，不唱的则称“哑边”。

起霸：专用于表演武将，出征上阵之前，整盔束甲，由提甲亮相、云手、踢腿、箭步、蹲裆式、跨腿、整袖、正冠、紧甲等一系列舞蹈动作组成，演员表演时只舞不唱。既突出武将威风凛凛的气概，又

翻袖：钱振荣（左）
饰潘必正

抖袖：龚隐雷（前右）饰祝英台（《梁山伯与祝英台》）

烘托渲染了战斗气氛。传说这一表演程式最早来自《千金记·起霸》一出，其中演楚霸王时有一套连续的舞蹈动作，后便将这一套动作运用于塑造其他武将的形象，并称之为“起霸”。起霸又分男霸、女霸、全霸、半霸、单人起霸、双人起霸等多种不同形式。

挡子：用以表演战斗的场面，交战双方彼此人数相等，或持兵刃，或徒手，格斗交战，步位相同。挡子名称依双方人数而定，若双方人数为三人，称“三股档”；若为四人，则称“四股档”；依此类推，有“六股档”、“八股档”，若是人数较多的，则称“群股档”。上场人数也可由少增多，如先为四股档，再增为六股档、八股档，直至群股档。

打出手：简称“出手”。用以表演武将或神仙（多为女仙）斗法的场面。一个脚色（主角）在舞台中央，与其他几个脚色配合，表演抛掷兵器的特技，同时用打击乐烘托紧张激烈的气氛，如《雷峰塔》

扬袖：李鸿良饰车尚公（《绿牡丹》）

望门：柯军饰林冲
（《夜奔》）

中的《盗草》、《水斗》两出戏。

跑圆场：又称“走圆场”。演员在舞台上按圆形的路线绕行，用以表现舞台空间的转换。演员在跑圆场时碎步疾行，上身须保持不动。

耍下场：武戏开打后，胜利一方的主将在舞台上挥舞耍弄手中的兵器，然后下场，以突出武将的英勇威武的神态。

抬轿：一人居中，表示坐轿中；二人或四人分列前后，表示抬轿。起轿时，扮演轿夫的演员两臂弯曲至肩，缓缓起立，双臂晃动，走抬轿步。行进时，坐轿人与抬轿人、抬轿人与抬轿人须配合动作，协调一致，如抬轿人晃动双臂时，坐轿人也须晃动身子以配合。又如上坡时，前两人直立，后两人屈腿走矮步；下坡时，则相反。

趟马：也叫“马趟子”。表演者手持马鞭表现人物在马上急驰的一套程

式动作，由古代的“踏竹马”演变而来。用以表演剧中人物策马疾行的情景。通常由跑圆场、转身、挥鞭、勒马、打马、高低亮相等连续的舞蹈动作组合而成，但也可视剧情需要，增加或减少某些动作。又据人物的多少，有单人趟马、双人趟马、多人趟马等多种形式。

打背供：又称“打背躬”。两人同在场上，其中一人背着另一人，以一手挡住脸，面向观众，作唱或念，表白自己的内心想法。相当于西方戏剧中的旁白。

僵尸：柯军饰富奴（《九莲灯》）

昆剧的表演程式具有两重性：一方面，它从现实生活中提炼出来，成为一种规范，具有相对的稳定性；另一方面，演员在依照这些程式塑造人物时，又须根据不同的故事情节、人物形象，以及自身的艺术积累与修养，加以发展变化，使得规范性与具体情节、人物相统一。

（本节图片均由江苏省昆剧院提供）

五 昆剧的表演功法

昆剧演员在舞台上扮演人物，塑造舞台形象，须具备一定的表演手段。由于戏曲是综合性艺术，因此，演员在塑造人物形象时，也须用多种艺术手段。在长期的演出实践中，艺术家们将这些表演手段概括为“四功五法”。

所谓“四功”，就是唱、念、做、打；所谓“五法”，就是“手、眼、身、步、法”。以下就各种表演技巧略作介绍。

唱功

在昆剧诸表演技艺中，唱是最主要的。唱具有直接且细腻地揭示人物思想感情的功能。唱功讲究的是字正腔圆。所谓“字正”，就是咬字吐音要准确清晰。要做到“字正”，关键是要把握好每个字的发声、行音、收声归韵这三个环节。

汉字是单体字，每个汉字只代表语言上的一个音节。但从语音学的角度来看，每个汉字的读音一般可分为声母与韵母两部分。声母即起首辅音，韵母部分包括中介元音或主要元音、收尾元音或收尾辅音。根据

汉字的这一读音原理，昆曲音律家们为了能使每一个字在婉转的唱腔中吐字清晰且饱满动听，将一个字分成头、腹、尾三部分演唱。字头，即声母；字腹，即中介元音或主要元音；字尾，即收尾元音或收尾辅音。昆曲的旋律在南曲诸唱腔中最为缓慢悠长，故将字分为头、腹、尾三部分唱出来，就能收到字正腔圆的效果。

发声，也就是发字头部分的音。字头是决定一个字字音的关键，字与字之间的区别，主要是在字头上。因此，正确的发声，在很大程度上决定了“字正”。发声关键是要五音分明清晰。声音是由气流振动声带而发出的，而字的发声是通过唇、齿、喉、舌、牙等发音器官的部位变化来实现的。我国古代声乐理论根据吐字发声的部位和着力点，把声母分为唇音、齿音、舌音、牙音、喉音等五大类。由于不同声母的发声主要是靠发音部位和着力点的变化来区别的，因此，要使发声正确无误，必须把握好每个字头的发声部位。

行音，即发字腹部分的音。一般在较婉转绵长的旋律中，常以字腹来引长行腔，若在行音过程中，发生变音，也会影响吐字的清晰和准确，故行音阶段也是“字正”的关键之一。而行音的关键是分清四呼，即开、齐、撮、合。一个字发声以后，在行长过程中，由于字音中的介母和韵母的情况不同，而形成不同的口形，必须注意四呼的口形的准确度，提防中途变音。

收声，即发字尾的韵母部分的最后一个音，也称归韵。收声正确，也是“字正”的一个重要环节。若发声、行音准确，但不注意收声的准确，那么唱出来的字就像是断了线的风筝，失去了落脚点，俗称吐字“飘”、“浮”。而把握收声之法的关键，一是要分清每一字收声的韵部和发声的位置，二是要收之有力、牢扣本韵。

“字正”是就吐字而言，“腔圆”则是就行腔而言。从曲情的表达来说，字正是唱曲最基本的要求，而要给观众以美的享受，就必须发挥戏曲声腔艺术特有的魅力，使文字与音乐得到完美的结合，增强曲文的感染力。所谓“腔圆”，也就是要求把声腔旋律唱得圆转自如、甜美悠扬，使人听起来和谐悦耳，从而产生声乐的美感。

念功

念是剧中人物的对白或独白的总称，与曲文相比，念白虽较接近生活语言，但也经过了艺术加工，有别于平常言谈。

念虽无唱那样多的音律束缚，没有曲谱，但正因此，要掌握念白之功并不比唱功易，传统戏谚有“千斤说白四两唱”之说，可见念功的难度了。

念白分为两类：一类韵白，一类是散白。韵白是韵律化的，接近于生活语言。但无论是韵白还是散白，两者也都像唱功一样，首先要求字正，吐字清晰，头、腹、尾交代清楚，五音、四呼正确。

其次，要掌握好念白的节奏，体现出昆剧念白所具有的节奏感与韵律美。而念白的节奏，须根据具体的剧情与人物特定的心理状态来决定，处理好轻重缓急、抑扬顿挫的关系，最忌直念。

如《牡丹亭·游园》出中，杜丽娘来到后花园时所唱的【皂罗袍】曲及来白，先是用“不到园林，怎知春色如许也”两句念白，当念到“也”字时，须拖长其声，以引起下面赏景抒情的曲文，而在中间又插入两句宾白：“好景致，老奶奶怎不提起也？”这两句宾白的设置，是为从对美好春光的欣赏转入抒发对礼教束缚的怨恨之情，故念时节奏较快，以突出人物内心情绪的转折变化。

又如《狮吼记·跪池梳妆》出【懒画眉】曲与念白：

> 【懒画眉】(柳氏唱)幽娴贞静博芳名，你做丈夫的宜室宜家道未行。(陈季常念白)嗳！若论刑于之化，卑人其实不让于文王，但恐娘子末，未如淑女吓！(柳氏白)哪见得我未如淑女吖？啊呀咦！(陈白)说差了！(柳氏唱)你出言何故太欺凌，多应未谙区区性。(陈白)娘子，卑人与你取笑吓，怎么认起真来了？(柳氏白)吓！谁与你取笑？(陈白)是取笑呀！(柳氏白)哪个与你取笑吖！(唱)都是你作耍成真自取憎。(陈白)是是是，卑人今后再不敢取笑了！(柳氏白)这便才是。(陈白)约，人家夫妻末，岂是取笑的，不可吓不可！

江苏省昆剧院《惊梦》剧照

在柳氏唱了首二句"幽娴贞静博芳名,你做丈夫的宜室宜家道未行"曲文后,陈季常念夹白云:"嗳!若论刑于之化,卑人其实不让于文王,但恐娘子末,未如淑女吓!"在说出"未如淑女"之前,须稍作停顿,因陈慑于柳氏的阃威,心有余悸,虽有心要对柳氏加以讥讽,但还是有些顾虑,故须在念至"但恐娘子末"一句时,须稍作停顿,这样才能将人物微妙的心理活动细腻地展现出来。

另外,不同脚色的念白,也有不同的特征,如青衣用小嗓,老生、老旦、武生、净用大嗓,小生大、小嗓结合用,花旦的念白应活泼,小丑则往往用苏(州)白或扬(州)白。

做功

做,也就是舞蹈化的形体动作,是对昆剧演员的身段、表情、气派、风度等表演的总称。做可分为两种:一种是程式性强,具有较强音乐感和节奏感,动作严整的;一种是散体动作。

昆剧的形体动作具有这样一些特点:一是与说、唱等紧密配合;二是具有层次性,随着剧情的发展和人物心理的变化展开。如《连环记·梳妆掷戟》出,吕布得知貂蝉被董卓夺去后,又气又急。昆剧艺人在演出这出戏时,便根据人物的这一特定心情,配合人物的说唱,为其设计了一套特定的形体动作。如:

(念)恨小非君子(左手放下鸾带,右手将戟掉给左手),无毒不丈夫(右手拉开)!可恨老贼(上步,右手骈指指出),不念父子之情形(朝下角,摊右手),夺我夫妻之爱(朝上角,右食指与戟相并),不胜焦忿(右手抖动,上举)!夜来司徒之言(朝下角踏前一小步,指口),未可轻信(退一小步,右手自左至右摇动,头偏向右)。我如今(拍腰),潜入后堂(戟掉右手左手骈指,与戟头一起自上而下,绕一圈子,向内指出,蹲身作坐马势,上身挺直,戟尾平靠背后),打听貂蝉动静则个(盘转戟杆,头右尾左,用双虎口平托)。(唱)

【懒画眉】只因淹滞虎牢关(右脚向后勾,再作马势,耍翎子,绕三圈;

三次；退后一步，身子笔直，勾右脚，踢左脚，三次；退后，再绕翎子），失却明珠（掉左手抓住戟中段，坐转身，朝右斜立，踮起左脚，右拇指横指弹冠）泪暗弹（左脚立直，笃右脚，捻右手三指，掩泪；戟头由左向右盘转，右手向左脚尖弹泪；右转身，戟掉右手，身朝下门，踢右边腿，左手向右脚尖弹泪；面朝外，戟头朝下，拖在背后，戟尾靠住左肩），把好姻缘反做恶姻缘（面朝下角，戟由上而下绕一大圈，左右两食指平托戟，前后指搠，边指边退几步，最后一跺右脚）。我潜身转过雕栏畔（左手反抱戟，戟尾在身后，戟头直向上，右手掏翎子，伸直，翻过手来，左脚跳落右脚之右，踏下，右脚向后一勾；圆场到下角），试听貂蝉有何言（右手仍抓住翎子，翎尖向戟上一搭，甩去翎子；右手抓住戟杆，左手推戢尾，宕开；戟头从身后套过翎子，右手平举戟，用拇指托住戟杆，横在身前；左手骈指指上门，踮起左脚；再降戟从前面转过来，搁在臂上，掉左手；戟头从身后套过翎子，搭在腰间，戟头向下；右食指与右脚交叉指点；低头，倒翎子；右手伸直向下，一拍，退半步；左手握戟后半段，将戟绕一圈子，戟头由下而上，再落下；抬左腿，右手平搭戟杆，虎口叉住戟；落左腿，右脚向后一勾，用经折步下场）。

在这段曲白中，演员每唱或念一句，都有相应的动作相配合，或盘转画戟，或舞弄翎子，或变换台步，而且演员在做这些动作时，又有不同的面部表情，故十分丰富好看。

又如《水浒记·借茶》出阎婆惜上场时所唱的【一封罗】曲及其所表演的形体动作：

【一封罗】临风（搭汗巾看天）半掩扉（走到台口，先一手搭门，开门。出门），悄含情（用巾掩唇），暂倚闾（小立门前，搭鬓左右顾盼）。只见结伴寻芳花间屐（走上场角，平抚），选胜携樽（走下场角，右手作杯状向台前，左手搭右袖）陌上车（双手并举及腰，作推车状，左脚前后移动）。教我惜春无计（先按胸，后摊手），春光暗移（走台中，掠眉），惜花良苦（左摇手，右蹋脚，头偏右），花期渐逾（落花，转身，进门，关门）。镇无

言独立（后退一步，双手十指交叉，反掌自左向右下按，同时接一声长叹）咳！长吁气（右穿袖，拂汗巾，转身，下场）。

这一段形体动作，配合曲文，十分形象细腻地刻画了阎婆惜对春情的向往与无奈之情。

打功

打，也就是武打动作，是将现实生活中武打格斗动作经过提炼后形成的一些表演形式。与“做”一样，“打”也具有极强的舞蹈性与程式性。

昆剧舞台上的打可分为两大类：一类是在武打格斗时演员手持刀枪等道具，称为把子功；一类是在毯子上跌打翻扑，称为毯子功。

又按格斗双方的人数多少，有单打与群打之分。单打有“对拳”、“对刀”、“对枪”等；若双方持不同兵器对打则称“单刀枪”、“大刀双刀”、“大刀双剑”、“大刀枪”、“棍儿枪”等；若一方持枪、一方持刀，则称“单刀枪”、“大刀枪”、“双刀枪”；若一方徒手，一方持刀或枪对打，则称“单手夺刀”。

打功：柯军（左）饰周遇吉，赵荣家饰李洪基（《对刀步战》）（江苏省昆剧院）

群打也分两种：若格斗双方人数相等，称为“荡”，又名“走荡子”；若一方为一人，一方为多人，则称“攒”。

另根据格斗双方所穿戴的服饰和使用的兵器不同，也有长靠与短打之分。长靠指双方穿戴长靠，着靴子，只是持长武器穿插来往；短打是指双方贴近对打，翻滚跌扑，动作迅速。

五法

昆剧演员形体部位的五种表演技法，即：手、眼、身、步、法。

手技：是表现人物情绪、塑造舞台形象的重要手段，《梨园原》身段八要说：“手为势，凡形容各种情状，全赖以手指示。”如当剧中人物在思索或焦虑不安时，便用搓手的技法来表现。手技包括手状、手位、手势、手法等四类。手状指表演时手指与手掌的形状，常用的有兰花指、怒指、英雄指、数字指、兰花掌、荷叶掌、虎爪掌、手掌等形状。手位指手（包括腕、肘、膀）所放的位置，常用的有拱手、双山膀、单山膀、托按掌、双托掌、山膀按掌、冲掌等式。手势常用的有云手、陶手、搓手、翻手、晃手、颤手、穿手、倒手、劈手、盘手、摊手、摇手、背手、半月手等式。

眼技：也就是俗话所说的眼神，眼神是人物内心情感的外化，因此，通过不同的眼神，可以将剧中人物喜怒哀乐的不同感情表现出来。戏谚云：“三分扮相，七分眼神。”《梨园原》身段八要中也指出：“眼先引，凡作各种状态，必须用眼先引。故昔人有曰：‘眼灵睛用力，面状心中生。’”通常眼法有怒眼、羞眼、惊眼、傲眼、媚眼、醉眼、转眼、梭眼、眺望眼等。

身技：指身段，包括颈、肩、胸、背、腰、臀胯等部位，这些部位都要配合唱说，根据剧情与人物的情绪而作出相应的姿势，但又须自然而然，不可造作。如《梨园原》提到的“艺病八种”中，就有三种是与身段有关的，如：“强颈：凡唱念之时，总须头颈微摇，方能传出神理；若永久不动，则成傀儡矣。扛肩：耸肩则觉项短，

梅兰芳、姜妙香
《惊梦》剧照
（CFP 图）

王丰梅
《寻梦》剧照
（CFP 图）

于台下视之，尤不美观。硬腰：腰硬则全身不灵活。文则如上马、下马，武则如舞弄刀枪，皆仗腰间之灵活，方能出色。”

步技：包括演员在舞台上站立的步式与行走时的台步。步技从总体上来说，一是要稳，二是要有节奏。常用的步技有正步、八字步、丁字步、踮步、踮丁步、弓箭步、马步、扑步、蹲步、笃脚、踏脚、膝步、鹤步、龟步、跪步、挪步、云步、搓步、趟步、绊步、醉步、碎步、瘸步、包足步等。在具体设计步式与台步时，须依据剧情、人物及不同的脚色而定，如在表演乘船、踏水等动作时，用云步，在表演旦脚生离死别或求乞于人等情景时用膝步；再如醉步用以表演醉酒后行走，鬼步用于表演鬼魂行走的情形；又巾生常用腾步，老生常用鹤步，贴旦常用碎步，丑脚则常用跺步、斜步、小窜步、蟹行步、雀行步等。

法技：指对意念与神态的掌握的技法。源出佛教《般若波罗蜜多心经》所谓“无眼耳鼻舌身意，无色声香味触法”。佛经中的“法”与“意”相应，故在昆剧表演中，也用以指对意念的掌握。在昆剧各种表演技巧中，“法”技居统率地位。

顾传玠《贩马记》剧照（中国昆曲博物馆供图）

六　昆剧的脸谱

脸谱是为了强调和突出人物性格而设计的脸部化妆，是一种艺术化、夸张化的表现。它并不是按照现实生活中人的本来面貌来化妆的，而是按照脚色所扮演的某一类人物的典型性格，运用强烈的色彩与图案来加以表现，具有强烈的象征意义。昆剧的脸谱也具有一般戏曲脸谱的特征。现将一些常见的昆剧脸谱介绍如下：

红脸：净行中红净所用的脸谱，用于表演性格刚正忠诚的人物，如《单刀会》中的关羽、《风云会》中的赵匡胤、《九莲灯》》中的火德星君、《唐三藏》中的回回、《一种情》中的弼灵公、《双红记》中昆仑奴等。

黑脸：净行中黑净所用的脸谱，用于表演性格粗豪勇猛的人物，如《千金记》中的项羽、《西川图》中的张飞、《牡丹亭》中的胡判官、《天下乐·嫁妹》中的钟馗、《慈悲愿》中的尉迟敬德、《人兽关》中的阎王、《如是观》中的金兀术、《宵光剑》中的铁勒奴等，在昆剧中称为“八黑”。

昆仑奴（《双红记》）

严嵩（《鸣凤记》）

尉迟恭

扬武郎

（苏州戏曲博物馆藏，沈传锟遗稿，祁连庆摄影）

白脸：又称“粉脸”，净行中大净所用的脸谱。脸部涂上白粉，然后用黑笔勾画出眉、眼、鼻窝及面部的肌肉纹理，用于表演性格奸诈阴险的人物，如《连环记》中的董卓、《东窗事犯》中的秦桧、《鸣凤记》中的严嵩、《红梅记》中的贾似道、《渔家乐》中的梁冀等。

和尚脸：戏曲中和尚所用的脸谱，如《西厢记》》中的惠明、《祝发记》中的达摩、《昊天塔》中的杨五郎等。

三块瓦脸：又称“三块窝”，将面部、两腮和额分为三块，故名。多用于表演武

三块瓦脸（江苏省昆剧院）

将，又所用色彩有异，有红三块瓦脸、白三块瓦脸、粉三块瓦脸等。

豆腐块（江苏省昆剧院）

整脸：全脸为一种色彩，只勾画两眉、双眼及少许表情纹路，多用于表演性格刚毅威严的人物，如《单刀会》中的关羽、《风云会》中的赵匡胤等。

豆腐块：丑脚脸谱，在鼻、眼之间勾画一小方块白粉，形似豆腐块，故名。

脸子：原为演员在扮演神鬼等怪异形象时所戴的假面具，故又称“面具”、“假面”，后来多改为在脸部直接勾画。如《白兔记·赛愿》中马明王所用的三眼脸，《狮吼记·三怕》中土地神所用的土地脸，《一文钱·岁梦》中财神所用的财神脸。

七　昆剧的服饰

昆剧的服饰，包括盔帽、戏衣、戏鞋、髯等，昆剧的服饰种类很多，也是根据剧中人物的身份、性格以及脚色来确定的。以下将常见的一些昆剧服饰分别加以介绍。

盔帽

平天冠：戏曲中玉皇所戴，故又称“玉皇冠”。冠顶为长方形，前高后低，两端垂旒，上有日、月、星辰图案，左右挂穗。

九龙冠：又称“玉蝉冠”，戏曲中帝王所戴。前高后低，上饰九龙图案，前缀一大绒球，四周缀数十枚大小珠子及穗子，后有一对朝天翅。

凤冠：戏曲中后妃、公主及其他贵族妇人所戴。冠上饰有点翠立凤，凤嘴衔珠串，左右及背后皆挂大穗。

紫金冠：又称“太子冠”，戏曲中太子或少年将领所戴。冠上饰有若干绒球，两边有龙纹耳子下垂，左右挂大穗。

驸马套：戏曲中驸马所戴，故又称“驸马翅”。圆形，上缀大红或粉红色绒球，两鬓处挂珠子、丝穗，用时套在纱帽上。

凤冠　九龙冠　小生巾　将巾

踏镫：戏曲中主将或诸侯所戴。前圆后方，前部饰朝天龙、海水等图案，正中缀一绒球；后部则饰以龙、蝙蝠、寿字等图案。颜色有金色与黑色两种。

相貂：戏曲中宰相所戴，故名。黑色，方形，前低后高，左右插长翅，正中缀有一块玉。有素相貂、花相貂两类，素相貂多为黑色，花相貂则有花纹图案。

纱帽：戏曲中官员所戴。黑色，圆形，前高后低，左右插翅，翅有方、圆、尖三种，分别称方纱、圆纱、尖纱。方纱，翅呈长方形，上有寿字花纹，若为小生所戴，则正面缀一块长方形白玉，为忠臣所戴，故又称“忠纱”；圆纱，又称“矮围”，翅圆形，丑脚所戴；尖纱，翅呈菱形，奸臣所戴，故又称“奸纱”。

草帽圈：戏曲中渔夫、樵夫等人物所戴。草帽去顶，成一圆圈，故名。有男、女之分，女式较男式小。

罗帽：上为六角形，下为圆形，顶缀一圆球。分软胎、硬胎、花、素黑等四种。软胎素罗帽为豪杰壮士所戴，硬胎素罗帽为捕快、仆人所戴，软胎花罗帽和硬胎花罗帽多为侠客、盗贼所戴。

相巾

平顶冠

方纱

花相貂

中军盔：戏曲中中军所戴。金色，状如礼帽，顶部凸出呈三角形，围有一宽边。

相巾：戏曲中宰相家居时所戴的便帽。方形，绣有金线图案，前下方缀有一长方形白玉，后插一副朝天翅。

扎巾：戏曲中武将或武士所戴。前圆形，缀有绒球，后竖有一块板，上绣花。

员外巾：戏曲中员外所戴。方形，上绣寿字团纹，后有两条绣花飘带。

八卦巾：戏曲中有道术的人所戴。上扁下方，上绣八卦和太极图案，后有两根飘带。

文生巾：戏曲中秀才、书生所戴。帽顶至两耳边有硬如意头状，上绣五彩图案，后有两根飘带。

武生巾：戏曲中武生所戴。形似文生巾，后无飘带，但顶部有一红绸结，两边挂穗。

戏衣

蟒：俗称“龙袍”。大襟，圆领，上绣云龙、凤凰、花朵，下摆及袖口绣海水。按性别有男蟒与女蟒之分，男蟒为帝王将相所穿，长及足，前后有摆，无云肩。又根据剧中人物的身份、性格，男蟒有不同的颜色与图案，颜色有上五色即红、绿、黄、白、黑与下五色即粉红、湖色、深蓝、紫、古铜或香色之分；图案分团龙与独龙，如帝王穿黄色团龙蟒，包拯、张飞穿黑色独龙蟒。女蟒为后妃、贵妇、女将所穿，较短，仅及膝，无后

摆，有云肩，上部绣海水，下部绣丹凤朝阳、凤采牡丹等图案。

官衣：一般官员所穿的官服。大襟，圆领，后有两块摆，素色底，无图案，惟胸前与背后各有一块绣花补子，上绣飞禽走兽。飞禽如凤凰、孔雀、仙鹤等，为文官所穿；走兽如麒麟、豹等，为武官所穿。又依官阶高低，分紫、红、蓝、黑等颜色；如宰相、国老等穿紫色，巡按、府道穿红色，知县穿蓝色，黑色无补子的官衣，又称“青素”，为官衙中门官所穿。官衣也有男女之分，女官衣较短，无后摆，分红、秋香两种颜色，红色为一品夫人所穿，秋香色为一品诰命夫人所穿。

帔：戏曲中帝王后妃、达官显贵所穿的便服。有男帔、女帔之分，男帔较长，女帔长仅及膝，但样式相同，对襟，大领，水袖，左右胯下开衩，满身绣团龙、凤、鹿、鹤、牡丹及寿字等图案。颜色有黄、紫、红、蓝、黑等多种。黄色、上绣龙凤团花的帔为帝王后妃所穿，红色帔常为显贵之家新郎新娘成亲时所穿的礼服。常大妻成对穿着，故又称“对帔”。

褶子：戏曲中普通老百姓的便服。有男褶子与女褶子两类，男褶子的样式为大襟，斜领，有水袖，长及足，图案分花、素两种。花褶子绣牡丹、菊花等花卉图案，衣色有上五色、下五色多种，上五色多为纨绔子弟、地痞恶霸所穿，下五色多为英雄侠客所穿。素色不绣花，颜色有黑、蓝、红、古铜等色，黑、蓝色多为贫穷书生所穿，又在黑色褶子上补缀若干杂色绸布，以示破烂貌，称“富贵衣”，为暂时贫穷而将来富贵的书生所穿；古铜色多为老生所穿，如《四进士》中的宋士杰。女褶子有大襟、对襟两种。大襟，多为素色，老年妇女所穿；对襟大领绣角花的女褶子，为小姐所穿；黑色有小领的女褶子，为贫穷女子所穿，称“青衣褶子”，青衣的脚色也因此而得名。

靠：又称“甲”，戏曲中武将所穿。圆领，紧袖，长及足，分前后两片，满绣鱼鳞纹，中部有绣龙、凤、虎的靠肚，下部有两片绣鱼鳞纹的护腿。有男靠与女靠之分，女靠靠肚下有飘带。又有硬靠与

软靠之分，硬靠背后插四面三角靠旗，软靠则不插靠旗。颜色也有上五色与下五色等多种，依据人物的年龄、身份、性格等选用。另有一种“改良靠”，紧身束腰，有四片护腿，两肩及腰间有半立体虎头，为一般将士所穿。

大铠：又称“铠”。形如靠，但无靠肚、靠旗，下甲与铠身相连，颜色多为红色，为禁军、校尉等人物所穿。

开氅：戏曲中官员所穿的便服。大襟，斜领，带水袖，左右胁下有两块摆，长及足，衣身周围和袖口绣花纹。衣身绣飞禽走兽，武官用走兽，文官用飞禽。有红、绿、黄、白、黑、紫、蓝、古铜等多种颜色。

八卦衣：戏曲中有道术者或有谋略者所穿。形式略同褶子，后身无摆，前身下部有两根飘带，背后缀有带子，衣身绣有八卦、太极图案，颜色有黑紫、宝蓝两色。

茶衣：戏曲中下层市民所穿。大领，对襟，蓝布质地，半身，腰束白布短裙。

水裙：即白布短裙。戏曲中店小二、渔夫、樵夫等人物所穿，上身穿茶衣，腰间系水裙。

夸衣：戏曲中绿林好汉、家将武士所穿。圆领，大襟，束袖，半身，胸前自领到下衣边和袖口到衣衩，有三排纽扣，称“英雄结”。有绣花、素色两种，绣花较少，素色多为黑色。

宫装：戏曲中后妃及王室贵妇所穿。对襟，圆领，大腰身，长及足。下部周身缀有五彩长短飘带数十根，内连衬裙，并有六道二寸许的五彩花边，衣身绣花，穿时加云肩。

云肩：戏曲中旦脚穿蟒或宫装时的饰物，围脖一圈，大仅盖肩，绣花，周围有穗。

斗篷：又称“披风”，为人物出外游玩或行路时所穿，表示防御风寒。对襟，小圆领，无袖，长及足，下摆如钟形，上绣花鸟等图案，颜色有东红、绿、黄等。有男斗篷与女斗篷两种，女斗篷多绣凤凰、牡丹、菊花等图案。

八卦衣

白花裙

箭靠

大红女蟒

褶子

黄蟒

排须铠

大红对帔

罪衣裤：戏曲中罪犯所穿。对襟，大领，普通袖，裤子为普通形式。布质，红色。

龙套衣：戏曲中龙套所穿。对襟，大袖，有水袖，前后开衩，四周镶边，衣身绣八只团龙，颜色有红、绿、白、蓝等，每色四件。

水袖：蟒、褶子、开氅、帔等袖上所缀的一条白绸，长约一尺，甩动时形似水的波纹，故名。表演时运用水袖的动作，以表现人物的内心情感，增强形体美。

戏鞋

戏鞋有靴、鞋、蹻三类。

朝方靴：戏曲中文丑所穿，长筒靴帮，薄底，质地为棉布或黑缎。

高方靴：又称“厚底靴”。戏曲中生、末所穿，形似朝方，但底厚，多为黑色。

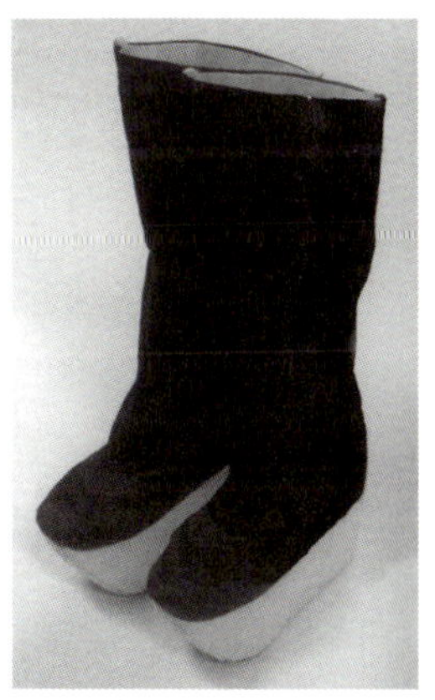

高底靴（粉底皂靴）

虎头靴：用红、绿、黄等色缎为面料，靴前端饰有虎头图案，因而得名。靴底有厚薄之分，厚底虎头靴为武将所穿，薄底虎头靴为武生所穿。靴面颜色需与服色相同。

快靴：又称“薄底靴”。戏曲中武生所穿，与快衣相配。低帮，薄底，黑色。又有绣花快靴，有红、绿、白、湖等色，为武旦、刀马旦所穿。

薄底靴

彩鞋：戏曲中旦脚所穿的便鞋。低帮，软底，上绣花，有大红、粉红、白色、湖色等颜色，缎质，鞋头缀一小葫芦穗。

打鞋：戏曲中武生开打时所穿，低帮，薄底，鞋后跟有两条布带，系于脚面。

镶鞋

蹻：又称“尺寸子”。戏曲中武旦、花旦所穿，

形似古代女子的缠足,有软、硬之分,软蹻用布制成,硬蹻用木制成。表演时缚在脚掌下,走动时增强身段美。由于具有较高的难度,故在传统戏曲表演技巧中有“蹻功”。

绣花鞋

(本节图片均由江苏省昆剧院提供,谢白摄影)

魅力永存的幽兰经典

◎下篇

《荆钗记》：荆钗虽贱情意真

《荆钗记》是宋元四大南戏之一，作者柯丹邱（丘）是宋元时期苏州敬先书会中的一位书会才人。剧情写温州书生王十朋家境清贫，以荆钗为聘，娶钱玉莲为妻。后入京应试，状元及第，授官江西饶州佥判。当朝宰相万俟欲招其为婿，十朋执意不从。万俟恼羞成怒，将他由饶州改调烟瘴之地潮州，并不准回乡。与王十朋一同赴京应试的豪绅孙汝权欲娶玉莲，篡改王十朋家书，诡称其已入赘相府，让玉莲改嫁他人。玉莲继母与姑母贪图钱财，嫌贫爱富，便逼玉莲改嫁孙汝权。玉莲誓死不从，投江殉节，恰被赴任路过温州的福建安抚钱载和救起，认作义女。五年后，万俟倒台，王十朋升任吉安太守，钱载和也由福建安抚升任两广巡抚，携玉莲上任途中，路过吉安府，十朋与玉莲遂得团圆。

王十朋在历史上确有其人，系温州乐清人，南宋绍兴二十七年（1157）状元及第，《宋史》有传。那么作为历史人物的王十朋是怎样成为戏曲中的人物的呢？据说是因王十朋弹劾史浩八罪，史浩门人为报复，便作《荆钗记》，丑化王十朋及与他同时弹劾史浩的孙汝权。此说恐为附会，不过由此也可以看出《荆钗记》本事及剧情的演进之迹。在早期

的《荆钗记》中，王十朋与孙汝权一样，也是一个受到抨击和丑诋的对象。前人记载中说他在状元及第前，与倡家女钱玉莲狎，及第后，便抛弃了玉莲，致使“钱愤而投江死”。明初戏曲舞台上演出的《荆钗记》，还是把王十朋作为一个反面人物来描写。而现在流存的《荆钗记》，都已为王十朋翻了案，从对书生负心的抨击，演变为对书生发迹后不忘糟糠之妻的节义行为的歌颂，剧作也由悲剧演变为喜剧。

如何评价《荆钗记》的这一演变呢？首先，如果说早期的《荆钗记》是通过王十朋状元及第后抛弃前妻钱玉莲，致使玉莲投江而死这一故事情节，抨击了书生的负心行为，表达了下层民众的爱憎观与道德观，那么今本《荆钗记》则通过王十朋状元及第后不忘糟糠之妻，拒绝入赘豪门的情节，从正面对不负心的书生加以歌颂，为那些出身寒门的士子提供了典范，也从另一个角度表达了下层民众的道德理想。其次，今本中的女主角钱玉莲不为财利所诱，不为威逼所屈，忠于爱情，直至投江殉节，仍和古本中的愤而投江自尽的钱玉莲是一致的，她这种坚贞不屈、忠于爱情的精神，也得到了下层民众的同情与赞赏。最后，今本《荆钗记》虽以王十朋与钱玉莲的大团圆为结局，但这一结局是建立在战胜万俟丞相、孙汝权等恶势力的基础之上，这与《琵琶记》以蔡伯喈的动摇妥协和赵五娘的无原则容忍为前提的一夫二妇的大团圆结局相比，更能体现下层民众的愿望。因此，《荆钗记》的故事情节虽然经历了由书生负心到不负心的演变，其中所蕴含的下层民众的道德理想与愿望却没有改变，也正因此，它才得以在戏曲舞台上长演不衰。

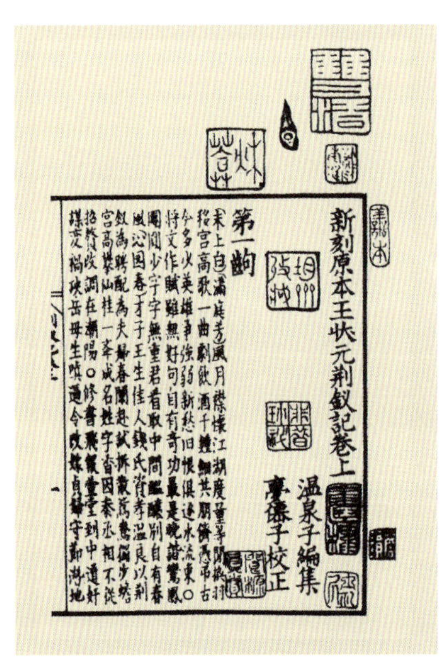
新刻原本王狀元荆釵記卷上
温泉子編集
夢仙子校正
第一齣

明影钞本《荆钗记》

作为昆曲的经典剧目，《荆钗记》在艺术上有着较高的成就。情

《荆钗记·见娘》(江苏省苏州昆剧院)

节安排既曲折巧妙,又紧凑严谨;曲调的运用,也与剧情达到了较好的统一。如《闺念》出,王十朋上京应试去后,钱玉莲独自在闺房内思念丈夫时所唱的一套曲:

【破阵子】〔旦上〕灯灿金花无寐,尘生锦瑟消魂。凤管台空,鸾笺信杳,孤帏不断离情。巫山梦断银缸雨,绣阁香消玉镜蒙,十朋,休愬怀想人。

春风吹柳拂行旌,忆别河桥万种情。

天上杏花开欲遍,才郎从此步云程。

【四朝元】云程思奋,迢迢赴玉京。为策名仙籍,献赋金门,一旦成孤另。自骊驹唱断,自骊驹唱断,空忆草碧河梁,柳绿长亭。一骑天涯,正是百花风景,到此春将尽。嗏,寂寞度芳辰,凤帐鸳衾,翠减兰香冷。君行万里程,妾怀万般恨。别离太急,思思念念,是奴薄命。

薄命佳人多苦辛,通宵不寐听鸡鸣。

高堂侍奉三亲老,要使晨昏妇道行。

【前腔】妇仪当尽,昏问寝兴。听谯楼更漏,紫陌鸡声,忙把衣衫整。要殷勤定省,要殷勤定省,自觑堂上姑嫜,萱草椿庭。白发三亲,也索一般恭敬,不敢辞劳顿。嗏,端不为家贫,欲尽奴情,愿采苹蘩进。儿夫事远征,亲年当暮景。孝思力罄,行行步步,是奴常分。

事亲一一体天心,无暇重调绿绮琴。

憔悴容颜愁里变,妆台从此懒相临。

【前腔】慵临妆镜，菱花暗锁尘。自曲江人去，凤折鸾分，羞睹孤飞影。渐脂憔粉悴，渐脂憔粉悴，说甚眉扫青山，鬓挽乌云，玉箸痕多，只为荆钗情分，肠断当年聘。嗏，欲照又还停，只见貌减容消，展转添愁闷。团团宝鉴明，萧萧翠环冷。为思结发，丝丝缕缕，万千愁病。

愁病恹恹瘦损神，只因夫婿寓瑶京。

那堪雁帛鱼书杳，肠断香闺独宿人。

【前腔】从离乡郡，皇都觅利名。想龙门求变，豹文思炳，凤阁图衣锦。奈归期未定，奈归期未定，便做折桂蟾宫，赐宴琼林。须念兰房，有奴孤形独影，莫向红楼凭。嗏，独坐暗伤神，雁杳鱼沉，教奴望断衡湘信。长安红杏深，家山白云隐。早祈归省，孜孜翕翕，举家欢庆。
【尾声】时光似箭如梭掷。勤把萱亲奉侍。专等儿夫返故里。

这一套曲由长引子【破阵子】开头，接着是四支【四朝元】曲，【四朝元】属南曲仙吕入双调，是适宜抒情的长调细曲，连用四支，并用一首诗与一首曲相间排列的缠达形式，使钱玉莲对丈夫的思念之情得到了充分的表达。故明代吕天成《曲品》云:“《荆钗记》以真切之调，写真切之情，情文相生，最不易及。”

《荆钗记》在昆曲舞台上全本流传，清末殷桂深编有《荆钗记曲谱》，现在常演的有三十多出，其中《见娘》是昆曲舞台上的经典折子戏。

《白兔记》:白兔引儿见亲母

《白兔记》也为宋元四大南戏之一,据说是永嘉书会才人所作。剧本写的是后汉君主刘知远和李三娘的故事。刘知远未发迹前,落魄潦倒,后被李大公收留,并将女儿三娘嫁给他。李大公死后,三娘兄嫂李洪一夫妇为独占家产,欲害刘知远。刘知远被逼离家前往邠州投军,做了一名更夫,后被岳节使看出有帝王之相,便将女儿岳绣英嫁给了他。刘知远因屡立战功,一直做到九洲安抚。李三娘自刘知远出走后,受尽兄嫂的折磨,白天汲水,晚上挨磨,在磨坊产下孩儿,因无剪刀,只好用嘴咬断脐带,故取名咬脐郎。三娘怕兄嫂伤害,托窦公将咬脐郎送到刘知远处抚养。十五年后,咬脐郎外出打猎,因追赶一只白兔,与生母李三娘相遇,便回去报告刘知远,刘知远即带领兵马,回到沙陀村,与三娘团聚。

从现有的资料来看,早在北宋时,民间说话伎艺中,就已经讲说刘知远的故事了。如宋孟元老《东京梦华录》记载的"说话"一类艺人中,就有专门讲说"五代史"的尹常卖。在宋金时期,诸宫调艺人也将刘知远与李三娘的故事作为说唱的题材,编撰了《刘知远诸宫调》。南戏《白兔记》正是根据有关刘知远与李三娘的民间传说编撰而成的。

明刊本《白兔记》选本插图

《白兔记》虽以较多的篇幅敷衍了刘知远的情节，但剧作歌颂与赞扬的却是李三娘。除了遭到兄嫂的迫害外，她在心理上也遭受了被刘知远遗弃的煎熬。刘知远去邠州投军后，便杳无音信，后来托窦公将咬脐郎送到邠州，也如石沉大海，直到十六年后，母子才偶然相遇。尽管为刘知远所遗弃，李三娘还是坚守着夫妻团圆、母子团聚的美好理想，故她最能引起读者与观众的同情与赞美。与李三娘有关的几出戏，如《挨磨》、《分娩》、《见儿》、《私会》等，也是全剧中的精华。

《白兔记》结构紧凑，线索清晰，如先写刘知远和李三娘的由合而分，后写他们的由分而合，中间又通过窦公送子、咬脐郎打猎追白兔的情节，将前后两部分连结起来。全剧的语言也具有早期南戏的语言特色，质朴自然。明代吕天成《曲品》评曰："《白兔》，词极古质，味亦恬然，古色可挹。"

《白兔记》在昆剧舞台流行的折子戏有《赛愿》、《养子》、《上路》、《窦公送子》、《出猎》、《回猎》、《麻地》、《相会》等。《养子》是经典折子戏，这出戏在原本中为《挨磨》与《分娩》两出，昆剧演出时将两出合为一出。整出戏都由三娘一人主唱，为了充分揭示三娘的哀怨与痛苦之情，为她安排了七支曲调，上场时唱的引子【于飞乐】外，用了四支【五更转】和两支【锁南枝】曲：

【于飞乐】〔旦上〕无计解开眉上锁，恶冤家要躲怎生躲？怨我爹娘，招灾惹祸。

梁上挂木鱼，吃打无休歇。哑子吃黄连，有口对谁说。自从丈夫去后，哥嫂逼奴改嫁不从，罚我在日间挑水，夜间挨磨。一不怨哥

嫂，二不怨爹娘，三不怨丈夫，只是我十月满足，行走尚且艰难，如何挨得磨？

【五更转】恨命乖，遭折挫，爹娘知苦么？哥哥嫂嫂你好横心做，赶出刘郎，罚奴挨磨。叫天不应，地不闻，如何过？〔合〕奴家那曾，那曾识挨磨？挑水辛勤，只为刘大。

【前腔】向磨房，愁眉锁，受劳碌也是没奈何。爹娘在日把奴如花朵，死了双亲，被哥嫂凌辱。爹娘死，我孤单，如何过？〔合前〕

【前腔】挨几肩，头晕转，腹胁遍疼腿又酸。神思困倦挨不转，欲待缢死在房中，恐怕耽搁智远。寻思起，泪满腮，如何过？〔合前〕

【前腔】腹内疼，欲分娩，有谁人来看管？阴空保佑，保佑奴分娩，但愿无虞，早得夫妻相见。思量起，我孤单，如何过？〔合前〕

奴家神思困倦，不免就在磨房打睡片时。〔丑上〕好人不肯做，只要嫁刘大。刘大不回来，情愿去挨磨。〔叫介〕姑娘那里？叫他不应，打他一顿。磨到(倒)不挨，睡得好！〔旦〕磨子重，挨不动。〔丑〕这样磨子叫重。〔旦〕嫂嫂，奴家腹中一阵阵疼痛，挨不动了。

《白兔记·出猎》：雷玲饰李三娘，余映饰咬脐（湖南省昆剧团供图）

〔丑诨介。旦〕嫂嫂，请歇息。〔丑〕歇息，歇息，庄上人要面吃，如何迟误了，准准打八十。南无阿弥陀佛，弥陀佛。〔旦〕嫂嫂，你也是妇人家，不晓得妇人家疼痛？谯楼上几更时分了？

【锁南枝】星月朗，傍四更，窗前犬吠鸡又鸣。哥嫂太无情，罚奴磨麦到天明。想刘郎去也，可不辜负年少人。磨房中冷清清，风儿吹得冷冰冰。

【前腔】叫天不应，地不闻，腹中遍身疼怎忍？料想分娩在今宵，没个人来问。望祖宗阴显应，保母子两身轻。

整出戏所用的曲调，其声情与剧中人物的心情密切相合，尤其是四支【五更转】曲。【五更转】曲本为北方民歌，在唐代十分流行，常由五支曲调联成一组曲，从一更起到五更，声情哀怨凄戚，作者在这里为三娘安排了四支【五更转】曲，使其哀怨之情与曲调的声情相应，更为动人。

《拜月亭》:逃难途中巧联姻

南戏《拜月亭》,又名《幽闺记》,关于其作者,前人多说是元代人施惠。剧本写的是蒋世隆与王瑞兰的爱情故事。金朝贞元年间,蒙古入侵,金主听信谗言,迁都汴梁。书生蒋世隆与妹瑞莲、尚书王镇之妻与女儿瑞兰在战乱迁徙中失散。世隆与瑞兰相遇,在患难中结为夫妻。瑞莲则与瑞兰母亲相遇,被收为义女。王镇出使蒙古回朝,在旅店遇见瑞兰,不认世隆为婿,强将瑞兰带走。战乱平定后,世隆应举中了文科状元,王镇奉旨招婿,于是世隆与瑞兰得以团圆。

元代关汉卿也有同名杂剧,故有人认为南戏《拜月亭》是根据关汉卿的同名杂剧改编而成的。描写青年男女的悲欢离合,是宋元南戏的一个重要题材,但与同类题材的其他南戏相比,《拜月亭》有它的独到之处:它不只是以才子佳人的风流韵事来取悦观众,而是通过男女之间的悲欢离合,展示了较深刻的思想内容与社会风貌。剧作将蒋世隆与王瑞兰这对青年男女的悲欢离合放在社会大动乱的特定环境中来写,反映了民族矛盾与统治者的昏庸给百姓带来的灾难。

《拜月亭》在艺术上有很高的成就。

首先是塑造人物形象、刻画人物性格细腻逼真。剧作所塑造的人物形象着墨有多少之分，但个个栩栩如生，各具性格，尤其是女主角王瑞兰的形象。剧作对这一人物的内心世界作了十分细致真实的刻画，展现出这位女主人公在不同环境下的心理变化。王瑞兰刚出场时，是一位未经人生磨炼的大家闺秀，身居华屋高堂，寻常珠绕翠围，“总不解愁滋味”。当战乱把她推出了安逸的家庭，卷入了动乱的社会之中时，她出于无奈，终于克服了少女的羞涩，不顾礼教的束缚，主动请求蒋世隆挈带同行。当蒋世隆故意冷谈不允时，她竟然以“窈窕淑女，君子好逑”的诗句，暗示愿与蒋世隆结成夫妻。这是何等大胆的行为！与她刚上场时的性格相比，显然有了深刻的变化，而这一变化又是十分可信的。因为这是在逃难途中、亲人失散、万般无奈的情况下产生的，但尽管有这样大胆的变化，剧作在展示她的性格时，仍没有超出这一人物的基本性格，即始终不失其深闺小姐的身份。如在《世隆成亲》折，当蒋世隆提出要同她结成真夫妻时，尽管她内心已对蒋世隆有爱慕之情，却害怕自主成亲，有违礼法，“怕仁人累德，娶而不告，朋友相嘲”，故再三推辞。这样的描写既细致地揭示了这位大家闺秀复杂的内心世界，又符合她的身份与教养，故使得这一人物形象具有强烈的艺术感染力。

明刊本《拜月亭》插图

其次，剧作的结构巧妙自然，自始至终运用了巧合的手法来安排故事情节，刻画人物形象。如蒋世隆与妹子瑞莲、王瑞兰与母亲分别在战乱中

失散后，世隆与瑞兰奇遇，瑞莲与王夫人巧逢；世隆与瑞兰途中遇盗，而寨主恰是世隆救助过的义弟陀满兴福；又如王镇出使番邦回朝，在途中分别与女儿、夫人意外相聚；最后世隆考中状元，王镇要招赘的女婿正是当初被他嫌弃的穷秀才。剧作运用巧合这一表现手法时，奇而不谬，故真实可信。

此外，《拜月亭》的语言本色自然，很少雕琢，又蕴藉有味，故为前人所称道。李贽说："《拜月》曲白都近自然，委疑天造，岂曰人工！"吕天成《曲品》也谓其"天然本色之句，往往见宝，遂开临川玉茗之派"。

《拜月亭》在昆剧舞台上流传的折子戏有十多出，其中《踏伞》、《拜月》是经典折子戏。《拜月》演王瑞兰被父亲强行带回京城后，心里一直惦记着尚在旅途且重病在身的世隆。一日夜晚，她在后花园安排香案，对月拜祷，祝愿世隆病体早愈，两人早日团圆。不料被躲在一旁的蒋瑞莲听见，道出真情，姑嫂二人格外亲热。这折戏安排得十分巧妙，通过瑞兰与瑞莲两人的性格冲突来设置与组织情节，从开始两人一起游园赏景，到中间两人因性格的不同，相互戏弄调笑，到最后道出真情。情节发展既层次清晰，又曲折有趣。而且人物的性格也得到了十分细腻的展现，如瑞兰深沉不露，瑞莲伶俐机智，性格上的差异，也增强了故事的喜剧性。

左 《拜月记》：孔爱萍饰王瑞兰，钱振荣饰蒋世隆（江苏省昆剧院）

《琵琶记》：得了功名失了孝

《琵琶记》是南戏后期的一部杰作，它的产生，标志着南戏在剧本创作上的成熟与完善，也为南戏逐渐向明清传奇过渡奠定了基础，故向有“传奇之祖”的美称。作者高明为至正五年（1345）进士，在他之前，南戏作家都是民间艺人或书会才人，因此，高明是第一位参与南戏创作的文人学士。

《琵琶记》写的是蔡伯喈为父亲所逼，辞别新婚妻子赵五娘，前往京城应试，状元及第后，牛丞相欲招其为婿，伯喈力辞，但牛丞相依仗权势，硬逼其入赘。蔡伯喈又欲辞官回家，奉养父母，但皇帝不允；托人带信和金珠回家，又被拐儿骗走。家乡连遭荒年，缺衣少食，赵五娘一人侍养公婆，吃尽苦楚。公婆相继去世后，赵五娘便身背琵琶，上京寻夫。后在贤慧的牛小姐帮助下，终与伯喈团聚。蔡伯喈闻知父母皆已去世，便挈赵、牛二妇回乡服孝。皇帝闻奏，下旨旌表。

蔡伯喈的故事在民间流传已久，南宋诗人陆游《小舟游近村舍舟步归》诗中即有“死后是非谁管得，满村听唱蔡中郎”之语。元陶宗仪《南村辍耕录》所记“院本名目”中有《蔡伯喈》一目。早期的南戏作品中，

《琵琶记》:徐云秀饰赵五娘,顾骏饰蔡父,裘彩萍饰蔡母(江苏省昆剧院)

也有一本《赵贞女蔡二郎》,据徐渭《南词叙录》记载,其主要剧情是写“伯喈弃亲背妇,为暴雷震死”。高明的《琵琶记》正是根据南戏《赵贞女蔡二郎》及其他民间流传的蔡伯喈故事改编而成,但其一夫二妇大团圆、满门旌表的结局,与《赵贞女蔡二郎》的悲剧结局截然不同,故前人谓高明作《琵琶记》是为蔡伯喈翻案雪耻。也有人认为高明作《琵琶记》是为讥刺其友人王四。王四科举及第后,抛弃妻子,入赘相府,高明便作此剧加以讥刺;取名《琵琶记》,是因为“琵琶”二字之上有四个“王”字,寓意“王四”。

高明自己在《琵琶记》第一出副末开场的【水调歌头】词中说:“少甚佳人才子,也有神仙幽怪,琐碎不堪观。正是不关风化体,纵好也徒然。”“休论插科打诨,也不寻宫数调,只看子孝共妻贤。”据此看来,似乎宣扬传统伦理道德、维护风化,是高明作《琵琶记》的动机。然而联系剧

情和人物形象来看，似乎“翻案雪耻说”、“讥刺说”乃至高明自己的“风化说”，都不足以解释写作动机。

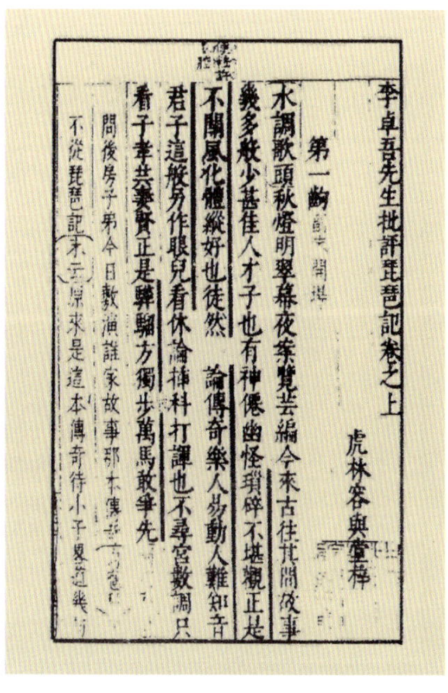
李卓吾先生批評琵琶記卷之上
虎林容與堂梓
第一齣 副末開場
水調歌頭秋燈明翠幕夜案覽芸編今來古往其間故事幾多般少甚佳人才子也有神仙幽怪瑣碎不堪觀正是不關風化體縱好也徒然 論傳奇樂人易動人難知音君子這般另作眼兒看休論插科打諢也不尋宮數調只看子孝共妻賢正是驊騮方獨步萬馬敢爭先
問後房子弟今日敷演誰家故事那本傳奇
不從琵琶記〔末云〕原來是這本傳奇待小子畧道幾句

从故事情节来看，《琵琶记》没有改变《赵贞女蔡二郎》的悲剧性质。戏一开场，即第二出，蔡家称庆祝寿，作者向观众展现了一幅“夫妻和顺，父母康乐”的欢乐图景，但随着剧情的发展，这幅欢乐的图景就慢慢地涂上了悲哀的色彩：蔡伯喈被父所逼，赴京应试；及第后，又辞婚、辞官不从，不得归家；家乡连遭荒灾，父母先后饿死，妻子吃糠剪发，受尽百般苦楚。一开始时那幅欢乐的图景已完全变成一幅家破人亡的悲惨图景了。最后一出虽是一夫二妇大团圆、满门旌表，但在喜庆的气氛下，仍闪烁着悲哀的泪花。蔡公本想叫儿子去应试求官，改换门闾、光宗耀祖，可得到的却是一场灾难，儿子虽中了状元，自己却一命呜呼，长眠地下。蔡伯喈唱道：“何如免丧亲，又何须名显贵？可惜二亲饥寒死，博得孩儿名利归。”显然，浩荡的皇恩也无法弥补蔡家的悲惨遭遇。

其实，高明创作《琵琶记》的真实动机，或许是要表现对科举制度的不满。作者将蔡伯喈背亲弃妇、不忠不孝的责任归咎于“三不从”，即辞试不从、辞婚不从、辞官不从。而在“三不从”中，“辞试不从”是罪魁祸首，功名逼人的科举制度是致使骨肉分离、父母活活饿死的罪恶之源。为表现这一主题，作者在剧中时时将“尽孝”与“出仕”对立起来描写。“功名之念一起，甘旨之心顿忘”。在《书馆相逢》出中，蔡伯喈所唱的【解三醒】等曲，可以说是对科举制度的愤怒控诉：

【解三醒】叹双亲把儿指望，教儿读古圣文章。似我会读书的倒把亲撇漾，少甚么不识字的到得终养。书，我只为你其中自有黄金屋，反教我撇却椿庭萱草堂。还思想，毕竟是文章误我，我误爹娘！
【前腔】比似我做个负义亏心台馆客，倒不如守义终身田舍郎。白头吟记得不曾忘，绿鬓妇何故在他方？书，我只为其中有女颜如玉，反教我撇却糟糠妻下堂。还思想，毕竟是文章误我，我误妻房！

《琵琶记》的这一主题，也许正与高明的生平经历有关。《琵琶记》是高明在怀着满腹牢骚和悔恨离开官场、隐居宁波栎社时所作，因此，厌弃功名、不满科举和向往退隐的思想必然在剧中表达出来。

《琵琶记》的语言以本色为主，徐渭《南词叙录》谓其“句句是本色，无今人时文气”。如历来为人传颂的第二十出赵五娘背着翁姑吃糠时所唱的【孝顺歌】曲：

糠和米，本是相依倚，被簸扬作两处飞。一贱与一贵，好似奴家与夫婿，终无见期。丈夫你便是米呵，米在他方没寻处，奴家恰便是糠呵，怎的把糠来救得人饥馁！好似儿夫出去，怎的教奴供膳得公婆甘旨？

曲文既质朴自然，真切感人，又颇合人物的身份和性格。与以前由艺人创作的南戏相比，《琵琶记》在语言上大大提升了南戏的文学品位与艺术品位。徐渭以为高明作《琵琶记》，“用清丽之词，一洗作者之陋。于是村坊小伎，进与古法部相参，卓乎不可及已”。

《琵琶记》在戏曲史上地位极高，备受推崇，在昆剧舞台上流行的折子戏有四十出之多，而以《吃糠》最为经典。新时期以来，上海昆剧院、北方昆剧院都新排了全本《琵琶记》；2007 年，永嘉昆剧团也编演了全本《琵琶记》。

《南西厢记》:西厢有情结良缘

《西厢记》原为元代王实甫所作的杂剧,明代李日华、崔时佩、陆采等分别对王实甫的杂剧《西厢记》作了改编,而在昆剧舞台上常演的则是崔时佩、李日华改编的《南西厢记》。

《西厢记》写的是张珙与崔莺莺的爱情故事。唐贞元年间,书生张珙赴京应试,途经蒲州普救寺,邂逅借寓于此的相国小姐莺莺,两人一见钟情,互相爱慕。当地叛军孙飞虎闻莺莺貌美,率兵包围普救寺,欲抢莺莺为妻。莺莺母亲出于无奈,答应谁能解围,就将女儿嫁与他。张生挺身而出,致书友人白马将军杜确,率兵前来解围。围解后,老夫人反悔。但张生与莺莺在侍女红娘的帮助下,冲破礼教的束缚,背着老夫人私下成欢。老夫人发觉后,以崔家三辈不招白衣女婿为由,逼张生上京应试。后张生应试及第,终与莺莺结成夫妻。

《南西厢记》对原作的情节没有作太大的改动,只是将原本中的北曲曲调改为南曲曲调。北曲字多腔少,节奏较快,且多变宫、变徵两个半音,故具有高亢激越的声情,适宜用于表现战争、公案等情节;南曲字少腔多,节奏舒缓,故具有委婉细腻的声情,适宜于表现男女爱情故事。王《西

厢》全用北曲，虽然对于表现孙飞虎兵围普救寺、惠明冲出重围下书这些情节是适合的，但从整本戏来看，主要是演张生与崔莺莺的爱情故事，而这样的情节，用婉转细腻的南曲来表现则更为合适。因此，经过曲调上易北为南的处理，使全剧曲调的声情与剧情得到了较好的统一，增强了艺术感染力。

《南西厢记》的篇幅虽增至三十六出，但全剧的情节结构仍具有原作的优点，既严谨紧凑，又富于戏剧性。剧中安排了两条线索，一条是莺莺、张生、红娘与老夫人之间的矛盾冲突，一条是莺莺、张生、红娘三人之间的误会冲突，前者是主线，后者是副线，两者交替发展，互相辉映，贯穿始终。作者在具体安排情节时，采用了突转的手法，来增强矛盾冲突的波澜曲折。如在张生请来白马将军解围后，老夫人宴请张生，张生、莺莺、红娘皆以为是老夫人已答应了亲事，不料老夫人反悔赖亲，在席间让莺莺叫张生为哥哥，使剧情顿起波澜。再如当张生接到莺莺约会的简帖，欢天喜地地应约来到后花园，满以为必能与莺莺成就好事时，不料莺莺突然变卦，剧情发展又出现了突转。又如当老夫人发觉了莺莺与张生的私情后，拷问红娘，矛盾冲突趋于紧张，而经过红娘的机智应对，迫使老夫人允诺两人的婚事，紧张的矛盾又趋于缓和。但就在此时，老夫人突然提出崔家三辈不招白衣女婿，逼张生离开莺莺，上京应试，再起波澜。这样的剧情安排，既使情节层层推进，又跌宕回旋，引人入胜。

《南西厢记》插图

《西厢记》的语言，在元代杂剧中独具特色，具有优美典雅的风格。

《南西厢记》.李鸿良饰法聪,钱振荣饰张珙(江苏省昆剧院)

明初朱权《太和正音谱》将它比作“花间美人”,谓其“铺叙委婉,深得骚人之趣;极有佳句,若玉环之出浴华清,绿珠之采莲洛浦”。尤其是那些写景抒情的曲词,富于文采,典雅清丽。《南西厢》的改编者尽量保留了原本的曲词,只是因南北曲曲调句格及平仄搭配的不同,有所调整,许多地方甚至完整地保留了原本的曲词,如张生首次上场时所唱的【满庭芳】:

游艺中原,脚跟无线,空教我望眼连天。将棘闱守暖,把铁砚磨穿。未能够云路鹏程万里,先受了雪窗萤火多年。男儿志,空雕虫篆刻,缀断简残编。

曲文清丽隽永,情景交融,极有诗词的意境之美,同时又无雕琢堆砌之痕,形成了一种典雅而不晦涩、优美且平易的语言风格。

语言的性格化,也是《西厢记》在艺术上的一个重要成就。如莺莺的语言委婉蕴藉,张生的语言热情奔放而又多书卷气,红娘的语言泼辣明

快，老夫人的语言奸滑严厉。作者还往往通过短短的几句曲词或念白，展现人物的性格。如在莺莺赖简这场戏中，当莺莺得知张生已经被红娘看了，便悔约赖简，三人之间便产生了一段对话，作者依据各人不同的性格和心理状态来设计三人的语言，

〔**生跳抱旦介。旦**〕曾见红娘么？〔**生**〕方才见来。〔**旦**〕红娘，不好了！〔**旦**〕红娘快来，有贼！〔**贴**〕是谁？〔**生**〕是小生。〔**贴**〕姐姐，不要慌，是熟贼。〔**旦**〕贱人，贼有甚生熟！〔**贴**〕你道是谁，是张生。〔**旦**〕不要管张生李生，拿去见老夫人！（**第二十三出　乘夜逾垣**）

莺莺所言，是假撇清，为了掩饰张生是自己约来的，表现了她的矜持性格；红娘之言，是明知故问，表现了她的机灵；而张生之言，是为了表白，真以为莺莺不知是他，表现了傻的性格。因此，虽只有短短的三句对话，却十分生动地传达出了人物特定的心理状态。

在昆剧舞台上，《南西厢记》有《游殿》、《闹斋》、《惠明》、《请宴》、《听琴》、《寄柬》、《跳墙》（又名《跳墙着棋》）、《佳期》、《拷红》、《长亭》、《惊梦》等折子戏流传。

《浣纱记》:一缕溪纱系兴亡

《浣纱记》写的是春秋末年,吴越两国相互攻伐,越被吴所灭,越国大臣范蠡佐越王勾践励精图治,恢复越国,并向吴王进献美女西施,以离间吴国君臣,终将吴国攻灭,而范蠡功成后,即与西施泛舟五湖而去。

《浣纱记》将历史上的吴越攻伐之事与民间传说中的西施故事结合起来,并使得西施这一人物形象更加鲜明突出了。西施忠于爱情,当在若耶溪畔初次遇见范蠡,通过交谈了解了范蠡的身世与情操后,就不顾礼教的束缚,与范蠡订立了姻盟。不久,范蠡被迫入吴为羁囚,她日思夜想,为此得了心疼病。三年后,好不容易盼到了范蠡获赦回国,本想可以谐姻好了,却想不到范蠡竟要她去吴国迷惑吴王,为越灭吴作内应。起初她依恋旧情,不肯“移彼易此”。但经范蠡晓以国家兴亡与个人存亡的利害后,她立即省悟到,“国家事极大,姻亲事极小”,“岂为一女之微,有负万姓之望?”答应了范蠡的要求,慨然赴吴。临走前,她向范蠡表示了自己的决心:“我裙衩女志颇坚,背乡关殊可怜。蒙君王重托,须黾勉”。“誓当粉身碎骨以报恩义”。来到吴国后,她果然不负越国君臣的重托,勇敢机智,把吴王夫差弄得神魂颠倒,听信奸佞,倒行逆施,以致亡国。

《浣纱记》:柯军饰范蠡,李雪梅饰西施,李鸿良饰船夫(江苏省昆剧院)

历史上以声色误国的女子很多,如妲己、褒姒、杨玉环等,但西施的以色亡吴带有明显的爱国主义色彩。

《浣纱记》的创作,是有感于时事而发的。明代正德、嘉靖年间,外患十分严重,东南沿海一带倭寇不断侵扰,成为明王朝的主要边患,而北方蒙古贵族也伺机南下。梁辰鱼虽因仕进无望而走上好侠游、喜音乐的消极避世道路,可他内心对国家的前途仍十分关心,并流露出要为国驱除外患、建立功业的志向。但在当时,朝廷内严嵩父子专权,政治黑暗,他的这种报国志向不可能实现,因此,就借历史上的吴越攻伐与西施亡吴的民间传说,来抒发自己的爱国志向,并对那些妨碍自己实现志向的奸

臣加以抨击。在《浣纱记》第一出副末开场的【红林擒】中,他自明其志:“平生慷慨”,但因政治黑暗,奸臣当道,只能“负薪吴市”,壮志不得伸,犹如“骥足悲伏枥,鸿翼困樊笼,试寻往古,伤心全寄词锋”。

《浣纱记》的艺术成就,当首推剧本的结构。作者在设置情节时,让象征生旦爱情的一缕溪纱贯穿剧情发展的始终。这缕纱在剧中一共出现了三次,一开头生旦就以赠纱定情,中间(第二十七出)生旦分纱离别,最后生旦合纱团聚。这样的设置,使剧情发展前后照应,首尾一致。另外,作者为了突出主题,褒忠贬奸,在设置情节时,采用了对比的手法:一方是越国,君臣合作,和衷共济;一方是吴国,主昏臣庸,将相失和。作者将这两组情节对立起来安排,映衬对照,使作者的褒贬之意十分明显。

在人物塑造上,作者往往通过一些重大事件来揭示人物的性格。如作者在刻画吴王夫差、伯嚭、伍子胥这三个人物时,就通过他们对某一重要事件的不同言行来揭示他们不同的精神面貌。如在《允降》出,在接不接受越国投降的问题上,这三个人有着不同的态度,作者在这里为三人设置了这样一些对白:

〔外〕(**伍子胥**):臣启主公,勾践强暴,屡肆侵凌,今力屈计穷,命在顷刻,是天以越赐吴,此机不可失也……

〔丑〕(**伯嚭**):臣启主公,臣闻不念旧恶,怨是用希……今穷兵深入,已彻彼藩篱,跃马长驱,更毁其宗社,谅些须越人之怨,已足尽吴国之情。君子不为已甚,窃为主公许之是也。

〔净〕(**夫差**):太宰言之有理。

通过这简短的对白,就把伍子胥的忠诚、伯嚭的奸佞、夫差的昏庸三人截然不同的性格展现给观众。

《浣纱记》的语言以典雅工丽见长,但又当行贴切。由于剧中人物多是上层统治者,都有较高的文化修养,故其唱词和念白皆具有典雅的风格。又作者在剧中化用了许多诗词中的名篇名句,如《送饯》出文种唱的【江儿水】曲中,化用了杜甫《春望》诗中的“国破山河在,城春草木生”(剧

黄小午饰伍子胥(《浣纱记·寄子》)(江苏省昆剧院)

中为“城倾草树迷”);又如《养马》出勾践夫妇和范蠡的念白中化用了李煜的《虞美人》。这些前人诗词中的名句名篇,用在这里,不仅与人物份相称,也与剧情相合。

作者在运用曲调时能与剧情相配合,使喜怒哀乐的剧情借助具有相应声情的曲调表达出来。如《养马》出,越王夫妇来到吴国后,囚系石室,替夫差养马,从一国之主降为阶下囚,此时此刻,两人心情十分凄苦。而作者在此选用了声情悲哀凄切、又宜于诉情的细曲【山坡羊】,使凄苦的剧情与哀切的声情得到了完美的融合,动人心扉。又如南曲缠绵婉转,北曲遒劲激越,作者根据这一差异,来配合不同的剧情;凡激越慷慨的剧情,都配以北曲。如《谈义》出,伍子胥见夫差为奸臣所欺,报国不能,欲退隐林壑,但又不忍,进退维谷,便与结义兄弟公孙圣商议。公孙圣向伍子胥晓以尽忠之理,劝伍子胥知难而进,以全君臣之义。剧情慷慨激昂,

故作者让公孙圣全唱北曲。又如《死忠》出，伍子胥以死相谏，夫差恼羞成怒，赐其死，伍子胥临死前，回忆往事，怒斥昏君奸臣，悲壮激愤，作者也为他设置了一套北曲。

《浣纱记》产生后，就盛传曲坛，直到清代，它还十分流行。在叶堂的《纳书楹曲谱》和钱德苍的《缀白裘》所收剧目中，《浣纱记》共有十三出之多，其中《寄子》是昆曲经典折子戏。

《牡丹亭》:牡丹亭畔真情梦

《牡丹亭》,又名《还魂记》,是汤显祖的代表作,汤显祖自称:“一生‘四梦’,得意处惟在《牡丹》。”

《牡丹亭》的故事虽然取材于明代的话本小说《杜丽娘慕色还魂》,但作者又补充了许多新的内容。剧本写南宋初年,南安府太守杜宝之女杜丽娘长期被父母禁锢在闺房中,后在侍女春香的引逗下,来到后花园游玩,自然界美好的春光,引起了她对美好爱情的向往。回到闺房不禁昏然入睡,在梦中遇见一位风流才子,手持柳枝,拉她到花园内的牡丹亭畔幽会。醒来后,念念不忘梦中情人,忧思成疾,伤情而死。临死前,自画真容,托春香藏在后花园的湖山石边,并要其父将其尸体安葬在后花园的梅树下。三年后,青年书生柳梦梅去临安应试路过这里,与丽娘鬼魂相遇,依照丽娘鬼魂的指点,掘坟开棺,使丽娘起死回生,两人结为夫妻。但杜宝不予相认。后柳梦梅考中状元,由皇帝做主,杜宝才勉强认下女儿及女婿。

汤显祖信奉王学左派思想,推崇人之真情,反对程朱理学对人性的束缚与摧残。他把“情”与“理”看成是两种截然对立的东西,认为“情

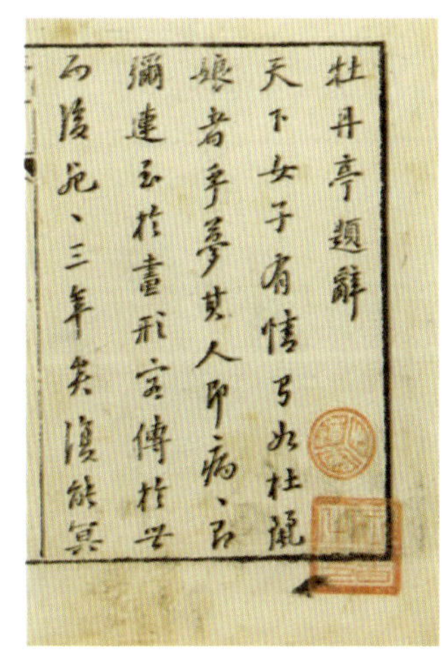
牡丹亭題辭
天下女子有情寧有如杜麗
娘者乎夢其人即病、病即
彌連至於畫形容傳於世
而後死、三年矣復能溟

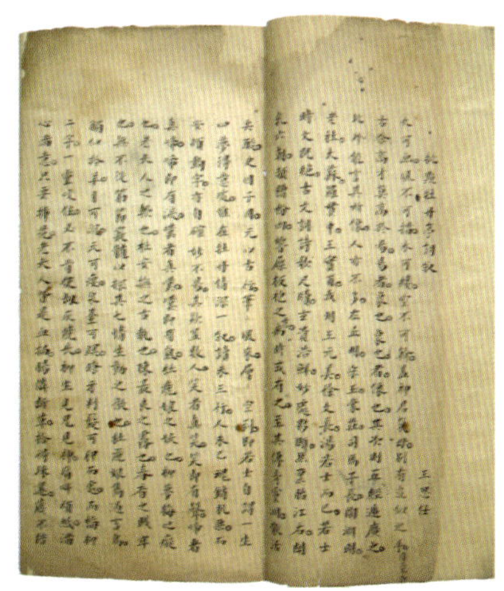

《王思任批点牡丹亭》（中国昆曲博物馆供图）

有者理必无，理有者情必无”。当时有一位理学家看到汤显祖有文才与口才，便劝他放弃写戏，设坛讲学。汤显祖对他说：“师讲性，某讲情。”他把自己的信念寄寓在《牡丹亭》中。他在剧前的《题词》中说：“情不知所起，一往而深。生者可以死，死可以生”，“生而不可与死，死而不可复生者，皆非情之至也”。“第云理之所必无，安知情之所必有邪！”杜丽娘是作者理想中的“情’的代表人物，他认为：“天下女子有情宁有如杜丽娘者乎？梦其人即病，病即弥连，至手画形容传于世而后死。死三年矣，复能溟莫中求得其所梦者而生。如丽娘者，乃可谓之有情人耳。”

《牡丹亭》的人物形象鲜明生动，无论是主要人物，还是次要人物，都有各自独特的性格。明代王思任评《牡丹亭》中的人物“笑者真笑，笑即有声；啼者真啼，啼即有泪；叹者真叹，叹即有气。杜丽娘之妖也，柳梦梅之痴也，老夫人之软也，杜安抚之古执也，陈最良之雾也，春香之贼牢也，无不从筋节窍髓，以探其七情生动之微也。”（《批点玉茗堂牡丹亭序》）

在语言上，《牡丹亭》具有文采与本色相兼的风格。如脍炙人口的《惊梦》【皂罗袍】曲：

原来姹紫嫣红开遍，似这般都付与断井颓垣。良辰美景奈何天，赏

心乐事谁家院。朝飞暮卷，云霞翠轩，雨丝风片，烟波画船，锦屏人忒看的这韶光贱。

这是一种绚丽多彩的语言，其中的“良辰美景”、“赏心乐事”、“朝飞暮卷，云霞翠轩”等语，化用了唐代王勃《滕王阁序》中的语句，用这些绚丽多彩的语言来写景抒情，且又出自诗画皆精的杜丽娘之口，就显得贴切当行。

《牡丹亭》不仅是昆剧舞台上的经典，而且是中国古代戏曲史上的名著，自诞生以来，就经演不衰。上世纪五十年代以来，上海昆剧团、江苏昆剧院、北方昆曲院都曾改编演出过《牡丹亭》；2004 年，由白先勇主持策划、江苏省苏州昆剧院演出的青春版《牡丹亭》更是轰动一时。

《游园》是《牡丹亭》中最脍炙人口的一折戏。无论是在思想内容上，还是在艺术形式上，都堪称全剧的精华。【绕池游】、【步步娇】、【醉扶归】三曲既写出了她对美好春光的向往与对青春的热爱，也形象地表现了她初出深闺的彷徨与娇羞。【皂罗袍】、【好姐姐】、【隔尾】三曲是杜丽娘游园时所唱，既描写了明媚烂漫的春色，也表现了杜丽娘内心的感伤之情以及对礼教束缚的强烈不满。满园都是“姹紫嫣红”，然而这么美好的春光，却“都付与断井颓垣”。触情生情，使她想到自己不能“早成佳配，诚为虚度青春”。游园本是为了消愁解闷，不料春光引发春情，越游愁绪越重，内心的感伤和怨恨已经到了无法排解的程度，这也就为下半出的“惊梦”作了铺垫。

《惊梦》一出可分为三个层次。从开头到【山坡羊】曲，为第一层次，承上启下，是从现实进入梦境前的一个过渡；从“睡介”到“又作痴睡介”为第二层次：因情成梦，入梦幽会；从“老旦上”到【尾声】是第三个层次，即惊梦忆梦。《牡丹亭》全剧贯串了“情”与“理”的冲突，《惊梦》这一场戏也同样如此，而作者在描写这一冲突时，采用了化实为虚、虚实结合的表现手法，将杜丽娘在梦境中与理想情人幽会相爱的情景与现实生活中家长的严厉管教相对比，以增强矛盾冲突。作者还为杜丽娘设置了一些典型动作。如她在梦中刚见到柳梦梅时，作者为她设置了两个动作：“作

上　《牡丹亭·游园》:孔爱萍饰杜丽娘,顾预饰春香
下　《牡丹亭·冥判》:赵坚饰阎王
（江苏省昆剧院）

《牡丹亭》:单雯饰杜丽娘
(江苏省昆剧院)

惊喜介，欲言又止介”；当柳梦梅用手牵她的衣服，要与她到湖山石边幽会并上前抱她时，作者又让她作“低问介”、“作羞”、“推介”等动作。通过这些极为个性化的动作，十分细腻形象地刻画出了杜丽娘彷徨犹豫的心理状态与复杂性格。因此，“惊梦”虽仅是《牡丹亭》第十出的后半出，所占的篇幅不多，却集中表达了剧作的主题，体现了剧作的艺术特色。

《长生殿》:天长地久情绵绵

描写李隆基和杨玉环爱情故事的戏曲,元代有白朴的《梧桐雨》杂剧,明代有吴世美的《惊鸿记》传奇。与前人同题材的剧作相比,洪昇的《长生殿》突出表现和歌颂了李、杨生死不渝的爱情,他在《长生殿·传概》【满江红】词中表明他作此剧的意图是,"借太真外传谱新词,情而已"。

在《长生殿》以前,洪昇已作有两稿。初稿是《沉香亭》传奇,感李白的怀才不遇,以李白在沉香亭奉诏写《清平调》词为主要关目,主角当是李白,李、杨只是配角。这一情节与明代屠隆的《彩毫记》相同,故其友人毛玉斯谓剧情和排场太熟,洪昇因此对初稿作了修改,删去李白及相关情节,加入了李泌辅肃宗中兴的情节,并更名为《舞霓裳》。这是《长生殿》的第二稿。据章培恒先生考证,今存的《长生殿·自序》就是《舞霓裳》的自序,从中可见,洪昇作此剧的动机是借李、杨的悲剧"垂戒来世",为统治者提供教训。在前两稿中,洪昇虽也写了李、杨的故事,但重点不是为了歌颂他们的爱情。因此,在写了第二稿后,洪昇又有感于像李、杨这样的爱情在帝王家罕有,而唐人有玉妃归蓬莱仙院、明皇游月宫之说,因而合用之,改写成第三稿,专写钗合情缘,并以《长生殿》命名。

《长生殿》写的是两个历史人物的故事，但在取材时，既尊重历史，又不为历史记载所拘。对于一些重要的事实，基本按照历史记载来描写，而对于一些细节，则根据主题的需要作了剪裁，并加以艺术虚构。如对杨玉环的描写，只采用了有利于歌颂李、杨爱情的史实，“凡史家秽事，概削不书”（《长生殿·自序》）。全剧安排了三条线索：一条是李、杨的爱情发展，一条是杨国忠和安禄山的勾心斗角，一条是郭子仪、陈元礼与李、杨、杨国忠、安禄山之间的斗争。全剧以李、杨的爱情为主线，其他两条副线随着主线的发展穿插展开。如《定情》出写李、杨爱情的开端，接着的《贿权》出写杨国忠仗着贵妃之宠，纳贿弄权；《制谱》出写李、杨正沉醉于清歌漫舞之中，紧接的《权哄》出，写杨国忠与安禄山互相倾轧，而李隆基又放虎归山……作者巧妙地将这三条线索糅合在一起，而以安禄山与杨国忠的争权夺利，郭子仪、陈元礼及老百姓与李、杨的矛盾冲突作为副线，紧密配合李、杨爱情主线的发展，把主线的情节推到“离”的阶段，这样的安排，不仅使得全剧结构严谨紧凑，层次清楚，而且跌宕有致，富于戏剧性。

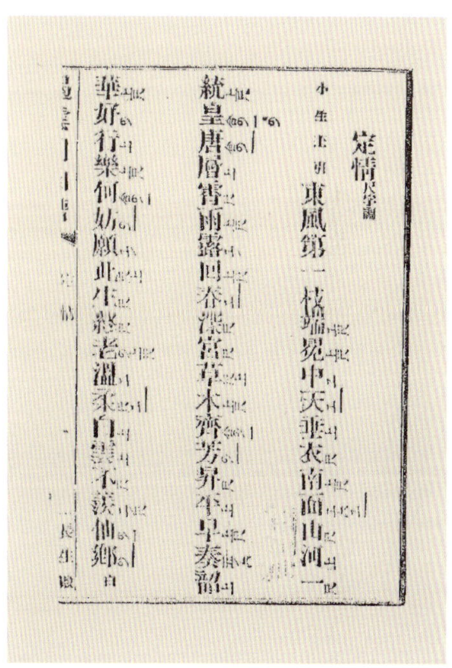

定情 大石調

小生上唱

東風第一枝 端冕中天垂衣南面山河一統皇唐層霄雨露回春深宮草木齊芳昇平早奏韶華好行樂何妨願此生終老溫柔白雲不羨仙鄉

長生殿 定情

《长生殿》的剧情并没有超出一般传奇所写的生旦之间悲欢离合的俗套，因此，当时便有人认为《长生殿》是一部“闹热《牡丹亭》”。从剧作所表现的主题和作者所运用的表现手法来看，《长生殿》与《牡丹亭》确有相似之处。但为什么人们对《牡丹亭》的表现幸福自由爱情的主题没有任何异议，却对《长生殿》的主题有异议和争论呢？究其原因，恐怕是由于李、杨本身具有“一身二任”的性质：他们既是爱情悲剧的制造者，又

2004 年，杭州上演昆剧《长生殿》，纪念洪昇诞辰 360 周年（CFP 图）

是爱情悲剧的承担者。作者一方面写了李隆基“占了情场,弛了朝纲”的事实;另一方面,又处处为其辩护,“禄山造反,圣驾播迁,都是杨国忠弄权,激成变乱”,把造成安史之乱的罪责归于杨国忠,而李隆基仍是一代英主。同样,他也没有把杨玉环作为一个以声色误国的女子来加以鞭笞,而是把她被逼自缢说成是一种“生擦擦为国捐躯”的壮举。“若不是佳人将难轻赴,怎能够保无虞,扈君王直向西川路,使普天下人心悦服,今日里中兴重睹,兀的不是再造了这皇图”!故洪昇的同里门人汪赠称洪昇是“唐帝功臣”、“玉妃说客”。

《长生殿》问世后,立即成为当时曲坛上盛行的剧目。但也就在《长生殿》写成后的第二年,京城的内聚班因演此剧名声大振,为了报答洪昇,在其寿诞日,到他京中寓所演出,洪昇邀请众多友人前来看戏,不料当时正逢国丧,佟皇后刚去世,依例停止一切娱乐活动。为此有人上疏弹劾洪昇,洪昇及来看戏的人都被拘捕下狱。后赖宰相说情,洪昇才得以出狱,但被革除了国子监监生的功名。其他五十多名在场看戏的官员也全被削职为民。其中刚刚中进士的赵执信,这年才二十八岁,被革职后再也没有被起用。海宁人查夏重为了能重新出来做官,不得不改名查慎行。至于上疏弹劾者,有人说是给事黄六鸿。黄六鸿刚到京城时,曾以土产和诗稿遍赠朝中名流,赵执信偏不接受,还附一信说:“土物拜登,大稿璧谢。”从此结下怨仇。另也有人说是借宿在王给谏家中的赵星瞻,因没有收到洪昇的邀请,怀恨在心,故力促王给谏上疏弹劾。其实,造成《长生殿》祸案的,恐怕还是因为它违反了《大清律》“不许妆扮历代帝王后妃”的规定,《长生殿》不仅以帝王后妃为主角,还写了“胡”军的侵扰,这样的内容肯定是犯了朝廷的忌。

《桃花扇》：桃花扇底送南朝

《桃花扇》通过明末复社名士侯方域与秦淮名妓李香君的爱情故事，描写了南明王朝覆亡的历史。作者在剧本前的《小引》中就表明："《桃花扇》一剧，皆系南朝新事，父老犹有存者，场上歌舞，局外指点，知三百年之基业，隳于何人？败于何事？消于何年？歇于何地？不独令观者感慨涕零，亦可惩创人心，为来世之一救矣。"在试一出《先声》中，也借老赞礼的口声明自己作此剧是"借离合之情，写兴亡之感"。

《桃花扇》在处理历史与艺术的关系上，与《长生殿》有着相同的特色。作者在塑造人物形象和组织故事情节时，十分注重历史真实，在剧本前面，还特地附有《桃花扇本末》和《桃花扇考据》两文，表明剧中人物及重要情节都有史料可证。但作者又不拘泥于历史，而是根据主题的需要作了艺术提炼和加工。如田仰以三百金聘李香君为妾，被香君拒绝，这一情节在侯方域的《李姬传》以及《答田中丞书》中有记载，是实有其事，但这些记载十分简略，李香君怎样拒绝及后果如何都不得其详。孔尚任便抓住史料加以生发和挖掘，围绕着这件事写了《拒媒》、《守楼》、《寄扇》、《骂筵》等四出戏，使之成为表现李香君反抗性格的重要情节。又如

历史上的侯方域并没有归隐，于清顺治八年 (1651) 曾应试，中副榜，可谓晚节不忠，而孔尚任将其出仕改为归隐，这倒并不是对侯方域的美化，而是借此肯定和歌颂当时那些遁入山林、不愿与清朝统治者合作的明末遗民。

《桃花扇》反映的场面很宏大，但全剧的结构很紧凑，线索清楚。作者将侯方域和李香君的离合之情当作中心线索，贯穿全剧始终，再围绕这一中心线索来展开南明王朝兴亡的历史图景。全剧以侯、李的赠扇定情开始，到撕扇入道、结束爱情为止，作者巧妙地把“离合之情”和“兴亡之感”紧密地糅合在一起，两者连环相牵，互相生发。同时，作者又以既是侯、李定情之物，又与南明兴亡相关的一把桃花扇贯穿始终，这样就通过侯、李的悲欢离合，把南明王朝兴亡的庞大历史内容有机地连贯起来，正如作者在《桃花扇·凡例》中所说：“桃花扇譬则珠也，作《桃花扇》之笔譬则龙也。穿云入雾，或正或侧，而龙睛龙爪总不离乎珠，观者当用巨眼。”

《桃花扇》在塑造人物形象上也很有特色。剧本前面有《纲领》一篇，将剧中人物按其不同的地位分在左、右、奇、偶、总五部。左、右两部是表

桃花扇小引

傳奇雖小道凡詩賦詞曲四六小說家無體不備至於摹寫鬚眉點染景物乃兼畫苑矣其旨趣實本於三百篇而義則春秋用筆行文又左國太史公也於以警世易俗贊聖道而輔王化最近且切今之樂猶古之樂豈不信哉桃花扇一劇皆南朝新事父老猶有存者場上歌舞局外指點知三百年之基業隳於何人敗於何事消於何年歇於何地不獨令觀者感慨涕零亦可懲創人心為末世之一救矣葢予未仕

桃花扇卷首　小引　六　蘭雪堂

现剧中的“离合之情”的，以侯、李为主，另外左部有陈定生、吴次尾、柳敬亭，右部有李贞丽、杨龙友、苏昆生等。奇、偶两部则是表现南明兴亡的，在这两部中，又按他们不同的政治态度分为中气、戾气、煞气等。如把效忠明王朝的史可法、左良玉、黄得功等正面人物列为中气，福王、马士英、阮大铖等昏君奸臣列为戾气，田雄、刘良佐、刘泽清等卖国求荣的奸臣列为煞气。总部则是张瑶星与老赞礼两人，一经一纬，在剧中分别起着总结离合之情和兴亡之感、点明主题的作用。作者又注重刻画人物的个性，不仅不同阶层的人物有着不同的性格，同一阶层人物也性格各异。如马士英和阮大铖虽都是奇部中的戾气人物，但马士英有权有势，却无智无谋，阮大铖虽在政治上不如马士英有权有势，才能上却远胜马士英。马士英没有阮大铖的出谋划策，就干不成事，阮大铖若没有马士英的支持，也无法实现他的阴谋。由于作者掌握了这两个人物性格上的差异，因此成功地塑造了两个狼狈为奸、结党营私的权奸形象。再如柳敬亭和苏昆生，虽同是具有正义感的江湖艺人，但一个锋芒毕露，一个憨厚含蓄，性格完全不同。尤其是杨龙友这一人物，作者把他圆滑世故、八面玲珑的复杂性格刻画得淋漓尽致，十分生动。

《桃花扇》自产生后，就一直在昆剧舞台上流传，常演的折子戏有《访翠》、《眠香》、《却奁》、《抚兵》、《投辕》、《哭主》、《争座》、《和战》、《守楼》、《寄扇》、《骂筵》、《题画》等出，其中《骂筵》是《桃花扇》重点场次，也是昆曲经典折子戏。此出演阮大铖为了取悦福王朱由崧，搜罗秦淮名妓进宫排演他的《燕子笺》传奇，李香君也被强逼来了。李香君看到马、阮等人凑在一起，正是痛骂他们的好机会，便置生死于不顾，当面痛斥他们祸国害民、倒行逆施的罪行，并表明了自己同情东林党人的政治态度。李香君是作者的兴亡之感与民族感情的主要体现者，而《骂筵》是李香君同阮大铖、马士英等阉党余孽作面对面斗争的一场戏，也是她的反抗性格与爱憎感情表现得最充分、最集中的一场戏。

《桃花扇》：罗晨雪饰李香君
（江苏省昆剧院，蒽摄影）

《雷峰塔》:雷峰难镇仙凡情

白蛇传的故事是我国四大民间传说之一,长期以来,一直是戏曲、小说、说唱等俗文学的重要题材,广为流传。根据现存的文献记载,最早将白蛇传搬上戏曲舞台的是明初洪武年间郝经的《西湖三塔记》杂剧(见《录鬼簿续编》),今已失传。明万历年间,陈六龙也作有《雷峰记》传奇,今亦不传。现存的戏曲作品中,清代黄图珌的《雷峰塔》传奇是第一部描写白蛇传故事的戏曲。黄图珌的《雷峰塔》传奇在流传和演出过程中,民间艺人们根据观众的意愿和舞台演出的需要,又不断对它加以修改。在乾隆年间出现了一部梨园抄本《雷峰塔》传奇,相传是经陈嘉言父女改编而成的。陈嘉言是乾隆年间扬州昆曲戏班"老徐班"中的丑脚演员。由于陈改本没有正式刊行,只是在梨园中传抄,故通常称它为"梨园抄本"或"旧抄本"。到乾隆三十六年(1771),产生了"岫云词逸改本、海棠巢客点校"的《雷峰塔》传奇。岫云词逸即方成培,现在昆剧舞台上演出的《雷峰塔》,便是他的这个改编本。

与以前同类题材的小说和戏曲相比,《雷峰塔》虽仍然写的是人与蛇妖的爱情故事,但故事原有的神话和宗教色彩大为淡化,增强了世俗

色彩，使白娘子这一形象更具有人情味，更值得人们的同情。除了为与法海争斗而使白娘子保留了一些蛇妖的面目外，在与许宣的爱情中，她已脱尽了妖气，成为一个美丽多情、勇敢善良的青年女子。她冲破仙界的清规戒律，来到人间，寻求幸福的爱情。她充满着叛逆精神，表现出忠贞坚忍的性格。见到许宣后，她主动向许宣表示了自己的爱意，并且设计将许宣邀到住所，与许宣定下婚约，并赠以白银。成亲后，为了维护自己的爱情，她不畏强暴，勇敢地与那些破坏和阻挠者斗争，惩罚了诬陷她的道士和调戏她的劣绅，后又与奉佛旨来收伏她的法海相斗。法海不让许宣回家，白娘子赶到金山寺，正告法海：“你若不放我丈夫，教你性命霎时休矣！”并水漫金山。反之，对于自己所爱的许宣，她却是一往情深。在端阳节，明知自己饮雄黄酒后会显出原形，但为了让许宣高兴，拼死一醉，结果露出原形。许宣受惊吓昏死后，她又不顾个人安危，冒险上山求仙草救夫。她既是贤妻，又是良母，当自己被法海用金钵罩住，即将被镇压在塔下时，还要含泪为儿子喂最后一口奶。

《昆曲大全·雷峰塔》插图

剧作给了白娘子与许宣的爱情一个美好的结果，增加了《奏朝》、《祭塔》两出戏，让白娘子产下一子并中了状元。这一结局更符合下层观众的意愿。正因为此，《雷峰塔》传奇深受广大观众的热爱，脍炙人口。直至今天，还有《游湖》、《借伞》、《盗库银》、《端阳》、《盗仙草》、《烧香》、《水斗》、《断桥》、《合钵》、《祭塔》等折子戏在昆剧舞台上流传。

右 梅兰芳饰《雷峰塔》白娘子

下 《雷峰塔》:单雯饰白素贞,张争耀饰许宣,陶一春饰小青(江苏省昆剧院)

《断桥》是昆剧舞台上的经典折子戏，出于原本第二十六出，演白娘子与法海相斗失利后，与小青来到西湖。而许宣奉法海之命，也来到西湖，假意与白娘子重归于好，让法海伺机收伏白娘子与小青。由此构成了白娘子、小青与许宣之间的矛盾冲突。许宣因听信法海之言，以为白娘子和小青是妖孽，故一见到她们，便胆战心惊，叫道："我今番性命休矣！"而白素贞见到许宣后，虽然嗔怪其薄情，但又难以割舍两人的情缘，故爱嗔交加。许宣虽为法海之言所迷惑，但面对美貌多情的白娘子，又下不了手来帮助法海收伏白娘子，表现出软弱彷徨的性格。小青则既怨恨许宣的负心，又怜惜白娘子。因此，在这出戏中，既根据三人不同性格来设置戏剧冲突，又在戏剧冲突中真实地展现了各自的性格特征。在二十世纪五十年代，戏曲表演艺术大家梅兰芳与俞振飞曾合演过此折戏，并作了一些改编，将原本中许宣受法海所派下山，改为许宣为白娘子的真情所感动，主动逃出金山寺，来寻找白娘子，在西湖相遇。白娘子一见许宣，便用手指在他额头上狠狠点了一下，许宣站立不稳，身子向后仰倒。白娘子连忙伸手去扶他，但回头见小青气势汹汹地从后面赶来，又赶紧把手缩了回来。在这一段表演中，虽然没有一句唱词与念白，但通过白娘子的几个简单的形体动作，就把她对许宣既恨又爱以及怕小青埋怨的复杂心态十分逼真地表达出来了。

昆曲作家小传

高明

字则诚，号菜根道人，瑞安（今属浙江）人。约生于元成宗大德年间，卒于明初。元至正五年（1345）进士，先后任处州录事、杭州行省丞相掾、江南行台掾、福建省都事等职。至正八年（1348），方国珍在浙江起义反元时，被任命为浙东阃幕都事，不久就因与元人主帅达识贴睦迩论事不合，归隐于宁波城东的栎社，闭门创作戏曲自娱。后明太祖闻其名，征召入朝编修《元史》，佯狂不出。除《琵琶记》外，另作有南戏《闵子骞单衣记》（今佚），诗文《柔克斋集》二十卷。

梁辰鱼

1519—1591，字伯龙，号少白、仇池外史。江苏昆山人。出身官宦之家，豪爽任侠，好结交四方名士，与张凤翼、潘之恒、王世贞、李攀龙及大将军戚继光皆有交往。喜度曲，精通曲律，得魏良辅真传，作《浣纱记》传奇。另作有杂剧《红线女》、《红绡》，散曲集《江东白苎》、《二十一史弹词》，诗文《鹿城集》。

张凤翼

1527—1588，字伯起，一字伯子，号灵墟，别署冷然居士。江苏苏州人。明嘉靖四十三年（1564）举乡试第一，有文才，与弟献翼、燕翼并称于时，号“三张”。后屡赴会试不第，晚年以卖字画诗文为生。精通曲律，善度曲，曾与其子分别饰演《琵琶记》中的蔡伯喈与赵五娘。作有诗文《处实堂集》、《处实堂后集》、《谈辂》，杂著《梦占类考》，散曲《敲月轩词稿》，戏曲有传奇《红拂记》、《祝发记》、《窃符记》、《虎符记》、《灌园记》、《扊扅记》（尚存残出），合称《阳春六集》。另有传奇《平播记》（已佚），《红拂记》、《祝发记》在昆曲中有折子戏流传。

高濂

1527—1603？，字深甫，号瑞南道人。浙江钱塘（今杭州市）人。明

隆庆元年（1567）入北京国子监，但两次应试皆不第。隆庆六年（1572），入资待选鸿胪寺。万历八年（1580）因父丧回杭州，归隐西湖。平生涉猎甚广，古玩字画，饮食养生，皆有研究。又工词曲，精通曲律，善度曲。与李日华、梁辰鱼、汪道昆、屠隆等皆有交往。作有词集《芳芷栖稿》，诗集《雅尚斋诗草》，杂著《遵生八笺》，戏曲有《玉簪记》、《节孝记》传奇，《玉簪记》在昆曲中有全本及折子戏流传。

汤显祖

1550—1616，字义仍，号若士、海若、海若士，晚年号茧翁，自署清远道人。江西临川人。高祖和祖父都是藏书家。十三岁起，先后从乡人徐良傅、罗汝芳学习，受王学左派思想影响。二十一岁中举，并已善写时文而名播天下，被推为举业八大家之一。因拒绝权相张居正为其子捧场的要求，遭作难，屡试不第，直至张居正死后，才得中进士。因不阿权贵，只在陪都南京做闲官，先授南京太常寺博士，改詹事府主簿，后升南京礼部祠祭司主事。万历十九年（1591），因上《论辅臣科臣疏》，触怒皇帝与权贵，被贬为徐闻典史。两年后，调任浙江遂昌知县，吏治清明，颇受百姓爱戴。万历二十六年（1598），因不满朝政黑暗，弃官回临川老家。作有诗集《红泉逸草》、《问棘邮草》，诗文集《玉茗堂全集》、书信集《玉茗堂尺牍》等，戏曲有《紫箫记》、《紫钗记》、《牡丹亭》、《邯郸记》、《南柯记》等五种传奇，其中《紫钗记》是根据《紫箫记》修改而成的，合称《临川四梦》或《玉茗堂四梦》。

沈璟

1553—1610，字伯英，晚年字聃和，号宁庵、词隐，因做过吏部员外郎、光禄寺丞等官，故时人又称其为沈吏部、沈光禄。江苏吴江人。生于世族大家。仕途不顺，一再受挫。先是在万历十四年（1586），因上疏册立皇太子并进封王氏一事，触怒神宗，被谪为吏部行人司正，奉使归里；两年后还朝，任顺天乡试同考官，因录取了当时内阁首辅申时行的女婿李鸿，受到弹劾。次年自吏部员外郎转光禄寺丞，又遭非议，遂辞官归乡，屏迹郊居，放情词曲。作有《属玉堂十七种》传奇，现仅存《红蕖记》、《埋剑记》、《双鱼记》、《义侠记》、《桃符记》、《博笑记》、《坠钗记》等七种；散曲有《情痴寱语》、《词隐新词》、《曲海青冰》等，今存四十套散套和二十三支小令；诗文有《属玉堂稿》二卷；戏曲论著有《唱曲当知》、《遵制正吴编》、《论词六则》、《评点时斋乐府指迷》等，今皆佚；另编有《南九宫十三调曲谱》、《南词韵选》。《义侠记》、《坠钗记》在昆曲中有折子戏流传。

徐复祚

1560—1630？，原名笃儒，字阳初，后改字吶川，号謩竹，别署破悭道人、阳初子、洛诵生、休休生、三家村老、忍辱头陀、悭吝道人等。江苏常熟人。祖父徐栻曾官南京工部尚书。自幼好学，有才华，以诸生入国学，然一生困顿。先是在万历十三年（1585）应京兆试，遭人攻讦贿买科场，后又因讼事，放弃功名，终生未仕。工诗文，尤长于戏曲。作有传奇八种，今存《宵光记》、《红梨记》、《投梭记》三种，另有杂剧《一文钱》。《宵光记》、《红梨记》在昆曲中皆有折子戏流传。笔记《三家村老委谈》（又名《花当阁丛谈》）三十六卷，记明嘉靖、万历年间政事、掌故及野史传闻，也对当时戏曲创作有所评论，后人单独辑为一卷，称《徐阳初曲论》或《三家村老曲谈》。又编撰《南北词广韵选》，对规范昆曲南北曲韵律作用甚大。

钮少雅

1563—1661 后，号芍溪老人。江苏苏州人。自幼嗜好戏曲，弱冠时慕魏良辅之名，特往娄东一带寻访，后随号称“南曲码头”的戏曲音律家张新及其弟子吴芍溪学曲，并与任小泉、张怀仙等曲家商讨曲律。后任曲师，先后在武陵、黄海、荆溪、魏塘等地教曲。六十岁回乡，偶得古曲谱《骷髅格》，乃闭门谢客，与徐于室一起编订南曲谱。于室卒后，独任其事，至崇祯十五年（1642）始完稿，后又细加修改，至隆武三年（清顺治三年，1646），最终编成《南曲九宫正始》；历二十三年，九易其稿。另作有《格正还魂记词调》。

冯梦龙

1574—1646，字犹龙、子犹、耳犹，号龙子犹、墨憨斋主人、顾曲散人、姑苏词奴、绿天馆主人、可一居士、茂苑野史、香月居主人、詹詹外史等。江苏苏州人，居葑溪。诗文、词曲皆工，性旷达不羁。与兄梦桂、弟梦熊皆以才华名世，时人称为“吴下三冯”。屡试不第。早年在苏州、无锡、乌程、麻城等地处馆课童。直至明崇祯三年（1630），五十七岁时才得以入国学为贡生，次授丹徒训导，三年后升任福建寿宁知县，颇有政绩。崇祯十一年（1638）辞官归里。编著话本小说集《喻世明言》、《警世通言》、《醒世恒言》（合称“三言”），民歌集《挂枝儿》、《山歌》，散曲集《太霞新奏》，笔记《古今谭概》、《笑府》，改订小说《东周列国志》、《平妖传》，创作传奇《双雄记》、《万事足》，改编传奇十四种，合称《墨憨斋定本传奇》，另编有《墨憨斋词谱》。

沈自晋

1583—1665，字伯明、长康，号鞠通生。江苏吴江人，沈璟族侄。博古好学，弱冠补博士弟子员。一生未仕，明亡后隐居吴山。受沈璟熏陶，亦精通曲律，将沈璟的南曲谱增补为《广辑词隐先生南九宫十三调词谱》（简称《南词新谱》）三十六卷。作有传奇《翠屏山》、《望湖亭》、《耆英会》三种。《翠屏山》、《望湖亭》在昆曲中皆有折子戏流传。

沈宠绥

?—1645，明末昆曲理论家，字君征，号适轩主人。江苏吴江人。精音律，作有《度曲须知》和《弦索辨讹》，论述昆曲的度曲技巧。

阮大铖

1587？—1646？，字集之，号圆海、石巢，安徽怀宁人。明万历四十四年（1616）进士，任户科给事中，后依附魏忠贤。清兵入关后，勾结马士英在南京拥立福王，任兵部侍郎，次年擢升为兵部尚书。清兵渡江南下后即降清，随清军从浙江进兵福建，行至仙霞岭坠马而死。作有传奇十一种，现存《燕子笺》、《春灯谜》、《双金榜》、《牟尼合》等四种，合称《石巢四种》。其中《燕子笺》在昆曲中有折子戏流传。

袁于令

1592—1672，又名晋，字韫玉、令昭，号凫公、箨庵，别署幔亭仙史、白宾、吉衣道人。江苏吴县人。明生员。清兵南下，受苏州士绅之托，写表降清，被清廷授荆州知府之职。在任不问政事，邀人演戏唱曲，因此被罢官。作有《西楼记》、《鹔鹴裘》、《长生乐》、《珍珠衫》、《瑞玉记》、《玉符记》、《汨罗记》、《合浦记》等八种传奇和《双莺传》、

《战荆轲》两种杂剧。《西楼记》在昆曲中有折子戏流传。

李玉

1593？—1671，字玄玉、元玉，号苏门啸侣、一笠庵主人。江苏吴县人。吴伟业谓"其才足以上下千载，其学足以囊括艺林"。仕途不顺，"连厄于有司"，至明亡前，才得中副榜。明亡后，绝意仕进，专心戏曲创作。另据清焦循《剧说》卷四载，李玉为相国申时行的家人，为申公子所抑，不得应科试，因著传奇以抒其愤。作有三十四种传奇，今存十八种，其中《一捧雪》、《人兽关》、《永团圆》、《占花魁》、《清忠谱》、《千忠戮》、《眉山秀》、《万里圆》、《麒麟阁》、《洛阳桥》、《昊天塔》、《风云会》在昆曲中皆有折子戏流传。另编有《北词广正谱》，为昆曲北曲曲调格律谱。

吴炳

1595—1648，又名寿元，字可先、石渠，号粲花主人。江苏宜兴人。明万历四十七年（1619）进士及第，授湖北蒲圻知县。天启四年（1624）调任刑部主事。清兵南下，随明永历帝朱由榔流亡桂林，被清兵俘获，送至衡州，拒降，绝食而死。作有传奇《西园记》、《绿牡丹》、《疗妒羹》、《情邮记》、《画中人》等，合称《粲花斋五种曲》或《粲花别墅五种曲》，其中《西园记》经浙江昆剧团整理改编后，全本上演；《疗妒羹》中的《题曲》是昆曲经典折子戏。

李渔

1611—1680，初名仙侣，字笠翁、谪凡，号天徒、湖上笠翁、随庵主人、新亭客樵、笠道人、觉道人、觉世稗官。生于江苏如皋，二十岁前后回原籍浙江兰溪居住。明崇祯八年（1635）应童生试，得中为秀才；四年后首次乡试不中，便不再应试。清顺治八年（1651）迁居杭州，从此以著书卖书、创作戏曲和组织戏班演出等为业。戏曲有传奇十六种，现存《奈何天》、《怜香伴》、《风筝误》、《意中缘》、《蜃中楼》、《凰求凤》、《比目鱼》、《玉搔头》、《巧团圆》、《慎鸾交》等十种，合称《笠翁十种曲》，在昆曲中皆有全本或折子戏流传。小说有《十二楼》、《无声戏》，另《肉蒲团》、《回文传》或为其所作。诗文有《笠翁一家言全集》十六卷，其中文集四卷，诗集三卷，词集一卷，史论二卷，《闲情偶寄》六卷。《闲情偶寄》"词曲部"与"演习部"对戏曲创作与演出作了系统的总结，为昆曲作家与演员提供了理论借鉴。

丘园

1617—1690，字屿雪，江苏常熟人。隐居邬邱山，故自号乌邱山人、乌邱先生。性刚直不羁，喜放浪形骸，纵情诗酒，精通音律。作有传奇九种，今存《党人碑》、《御袍恩》、《幻缘箱》三种，及《虎囊弹》中《山门》等六折。《党人碑》、《虎囊弹》在昆曲中有折子戏流传。

朱佐朝

生卒年不详。字良卿，江苏吴县人。作有传奇三十五种，与李玉合作传奇《一品爵》、《埋轮亭》，与其弟朱素臣等四人合作《四奇观》。代表作有《渔家乐》、《艳云亭》、《九莲灯》、《吉庆图》、《寿荣华》等，是昆曲的传统剧目。《渔家乐·相梁刺梁》、《艳云亭·痴诉点香》等长演不衰。

朱㿥

1621？—1701后，字素臣，号苼庵，江苏吴县人，朱佐朝之弟。作有传奇十九种，今存十一种。其中《十五贯》（又名《双熊梦》）为昆曲经典剧目，流传甚广。

张大复

生卒年不详。又名彝宣，字心其、星期，江苏吴县人。因寓居枫桥寒山寺，自号寒山子。作有传奇三十种，杂剧六种，另编有《寒山堂曲谱》、《南词便览》、《元词便考》、《词格备考》等。性好佛教，故其作多写因果报应、神鬼迷信之事。代表作《如是观》、《天下乐》，其中《天下乐》在昆曲中有《嫁妹》一折流传。

朱云从

字际飞、雯虬，江苏吴县人，生卒年及生平事迹皆不详。作有传奇十四种，今存《龙灯赚》、《儿孙福》两种，其中《儿孙福》在昆曲中有《别弟》、《报喜》、《宴会》、《势僧》、《福圆》、《下山》等折子戏流传。

洪昇

1645—1704，字昉思，号稗畦、稗村、南屏樵者。钱塘（今杭州）人。作有《长生殿》、《回龙院》、《锦绣图》、《闹高唐》、《节孝坊》、《天涯泪》、《青衫湿》、《长虹桥》等传奇，《四婵娟》、《回文锦》杂剧，另有诗词集《啸月楼集》、《稗畦集》、《稗畦续集》、《诗骚韵注》、《昉思词》、《四婵娟室填词》、《啸月楼词》等，但多已失传。

孔尚任

1648—1718，字聘之、季重，号东塘、岸塘，自署云亭山人。山东曲阜人，孔子六十四代孙。作有传奇《桃花扇》、《小忽雷》（与顾彩合作），诗文《出山异数记》、《湖海集》等。

沈乘麐

1710？—1792，字苑宾。江苏太仓人。通音律，治曲韵。著有《韵学骊珠》(又名《曲韵骊珠》)，历五十年，七易稿而成。此书综合了南北曲用韵的特点，故被奉为昆曲填词和度曲用韵的规范。

方成培

1731—1780后，字仰松，号岫云，别署岫云词逸。安徽歙县人。幼年多病，遂弃科举。工词曲，精音律。作有《香砚居词麈》、《听奕轩稿》、《香砚居谈咫》、《后岩学诗》、《诵诗纪疑》等，并编撰《词渠》二十六卷。戏曲有《雷峰塔》、《双泉记》传奇，《雷峰塔》为清乾隆三十六年（1771）客居扬州时据旧钞本改定，现今流传的昆剧《雷峰塔》即为其改定本。

右 《桃花扇》剧照（江苏省昆剧院，蕙摄影）

昆曲演艺家、曲友小传

顾坚

元末人，生卒年不详，字廷玉，号风月散人。昆山千墩（今千灯）人。昆山腔创始人。作有《陶真野集》十卷，《风月散人乐府》八卷。

顾瑛

1310—1369，名德辉，字仲瑛，小字阿瑛，号金粟道人。昆山朱塘里（今正仪镇）人。作有《玉山璞稿》、《玉山逸稿》、《制曲十六观》，编有《玉山草堂集》、《玉山名胜集》。

魏良辅

明嘉靖时人，生卒年不详。号上泉、尚泉。原籍江西豫章（今南昌），寓居江苏太仓。对昆山腔作了改革。作有《曲律》（一名《南词引正》）。

叶堂

1722？—1792后，号怀庭，字广明，一字广平。苏州人。著名昆曲清唱曲家，精通曲律，创叶派唱口。尤工音律，编订《纳书楹曲谱》。

殷溎深

1825？—？，一作桂深，苏州人。原为苏州昆班大雅班旦角，后在苏州、昆山等地曲社任曲师，与另一著名曲师杨禄寿齐名，人称"阴阳两先生"。精通音律，编订《六也曲谱》、《春雪阁曲谱》、《昆曲大全》、《昆曲粹存》、《荆钗记曲谱》、《拜月亭全记曲谱》、《琵琶记曲谱》、《（南）西厢记曲谱》、《牡丹亭曲谱》、《长生殿曲谱》等十种曲谱。

俞粟庐

1847—1930，松江人。曾从韩华卿习曲，工冠生，兼精其他行当。为清末著名清曲家，有"江南曲圣"之称。

吴梅

1884—1939，字瞿安，一字灵鳷，晚号霜厓，别署呆道人。苏州人。精通曲律，工旦角、小生、老生等，为昆剧传习所十二位董事之一。先后在北京大学、东南大学等多所大学执教，主讲词曲，为我国高等学府开创昆曲教学的第一人。著有戏曲论著《奢摩他室曲话》、《顾曲麈谈》、《曲海目疏证》、《朝野新声太平乐府校勘记》、《中国戏曲概论》、《南北词简谱》十卷等，传奇《风洞山》、《绿窗怨记》、《东海记》、《血花飞》、《义士记》（又名《西台恸哭记》），杂剧《轩亭秋》、《暖香楼》、《湘真阁》、《落茵记》、《双泪碑》、《无价宝》、《惆怅爨》，另有《霜厓诗录》、《霜厓词录》、《辽金元文学史》等，并辑有《奢摩他室曲丛》初、二集。抗日战争爆发后，辗转于各地，后病逝于云南。

俞振飞

1902—1993，本名远威，号箴非，别署涤盦。祖籍松江娄县，生于苏州。俞粟庐之子，自幼从父习昆曲，十四岁起从沈锡卿、沈月泉习身段，后又向京剧小生程继先学戏。擅演昆剧《迎像哭像》、《太白醉写》、《断桥》、《游园惊梦》、《百花赠剑》等，京剧《贩马记》、《三堂会审》、《群英会》、《金玉奴》等。曾与梅兰芳、程砚秋等众多京剧名家合作演出，有《振飞曲谱》、《俞振飞艺术论集》等。曾任文化部振兴昆剧指导委员会主任，上海京剧院名誉院长，上海昆剧团名誉团长，上海戏曲学校名誉校长。

沈月泉

1865—1936，原苏州全福班昆剧小生名角。本名全福，一作泉福。祖籍浙江吴兴，生于无锡洛社，后随父到苏州学艺。工冠生、翎子生，兼能巾生、鞋皮生，有“小生全才”之称。后受业于苏州名曲师殷溎深，改业拍曲、教曲。1921 年应聘为昆剧传习所首席教师，被尊称为“大先生”。

尤彩云

1887—1955，又名云卿，艺名小彩云，苏州人。入苏州全福班，一度改搭文武全福班、瀛凤班，工五旦、六旦，后兼演正旦，享盛名。后应聘为昆剧传习所教师，主教旦行。传习所结束后，先后赴苏、杭等地为曲友拍曲。建国后应聘为苏州市少年京剧团教师，后转入民锋苏剧团任昆剧教师。

沈传芷

1906—1994，本名葆苏，又名保生。沈月泉次子。1922 年入昆剧传习所，师承其父。初工小生，取艺名传璞，后改工正旦，艺名传芷。擅演《琵琶记》、《白兔记》、《烂柯山》、《双官诰》、《满床笏》、《慈悲愿》、《风筝误》、《双珠记》、《渔樵记》等。

王传淞

1906—1987，本名森如，祖籍山东，世居苏州。1921 年入昆剧传习所。初习小生，后改副行，兼工丑。擅演《西厢记·游殿》、《燕子笺·狗洞》、《鲛绡记·写状》、《水浒记·借茶、活捉》、《义侠记·挑帘、裁衣》、《荆钗记·开眼、上路》、《连环记·议剑、献剑》、《八义记·评话》、《鸣凤记·嵩寿、吃茶》、《望湖亭·照镜》、《借靴》等剧目。1956 年在改编本昆剧《十五贯》中饰娄阿鼠，享誉海内外。著有《丑中美 —— 王传淞谈艺录》。

倪传钺

1908—2010，本名筱荣，后改名宗扬，苏州人。1922年入昆剧传习所。工老外，兼老生。擅演《八义记》、《十五贯》、《钗钏记》、《邯郸梦》、《浣纱记》、《绣襦记》、《千忠戮》、《满床笏》、《千金记》、《鸣凤记》、《荆钗记》等。亦能填词谱曲，擅水墨丹青。

周传瑛

1912—1988，原名根荣，苏州人。1921年入昆剧传习所，师承沈月泉，工小生，冠生、穷生、雉尾生均能应工。擅长扇子、褶子、翎子功，故有“三子惟传瑛”之说。曾任浙江昆剧团团长，1956年参与昆剧《十五贯》的改编与演出，扮演况钟。著有《昆剧生涯六十年》。

华传浩

1912—1975，本名福麟，字湘卿，苏州人。1921年入昆剧传习所。初工小生，后改丑行。师承沈月泉、沈斌泉、陆寿卿，亦曾向京剧武丑王洪习艺。擅演《访鼠》、《测字》、《相梁》、《刺梁》、《扫秦》、《问路》、《卖兴》、《访友》、《茶坊》、《拾金》、《绣房》、《送亲》以及昆丑五毒戏《连环记·问探》、《雁翎甲·盗甲》、《孽海记·下山》、《金锁记·羊肚》、《义侠记·诱叔、别兄》。尤擅扮演时迁，有“活时迁”之称。著有《我演昆丑》。

汪世瑜

1941— ，本名铭育，江苏昆山人。1955年入国风剧团，师从周传瑛。工小生，冠生、穷生兼能；尤擅巾生，有“巾生魁首”之誉。擅演《牡丹亭》、《玉簪记》、《西园记》、《狮吼记》等剧目。浙江昆剧团一级演员，曾任团长，1985年获第三届中国戏曲梅花奖。著有《艺海一粟——汪世瑜谈艺录》。

张继青

1938— ，本名忆青，苏州人，出身苏滩世家。从尤彩云、曾长生习昆剧旦脚，亦曾受俞振飞、沈传芷、朱传茗、姚传芗、俞锡侯等名家点拨。工五旦，兼演正旦。尤因擅《惊梦》、《寻梦》、《痴梦》而得“张三梦”之称。江苏省昆剧院一级演员，1983年首届中国戏剧梅花奖榜首。

石小梅

1949— ，苏州人。1960年考入江苏省戏曲学校昆曲班。初任旦脚，1979年从沈传芷习小生。擅演《西厢记》、《还魂记》、《桃花扇》、《白罗衫》等剧目。江苏省昆剧院一级演员，1987年第五届中国戏剧梅花奖得主。江苏音像出版社出版有《石小梅唱腔精选》。

刘异龙

1940— ，原籍江西九江。1954年入华东戏曲研究院昆曲演员训练班，先随沈传芷习小生，后从郑传鉴习老生，从白鸿林习武生，从陈富瑞习花脸。最后从华传浩、王传淞，专工丑脚。有“江南昆剧名丑”之称。擅演《十五贯》、《下山》、《活捉》、《醉皂》、《芦林》、《狗洞》等剧。上海昆

剧团一级演员，1990 年首届上海戏剧白玉兰奖获得者。

蔡正仁

1941— ，原籍江苏吴江。1954 年入华东戏曲研究院昆曲演员训练班。师承俞振飞、沈传芷，工小生，有“小俞振飞”之称。擅演《长生殿》、《太白醉写》、《贩马记》等昆剧，亦能演《玉堂春》、《贩马记》、《白门楼》等京剧。上海昆剧团一级演员，1986 年第四届中国戏剧梅花奖得主。曾任上海昆剧团团长，上海市戏剧家协会副主席。

岳美缇

1941— ，上海人。1954 年入华东戏曲研究院昆曲演员训练班。初从朱传茗习旦脚，后改从俞振飞、沈传芷习小生。擅演《牡丹亭》、《狮吼记》、《玉簪记》、《占花魁》等剧目。上海昆剧团一级演员，1986 年第四届中国戏剧梅花奖得主。

杨盛桃

1839—1918，晚清温州昆班名角，温州府平阳县金乡镇半浃连人。初习大花，后改丑角（小花脸）。观众昵称“阿桃儿”。擅演《醉皂》、《罗梦》、《狗洞》等剧目。后任同福班掌班，改演生角。

叶良金

1854—1886，晚清温州昆班名角，温州府平阳县蒲门乡（今属苍南县）人，同福班创始人。字莲襟，号丽生，艺名“蒲门生”。幼从乱弹班艺人学艺，后入老锦绣乱弹班为正生。组建同福班后兼演正生、小生。擅演《牧羊记》、《连环记》、《十五贯》、《金印记》、《狮吼记》、《绣襦记》等。

陈花魁

1910—1994，永嘉昆剧团正生名角，温州苍南县陈家堡人。初习小丑，后习小生，又改正生。师从李岩德。擅演《连环记》、《荆钗记》、《金印记》、《长生殿》等剧目。亦参与了新编剧目的唱腔设计和作曲。

郑光福

湘昆名伶。生于清道光年间，桂阳江里人。工净，擅演《别姬》、《嫁妹》、《醉打》等剧目。光绪二十六年（1900）创办福昆文秀班。

张富光

1957— ，郴州市人。师从匡升平，工小生。又得周传瑛、沈传芷亲授。1987 年成为俞振飞关门弟子。擅演《见娘》、《琴挑》、《小宴》、《拾柴》等剧目。湖南昆剧团一级演员，曾任团长，1994 年第十二届中国戏剧梅花奖得主。

郝振基

1871—1945，北方昆弋班名角，河北人。师从钱凤山、钱雄等。初学武生，后改老生与花脸。嗓音洪亮、行腔苍凉，擅演猴戏，有“铁嗓子活猴”之誉。猴戏代表作《火焰山》、《花果山》等，老生戏代表作《草诏》、《党人碑》等，花脸戏代表作《张飞负荆》等，武生戏代表作《出潼关》等。录有唱片《安天会》、《麒麟阁》等。

侯玉山

1893—1996，河北人，北方昆曲剧院昆弋表演艺术家。师从昆弋名净郜老墨。初习武丑，后专工架子花脸。以《嫁妹》一出著称，有“活钟馗”之誉。著有《侯玉山昆曲谱》。

韩世昌

1898—1976，字君青，河北人，北方昆曲剧院昆弋表演艺术家。自幼师从韩子峰、白云亭、王益友、侯瑞春等，习昆旦。代表作有《刺虎》、《刺梁》、《闹学》、《思凡》、《痴梦》。1957 年北方昆曲剧院成立时任院长。著有回忆录《我的昆曲艺术生活》。

白云生

1902—1972，原名瑞生，河北人。初入荣庆社，师从王益友；初习武生，后改昆旦，擅吹笛。1934 年与韩世昌合作，改演小生，广受好评。素以做戏“狠”著称，善于表现人物复杂内心。1957 年任北方昆曲剧院副院长兼导演，为保存和传承昆曲做出很大贡献。著有《谈传统戏曲表演艺术的形体锻炼》、《谈戏曲的舞蹈艺术》和《生旦净末丑的表演艺术》。

侯少奎

1939— ，原籍河北饶阳。1957 年入北方昆曲剧院，随其父侯永奎学戏。擅武生、红净、净等不同行当。扮相英俊，唱念稳健。擅演剧目有传统戏《单刀会》、《林冲夜奔》、《千里送京娘》、《武松打虎》、《倒铜旗》、《麒麟阁》、《闹昆阳》、《五人义》、《艳阳楼》、《四平山》、《武松杀嫂》，新编历史剧及现代戏《文成公主》、《血溅美人图》、《宗泽交印》、《南唐遗事》、《奇袭白虎团》等。北方昆曲剧院一级演员，1984 年获第二届中国戏剧梅花奖。

上　倪传钺《贩马记》
右上　顾传玠、朱传茗
右下　张传芳（中）沈传芷（右）施传镇
（中国昆曲博物馆供图）

昆曲大事记

1547 年（明嘉靖二十六年）

魏良辅对南戏剧唱昆山腔作了改革。

李开先写成《宝剑记》传奇。

1560 年（明嘉靖三十九年）

梁辰鱼写成《浣纱记》传奇。

1570 年（明隆庆四年）

高濂写成《玉簪记》传奇。

1598 年（明万历二十六年）

秋，汤显祖写成《牡丹亭》传奇。

1616 年（明万历四十四年）

汤显祖去世。

周之标、梯月主人辑昆曲选集《吴歈萃雅》，卷首附魏良辅《曲律》十八条（《南词引正》另一传本）。

1623 年（明天启三年）

许宇选辑昆曲选集《词林逸响》，卷首附魏良辅《昆腔原始》（《南词引正》另一传本）。

1637 年（明崇祯十年）

白雪斋刊行张楚叔、张旭初合编的昆曲选集《吴骚合编》，卷首附魏良辅《曲律》。

1651 年（清顺治八年）

由徐于室辑、钮少雅定的《南曲九宫正始》刊行。

1688 年（清康熙二十七年）

洪昇写成《长生殿》。

1699 年（清康熙三十八年）

孔尚任写成《桃花扇》。

1771 年（清乾隆三十六年）

方成培据旧钞本改编成《雷峰塔》。

1851 年（清咸丰元年）

上海第一家营业性质的昆剧戏园“三雅园”开业。

1874 年（清同治十三年）

湖南昆班“昆文秀班”在桂阳县成立，是湘昆最早、历时最久的戏班，后又有福昆文秀班（1900）、老昆文秀班（1904）、合昆文秀班（1905）、正昆文秀班（1906）、新昆文秀班（1908）、胜昆文秀班（1910）、盖昆文秀班（1911）、吉昆文秀班（1912）、新昆文秀班（1914 重组）、昆美园（1915）、昆文明（1923）、昆世园（1927）、新昆世园（1928）、昆舞台（1929）等湘昆戏班。

1917 年

秋，吴梅应邀到北京大学任古乐曲教师，昆曲学正式进入高等学府课堂。

1921 年

8 月，张紫东、贝晋眉、徐镜清、吴梅等于苏州创办“昆曲传习所”，次年改名“昆剧传习所”。

1927 年

苏州昆剧传习所改为新乐府昆班。

1931 年

6 月，苏州新乐府昆班转成“仙霓社”。

1951 年

3 月，华东戏曲研究院在上海成立，朱传茗、沈传芷等七位“传”字辈演员在艺术室任职。

秋，国风苏剧团改名为“国风苏昆剧团”，次年又改为“国风昆苏剧团”。

原“新同福”、“新品玉”、“江南春”等班社的流散艺人发起成立“巨轮昆剧团”（永嘉昆剧团前身）。

1953 年

华东戏曲研究院昆曲演员训练班招生，次年 2 月开班，由“传”字辈演员任教。

1956 年

1 月，国风昆苏剧团开始排演昆剧《十五贯》。

4 月，国风昆苏剧团改名为“浙江昆苏剧团”。

4 月 6 日起，浙江昆苏剧团在北京广和剧场连续演出昆剧《十五贯》四十六场。

5 月 17 日，文化部和中国戏剧家协会在中南海紫光阁举行“昆剧《十五贯》座谈会”。

5 月 18 日，《人民日报》发表题为《从“一出戏救活了一个剧种”谈起》的社论。

7 月，上海电影制片厂摄制浙江昆苏剧团演出的昆剧电影《十五贯》。

10 月 6 日，苏州市苏剧团改名为“江苏省苏昆剧团”。其前身为“民锋苏剧团”，1951 年在上海建立，1953 年迁往苏州，1956 年 5 月改名为“苏州市苏剧团”。

1957 年

6 月 22 日，北方昆曲剧院成立，韩世昌为院长，白云生和金紫光为副院长。

巨轮昆剧团划归永嘉县管辖，更名永嘉昆剧团（简称“永昆”）。

1960 年

2 月，湖南成立郴州专区湘昆剧团。

8 月，吴新雷从文化部访书专员路工处获张丑《真迹日录》中文征明手抄魏良辅《南词引正》，后交钱南扬教授校注，发表于《戏剧报》1961 年 7、8 期合刊。

1962 年

8 月 18 日，上海市戏曲学校京昆实验剧团改名为“上海青年京昆剧团”。

1964 年

9 月，湖南郴州专区湘昆剧团改名为“湖南省湘昆剧团”，简称“湘昆”。

1966 年

2 月，北方昆曲剧院撤销。

3 月，“湖南省湘昆剧团”改名为“湖南省昆剧团”。

“文革”开始，全国专业昆剧团体及业余曲社相继停止活动。

1977 年

6 月，浙江昆剧团恢复。

10 月，上海昆剧团开始组建。

11 月，江苏省昆剧院在南京成立，“江苏省苏昆剧团”改名为“江苏省苏剧团”（1982 年 2 月复名“江苏省苏昆剧团”）。

1978 年

2 月 1 日，上海昆剧团成立，俞振飞任团长。

1979 年

3 月，北方昆曲剧院恢复，郝成为院长。

1981 年

11 月 1 日，苏州举行“昆剧研习所成立六十周年纪念会”活动。

12 月 19 日，两省一市昆剧继承革新座谈会在上海举行，提出昆曲工作以“抢救、继承、改革、发展”为方针，把抢救遗产放在首位。

1983 年

6 月，中国戏剧家协会召开昆剧座谈会，发起创办中国戏剧梅花奖。

1984 年

6 月，湖南省昆剧团改名为“湖南昆剧团”。

1985 年

7 月，钱昌照、赵朴初、张允和等十六位知名人士发起成立“中国昆剧艺术研究会”，张庚任会长。

10 月，文化部下发《关于保护和振兴昆剧的通知》。

11 月，在北京举办纪念十位“传”字辈昆曲艺术家专场演出。

1986 年

1 月 11—14 日，文化部在上海召开“保护和振兴昆剧”会议，成立“振兴昆剧指导委员会”，俞振飞任主任委员。

4 月 1 日，文化部振兴昆剧指导委员会在苏州举办第一期昆剧培训班。

1987 年

7 月 15—25 日，文化部在北京举办“全国昆剧抢救继承剧目汇报演出”。

8 月，文化部下发《关于对昆剧艺术采取特殊保护政策的通知》。

10 月，苏州举办首届中秋“虎丘曲会”。

11 月 23—28 日，文化部艺术局在北京举办“振兴昆剧汇报演出”。

1992 年

4 月，在昆山举行“昆剧传习所成立七十周年纪念会”。

1993 年

4 月 11—13 日，中国昆剧研究会在苏州召开“全国昆剧院团昆剧座谈会”，会议

向文化部发出保护昆曲的倡议。

12 月 31 日，上海昆剧团推出交响版《牡丹亭》，将昆曲与西洋音乐结合起来，首演于上海戏剧学院实验剧场。

1994 年

2 月，浙江京昆艺术剧院成立，剧院保留京、昆两团的建制。

6 月 15—23 日，在北京人民剧场举行首届“全国昆剧青年演员交流演出”。

1996 年

9 月，文化部在北京举办“96 全国昆剧新剧目观摩演出”，全国六个昆剧院团参加演出。

1997 年

11 月 27 日至 12 月 7 日，应台湾新象文教基金会之邀，由上海昆剧团、北方昆曲剧院、浙江京昆艺术剧院、江苏省昆剧团、湖南昆剧团五大昆剧院团联合组成的中国昆剧艺术团赴台演出，共演出十四台昆剧传统剧目。

1999 年

1 月 28 日，浙江永嘉召开“振兴永昆研讨会”。

5 月，永嘉昆剧传习所成立。

2000 年

3 月 31 日至 4 月 6 日，由文化部、江苏省人民政府、苏州市人民政府共同举办的首届“中国昆曲艺术节”在苏州、昆山举行。

2001 年

5 月 18 日，昆曲被联合国教科文组织列入第一批“人类口头和非物质遗产代表作”名单。

8 月 8—11 日，文化部艺术司与浙江京昆艺术剧院在杭州联合举办“纪念昆曲传习所八十周年暨昆曲表演艺术大师王传淞（九十五周年）、周传瑛（九十周年）诞辰”活动。

11 月 5—9 日，文化部、江苏省人民政府、苏州市人民政府共同在苏州举办“庆祝中国昆曲列为‘人类口头和非物质遗产代表作’及纪念苏州昆曲传习所成立八十周年”活动。

2003 年　11 月 15 日至 22 日，第二届中国昆曲艺术节在苏州、昆山举行，活动包括昆剧演出、首届“昆曲国际学术研讨会”、“虎丘曲会”、“中国昆曲博物馆揭牌暨一期工程竣工仪式”，以及《昆曲研究系列丛书》和《中国昆曲论坛 2003》的首发式。

2004 年

苏州昆剧院新排青春版《牡丹亭》。

6 月 28 日至 7 月 8 日，第二十八届世界遗产大会在苏州召开，苏州昆剧院演出《牡丹亭》、《长生殿》、《朱买臣休妻》等剧目。

2005 年

6 月，永嘉昆剧团恢复建制。

8 月 23 日，苏州昆曲博物馆成立。

11 月 6—8 日，苏州昆剧院青春版《牡丹亭》在广东佛山大剧院参加第七届亚洲艺术节演出。

青春版《牡丹亭》在全国十大高校巡演。

2006 年

7 月 5—13 日，第三届中国昆曲艺术节在苏州举行，活动包括昆剧演出、中国昆

曲论坛、纪念昆剧《十五贯》进京演出五十周年大会、昆剧优秀主创人员表彰大会、虎丘曲会等。港台昆曲社团首次参加中国昆曲艺术节。

9月8日至10月12日，苏州昆剧院青春版《牡丹亭》剧组赴美国旧金山、柏克莱、圣芭芭拉、洛杉矶等城市和加州大学等西部四所著名大学巡回演出。

2007年

3月17日，上海京昆艺术中心成立。

10月28日至31日，“高则诚诞辰700周年纪念”活动在南戏发源地温州举行，永嘉昆剧团演出昆剧《琵琶记》。

2008年

3月，由日本歌舞伎大师坂东玉三郎与苏州昆剧院合作的昆曲《牡丹亭》在日本东京南座剧场首演，坂东玉三郎饰演杜丽娘，苏州昆剧院的俞玖林饰演柳梦梅。

10月16—26日，第三十一届世界戏剧节在南京举行，苏州昆剧院的青春版《牡丹亭》、江苏省昆剧院的《1699·桃花扇》参演。

2011年

5月15—17日，由文化部、国家非物质文化遗产保护中心、江苏省文化厅主办，苏州市文化广电新闻出版局、昆山市人民政府承办的“昆曲韵，故乡情——纪念昆曲列入人类口头和非物质遗产代表作10周年活动”在江苏昆山市举行。

右　《牡丹亭·拾画》剧照（许培鸿摄影）

六大昆剧院团

浙江昆剧团

前身为民间戏班“国风苏昆剧团”,1955年改名“浙江昆苏剧团”。“文革”中曾撤销建制,1977年6月恢复,更名为“浙江昆剧团”。1994年4月,与浙江京剧团合并,组建成浙江京昆艺术剧院。2003年2月撤院,恢复独立建制。

演职人员90名,其中国家一级演员12人,获“中国戏剧梅花奖”5人。周传瑛、王传淞等“传”字辈艺术家已辞世,现以“世”字辈、“盛”字辈、“秀”字辈为骨干,第五代“万”字辈也已显露头角。著名演员有汪世瑜、王世瑶、张世铮、王奉梅、林为林、张志红、程卫兵、翁国生、陶铁斧、陶伟民、陶波等。

1956年排演昆剧《十五贯》大获成功之后,相继排演了《西园记》、《牡丹亭》、《长生殿》、《风筝误》、《狮吼记》、《渔家乐》、《浮沉记》、《少年游》、《红泥关》、《公孙子都》、《乔小青》等剧目,其中新编昆剧历史剧《公孙子都》2006年获第三届中国昆剧节“优秀剧目奖”、第八届中国艺术节“文华优秀剧目大奖”、“2006—2007年度国家舞台艺术精品工程十大精品剧目”、“中国戏曲学会奖”,并在第四届巴黎中国戏曲节上荣获“塞纳大奖”。

地址:浙江省杭州市上塘路118号

电话:(0571)85231793

网址:www.zjkjt.com,设有“剧团介绍”、“昆曲鉴赏”、“最新动态”、“重要活动”等栏目,“最新动态”中预告演出活动与上演剧目。

江苏省昆剧院

1960年,江苏省苏昆剧团(苏州)的张继青等13位“继”字辈演职员到南京建立江苏省昆剧团一团,苏昆剧团则改为江苏省昆剧团二团。1972年,两团合并,驻苏州。1977年,一团重回南京,建立江苏省昆剧院。

演职员 140 多人，其中国家一级演员 10 多人，获“中国戏剧梅花奖”7 人，“文华奖”1 人。以“继”字辈和江苏省戏曲学校昆曲班的两届毕业生为骨干。著名演员有张继青、姚继焜、董继浩、范继信、姚继荪、吴继静、吴继月、林继凡、石小梅、胡锦芳、张寄蝶、黄小午、王亨恺、孔爱萍、柯军、李鸿良、钱振雄、单小清、徐云秀、程敏、龚隐雷等。

排演了《十五贯》、《长生殿》、《风筝误》、《白蛇传》、《墙头马上》、《关汉卿》、《牡丹亭》(精华版)、《绿牡丹》、《小孙屠》、《1699 • 桃花扇》、《汤显祖与四梦》等 20 多本大戏；还通过举办个人专场的形式，抢救和继承了 300 多出传统折子戏。

在海内外享有盛誉，被公认为南昆的正宗代表。

地址：江苏省南京市建邺区朝天宫 4 号，原江宁府学故址。

电话：(0571) 85231793

网址：“环球昆曲在线”(kunqu.jschina.com.cn)，设有“剧院介绍”、“最新时讯”、“新剧动态”、“演出实况”、“名伶访谈”、“艺术探索”、“传习课堂”、“资料典藏”、“在线论坛”、“剧院足迹”、“票务在线”等栏目，会预告演出活动与上演剧目，网上可预订戏票。

江苏省苏州昆剧院

前身为“民锋苏剧团”，1956 年 5 月更名为“苏州市苏剧团”，10 月更名为“江苏省苏昆剧团”。1977 年 11 月，江苏省昆剧院建立后，留在苏州的江苏省苏昆剧团更名为“江苏省苏剧团”，1982 年 2 月恢复原名。团内分设苏剧、昆剧两个演出团队。

演职员 100 多人，其中国家一级演员 10 人，获“中国戏剧梅花奖”3 人。先后有“继”字辈和“承”字辈两代演员，目前八十年代的第四代演员和第五代“小兰花”青年演员已成为骨干。著名演员有庄再春、蒋玉芳、丁继兰、柳继雁、王芳、吕福海、杨晓勇、陶红珍、沈丰英、俞玖林、陈琳、沈国芳等。

除传统折子戏外，新编和排演了全本《窦娥冤》、《钗钏记》、《西施》、经典版《长生殿》、青春版《牡丹亭》、《玉簪记》等，新编了昆剧现代戏《活捉罗根元》、《焦裕禄》。其中由白先勇总策划，沈丰英、俞玖林等青年演员主演的青春版《牡丹亭》，在海内外掀起了热潮。

地址：平门高长桥 9 号，昆剧团沁兰厅建于富仁坊巷。

网址：www.jsszkjy.com，设有“剧院动态”、“专题新闻”、“演出信息”、“演员介绍”、“名剧鉴赏”、“折子戏荟萃”、“院长寄语”、“论坛之窗”等栏目，“演出信息”栏预告演出活动与上演剧目。

北方昆曲剧院

1956 年 11 月，文化部在上海举行南北昆曲观摩演出大会，北京组成了以韩世昌、白云生、侯永奎等为主演的北方昆曲代表团，后在此基础上于 1957 年 6 月 22 日组建北方昆曲剧院。初期演员以来自河北民间的北方昆弋老艺人为主体。 1964 年因排演昆剧《李慧娘》遭停演。1966 年 2 月剧院被撤销。1979 年 3 月恢复建制。

现有演职员 200 多人，其中一级演员 10 多人，获“中国戏剧梅花奖”7 人。著名昆剧前辈表演艺术家韩世昌、白云生、侯永奎、马祥麟、侯玉山、沈盘生、白玉珍、魏庆林等曾在剧院任职和工作，培养了以李淑君、丛兆桓、洪雪飞、蔡瑶铣、杨凤一、王振义、史红梅、魏春荣、马宝旺、董萍等为代表的百余名专业昆剧演员。

整理和排演了全本传统剧目《荆钗记》、《琵琶记》、《西厢记》、《连环记》、《牡丹

亭》、《百花记》、《玉簪记》、《绣襦记》、《钗钏记》、《风筝误》、《五人义》等，新编了历史题材剧《李慧娘》、《晴雯》、《文成公主》、《南唐遗事》等，创作或移植改编了现代昆剧《红霞》、《江姐》、《奇袭白虎团》、《审椅子》等。

地址：北京市宣武区陶然亭路14号

电话：(010) 63522110

网址："北方昆曲网"(beikun.com)。设有"演出最新动态"、"北昆动态"、"精彩曲目"、"北昆名角"、"名段点评"、"图书、音像、出版物"、"戏迷俱乐部"等栏目，其中"北昆动态"发布演出活动信息，预告演出剧目与时间。

上海昆剧团

前身为上海市戏曲学校京昆实验剧团，1962年8月更名为上海青年京昆剧团，分京、昆二队。1973年11月撤销。1977年恢复，1978年改名上海昆剧团，俞振飞为首任团长。

现有演职员200多人，其中国家一级演员14人，获"中国戏剧梅花奖"9人10次、"上海戏剧白玉兰奖"6人。前辈艺术家有俞振飞、言慧珠和"传"字辈的沈传芷、朱传茗、华传浩、张传芳、倪传钺、郑传鑑、方传芸、薛传钢、王传渠、周传沧、邵传镛等，优秀演员有蔡正仁、王芝泉、华文漪、岳美缇、计镇华、梁谷音、刘异龙、张静娴、李雪梅、张军、沈昳丽、倪泓、吴双、黎安、谷好好、缪斌、黎安等。

继承和演出了250多出传统折子戏，整理、新编了《墙头马上》、《贩马记》、《牡丹亭》、《烂柯山》、《长生殿》、《白蛇传》、《钗头凤》、《蔡文姬》、《潘金莲》、《唐太宗》、《司马相如》、《班昭》等30多出大型剧目。

地址：上海市绍兴路9号

电话：(021) 64331935，(021) 64371012

网址："兰韵雅集"(www.lanyunyaji.com)，设有"演出预告"、"上昆动态"、"台前幕后"、"对话名角"、"戏迷交流区"、"综合讨论区"、"资源共享区"等栏目，"演出预告"、"上昆动态"中预告演出和学术活动等。

湖南省昆剧团

前身为1960年2月成立的郴州专区湘昆剧团，1964年9月改名为"湖南省湘昆剧团"，1966年3月改名"湖南省昆剧团"。"文革"期间解散，1972年恢复，改名为"郴州地区湘昆剧团"；1984年6月改名为"湖南昆剧团"。

现有演职员100多人，其中国家一级演员5人，获"中国戏剧梅花奖"2人，"小梅花"奖4人。著名演员有张富光、唐湘音、雷子文、文菊林、郭静蓉、孙金云、宋信忠、罗艳、傅艺萍、谭益友、左宗美、李忠良、唐湘雄、周福祥、周恒辉等，刘礼乐、彭峰林、刘娜、史飞飞、王福文、左娟等一批新秀已崭露头角。

发掘整理和创作演出大戏60多部，折子戏200多折。其中新改编的《荆钗记》获中国首届昆剧艺术节优秀展演奖、湖南省戏剧"田汉大奖"等；《一天太守》选调入中南海举行专场演出，并改名为《疯秀才断案》拍摄成电影；《雾失楼台》获全国昆剧汇演演出奖。代表剧目还有《武松杀嫂》、《醉打山门》、《见娘》、《抢棍》、《痴梦》、《寻梦》、《猜寄》、《埋玉》、《拾柴》、《藏舟》等。

地址：湖南省郴州市人民西路36号

电话：(0735) 2232828

官方博客：http://blog.sina.com.cn/linyiyoulan

右 《梁山伯与祝英台》剧照（江苏省昆剧院）

关于图片的补充说明

封面　2006 年 6 月 10 日，中国首个“文化遗产日”，北京首都博物馆举办“中国文化遗产日”庆祝活动，昆曲《牡丹亭》演出剧照（CFP 图）

○○二至○○三　《牡丹亭》剧照，单雯饰杜丽娘（江苏省昆剧院）

○○四至○○五　《牡丹亭》剧照，孔爱萍饰杜丽娘（江苏省昆剧院）

○○九　《桃花扇》剧照，罗晨雪饰李香君（江苏省昆剧院，蕙摄影）

○六八至○六九　江苏省昆剧院精华版《牡丹亭》剧照（CFP 图）

一二八至一二九　2009 年 11 月，昆曲《牡丹亭》上海迎世博预演剧照（CFP 图）

一九六至一九七　2006 年 12 月 9 日，青春版《牡丹亭》在珠海演出剧照（CFP 图）

凡未标明出处的图片，均由本书作者俞为民先生提供

感谢江苏省昆剧院王珏女士、苏州昆曲博物馆浦海涅先生协助提供图片

引言

1368年，是中国历史上的一个重要年份，经历了江山易主后，明王朝横空出世。

同样，对于南京来说，这一年也有着前所未有的意义。在这块“王气”之地，虽有过六朝繁华，南唐复兴，但都是偏安一隅。明王朝定鼎虎踞龙盘之地，标志着南京一跃成为真正的一统全国的帝王之都。

可惜，好景不长，这样的光阴仅仅持续五十三年，在明成祖朱棣迁都北京后，南京显现的辉煌再一次黯然失色。南都的地位，使它处于一种不尴不尬的境地。

不过，明成祖带走了南京的帝都之位，带不走太祖朱元璋之躯，他留了下来，静静地长卧在青山环抱、绿树成荫的紫金山南麓独龙阜之下。这一睡，就是六百年。这里是明太祖的“葬身之地”，朱元璋被埋在厚厚的黄土下，但黄土无法掩盖我们对他的好奇。我们最想知道未来，但被提及最多的，却是遥远的过去。

明孝陵是迄今为止我国保存最为完整的古代帝王陵墓，2003 年 6 月有幸入选世界文化遗产名录，成为人类共同的财富。现在，我们就回眸相望，让思绪与我们一起走入明孝陵。

一个生于贫苦人家的小和尚，
竟然能一登龙位，
他是如何一步一步成为一代帝王的？

第一章 ◎ 墓主生平

1328 年的 9 月 12 日，濠州（今安徽省凤阳县东）钟离太平乡的一个贫苦农民家又生了一个男孩。再续香火，本是一件值得高兴的事，但对这一家人来说，却无添丁之喜，日子过得紧巴巴的，如今又多了一张嘴，该如何是好?

哇哇的啼哭声，与所有这个世上初来乍到的孩子一样，并无特别之处，更没有显现他某种不为人知的潜质。可谁也不曾料到，就是这个在芸芸众生中毫不起眼的小毛孩，不甘于命运安排，赤手空拳打天下，四十年后竟成为大明王朝的开国皇帝，他就是朱元璋。

凤阳城是朱元璋的老家，他登基后在此修建了"大明中都皇城"，并在城门上题字"万世根本"

朱元璋原名重八，在家排行第四。自幼家贫，与落难为伍，父母兄长均死于瘟疫，孤苦无依，遂入皇觉寺，成为一个小沙弥。入寺不到两月，因荒年寺租难收，寺主遣散众僧，他只得托钵四处流浪。至正八年（1348），他又重回寺庙。

在外云游的三年，对朱元璋一生的影响很大。他走遍了淮西名都大邑，接触到各地的风土人情，眼界渐开，对社会有了更深的认识，萌发了济世安民之心。

元末，朝纲不振，义军纷起。1351 年，韩山童、刘福通在颍州（今安徽颍上）揭竿而起，韩被推为明王。士兵们头裹红巾，号称“红巾军”。随后各地纷纷响应，郭子兴在濠州高擎义旗，重八闻讯后毅然投奔，他的命运就此发生巨大的转折。人的一生，有时只有那么重要的一两步，走对了，前途无量。重八的选择恰恰如此。不过他在迈出黄觉寺那一步时，仅仅是为了活命，而绝未想到日后会成为一代开宗帝王。

重八入伍后，因勇敢善战，很快得到郭子兴的赏识，调到帅府当差，被任命为亲兵九夫长。他精明能干，处事得当，打仗时身先士卒，获得战利品则分毫不留；得到赏赐，不贪功，有福同享，很快就名声大噪。郭子兴赏识他的才能，将其视为亲信知己，遇事总要两人商量。当时郭子兴有一养女马氏 21 岁，尚未出阁，他毫不怀疑重八对自己日后的事业会有很大帮助，遂将马氏许配其为妻，重八就这样成了郭子兴的乘龙快婿，一时背靠大树好乘凉。他决定更名，换一个叫得响的名字，于是就有了朱元璋这鼎鼎大名。

龙兴寺铁塔，其前身为皇觉寺，是朱元璋出家的地方

天生我材必有用，朱元璋驰骋疆场后，发现自己并不是一个弱者，完全有能力驾驭千军万马。不过来日方长，他需要时间，韬光养晦。他相信自己一定能等到机会。

当时，濠州城中红巾军有五个元帅，郭子兴自成一统，其他

郭子兴像

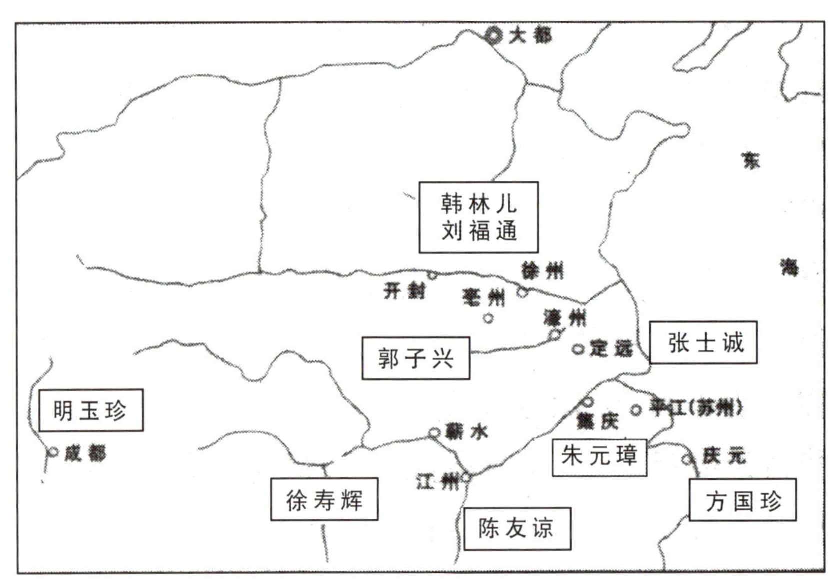

元末群雄割据图

四位联手共谋，两派之间多有矛盾。见诸将纷争，朱元璋主动避走，看似是退让，其实自有鸿鹄之志，要以一己之力另辟天地。至正十三年（1353）六月中旬，朱元璋回乡募兵，儿时的伙伴徐达等纷纷前来投靠，很快就募集了七百多人，这是他后来发迹的重要班底。

这年冬天，朱元璋从自己招募的新兵中挑选了徐达、汤和等二十四人离开濠州，南略定远，一路上不断招抚和招降山寨义士。他们一举攻破横涧山的元军营地。朱元璋从降军中挑选了精壮汉人两万人编入自己的队伍，又南下滁州。

这时，朱元璋有幸遇到后来成为他的重要谋臣、被称为“在世萧何”的李善长。李善长乃定远儒士，知书多智，他在朱元璋力薄之际前来投奔，不为名利，一心辅佐。李善长以汉高祖为例，要朱元璋效法，知人善任，勿嗜杀人，不日便将平定天下。言语

韩国公李善长像

明代小说中的朱元璋攻取集庆插图

间，鼓励朱元璋立志称帝。

称帝之事，朱元璋此前想都没想过，但在这一刻，唤醒了他的思绪，激发了他的斗志。他脑海里划过了这一念头，假以时日，未来不是梦。然而当下，显然火候未到，他还需历经炼狱，浴火重生方能凤凰涅槃。眼前最重要的是脚踏实地，积蓄力量，储备人才。他将李善长留在帐中做幕府，以共创大业。

有高人指点，有一帮好兄弟舍命，朱元璋很快就取滁州，克和州。就在这一年，岳父大人病逝，小明王韩林儿任命郭子兴之子郭天叙为都元帅，郭子兴妻弟张天佑和朱元璋为副元帅。名义上，都元帅是军中之主，但滁州与和州的军队，多由朱元璋一手招募收编，唯他是从，故朱元璋实际上成了这支队伍的主帅。

朱元璋虽然有了自己的队伍和地盘，但要在群雄中独占鳌头，进而扫灭诸强，并非易事。俗话说“一个好汉三个帮”，朱元璋命运中的贵人再次出现。隐居于乡野的朱升为朱元璋亲顾茅庐、礼贤下士所感动，进献了“高筑墙、广积粮、缓称王”三策。高筑墙是指加强军事防备，巩固后方；广积粮是指发展经济生产，储备粮食，增强经济实力；缓称王则是指不要过早称帝，以免树敌过多。这高瞻远瞩的见识，言简意赅的经画谋略，是环环相扣，渐渐递进，令朱元璋耳目一新。此前，他对自己的未来并无完整的设想，经朱升这一点拨，便豁然开朗。这九字箴言成了他称帝前的座右铭和制胜法宝。

至正十六年（1356）三月，张士诚在长江三角洲地带发起攻势，进攻江南元军，朱元璋趁势亲率水陆大军攻取集庆（今南京）。入城后，他下令安抚百姓，改集庆为应天府。

尽管朱元璋已拥有十万兵力，与往日不可同日而语，但生存空间狭小，且四面受敌。东面和南面是元军，东南的张士诚和西面的徐寿辉虽同是反元武装，但与小明王不睦。义军纷起后，山头林立，各守一方，在反元的同时，又彼此攻伐，试图吃掉对方，扩大势力范围。好在北面小明王、刘福通率领的红巾军主力牵制住元军，而张士诚、徐寿辉也不敢贸然进击。一时无近忧，给了朱元璋一个极好的发展机遇，巩固以应天为中心的根据地是为首要。

在占领应天不久，朱元璋立即派徐达攻占镇江。到1357年冬，在一年的时间里，金坛、丹阳、江阴、常州、常熟、扬州等地相继被攻克，朱元璋控制了应天周围的战略要地。又过两年，已经占领了南京、太湖以西，往南经江苏、安徽、浙江三省交界处到浙东的一块长方形区域。与四年前相比，局面已大为改观。

在完成了“高筑墙”的部署后，朱元璋便着手实行“广积粮”。初期，军粮的解决主要靠强征。长此以往，滋扰社会，失去民心。为了解决这一问题，朱元璋除了动员百姓进行生产外，还积极推行军队屯田，分派诸将在各地开垦，自给自足。不几年，就府库充盈，军粮富足，再也无须烦劳百姓。

朱元璋乃一俗人，没有多少文化，但他自有长处，就是礼贤下士，充分发挥人才的智能。在取得民心的同时，他在应天专门修建了礼贤馆，以接待各方贤能之人。“修齐治平”是朱元璋的理想，亦是“以天下为己任”的士大夫们的志向。在社会大变革中，真正的儒士一定会站出来“替天行道”、“为民请命”，他们纷纷从四面八方来到这里。很快，朱元璋身边就云集了一大批高人，他们出谋划策，各显神通，为朱元璋统一全国和开创新王朝，起到了举足轻重的作用。

是时，群雄逐鹿，朱元璋立足应天，长江上、下游则分别有陈友谅和张士诚，东南邻为方国珍，南邻是陈友定，个个虎视眈眈。方国珍、陈友定胃口不大，旨在保土割据；张士诚自顾自，并无大志；唯有陈友谅颇具野心，是朱元璋的劲敌。

陈友谅试图与张士诚联手，从东西两面夹击应天，向朱元璋发起攻击。朱元璋召集众将商量对策，大家各抒己见，唯有刘基沉默不语，朱元璋深知他胸有谋划，问其看法。刘

刘基像

基一针见血地指出，陈友谅乃首要之敌，必须全力歼灭。尽管他势力强盛，但他杀君自立，部众离心，百姓疲敝，我们则需以逸待劳，只等他们主动出击，再以伏兵击之，取胜便如探囊取物。

朱元璋听后点头称道，于是设计诱敌深入，制造战机。朱元璋的部将康茂才和陈友谅曾有一段交谊，于是让康茂才修书一封，派人送至陈营，约其攻击应天，他可暗度陈仓，里应外合。六月二十三日晨，当陈友谅率舰队主力赶到应天郊外的江东桥时，方知受骗中计，但为时已晚。朱元璋的伏兵奋起攻击，陈友谅大败。接下来，朱元璋收太平，陈友谅败逃九江。朱元璋次年八月攻下安庆后，直取陈友谅的老巢江州，陈友谅再逃武昌。

蕲国公康茂才

至正二十三年（1363）七月，朱元璋统兵20万向洪都进发，陈友谅率部迎战，双方在鄱阳湖展开了一场生死攸关的大决战，搏杀整整持续了三十六天。朱元璋的军队充分发挥小船灵活的长处，火攻陈军，最终大获全胜，陈友谅被乱箭射死。

在战胜陈友谅后，下一个目标就是张士诚。朱元璋的军队攻势迅猛，先后克复杭州、湖州，平江已成一座苟延残喘的孤城。至正二十七年（1367）九月，朱元璋率军攻入这座“人间天堂”，细软吴语被淮西方言所淹没。至此，湖北、湖南、河南东部、

张士诚像

江西、安徽、江苏和浙江，尽入朱元璋之手。

战胜陈、张之后，朱元璋长长地舒了口气。但他的目标并未完成，现在就要去实现。

朱元璋与刘基详细商定了北伐计划。刘基等人主张直取元大都，以精锐之师消灭元朝疲卒，然后各个击破，一举成功。朱元璋则认为，孤军深入，易陷重围，故应先取山东，再占河南，折攻潼关。这看似取外围之胜，实是釜底抽薪，届时再攻取大都，将易如反掌。

远征的号角终于吹响，江山一统的关键一步蓄势待发。朱元璋以徐达为征虏大将军统率全军，以常遇春为副将军，另以参将冯胜、右丞薛显、参将傅友德各领一军，全力北伐。出征前，朱元璋再三申明军纪，告诫将士，北伐不是攻城略地，而是推翻蒙元暴政、解除人民痛苦。随后由宋濂起草北伐檄文，提出“驱逐胡虏，恢复中华，立纲陈纪，救济斯民”的口号，这对中原地区的广大汉族人民极具号召力。文中还表示，蒙古人和色目人若愿为新皇朝臣民，则视同中原百姓。

北伐军按既定计划，层层推进，节节胜利，转眼已兵临元朝首都大都（今北京）。元顺帝带着后妃太子弃城向漠北逃去，统治中原长达近百年的蒙元政权便无可奈何花落去。

元顺帝

江山代有才人出，各领风骚数百年。曾几何时，成吉思汗威风八面，建立疆域空前的大帝国。但元朝统治者的治政水平，远不如它的马上功夫，它的生命张力只维持了不足九十个春秋，一个旧桃换新符的时代即将来临。

气象更新，是在那个依然寒冷的新年伊始，改变的不是季节，而是历史。南征北伐，捷报频传，朱元璋顺天应时，于至正二十八年（1368）正月正式登基，国号大明，改元洪武，以应天为南京。十六年的征战讨伐，朱元璋终于大功告成，从一个横笛牛背的牧童、小行僧，成为明朝的开国皇帝。

“驱逐胡虏，恢复中华”，朱元璋做到了。接下来，他要做的就是“立纲陈纪，救济斯民”。然“马上得天下”，焉能“马上治天下”？老兵遇到新问题，朱元璋面临转折，他必须从头做起。

明朝建立伊始，陷入多年战火袭扰的中华大地一片凋敝，“离乱人不如太平犬”，百姓渴望安宁。朱元璋果断地采取了与民休息的政策，以发展生产为首要，尽快使百姓能够安居乐业。他曾语重心长地对外地州县来朝觐见的官员说：“天下初定，老百姓财力困乏，像刚会飞的鸟，不可拔它的羽毛；如同新栽的树，不可动摇它的根。当务之急乃是休养生息。”

朱元璋接受了大臣的建议，采取了一系列有利于生产的举措，大大激发了农民的积极性，不仅使他们心系家园，促进了生产的发展，亦解决了军粮问题，还开发了边疆，一举数得。朱元璋亦十分爱惜民力。由于天灾和长期战乱，百姓元气大伤，如今天下初定，不宜重锤击鼓，得使其有喘息之机。他要求政府尽量减轻百姓负担，并提倡开源节流并举，禁止官员贪暴挥霍。一言以蔽之，“严明以驭吏，宽裕以待民”，这样才能建立一个有序和公正的社会，确保长治久安。

明初，官僚机构基本上沿袭元朝旧制，朱元璋逐渐识其弊端，于是大胆革新，于1376年宣布废除行中书省，设立承宣布政使司、都指挥使司和提刑按察使司，三者既各司其职又相互制约。在军事上，则将管理全国军事的大都督府一拆为五，分为中、左、前、后、右五军都督府，并和兵部互相牵制。兵部有权颁发命令，但不能直接统帅军队；都督府掌管军队的管理和训练，却无调遣军队的权力。

作为帝王，朱元璋为了实行朝纲独断，大力推行中央集权制度。明初，中书省的丞相因负责处理天下政务，位高权重，其中以胡惟庸为最。

胡惟庸是凤阳定远人，1373年由右丞相升任左丞相。其门生故吏遍布朝野，形成了一个强大的势力集团，对皇权已构成一定威胁。向以独断著称的朱元璋岂能容忍胡惟庸如此嚣张，决定腰斩中书省，向丞相开刀。他利用占城贡使事件，下令将左、右丞相胡惟庸和汪广洋抓捕入狱。但两丞相推诿罪责，言称接待贡使乃礼部之职。朱元璋动怒，把礼部官员也全部羁押。

胡惟庸像

两相入狱，专事谏官之职的御史们心有灵犀，这不明摆着是皇帝要让他们检举揭发吗？于是群起而攻之，把胡惟庸专权结党之事抖落个底朝天。1380年，朱元璋以擅权枉法之罪，把胡惟庸和有关官员彻底查办。

然而，事态的发展出乎所有人的意料，以此为导火索，引发了一场大规模的屠戮。朱元璋杀了胡惟庸后，胡案竟成了他借以打击异己的武器，大开杀戒，连带三万多人一命归西，连全力辅佐他成就帝业的太师韩国公李善长也未能善终，全家遭诛杀。

一波未平，一波又起，朱元璋于1393年再次磨刀霍霍，这一次攻击的目标是开国元勋、官拜大将军的凉国公蓝玉。1391年，四川建昌发生叛乱后，朱元璋命蓝玉讨伐，临行前面授机宜。他命蓝玉属下退去，可一连说了三遍，如风过耳，蓝玉属下无动于衷。不意蓝玉小手轻轻一挥，他们跑得比兔子还快。这让太祖怒不可遏，不杀不足以解心头之恨。次年的一日早朝，锦衣卫指挥使突然参奏蓝玉谋反，朱元璋当即令人将他拿下，三日后即被砍头。尔后，清洗全面铺开，京城又是一片猩红。

如此接二连三的大规模诛杀行动，历朝历代，绝无仅有；众多皇帝，独此一人。文武功臣，几被赶尽杀绝，一时朝中无官，军中无将。曾经无依无靠，如今一言九鼎，身份的巨大反差，令朱元璋的心理也为之骤变。他一方面爱民恤苦，“为善最乐”；另一方面又残暴嗜杀，无事生非。此时的朱元璋已走向了极端，心中唯有朱明江山。

太祖出身微寒，草野漂泊之艰辛，形同乞丐之惨状，令他难以忘怀，所以大明王朝镌刻着很深的平民印记。这个曾在社会最底层饱受煎熬的人，最懂得百姓对贪官污吏的憎恨，知道他们需要一个清廉的政府。朱元璋成为国君后，决心痛击不法行为，还社会以公正，一场大规模的“反贪官”运动就此展开。

一个小小的御史宇文桂，竟身藏十余封私托求进的信件，这还了得。有买官必有卖官，朱元璋当即派人对中央各部和地方官府进行严查，发现从上至下，无不损公肥私，大肆捞取。朱元璋惊骇，立即诏令天下：“奉天承运，为惜民命，犯官吏贪赃满六十两者，一律处死，决不宽贷。”并称：从地方县、府到中央六部和中书省，只要是贪污，不管涉及谁，决不心慈手软，一查到底。于是，一大批官员纷纷落马。

洪武八年，朝廷考核钱谷账册，明初最骇人听闻的所谓“空印案”就此浮出水面。原来，户部官员与地方官府相勾结，采取预先在空白报表盖印后私自填充虚假支出。一群蛀虫就这样在光天化日之下大肆舞弊，吞噬数额巨大的国库物资。

空印案一出，朱元璋震怒，立国不足十年，贪污堕落成风，如此下去，国将不国。一声令下，自户部尚书至各地守令主印官皆被处死，佐贰以下杖一百，充军边地。

然而，严刑却未能阻止不法之徒“前赴后继”。三年后，又查出户部侍郎郭桓和各司郎中、员外郎与各地到中央缴纳课税的官员联手，采取多收少纳，贪赃枉法之恶行。东窗事发，朱元璋继续采取猛药医疾，格杀勿论。六部左、右侍郎以下的官员均被处死，供词牵连到各布政使司的官吏，被砍头者又有数万人。追回赃粮达七百万石。

刑部尚书开济接受一死囚家贿银万两，用另一死囚做替死鬼；刑部郎中、员外郎受贿虚报死亡并私放两死囚；工部许多官员借营建宫廷之机，采取虚报工匠工役人数天数而多吃空头；兵部侍郎王志把征兵之机当作生财之道，接受逃避服兵役的世袭军户所送贿银达23万两。事情败露，朱元璋把他们都送往阎王爷那里报到。为了监督各级官吏行为，朱元璋专设都察院御史和六科给事中职位，没想到这些监督部门也深陷腐败之中。都察院御史刘志仁奉命去淮安处理一宗案件，故意拖延不审，吃了原告吃被告，勒索两家许多钱财。朱元璋知道后当即处死。他又查出六科有六十一个给事中存在不同程度的贪污受贿行为，便一一法办。

然而，重典之下，顶风作案者仍然没有收敛。朱元璋别无选择，既然不能放弃对国家的治理，也只有奉行“宁可错杀三千，不可放过一人”的扩大化政策，此举亘古未有。朱元璋借助自己的帝威，大张旗鼓、雷厉风行，以严刑峻法惩治贪官污吏，这对改良吏治，确实起到了一定功效。“拼死吃河豚”的结局，除了侥幸之外，在劫难逃。

朱元璋还将他亲自审讯和判决的一些贪污案例记录成书，名为《大诰》。他下令在全国广泛宣传，还叫人节选抄录贴在路边显眼处和凉亭内，让官员读后自律，让百姓学会对付贪官。一时，宣讲、学习《大诰》，蔚然成风，家有《大诰》甚至可以减罪。

也许，通过这种简单固化的程式，真正达到人们所期盼的海晏河清，并非上策。但对百姓而言，已是喜出望外，毕竟它让贪者人人自危，不敢轻易失足。

锦衣卫木印

在光明磊落、以正压邪的同时，朱元璋又走向了别有用心、暗箭伤人的一面。他的猜忌之心愈发加重，派出大量名为“检校”的特务人员，遍布朝野，暗中监视。搞得官员们一个个小心翼翼，唯恐隔墙有耳。

更有甚者，让人感到一种莫名恐惧的“锦衣卫”悄然出现，它几乎就是凶神恶煞的同义语。尔后给官场和民间所带来的震动，不啻为令人不寒而栗的漫漫长夜。

1382年，出于对监控官员的需要，朱元璋将管辖皇帝禁卫军的亲军都尉府改为锦衣卫。他们由皇帝直接掌控，集侦查、缉捕、审判、处罚罪犯等权力于一身，有自己的法庭和监狱，采取剥皮、抽肠、刺心等种种酷刑，打击异己分子和不听话的人，横行一时。于是我们看到，民初的官场，有如人间地狱，今日不知明日事，一切皆有可能发生，触目惊心。

弛禁和严禁，都是极端之举，所谓矫枉过正，过犹不及，欲速不达，古训所言极是。

在朱元璋理想国的蓝图中，他对百姓的教育和教化倾注了极大的热情。有感于元朝的灭亡，除了统治者自身之外，整个社会失于教化。鉴于世风日下，对一个开国之君来说，法制和秩序的建立，社会的和谐和睦，通过拨乱反正，会使大明王朝在正确的轨道上前行。故此，朱元璋采取了一系列强制措施，兴建学校，选拔学官，并坚持把“教育工作”作为衡量地方官政绩的重要依据。除了要求政府官员大力抓教育以外，还要求各级塾师必须担负起责任，强调师道严而后模范正，师道不立则教化不行。在学校之外，对百姓的道德养成，则一直深入到街市乡里。“教民榜文”往那一贴，简单明了：“孝顺父母，尊敬长上，和睦乡里，教训子孙，各安生理，毋作非为。”24个字，基本涵盖了必备的礼仪，人人循此而做，民风何以不正？

明王朝诞生于半个世纪的扰攘纷乱中。朱元璋这位开国之君在14世纪40年代，从天灾人祸和饥寒交迫的钟离村走出，一跃而于1368年在南京登上皇帝宝座，创造历史新的篇章。

作为帝王，朱元璋以强有力的个性特征，驾驭着这艘航船稳步前行，这是国之大政的需要。但朱元璋的缺陷，与他的长处同样突出。强烈的猜忌之心，令他始终如履薄冰，总是怀疑别人异动，于是大加挞伐，朝廷充斥血腥。朱元璋认为谁都不可靠，唯有自己嫡传血脉最值得信赖，他分封二十三个皇子为王，分驻各要地，以“屏藩王室”。然而，内乱不起于外人，恰恰是“兄弟阋于墙”。朱元璋死后仅四年，四子燕王朱棣就取代了他亲自选定的接班人建文帝，历史与朱元璋开了一个大玩笑。

朱元璋以铁腕治世，重典治国，恰如一柄双刃剑，在重建秩序、巩固统治基础的同时，亦会出现“莫须有”。太平盛世的背后，隐藏着对人命的轻视。这个自称与汉高祖刘邦一样从社会最底层走出的皇帝，以心狠手辣为最，高大的“大明神功圣德碑”虽有千般溢美之词，也掩饰不了一个受慈悲为怀的佛说熏陶的朱元璋纵情杀戮的史实。

总体而言，对登基前后的朱元璋，评价不一，誉之毁之皆有。不可否认，始于洪武，止于宣德，明朝的生产力和社会经济发展，已经达到并在许多方面超越了前代的最高水平，朱元璋具有定鼎和奠基之功。但就个人而言，他又是一个以严刑酷法和残酷杀戮为显著特征的猜忌多疑之君。

朱元璋的高明之处，或曰最完美、最令人折服的一点，就在于惜民。他杀贪官污吏，杀不法之人，虽然不免伤及无辜，但对大众百姓，却不曾动半根手指。朱元璋以严刑苛法治理天下，驾驭群臣，却没有像秦王朝只历二世即亡，大明延续了近三百年国祚。原因就是心系万民，它深深地溶于这位平民皇帝的血脉之中。

朱元璋不怕得罪官，但决不得罪民。自幼他看够了富人的白眼，受尽了富人的欺压，也永远忘不掉父母死后几无葬身之地。他对百姓的疾苦感同身受，这就注定了朱元璋至深至浓的平民情结，掌权后就是要限制和打击富豪的横暴，保护贫苦百姓。他不是冠冕堂皇的唱唱高调，而是不懈努力为之践行。在他的统治下，明初社会经济得以迅速恢复和发展，人民生活趋于安定，国家经济实力大大增强，一派祥和与安康的盛世景象。

朱元璋说过这么一段话："纯良之臣，国之宝也；残暴之臣，国之蠹也。自古纯良者为君造福，而残暴者为国致殃。何谓纯良？处心公忠，临民恺悌，虽材有不逮者，亦不致于伤物。"虽治政手段有可商榷之处，但朱元璋立国之心为民所系，可以明鉴。如此说来，朱元璋称得上是一代明君英主，无愧于"治隆唐宋"的豪迈。

传统中国社会，男性为主宰，女性一直处于从属地位。嫁了人便随夫姓，称之为"某某氏"。即便如此，少数女性在历史上所发挥的作用和取得的成功，仍不可忽视。

朱元璋从贫民至帝王，步步而进，从一个女性那里得到过良多助益。他俩不是青梅竹马、两小无猜，却是风雨同舟、患难与共，她就是与朱元璋相互支撑一路前行的马皇后。无论是史书还是民间传说，对她都赞誉有加。人们常说，一个成功男人的背后，总站着一个伟大的女人。朱元璋之所以成功，其背后就有着马皇后这么一位相夫教子的"贤内助"。

马皇后（1332—1382），名秀英，安徽宿州人，朱元璋的结发之妻。她有心胸，有见识，是仁慈、善良、俭朴、爱民的一代贤后。她敢于在明太祖施行暴政时进行劝谏，保全了许多忠臣良将的性命。她善待后宫嫔妃，不为娘家谋私

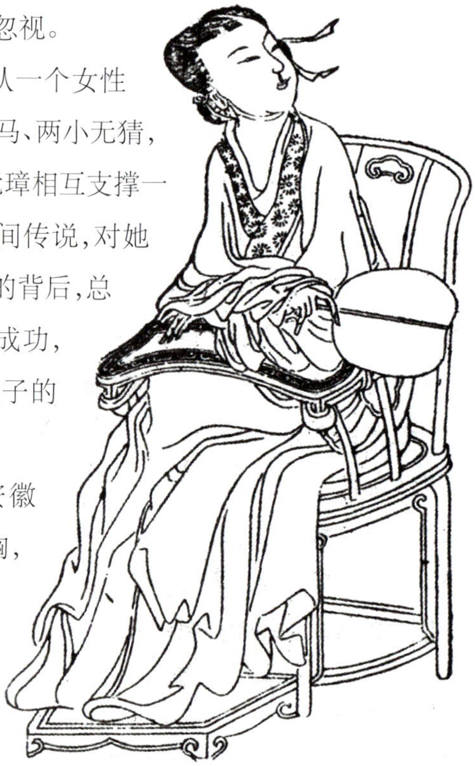

马皇后像

利，开创了明朝后宫和外戚不干政的好风气。

其母郑氏早卒，当时她尚年幼，其父与郭子兴有刎颈之交，遂将小女托付给他，不久即卒。郭子兴对待好友之女视同己出，马氏自少端庄孝敬，慈惠聪明，尤好诗书。

元顺帝至正十二年（1352），郭子兴率数千人响应刘福通领导的红巾军起义，占据濠州（今凤阳）。朱元璋前来投奔，他有勇有谋，连立战功，深得郭子兴青睐，郭便将义女马氏许配给其为妻。

在朱元璋领兵征战的岁月里，将士们的家属由她统领安置，将士得以全心投入战斗。将士们在前方作战，后方的家属们也没闲着，在马氏的带领下，缝衣做鞋，支援前线。陈友谅大举进攻龙湾时，朱元璋带兵迎敌，气氛异常紧张。一时濒临城下之危，不少官员百姓准备逃难。危急时刻，马皇后镇定如常，她把内室的全部金银、布匹都拿出来犒赏将士，稳定了军心，鼓舞了士气，为朱元璋获胜起到了重要作用。

在朱元璋平定天下、创建帝业的岁月里，马皇后与他和舟共济。朱元璋为了实现自己的目标，焚香祝天，愿天命早有所付，毋苦天下百姓。马氏则言称："方今豪杰并争，虽未知天命所归，以妾观之，惟以不杀人为本，颠者扶之，危者救之，收拾人心。人心所归，即天命所在。彼纵杀掠以失人心，天之所恶，虽其身亦难保也。"朱元璋听后感悟良多，只要心系百姓，努力践行，得道多助，何愁人心向背。

朱元璋做了皇帝后，对马皇后一直非常尊重和感激，对她的建议也多能认同和采纳。对于朱元璋的用人之道，马皇后提出己见：作为君主，你虽有圣明，但不可能独理天下，必选择贤人为之治理国家。然而，人无完人，陛下虽然能根据各人之长短优劣而各尽所能，但不要以其小过而求全责备。太祖听了，至为称善。

君临天下，九五之尊，让当朝皇帝脱胎换骨。而朱元璋和马皇后则始终如一，不忘本，不骄奢，与民同享。马氏在明初走向太平盛世的过程中，功不可没。

朱元璋性情暴烈，为了保住朱明江山，不断寻找借口屠戮功臣宿将。马皇后虽是女流之辈，却有着不一样的境界。她常常劝诫朱元璋不要因

马皇后教太子（明版画）

一时愤怒而滥杀无辜，告诫说：夫妻相保易，君臣相保难。陛下不忘我曾与您共贫贱，也应该不忘群臣曾和您同历艰难。肺腑之言令朱元璋不得不三思而后行，多少有所节制，避免了过激的刑戮与杀伐。

以柔克刚，阴阳相济，马皇后虽身处后宫，无意干政，但她以女性的细腻和委婉的方式，弥补了朱元璋施政的一些不足，堪称一代贤后。朱元璋曾不止一次地对群臣赞颂马氏的贤德，称她堪比唐朝的长孙皇后，而她自己则谦逊地认为怎能与长孙皇后相比。

身为皇后，当有享不尽的荣华富贵，但马皇后始终保持俭朴作风，勤谨有加。平日所穿的都是粗布做的衣裳，一洗再洗，破了也不忍丢弃。她不但身体力行，还教导嫔妃勿忘蚕桑和纺织之艰难，不可挥霍浪费。遇到荒年灾月，她带领宫人粗茶淡饭，以体察民间疾苦。不仅如此，她还时常与宫人嫔妃讲述古训，教导她们做人的道理。母仪天下，马皇后做出了很好的表率。

朱元璋心存感激，几次要寻访马皇后的亲族封官加赏。换了别人，求之不得，但马皇后无动于衷。她襟怀坦荡，直言："爵禄属于天下公器，岂能私自给予外戚？"由于她坚辞，朱元璋只好作罢。马皇后的言行举止，令朝野臣服。"家有贤妻"与"国有良相"同样重要。

洪武十五年（1382），马皇后病逝，年仅五十岁。临终时嘱咐朱元璋"求贤纳谏，慎终如始"，并愿"子孙皆贤，臣民得所"。至死，马皇后都保持清醒的识见。

朱元璋对马后的死大为悲痛，失声恸哭。他痛悼的册文曰："皇后马氏。亘古帝王之兴淑德之配，能共致忧勤于政治者盖鲜克开泰寰宇、福被苍生。惟后与朕起自寒微，忧勤相济，越自扰攘之际，以迄于今，三十有一年。家范宫闱，母仪天下，相我治道，成我后人，淑德之至，无以加矣！朕意数年之后，吾儿为帝，当与后归老寿宫，抚诸孙于膝下，以享天下养。何期一疾弗瘳，遽然崩逝，使朕哀号，不胜痛悼！虽然，有生必有死，天道之常，后虽崩逝，而后之德不泯者存！谨遵古谥法，册谥皇后曰'孝慈'。于戏！公议所在，朕不敢私，惟灵其鉴之。"

朱元璋对马氏终身相伴，一往情深，在马氏之后，他身边虽有许多女人，但马氏的地位无人替代，他再没有册立皇后。

第二章 ◎ 陵墓营建

生前极具富贵，
身后也要尽享荣华，
于是有了规制宏大的帝王陵寝。
你想了解它吗？

生命的终结，在所有时代都是一个令人感到困扰的问题，因为无论圣贤与白痴、伟人与草民，都难免一死。人类不得不面对和接受死亡这一现实。

出于孝道，在亲人故去后，要为死者行送终大礼，由此产生了各种葬式与葬俗，出现了形色各异的冥间世界。

如果我们把墓地视为死者的另一个世界，每一座墓葬，就如同他们在地下的一个居室。它实际上就等同于死者生前的居室在另一个世界的投影，由此，我们就不难理解帝王和平民墓冢之间的区别，因为它已上升为一种等级制度，是现实生活的某种延续。

中国的帝王陵寝文化发展史，可以追溯到大约五千年前。不过，无论是炎帝、黄帝，还是大禹，他们都不是真正意义上的“帝王”。因此，中国帝王陵寝文化的真正肇始，还应推“千古一帝”秦始皇的陵墓。

中国古代墓葬的一个重要特征，便是普遍崇奉厚葬，“事死如生”的观念使这种风气大行其道。不仅如此，历代统治阶级穷奢极欲，为了显示他们的地位与财富，随葬品贪多求全，极大地助长了厚葬风气愈演愈烈，皇帝陵墓则更是无所不用其极。

秦王朝虽然寿短，但著名的秦始皇陵不仅封土高大，作为陪葬的兵马俑坑更是气势雄壮。仅此一点，就足以在秦汉以降的中国帝陵中独

秦始皇皇陵

占鳌头，因而享有“世界第八大奇迹”之誉，成为天下周知的厚葬典范。为了修建这一宏大的地下宫殿，秦始皇征调了七十多万民工，前后花了三十多年时间才竣工。从气势恢宏的兵马俑仪仗，就可以想象秦始皇陵内部的豪华宏丽，犹如人间天堂。

汉武帝茂陵

汉代，也是一个讲究厚葬的时代，“汉天子即位一年而为陵，天下贡献三分之，一供宗庙，一供宾客，一充山陵”，意即国家每年收入的三分之一都用于建造皇帝陵墓。当时的埋葬风俗是“厚资多藏，器用如生人”，可见，死者一如生者，希望能在阴间继续享受美好生活。它形成了中国古代墓葬史上第二个厚葬高潮。

唐代的帝王，也是厚葬的倡导者，为了使逝者能够像生前一样享受，统治者不惜重金模拟地上王国于阴间世界，墓中放置千味食品、万般器用。上行下效，厚葬之风盛行全国，形成了第三个高潮。

唐高宗与武则天合葬墓乾陵

漫长的中国封建社会，世袭制贯穿始终，帝陵文化盛衍不衰，绵延发展。其间虽有明君、昏君之别，治世、乱世之分，但只要是个皇帝，在其死后，一定是要享有最高规格的墓葬形制和礼仪形式，但其中也不乏个别因改朝换代、兵荒马乱之际落难异乡而草草掩埋的孤魂，如隋炀帝、南唐后主李煜等。

汉代帝王陵墓一般“因山而藏”，封土而作，而唐代帝陵则是依山为陵，通过凿山开穴而成。也有少数以“潜埋”的方式，地表不留任何痕迹。个别为了防止墓室被盗，采用“故布疑冢”之计。但总体而言，建筑高大的封土堆，或巧借山体为墓冢，是帝王陵墓常见的两种形式。纵观历代帝王陵墓，其选址除了考虑风水等自然因素外，特别注重陵寝的安全与壮观。明代开国皇帝朱元璋的陵墓明孝陵也一脉相承，不过，它兼及依山和封土，将两者合二为一。

南京四周，除了城西为浩瀚的长江，余处群山连绵，各有特色。若散而实聚，若断而实续，相传为秦始皇所凿断之处，虽山形不联，而骨脉伏地，隐然相属。

钟山与巍峨的三山五岳相比，只能甘拜下风，其名气要小许多。但它在南京诸山之中，绝对是首屈一指，影响最大。作为六朝古都，十朝都

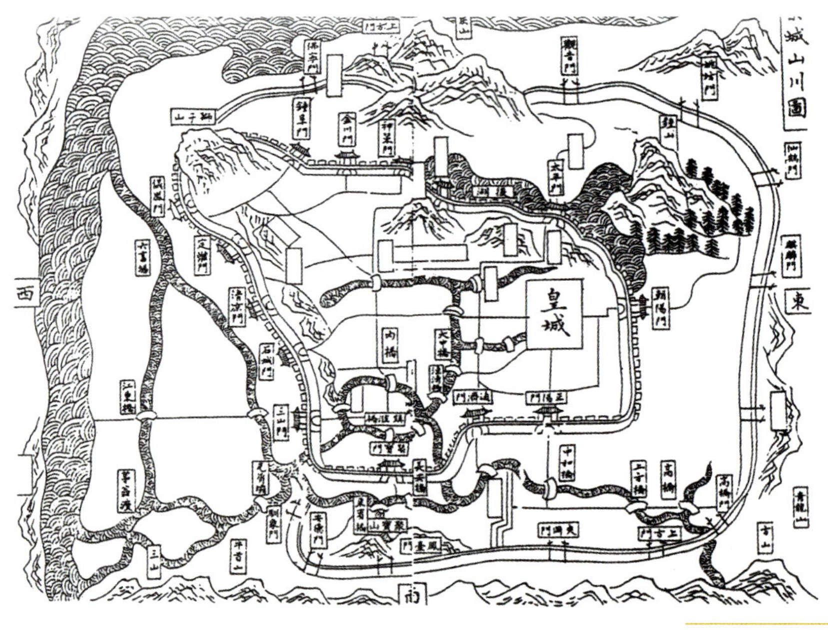

明洪武京城图

会，南京厚重的历史文化遗产，大多荟萃于此，故有中国“城中”第一名山之称。所受关注的程度，从它称谓的变化上，可见一斑。

战国时代，群雄争霸，楚威王灭越国后，相传曾在钟山掘土埋金，以镇“王气”，故那时的钟山名叫金陵山，它是已知钟山最早的称谓。到了汉代，风水术盛行，术士说此山为王气所“钟”，即汇聚之意，这应是钟山之名肇始。孙吴时，因避讳孙权祖父孙钟之名，遂以东汉末年战死于钟山的秣陵县尉蒋子文之姓改名为蒋山。东晋初，元帝渡江时，随行的风水先生称山上有紫气萦绕，因而得名紫金山。其实，“紫气”来源于山巅紫红色页岩在阳光照射下所折射出的色彩，并非什么吉兆。其后，钟山之名又几度变更，南朝时因山在城北，被称为北山。到了明代，由于太祖葬于此，又改名神烈山。

六朝兴废，江山易主，手足残杀，令朱元璋不堪回首。如何巩固朱明江山，保证世代永续，他煞费苦心。朱元璋虽无多少文化，但见多识广。他曾经投身佛门，参禅打坐之际，常会思考人生的归宿。什么大地神灵、阴阳风水、生死轮回，都会划过他的脑际。所谓“谋事在人，成事在天”，历史中的偶然成分很大。面对神秘莫测的世界，其认知显然不足以看清，只能祈求上苍的庇护，保佑江山一统，国运昌盛。

人的生命有限而无法预测，所以得预作准备。历代许多帝王，都在生前开始营建陵墓，朱元璋也希望自己百年之后，能有一个安身吉祥之地，故他很早就开始为自己选择陵址，以求一处万年吉壤以造福子孙后代。事关帝业承嗣之大事，朱元璋于洪武初年就着手准备。

明皇城不在城市中轴线而偏于城东，出了朝阳门，与钟山只有“咫尺之遥”。太祖常去钟山一览，这里的风景殊异，令他一见倾心。朱元璋身边不乏精通堪舆术的高人，刘基就是其中之一。君臣之间，知根知底，朱元璋那一点心思，他们看得透透的。朱元璋不想死，但他又必须为死后找一个安身之地，于是，相地择吉，就成了一桩心事，一件大事。

葬地讲究地势高亢而开阔，通常选在“峰峦矗拥，众水环绕，叠嶂层层，献奇于后，龙脉抱卫”的“佳穴”之地，换言之，墓地要选在背倚山峰、两面有山峰环绕，面临河流与平原之地。

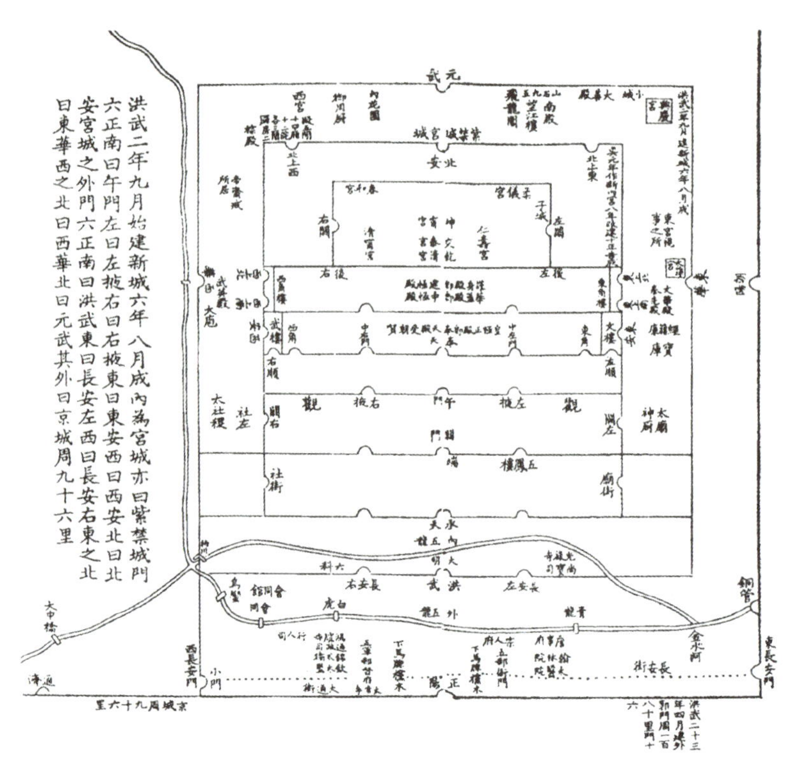

南京明宫城图（清版画）

据传，洪武七年（1374）前后，朱元璋与刘基、开国元勋徐达、汤和等人亲临城东巡视，在钟山脚下玩珠峰一带，看上了这块风水宝地。它背依钟山，四周松木如林，山前一马平川。对此，明朝张岱在《陶庵梦忆·钟山》中留下了一段颇具传奇色彩的记载：“钟山上有云气，浮浮冉冉，红紫间之，人言王气，龙蜕藏焉。高皇帝与刘诚意、徐中山、汤东瓯定寝穴，各志其处，藏袖中。三人合，穴遂定。”当时，他们踏遍钟山，观山脉走向，看穴地环境，瞻前顾后，顾盼流连，最终心有所属。待到表决时，各人将陵址写好后藏于袖中，然后取出定夺。结果“英雄所见略同”，“独龙阜”这个山丘成为他们心中的共识。于是，钟山之阳这块风水宝地，后

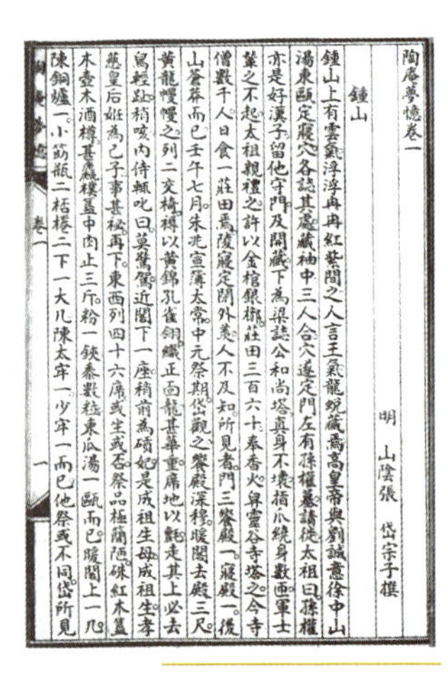
陶庵夢憶卷一
明 山陰張 岱宗子撰
鍾山
鍾山上有雲氣浮浮冉冉紅紫間之人言王氣龍蛻藏焉高皇帝與劉誠意徐中山湯東甌定寢穴各誌其處藏袖中三人合穴遂定門左有孫權墓請徙太祖曰孫權亦是好漢子留他守門及開藏下爲梁誌公和尚塔真身不壞指爪繞身數匝軍士舁之不起太祖親禮之許以金棺銀槨莊田三百六十奉香火舁靈谷寺塔之今寺僧數千人日食一莊田焉陵寢定閉外羨人不及知所見者門三饗殿一寢殿一後山蒼莽而已壬午七月朱兆宣簿太常中元祭期岱觀之饗殿深穆暖閣去殿三尺黃龍幔幔之列二交椅褥以黃錦孔雀翎織正面龍甚華重席地以氈走其上必去舄輕趾稍咳內侍輒叱曰莫驚駕近閣下一座稍前爲碽妃是成祖生母成祖生孝慈皇后妣爲己子事甚秘再下東西列四十六席或坐或否祭品極簡陋硃紅木簋木壺木酒樽甚麤樸簋中肉止三斤粉一鋏黍數粒東瓜湯一甌而已暖閣上一几陳銅爐一小筯瓶二杯棬二下一大几陳太牢一少牢一而已他祭或不同岱所見

张岱《陶庵梦忆》书影

来便与朱元璋结缘，化作一体。

独龙阜是位于钟山主峰之下的一个土丘，高度约70米，直径达三四百米，外形酷似一座巨大的天然坟茔。如将墓穴置于此中，纯粹为天赐所葬，不可胜言。

独龙阜所处的位置绝佳，从风水地貌上看，东有青龙像，西有白虎像，两侧各有名为“龙砂”与“虎砂”的高九十多米的山脊，如左右之天然屏障，以达拱卫之功。

汤和像

风水术中所讲的“砂”，就是指“主龙”四周的小山脉或山峰、高地等隆起之处。它们与主脉之间的关系，如同主仆一样，起到侍卫、随从、遮护、朝贡等不同职能。位于穴位左侧的被称为“龙砂”，又称“上砂”；而位居其右者称“虎砂”，也称“下砂”。这两砂对于整个龙脉的结构关系至为重要，为风水先生所注重。这两砂也被称为“左右护砂”、“左辅右弼”。它的形式、高低、长短、向背都很讲究和谐、对称，与穴区的距离要求适当，过远过低则势散，过近过高则太逼。

西南面的前湖为朱雀像，水面开阔，清澈见底，微风轻拂，波光粼粼。北部近百米高的玩珠峰则为玄武像，低垂于钟山主峰之下，正符合“玄

前湖

武低首”之要义。这东、南、西、北四像，契合相宜。再往前看，正前方为五十多米高的孙陵岗（今梅花山），如一座供祭拜的天然“近案”，更远处的天印山（方山）则呈俯拜之状，表示“远朝”来敬。这一近一远，一低一高的天成形势，完全符合风水吉相。所有这一切，都围绕一个主题，就是“龙宅”。

在堪舆术中，“觅龙”是极为重要的一项。风水先生认为：生气总是要顺着“龙脉”运行，因此，看风水首看“龙脉”所在。而皇帝自命为“真龙天子”，更看重这一点。

依现行地形地势，独龙阜以钟山为靠山，以天印山为朝山，以梅花山为案山，三山南北相望，高低错落，连成主轴线。周围群山环绕，形如太师椅，而置身其间的独龙阜，就是“龙脉”所在。

同样在堪舆术中，山与水不可分割。在先哲看来，水是万汇之根源，对人们的生活发生重大的影响，所以在“风水”这一概念中，除了风——生气之外，其次就是水了。恰恰在独龙阜东北处，有自北向西南流淌的“冠带水”，潺潺溪流，可保王气聚而不散。

中国帝王自古就信奉“君权神授”、“天人合一”的思想，并把它融入现实之中，独龙阜所体现出的内涵，正寓意于此。一言以蔽之，独龙阜实乃天造地设之吉地，能让死者灵魂得安，投胎转世，让生者受荫得福，吉祥无恙。

独龙阜位于山坳之中，既独立存在，又与整个大环境相得益彰，其周边的地形、地势、地貌，无不为陵寝增色。朱元璋等君臣选择这里为陵址，与传统风水理论极为契合，如将后来建成的孝陵置于这样的地理环境中去审视，可谓天作之合，深度阐发了博大的文化内涵，使孝陵的人文景观和自然风景高度结合，和谐统一，堪称中国传统文化、建筑艺术和自然环境相结合的典范。

此次亲勘后，钟山之阳就为太祖据为己有，成了禁地。先于太祖而去的开国元勋，多赐葬于山阴，他们生前为朱元璋拼命打天下，死后才能分享这一皇恩。虽说山前山后，山阳山阴，是有区别，但终归是同一座山，也只有极少数人才能够享受这种恩宠。

朱元璋选中独龙阜为自己的安葬之地，但历史已在这块土地上延续了数千年，你可以不给后人留有机会，却无法阻止前人在此"落户"。独龙阜的阴宅门户早就有了主，八百年前，南朝梁时高僧宝志就长眠于此。这对朱元璋来说，岂不大煞风景。对前人该如何处置？俗话说"普天之下，莫非王土，率土之滨，莫非王臣"，即便是帝王阴宅，亦是重中之重，风水宝地岂容分享？于是，朱元璋上演了"横刀夺爱"的一幕，宝志墓被另择吉地而葬。

这宝志的身世非同寻常，出生时就充满传奇，据说他是生在金陵郊外一株大树的鹰巢中。哇哇的一声啼哭，让一个去井边打水的朱姓妇女听见，好心的她遂将其收养，并从朱姓。显然，这宝志不是来自凡间，诚如人们所描绘的，他是有着一双鹰爪的异人，可谓人神合一。

朱家赤贫，自家孩子都吃不饱，又怎能顾得上宝志，七岁那年他被送往钟山道林寺当和尚，一晃就是数十年。中年以后，宝志修道已成，他常云游四方，散发赤脚，手拄铁杖，杖上悬挂刀、尺、拂、镜四样东西。世人见之，不识其中奥秘。多年之后，有好事者穿凿附会，大肆渲染，竟然给出这样一番神奇的解释：言称刀（齐）、尺（量）、拂（尘）、镜（明），各有寓意。宝志先知先觉，已预感后来建都于南京的齐、梁、陈、明等朝代。这当然是无稽笑谈，但充满想象，宋朝宰相李纲曾写诗赞誉道："宝公真至人，鸟爪金色身。杖携刀尺拂，语隐齐梁陈。"

南朝梁武帝笃信佛教，已到了痴迷和佞佛的地步，僧人受宠，高僧更得青睐，宝志生前就与这位"菩萨皇帝"交情甚笃。一日，梁武帝与宝志同游钟山定林寺，宝志手指其旁的独龙阜说："地为阴宅，则永其后。"梁武帝问："谁当之？"宝志答："先行者当之。"天监十三年（514）十二月，宝志以 97 岁高龄圆寂于帝王宫苑华林园的佛堂。梁武帝遵其所言，将宝志葬于独龙阜，以合其心愿。梁武帝的女儿永定公主也大发慈悲，捐资为他建造了一座五层墓塔。梁武帝又锦上添花，于次年在塔前为宝志建造了一座开善寺，让不尽的香火去延续人们对宝志的思念。萧梁昭明太子萧统曾有《开善寺法会》一诗，南朝陈文学家阴铿和徐伯阳也都写诗赞誉。

宝志的修行极高，甚得信徒的顶礼膜拜。其传奇色彩，又使游人产生极大的兴趣，于是宝公塔成了古代钟山的一处名胜，善男信女到此焚香卜筮，历代文人墨客到此游览赋诗，唐代大诗人李白就有《志公画赞》一诗。六百多年后的元代，这里依然香火鼎盛，游人熙攘，胡炳文在其游记中记述到，当时的钟山"径狭荒芜，游客罕至，独拜塔者累累不绝"。

宝公塔前的开善寺，是古代钟山七十多所南朝佛寺中唯一流传至今的寺庙，已有千岁高龄。钟山早在晋代就有佛寺，南北朝时期，佛教在我国盛行，特别是六朝都城建康，臻于极致。唐代杜牧有"南朝四百八十寺，多少楼台烟雨中"之诗句，实为盛况之写照。

钟山一带，佛寺约有七十多座，方圆不大的地盘，寺庙如此密集，可见当时佛事之盛。到了梁代更是登峰造极，著名的寺庙除了上下定林寺、开善寺外，主要还有延贤寺、竹林寺、道林寺、宋熙寺、法云寺、竹园寺、下云居寺、灵曜寺、石室寺、药王寺、兴皇寺、灵味寺、上云居寺、草堂寺、定岩寺、明庆寺、翠微寺、本业寺、秀峰院、福静寺、猛信尼寺、飞流寺、头陀寺、雪峰庵、半山寺、兴教寺、悟真庵、清果院、澄心院、净隐院、梵惠院、崇禧万寿寺、七佛庵、白莲庵、苜蓿庵、观音阁、白云寺、皇化寺、圆通庵、万福寺等。其中最大的，当属菩萨皇帝梁武帝为其父于钟山主峰所建的大爱敬寺。这些寺庙除了开善寺改换门庭保留下来，其余都灰飞烟灭。

佛教有盛有衰，除了当局和自身的原因外，还因历代兵燹迭生，使得寺庙难逃厄运。更由于明代营建太祖陵墓，山林划归禁区，外人不得入内，寺务渐废，久之荒芜圮毁，于是今日钟山就难见明以前的建筑了。

世事变幻，斗转星移，一代佛寺之盛终成历史，唯有山川和烟水不变，诚如元朝诗人萨都剌在《金陵怀古》中发出的"怀故国，空陈迹……到如今，只有蒋山青，秦淮碧"的感慨！

2002年，考古专家在明孝陵陵宫东侧发现一处建筑遗存，清理出几块具有六朝风格的建筑石构件，四面装饰有建筑浮雕图案。结合史料分析，大致推测这里应是江南名刹开善寺所在。

由于朝代兴衰更替，作为大刹，也不免受之影响，从名称的变化上就可看出。开善寺落成于梁朝天监十四年(515)，唐朝乾符年间更名宝公院，南唐时又改称开善道场，北宋时再度更名为太平兴国寺。它是当时钟山上规模最大的一座，元代胡炳文在其《游钟山记》中记述到："弘丽视半山百倍，龛锼壁绘，光彩夺目，诡状万千，两庑级石而升四五十丈，始至宝公塔。"到了元末明初，开善寺又因山为名，成了蒋山寺。如果不辨其来龙去脉，真的让人难以弄清这究竟是一座庙宇还是几座庙宇。

除了更名外，寺庙还可能易址。自朱元璋选定独龙阜建筑陵墓以来，便把蒋山寺迁到钟山之阳的紫霞洞南。新寺将竣，有风水先生踏勘后进言：与皇陵靠得太近，有碍"气脉"。皇帝希望"家天下"能得以永续，最忌讳的就是这一点。虽然朱元璋敬畏佛门，自己又有在寺庙生活的短暂

经历，但他更关心的还是自己的身后，永葆江山万代。当然，朱元璋内心深处或许还是有一丝不安，于是他再命丞相李善长另择一处可容纳千僧的寺址。佛门执拗不过皇权，新寺再次东移，一直移到今天灵谷寺公园所在的“东冈”。

在一再迁徙中，宝公身上神的力量开始发威。在拆除宝公塔、挖出宝公遗体时，他如参禅打坐一般，屈膝盘坐在两只上下对合的莲花缸内，真身完好，长发披身，指爪绕身数匝，容貌如生。军士想将他抬起，却纹丝不得动。

朱元璋听后大为诧异，遂亲到宝公塔卜筮，以求神灵。杨仪《明良记》中有这样一段记载：朱元璋充满虔诚地求得一签，上写：“世间万物各有主，一厘一毫君莫取。英雄豪杰自天生，也须步步循规矩。”他恍然大悟，原来这是在“太岁头上动土”，得罪了高僧，法力所致，所以宝志稳如泰山。

虽说朱元璋身为皇帝，天下第一，但他不得不相信上苍的力量和庇护。于是朱元璋赶紧赔罪，答应许以金棺银椁以厚葬宝志，还为他建造一座更大的寺庙，赐庄田三百六十顷，以奉香火，并让寺僧时时祭祀。一番许愿，终让老天开眼，这才请走了大师真身。宝志塔附近原有清泉谓之“八功德水”，一清，二冷，三香，四柔，五甘，六净，七不饐，八蠲疴，是绝佳上品，梁以前，常取此水供内廷享用。据说，将宝公迁走之后，旧池干涸，泉水随之不在，闻者皆啧啧称奇。

朱元璋一诺千金，宝志和尚的新墓塔和更大的佛寺很快落成。洪武十四年，朱元璋赐寺额曰“灵谷禅寺”，并题写了“第一禅林”四字，刻匾悬于寺门。

明初，朱元璋相继在鸡鸣山建置十三庙，通称“十庙”，其中之一为“普济禅师庙”，供奉的庙主就是沙门宝志。每年的三月十八日遣太常寺官致祭。

灵谷之名，读来高雅，取其有意。朱元璋在灵谷寺新建时写的《游新庵记》中说：“钟山之阳有谷，谷有灵泉，曰八功德水。”其后，朱元璋在《御制大灵谷寺记》中又称，灵谷寺的地形是“左群山右峻岭”之间的一片谷地。可见，“灵谷”二字兼及“山”之刚与“水”之柔，充满灵动之感。

八功德水

明代的灵谷寺占地五百亩，其范围南抵孝陵卫，北接明孝陵皇墙，供养千名僧人，可谓庙大菩萨多。寺内主要建筑有：金刚殿、天王殿、无量殿、五方殿、大法堂、律堂、宝公塔等。在无量殿与大法堂之间，东西两侧还有148间画廊，绘制各种姿态的佛像壁画，后毁于火灾。天王殿的西侧，有一座钟楼，元代所铸，后不存。

明清易代及清初，数度战火让灵谷寺饱受袭扰，除无量殿和宝公塔外，其余悉数被毁。其后，重新修复，为金陵名刹，皇帝多次驾临。康熙六下江南，最后一次曾游灵谷寺，并题写“灵谷禅林”；又作一副对联：“天

明代灵谷寺

香飘广殿　山气宿空廊。”乾隆六下江南，次次临幸，并曾驻跸大宝法王殿旧址兴建的行宫。清中叶，灵谷寺又恢复昔日盛况。寺内浮屠高矗，殿宇林立，其中“八景”为最，享誉一时。咸丰年间，清军与太平军十年激战，灵谷寺几成废墟。

清同治六年（1867），曾国藩在无量殿东、八功德水侧建龙神庙一座，有山门、正殿、客厅、僧房、斋堂、厨房等25间。光绪年间，又陆续修建了宝公塔、金刚殿和天王殿等。1928年，国民政府决定就灵谷寺遗址筹建国民革命军阵亡将士公墓，灵谷寺原有的佛像全部并入龙神庙中。此后，龙神庙就称为灵谷寺并一直延续至今。走进灵谷寺，寺门对面有一堵照壁，上书“宝志禅师应化真身道场”10个字。人们或许不知，还原历史，其前身就是祀奉宝志的一座千年古寺。

宝公塔今在何处？光绪十三年（1887）在灵谷寺律堂（今松风阁）后重建五层宝公塔一座。国民政府定都南京后，建造阵亡将士墓，因宝公塔位于公墓中轴线上，有碍观瞻，故再次被迁。1935年拆除宝公塔时，挖得一小棺，内有一石函，贮陶钵一只，内藏宝志的佛牙、舍利，另有石碑一方，上镌刻明洪武十五年礼部尚书刘仲质所撰的迁葬记。当时重又做了

灵谷寺

宝公塔

一个石棺，把石函、陶钵、佛牙、舍利等一并置其内，迁葬于今日松风阁西侧。新的宝公塔始建于 1937 年，因抗战突然爆发而被迫中止。1941 年 10 月，由汪伪南京市政府募资完工。

洪武十四年（1381）九月，朱元璋在钟山之阳行奠基之礼，开始大兴土木，为自己兴建阴宅。

明孝陵是一个浩大的建筑工程，身为帝王和墓主，朱元璋全权参与和督促。整个陵园占地几乎囊括了钟山全部，所筑皇墙长达二十多公里。除耗费巨资外，动用了"十万军工"，还从各地征调了大批工匠、民夫和狱囚。工程由工部具体负责营建，但因事务繁杂，施工人员源自多头，管理不易。朱元璋专门下诏，抽调长于组织和管理的官员，各司其职，配合工部协同进行。《大明会典 · 工部山陵条》有载：具体分工如下：敕武职大臣一员、工部堂上官一员，总督工程；礼部堂上官一员，总拟规制。兵部堂上官一员，总督官军；科、道官各一员，起监督之用；另于各衙门选取能干之官一员，协同工部堂上官监理工程。又请敕内官监官二三员，提督工程。上述人员，只是各负其责，总领整个陵墓工程的，则是朱元璋的同乡、中军都督府佥事李新。

有关李新，《明史》有载，乃濠州人氏，跟随朱元璋渡江，屡立战功，深得太祖信任。朱元璋能把营建陵墓之重要工程托付于他，足见与之关系非同一般。由于营建山陵劳苦功高，开工后次年，李新就被封为崇山侯，享受年俸禄一千五百石的丰厚待遇。

李新在营造方面确有独特的才能，明孝陵只是他负责的工程之一，洪武二十二年，他又奉命于鸡笼山下改造帝王庙。他的另一个杰作，就是奉命督造开挖溧水的胭脂河。

明洪武年间，为了维持京畿的庞大开支，朝廷征收的各地给养通过船运车载送抵南京。两浙地区是鱼米之乡，是中央政府重要的经济来源。但其赋税漕运京师，费用浩繁，且风险很大。为此，朱元璋决定，“欲自畿甸近地凿河流以通于浙，俾输者不劳，商旅获便”。胭脂河就这样应运而生。

胭脂河工程是要在一条长约5公里、高为25至30米的胭脂石岗上开凿出一条河来，这在当时爆破技术不甚发达的年代，其工程难度就可想而知。在胭脂岗开凿一条深30多米、宽20米的运河，工程之艰巨、耗资之巨大，在当时水利建设中实为罕见。

有关胭脂河的开凿，《溧水县志》中曾有记载。开山时先在岩石上凿，然后将麻绳嵌入石缝中，浇上桐油，点火焚烧。待岩石烧红后再泼上冷水，利用热胀冷缩的原理使其开裂，然后将石块撬开搬走。如今，在河西的高岗上还留有当年运出的巨石，重的达十余吨。从当时的施工条件来看，将这样的巨石从河中运上岸，确实令人惊奇，但充满智慧的能工巧匠做到了。不过，在它的背后，付出的不仅仅是辛劳和汗水，那胭脂色，分明隐喻着一种血腥，在《县志》中就记载有为开挖这条河“役而死者万人”。游此者凭吊遗痕，缅怀往事，不胜感慨。

在胭脂河开凿时，工匠们巧妙地将两处地势最高处留下作为县城向

西的通道。河成之后，将巨石下方凿开以通舟楫，这就是著名的天生桥，桥“因势而成，故名天生”。天生桥长 34 米，宽 9 米，厚 8.9 米。在运河上留石桥，为国内外所罕见。

当初胭脂河的开凿，完全是为了京畿朝廷之需。明永乐十九年（1421）迁都北京后，政治中心随之转移，胭脂河的历史使命也告终结。其后，河道逐渐淤塞，虽多次疏浚，已不能通航，再下来是三百年间无人问津，可谓“潮起又潮落”，最终，胭脂河归于平静和平淡。

如今的天生桥已成为一大胜景，若乘船从沙河口进入胭脂河，只见桥两岸怪石高悬，奇峰倒挂，形态各异。而船行至天生桥下，两岸峭壁蜿蜒似天堑，一条石梁横跨如龙门，蔚为壮观。

然而，就是这样一位深受太祖青睐、且在营造方面确有成就的陵工总管，还是未得善终。不知是真的犯事，还是子虚乌有，朱元璋于 1396 年找了个理由，据说是牵扯到蓝玉党案，置李新于死地，这是后话。

不知是否因马皇后身体有疾，孝陵工程上马时是紧锣密鼓，经过一年的突击修筑，浩大的地下玄宫告竣。就在同年八月，朱元璋的结发之妻马氏病故，于是她先行入葬墓穴。

原享殿三级台基

洪武十六年(1383),孝陵享殿落成,这一建筑是孝陵创设。用料为金丝楠木等大量名贵木材,装饰得富丽堂皇,突出了享殿供奉神主和祭祀的功能。整个建筑拥有三层石造须弥座台基,殿基上筑有60个1.2米—1.4米见方的石柱础,其上支撑着株径约0.8米、高10米的粗壮殿柱。大殿面阔九间,进深五间。遥想当年,要在深山老林中觅得如此良材,砍伐后再运至南京,是多么的不易。然后还要精雕细琢花纹图案,再竖起支成殿宇,实乃难事。可想而知,孝陵工程的背后,是多么的艰辛,囿于帝王权威,劳役苦工只能听命。

孝陵享殿落成,是整个孝陵主体工程的重头戏,是日,朱元璋命皇太子朱标杀牲摆酒致祭。据《明太祖实录》载:清晨,执事者于殿中陈祭仪毕,引礼内官引皇太子、亲王由东门入,就殿中拜位,赞拜,皇太子以下皆四拜。皇太子少前跪,诸王皆跪,皇太子三上香,执事内官以爵酌授皇太子,执事内官受爵于案。赞读祝内官捧祝与香案前跪读曰:“近者园陵始营,祭享之仪未具,今礼殿既成,奉安神主,谨用祭告。”随后,行大礼,皇太子以下又四拜。礼毕,皆退,致祭仪式结束。

此后,陵墓工程项目一个接一个地建造,但不知何因,速度放缓,不如初始阶段那样风风火火。所以,在朱元璋生命最后的十八载中,只完成了下马坊、大金门及外郭城、方城、明楼、宝城以及神道石像生等单体建筑,离整个陵园完成尚有不小差距。是财力不足? 应该不差钱;是工程过于浩大,骑虎难下? 似也不太像;抑或工程繁杂,人员不整,督促不力? 一时还说不清。

从前期建筑完成的质量来看,臻于一流。所有建筑均用石头须弥座做基础,墙身用巨石或城砖砌筑,挑檐也为石造,坚固耐用。南京近郊多石山,故大部分石料采自附近的青龙山、大连山和阳山。石材质地硬,开采殊难,加之神道石刻个个体量庞大,皆由整块石料雕成,可谓难上加难。孝陵工程,除了石头、木料,主要就是砖材,当时指定周边各府、州、县专门烧制。为了保证质量,制定了统一标准,要求“依样画葫芦”。城砖上还印有烧制的地域、工匠、监官的姓名,以便追究责任甚至治罪。

孝陵建筑样式,并不拘泥于传统规制。譬如说弯曲的神道,与神道向

石质须弥座

来取直相异。一说是前有孙权墓的原因，后文将提及，这里不再赘述。不过仔细观察，吴王坟，也就是孙权墓所在的那个土丘，实乃陵寝建筑前的天然“案几”，是巧合，更是天意，可谓天人合一，岂有把它搬走之理！一说与天象有关，孝陵布局走向，恰似天空中的北斗七星。在丧葬过程中或陵墓建筑设计中，采用“取象于天”的手法，在历史上有着很深的渊源，古有先例。古代中国人特别崇拜北斗，称其为“日月五行之精也，囊括七曜，照临八方，上曜于天神，下直于人间，以司善恶而分祸福，群星所朝宗，万灵所俯仰。若人有能礼拜供养，长寿福贵，不信敬者，运命不久”。一介布衣出身的朱元璋，能成为一代帝王，可谓“天时地利人和”之造化，因此，遵循天象法则，取天地之融合，天人之合一，以护佑自己和朱明江山。

无论是因缘际会，还是出乎常理，抑或别出心裁，总之，弯曲的神道，作为孝陵规制的创新和特点，以其独一无二而被载入史册。

洪武三十一年（1398），朱元璋闭上了双眸，下葬于他所选定的陵寝。这之后，孝陵工程继续施工，建文、永乐二朝相续进行，但总体格局已定，经画如前。

朱棣是在靖难之后登上皇位的，而建文帝则是太祖钦点的当然继承人，客观地说，朱棣有违和有负皇命，是谋反篡权的乱臣贼子，所以他上台后于心不安。古人云，名不正则言不顺，言不顺则事不成。朱棣夺了皇位，先要名正、言顺。为了巩固自己的地位，他先后采取许多措施，其中重要的一项，就是为死去的父亲建碑，大行歌功颂德之能事。一尊高耸的石碑往那一放，百官顺了，自己的心也踏实许多。

朱棣决定以孝子面目出现，以换取一点民心，为安葬孝陵已六年的父亲朱元璋增建碑亭。明孝陵原有设计和建筑中并无这个项目，是朱棣为之添加，而且力求规格和规模空前。

不曾想到，从永乐三年（1405）开采碑材之始，直到永乐十一年（1413）才将“大明神功圣德碑”树立在碑亭中。为何这一项目用了八年时间？或许是因为当初朱棣急于求成是形势所需，但随着地位的巩固，他的心态发生了变化，无须再那么急促立碑了，所以一拖再拖。以下有一则史料，从中或许能看出一些端倪。

永乐二年十一月丙辰日，明成祖召见成国公朱能，对他说：“今日天气特别冷，修筑孝陵城垣的民工，可以回家。未完成的部分，令军士接手。凡出工的，每日结饷。”又言，“我今日感到寒气逼人，因考虑到民工劳作之苦，故令你让他们回去，但不能因此而耽误孝陵工程。军士劳作亦很难，但早出晚归，比起外乡在此服役的百姓，要好得多。尽管如此，还是要体恤他们，使其尽力。眼下隆冬季节，天气盛寒，若不是修筑先帝陵寝，也就不打扰他们了。”

狠辣的朱棣也有其温情的一面，他不忍民工受冻，体现了高高在上的帝王对社会最底层民工的一种体恤。但换一个角度，是不是也可以这样说，他更注重树立自己的形象，而不拿孝陵工程太当一回事，早一点迟一点完工，已无伤大雅。止于“大明神功圣德碑”，跨越洪武、建文、永乐三朝的孝陵工程全面告竣。

第三章 ◎ 建筑布局

自下马坊至地下玄宫所在的宝顶，纵深达两千六百多米，移步换景，岂能不享其中之妙？

明孝陵是朱元璋和马皇后的合葬陵墓，坐落在南京市东郊紫金山南麓独龙阜玩珠峰下，茅山西侧，东毗中山陵，南临梅花山，是南京最大的帝王陵墓，也是中国古代最大的帝王陵寝之一，拥有巨大的陵域空间，其城郭周长约45公里，相当于当时京师京城长度的三分之二。

作为中国明陵之首的明孝陵壮观宏伟，代表了明初建筑和石刻艺术的最高成就，直接影响了明清两代五百多年二十多座帝王陵寝的建筑格局，它们都是按南京明孝陵的规制和模式加以营建。因此，明孝陵的帝陵建设规制，在中国帝陵发展史上有着特殊的地位，堪称明清皇家第一陵。

据史料记载，明孝陵建于明洪武十四年（1381），翌年八月马皇后去世，九月入葬陵墓，定名为“孝陵”。孝陵之名，取意于谥中的孝字，有“以孝治天下”之意，一说是马皇后谥“孝慈”，故名。洪武三十一年（1398），朱元璋病逝，启用地宫与马皇后合葬。至明永乐十一年（1413）建成“大明孝陵神功圣德碑”，整个孝陵工程历时四十余年完成，耗费了大量人力、物力。

明孝陵经历了六百多年的沧桑，许多建筑物的木结构已不存在，但陵寝的格局仍保留了原有的恢弘气派，地宫完好如初。陵区内的主体建筑和石刻、方城、明楼、宝城、宝顶，包括下马坊、大金门、神功圣德碑、神道、石像路石刻等，都是明代建筑遗存，保持了陵墓原有建筑的真实性和空间布局的完整性。

明孝陵是现存建筑规模最大的古代帝王陵墓之一，它改变了唐宋帝陵方上、灵台、方垣、上下宫制度和十字轴线的布局，首次按皇宫规制建立“前朝后寝”的三进院落式样，并通过改方坟为圜丘，新辟方城、明楼、亨殿及长方形陵宫等建筑体制，开创了陵寝建筑平面呈“前方后圆”的基本格局。如此构造，是对上溯自周至宋历代帝陵制度的重大变革。唐宋陵寝模式，在设计上的理念注重的是灵魂；而孝陵陵寝制度，遵循礼制，包含有“天圆地方”的涵义，但更突出皇权，帝王至高无上，主导一切。朱元璋生前将集权专制发展到极致，他的这一思想也充分体现在身后陵宫的设计与建造上。

从墓葬形制来看，自周文王陵到汉元帝渭陵，封土起坟采用方上之作，即在地貌营建灵台，筑方形封堆，逐层收分夯实，坟堆最后成覆斗状。唐宋帝陵延续方上规制，陵园主要建筑有上宫与下宫之分，神道以北为上宫，中央为灵台，周遭围以方墙。下宫是供奉墓主灵位以及日常起居饮食的处所。孝陵则大胆革新，突破陈规，一改旧制，形成了自己独特的风格。

如果说“北派”陵寝风格是豪迈、粗犷与壮美，是所谓“铁马秋风冀北”，那“南派”就是婉约、细

腻和秀丽，正好比“杏花春雨江南”，独享其妙。明孝陵这座已有六百多年历史的明代皇家陵墓，以其墓主显赫、规模宏大、形制独特、背依钟山环境优美而著称于世。

1961 年，明孝陵被公布为第一批全国重点文物保护单位。2000 年，联合国教科文组织世界遗产委员会将明显陵、清东陵、清西陵作为明清皇家陵寝列入《世界遗产名录》。并于 2003 年 7 月在第 27 届世界遗产大会上，将明孝陵作为“明清皇家陵寝”扩展项目列入《世界遗产名录》，成为世界遗产大家族中的一员。世界遗产委员会的评价是：明清皇家陵寝依照风水理论，精心选址，将数量众多的建筑物巧妙地安置于地下。它是人类改变自然的产物，体现了传统的建筑和装饰思想，阐释了封建中国持续五百余年的世界观与权力观。明清皇家陵寝分布于北京、河北、辽宁、安徽、江苏等地，其陵寝建筑群按照严格的等级规制营建，具有完整的地上、地下建筑体系，布局严谨，规模宏大，建筑华美，工艺精细，体现了中国封建社会等级最高的丧葬制度。

明孝陵位于山清水秀的环境之中，周围山势跌宕起伏，山环水绕，人文与自然景观浑然天成。陵园规模宏大，孝陵建筑自下马坊至宝城，纵深近三千米，沿途分布有三十多处不同风格、用途各异的建筑物和石雕艺术品。陵寝建筑都是按中轴线配制，体现了中国传统建筑风格。整体布局宏大有序，单体建筑厚重雄伟，细部装饰工艺精湛，凝聚了当时帝王和大臣与工匠艺人的才智。它代表着明初皇家建筑的艺术成就，是中国陵墓建筑和陵墓文化的缩影。还应该特别强调的是，孝陵在布局上还有它的特别之处，即下马坊、大金门、神道及棂星门与陵宫不在同一南北轴线上，而是别出心裁，独树一帜，弯而悠长，更多的体现了就势的随性和自然的唯美，开一代先河。

明孝陵的整体结构布局，从不同的角度审视，大致可划分为“条块结构”和“纵向结构”两种：

“条块结构”主要从地形布局考虑，依照外郭红墙，层层环绕，由外圈向内圈渐进，组成外、中、内三个空间。(外) 自下马坊迄大金门，是为孝陵外郭正门前的导引区，以及孝陵卫等陵园设施。(中) 外郭红墙与陵宫红墙之间的区域，自大金门向两侧延伸，向西接前湖段京师城垣，向东绕到紫金山北，形成孝陵外郭。(内) 陵寝主体，包括陵宫和宝城、宝顶及地下宫殿。

“纵向结构”则以功能划分为据，从起点至终点，由南端向北段，分为前后两大部分。第一部分以蜿蜒曲折的陵墓神道作为导引，自下马坊至棂星门，包括下马坊、大金门、碑亭、神道石刻和棂星门。全长约两千多米，约占陵墓全程的四分之三强。第二部分是陵寝主体建筑，自文武方门至崇丘，包括文武方门、享殿、升仙桥、方城、明楼、宝城、宝顶以及玄宫。

不过，无论以哪种结构划分，归结到核心部分，即“主体陵寝建筑”上，都是异曲同工。

下马坊

由于“纵向结构”更便于表述，也更直观，这里就按先后顺序，依次介绍如下：

下马坊、神烈山碑

下马坊：乃孝陵入口处的标志性建筑，为一开间两柱“冲天”式石牌坊，两柱间距5.13米、柱高7.85米，两柱前、后及外侧抱以砷石，柱端饰云纹。坊额正反两面各刻“诸司官员下马”六个楷书字，告示进入明孝陵的官员必须下马步行，以保持陵区的肃穆和对开国皇帝朱元璋的尊崇。如谒陵失礼者，当以大不敬论处。

神烈山碑：在下马坊东边36米处，为嘉靖十年（1531）改钟山为神烈山时而立。石头出自宜兴山中，当时户部给石价四千金，实出七百金。碑通高4米，宽1.46米，厚0.67米，坐北朝南。碑额篆字“圣旨”二字，碑身阴文线刻“神烈山”三个近一米见方的大字，上款刻“嘉靖十年岁次辛卯秋九月吉旦”，下款刻“南京工部尚书臣何诏侍郎张羽立石”。原有石质碑亭，已毁，现仅存四石柱础及部分残破构件。

屈大均在《恭谒孝陵记》中称：孝陵有碑曰“神烈山”，肃皇帝之所封树，以与天寿山并称二岳，而为万年之形胜者也。在谭希思所编《明大政纂要》中，亦有一番评论：嘉靖十年辛卯二月，诏改定四陵山名，嘉靖皇帝谕内阁：“文皇既封黄土山为‘天寿山’，今又拟显陵为‘纯德山’，而独钟山如故，于理未安。朕惟祖陵宜曰‘基运山’，皇陵宜曰‘翊圣山’，孝陵宜曰‘神烈山’。”

再向东17米处有一块卧碑，为“禁约碑”，是明崇祯十四年（1641）立。碑通高2.95米，包括碑身、碑额和须弥座，宽接近5.31米。碑身正面镌刻保护陵墓的禁令及谒陵条款。昭告中外，如有违者“按律处以极刑，决不轻贷”。

左：禁约碑　右：神烈山碑

大金门、神功圣德碑及碑亭

大金门：在下马坊西北约755米处，是孝陵的第一道正南大门。原为杏黄琉璃瓦重檐式建筑，现仅存砖石砌筑的墙壁，下部为石造须弥座，面阔26.66米，进深8.35米，有券门三孔，中门较高为5.24米，宽4.15米；左右两门略低，高4.45米，宽3.54米。大金门东西两侧原有陵园外郭红墙，向西延伸与京城东面的朝阳门（今中山门）北侧城墙相接，向东延伸与钟山东麓的灵谷寺围墙毗连。现已无存。

大金门

碑亭：在大金门正北70米处，建于永乐十一年（1413）。孝陵原有设计和建筑中，并无碑亭与碑，后由朱棣增补。它的平面呈正方形，面阔、进深都为26.86米，为国内现存碑亭之最。内置立于龟趺座上的石碑一块，上书“大明孝陵神功圣德碑”，是明成祖朱棣为其父朱元璋所立。碑通高8.78米，是南京地区明代碑刻中最大的一块。由碑头、碑身和龟趺三部分组成，碑额、龟趺雕琢瑰丽。碑文由朱棣亲撰，计2746字，详述明太祖的功德。原碑亭为砖石砌筑，下部为石造须弥座，亭子的顶部已不存，现仅有方形四壁，每壁各有一个高7.42米，宽5.13米的拱形门洞。整个建筑外观形如城堡，俗称“四方城”。

碑亭内的碑给人感觉硕大无比，可你不曾想到，这与当初所选定的那块碑相比，可谓小巫见大巫，高度差不多为其十分之一。当年，著名文人袁枚曾写有《洪武大石碑歌》，其中的“碑如长剑青天倚，十万骆驼拉不起”之句，是其真实写照，令人震撼！

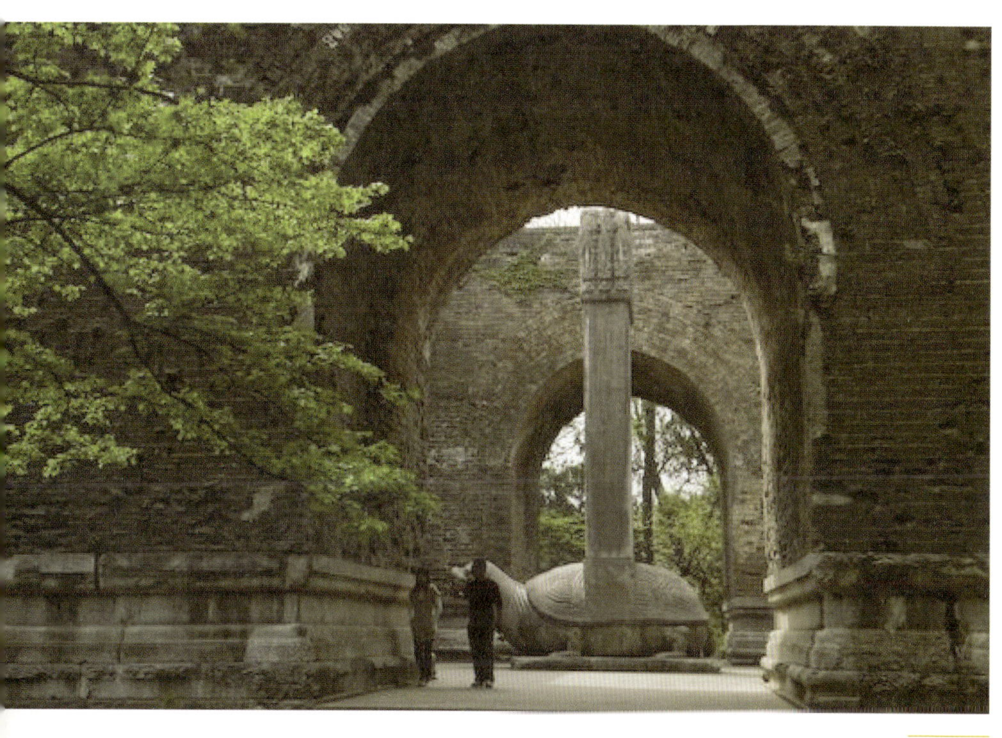

碑亭

这绝不是一块普普通通的石碑材，只有亲眼目睹，你才会感到它的神奇！说到这个庞然大物的出现，与六百年前“靖难之役”的宫廷政变，有着很大干系。

明太祖朱元璋在世时，曾立皇太子朱标为继承人。可惜，朱标早逝，与“龙座”擦肩而过。按照封建的嫡长子继承制度，长房长孙朱允炆就顺理成章地成为皇位继承人。

1398 年朱元璋驾鹤西去，随后宣布的《遗诏》中指明：“皇太孙允炆仁明孝友，天下归心，宜登大位；内外文武臣僚同心辅政，以安吾民……”就这样，朱允炆在朱元璋死后第六天就当仁不让地继承皇位，他就是建文帝。

为了加强中央集权，建

神功圣德碑

文帝积极推行削藩之策，这激起了皇叔燕王朱棣的反对，于是朱棣带兵南下，公开造反，一场“靖难之役”就此展开。经过三年征战，朱棣于建文四年（1402）六月攻占南京。建文帝趁着夜色逃逸，从此不知所终。朱棣夺得皇位，是为永乐皇帝。

或许是朱棣无颜面对死去的父王，唯有积善行德，才能驱除心中不安。于是他决定为父亲建碑，一来像是在赎罪，恳请在天国的父亲饶恕大逆不道的儿子。二是名为树其父，实则树自己，借以收买人心，稳定政局。从永乐三年起开始为明孝陵营建碑亭，同时凿山取石，寻觅良材。

关于明成祖当时如何派人觅石，以及阳山碑材的雄姿体态，在大学士胡广的《游阳山记》中，有生动的描述。

阳山，位于南京中山门外25公里处的宁杭公路北侧，古称孔山。文中云：“永乐三年秋八月，因建碑孝陵，斫石都城东北之阳山。”“山高体里，其体皆石”，凿之，“得良材焉”。闻碑材成，胡广与大学士解缙、侍讲学士金幼孜专程前往观赏。他们仰见碑石，一齐“惊叹所未见”。三人还冒险从碑石左侧攀缘而上，一直登至碑石之颠，顿觉“心悸目眩，不能下视”。胡广称之谓“天生此石，以有待也！”

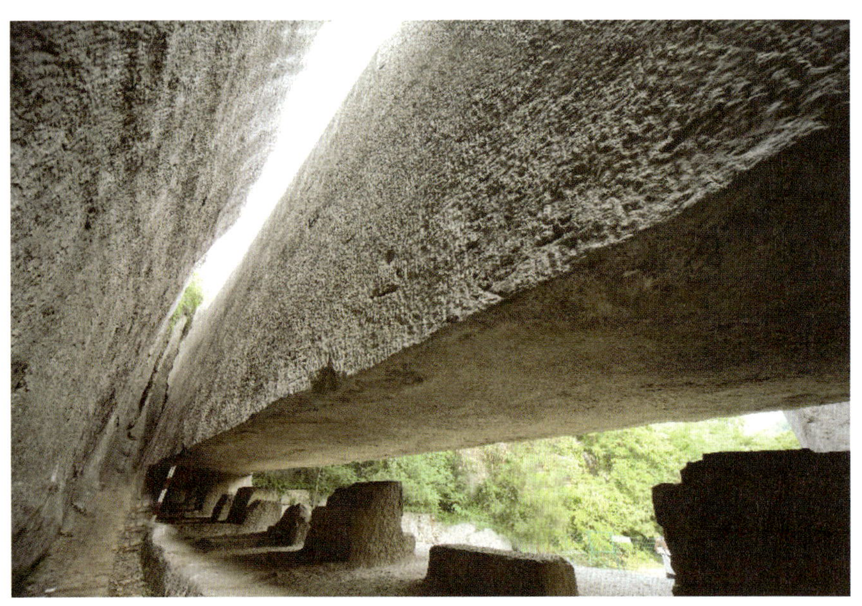

阳山碑材

中国历史悠久，朝代更迭，帝王众多，陵寝比比皆是。但即便是秦皇、汉武，唐宗、宋祖这些历史上声名显赫的帝王，其陵墓石碑也没有如此气魄。

整个石碑材的体积，令人不可思议。它自下而上，分别为龟趺（俗称碑座）石材，高 13 米、长 30.35 米、宽 16 米；碑额（俗称碑帽或碑头）石材，高 10.7 米、长 20.3 米、宽 8.4 米；碑身石材高 10.7 米、长 49.4 米、宽 4.4 米。如果将三块石碑材整合在一起，高度可达 73.1 米，至少有 23 层楼高。

要在六百年前竖起这样一个庞然大物，试问，那是一个什么概念？有点可怕，更令人感觉到的是一种“欲与天公试比高”的张狂。三块石碑除碑额四周均脱离山体外，其余两块还有一端与山体相连，看得出，对碑石的最后“一击”已是倒计时。

凿石不易，运石就更难。也许直到这时，人们才想起，巨石如何运至山下，又如何运抵置放的碑亭之中？坦率地说，即便是现在，要想将整块巨石运走，不知能否做到，更不待说六百年前了，简直是一种狂想。无奈，朱棣只好放弃他好大喜功的杰作，碑石“胎死腹中”，终被弃之山上。

相传，当时的石工们每人每天要向监工交验凿下的石碴三斗三升，完不成任务者斩。今天，阳山南边村庄就有“坟头”之名，想来就源于此。

阳山碑材硕大无比，令人叹为观止，但其背后，石工们的血与汗，又有谁知？今天，它已成为一个很有看点的景物，唯其亲临，才能真正感受到它的巨大。然而，当我们为之拍案叫绝时，其实，那都是“血染的风采”。

神道

四方城向西北行约100米过御河桥便进入神道，由此向西经外金水桥(今红桥)，绕过梅花山再折向北。神道可分为两段，第一段为西北——东南走向，途长618米。

明孝陵神道的最大特点，就在于建筑与地形的完美结合。它不同于历代帝陵神道成直线形，而是顺其自然，依山势走向建造为蜿蜒曲折的布局，高低起伏、回旋徘徊。而且分为若干段落，每一段落的节点处都通过安放或蹲或立、姿态交替的石像生来控制空间，强化氛围，以达最佳效果，形成一派肃穆厚重的气象。石像生下铺垫有完整而坚固的六朝砖，历600年岿然矗立。

自秦汉之后，帝王陵墓即高等级的墓葬神道两侧都布置有石像生，一具纪念意义，一为仪仗之用，以体现墓主生前拥有的权力和地位。孝陵石像生，是明代陵寝中规模最大、最具特色的一组。

石像生

由孝陵神道由东向西北延伸，两旁依次排列狮子、獬豸、骆驼、象、麒麟、马六种大型石兽，每种两对，共12对24件，两跪两立，夹道迎侍。两兽相向的距离从4.88米到6.9米不等，相邻石兽的间隔为29.8米至52.5米不等。

这些石兽充分体现了皇家陵寝的礼仪规制，各有寓意：狮为百兽之王，显示帝王的威严，它既是皇权的象征，又起到镇魔辟邪的作用；獬豸是一种神兽，独角、狮身、青毛，秉性忠直，明辨是非，专触不法之人，历代君主多将獬豸形状用于冠饰，称“獬豸冠”，多为司法官员所戴，以表法治公正；骆驼被誉为“沙漠之舟”，通达四域，非它毋能，将其置于陵前，以示大明疆域辽阔，皇帝威镇四方之意；大象是兽中的巨无霸，充满力量，坚实无比，表示国家江山稳固；麒麟乃瑞兽，是传说中“四灵”麟、龟、龙、凤之首，被尊为祥瑞的象征，雄的叫麒，雌的叫麟，象征“仁义之君”和吉祥、光明，后来成为统治者标榜自己、粉饰太平的御用品；马是帝王南征北战、统一江山的坐骑，与主人同欢共难，亲密无间。

在六种石兽中，以象的体量最大，高3.47米，长4.21米，宽2.16米，按其体积计算，重达至少 80 吨。为了将这些石兽运抵明孝陵，必须选择在冬季，路面上洒水，使之结冰，再用粗大的竹、木作滚轴，一路用人推马拉。这段神道现俗称为石像路，全长 618 米。

石兽的尽头，神道折向正北，至棂星门，是为第二段神道，途长 250 米。这段神道置石望柱和石人。两根望柱呈六棱柱形，通高 6.38 米，柱身六面浮雕山牙云气纹，柱座六面分层次雕出束腰，柱顶呈圆柱形冠，周围浮雕云龙纹。两柱高大而精美。通常，望柱均置于神道之首，所谓“墓前开道，建石柱以为标，谓之神道”。而孝陵望柱则置于神道中间，这又是朱元璋的独特之处。

石望柱

石望柱之后为高大的石人，人称“翁仲”，既是帝王驾前文武百官的象征，又是陵墓的忠实守护者。翁仲东西相向而立，共四组八尊，依次为两对武将、两对文臣，前一对无须，后一对为留须老臣。武将为顶盔披甲，手持金吾，腰佩宝剑，威风凛凛，是墓主的忠实守护者；文臣头戴朝冠，手秉朝笏，腰坠玉佩，神情庄重，是墓主的忠诚仪卫者。通高都为 3.20 米左右，身躯魁梧，体型硕大。

翁仲路

所有石雕像均以整块石料雕成，不刻意追求形似而注重神似，其风格粗犷、雄浑、朴拙、威武，气度不凡，融整体宏大与局部精细为一体，体现了孝陵神道石刻的鲜明特点，代表了明初石雕艺术的最高水平。这组石雕对称地排列在神道两侧，南北长八百多米，构成威武雄壮的长长队列，使皇陵显得更加圣洁、庄严、肃穆。

明孝陵的开创性地位，更体现在陵墓神道依山就势，充满自然的灵动。它是中国帝陵中唯一不呈直线，而是环绕陵寝前之梅花山，从而形成一个弯曲状。

在明孝陵的正南 300 米处，有一个叫梅花山的小山岗，是绝佳的赏梅之地。每年 3 月前后，数万株梅花盛开，争奇斗艳，暗香浮动，引得游人如织，成为南京一道亮丽的风景。就是这座山，过去一直被称作孙陵冈、吴王坟。

也许是生前耳闻目睹汉代帝陵惨遭盗掘之情景，也许是受到北方曹操父子倡导薄葬的影响，孙权没有以帝王之威，行厚葬之道。直接利用钟山余脉挖穴建墓，灵柩入殓后

梅花山

再填平，地面不设任何标志，也不留任何痕迹。一代吴大帝就这样隐居在大地之中，安睡了一千七百多年，没人打搅。

不知张岱所言是否当真，但是，孝陵神道确实从孙权所葬梅花山处拐弯，形成一条不规则的折线，这在中国帝王神道中独一无二。

“天下英雄谁敌手？曹刘。生子当如孙仲谋（仲谋是孙权的号）。”朱元璋对与之同甘共苦的当朝权臣，大开杀戒，决不手软；面对这位丝毫没有干系的千年前的英主，他退却了，手下留情。

帝王生前享受不尽的荣华富贵，死后也希望带入另一个世界。孙权则超然脱俗，他的身后大事十分低调，如同一个省略号。

孙权的陵墓，没有今人的喧嚣，显得十分冷寂。但是，无法解开的墓葬之谜，本身就很神奇。神奇，从不会因为悄然无息失去光彩。到此凭吊观瞻，追思往事，很能对我们有所启示。

有关孝陵神道，还想多说几句。神道曲直，并无孰优孰劣之分，只是陈规在前，突然为之一变，清风扑面，感觉别具一格。无论是“避让孙陵冈”，还是“顺其自然”，抑或“法地象天”，都可从朱元璋的个性中找到缘由。豪爽，是武人的特性；气魄，亦是平民出身却有帝王之志的真实写照。因此，留下“孙陵冈”，亦在情理之中。不拘成法，同样也是朱元璋身世所决定的，大老粗务实随性，没那么多条条框框，想怎么做就怎么做。由此，神道取曲，独一无二，固然前所未有，却也后无来者。

说到这种独特的形制，相传其由来颇为传奇。明朝张岱在《陶庵梦忆》中有一段记载，说的是朱元璋选定孝陵墓址后，墓前神道恰好要经过孙权的墓，负责工程的官员请示要将孙权陵墓迁走，朱元璋大度地说：“孙权亦是好汉子，留他守门。”朱元璋一言九鼎，神道就此取曲，避让而过。

南京是“六朝故都”，东吴是定都南京的第一个王朝，创立者就是吴大帝孙权。建安五年（200），孙权在其兄孙策遇刺后临危受命，重用张昭、周瑜、鲁肃等谋士，团结南北大族，在吴（今苏州）建立了以孙氏为中心的江东政治集团。

公元 208 年，曹操进占荆州后，意欲一举拿下江东，完成统一霸业。

右：孙权墓

孙权墓

危急时刻，孙权采纳周瑜、鲁肃之建议，凭借长江天堑，联合荆州的刘备共同抗击曹军。著名的“赤壁之战”，曹军被火烧联营而大败，魏、蜀、吴三国鼎立的局面形成。

孙权定都建业（今南京）后，励精图治，江南半壁江山尽在手中。神凤元年（252）四月，孙权去世，葬于钟山南麓的蒋陵，其陵墓又称“吴大帝陵”。

孙权生前辉煌一时，死后却悄然无息。在中国帝陵中，他的陵墓神奇而平淡，至今无人知晓确切位置，留下一个无法解开的谜团，让后人苦苦追寻。

棂星门、御河桥

神道向北 18 米的尽头为棂星门，原为三间两垣，面阔 21.66 米，后门毁，仅存六个石柱础。2007 年 3 月，按原门基、残柱、柱头修复。

过棂星门折向东北 275 米，即到御河桥，也称金水桥。御河桥是通达陵宫的桥梁。为石构单曲拱桥。原为五孔，现存三孔，总宽度达 16.42 米。中间主桥面宽 4.25 米，东西边桥分别是 3.53 米和 3.58 米。主桥与边桥相距 2.50 米左右。桥基和两岸石堤均是明代原物，而桥身两侧雕有石质散水螭首和护栏望柱，是按旧物修复。御河桥北距陵宫门 200 米，地形逐级高起，顺缓坡而上，便到陵寝的主体建筑。这一段东西两侧原各建有井亭，已毁，现在原址上重修了六角井亭。

棂星门

文武方门

文武方门是陵宫的正门，原为五孔门洞，三大两小，均为朱红双扉。主体正门建筑居中，通高 8.9 米，面宽 24.57 米，单檐歇山顶，覆黄色琉璃瓦。中间三个为拱形，门券高分别为中门 4 米、左右两门 3.77 米；两边两个掖门为长方形，高 3.27 米，深 2.22 米。原门毁于太平天国战争。同治年间改建，未覆门顶，仅开通正中一个门洞，上嵌一方石质门额，阴刻楷书“明孝陵”三字，据说为曾任两江总督的曾国荃所书。

现在所见的文武方门为 1998 年重新修复，尽显明时大门原貌。杏瓦、朱门、红墙，正门上方悬挂长方形门额，竖书“文武方门”四个鎏金大字。正门东侧南墙上立有一碑，碑高 1.5 米，宽 0.63 米，碑额上刻“特别告示”四个篆字，周围饰云龙纹。其下均分六小块，用六国文字分别刻以同一内容。此碑是清宣统元年（1909）所立，警示保护孝陵的注意事项。

陵宫门内东西两侧原建有两御亭，西边叫宰牲亭，东边的称具服殿，今均已不存，仅留下一些石柱和石井栏等。

文武方门

碑殿

碑殿原为孝陵享殿前的中门，一称孝陵门，是享殿前面的一道过门，又为陵宫内第二进院落的门殿。亦为五门建制，俱毁。现存石构须弥座台基，东西通阔 40.1 米，南北进深 15.25 米。清代在中门位置改建碑殿，歇山顶，三开间，红墙小瓦，南北正中各开一门，亭内竖立有五方石碑。

正中一方大石碑，下有驮碑龟趺，它与众不同，脖子奇短。石碑上书"治隆唐宋"四个鎏金大字，碑高3.85米，宽1.42米，龟趺长2.69米，宽1.64米，高1.06米。这是清康熙皇帝1699年第三次下江南谒陵时御题。其意在颂扬明太祖治国方略，超迈唐太宗李世民和宋太祖赵匡胤。

作为清朝皇帝以如此褒扬之语诏示天下，一方面表示了他对朱元璋的尊重和钦佩之意，另一方面也体现了康熙的苦心。执政之初，汉人不服满人统治，康熙深知，高压政策难以奏效，还须"以汉治汉"。所以，康熙一生六次南巡，五次拜谒明孝陵，行汉人三跪九叩之大礼，以情动人，其目的就是缓和汉满矛盾，巩固王座。此碑由曹雪芹祖父、时任"江宁织造"的曹寅刻立。在其左右还有乾隆皇帝诗碑各一块，东西还有卧碑两块，东边一块刻载康熙帝第一次谒陵纪事，西边一块刻记康熙帝第三次谒陵情形。

过享殿前门，为陵宫的第二进院落，纵深55米。中央御道东西两侧各有一座神帛炉，原物已毁，现在原址重建，基座面宽3.07米，进深2.07米。院内两侧还排列有东西配殿各15间，均毁于战火。

在门基东西两侧原有砖墙延伸至陵宫外垣，以构成陵宫的第一进院落，现砖墙已不存。

享殿

碑殿之后是孝陵的主体建筑享殿，规模宏大，原殿已毁。据遗址判断，享殿面阔九间，达54.44米，进深五间，达25.33米，建于三层石质须弥座台基上，通高3.03米。台基四角保留有部分石雕螭首、前后三道踏垛以及六块浮雕云龙山水大陛石。大殿底层台基面阔69.87米、南北进深50.8米，规模相当之宏大。原殿中供奉朱元璋及马皇后神位。现存建筑是清朝同治年间两次重建的三小间享殿，与原物无法比拟。享殿东西两侧原有配殿，亦建于台基之上，南北面阔66.84米，东西进深10.3米，残高1.2米，面阔十五开间。台基上还保留着全部60个1.24米见方的巨型石柱础，可以想见当年的规模。

右：治隆唐宋碑

治隆唐宋

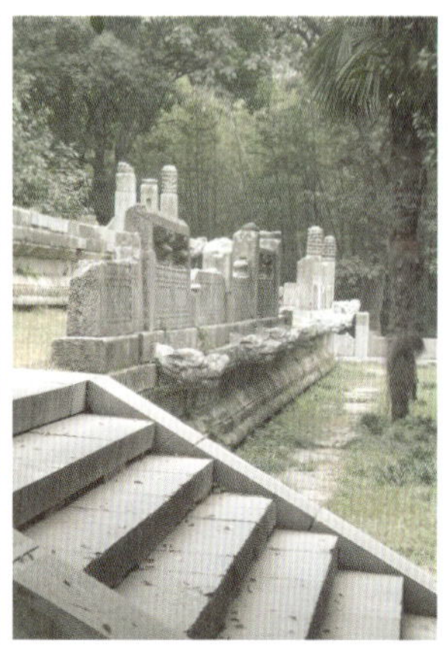

享殿台基

享殿北去 20 米左右，设有过门，现多称“内红门”，它是陵宫内第三进院落的门道。原为三孔，但原门残损，长期只存一孔通行，现按旧制恢复。依照陵宫“前朝后寝”的格局，入此门，便由阳间步入阴间，故有“阴阳门”之说。

再往后则是一片纵深一百余米、宽数十米的空地，当年是露天祭祀的场所，中间有甬道，两边林木茂盛。甬道尽头为横跨内御沟之上的单孔拱桥，南北长 57.5 米，宽 26.6 米。它又称为升仙桥，不言自明，过了此桥即成“仙”。其后，就是孝陵地面建筑的最后部分 —— 方城、明楼及宝顶。

内红门

方城、明楼、宝顶

方城是孝陵宝顶前面的一座巨大建筑，平面为长方形，外部用大条石建成，东西面阔 60.8 米，南北进深 34.22 米、正面通高 16.25 米，底部为石质须弥座，高 2.4 米。方城东西两侧各建一高 7 米、宽 20.66 米的影壁（俗称八字墙），墙下部石砌须弥座，墙面四角装饰砖雕花卉。方城正中为一拱门，穿有纵向隧道，上为券顶，两侧底部为石质须弥座式。隧道深幽华美，独具匠心。54 层台阶拾级而上，直达后部宝城前垣与明楼之间的夹道。出隧道东西各有石级可登城顶。顶部平台东西面阔 55.5 米，南北进深 30.31 米。其上原建有明楼居中，重檐杏瓦大屋顶，顶部及木结构已毁，现仅存四面砖墙，东西面阔 39.25 米，南北进深 18.4 米，南面开券门三个，其余三面中部各为一个。由于明楼遗留的墙体、地面及方城整体百余年来受到风雨侵蚀，雨水渗漏和岩溶现象十分严重，存在极大的安全隐患。经国家文物局批准，明孝陵方城明楼重建保护工程于 2008 年 6 月开工，次年 7 月 3 日竣工。重建的明楼为砖木结构，按历史记载以及北京明十三陵、故宫等明代建筑样式设计，东西面阔 39.25 米，南北进深 18.4 米，

方城

立于宝顶之条石上的"此山明太祖之墓"

墙体使用厚重的明代城砖，木质的柱梁、斗拱等主体结构饰以彩绘，屋顶覆盖从北京定制的金黄色琉璃瓦，最大限度地实现了“修旧如旧”，旧貌新颜。

其后，迎面便是宝顶南墙，用13层条石砌筑。正中横刻“此山明太祖之墓”七字，相传为北洋时期所刻，为的是省却游人提问之扰，指明宝城内封土下即为朱元璋安葬处。在方城顶极目远眺，东有中山陵，南为梅花山，西是中山植物园，北面乃“宝顶”，四周树木葱茏，松涛阵阵，不禁令游人发思古之幽情。

陵宫最后面为宝城环绕，呈不规则圆形，周长约1000米。宝城外侧开挖了排水沟渠，局部还加砌沟渠石岸。宝城内中部隆起，坟丘利用原来的独龙阜山岗即玩珠峰，又在上面加筑了鹅卵石层，以起到防止雨水冲刷和防盗之用。宝城中部为坟头，称宝顶，是一个直径约400米、高约70米的圆形大土丘，为朱元璋和马皇后的寝宫所在。四周有条石砌成的石壁。宝顶下建有玄宫，墓道宽约8米，长约120多米，尽头处为玄宫主体，其分布范围南北约90米，东西宽约50米。1998年至1999年，南京市文物局会同有关部门采用先进的精密磁测，探知宝顶地下存在一个约4500平方米的异常空间，证实朱元璋陵寝地宫就在其下，埋葬甚深，保存完好，从未被盗。

以上就孝陵的整体形态，做出了一个全面的表述。有关孝陵建筑布局的创新部分，这里再略施笔墨，加以白描一番，这将有助于我们认识孝陵在历代陵寝规制改革后所呈现的独特性。

前面讲到，孝陵的陵寝建筑，废去了唐宋陵寝制度中以灵台居中，四向出门的方形格局，而采取以享殿为中心的长方形，创立以方城明楼为主体建筑的宝城，并一改方形陵体为圆形陵体，使之成“前方后圆”陵寝模式。

陵寝建筑分辟为前后三进式院落，充分体现了“事死如生”的观念。其中第一进与第二进院落为“前朝区”，用于陵寝祭祀活动。第三进院落为“后寝区”，是朱元璋亡灵的安息之地。除嗣皇帝和经特许的大臣外，禁绝入内。三院落分设三道宫门，分布五大殿宇：享殿在前，明楼居中，玄宫置后。享殿两侧辅以东西配殿。整个形制，一如朱元璋生前所居皇宫结构，无论内廷乾清、交泰、坤宁三宫及东西六宫，还是外朝奉天、华盖、谨身三殿以及东西文华、武英二殿，莫不如是。

由生至死，虽跨阴阳两界，但并非不可契合，孝陵陵宫与皇宫建筑在布局上的对应关系，就充分说明了这一点。历代帝王陵寝大多如此，生前身后大致趋同。

整个孝陵工程，在建筑材料与形式上的创新，也是其一大特点。作为主体建筑，大金门、神功圣德碑、孝陵享殿、方城、明楼，坚固耐用。为防备水火，多用石质须弥座为基础，墙体用巨石或巨砖砌筑，挑檐也为石造，檐椽则用琉璃制成。在建筑上由传

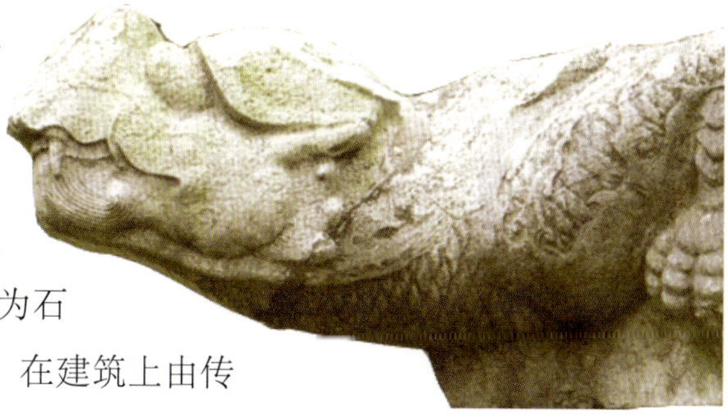

金水桥

统的木结构改为砖石结构，早在汉唐就已出现。但普遍用于台基，特别是用砖石起券建造大型殿堂，构架跨度高大的拱券门顶，则为孝陵首创。其他诸如鼓镜式石柱础、顶脊上的琉璃龙吻等，其造型样式，都一改前人风格，并为后世所广泛使用。

这里还要特别提及孝陵的排水系统。南京地区雨量充沛，钟山主峰的雨水主要经独龙阜孝陵陵宫区域排泄，明孝陵必须建有完善的排水系统，才能确保陵宫的安全。因此，孝陵陵区内设有外御河、内御河和宝城御河三条排水系统。

这三条御河在规划和设计上可谓匠心独运，它将陵域划分成导引区、神道区、前朝区和后寝区，同时通过三组御河桥，将四个区连成一个整体，使整个陵域更为完美，更富有生机。

御河桥中的第一组介于碑亭和神道石刻之间，为砖构单曲拱桥，霹雳之水由桥下西流，御桥旧址犹存，桥非原貌，今称“虹桥”。

第二组桥位于神道尽头，是直通陵宫的桥梁，一字排列五座，又称“五龙桥”。它与陵宫处于同一南北中轴线上，桥身作石构单曲拱桥样式，五座石桥与正北方200米处的五孔陵宫门一一对应。现在仅存中间三座，桥身起券，两侧有散水螭首和护栏望柱。这组御河桥的桥基和两岸石堤为明代原物，护栏则是1995年重新修复的。

第三组御桥处于方城之前，石造单券拱桥，长57.5米，宽26.6米，两侧石栏、螭首多残毁，但桥身体量宏大，结构牢固，做工细腻，是明初桥梁建筑中的杰作。过了这座御桥，便是朱元璋的长眠之地。

除三条御河外，陵宫地下还建有巨大的涵道，以增加雨季的泄洪量。陵宫内则建有地下排水管道，地面建筑周围均以砖铺设散水和明沟，享殿台基四周有数十个向外悬挑的精美散水螭首，陵宫宫墙外则以砖铺设散水，并以砖石砌建挡土墙。

明孝陵的整个排水体系和细部设施，既具实用性，又具较高的审美价值；既充分利用原有河道，又将其艺术地融入陵区的布局之中，高度体现了南方多水地区建筑规划上的科学性和艺术性，呈现出天才的创造性的布局奇迹。

起造山陵，经画数十年，孝陵工程究竟花费多少？翻检文献，似无明确记载。清人甘熙《白下琐言》中有只言片语，言称“动帑数百万”，这应是一个大致数目。同治三年（1864），为修因战火袭扰而受损的孝陵，金陵善后局奉命踏勘后呈报了一个维修若干项目的估价。据此估算，以孝陵原有规模，其建陵工程费用，耗银当不在200万两之下。

葬礼虽然仓促简单，
但还有一批无辜的妃嫔宫女为他殉葬。
从此，这里成为了『禁区』。

第四章 ◎ 丧葬与护卫

孝陵陵区是明太祖朱元璋选定的阴宅，除了安葬他本人外，还有马皇后、皇太子朱标，以及为朱元璋陪葬的四十多个嫔妃。

最先葬入孝陵的是马皇后。洪武十五年八月丙午（1382年9月17日），马皇后病逝，当时孝陵尚在建设中，故在停灵一个半月后于九月庚午（10月31日）入葬。

洪武十五年，贤惠善良的马皇后得了重病，满朝文武都为她乐善好施、宽厚待人所感动，忙不迭地四处求医访药，希望能治好她的病。马皇后自知难以救治，又深知朱元璋的脾性，如果吃了药还是治不好病，朱元璋必将迁怒他人。所以无论怎么劝，她都坚持不服药，宁愿自己负疾而去，也不愿看到有人成为

马皇后像

朱元璋刀下的下一个冤鬼。临终前，朱元璋问马皇后还有什么嘱咐。她深情地对皇上说：“陛下与我都是布衣出身，今日陛下为亿人之主，而我为亿人之母，尊崇备至，当是乐天知命。唯有感念天地祖宗，不要忘记自己曾是一介布衣，仅此而已！”朱元璋又复问，马皇后珍重称之：“陛下当求贤纳谏，明政教以致雍熙，教育诸子使进德修业。”皇上说：“吾已知之，但老身何以为怀？”马皇后有感而发：“死生命也，愿陛下慎终如始，使子孙皆贤，臣民得所，妾虽死如生也。”充满大爱的马皇后将自己的生死置之度外，一心辅佐皇帝，至死不渝，终年五十一岁。

马皇后驭下有方，整个后宫秩序井然，彼此和睦。宫人们有感于她的德行，作了一首歌，以表达思念之情：“我后圣慈化家邦，抚我育我思难忘。不忘怀思于万年，毖彼下泉悠苍天。”

马皇后的故去，让朱元璋痛心不已，想到这位发妻随他征战多年，担惊受怕，仍始终如一，全力襄助他一步步夺取江山。朱元璋称帝后，作为皇后，心地善良的她多次规劝朱元璋以不嗜杀人为本，因此，朱元璋始终对她深怀感激之情。

对于马皇后的后事，朱元璋非常重视，据《大明会典》载，闻丧次日，文武百官素服行奉慰礼。在京文武百官于闻丧之四日清晨，素服诣右顺门外，具丧服入临，临毕，素服行奉慰礼。三日而止。

文官一品至三品，武官一品至五品命妇，于闻丧之四日清晨素服至乾清宫，具丧服入临行礼，不许用金珠银翠首饰及施脂粉。丧服用麻布盖头、麻布衫、麻布长裙、麻布鞋。

在京文武百官，人给布一匹，自制丧服，并规定皆服斩衰（最重的一种丧服），自成服日为始，二十七日而除，再服素服，至百日始服浅淡颜色

衣服。在外文武官员丧服，与在京官同。闻讣日于公厅成服，三日而除。军民男女皆素服三日。

自闻讣为始，在京禁屠宰四十九日，在外三日，停音乐祭祀百日，停嫁娶官一百日，军民一月。发引之日，文武百官具丧服诣朝阳门外奉辞。神主还京，文武百官素服迎于朝阳门。回宫，百官行奉慰礼。百日辍朝，祭告几筵殿。百官素服、黑角带，诣中右门行奉慰礼。命妇诣几筵殿祭奠。凡遇时节即忌日，东宫、亲王祭几筵殿，及诣陵拜祭。

小祥，上素服、乌犀带，辍朝三日。是日清晨，诣几筵殿行祭奠礼。东宫、亲王诣陵拜祭。京城禁音乐三日，禁屠宰三日。百官前期斋戒，至日素服、黑角带，诣后右门进香。毕，行奉慰礼。是日，外命妇诣几筵殿行进香礼。

东宫、亲王熟布练冠九襊，去首绖，负版辟领衰，如朝见上及受百官启见，青服，乌纱帽黑犀带。皇孙熟布冠七襊，去首绖，负版辟领衰。皇妃、皇太子妃、王妃、公主及皇孙女，熟布盖头，去腰绖。宗室、驸马，服齐衰三年，练冠去首绖。

洪武十五年九月，制孝慈皇后神主，用栗木，高六寸九分，阔一寸九分，趺高二寸六分，通高九寸五分。神宫高三寸九分，阔七分，深三分。主匮高一尺一寸二分，阔四寸八分，旁阔四寸。座七层，高三寸。通高一尺四寸二分，四面俱黑漆戗金云凤文。神门高二寸三分，阔如之，状如意，饰以浑金。主龛高八寸四分，阔三寸八分，旁阔三寸四分，三面俱黑漆戗金，置匮内座上，不用顶。奉安神主于奉先殿，预期斋戒告庙，百官陪祀。毕，行奉慰礼。各王国禁屠宰三日，停音乐三日。

徐祯卿《翦胜野闻》载：安葬皇后的当日，风雨雷电交加。朱元璋甚感不安，他请来宗泐法师，说皇后要下葬，你就宣读偈文吧。宗泐受命而高诵："雨降天垂泪，雷鸣地举哀，西方诸佛子，同送马如来。"天地为之同悲，西方佛子也在给马后送行，可见马后品行高洁，感动了上苍和西天。朱元璋听后大悦。顷刻间天朗气清，于是，灵柩启动，开赴山陵。事后，朱元璋赐予宗泐法师白金百两。

九月己巳，孝慈皇后梓宫将程，具醴馔告太庙，遣官致祭金水桥、午门等神。仍遣官祭钟山之神曰："兹以今月庚午安葬孝慈皇后于钟山之阳，以成穆贵妃、永贵妃、汪贵妃祔，尚祈神祐，永保安宁。"

庚午之日（九月十三日），孝慈皇后梓宫启程，太祖致祭于灵曰："兹以吉日良辰，安葬皇后于钟山之阳，命嫔妃诸子以下奉送。今当发引，特以牲醴致祭。"祭毕，启程。文武百官具丧服诣朝阳门外奉辞。是日，安厝黄堂，皇帝、皇太子奠玄纁玉璧，行奉辞礼毕，神主还宫。文武百官素服迎于朝阳门外。回宫，百官行奉慰礼毕，太祖以醴馔祭于几筵殿，自再虞至九虞皆如之。是晚，仍遣官醴馔告谢于钟山之神，以复土故也。

十月卒哭（止无时之哭变朝夕一哭），以孝慈皇后神主诣庙行祔享礼。十一月，去世一百天，帝辍朝，以牲醴致祭于几筵殿，还宫，百官素服黑角带诣中右门候奉慰。东宫、亲王复以牲醴祭孝陵，公侯等从祭，妃主亦诣陵，命妇诣几筵殿祭奠。自后，凡遇四时节序及忌日，东宫、亲王祭几筵殿及孝陵，皆如之。仍以祔葬诸妃配享。诸王府遣内官致祭者，亦于几筵殿前丹墀内随班行礼。

是时，礼部官以孝慈皇后过世满一周年，奏令天下诸司致祭。朱元璋说："这固然是传统礼仪，但所需费用皆出于民，来往甚劳烦。不唯如此，皇后在世时，无时无刻不关心百姓冷暖。她曾问我说，现在天下的老百姓能否安居乐业？我答，你问得非常好，但这事无须你过问。皇后又说，陛下为天下人之君父，妾也幸为国母，天下的百姓皆是我们的子女，孩子过得好不好，我为何不能知？她的谆谆之言，犹在耳际。如果以致祭为名，而费天下之民财，这是皇后所不愿意看到的。故令停止。"

第二个入葬孝陵陵区的是太子朱标。他未得即位即早丧，随后埋于东陵。

朱标逝后，白发人送黑发人，这令太祖恸哭。太祖命礼部议丧礼，侍郎张智等议曰：丧礼，父为长子服齐衰期年。文云：期之丧悖乎大夫。今斟酌其宜，皇帝当以日易月，服齐衰十二日，祭毕释之。在内文武百官即日于公署斋宿，翌日素服入临文华殿，给衰麻服，越三日成服，诣春和门会哭。明日，素服行奉慰礼。其当祭祀及送葬者，仍衰绖以行。在京停大小祀事及乐，至复土日而止。停嫁娶六十日。在外文武百官闻丧易服于公署，发哀次日成服行礼。停大小祀事及乐十三日，停嫁娶三十日。其内外文武百官行祭礼者自备仪物。太祖曰：

马皇后与朱标

朝廷府库、百官俸禄皆出于民，今祭祀仪物令光禄寺供具，百官惟致哀行礼，余如所议。

谥册曰：朕惟先王之典，生既有名，殁必有谥，名所以彰德，谥所以表行。故行有大小，则谥有重轻，此古今通义，虽有至亲，不敢废也。尔皇太子标，居储位者二十有五年，分理庶政，裨赞弘多。今焉永逝，特遵古典，从公议，赐尔谥曰“懿文”。呜呼！德以名彰，行因谥显，公论所在，朕何敢私。

接下来，朱元璋是第三个入葬孝陵并安睡至今，不曾被打扰的人。在身居龙座整整30个春秋后，朱元璋于1398年6月24日走完了自己煊赫的一生，七天之后下葬孝陵。

有关太祖驾崩后下葬之日有不同说法，大多言崩七日而葬，唯吴朴《龙飞纪略》中言称逾七月而葬。其理由是建文帝为守礼之主，不会匆匆葬太祖。立此存照，也算是一说。不过，太祖从速而葬，当应是他本人遗命。谈迁《国榷》中载：临终前，太祖呼太孙，谕曰：燕王不可不虑，齐泰受顾命。可见，此举正是他忧深虑远之策。即位而葬，同日并举，以速葬削诸藩入临觊望之心，可谓用心良苦。倘若不是这样，建文帝又岂会如此从速葬太祖？而燕王朱棣正是抓住这一点，在其讨伐的檄文中予以攻击，以蛊惑人心。

《明史·太祖本纪》载，朱元璋临终前留有遗诏，既是对自己一生的总结，亦要指定传位人选。全文如下：

> “朕膺天命三十有一年，忧危积心，日勤不怠，务有益于民。奈起自寒微，无古人之博知，好善恶恶，不及远矣。今得万物自然之理，其奚哀念之有。皇太孙允炆仁明孝友，天下归心，宜登大位。内外文武臣僚同心辅政，以安吾民。丧祭仪物，毋用金玉。孝陵山川因其故，毋改作。天下臣民，哭临三日，皆释服，毋妨嫁娶。诸王临国中，毋至京师。诸不在令中者，推此令从事。”

朱元璋出身低微，自幼接触百姓之苦，又是马上得天下，所以深知世事艰难。江山得来不易，巩固政权治理国家更不易，所以他一再强调，是勤勉努力还是安逸享乐，关系到国家的兴衰和安危治乱。勤俭是修身之本，奢侈是丧家根源。元世祖躬行简朴终成大业，元顺帝骄奢淫逸丢江山。以史为鉴，从历代治乱成败中汲取经验教训，时刻警醒自己，教育群臣，经世治国必须勤勤恳恳、谨慎小心，俭约自律。

朱元璋在遗诏中认识到自己远不及古人博学多才，为有益于民而日勤不怠，以及丧事不肆铺张，不扰民，这些都是可贵的。作为一代开国之君，朱元璋励精图治，勤谨政风是值得肯定的。

在遗诏中，他特别强调"诸王临国中，毋至京师"。按说，父王驾崩，皇子岂有不回京师奔丧之理。原因何在？当是他身后的继位大事，恐会引发躁动。

实事求是地说，建文帝朱允炆虽然聪颖性善，但缺乏经天纬地之才和强有力的治政手腕。所以，朱元璋虽然封他为皇太孙，但不甚满意。

在儿辈中，四太子朱棣沉毅果敢，勇猛善战，与朱元璋秉性最似，很受太祖器重。或许从朱元璋的内心感受，朱棣乃是理想中的继承人，经他之手传承朱明江山，值得信赖。

史料载，某一日，太祖对群臣说，朕已老矣，太子不幸，命也，并为之大哭。随后他话锋一转，言称："国有长君，社稷之福。燕王类朕，朕欲立之，何如？"翰林学士刘三吾听后，不便公开表态，只是反问道：如果立四子为太子，那秦、晋二王该如何处置？按照封建宗法礼教，首立长子，长子死了，则应轮到二子、三子，如今二王尚在，怎么好立四子呢？太祖一时无语，又落泪。他如此动情，怕是为朱棣没有机会主掌江山社稷而伤感，但岂有越过秦、晋二王而私立燕王之理？于是只好作罢。

遗诏虽立皇太孙即位，但他死后，这还能作数吗？朱元璋担心柔弱的朱允炆继承皇位，可能会发生诸王叔趁奔丧之际入京行篡位之实，所以不得不防。为了不给他们可趁之机，朱元璋仅仅停灵七天就迅速入葬，这在帝王的葬礼中十分罕见，亦是不得已而为之。

知子莫若父，朱元璋的担忧，很快成为事实，燕王皇四子不顾他的嫡长承传帝系的苦心安排。朱棣根本不相信遗诏是太祖所立，而是建文帝的心腹齐泰和黄子澄伪托。他以此为由，借着"清君侧"之名，发动了靖难之役，叔侄间开始了一场长达四年的权力之争。

朱棣中年像

明太祖的葬礼，确实有些局促。可“夜长梦多”，放置的时间越长，滋事生非的可能性越大。所以，他干脆一不做二不休，下遗诏命各王子留在所封国中，不准赴京城奔丧。这一方面是为了防止诸王争夺皇位，另一方面也体现他不烦劳于民的作风。

朱元璋滥杀无辜，为人诟病；但他身为一国之君，富有天下，生活却尚简戒奢，值得称道。这位出身寒苦的小和尚，深知稼穑之艰难。在营建南京皇城时，只求坚固耐用，不求奇巧华丽，把那些雕琢浮华考究的部分统统去掉，并要求在墙上画上历代帝王兴亡的故事，以示铭记，时刻警醒自己。当年陈友谅有一张镂金床，工艺精湛，江西行省派人呈上，他不悦反忧，当即命人把床给砸了。而他使用的车舆、器具等物，均以铜代金。

太祖不事铺张，所以至死都强调“丧祭仪物，毋用金玉”。不过，为了

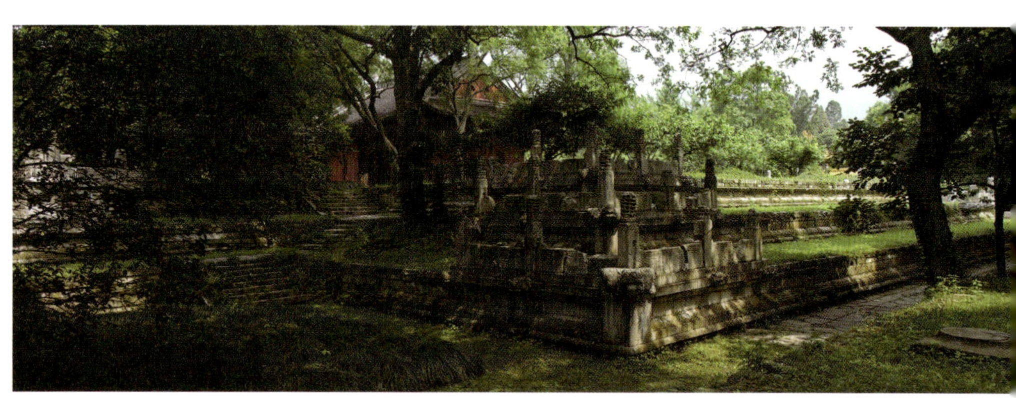

显示皇帝的威权和尊崇，其葬礼虽短，却依旧隆盛。

太祖驾崩后，礼部定议，京官闻丧次日，素服、乌纱帽、黑角带，赴内府听遗诏。于本署斋宿，朝晡诣几筵哭。越三日成服，朝晡哭临，至葬乃止。自成服日始，二十七日除。命妇孝服，去首饰，由西华门入哭临。诸王、世子、王妃、郡主、内使、宫人俱斩衰三年。

凡临朝视事，素服、乌纱帽、黑角带，退朝衰服。群臣麻布员领衫、麻布冠、麻绖、麻鞋。命妇麻布大袖长衫，麻布盖头。明器如卤簿。神主用栗，制度依家礼。行人颁遗诏于天下。在外百官，诏书到日，素服、乌纱帽、黑角带，四拜。听宣读讫，举哀，再四拜。三日成服，每旦设香案哭临，三

日除。各遣官赴京致祭，祭物礼部备。孝陵设神宫监并孝陵卫及祠祭署。建文帝诏行三年丧，事在《本纪》。以遭革除，丧葬之制皆不传。

朱元璋生前大开杀戒，临终前也未能金盆洗手，止住杀心。他死后，还要让一批无辜的嫔妃宫女为他殉葬。

用活人殉葬，古已有之，主人死了，仆人从之，因为他们的一切都是从属于主人的。早在殷代，奴隶主贵族死后，感觉阴间太寂寞，不甘心一人独往，于是就用大批奴隶为其殉葬。秦汉时期，人殉制犹存，秦始皇死后也杀宫人殉葬。这之后，人殉制度受到人们越来越强烈的反对，殉葬之风多有收敛。此后，虽然形式还在，但代之以木俑、陶俑，显现了社会的进步。到了明代，人殉之风，卷土重来，前朝早已禁绝和废弃的活人殉葬恶俗，却在朱元璋手中复活了。

洪武二十八年（1395），朱元璋的次子秦王樉死后，即以两名王妃殉葬。洪武三十一年，他自己故去，竟以40名嫔妃殉葬。她们中间，曾有不少人为朱元璋怀过“龙种”，成为朱氏传人。一千五百多年过去了，与秦始皇以不生子女的宫人为其殉葬相比，朱元璋则多有过之。

英雄气短，朱元璋也感到“地狱”的阴冷，他不甘寂寞，他害怕孤单，所以他要完成自我救赎。唯一的办法，就是找人陪葬，这样他在另一个世界才不至于孤寂。抑或，这是一种至高无上权力的象征，他要最后再行使一次。

史书上记载了殉葬的嫔妃中一部分人的姓氏，她们是：天俪、昭敬充妃胡氏、安妃郑氏、庄清安荣惠妃崔氏、安妃达氏、碽妃、宁妃郭氏、惠妃郭氏、顺妃胡氏、郜氏、韩氏、余氏、杨氏、周氏、贵妃赵氏、贤妃李氏、惠妃刘氏、丽妃万氏等。她们多身世不显，事迹鲜见，不知是谁家的闺女。进宫是被逼无奈，只想混口饭吃，可到头来却是如此凄惨，令人同情。

一直传言，朱棣的生母就是碽妃，她也是朱元璋的陪葬之一。朱棣后来做了皇帝，为了替他掩饰，明史中只好说马皇后是其母。太常寺是具体负责朝廷宗庙祭祀的，从《南京太常寺志》中，我们读出了一种“似曾相识”的感觉。关于明孝陵享殿中殉葬嫔妃的牌位及其生育情况：“右一位碽妃，生成祖文皇帝。”正史所以讳言，是因为朱棣兴兵南下夺位时，就以嫡子名义传谕中外，待登上帝位后，又怎好改口，只能将错就错。对于这一点，朱棣心知肚明。他把应有的崇高都给了高皇后马氏，而自己所能做的，也只有暗中将碽妃的牌位排列在孝陵殿祭堂右侧的第一位，以抬高她的尊位。为了纪念其生母，他还专门在南京聚宝门（今中华门）外兴建一座报恩寺，寺内的大雄宝殿又称碽妃殿，殿后还有一座九层宝塔，名曰报恩寺塔。有关朱棣生母之疑，一度甚嚣尘上，但终无实证。

尽管明成祖的“生母”碽妃殉葬明太祖，但成祖死后亦步太祖后尘，三十多位嫔妃宫女为之殉葬。此后，仁宗、宣宗也分别以五妃、十妃殉葬。

明代的人殉制度，实际上又重演了一幕奴隶制时代用活人殉葬的历史悲剧，仅仅是形式上有所不同而已，它受到当时有识之士的愤怒谴责。直到天顺八年（1464）正月，明英宗病危时下遗诏：“用人殉葬，吾不忍也，此事宜自我止，后世勿复为。”至此，宫妃殉葬制度终被摒弃。

对于那些殉葬的嫔妃宫女，朝廷从精神到物质都给予褒奖。孝陵殿内设置的一个个“龛”位，就是她们的“哀荣”，以供后人烧香祭祀。郑晓在《今言》一书中称：太祖陵不知祔葬几妃。今陵祭，旁列四十六案，或坐或否，大抵皆嫔妃也。这就是精神方面的“永生”。

中华门

至于物质方面，嫔妃宫女本人并没有享受到，倒是其家人平步青云。毛奇龄在《彤史拾遗》一书中称，洪武三十一年七月，建文帝把张凤、李衡、赵福、张弼、汪宾、孙瑞、王斌、杨忠、林良、李成、张敏、刘政等由锦衣卫所试百户、散骑带刀舍人进为本所千百户，其官皆世袭，以诸人皆西宫殉葬宫人父兄，世谓之“太祖朝天女户”也。王世贞《殉葬宫妃之典》又载：永乐初年，明成祖与大臣们商议革除建文帝所晋升的官员时，议到这一特例，朱棣说：“他们这几家都是孝顺的职事，不动，通调孝陵卫支俸，不管事。”皇帝金口玉言，这些人很走运，依然能饱食终日而无所事事。

陈文述有《朝天女感孝陵殉葬宫人事》诗曰：“墓门未可比长门，灯暗鱼膏白日昏。铜辇几曾甘晓梦，玉钩何处吊芳魂。青山阴隧悲埋艳，白露园林泣奉恩。太息嬴秦留旧事，泉台终古此衔冤。”

有关宫女嫔妃被赐死前的痛苦惨景，明朝文献罕为记载，虽说是为了皇帝大丧而“悲壮献身”，但此举并不光彩，不宜留下文字。不曾想到，在朝鲜《李朝实录》中有所披露， 个朝鲜使臣记录下了明成祖长陵殉葬的点滴，使我们见识到这残忍的一幕。文中写道：“皇帝死后，为之殉葬的宫人三十多人。执行之日，他们集中在天井吃饭，饭后一起被带去赐死上吊，一时哭声震殿堂。堂上放置一个小木床，将宫女立于其上，用绳子套住颈脖，然后将床移开，顷刻间便被勒死。”

有一个朝鲜奉供的妃子韩氏，深得明成祖宠爱，但也未能幸免。临终前，她对守候在身边的乳母金黑连声呼唤：“娘，我去了！娘，我去了！”话音未落，便被太监踢去木床，一命呜呼！原来活人陪葬，并非生生被活埋，而是将其吊死后再葬。

原以为陪葬者是与墓主葬在一起，但仔细一想，她们岂能与真龙天子身处一地。明孝陵的嫔妃究竟葬于何处？因孝陵未行发掘，所以不知底细。但从北京十三陵的情况来看，陪葬嫔妃葬于十三陵的东井、西井。也就是说，她们是被放置它处。这种墓葬采用直落式，没有墓道，故称之为“井”。明孝陵也有东、西二井，如无特殊原因，想必亦是陪葬嫔妃的葬身之处。只是没有史料记载，又无考古发掘，需待进一步求证。

除了这一批陪葬的嫔妃外，是否还有人葬于斯地？ 1976 年，在明孝陵西侧约300米的山麓处，发现了一座砖砌墓葬，出土有雕金首饰和金镯，镯的内侧印有“匠作局”三字。显然，这应是一个专门制作内府器皿的官衙。由此看来，墓主的身份非同一般，因为在明代这里曾是禁区，非皇亲国戚，不得葬于此地。

据《明史》记载，明太祖生前有两个妃子病故，一个是成穆贵妃孙氏，一个是淑妃李氏，分别葬于孝陵的东、西两侧。李贵妃为寿州人，父名杰，洪武初以广武卫指挥北征，卒于阵。十七年九月，马皇后丧期过后，册封为淑妃，管理六宫之事。孙贵妃乃陈州人，元末兵乱，父母俱亡，从仲兄蕃避兵扬州。她敏慧端丽，言动中矩，襄助马皇后管理六宫，洪武七年九月32岁时去世，无子。为此，明太祖命其子周王橚为其主丧，同时服慈母三年，皇太子、诸王皆同。另赐其兄瑛田租三百石，以供岁祀。时孝陵尚未营建，别葬朝阳门外，故这两座墓极有可能就是她们的墓穴。但较之于其他陪葬的嫔妃，其性质迥异。

明孝陵是朱元璋钦点的阴宅，毫无疑问，他就葬于此地。但令人有些不解的是，居然出现了不同之音。民间传说，朱元璋丧葬之日，由南京十三个城门同时出殡。

南京城墙依山控水，呈不规则状；不仅如此，它的城门既不成双，也不两两对应。为了便于记忆，时人有一句顺口溜：“神策金川仪凤门，怀远清凉到石城。三山聚宝连通济，洪武朝阳定太平。”其实，这里还没有

明城墙“鬼脸城”

囊括所有的城门。朱元璋的灵柩，究竟是出哪座城门安葬在孝陵，史书无载，只有谜面而无谜底。

对于朱元璋的“葬身之处”，明代有不同版本。一说朝天宫才是朱元璋灵柩真正的安葬地。浙东学派代表人物全祖望就写有《从朝天宫谒孝陵》一诗：“钟阜衣冠是与非，朝天弓剑更传疑。难寻玉匣珠襦地，但见神功圣德碑。开国谅无惭汉祖，嗣孙底是学曹丕。当年可笑山陵使，乱命何人为弼违。”

另有谓朱元璋葬于北京万岁山一说。此说之因，是源于朱元璋生性多疑，且沾满血腥，他怕后人掘陵挖墓，往生难安，因而仿效三国时曹操，设置七十二坟冢之诈计，让后人不辨踪迹，无从下手。

万岁山即故宫后面的煤山，今日之景山。当年朱棣营建北京紫禁城时，觉得大内少了一座能镇住王气的风水山，便用城内筒子河和太液池南海挖出的泥土，堆成一座人工山，将其当成“镇山”、“国运山”，以弥补紫禁城的风水缺陷。其后，秘密迁葬朱元璋于此，因名“万岁山”。

此传言由来，源于康熙乾隆年间诗人赵执信的一首《万岁殿》，诗中有这么两句：“后来孝陵传夜哭，应缘马后悲孤独。”相传明孝陵一带，每到半夜便传来老妇人的啼哭声，附近的人都觉得十分好奇，于是口口相传，结果以讹传讹，变成了是马皇后在哭泣，原因是朱元璋把她一个人抛在了孝陵内。由“夜哭”而来，遂附会于孝陵是朱元璋的衣冠冢一说，其

景山

真身早已移至他处。为此，传说皇室专门在孝陵前大做法事，“夜哭”现象方才消失。

听起来这些说法有鼻子有眼，但仔细分析，难以立足。朱棣迁都北京时，距离朱元璋驾鹤西去已有23个年头，从地底下把太祖挖出带走，不太可能。不仅如此，尽管朱元璋是朱棣生父，但朱棣对朱元璋立朱允炆为帝肯定有想法，甚至耿耿于怀。毕竟君临天下与统领一方的藩王，那差距大着呢！论能力，燕王肯定在建文帝之上，但朱允炆是长房长孙，朱棣虽为叔辈，但依礼制，他无继承机会，除非太祖破例，但朱元璋未能“不拘一格降人才”。无奈，朱棣只能靠自己打下天下，成为一代君王。所以，他大概不会再为死去的父王倾心尽力！

朱元璋葬身之处，究竟何地？其实当朝人已有过一些评说。王棠《知新录》就载：“俗说朝天宫是明太祖葬处，此讹言也。帝王大度，断不如是。”虽然他言之凿凿，却并无令人折服的解释。

倒是甘熙在其《白下琐言》一书中所做的分析，较为中肯：世传朝天宫三清殿下为明太祖真葬处。明人赵执信又谓葬于燕京之万岁山，作长歌以纪，有“马后悲孤处”之语。明太祖朱元璋建造陵墓，经画十数年，花费巨大财力，岂只是为了马皇后考虑？况且建文皇帝仁孝，又如何忍心让太祖的遗骸安置在渺不可知的地方，一帮文武大臣又岂能不知晓此事。万岁山在燕京，不可能将灵柩运到千里之外安葬。又有人说，这是太祖遗命。朱元璋虽然猜忌多疑，但绝对是师出有名的真龙天子，不会自比“奸雄”曹操之流，仿效其七十二疑冢之伎俩。

因此，甘熙认为，“朝天宫说”、“万岁山说”、“疑冢说”都不足信。故朱元璋葬地之谜，应是好事者臆造，让一个在世充满传奇的明太祖，身后也充满传奇。

有一种看法，认为玄宫内葬有三人，除了朱元璋和马皇后，还有此前提到的位于众妃之上的成穆贵妃孙氏。孙贵妃是亲军马元帅的义女，洪武七年离世，原“葬褚岗”，建陵后，朱元璋将其“附葬孝陵”。尽管在我国古代左右孰尊，已有定论，朱元璋和马皇后两人合葬，是可以分出高低的，但朱元璋还是要显示尊卑。由此推断，玄宫内房间的安排，中为朱元璋，东（左）为马皇后，西（右）则为孙贵妃。这样，正好构成一种对称的“居中为尊”，左为上，右次之的礼仪形式。不过，大胆假设，还需小心求证，只有等到地宫揭秘之时，方能真相大白。

朝天宫大成殿

明孝陵的范围很大，当时规划圈地是将钟山全部包括在内。据《康熙江宁府志》载：“沿山周围，缭垣四十五里，王门、西红门、后红门、东西黑门、神宫监、孝陵卫环之。”其外郭红墙，相当于当时京师都城长度的三分之二，墙内面积当在 3000 公顷左右。

朱元璋入葬明孝陵一个月后，为了保护、管理、维修孝陵，建文帝特设“孝陵卫”，专职负责明孝陵的保卫工作。换言之，他们就是为朱元璋夫妇守墓的军队。

“卫”是明朝一级军队的名称，大致相当于现今一个军或一个加强师。一卫有 5600 人，下设所，有千户所（1120 人）、百户所（112 人）。孝陵卫的工作，说大也大，为太祖守陵，岂不重要？说小也小，那么多人整日驻守在孝陵旁，平时无甚事做，晒晒太阳，打打瞌睡，大概也只能如此。

一地的地名，往往浸透了历史，承载着往日的痕迹，如孝陵卫、左所村，今日犹存。看到这，就会想起六百年前的大明王朝的盛世风华。

孝陵卫直隶京军卫指挥使司，并受南京中军都督府节制。此外，孝

明朝军队

陵内部管理设神宫监，专司香火祭祀洒扫等，为南京守备太监所直辖。

在孝陵卫、锦衣卫以及神宫监的内外守卫下，有明一代，明孝陵始终得到严格的保护。那时，紫金山上植松树 10 万株，养鹿千头，每头鹿颈都悬挂银牌，称为“长生鹿”，禁止捕猎。为了让长生鹿得以繁衍生息，特在孝陵卫设牧马千户所，盖取义“鹿马”，专门看管群鹿。当时所已设，但官长一时未定。有一个人很走运，他因名而得其官，《坚瓠集》中记载了这一颇富传奇的内容。太祖在去陵所的归途，为了躲雨，憩于山民之家，问其姓名，言称董茂。“董”字拆分开，上为草字头，中为“千”，下为“里”。朱元璋一想，这姓不错，千里草，最合适马鹿之食。回宫后即下旨，封其为千户，专司其职，并世代承袭。

明代律令规定，盗鹿者抵死，性命攸关，故无人敢犯禁。栖息之地，无人打扰，这使得长生鹿自由快乐地生活，其数量有增无减。明末崇祯年间，去孝陵谒陵的人，依然能看见在林中奔逐的银牌鹿，以时间推算，已有二百五十多年。依鹿的寿命,至少是数十代了。

有关孝陵之守备、维护,《大明律例》等国家大法都有严格的规定,以确保孝陵草木无损。如距皇墙二十里范围内,不准开山取石、烧窑、开路、葬坟,一言以蔽之,是“秋毫勿犯”,违者重罚。有重兵把守,又有如此酷律,还有谁不要命?就这样,身处钟山的孝陵于平静中享受一年四季春夏与秋冬的阳光和雨露,有明一代始终如初。

与南京毗邻的钟山乃城东制高点,战略位置极为重要,多受战事袭扰,伤害甚大。太平天国时期,清军江南大营就驻扎于此,清军与太平军在此激战,以至于曾经林荫蔽日、郁郁葱葱的山岭,成了荒山秃岭。

民国初年,金陵大学美籍教授裴义理发起组织义农会,开始在钟山植树造林。1925 年,孙中山逝世,遗嘱安葬南京钟山,次年破土建陵。从当时拍摄的照片观之,钟山上光秃秃的,树木可谓“凤毛麟角”,钟山,只为“山陵”,不为“山林”,全无令人赏心悦目的美景!

1927 年,国民政府定都南京,不久,将钟山所在的东郊作为中山陵园特区。孙中山奉安南京中山陵后,成立了总理陵园管理委员会,明孝陵被划入中山陵陵园范围之内,得到很好的保护,尤其是绿化,逐渐恢复旧观,重现青山隐隐之景。

第五章 ◎ 祭祀与谒陵

皇恩浩荡，祭祀先祖是年年必备的内容。谒陵，就是寄托缅怀先人的情与思。

《祭统》说："凡治人之道，莫急于礼；礼有五经，莫重于祭。"为了维护传统社会的人伦秩序，历朝历代都制定有各种祭祀礼制。

对孝陵的祭祀，有明一代历来重视。每年要举行三大祭和五素祭，平均摊下来，一个半月就要在这里举行一次活动，颇为频繁。

三大祭是指清明、中元（阴历七月十五）和冬至；五素祭是指圣旦（朱元璋诞辰）、正旦（正月初一）、孟冬（冬季的第一日）及两忌日（五月初十和八月初十，分别是朱元璋和马皇后的去世日），大祭用牛、羊、猪三牲作祭品，小祭只有酒果行香。勋旧大臣行礼，文武官陪祀。

懿文太子陵在孝陵左，四孟、清明、中元、冬至、岁暮及忌辰，凡九祭。沈德符《万历野获篇》卷一载：太祖一岁大祭者凡三，而懿文园则九大祭，不知何故。意者建文追谥兴宗时，加隆祢庙，有此缛礼，其后因循，不及改正。而南都中大佬，视为寻常之事，亦无一语及之。

明成祖于永乐十九年（1421）迁都北京后，南京作为留都，六部虽在，但都是闲职。此后，凡遇皇帝登极，国中大事，都要派勋戚大臣祭告。弘治十七年（1504）又规定，凡到南京赴任或路过的官员，进出城都要拜谒孝陵，违者必究。亲王赴所封之国过南京者，官员以公事入城者，都必须先谒陵，出城时则要辞陵。

朝廷专门设立祠祭署负责祭祀，设奉祀、祠丞各一员，以及司圃所管理山陵，它隶属于南京太常寺。《大明会典》卷二百十五《南京太常寺》载：凡南京各陵、庙岁时祭祀，俱本寺掌行。凡遇登极及灾异，及修理坛、陵、庙、社、城垣，祭告诸神，俱本寺掌行。

到祭祀这一日，各衙门文武官员必须全体陪祭。如果祠祭署不将祭祀日期预先通知各衙门，其主管官员就要处以鞭笞五十。如果因此误事，更要受杖一百。各衙门文武官员临期不到者，令御史纠察，而参加祭礼时如发生差错失仪者，也要罚半个月俸钱。

章潢的《图书编》中又载：每遇上陵行礼，文武诸司各遣官一员，而以亲王或驸马主祀事。天下无事，天子于清明日或一行，其忌日则惟遣驸马，而百官不与。其藩王或来朝亦许谒。孝陵在南京，内外臣僚有事经过者，必先拜谒，否则有罪。

祭文由内院撰拟，香帛由太常寺移取，祭品用牛一、羊一、豕一、登一、铏一、簠簋各二、笾豆各十，均行文由各该地方官预备，承祭官由兵部给与勘合，诹吉致斋。凡道经南京者拜谒孝陵，应天府于城外备行幄，南京太常寺备酒果。

参加祭祀的官员着装也有规定，凡陪祀孝陵，不论忌辰、吉祭，不限品级，不忌期功丧，文武官俱服浅淡色衣行礼，时间以三更一点为期，先于监礼御史等处报名进入。如先期不报，临期不至，及舆马擅入红门，听监礼官参究。

进入陵宫五门道亦有定式,正门三孔拱券门道供皇帝、亲王等通行,两侧掖门为文武官员及守陵人等所走,君、臣、主、仆各行其道,不得越级变道。

陈设用牲醴。赞引引遣官由殿右门入,典仪唱执事官各司其事。赞引引遣官九拜位,执事捧香合至香案。赞引赞诣前导遣官至香案前赞跪。赞上香,遣官三上香。讫,赞复位。赞四拜。典仪唱奠帛,行初献礼。执事捧帛爵,各跪献于御案前。讫。赞跪。赞读祝。读讫,赞俯伏、兴、平身。典仪唱行亚献礼(仪同初献,惟不奠帛、读祝)。唱行终献礼。赞四拜。典仪唱读祝官捧祝、进帛官捧帛,诣瘗位。赞礼毕。

建文、永乐时,皇帝都是亲自赴孝陵祭祀。建文四年(1402)六月,朱棣率靖难将士入南京,大学士杨荣前往迎驾拜见,他对燕王道:“殿下是先入城还是先谒陵?”经他提示,朱棣顿悟,如果先入城,实乃对太祖大不敬,于是他先谒孝陵。礼数到了,别人无话可说,随即自立为帝。正德十五年(1520),明武宗南巡抵达南京,也曾亲谒孝陵,以示对老祖宗的恭敬。除上述三位皇帝亲谒孝陵外,多是派皇太子、大臣前往致祭。

还有专命驸马祭祀孝陵之职,从正统六年八月始至成化七年夏四月,都是驸马都尉赵辉承命祭孝陵。因其服母丧,以南京守备成国公朱仪代。成化九年五月,赵辉结束丁忧,继续承命祭孝陵,一直到成化十五年八月。其后,同年九月,敕魏国公徐俌(开国元勋徐达后人)往南京奉祀孝陵,兼管南京左军都督府事,他一直做到弘治八年。

洪熙元年八月,仁宗即位之初,因忙于政务,不能亲临躬谒,特遣郑王瞻埈至南京谒孝陵。言称:“太祖高皇帝开创鸿业,以遗子孙,陵寝所在,如何能忘!”并一再嘱咐,对于“洒扫是否到位,看护陵寝和植树是否勤快,护卫是否得当”诸事,都要严加查饬,务必恭谨慎重,以不辜负他的一片心意。所言,深含对高祖的崇敬。

此后,前来孝陵谒陵的明朝皇帝,只有福王朱由崧一人。清军入关后,朱由崧在一帮臣子的拥戴下在南京登基,年号弘光,史称南明。崇祯十七年(1644)五月初一,弘光帝从三山门出发,绕城东行,由城外至孝陵,未走御道,径直从西门入享殿祭告。拜谒完毕,徘徊良久。又前往懿文太子寝园瞻拜，随后从朝阳门回城。

或许是心怀尊崇，明世宗虽然没有来南京拜谒孝陵，但他于嘉靖十年（1531）二月下诏改钟山为神烈山，或许，他是以这样的方式来表达对太祖的祭奠。

中国有句古训，叫做“好不过三代”。明初，从太祖朱元璋，到成祖朱棣，再到宣宗朱瞻基，为政颇有作为，社会经济发展，国力富强。这之后，是“一蟹不如一蟹”，家天下的传承，近亲繁殖的结果，使帝位继承者的智商越来越低。明后期的皇帝，一个比一个昏庸，神宗喜吸鸦片，光宗喜好女人，熹宗则偏爱木匠活。及至最后一朝崇祯皇帝继位，朝政积重难返，他已无力回天。

当时，农民起义的烈火，已严重威胁到明王朝的统治。崇祯召集大臣议政，言称因孝陵龙脉被凿，王气尽泄，以致社稷动摇。他于十四年（1641）下旨，在明孝陵设立“禁约碑”一块，重申保护孝陵，严禁破坏孝陵龙脉，违者从严惩治。

这边立“禁约碑”，那边孝陵太监奉命清除朽木之际，不分皂白，斩伐无忌，数百年参天大树悉数遭伐，孝陵杉板居然沿街贱卖。当时南京百姓私下纷纷议论，言称皇帝伐卖祖宗坟树，乃不祥之兆。崇祯十五年

禁约碑

(1642),成国公朱纯臣同浙江提学副使王应华奉敕修孝陵,大至数十围的三百年以上的大树,大加发掘,尽出为柴火,树根掘至地下数丈,悉为坑坎。

按照堪舆术,龙脉上的一草一木、一山一石,都事关"生气"的藏泄,不可轻易破坏;如果是帝陵所在的山林,更不可触动。故有懂风水者直言,如今地脉伤矣,王气尽泄。后来果然发生甲申之变,李自成攻入北京,崇祯皇帝上吊自杀,大明王朝走到了尽头,莫不是应验了这谶语。

明亡清兴,社会动荡,作为前朝的太祖孝陵,一时管理出现真空,被逐渐蚕食。首先遭劫的,是孝陵的银牌长生鹿和林木。清人陈文述《秣陵集》中有载:孝陵初建时,有松十万株,长生鹿千只。如今林木存者不多,而鹿已难觅踪影,陵户间有收得原挂在鹿身上的银牌者。他还写有一首《孝陵长生鹿银牌歌》:孝陵云黯万株松,叶叶冰霜树树龙。更遣奚官豢仙鹿,芝田瑶草护春茸。劫火灰飞陵上土,松既为薪鹿作脯。银牌不逐玉鱼沉,流落人间泣风雨。翠华玉辇侍昭仪,正是银牌初铸时。一自金棺遗宝志,鼎湖云气郁参差。秣陵王气消沉易,沧桑花月伤心事。鹿走中原楚汉争,银牌犹勒长生字。原庙衣冠幸未残,玉龟飞尽掖松寒。唐陵汉寝知何限,银雁金凫一例看。

有一段文字,读来真切,既让人感受到林木被盗伐之情形,亦见证了僧人挺身而出之忠心。它出自王源鲁的《小腼纪叙》一书中:"灵谷寺有一位僧人不知其名。江宁被清军攻占后,当地的一些泼皮无赖争相盗伐孝陵树木。灵谷寺住持印公对众僧说:'国君虽不在,国虽破,但明太祖在天之灵,我与你们同受惠于他,怎能忘其恩泽?'众僧只是点头却无行动,唯有那个僧人独自出寺,抢夺盗木者手中的锯子和斧头,不幸被杀。一个名叫函可的僧人说:'呜呼,高皇帝有一僧矣。'遂边哭边写有一诗曰:'一身殉陵木,国难见孤僧。便与埋松下,千年护祖陵。'他死后,没人敢与强盗相争。给事中倪嘉庆哭着禀告南下的清军统帅豫亲王都铎,这才下令禁止。"

魏世傚在其《孝陵恭谒记》中亦有载,站在陵区,放眼望去,山高阔而无树。有二个游人说:"昔日山上多紫气,上好的林木数百万棵,天晴时,在阳光照耀下金光闪耀，故称之为紫金山。如今，山中之树多被当地人砍伐用作柴火，已有一段时间了。”最初，人们还不敢轻易放肆，其后，孝陵建筑也有损坏。屈大均记载：“有在此牧马的八旗兵要砍大殿柱，柱上的金龙鳞爪有一多半将被破坏。他赶快上前，给了很多钱，请求他们手下留情。”魏世傚又写道：大殿的柱子有三十六根，离地面二尺多皆有刀痕，有的柱子已被砍掉了三分之二……按照游人的说法：“用刀砍大殿柱子的不是别人，而是郑氏（指郑成功，他曾于1659年率海师进攻南京——本书作者注）手下的兵，因不识楠木，闻其发出的香味，遂砍削而去。”

明亡之后，孝陵几乎成了无主之陵，守陵太监及禁卫军纷纷散去，守护无人。原来的禁区，如今成了自由区，孝陵殿两侧的左右庑成了储藏马粮之地，百姓公然在孝陵内外放牧，种植蔬菜。章静宜曾写有《金陵》一诗，其中“草满故陵埋石马，月明荒径泣铜驼”两句，说的就是孝陵，可见当时已是凄凉一片，与往日的隆盛不可同语。

后来，清代统治者考虑到实际情况之需，对明孝陵以及历代帝陵都采取了相应的保护措施。同时，皇帝还多次派官员祭陵，甚至亲往明孝陵祭祀、谒陵。

蒋良骐《东华录》载：顺治元年（1644）六月，清世祖派大学士冯铨谒明孝陵，祭故明太祖及诸帝。十七年九月二十五日，命礼部每年春秋两次由太常寺差官致祭明孝陵和历代皇陵。

康熙皇帝读书像

康熙皇帝当政之后，曾六次南巡下江南，其中五次亲自拜谒明孝陵。

第一次是在康熙二十三年（1684）十一月初二，一切均按汉人礼制。《池北偶谈·谈故》等书载：康熙由甬道旁行，命随从官员门外下马，而他本人躬行三跪九叩大礼。到宝城前，又行三献礼，奠酒三爵，然后由甬道旁出，赏守陵太监及陵户人等，以示恩恤，彰劝励焉。当车驾将返时，康熙似乎有点放心不下，又特谕：你们看守孝陵，宜小心谨慎多加巡视，不要使附近的无知民人旗丁恣意乱来。同时命令总督、巡抚等地方官员严加巡察。有关经过，由总督两江兵部侍郎王新命勒石纪事，现碑存于明孝陵碑殿东侧。

第二次是康熙二十八年（1689）。这年的正月，康熙谕江南江西总督、江苏巡抚："明太祖天资英武，敷政仁明，芟刈群雄，混一区宇，肇造基业，功德并隆。其陵寝在钟山之麓，系江宁所属地方，向已有旨，令有司各官，春秋致祭，严禁樵采，并设立守陵人户，朝夕巡视。但为日已久，不无废弛。今朕省方江宁，亲诣拜奠，见墙垣倾圮，林木凋残，皆系无知民人，不遵约束，恣肆作践，往来行走，殊于法纪。嗣后尔等督令地方各官，不时巡察，务俾守陵人役，用心防护，勿致附近旗丁居民，仍前践踏。所有春秋二祭，亦必虔洁举行，以副朕崇重故帝王陵寝至意。"随后，康熙皇帝于二月癸亥第二次南下，以吉祥街织造署为行宫。甲子，亲祭明孝陵，至大门前，下辇步行。进前殿，行三跪九叩头礼。复至陵前，奠酒三爵，行一跪三叩礼。礼毕，赐守陵人白金百两。

第三次是康熙三十八年（1699）四月己酉，康熙皇帝第三次南巡至江宁。他谕大学士等曰："明代洪武乃创业之君，朕两次南巡俱举祀典，亲往奠醊。今朕临幸，当再亲祭。"大学士等奏曰："皇上两次南巡，业蒙亲往奠醊，今应遣大臣致奠。"皇上曰："洪武乃英武伟烈之主，非寻常帝王可比。著兵部尚书席尔达致祭行礼，朕亲往奠。"

康熙于壬子至明孝陵奠爵，阅视陵寝，谕大学士等曰："朕今日往明太祖陵寝致奠，见其圮毁已甚，皆由专司无人。朕意欲访察明代后裔，授以职衔，俾其世守祀事。古者夏殷之后，周封之于杞、宋，即今本朝四十八旗蒙古，亦皆元之子孙，朕仍沛恩施，依然抚育。明之后世，应酌授一官，俾司陵寝，俟回都日，尔等与九卿会议具奏。"其后，大学士奏："明亡已久，子孙湮没无闻，今虽查访亦难得实。可委该地方佐贰官一员专司祀奠，以时致祭。"康熙表示可以。这一次，他诗兴大发，作《过明太祖陵有感》一首，诗云："拔起英雄草昧间，煌煌大业岂能删。玉鱼金碗虽如故，烟雾低迷独怆颜。”

也许一首诗还不足以表达自己的心情，抑或重温历史，有感而发，两日后，康熙皇帝又亲笔题写下“治隆唐宋”四字，并命江苏巡抚宋荦、江宁织造曹寅会同修理明孝陵倾圮的墙垣。

第四次是康熙四十二年（1703）春三月，康熙皇帝南巡抵江宁府，以织造衙门为行宫。这一次他没有亲谒孝陵，而是派大学士马齐前往明孝陵致祭。

康熙四十四年（1705）夏四月，康熙第五次南巡至江宁，仍驻跸织造衙门。先遣户部尚书徐潮祭明太祖陵。其后，他谕领侍卫内大臣等曰：“回銮时，朕诣明太祖陵行礼。”大学士马齐奏曰：“皇上已经遣官致祭明太祖陵，祈停亲诣行礼。”得旨：“洪武素称贤主，前者巡幸，未获躬赴陵前，今当亲诣行礼。”庚寅，康熙皇帝自江宁府启行，至明孝陵。导引官引向中门，康熙命自东角门入，曰：“此非尔等导引有失，特朕之敬心耳。”既入，率诸皇子及大臣侍卫等行礼。

乾隆出巡图

康熙四十六年（1707）春三月，康熙最后一次南巡，先遣大学士马齐祭明孝陵。辛酉，又谕大学士等曰：“朕欲于明日往谒明太祖陵。”大学士等奏曰：“皇上前此临幸江南，明太祖陵或遣官致祭，或遣皇子致祭，亦有皇上亲行灌奠之时，又重新庙貌，专人看守，自古加厚前朝，未见如此者，今皇上又欲往谒，臣等以为太过。况此行已遣大臣致祭。天气骤热，不必亲劳圣躬往谒。”康熙谕曰：“天气骤热，何足计耶，朕必亲往。”壬戌，康熙又亲谒明孝陵，乘人拉的车由东石桥至大门，下车后由东门升殿。行礼毕，回行宫。

乾隆皇帝登基后，步其祖父后尘，也六下江南，并六次亲往明孝陵拜谒。

雍正虽未拜谒过孝陵，但他亦关心有加。雍正七年三月甲寅，谕内阁："自古帝王，皆有功德于民，虽世代久远，而敬礼崇奉之心，不当弛懈。其陵寝所在，尤当加意防卫，勿使亵慢。…… 明太祖陵，在江宁，昔我圣祖仁皇帝屡次南巡，皆亲临祭奠，礼数加隆。着江南总督，转饬有司，加意防护。…… 其南北二陵，防护无误之处，亦着该督抚等，于每年岁底，册报工部汇奏。"其后，嘉庆皇帝亦诏令修理明孝陵。总体而言，清代前中期的皇帝一直都很关注孝陵，故其主要建筑基本保存完好。

明亡清兴，一些遗民的失国之痛、故国之恋和复国之想无处复述，便以凭吊明孝陵而喻其心志。他们来到这里，缅怀先帝，追思往昔，无限伤感，其中最为典型的就是明代大儒顾炎武。

顾炎武像

顾炎武曾任明朝兵部郎中，清兵南下入昆山，他的母亲绝食悲壮而死。临终前留下遗命，要儿子持守气节，绝不归顺大清。顾炎武曾参加反清起义，失败后来到南京，他曾七谒孝陵，写过多首感怀的诗篇，以表达复兴之心。他还在紫金山下赁屋卜居，自署"蒋山佣"，写下了《侨居神烈山下》一诗："典得山南半亩居，偶因行药到郊墟。依稀玉座浮云里，落莫金茎淡日初。塔葬属支城外土，营屯塞马殿中庐。犹余伯玉当年事，每过陵宫一下车。"

还有许多文人志士多次到孝陵拜谒，如屈大均、魏世傚、谈迁、阎尔梅等。阎尔梅在其《谒钟山孝陵》诗中，表达了亡国之臣的悲痛心情："石像摧残缀野藤，鹿狐蛇蟒迹崚嶒。樵夫见我徘徊久，放担前来痛不胜。朔望谁司寝殿灯，中官一个老为僧。窥余行礼丹墀下，讶道多年自未曾。咄咄江山一旦崩，朝天宫穴亦难凭。孤臣二十余年泪，忍到今秋洒孝陵。金井罘罳碎作绳，茅荒隧砌结寒冰。斜阳欲下归来晚，塔火遥看十二层。"

有清一代，尽管康熙、乾隆等皇帝多次谒陵，试图淡化消解满汉对立情绪。然而，许多汉族志士并未忘记清兵“扬州十日”、“嘉定三屠”的残暴。朱元璋生前虽滥杀无辜，但他推翻了蒙元异族统治，恢复汉民族独立的功绩，在反清的汉族志士心目中享有崇高的地位，故孝陵成了他们倾述心愿的圣地。

太平天国定都南京后，取得暂时胜利的天王洪秀全，曾亲率文武百官晋谒明孝陵，告慰朱元璋，并发表《祭明太祖陵寝文》：

> 不肖子孙洪秀全，率领皇汉天国百官谨祭于吾皇之灵曰：“昔以汉族不幸，皇纲覆坠，乱臣贼子皆引虎、引狼以危中国，遂使大地陆沉，中原板荡。朝堂之地，行省之间，非复吾有，异族因得以盘据，灵秀之胄，杂以腥膻，种族沦亡，二百年矣。秀全自惟凉薄，不及早除异类，慰我先灵。今藉吾皇在天之灵，默为呵护，君臣用命，百姓归心，东南各省，次第收复。谨依吾皇遗烈，定鼎金陵。秀全不肖，以体吾皇之心，与天下附托之重，东南既定，指日北征，驱除异族，还我神州。上慰吾皇在天之灵，下解百姓倒悬之急，秀全等不敢不勉也。敢告。”

孙中山先生对明太祖亦很尊崇，他在檀香山创立兴中会，其《兴中会盟书》中“驱除鞑虏，恢复中国”之言，旨在推翻满清，这一点与朱元璋推

孙中山祭明孝陵时向文武官员讲话

翻元朝异族统治有相似之处。当然,两者是有区别的,朱元璋是英雄革命,是封建帝王的改朝换代;孙中山是国民革命,是民主革命家的革故鼎新。孙中山就曾言:“前代革命如有明及太平天国,只以驱除光复自任,此外无所转移。我等今日与前代殊,于驱除鞑虏、恢复中华之外,国体民生,尚当与民变革。”

1912 年 1 月 1 日,中华民国临时政府在南京成立,孙中山就任临时大总统。是时,百废待举,诸事繁杂,孙中山因忙于公务,一直未得机会晋谒明孝陵。2 月 12 日,清帝宣布退位,孙中山于次日向参议院提出辞文。15 日,临时政府举行“民国统一大典”,孙中山亲率“国务卿士、文武将吏”拜谒明孝陵,告慰明太祖朱元璋,以完成多年奋斗的夙愿。孙中山发表了两个文告:一是《祭明太祖文》,一是《谒明太祖陵文》。前一篇是“祝告文”,后一篇是“宣读文”。《祭文》如下:

“中华民国元年二月十五日辛酉,临时大总统孙文,谨昭告于大明太祖开天行道肇基立极大圣至神仁文义武俊德成功高皇帝之灵曰:呜呼!国家外患,振古有闻,赵宋末造,代于蒙古,神州陆沉,几

1912 年 2 月 15 日,中华民国临时大总统孙中山率参议员晋谒明孝陵

及百年。我高皇帝应时崛起，廓清中土，日月重明，河山再造，光复大义，昭示来兹。不幸季世俶扰，国力疲敝，满清乘间，入据中夏。嗟我邦人，诸父兄弟，迭起迭踣，至于二百六十有八年。呜呼！我高皇帝时怨时恫，亦二百六十有八年也。岁在辛亥八月，武汉军兴，建立民国。义声所播，天下响应，越八十有七日，即光复十有七省，国民公议，立临时政府于南京。文以薄德，被推为临时大总统。瞻顾西北，未尽昭苏，负疚在躬，尚无以对我高皇帝在天之灵。迩者以全国军人之同心，士大夫之正议，卒使清室幡然悔悟，于本月十二日宣告退位。从此中华民国完全统一，邦人诸友享自由之幸福，永永无已，实维我高皇帝光复大义，有以牖启后人，成兹鸿业。文与全国同胞至于今日，始敢告无罪于我高皇帝，敬于文奉身引退之前，代表国民，贡其欢欣鼓舞之公意，惟我高皇帝实鉴临之。敬告。”

在另一篇《谒明太祖陵文》中，孙中山以兴奋的笔调，强调了辛亥首义、清室退位、中华大业光复的成就，并说：“呜乎休哉！非我太祖在天之灵，何以及此？”

1927 年，国民政府定都南京。1935 年定清明节为“民族扫墓节”。以后每年的这一天，国民政府的文武官员都要到明孝陵来谒陵。

第六章 ◎ 太子东陵和功臣墓

『入住』明孝陵的，不仅仅是朱元璋夫妇，还有太子朱标，以及一帮生死与共的兄弟。

在明孝陵旁，有一座朱元璋长子朱标的墓室——明东陵。当年的陵阙早已是断壁残垣，然而历史不会忘记，围绕着这座陵寝所发生的故事，是一个王朝在草创阶段蹒跚的背影，它经历过血与火以及刀光剑影的洗礼。

明洪武二十五年（1392）夏四月，当朝储君懿文太子朱标未及登基，就匆匆走完了他尊贵而平淡的 38 年人生，由此埋下了争夺王位的伏笔。明末清初史学家谈迁就言称："不有所废，其何所兴。懿文之早世夭，所以开靖难也。"

有人说，太子早逝是不幸的，大明江山本属于他，惜乎天不假年，悲哉！谈迁却另有一番看法：懿文太子孝友仁慈，天性使然。早丧，使他免除了玄武门兵变之血。不过，其遗患令太孙而忧，罹遭祸乱，惜哉。朱标身后留下的隐患，导致了十年之后的一场“靖难之变”。

朱标（1355—1392），是明太祖朱元璋之子，建文帝朱允炆之父。朱元璋称帝的同时，册立朱标为太子，入住东宫，从此开始了他漫长的储君生涯。

太子朱标

朱元璋年少时全无受教经历，因而格外重视对太子的教育，为了培养出理想的继承人，能干的圣王贤君煞费苦心。他在宫中特设“大本堂”一座，收藏古今各类图书，并征聘各方名儒，轮流为太子授课。他语重心长地对儒臣说：“我的孩子们将来是要治理国家的……教育的方法，要紧的是正心，心正万事皆妥，心不正则诸欲交攻，万万要不得。”他除了让太子诵习儒家经典，又专门挑选了一些贤人为他讲授“帝王之道，礼乐之教及往古成败之迹，民间稼穑之事”。他特别强调，天子与公卿士庶之子不同在于，前者系天下之安危，后者系一家之盛衰。后者不能修身齐家，止败于一身一家；若是天子不能正身修德，其败则是宗庙社稷有所不保，天下生灵皆受其殃。因此，不可不惧怕，不可不戒！所以，太祖要求辅导太子“必先养其德行”，这样他日为政，才能合乎规范。点滴之间，细微之处，无不深含朱元璋对朱标寄予厚望。

朱元璋对太子的培养倾注了大量心血，诚如谈迁《国榷》中所言：自三代而降，所有教太子者，没人能比得上太祖。他总是谈论民间疾苦，常以自己的经历加以训导，要太子明白创业不易，守成更难。这里有一段太祖于洪武二年（1569）九月谕太子之言，从中可见一斑。太祖对太子说：“自古帝王以天下为忧者，惟有创业之君、中兴之主及守成贤君能够做到。而寻常之君，不以天下为忧，反以天下为乐。国亡之始就源于此，为什么呢？帝王打天下时，天必授于有德贤能之人。屡经忧患之后方得天下。其得来不易，故其忧之也深。若是守成即位之君，常存敬畏，时刻牢记祖宗忧天下之心，就能永葆江山。若是苟且怠慢，败亡就为期不远了。”

常言道，“水可载舟亦可覆舟”，只有谨慎如初，朝夕勤勉，不懈不怠，才能无愧于自己和江山社稷。朱标没有辜负父皇的谆谆教诲和悉心培养，尽管他生活安乐，但并无纨绔之习，尽心受教，慈仁勤勉，颇具儒者风范。

洪武十年（1377），朱标22岁时，朱元璋为了进一步培养和加强他的处事能力，让他协助处理国家政务。太祖言称：人君治天下，日有万机。一事之得，天下蒙其利；一事之失，天下受其害。自古以来，惟创业之君，历涉勤劳，达于人事，周于武力，故处事之际，鲜有过当。守成之君，生长富贵，若非平日练达，临政少有不谬者。故吾特命尔日临群臣，听断诸司启事，以练习国政。惟仁则不失于躁暴，惟明则不惑于奸邪，惟勤则不溺于安逸，惟断则不牵于文法。凡此，皆以一心为之権度，则未有不失其当。

朱标生性敦厚，自幼接受庭训，恪守为人之道。又长期接受儒学熏陶，多讲仁政与慈爱，宽容待人，从政勤谨，颇受朝野好评。

然而，与朱元璋重典治国不同，朱标则希望实行“宽通平易之政”。这与太祖的意趣不合，所以空余报国之情。面对朱元璋的滥杀，朱标曾深表忧虑，多次劝戒：“陛下杀人太多，恐伤了和气。”朱元璋总是沉默不语。一日，他特意叫人拿了一根荆棘置于地上，命太子拣起来。见上面有刺，朱标面露难色。深谋远虑的朱元璋言称：“你怕刺不敢拣，我把这些刺给你去掉，难道不好吗？现在我杀的都是日后对你构成威胁的人，除去他们，你才能坐稳江山，这对你来说，不是一件莫大的福事吗！”

生性敦厚的朱标却不以为然，他直言：“有什么样的皇帝，就会有什么样的臣民。”言下之意，上行下效，过犹不及，怕是搬起石头砸自己的脚。朱元璋一听大怒，这不是“狗咬吕洞宾，不识好人心”吗？顺手拿起椅子就砸向太子，朱标只得悻悻而逃。

洪武二十四年（1391），朱标受命巡视陕西。孰料，归来后不知因劳累还是染疾，竟一病不起，于次年四月不幸故去。他短暂的一生，是不幸与幸运并存。早逝实为不幸，但换一个角度，很早就远离政治纷争的漩

涡中，则又是他的大幸。只要朱棣一日有谋反之心，讲求仁义的朱标，怕也不是他的对手。

朱元璋生性猜忌，权力欲极强，凡事都要包办和独揽。为了稳固自己的统治，他不惜大兴党狱，大肆屠戮功臣，诛杀之惨烈，恐为历史之最。即便对太子，怕也不会全然无所顾虑和防范。朱标对一些政事的处理，常与朱元璋相左，岂能不令他生疑。恩师宋濂因受胡惟庸案牵连，太祖欲治其死罪，太子为他求情，朱元璋竟怒言："等你当了皇帝再赦免他吧！"弦外之音，没你讲话的份。朱标虽贵为储君，"一人之下，万人之上"，但这看似光鲜的背后，实是非常之道。

是时，太祖正当年，朱标必须经受漫长而耐心的等待。然而，夜长梦多，朱标也不大可能完全安之若素，无所用心。他虽忠厚仁慈，但并非没有主见和原则。他明知太祖喜好以猛治国，但在一些重大问题上，亦不惜有逆鳞之举，欲施仁政之意。在这样的历史语境中，朱标内心承受着巨大的精神压力，太祖对他望之愈切，责之愈严。朱标完全生活在父亲的阴影之下，无法施展拳脚，过早地离去，使他失去了抒写人生、彪炳春秋的机会。

朱标去世后，著名文士方孝孺不胜悲切，作挽诗以志纪念。其中云："盛德闻中夏，黎民望彼苍。少留临宇宙，未必愧成康。"除了对太子早逝表示惋惜，对太子评价甚高，所谓"未必愧成康"之句，即把他比作西周著名的成、康二王。

话说人生三大悲，"少年丧父，中年丧妻，老年丧子"，朱标之死，对朱元璋是一个极大的打击，《明史》载"帝恸哭"。他下令将朱标葬于孝陵之左，又立朱允炆为皇太孙，以补储君之位。葬期过后，太祖不忍除去丧服，礼官认为不妥。太祖言称：父子感情，发乎天性，生离死别，情何以堪，故无法忘怀。朱元璋对朱标精心培养，然而生命无常，到头来这一切都化为乌有，空悲切！

是时，应天、太平等府耆民俱前来吊唁，太祖一边安慰，一边让他们回去。他说：你们不忘国家之恩，结伴前来祭祀皇太子，至诚至真。然而，现农活正忙，不可误时。如有人还准备前来吊唁，请转告他们，不要为此费心。诸位耆老听后，感泣而退。

陈文述有《懿文太子陵》一诗：“当年名德重青宫，颇与昭明器宇同。华望久应敷四海，迁都惜未定关中。犯颜力救儒臣祸，失意空嗟大将功。鹤驾定随龙驭杳，夕阳云树孝陵东。”言辞中，充满了对太子的褒奖。

朱标东陵的得名，有两种说法：一是其陵寝在孝陵之左，因方位而得名；一是朱标生前为东宫太子，死后陵寝亦称东陵。

太祖死后，朱允炆即位，是为建文皇帝，他追尊朱标为明兴宗，并且提高了朱标陵墓的建筑等级，以适应其死后被追封为帝的身份。可好景不长，逾四年，建文帝就被皇叔燕王夺其皇位。朱棣为帝后，余怒未消，他恨朱允炆，更迁怒他人，废除了其兄朱标的帝王名号，并将东陵由帝陵改回太子陵。陵墓地位的一升一降，折射的是明初动荡的政治局势，记录了洪武、建文、永乐三朝世事变幻的无情。

明成祖朱棣像

朱棣为了统治之需，对朱标诸子及建文帝的后代大张挞伐，几近灭绝。同时，他竭力抹杀建文帝和懿文太子朱标的这段历史，试图抹去父子俩在人们记忆中的痕迹。很长一段时间，朱标与朱允炆沉寂于史书之外。正德、万历、崇祯年间，虽不断有大臣提出要恢复建文帝的历史地位，但碍于当时特殊的政治背景，终未有果。直至南明，福王朱由崧的弘光小朝廷重又恢复了朱标夫妇的帝、后尊号。清乾隆元年(1736),乾隆帝决定谥朱允炆为恭闵惠皇帝,《明史》中也专为朱标立“兴宗孝康皇帝传”,并附皇后常氏与建文生母吕太后传。至此,朱标夫妇及朱允炆的历史地位才得以直笔正史。

从明初到清中期,朱标故后虽然三获皇帝尊号,但其东陵的地位却每况愈下,日益破败,终成废墟,湮没在蒋山的荒草中,不为人知。以至于民国时对东陵位置的记载,竟出现两种说法:一为梅花山西约今中山植物园内,有小山隆起的即是;一为孝陵东。1999 年,经考古证实,东陵位于孝陵陵宫东垣以东约 60 米处,与孝陵享殿毗邻,北依山地,南临平岗。寝园总体布局与孝陵相似,坐北朝南,建筑呈中轴对称,其南北纵深 94 米,东西总宽近 50 米,由南至北,两进院落,第一进包括寝园大门、享殿前门以及环绕两侧的弧形围墙;第二进中心建筑即为享殿,东、西、北三面有园墙围护,寝园以北约 300 米处则是隆起的宝顶。因是太子陵,所以规模上远不及皇陵。考古调查中没有发现东陵有单独的神道石刻和御桥,而是与孝陵共享一条主神道,孝陵由此开创了皇陵神道为后世子孙所共用的制度。2000 年 9 月,中山陵园管理局对明东陵遗址做了科学保护,建成遗址公园对外开放。

明朝共有 16 帝,除建文帝下落不明,其余 15 位都建有陵园:南京明孝陵、北京昌平十三陵和金山景泰陵。生前没做过皇帝,死后被追尊为

鸡鸣山

帝,并按帝陵规制建造的有三座,即江苏盱眙明祖陵、安徽凤阳明皇陵、湖北钟祥明显陵。就历史地位而言,明东陵作为明代第19座帝陵而载入史册,当是名正言顺。

明初,朱元璋曾在鸡笼山,即现今北极阁所在鸡鸣山建有一座功臣庙,凡明朝开国元勋,功在社稷,泽及生民者,论功列祀共21人,另在两庑还附祭288人。死者塑像,生者虚其位,共计309人。据史料记载,这些功臣中葬在钟山之阴的共有12人,即:中山王徐达、开平王常遇春、岐阳王李文忠、东瓯王汤和、江国公吴良、海国公吴祯、藤国公顾时、许国公王志、芮国公杨景、燕山侯孙兴祖、安陆侯吴复、汝南侯梅思祖。其中,东瓯王汤和的墓近年已在安徽凤阳发现,证明史载有误。其余11座墓,能确定墓主并现存的有徐达墓、常遇春墓、李文忠墓、吴良墓、吴祯墓五座。另在常遇春墓附近还有仇成墓,史书无载,算是意外收获。经地面调查,

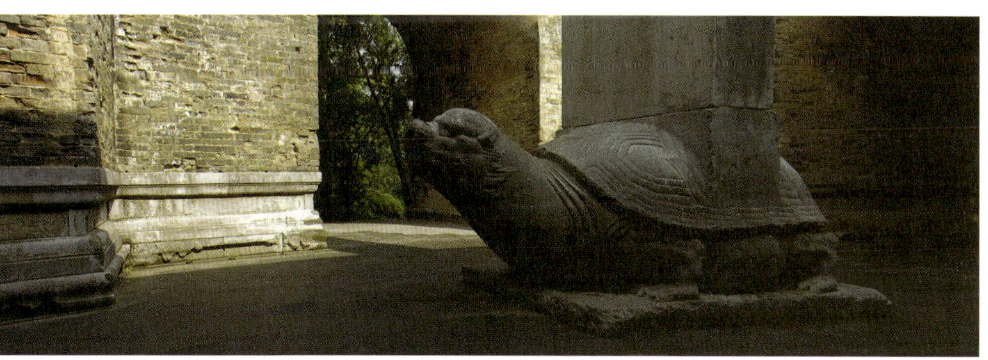

还有两座无名失考墓,一处在现板仓某部队院内,一处在现紫金山北区苗圃附近,也属钟山之阴。

按明代的礼制,官员死后,其坟冢、碑碣的大小尺寸、墓道石刻的规制、随葬品的数量等,都依官衔的高低而有严格的规定。其制,自洪武三年定。

五品以上用碑,龟趺螭首。六品以下用碣,方趺圆首。功臣殁后封王,螭首高三尺二寸,碑身高九尺,广三尺六寸,龟趺高三尺八寸。一品螭首,二品麟凤盖,三品天禄辟邪盖,四品至七品方趺。首视功臣殁后封王者,递杀二寸,至一尺八寸止。碑身递杀五寸,至五尺五寸止。其广递杀二寸,

至二尺二寸止。趺递杀二寸,至二尺四寸止。

坟茔之制,亦洪武三年定。一品,茔地周围九十步,坟高一丈八尺。二品,八十步,高一丈四尺。三品,七十步,高一丈二尺。以上石兽各六。四品,四十步。七品以下二十步,高六尺。五年重定。功臣殁后封王,茔地周围一百步,坟高二丈,四周坟墙高一丈,石人四,文武各二,石虎、羊、马、石望柱各二。一品至六品茔地如旧制。七品加十步。一品坟墙高九尺,二品至四品递杀一尺,五品四尺。一品、二品石人二,文武各一,虎、羊、马、望柱各二。三品四品无石人,五品无石虎,六品以下无。

他是大明第一功臣,朱元璋曾赐联一副,称之为"破虏平蛮功贯古今人第一,出将入相才兼文武世无双"。他青史留名,不仅是显赫战功,更体现在为人低调,不居功,不贪权,不敛财,一心辅佐君王,鞠躬尽瘁。他的名字就是徐达。

徐达(1332—1385),字天德,安徽濠州人,与朱元璋同乡。少有大志,喜读兵书,知《六韬》《三略》。至正十三年(1353)六月,朱元璋回家招兵买马,江淮烽火催发他投身军旅,从此金戈铁马,成就了他一世英名。

徐达初试锋芒就先声夺人,取滁州,夺和州,智勇兼备,攻而必克。至正十五年,从朱元璋渡长江,克采石,下太平(今当涂),继而率军拿下溧阳、溧水。次年,从朱元璋克集庆(今南京),继奉命以大将军领兵取镇江、常州、常熟数地。此后,破陈友谅,平张士诚,徐达是屡战屡胜,倍受朱元璋的信任,徐大将军的头衔,是名至实归。

徐达像

接下来,消灭元朝势力,一统天下的重任,便历史性地落在徐达身上。元至正二十七年(1367),朱元璋亲自主持北伐中原的誓师仪式。拜徐达为征虏大将军,25万精锐之师整装待发。战事的进行出乎意料的顺利,明军势如破竹,曾经凶悍而不可一世的蒙元军队一败涂地。北伐大军先后攻克河南、山东，直捣元大都，元顺帝被赶回了他的草原老家。随后，徐达率部继续北进，以摧枯拉朽之势消灭残元，定鼎西北。

在推翻元朝、开创明朝的统一之战中，徐达立下首功。班师回朝，朱元璋亲到龙江迎接北伐将士凯旋。他下诏大封功臣，授徐达"开国辅运推诚宣力武臣，特进光禄大夫、左柱国、太傅、中书右丞相参军国事"，改封魏国公，岁禄五千石，子孙世袭，还赐给他免死铁券。

沧海桑田，世事莫测，十六年前这个一文不名的农家小子，如今冠盖京华，是"一人之下，万人之上"。如此巨变，即便连徐达本人也会有一种恍如隔世之感。不过，荣誉的背后，征战的艰难、交锋的悲壮，甚至生死一搏，又有几人能知？唯有徐达自己最清楚，那是血染的风采。

带着这样的荣耀和辉煌，徐达此后还有过数次相当成功的征伐。平民出身的他出类拔萃，有不世之军事天才，一生刚毅武勇，持重有谋，统领大军转战南北。徐达的赫赫战功，使他成为当之无愧的第一名将！而他功高不矜，为人宽厚，被朱元璋誉为"万里长城"。

长期的戎马生涯、奔波劳累，使徐达积劳成疾，于洪武十八年（1385）二月病逝于京师府邸，时年54岁。太祖追封他为中山王，谥"武宁"，赠三世皆王爵，赐葬钟山之阴，御制神道碑文。配享太庙，功臣庙，位皆第一。

徐达墓

徐达是朱元璋打天下的首要功臣，但"狡兔死，走狗烹"，朱元璋做了皇帝后，特别是晚年，猜忌群臣。为了确保王朝万世一系，他借胡惟庸谋逆案杀了一批功臣，不少人死于非命。徐达虽然谨慎如初，但功高震主。徐达的死因，说法就有些相异，正史称之病逝，野史则言亦非善终。

徐达生了瘩背，最忌吃蒸鹅。鹅本素食动物，但民间传说中它是"发物"，有疔毒者需忌之，否则"一'发'不可收"，可朱元璋偏偏赐蒸鹅全宴给他，显然有所居心。按规定，赐宴必须即食、全食，徐达无奈，流泪“谢主隆恩”后尽食全鹅，不久即离世。这则传闻的可信度虽然很低，但流布甚广。

徐达一生安分守己，从不结党亦不逾矩，他的子孙也未见有骄傲蛮横、违法乱纪之举，朱元璋怎会诛杀这样一位忠臣。况且，朱元璋杀人，一贯“光明正大”，无须用这种路人皆知的低级手段。而有明一代，徐达子孙累世封公，庇荫后人，只有忠臣之后才能享有这般礼遇，故赐死之说不足信。

徐达墓坐北朝南，面对钟山，墓园规制宏伟。入口处立“明中山王神道”牌坊，系 1984 年南京市文物事业管理委员会按原形复制的。神道长约 300 米，牌坊后为神道石刻。现尚存神道碑一块，石马、石羊、石虎、武士、文臣各一对。

“御制中山王神道碑”是明代功臣墓中最大、最具代表性的一块。碑通高 8.95 米、宽 2.2 米、厚 0.7 米，该碑分为三部分：上为浮雕云龙纹碑额，正中刻篆体“御制中山王神道碑”字；中为碑身，刻有朱元璋亲撰的碑文，共 28 行，每行 72 字。两千余字，记载了徐达一生的主要活动和功绩。下为龟趺碑座。此碑奇特之处，在于碑文中竟然出现“标点符号”。我国古

御制中山王神道碑

代，文字从不加标点，由读者自己断句，谓之句读。然此碑文中每一句话后面都划有圆圈，好似断句一般。虽是单一的符号，但前所未有。究其原因，可能碑文是由大臣代笔，或许考虑到文字深奥难懂，为了便于皇帝阅读，特意加上圆圈一如断句。后来交付雕凿时，工匠不知所以然，又不敢问，于是“照单全收”，一个不落地都镌刻在碑上。

神道的终点是墓冢，为徐达夫妇合葬墓丘所在，下用块石垒砌，上为封土。墓冢前立有清光绪年间其后人所立墓碑，上刻“明封魏国公追封中山王谥武宁徐公、夫人谢夫人之墓”。

永乐三年七月戊申，朱棣遣官祭中山武宁王。谕礼部曰：“中山王勋德之盛，国朝第一，百世不忘。自今，正旦、清明、七月望、十月朔、冬至，皆遣祭，著为令。”乾隆十六年三月乙卯，乾隆皇帝遣官祭徐达墓，赐曰“元勋伟略”。

钟山之阴，是朱元璋安葬那些与他一同打江山的兄弟们之吉地。其中第一位安息于此的英雄，就是明初第一猛将常遇春。

时势造英雄，在众多将领中，常遇春脱颖而出。他勇猛善战，攻城拔寨，时有惊人之举，更是创造奇迹，为大明王朝的建立，抒写了浓墨重彩的一笔。

常遇春（1330—1369），安徽濠州人，自幼习武，体魄强壮，精通兵器。元末，生逢乱世，何去何从，一时踌躇。最终，他选择了投奔朱元璋，从此天地渐宽。

常遇春像

至正十五年（1355）夏，朱元璋率军渡江南下，在著名的牛渚矶一役中，遭遇到元军冒死阻击。由水至陆，易守难攻，战船无法登岸，情势相当危急。这时，只见常遇春一马当先，驾一叶扁舟冲向江岸。元军一时慌了手脚，不知所措，大部队趁势跟进，一举拿下。

常遇春小试牛刀就大显身手，一时风生水起，令朱元璋喜出望外，委他以重任，由渡江时的先锋升至元帅。从此，常大将军开始了他东征西讨的戎马生涯，克应天，破池州，取镇江，江南形势为之一变，为朱元璋继续开拓和壮大实力，奠定了坚实的基础。

是时，朱元璋所面对的形势还相当严峻，陈友谅占据上游，野心勃勃，是为劲敌；下游则有雄踞苏杭的张士诚，时刻觊觎。朱元璋腹背受敌，随时都将遭到攻击。危难之际，方显英雄本色，常遇春再立大功。

至正二十年（1360）五月，陈友谅率水军数十万直取应天，朱元璋以弱御强，诱敌深入，命常遇春与冯国胜率帐前五翼军三万人设伏。双方在南京城西北的龙湾展开了一场恶战，常遇春大破敌阵，陈友谅部溃不成军。时值江水落潮，一百多艘战舰全部搁浅，朱元璋指挥水陆军并进，陈友谅大败而逃。龙湾大捷，朱元璋转危为安，势力大增。

陈友谅围攻应天（明版画）

1363年，蛰伏了三年的陈友谅倾巢出动，以号称六十万大军来攻，在鄱阳湖，上演了一场持续了36天的生死大决战。

陈友谅倚仗舰船大而坚固，横冲直闯。常遇春则以小搏大，剑走偏锋，以火攻袭扰敌舰，令敌军损失过半。陈友谅率残舰撤往湖口，又受到朱元璋部的前后夹击，混战中被流矢射中而亡。

陈友谅被消灭后，张士诚之流的覆亡，就是迟早的事。至正二十六年（1366）八月，朱元璋以徐达为大将军，常遇春为副将军，率兵二十万东征张士诚。按照事先部署，徐达、常遇春部先攻取湖州和杭州等地，翦除张士诚的羽翼，随后围攻平江（今苏州）。孤立无援之下，坚守了10个月的平江城破，张士诚败死。这时的朱元璋，已是一枝独秀，傲视群雄。

至正二十七年（1367）十月，朱元璋以徐达为征虏大将军，常遇春为

鄱阳湖之战（明版画）

副将军，率25万大军北伐中原。洛水河畔，五万蒙古铁骑严阵以待。这看似旗鼓相当的两军对垒，不意竟成了一边倒的局面。两军交战勇者胜，只见常遇春单骑突入敌阵，如入无人之境，一副舍我其谁、谁与争锋的豪迈。麾下壮士则群起而攻，五万蒙军瞬间就被冲垮，毫无还手之力。这一仗打得荡气回肠，曾经威风八面、俨然成为不败象征的蒙古铁骑遭到重创。

此后，徐达、常遇春以秋风扫落叶之势，纵横驰骋华北大地，连下德州、通州，兵临元大都。元顺帝携后妃、太子等仓惶出逃，明军一举克复。

其后，为了覆其巢穴，最终解除威胁，常遇春又奉命扫荡北元残军。明军直趋千里，直捣黄龙，一直杀至元上都开平，已成惊弓之鸟的元顺帝再一次只身远遁。常遇春荡涤塞北，一扫汉唐以来积郁的颓气，立下了不世武功。

开平大捷，常遇春班师凯旋。谁知天妒英才，在率师南归途中突发急病，在一个叫柳河川的塞北小镇离世，年仅40岁。常遇春以这样的方式，结束了十四年的戎马生涯。战死沙场死而无憾，然而生命这样戛然而止，令人痛惜不已。

噩耗传来，朱元璋痛失爱将，悲恸不已，遂以诗悼之，以表露对常遇春逝世的极度悲哀：“朕有千行生铁汁，平生不为儿女泣。忽闻昨日常公薨，泪洒乾坤草木湿。”次日，朱元璋无心上朝，召来刘基、李善长、宋濂等人商量常遇春的后事。有感于常遇春功勋卓著，决定仿效宋太宗为宰相赵普发丧制葬。

当丧车抵达龙江（今南京下关）时，朱元璋率百官从皇宫亲往接灵，扶棺痛悼，不禁潸然。他下令厚葬常遇春，并在功臣庙中为他塑像，位列第二，甚见尊礼。为表彰常遇春的功绩，赠“翊运推诚宣德靖远功臣、开府仪同三司、上柱国、太保、中书右丞相”，追封开平王，谥“忠武”。

常遇春自从1355年追随朱元璋，转战南北，可以说无役不从，战无不胜。他曾自负地说：“我率十万人便可横行天下”，故军中送他一个绰号叫“常十万”。他智勇双全，或设伏，使用疑兵；或声东击西，出其不意。诚如史书上夸赞，“虽不习书史，用兵辄与古合”，其盖世武功确实了得。

常遇春爱抚士卒，每与敌战，是一夫当关，出则当先，退则殿后。在他的带领下，士卒乐于劲力，勇往直前。同时，部队纪律严明，所到之处秋毫无犯。他待人宽厚，身为副将军，多次与大将军徐达一起征战，从不擅权越位。他俩一个以谋略持重著称，一个以勇猛果敢闻名，始终亲密无间，“一时名将称徐、常”。

常遇春对朱元璋一直忠心耿耿，敢于直言，效命疆场，尽瘁而终。朱元璋对他厚爱有加，认为常遇春的功勋“虽古名将，未有过之”。但常遇春从不居功自傲，为人低调谦逊。

常遇春英年早逝，是明初的一大损失。《明史》赞曰：“开平摧锋陷阵，所向必克，其智勇不在中山（徐达）下，而公忠谦逊，善持其功名，永为元勋之冠。”

乾隆十六年（1720）三月，乾隆皇帝亲笔御题“勇动风云”四字，颁诏常遇春家乡建开平王庙。次年七月，两江总督尹继善到怀远常遇春祠堂安位主祭。其奉旨题联一副：“将十万众之威名，常诵都人仕女；居七八分之功业，永留大地河山。”

常遇春墓

常遇春墓在太平门外白马村、天文台下山麓处。墓前石刻规制较大，与徐达墓前石刻规制相近，现墓茔与墓前石刻基本保存完好。现存石望柱一，柱高 2.8 米，呈八面形；石马二，高 1.9 米、长 3.2 米，旁有马倌，其中一马倌头已残，马鞍四周有缠枝花饰带，中间海棠形曲线围成的图案中，镌刻精美的云龙纹样，十分精细；石羊二，高 1.05 米；石虎二，高 1.15 米、长 1.2 米、宽 0.8 米；武将二，高 2.5 米，双手抚剑，顶盔贯甲，威武雄健。按明朝礼制，常遇春墓前应该还有一神道碑、一石马、一望柱及一对文臣，估计均已损毁。石刻后约 50 米，是 1982 年常遇春的第二十世后裔所重修的墓丘，墓的正面有两方墓碑，一方是清同治十年（1871）二月重修时其裔孙所立，上刻“明故世祖开平王遇春常公之墓”，下款题：“十六世十七世十八世裔孙敬立”。另一方是 1982 年重修时南京市文管会所立。

现墓冢维修过，墓包四周用块石垒筑，周长约 29 米，直径 9.5 米、高 2.4 米。墓地边有柱础数只，当为享堂遗物。1988 年为修建城东干道，将神道石刻迁移至今位。

2002年,为了推进明孝陵申报世界文化遗产,中山陵园管理局对常遇春墓环境进行了全面清理整治,铺设了青石神道,对享殿柱础归整复位,使常遇春墓的环境状况大为改观。

沧海横流,方显英雄本色。这是一个诞生人杰的时代,他没有辜负舅舅对他的厚爱和期待,搏杀疆场,建功立业,成就一世英名,他就是大名鼎鼎的李文忠。

李文忠(1339—1384),字思本,汉族,江苏盱眙人,朱元璋亲外甥。乱世蹉跎,民不聊生,举家落难,12岁时即丧母,由朱元璋抚养长大。少年颠沛流离的不幸遭际,与其舅舅朱元璋早年的经历如出一辙。困苦中,铸就了他坚强的品格和鲜明的个性,敢说敢为。盛年时,领军征战,打败天下无敌手,功高盖世。

李文忠像(清版画)

自古英雄出少年,意气风发的李文忠一战成名。19岁那年他率军支援池州,击败天完军,随后连下青阳、石埭、太平、旌德诸地。初出茅庐就连战连捷,骁勇善战为诸将之首。其后数年中,李文忠参加了一系列会战,无一不胜,甚至还创造过以三千铁骑大破20万敌军的奇迹。古之谚语"打虎亲兄弟,上阵父子兵",作为亲外甥,李文忠成了舅舅手下一位智勇双全的猛将,指哪打哪,勇冠三军。

洪武元年(1368),大明王朝横空出世,曾为游方僧的朱元璋当上了开国皇帝。作为亲外甥,李文忠自然也就成了皇亲国戚。但李文忠绝非坐享其成,他过人的军事才能,令上下倾心、众望所归。"少帅"之谓,是对其经受了血与火的洗礼、生死搏杀勇往直前的褒奖。"内举不避亲",太祖委李文忠掌管明初最重要的军事机构大都督府。

大明虽立,但还未到马放南山、刀枪入库之时,北边元胡未灭,它在召唤着这位英雄上路。洪武三年(1370),李文忠被授为征虏左副将军,与大将军徐达分道北征。他率领十万人马一路杀将过去,到达兴和,降服守将;进兵察罕脑儿,擒获平章竹真;驻军骆驼山,赶走平章沙不丁;攻克开平，降服平章上都罕等。所到之处，手到擒来。

当时元帝已死，太子爱猷识里达腊新立于应昌。主少国疑，一时人心涣散，此乃天赐良机，于是李文忠率一支精兵日夜兼程，当轻骑突然出现在元廷面前时，他们毫无准备，狼奔豕突，四散开去，嗣君只身仓惶北逃。李文忠俘获其嫡长子买的里八剌及后妃、宫女、诸王、将相官属数百人，及宋、元玉玺金宝等物。从此，漠北尘清，春风又度玉门关。

全军凯旋，太祖亲临奉天门接受百官朝贺。他诏令大封功臣，李文忠是为首功，被授为“开国辅运推诚宣力武臣，特进荣禄大夫、右柱国、大都督府左都督”，封曹国公，同知军国事，食禄三千石，并授予世券。

李文忠有着超凡脱俗的独特气质。明初开国将领多目不识丁，乃赳赳武夫，他则不然，虽经历相似，但后来居上，征战之余，手不释卷。史书称其好学问、通韬略、交儒士、严治军，器量深沉而宏大，大敌当前更显壮志。中国自古就推崇儒将，气宇昂然，学识不凡，忠勇兼备，文武双全，且为人恭谨宽厚。有儒雅之风的李文忠，用自己璀璨辉煌的履历，书写了他的人生高度。

十六年冬，李文忠得病，太祖亲临探视。次年三月，尚不及知天命的年龄就溘然长逝。太祖亲写祭文，追封李文忠为岐阳王，谥号“武靖”。配享太庙、肖像功臣庙，均位列第三。

岐阳王李文忠墓神道石刻

岐阳王李文忠的陵寝位于钟山之阴今蒋王庙街6号，该墓风格与徐达墓相同，但略小一些。墓园分前中后三部分，前为神道，有石刻碑一、望柱二、石马一，及石羊、石虎、武将、文臣各二；中为享殿遗址；后为墓冢，位于一山包之巅，封土高耸，风景殊异。有碑，上刻"明岐阳王神道"，由董伦撰碑文。该碑由碑额、碑身、龟趺组成，通高8.6米，额雕云龙图案，碑文大多风化剥蚀。此碑为李文忠十八世孙李永钦于清光绪二十二年（1896）立。2001年上半年南京市文物部门对李文忠墓进行了全面环境整治，同时对享殿台基进行了发掘和复原。

李文忠墓神道石刻雕凿精美、线条流畅、神态逼真。但与其他明代功臣墓有所不同的是：一、神道碑不在中轴线上，立于偏东离神道20米处，侧立，西向，完全不符合墓葬礼制；二、西侧石马完好，马倌身着朝服，系带戴冠，而东侧石马尚未雕刻完工，半成品，且偏离神道6米，反向，头东尾西，令人错愕。

岐阳王李文忠与中山王徐达都是战功赫赫的开国元勋，但死后的待遇不尽相同。徐达墓园，神道碑高耸在神道正中，石刻亦高大精致。而李文忠墓前，神道碑被撇在神道右边，地势低洼，且不够高大，神道前的石翁仲也"矮"了一截。徐达墓前的石马一左一右相向而立，而李文忠墓神道两侧的石人、石兽中，竟然短少了一尊。不远处有尊马倌和马的石质毛坯，依稀可见马的影子，当年一刀一刻的痕迹还很清晰。其神道石刻之奇，留下了几个难解之谜：是石匠失手造成的残次品？是朱元璋故意惩罚李文忠？还是朱元璋用来警告工匠？

对于这匹废马，史书无载，多年来，它的位置从未挪动过，因此肯定不是后人所为，应是当年留下的弃物。明代开国功臣墓都是由工部负责营造，按照明代的典章制度，所有王侯

岐阳王李文忠墓园未完工的石刻胚子

都享受同等的墓葬等级。当时，这些巨大的石料是从其他地方运来，在现场雕琢而成。加工时，有可能会出现材质问题，抑或石匠失手，但为何不再运石料重新加工？令人费解。

明代功臣墓都有石刻，为何偏偏李文忠墓前的石刻出现问题，难道是有意为之？于是引来猜疑，一说是因与李文忠生前和朱元璋意见相悖，拼死劝谏，忤旨遭责有关。朱元璋疑心甚重，总是无事生非，借机杀戮功臣，一时朝廷内外人人自危。李文忠身为重臣，又是皇亲，于是挺身而出，犯颜直谏，力劝朱元璋不要滥杀。朱元璋非但不听，反而迁怒于其身边的门客，下令通通杀无赦。受此惊吓，李文忠一病而死。赐葬时太祖有意让神道碑偏向、一石马不刻，以示惩戒。但有人认为，李文忠之母乃朱元璋亲姐，当年朱元璋出生时，因家贫而被父亲丢弃在荒郊野外，幸亏姐姐挖野菜路过听见哭声将其抱回，捡了一命。后来朱元璋当了皇帝常说姐姐恩重如山。而李文忠为朱元璋打江山立下了汗马功劳，功勋彪炳，太祖怎会忘恩负义而如此意气用事？一说是限于当时财力，没能完工。明初，国库充裕，岂能连雕匹石马的钱都无？

有人推测，建造歧阳王陵时，正直孝陵大兴土木之时，出现这样残次品令朱元璋不能接受，故将此坯留在原处而另行重雕，以此作为对修建明孝陵各级官员及工匠的一种警示。从李文忠墓的情况来看，整体都已完工，唯独这件石马坯尚未完工。至于是否故意杀鸡骇猴，无解。总之，历史常常现神奇，只有谜面，却无谜底。

吴良墓和吴祯墓也位于钟山之阴，两墓均在今“新世界花园”内。

吴良，安徽定远人，初名国兴，太祖赐名“良”，寓意美好品格。与其赐名为“祯”的弟兄俱以勇略闻名，他俩没有辜负太祖的一片苦心。

至正十三年（1353），与徐达、汤和等 24 人一同跟朱元璋起兵，为帐前先锋。从取滁州，战采石，克太平，下溧水、溧阳，定鼎集庆，吴良功不可没。又从徐达克镇江，下常州，进镇抚，守丹阳。与赵继祖等取江阴，以逆水行船、虎口拔牙之势，夺取了张士诚的大块地盘，遂为守城指挥使。是时，张士诚据吴，跨淮东、浙西，兵足粮丰。江阴乃东南门户，军事要冲，又扼南北咽喉，阻遏张士诚与苏北的联系，地理位置非常重要。张士诚当然不甘轻易失地,他调兵遣将,大有不夺回江阴誓不罢休的态势。

是时,太祖正率大军全力以赴对付西边的陈友谅,无暇东顾,只能由吴良“一夫当关”。太祖慧眼识人,吴良行事谨慎,又富于谋略,多次击溃张士诚来犯,为太祖战胜陈友谅部起到了重要作用。吴良镇守江阴10年,牢牢地将其控制在手,为朱元璋在其他战场上赢得胜利提供了坚强保障。朱元璋曾言吴良“保障一方,我无东顾之忧,功甚大,车马珠玉不足旌其劳”。江阴成就了吴良的辉煌,明初大封功臣,他被冠以江阴侯,食俸千五百石,并给予世券。吴良勇猛善战,实乃英武之将,太祖将他比喻为战国时期的卓越军事家吴起。

吴良为人仁恕俭约,声色货利无所好。他的晚景不错,朱元璋的屠刀不仅没有指向他,还与他结成儿女亲家,也算是洪福齐天。洪武十四年(1381)病逝,追封为江国公,谥“襄烈”。

吴祯,原名国宝,当年也是提着脑袋跟着朱元璋后面打拼,成就了他的一番伟业。吴祯身怀绝技,善于乔装打扮刺探敌情。若是太平时日,又岂能战功赫赫,不意烽火年代,得以发挥专长,大展宏图。说来也怪,其兄善潜水,绝对是水军将领的好料子,惜乎学非所用,倒是吴祯日后统领水军建功立业,真是造化弄人,天意难违。

吴祯的战绩,多半是在统领水师的战斗中取得的,且常有惊鸿一瞥。当年,方国珍盘踞浙东,其实力虽远不如陈友谅和张士诚,但海盗出身的他擅长水军,如蛟龙出海,神出鬼没,一时令朱元璋无计可施。俗话说强中自有强中手,一物降一物,吴祯就成了朱元璋手中的一枚重要棋子。吴祯接令后,率水师火速出长江,入东海,进入杭州湾水域,一举荡平方国珍部,因功被封靖海侯,岁食禄千五百石。洪武十二年,吴祯辞世,被追封为海国公,谥“襄毅”。

遥想当年,兄弟俩在京城也算是重量级的人物,冠盖如云,威风八面。可世事变迁,他们的声名在岁月的冲刷下只剩下雪泥鸿爪。更有甚者,他们死后栖身的墓园,清冷得无人知晓,“低调”得情何以堪。吴良墓前只有体量不大的石人二、石虎二、石羊二、龟座一;吴祯墓前同样也只有石人二、石马二、石羊二、石虎二,其规格之低,待遇之差,完全与他们

吴良、吴桢兄弟墓前石刻

的身份不相符。六百年前，他们的显赫事功，换来今日的，大概只有一声叹息。

2002年，根据明孝陵申报世界文化遗产环境整治要求，由中山陵园管理局对两墓进行了环境整治，修筑围墙，按原排列顺序再次对吴祯墓石刻向西就近迁移，使两墓环境得到很大的改观。

仇成墓位于常遇春墓北侧一百米左右，其葬于钟山之阴未见于史料记载。仇成（1324—1388），安徽含山县人，1355年投奔驻军和州的朱元璋，从此，身份和命运都随之改变。从军之初，在徐达和常遇春手下冲锋陷阵，曾先后参与攻克采石、太平、溧水、溧阳，崭露头角。后随常遇春攻克衢州，他冲锋陷阵，所向必克。因骁勇善战，为朱元璋所赏识，提拔独领一军，随后攻克安庆，并作为守将长期驻扎。任上，安抚军民，抵御陈友谅的侵袭，力保城池不失，军功不凡。

其后，在讨伐陈友谅、歼灭张士诚等一系列的征战中，仇成俱是冲锋在前，因功被封为安庆侯，岁禄二千石。1381年，川边少数民族叛乱，仇成任征南副将军，统兵前去平定。又跟随大将傅友德征服云南，再立新功，为巩固明朝的边防，居功至伟，又加禄五百石，并赐世券。1388年病故，追封为皖国公，谥“庄襄”。

仇成墓

1965 年发掘仇成墓。现墓地留存石人一以及石虎、石马、石羊各一对，受损较重。原全部倒塌在地，2002 年中山陵园管理局对仇成墓石刻提升扶正、向南迁移 20 米，并按原顺序排列，使其成为一处新的文物景观。由于等级的关系，这些石刻的体量和徐达、常遇春的神道石刻无法相提并论。

作为一代战将，仇成拼杀疆场，可谓劳苦功高。然而，在那个功臣宿将如云的时代，能载入史册独立成传的并不多。《明史》中，仇成不但和诸多将领挤在同一个列传中，而且连赞都没有，令人感慨万分！

著名历史学家朱偰 20 世纪 30 年代寻访明朝功臣墓时，触景生情，曾写有《钟山吊明开国王侯诸墓》诗，其中最后两句“只今石兽荒凉尽，烟雨飘潇半牧刍”，道出了一代将星陨落后的无奈。常言道，历史无情，人生如过眼烟云，灰飞烟灭。不是所有人都能青史留名，镌刻下自己的人生痕迹。如此说来，大将军们应是幸运的。

如今，功臣墓都得到较好的保护，成为世人寻古访幽的重要史迹。墓园中肃立的石刻，无言地向世人昭示着大将军们当年的荣光。墓道两旁武士双手抚剑，顶盔披甲，威武雄健，仍在忠诚地守望着他们的主人。身处其间，尽管听不见昔日战马嘶鸣、金戈声震，还是能体味到墓主曾经征战的雄姿，感受到当年大将军们的风采。

第七章 ◎ 保护和管理

帝王之陵，曾是国家和皇权的象征，事关子孙的兴盛与国运的长久，六百多年风采依旧。

明孝陵建成后，作为皇权和帝威的象征，一直受到历代统治者的管理和保护。有明一代，它是开国皇帝的陵寝，位尊至极，也是“龙脉”之源，关乎子孙的兴旺发达与国运长久，故在管理上，采取了严格的措施。

“孝陵卫”之地名，其由来始于驻军。从字义上看，就知是把守孝陵的军队。该卫建于洪武三十一年（1398）六月。按明代军制，每个卫有士兵 5600 人。卫设指挥使一人，指挥同知二人，指挥佥事四人，镇抚二人，另有掌印一人、佥书二人；经历司、经历、知事、吏目、仓大使、副使各一人，以及卫学者，教授一人，训导一人。所辖有牧马千户所等五所，所有正千户一人，副千户二人，所镇抚二人，百户十人。官职从正三品到从九品，各按级别领薪。孝陵卫隶属于亲军卫指挥使司，受南京中军都督府节制。各卫指挥使司，掌军旅防御之事。使、同知、佥事，考选掌管卫事。

洪武以后，孝陵卫稍有变化，且规模缩减。嘉靖二十四年（1545），该卫士兵只有原来的五分之三弱，并为相对独立的陵寝保卫机构，不许奉祀内臣干预政事，亦不许以栽种为名妄行掣取。以后虽地方平宁，不许废撤。嘉靖四十一年，准孝陵卫正军500名，专听神宫监差遣；士兵平时随营操练，有紧急情况专护陵寝，不许混同营兵一体调拨，该卫主要任务实际上还是以保护孝陵为主。毕竟是太祖陵，尊崇有加，从洪武年间设立孝陵卫始，直至崇祯年间，孝陵卫兵力充足，俸禄、供养皆有保障。卫所职官允许子孙世袭，普通士兵老弱病死，同样可由后代递补。当然，孝陵重地，保卫工作不容半点差错，失误者受罚，轻则降职外调，重则戍边。

孝陵的内部管理机构名为“神宫监”。明以前，帝陵有事死如生的礼制，皇帝死后，由原先侍奉皇帝的宫人住到陵园区，早晚为皇帝“灵魂”的“起居饮食”服务。朱元璋当政后，对陵寝制度做了改革，取消宫人入陵侍奉之制，在陵园内设神宫监，由太监在此负责日常事务。神宫监设太

监（正四品）一人，左右少监（从四品）各一人，左右监丞（正五品）、典簿（正六品）各一人，还设有长随奉御（从六品），不定编，按需所设，主要执掌包括香火、洒扫、种植、饲养诸事。每年的大祭、中祭和小祭，就是他们最为忙碌之时。此外，较多悠闲，且俸禄优厚，衣食无忧。孝陵神宫监隶广西清吏司，与南京内宫监、南京神乐观同为南京守备太监所直辖。除以上管理机构外，按照规定，凡孝陵墙垣，南京中军都督府守备官也不时巡视，锦衣卫每季派“百户”、旗校巡视，禁止民众在附近损伤草木，南京太常寺还督令铺排、厨役于每月十三、二十九两日打扫孝陵。管理工作应是有条不紊，井然有序。

按明朝政府规定，当时普通百姓不能擅自入陵，就连祭陵的官员也要在外郭大金门“数百步外”下马，步入陵区。《明史》对此就有这样的记载：“车马过陵，及守陵官民入陵者，百步外下马，违者以大不敬论。”现孝陵卫附近就有一座“下马坊”，上刻“诸司官员下马”六字，以作警示。

当时凡擅入孝陵陵门者杖一百，太社门九十，未过门限者各减一等。守卫官故纵者，各与犯人同罪，失觉察者减三等。有谋毁陵墓之行为，凡是共谋者，不分首从，皆凌迟处死，且“祖父、父、子、孙、兄、弟及同居之

人，不分异姓及伯叔兄弟之子，不限籍之同异，年十六以上，不论笃疾、废疾，皆斩；其十五岁以下，及母女、妻妾、姊妹、若子之妻妾，给付功臣之家为奴，财产入官；若女许嫁已定归其夫，子孙过房与人及聘妻未成者，俱不追坐。知情故纵、隐藏者斩”。为了打击毁陵之行为，大力奖赏百姓告发，有能捕获者，民授以民官，军授以军职，仍将犯人财产合给充赏。知

而首告，官为捕获者，止给财产。如知情不报者，杖一百下，并流放三千里之远。

凡盗大祀神祇御用祭器、帷帐等物及盗飨荐玉帛、牲牢、馔具之属者，皆斩；其未进神御及营造未成，若已奉祭讫之物及其余官物，皆杖一百，徒三年。若计赃重于本罪者，各加盗罪一等，并在右小臂膊上刺“盗官物”三字，以示惩戒。

凡盗陵园内树木者，皆杖一百、徒三年。若计赃重于本罪物者，各加盗罪一等。若有盗砍树株者，验实真正桩楂，比照盗大祀神御物斩罪奏请定夺。为从者，发边卫充军。取土、取石、开窑烧造、放火烧山者，俱照前拟断。其孝陵神烈山铺舍以外，去墙二十里，敢有开山取石、安插坟墓、筑凿池台者，枷号一个月，发边卫充军。又：若于山林兆域内失火者，杖八十、徒二年；延烧林木者，杖一百，流二千里。

犯事越轨者，当要治罪，这一点不容置疑。正德元年，给事中周玺上奏：“弘治中，南京守备太监蒋忠，于孝陵南二十余里案山开路，私便行走。事发论死。”《同治上江两县治》载：程炜，字又纯，南城人。嘉靖中，知上元县。民居有近孝陵者，以误杀苑中兽（鹿），当死。炜争之，得未减。隆庆三年十二月，南京神宫监太监王采以盗伐孝陵树木论斩。可见，执法相当严格，陵寝重地成了不可逾越的“高压线”，谁碰谁走火。

严酷的封建礼制，让人望而却步，谁还敢拿自己的性命当儿戏？这就保证了孝陵在明朝两百多年中安然无恙。

“龙脉”所在，国运所系，故当朝皇帝无不多加关注。崇祯十四年（1641）五月，大明王朝快要走到了历史的尽头，就在这样一个风雨飘摇的年代，崇祯皇帝还敕谕“禁约”，昭告“仰瞻孝陵，关系根本”，指示有砍伐孝陵树木者处死，甚至与孝陵所在钟山为同一系列的山脉也不许开凿，违者同样要斩首。一言以蔽之，护卫龙脉，善待“风水”，让太祖安睡，不受打扰。

保护是一方面，管理则又是一个方面，二者不可或缺。面对天灾和自然损害，维修就显得尤为重要。

正统六年三月癸亥，是日“南京大风，折孝陵树三百余株”。正统九年八月甲申，南京守备等官奏："七月十七日大风雨雹，坛壝陵庙树木、宫殿门廊等多被损坏。"天顺二年三月丙午，南京守备太监礼奏："二月九日，暴风拔孝陵松树及懿文陵灵殿等处，兽脊梁柱多脱落损坏。"皇帝命驸马都尉焦敬前往祭告修理。成化八年三月癸丑，南京大风雨，太庙、社稷坛、孝陵木为所坏者三十株。成化八年秋七月癸丑，南直隶、浙江大风雨，海水暴溢，南京天地坛、孝陵庙宇等垣墙多颓损。成化十五年八月辛卯，南京大风，拔孝陵木。弘治元年五月丙子，是日辰刻，南京雷电霹雳大作，坏孝陵御道树。

凡孝陵内殿宇有损，都由南京中央机构六部之一的工部负责修理。从永乐年间开始，历经数十年风雨的孝陵部分建筑开始出现破损，修缮工作随之展开，陆续修缮了神厨、宰牲亭、棂星门、孝陵殿、具服殿、孝陵外垣、明楼、正殿、宝城内墙垣、金门、碑亭、金水桥等。整个孝陵，小修不断，大修亦常有，成化十六年二月壬戌，命南京工部修理孝陵殿宇房屋，一次就修九十八间。有明一代，修缮工作一直持续不断，孝陵维护工作基本不误。

对于督修孝陵，还是相当严厉的。正统四年四月甲辰，南京工部奏："命修孝陵寝殿垣墙，将其他不急之务暂停。而工部侍郎张顺与襄城伯李隆、少保兼户部尚书黄福则议决罢修。"皇帝得知后直言："修理祖宗陵寝，怎能说不急？"命用刑具铐上张顺带至京城，下狱审讯。隆、福具奏认罪，且言工匠未罢，夫役暂休，皆臣等之罪。皇帝又说："朕以南京祖宗陵寝所在，托付给你们修守，竟然如此怠慢，法理不容。姑且先代罪督工修完，如再因故延缓，必严惩不殆。"

对于孝陵管理，亦是十分用心。正统六年四月癸酉。敕南京守备太监刘宁、罗智、唐观、袁诚曰："得丰城侯李贤、参赞机务兵部右侍郎徐琦奏：神宫监种菜军人周游子等首称，监工官安招、李真保擅领军匠伐孝陵山后旧种柏树二十余株，作棚私用……又伐山前大松树一株，作猪槽。此事未审虚实，敕至，尔等即同贤暨琦体勘。如果实，即执安招等送都察院问明奏来，务须公当，不许枉人及宽纵有罪。"随后，又敕南京守备丰城侯李贤等曰："所奏周游子等首安招等不法事情既实，敕至，即将周游子等释之。今已敕神宫监太监徐亮等，自后孝陵山内凡有枯树可用者，务须报知尔等及太监刘宁等，公同看过，方许照例取用，仍具数以闻。敢有违例擅取用者，必罪不恕。”

有罪必罚，有功必赏，赏罚分明。宣德九年正月辛丑，南京太监罗智等奏：“有盗孝陵殿祭器者。神宫监官苗青、孝陵卫指挥萧昱等防护不谨，请治其罪。”敕襄城伯李隆等严督五城兵马获盗，然后治苗青等罪。

宣德十年八月丙辰，明英宗闻孝陵神功圣德碑损裂，令中官阮简同翰林院侍书程南云同南京守备襄城伯李隆、少保户部尚书黄福等督工匠重建之。正统元年五月乙未，以建孝陵神功圣德碑工毕，赏管领官各绢一匹、苏二斤，工匠各绵布一匹、胡椒一斤。

成化十七年十二月甲子。孝陵神厨火，焚毁宰牲亭。南京守备太监安宁劾神宫监太监韦清等提督不严，及南京太常寺少卿刘宣、寺丞牛纶

失于提调。刑部覆奏：“请各究其罪。”万历六年十月癸卯，以修理孝陵功竣，赏南京工部尚书陶承学、巡抚凤阳户部右侍郎江一麟银三十两、纻丝一表里。升工部虞衡司郭子章俸一级，仍与巡按崔廷试等赏银有差。

嘉靖时，有伐孝陵旁古墓者。皇帝谕刑部曰：“陵寝乃禁区，为何不严加巡护，放纵他人砍伐，以致于盗掘古墓？命令南京法司逮问守护指挥并巡山、巡捕、守把内外官校，若方便缉捕掩埋者，由南京礼部酌情处

理。”于是，刑部参劾南京守备魏国公徐鹏举、南和伯方寿祥和兵部尚书王宪。皇帝责难徐鹏举、方寿祥，而王宪因任事未久而幸免于罚。

清初，江山易主，孝陵不再享有尊崇的地位，其管理日渐松弛，陵园树木首遭破坏。曾经作为禁区，钟山几百年无人打扰，树木葱茏，参天蔽日，绝对是上佳木材；且地处近城，取之便利。清兵占领江宁（今南京）后，社会动荡，一时无序，当地泼皮无赖争相盗伐孝陵树木，毁坏严重。屈大均在《孝陵恭谒记》中颇为痛心地记载了所见：旧有松数十万株，苍翠荫森，与岩石、云林相蔽亏，皆六朝古物，今弥望无一存矣。屈大均为明末清初人，他到孝陵时，曾经苍翠欲滴的万株树木，已被砍伐殆尽，放眼望去，恍惚有隔世之感。

王夫之在《永历实录》中，更以司礼太监李国辅的亲身经历，述说了孝陵林木之毁，其罪魁祸首，实乃明末叛将洪承畴。

永历三年九月，永历皇帝遣司礼太监李国辅赍香帛密赴南京谒孝陵，李剃发变服前来潜视孝陵。回去后，皇帝问其孝陵情况，他说：“奴以去年夏至南京，私市香币，于星月下登钟山望陵，焚香帛泣奏：‘高皇帝

十一世孙嗣皇帝某,遣奴国辅候皇陵万安。' 以次履行周视,殿垣陵甃毁坏无余。茅茨塞望,狐啸蜇吟,如荒山穷涧。所幸陵土巩固,梓宫燕安。其四山林木,问之都人,云:'南都陷后,虽虏骑充斥,樵苏四出,犹无敢损一枝者。' 后洪承畴来,经略江南,见陵树菁葱,怫然遽怒,遂榜示居民,令樵采为薪。悬榜三月,民无应者。承畴益恚,骂曰:'大兵入北都,未尝令居民伐陵树,不三日间,诸山皆芟刈无余。江南蛮子,已出榜令伐,而三月不伤一木,愚呆至此!' 因复榜令诸门,非伐钟山树者,不许通樵苏。城中几至绝炊烟,都民不得已,乃往伐,呜咽震山谷。今一片童山,无尺株矣。"一片茂密的山林,就这样毁于洪承畴之手。

改朝换代的命运,明孝陵亦不能幸免,好在,清廷也需要稳定。满清统治,对汉族人来说,是一种莫大的刺激,民族矛盾十分尖锐。出于巩固统治之需,清廷迎合汉人对明太祖的尊崇,对明孝陵采取了相应的保护措施,以化解汉族人心中的纠结。顺治二年(1645)五月,清军统帅、豫清王多铎南下至江宁,亲谒孝陵,行四拜礼,环顾四周,疮痍满目,不禁嗟叹,遂令灵谷寺住持速行修理。秋七月,又派太监两人、陵户 40 名守护孝陵。特别是康熙、乾隆二帝南巡,多次到孝陵拜谒。上行下效,谁还敢造次?有清一代,始于康熙为孝陵立碑保护,禁止樵牧,以垂永久,数百年来,孝陵一直得到比较好的关照。

然而不幸再次降临,二百年后,一场战火又把明孝陵带入危境。咸丰三年(1853),太平天国立都南京,此后的 12 年间,清政府和太平军之间展开了激烈的围剿与反围剿,战事连绵。钟山乃城东屏障,战略制高点,双方在此展开搏杀,或失而复得,或得而复失。明孝陵深陷战火之厄,其地面木结构建筑悉数被毁。

战后,在两江总督曾国荃的主持下,对孝陵文物加以整修。囿于财力拮据,只是做了局部修补,像享殿这样的大型建筑则无力恢复,只在原址上重建一座小殿和三间守陵房舍。清代晚期,内忧外患,朝廷自顾不暇,只能任由孝陵遭侵蚀。好在没甚大难,孝陵主体建筑基本保持完好,乃不幸中的万幸。

宣统元年(1909),气象更始,不知出于何种考虑,两江洋务总局道台和江宁知府居然联袂竖起一块保护孝陵的“特别告示碑”,碑文破天荒地用了日、德、意、英、法、俄六国文字镌刻。翻译成中文,其内容为“鉴于明孝陵附近御匾、碑刻及古遗物遭涂抹、破坏,造成伤毁,总督端方大人下令设立围栏予以保护。游览人等有越栏或任何对该区御匾、碑刻及古遗物造成损坏之行为,一律禁绝”。

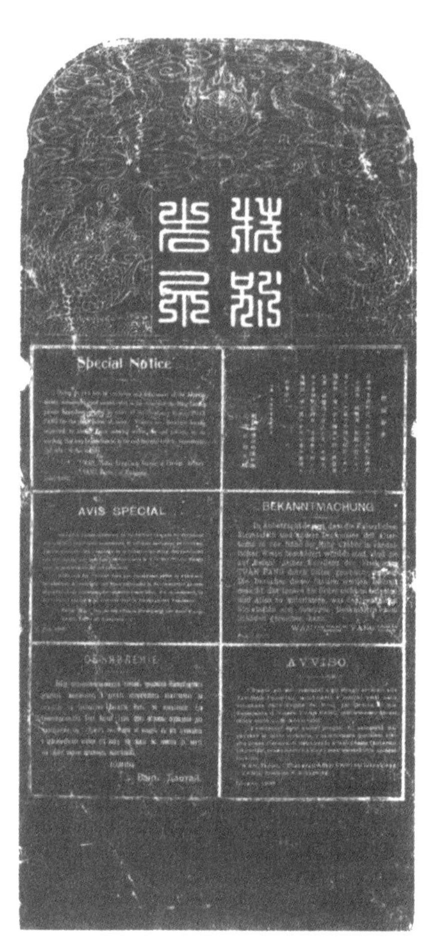

特别告示碑拓片

他们是否已预感江山将易?抑或担心外患来袭?不得而知。总之,这在中国帝陵中算是一件独一无二的稀罕之物!遗憾的是,碑文中却无母语,这让不识洋文的百姓看不懂。既然不知为何意,无知者无畏,当局的一切禁令皆成空言,他们我行我素,继续在孝陵放牧砍伐,拆城砖盖房子。

1912 年 1 月 1 日,中华民国临时政府在南京成立,孙中山就任临时大总统,就此与南京结下不解之缘。一次,孙中山与胡汉民等人到钟山狩猎,有感于山势壮观,底蕴深厚,于是笑对左右说:“待我他日辞世后,愿向国民乞此一抔土,以安置躯壳尔。”1925 年 3 月他临终前,再次叮嘱:“吾死之后,可葬于南京紫金山麓,因南京为临时政府成立之地,所以不可忘辛亥革命也。”1929 年 6 月 1 日,孙中山奉安中山陵。同年,明孝陵划入总理陵园内,一并妥善保护。

1949 年新中国成立之后,政府对文物保护立法,明孝陵的文物遗存得到了全面的整理和维修,其周边环境亦不断改善。1961 年,国务院公布首批全国重点文物保护单位,明孝陵是其中之一。虽然这一段时间经

济困难，但社会安定，加之政府重视，保护工作有序开展，尽管投入不多，但卓有成效。此后，包括《中华人民共和国文物保护法》、《风景名胜区管理条例》、《南京市文物保护条例》、《南京市中山陵园风景区管理条例》等一系列法律法规相继出台，为明孝陵保驾护航。

陵园管理部门针对当时的现状，首先从绿化着手，补种各类苗木，同时整修周边环境及道路，一时风景秀丽，清静典雅，成为本地市民和外地游客观瞻和游览的极佳去处。

1963 年以后，中央、省、市各级政府多次拨款，由文物部门和中山陵园管理部门主持对孝陵文物遗迹进行修缮，包括明楼楼面、享殿、大金门、碑亭、神道、下马坊等，旧貌为之一新。

1991 年，《明孝陵保护规划》经过几易其稿终于出台，次年 12 月获得国家文物局通过并正式实施。明孝陵地处国家级风景名胜区“钟山风景名胜区”内，按照规划方案，其保护范围分三个层次，两级保护区。

下马坊、神烈山周围近四公顷的面积，以及南京手表厂、大金门、神功圣德碑亭、石像生、梅花山、妃子墓区、陵寝建筑、宝城、东陵等共约 12 公顷为一级保护区，受到严格的保护，只能进行与文物保护有关的工程项目，严禁搭建与原孝陵建筑无关的任何工程项目。二级保护区范围达 180 公顷，在其区域内，不准建设与风景旅游无关的建筑，对影响景观的设施严格控制，必须建设的要获得上级有关部门的批准。在二级保护区之外按管理条例为控制建设项目，形成第三层次保护区，保护范围为 31 平方公里。

保护规划一经落实，在尊重文物和历史原貌的前提下，全面进行了改造维护，无论是环境综合整治，还是对遗存的修复工作，都规范有序，以达至善至真。

2000 年 12 月以后，南京市将多年的渴望化为坚实的行动，在长久的酝酿和准备之后，正式启动了明孝陵申报世界文化遗产工作，明孝陵的保护和管理亦随之进入一个新的发展时期。

总体而观，明孝陵有其独特的文化价值，它一改前朝陵墓规制而独辟蹊径，并为后世帝王所沿袭，其创新功不可没。不仅如此，它将帝陵文化中南北之异同加以整合，最终形成了以南方体系为主导的模式，是为集大成者。具体而言，孝陵在建筑规划、布局、类型和细部加工上，都赋予了全新的内容。强调规整严谨的同时，又注重自然随性，体现了泾渭分明的色彩和相得益彰的呼应。大的方面，譬如郭城随地形就势，显现出自然的天性；陵宫则遵循传统，整齐划一，中轴对称，以示封建礼法的尊严。在孝陵的功能分区中，导引部分及神道蜿蜒曲折，而外郭及陵宫沿轴线一字排开，随山势走向，层层推进，循序提升，疏密有度，张弛有道，在最后部分以地宫为核心收官，形成高潮。整个陵墓不再是冰冷肃杀、毫无生命体征的一群固化建筑，而是充满了鲜活的生命气息，其建筑构思融入了不同的文化特征，契合了道家的天人合一、佛家的因缘化合、儒家的礼制典章，成功地塑造出一个中国传统建筑艺术的完美形象。至于细节部分，包括“前朝后寝”制度、神道共享形式、神道取曲规制、首创方城、明楼建筑样式、神道石像生的鲜明特色、建筑空间分割的统一性以及完善的排水系统，大大升华了建筑作为凝固音符的境界，让后世叹为观止。总之，明孝陵蕴涵了博大精深的传统文化，其格局和风貌，有其独特性和唯一性，影响至远。

第八章 ◎ 入选世界文化遗产名录

中国的陵寝制度与墓葬文化，有着深厚的积淀，入选世界遗产名录，就是最高的褒奖。

1972年11月16日这一天，人类终于认识到我们的自然世界以及我们所创造出的物质文化，必须加以珍视和保护。联合国教科文组织在巴黎总部举行的第17届大会上，通过了《保护世界文化和自然遗产公约》。

自然遗产代表地球演化历史中重要阶段的突出例证；代表进行中的重要地质过程、生物演化过程以及人类与自然环境相互关系的突出例证；独特、稀有或绝妙的自然现象、地貌或具有罕见自然美的地域。

具体包括以下内容：一、从科学或保护角度看，具有突出的普遍价值的地质和自然地理结构以及明确划为濒危动植物的生存区。从美学或科学角度看，具有突出的、普遍价值的由地质和生物结构或这类结构群组成的自然面貌。从科学、保护或自然美角度看，具有突出的普遍价值的天然名胜或明确划分的自然区域。

而文化遗产的定义则是：一、文物：从历史、艺术或科学角度看，具有突出、普遍价值的建筑物、雕刻和绘画，具有考古意义的成分或结构，铭文、洞穴、住区及各类文物的综合体；二、建筑群：从历史、艺术或科学角度看，因其建筑的形式、同一性及其在景观中的地位，具有突出、普遍价值的单独或相互联系的建筑群；三、遗址：从历史、美学、人种学或人类学角度看，具有突出、普遍价值的人造工程或人与自然的共同杰作以及考古遗址地带。

然而，山川巨变，岁月磨砺，人类文化遗产许多已消失，还有许多正逐渐消失，濒临绝危。如不加以很好的保护，若干年，数十年，或者上百年后，大概只存影像，不见实物。

曾经，我们由于认知不足和不具备条件，造成许多遗憾。如今，我们有了条件，不容再有缺憾。自然之奇，先人之技，尽可能地传之于子孙后代让它永放异彩，这是人类的责任。

联合国教科文组织世界文化遗产名录揽五洲四洋之精粹，集上下古今之华彩。入选这一名录，既是荣誉，亦是责任；既是展示，更是保护。

这是一张城市名片，它饱含着一段历史，一份记忆，一种荣耀，一线辉煌，只有为数不多的国家和城市，才能享有。

明朝，中国封建文化发展到一个新的阶段。历史上，南京虽已有过“六朝繁华”和“南唐复兴”，然而令人遗憾，这些王朝都是偏安一隅，唯有明朝是雄踞金陵，横扫六合，坐拥海内，天下定鼎。1368年，朱元璋正式称帝，南京由此第一次成为统一中国的首都所在。时至今日，遍布南京城区的众多古迹如明城墙、明故宫、明孝陵、郑和墓、大报恩寺遗址，乃至城区的许多街巷名园、郊县的一些古桥民宅，无不是明代遗产。立都于此的明代开创的文化，代表了中国历史文化发展的又一高峰。

1398年，已经做了31年皇帝的朱元璋去世，礼葬孝陵，从此明孝陵就成了明代朝野上下归心的圣地，受到有明一代的精心保护。清代皇帝为了笼络民心，继续对孝陵采取保护措施，延及民国，民主革命的伟大先行者孙中山又葬在明孝陵东侧的中山陵，直到新中国成立，明孝陵所在的钟山一直被作为特殊区域，得到有力的保护管理。今天，明孝陵已是国家级的风景名胜区和闻名海内外的文化旅游胜地，是南京一道亮丽的风景线。

为了进一步把南京明孝陵推向世界，同时使这一民族瑰宝、全人类珍贵的物质文化遗产得到更好的保护，2000 年 8 月，南京市决定将明孝陵申报世界文化遗产，一场攻坚大幕就此拉开。

这年 11 月，联合国教科文组织世界遗产委员会审议通过了我国申报的世界文化遗产项目“明清皇家陵寝”（包括地处湖北钟祥市的明显陵、河北遵化市的清东陵、保定市易县的清西陵三处），这是我国明清皇家陵寝作为珍贵文物遗产获得世界认可的重要标志，同时也表明，推荐明孝陵作为“明清皇家陵寝”世界遗产扩展项目有了一个良好的开端和坚实的基础。当然，世界遗产扩展项目与正式项目的评审程序、标准、专家检查要求并无二致，其申报难度同在一个水平线上，入选的“含金量”无毫厘之差。

《保护世界文化和自然遗产公约》规定，各国申报的遗产项目列入《世界遗产名录》的具体标准共有六条，只要具备一条即可。而专家所考虑的评审要素主要有三个方面，基本要素之一是其为文化或自然遗产，

或兼而有之。

明孝陵陵址于公元1369年由朱元璋亲自选定,从1381年开始营建,至1413年明成祖朱棣营建大明孝陵神功圣德碑楼结束。六百多年来,历经风雨雷雹等自然因素的侵损和战火袭扰,但明孝陵陵寝的格局保存完整,地下墓室完好如初,环境风貌经画如旧。换言之,明孝陵保持了陵寝原有建筑的真实性和空间布局的完整性,呈现在世人面前的就是六百年前的模样。

明孝陵的陵寝制度承前启后,独创新规,在中国古代帝陵制度史上具有里程碑地位,为明十三陵、明显陵、清东陵、清西陵所沿袭,规范着明、清两代五百多年二十多座帝陵建设的总体格局和风貌,其地位崇高,影响至为深远,其独特性最值得推崇。

明孝陵具有宏大有序的布局、风水契合的地理环境、蜿蜒曲折的神道、和谐完备的排水体系、规范典雅的建筑风格和技艺,构成了一项创造性的皇家陵寝工程的杰作。其高大精美的神道石刻,代表了中国14世纪晚期的石雕艺术水平和风貌。

明孝陵人文建筑与自然环境的天人合一,是中国传统文化、建筑技艺和自然环境相匹配的典范,代表着明初皇家建筑的艺术成就、文化成就和工程成就。明孝陵和明、清两代多位皇帝以及许多重要的历史人物有关,包融着深刻的东方文化内涵。

一言以蔽之,明孝陵在中国帝陵制度发展史上,是为一座里程碑,它不仅属于南京,更属于中国,属于全人类。对照世界遗产申报标准,明孝陵已符合第1、2、3、4、6条标准,具备申报世界文化遗产条件。

评审基本要素之二:当地政府和市民对保护该遗产的积极性。

明孝陵位于中国著名风景名胜区——中山陵园风景区内,面积达31平方公里。它是1961年国务院公布的首批全国重点文物保护单位,为此,专门成立了陵园管理局具体负责。为加强明孝陵的保护,1991年,出台了《明孝陵保护规划》,次年获国家文物局批准。鉴于其保护管理的特殊性,1998年8月江苏省人大常委会颁布了《南京市中山陵园风景区管理条例》,使明孝陵的保护管理有法可依。

中华人民共和国成立后，各级政府和有关部门极为重视对明孝陵的保护，先后对大金门、神功圣德碑亭、神道、陵宫门、享殿等重点建筑进行修缮。特别是近年来，加大对陵区内的考古发掘，先后勘探和揭示了陵宫门、东西配殿、御厨、具服殿、护墙壕、地下排水通道、宝城以及太子东陵等重要建筑遗迹，出土了一批重要文物，为全面恢复明孝陵的原有格局和展示明孝陵的建筑内涵和文化价值，奠定了坚实基础。

同时，修复了青石和"金砖"地面，维修了御河桥、神道、享殿前门、享殿、东西配殿基址、方城明楼等，实施了全面的保护和修缮计划。修缮遵照"尊重历史"和"修旧如旧"的原则，采用原设计、技术、材料，以加固维修为主，以保持和还原历史的真实性。在明孝陵的保护、管理和申报世界遗产工作中，各级政府和文物主管部门、实施管理部门及南京市的市民表现出了极高的积极性和参与度，尤其是自发的责任意识，以高度的使命感履职尽责。

在大量前期准备工作的基础上，2000 年 9 月，明孝陵真正走上了艰辛的申报之路。中山陵园管理局和南京市文物局联合组织了强有力的写作班子，精心编写申报文本。在近一年的编写过程中，借鉴其他省市申报的成功经验，在前人和当代专家学者研究成果的基础上，依据《世界遗产公约》的要求以及国家文物局有关专家的指导，从历史、文化、艺术等方面，全方位、多层次地对明孝陵进行系统的剖析、研究，经过四易其稿，呈交出四万余字的双语申报文本以及图表、照片、幻灯片、录像片，以充分的论据显示申报项目具有"在世界范围内被公认的突出意义和普遍价值"。

申报文本于 2001 年底呈报联合国教科文组织世界遗产中心，后又及时补充了相关图纸，旋即通过了世界遗产中心的技术审查。同年，南京市政府将"明孝陵申报世界文化遗产工作"列入当年的《政府工作报告》，2002 年 3 月，市委领导对"申遗"工作提出了"全力以赴，力争成功"的要求。市政府专门成立了明孝陵申报世界文化遗产工作领导小组，以强有力的班底，推动申报工作有序高效展开。

评审基本要素之三：该遗产相关环境的协调及对不协调状况的整

治、克服程度。

毋庸置疑，囿于历史的原因，对照"申遗"标准，明孝陵在环境整治方面还存在不小的差距，有违"真实性"和"完整性"的要求。能否搞好明孝陵的环境综合整治，关系到"申遗"的成败，是一项迫在眉睫、无法回避的繁重任务。

明孝陵核心保护区占地近三平方公里，由于历史上战火的破坏，加之材质本身的原因，明孝陵原木构建筑已不复存在，而现有铺设的路面又不符合文物保护的基本要求，给文物的修缮带来了很大的难度。周边环境中有大量违章和不协调的建筑，涉及省、市多家单位和个人的多方利益，剪不断，理还乱，给整治工作带来极大不便。通过自上而下层层级

级复杂而艰苦的协调过程之后，整治工作终于一一得到落实。

而文物本体更是工作中的重中之重。整治项目确定为 22 个大项 50 多个子项，重点包括：实施下马坊环境绿化整治，更换大金门、四方城水泥地面，提升翁仲路神道石刻，改造金水桥前广场，整修金水桥前御河和方城前御河并蓄水，更换碑殿、享殿水泥地面及复原踏垛，方城明楼及影壁保护修缮，陵宫内全面绿化，厕所、票亭、指示牌等服务设施改造，电缆下地，文物陈列布展，宝城外围道路铺设，常遇春、仇成等明功臣墓环境整治等。这应是自明孝陵修建以来，最大规模的修缮工程。

对文物的修缮，中山陵园管理局始终坚持"尊重历史、修旧如旧"的原则，凡是涉及到建筑遗存和历史环境的问题，概以历史和实物资料为准，然后确定施工方案。经过整治后，全面提升了明孝陵的面貌，风景如

旧,神道宽敞平整,水面碧波荡漾,草坪郁郁葱葱,陵墓更显宏大厚重,充分展现了陵区古朴、秀丽的历史风貌。

根据申报程序,受世界遗产委员会委托,2002 年 8 月 25 日,国际古迹遗址理事会派出了韩国专家李相海先生对明孝陵的价值和保护现状进行实地考察。他极为认真地对明孝陵的每一处重要文物建筑都进行了拍照,并仔细询问有关明孝陵的管理机构、保护规划、古建修缮措施、资金来源等情况,对现阶段明孝陵的保护成果予以褒奖,明孝陵顺利地通过了专家的实地考察。

2003 年 3 月,在巴黎举行的世界遗产委员会第 6 次特别会议上,明

孝陵顺利通过了由七个成员国组成的主席团审议。但好事多磨,由于特殊原因,原定 6 月底在苏州举行的第 27 届世界遗产大会临时改在巴黎举行,中国失去了主场之利和优势,这给明孝陵的申报前景增添了几多悬念。经过忐忑不安的等待,终于在北京时间 7 月 3 日晚 11 时 58 分于第 27 届世界遗产大会上得到全票通过,明孝陵成为中国又一处世界文化遗产。

明孝陵“申遗”成功,填补了中国四大古都中唯独南京没有世界文化遗产的空白,更好地体现了南京这座名城融现代文明与古都风貌于一体的城市特色,更好地代表文化大省江苏省省会城市的形象,更好地凸显南京在中国历史上所拥有的优越的文化地位。与此同时,它将极大地提升南京市民对文化遗产的认知水平和保护意识,对促进南京市文物保护

工作以及文化事业的发展，都将产生强大的推动力。

明孝陵“申遗”成功仅仅是开始，它将促使全民以更大的责任保护好遗产。作为政府，有义务提高全社会的保护意识，杜绝利用上的急功近利和开发上的盲目短视，使明孝陵得到更为有效的科学保护和合理利用，使之永存，真实、完整地留给我们的子孙后代。

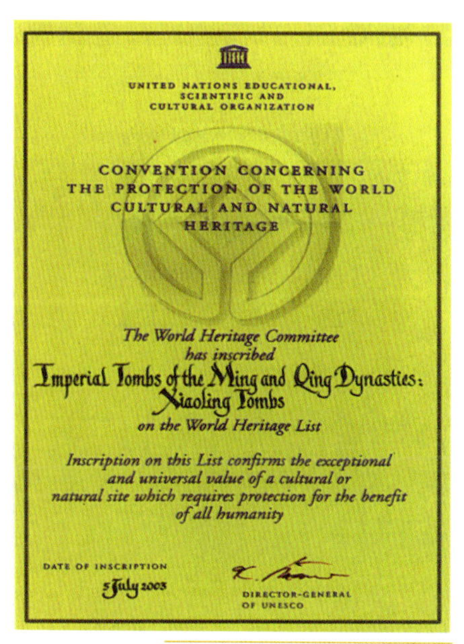

明孝陵列入《世界遗产名录》证书

为了祝贺明孝陵入选《世界遗产名录》，2004 年 2 月，在明孝陵金水桥广场南端特立世界遗产纪念碑，其碑文为：

> 煌煌金陵，龙蟠虎踞；巍巍孝陵，钟阜是依。远峰骈开，状如天阙；近山拱卫，形似翠屏。御河飘带，碧水流茵；天桥飞虹，谒者接踵。宝殿石础，证千年威仪；红梅丹桂，逸四季清香。神道曲折，似北斗而蜿蜒，涵天人合一之思想；前朝后寝，继国政于陵宫，开明清帝陵之先河。赓续传统，革故鼎新，创制度于空前，示来者以雄图。
>
> 后世景仰者，不绝于途。大帝康熙，欲安天下而屡谒寝园；先驱孙文，民国甫建即祭奠太祖。然人往代迁，变故频起。清军破城，陵园树稀榛秽；天国烽火，殿庑兔奔狐窜。更兼岁月迢递，雨袭风侵，乃使草没獬豸，霜蚀橐驼。鹿牌尽失，翁仲含泪。幸俟共和国成立，百废俱兴，国运昌隆，孝陵位列国保；更值新世纪开启，政府主导，市民同心，申报世界遗产。勘探遗址，整治环境，匡复太子陵于孝陵之侧，修缮功臣墓于钟山之阴，尽展东方文化之内涵，终措文物遗存于久安。历时三载，殚精竭虑，孝陵得入《世界遗产名录》，乃古都盛事，为民族增辉。勒石为记，以志永远。

附录◎诗文

帝陵是神秘的，是令人敬畏的，这里有故事，还有许多诗文辞章，或许，这能吸引你。

《祭明太祖文》

惟帝天锡勇智，奋起布衣，统一寰区，周详制作，鸿谟伟烈，前代莫伦。朕曩岁时巡，躬修醑荐，景其遗辙，不囿成规。兹因阅视河防，省方南迈，园陵如故。睇松柏以兴思功德，犹存稽典章而可范，溯怀弥切，亲酹重申，灵其鉴兹，尚期歆享。

【爱新觉罗·玄烨（1654—1722），清圣祖仁皇帝，清朝第四位皇帝、清定都北京后第二位皇帝。年号康熙。8岁登基，在位61年，是中国历史上在位时间最长的君主。奠定了清朝兴盛的根基，开创康乾盛世。曾六下江南，五次祭明孝陵。】

《祭明太祖文》

惟帝英姿首出，雄略如神。起濠、泗而乘时，丕建安民之策。奠寰瀛而垂统，聿彰创制之模。治定功成，修人纪而澄吏治。礼明乐备，崇正学而礼耆儒。仰茂绩之流传，式焕鸿名于史册。揽故宫之典物，长昭灵爽于园陵。朕载莅南邦，钦承祖训，亲临钟阜，躬奠樽醪。殿宇常新，缅胜国开基之烈。松楸勿翦，见我朝列圣之仁。秩祀即将，溯怀弥切。灵其昭鉴，歆此明禋。

《祭文》

惟帝英姿迈世，大勇安民，采石扬帆，运肇兴王之祚。金陵定鼎，谋传祖训之书，溯开国之规模，神功宛在。览故宫之典物，灵爽犹存。朕时迈江邦，载临钟阜，松楸勿翦，长体累朝忠厚之心；丹臒有加，益思圣代创垂之迹。特申奠醊，用达悃忱。昭鉴有灵，馨香是格。

《谒明太祖陵》

金陵莅止为巡方，展谒龙蟠奠桂浆。保护遗规崇胜国，绍承家法礼前王。开基洵是过唐宋，继叶无能鉴夏商。形胜不须矜壮丽，惟天佑德慎周防。

嬗谢都关天运乘，攘除非自本朝兴。代为翦逆当方革，岂是因危致允升。常禁里民阑采木，还教卫户谨巡陵。省方近抚前王迹，殷鉴惟怀惕倍增。

崛起何嫌本做僧，汉高同杰又多能。每当巡省临华里，必致勤虔谒孝陵。

一代规模颇称树，百年礼乐未遑兴。独怜复古非通变，翻然燕兵衅可乘。

《题明陵口号》

佳城三里近都城，举眼可瞻檐与楹。彼子孙如无心可，有心叹彼若为情。

《题明陵用庚子韵》

金川不守景隆城，叩马壮哉御史楹。先谒陵乎先即位，杨荣却异姓连情。

《谒明陵八韵》

驱除本是籍余闰，表正由来超古今。广运钦承一统大，胜朝消隔百年深。山陵念此北邻近，车驾因之此日临。德怨久哉幻时世，兴亡昭矣惕予心。虽云樵采勤禁护，亦惜殿堂逮圮沉。应悟有成那无废，当忘彼炡毁其金。地官漫靳费帑项，冬部爰教饰鼎林。即故寝园示明监，靡常天命凛难谌。

【爱新觉罗·弘历（1711—1799），清高宗纯皇帝，年号乾隆。康乾盛世的继承者。在位期间，整顿吏治，发展生产，促进封建经济的繁荣，进一步巩固多民族封建国家的统一，奠定了今日中国版图。编修《四库全书》等大型文化典籍。曾六下江南，六谒明孝陵。】

《明陵》

崛起原同汉，英雄一代豪。翦除威总摄，杀戮兴偏高。瓴建吞江汉，云飞惜羽毛。分藩思复古，劫运反相遭。

【爱新觉罗·颙琰（1760—1820），清仁宗睿皇帝，乾隆皇帝第十五子。年号嘉庆。】

《恭谒孝陵 已下重光单阏》

闰位穷元季，真符启圣人。九州殊夏商，万古肇君臣。武德三王后，文思二帝邻。卜年乘王气，定鼎属休辰。江水萦丹阙，钟山拥紫宸。衣冠天象远，法驾月游新。正寝朝群后，空城走百神。九峻超嵂崒，原庙逼嶙峋。宝祚方中缺，炎精且下沦。郊垌来猎火，苑御动车尘。系马神宫树，樵苏御道薪。岿然唯殿宇，一望独荆榛。流落先朝士，间关绝域身。干戈逾六载，雨露接三春。患难形容改，艰危胆气真。天颜杳霭接，地势郁纡亲。尚想初陵制，仍询徙邑民。因山皆土石，用器不金银。紫气浮天宇，苍龙捧日轮。愿言从邓禹，修谒待西巡。

《再谒孝陵》

再陟神垧下，还经禁岭隈。精灵终浩荡，王气自崔嵬。突兀明楼峙，呀庨御殿开。彤云浮苑起，碧巘到宫回。鼎叶周家卜，符占汉代灾。苍松长化石，黑土乍成灰。城阙春生草，江山夜起雷。兴王龙虎地，命世鄂申才。瞻拜魂犹惕，低徊思转哀。上陵余旧曲，何日许追陪？

《恭谒高皇帝御容于灵谷寺》

肃步投禅寺，焚香展御容。人间垂法象，天宇出真龙。隆准符高帝，虬须轶太宗。扫除开八表，荡涤翦群凶。大化乘陶冶，元功赖发踪。本支书胙德，臣辟记勋庸。遗像荒山守，尘函古刹供。神灵千载后，运会百年重。痛迫西周戚，愁深朔漠烽。万方多蹙蹙，薄海日喁喁。臣籍东吴产，皇恩累叶封。天颜仍左顾，国难一趋从。飘泊心情苦，来瞻拜跪恭。异时司隶在，可许下臣逢。

《元旦陵下作》

十载逢元日，朝陵有一臣。山川通御气，节物到王春。阙下樵苏尽，江东战伐新。相看园殿切，鹄立几萦神。

《闰五月十日恭诣孝陵》

忌日仍逢闰，星躔近一周。空山传御幄，苇路想行驺。寝殿神衣出，祠官玉斝收。蒸尝凭绝隝，耡耰托荒陬。薄海哀思结，遗臣涕泪稠。礼应求草野，心可对玄幽。寥落存王事，依稀奉月游。尚余歌颂在，长此侑春秋。

《王处士自松江来拜陵毕遂往芜湖》

宵来骑白马，蹑电向钟山。忽遇穷途伴，相将一哭还。君来犹五月，不逐秦淮节。携手宿荒郊，行吟对宫阙。此去到芜湖，山光似旧无？若经巡幸地，为我少踟蹰。

《重谒孝陵》

旧识中官及老僧，相看多怪往来曾。问君何事三千里，春谒长陵秋孝陵。

【顾炎武（1613—1682），明、清之际思想家、学者。字宁人。江苏昆山人。学界称亭林先生。开清代朴学之风。著有《日知录》、《天下郡国利病书》等。】

《大行皇帝挽诗》

睿哲君天下，恢弘德化新。宵衣图治道，侧席致贤臣。王气金台晓，仁风玉宇春。忽朝云晏驾，率土泪沾巾。

【方孝孺（1357—1402），明代大臣、著名学者。字希直，号逊志，世称“正学先生”。浙江宁海人。“靖难之役”期间，拒绝为篡位的燕王朱棣草拟即位诏书，刚直不屈，孤忠赴难，被诛十族。有《逊志斋集》、《方正学先生集》等。】

《南京谒孝陵有述》

礼乐千年会，腥膻四海空。商周终愧德，唐汉敢论功。凤历归真统，龙山绕旧宫。秋风霸陵树，落日鼎湖弓。万国讴歌在，余生覆载中。小臣瞻拜地，江汉亦朝东。

【李东阳（1447—1516），诗人。字宾之，号西涯。湖南茶陵人。官至吏部尚书、华盖殿大学士。茶陵诗派领袖。著有《怀麓堂集》。】

《中元陪祀孝陵》

千溪环合万虫吟，陵邑秋回碧草深。香度石坛云掩霭，钟流山殿气阴森。乾坤圣祖经营力，霜露文孙感怆心。惆怅礼台供奉客，黑头今已二毛侵。

【边贡（1476—1532），著名诗人、文学家。字庭实，自号华泉子。历城（今山东济南）人。弘治九年（1496）进士。官至太常丞。与李梦阳、何景明、徐祯卿并称“弘治四杰”。后加康海、王九思、王廷相，合称明代文学“前七子”。】

《皇陵》

陵阙皇灵网，山河王气遥。万年龙虎抱，每夜鬼神朝。玉碗留天地，金灯照寂寥。如看翠华度，缥缈在青霄。

【何景明(1483—1521),文学家。字仲默,号白坡。信阳(今属河南省)人。弘治十五年(1502)进士。官至陕西提学副使。“前七子”之一,与李梦阳并称文坛领袖。有《大复集》。】

《恭谒孝陵侧望懿文墓》

紫金积翠镇重泉,绛节扬灵护九元。五色云车龙渺渺,万行珠树鹤翩翩。鼎湖风雨秦淮水,缑岭烟霞句曲天。玉玺一从归冀北,郁葱佳气自年年。

【黄佐(1490—1566),著名学者。字才伯,号泰泉。广东香山(今中山)人。正德十五年(1521年)进士。曾掌南京国子祭酒。著有《论学书》、《论说》等。】

《清明日谒孝陵》

燎烟午夜彻明楼,玉佩追趋拜委裘。白水河山留帝宅,苍梧云气想宸游。松枝下拂金铺暝,涧道深还碧殿流。谁羡大风思猛士,万年丰芑戴诒谋。

【黎民表(1515—1581),字惟敬,号瑶石。广东从化人。嘉靖十三年(1534)举人。累官河南布政参议。好读书,善诗词,喜作画,为黄佐弟子。与欧大任、梁有誉、李时行、吴旦称“南园后五子”。】

《谒孝陵》

未晓谒松楸,俨如拜冕旒。千山环闷室,一剑定神州。王气深钟阜,天威肃暮秋。登高望不极,日夜大江流。

【杨巍(1516—1608),明中期重臣。字伯谦,号二山,又号梦山。无棣县人。嘉靖二十六年(1547年)进士。官历嘉靖、隆庆、万历三朝,隆极一时。】

《谒孝陵》

瑶坛晴雪净春空,剑佩声沉苑路东。霜露每勤忧圣主,貂珰无事肃斋宫。通原燎火分宵白,拂树霓旌映晓红。寂寞翠华谁望幸，惟余金粟鸟呼风。

【徐渭（1521—1593），文学家、书画家。字文长，号天池山人。山阴（今浙江绍兴）人。有《徐文长全集》、《徐文长佚稿》等。】

《恭谒孝陵有述》

元运昔告衰，真人起淮甸。车书际番落，日月光寓县。久道化乃成，耄期驾方晏。飞龙太清表，蜕骨钟山巘。佛锡让甫成，龟玉瑞先现。紫气昼夜腾，祥云霭千变。恍惚列圣朝，趋跄百僚见。乾纲既北振，坤维永南奠。衣冠不出游，樽俎时勤荐。

【王世贞（1526—1590），文学家、史学家。字元美，号凤洲，又号弇州山人。江苏太仓人。累官刑部尚书。“后七子”领袖之一。独主文坛二十年。有《弇山堂别集》等。】

《恭谒孝陵正韵》

二百年来一老生，白头落魄到西京。疲驴狭路愁官长，破帽青衫拜孝陵。亭长一杯终马上，桥山万岁始龙迎。当时事业难身遇，冯仗中官说与听。

【王叔承（1537—1601），诗人。初名光允，字叔承，自号昆仑承山人。江苏吴江人。喜游学，纵游齐、鲁、燕、赵，又入闽赴楚。著有《潇湘编》、《吴越游集》等。】

《恭谒孝陵同叶进卿赋》

夹道山松间石楠，遥瞻暖翠锁浮岚。灵龟玉殿十飞九，驯鹿银牌寸有三。第少丰碑撰方练，悔多奸党示胡兰。五云纵护昌平岭，佳气须知兆自南。

【朱国祚（1559—1624），字兆隆。浙江秀水（今嘉兴）人。万历十一年（1583）进士。曾任礼部右侍郎、代理尚书。后转为左侍郎，改吏部。】

《恭谒孝陵》

孝陵佳气郁葱茏，手辟鸿濛万国从。帝命开天非逐鹿，地因拱圣始蟠龙。风雷久护存灵瑞，日月同华想圣容。拜罢小臣思作颂，大明丰芑此山钟。

【范景文（1587—1644），明末殉节官员。字梦章，号思仁，别号质公。河间吴桥（今属河北）人。万历四十一年（1613）进士。累官至工部尚书兼东阁大学士，明亡自杀。著有《大臣谱》、《战守全书》。】

《孝陵》

真龙五采竟深藏，暗吐人间日月光。册府何时探禹穴，精灵随处耀星芒。云开不辨苍梧远，山翠遥传桥岭长。南极开天无敢论，侍臣弓剑总茫茫。

【谈迁（1593—1657），明末清初史学家。原名以训。明亡后改名迁，字孺木，号观若，自称"江左遗民"。浙江海宁人。终生不仕。博览群书，善诸子百家，精研历史，著有《国榷》、《枣林杂俎》等。】

《孝陵》

鼎湖龙去上升天，弓剑埋藏四百年。金碗玉鱼无恙在，不须清泪滴铜仙。竖儒瞻拜旧山陵，落日平芜百感生。欲奏通天台下表，只怜才谢沈初明。

【杨绳武（1595—1641），字念尔，号翠屏。云南弥勒县人。进士。翰林院庶吉士。官至右佥都御史，顺天巡抚。著有《鹧鸪集》等。】

《恭谒孝陵》

淮右真人起，江东大业成。群雄归扫荡，诸夏见澄清。凤羽宸游晚，励髯帝使迎。海沉金雁冷，壤兆玉龟贞。松槚周庐静，熊罴禁篽行。三妃虞后寝，四姓汉家茔。弓剑秋霜切，衣冠夜月明。典章垂奕叶，器物象平生。瑞雪深瑶殿，卿云覆宝城。上公升鼎重，中使拂床轻。虔礼朝原庙，神谟仰镐京。百灵长自拱，万祀奏升平。

【陈子龙（1608—1647），作家。初名介，字卧子，号大樽。松江华亭（今上海松江）人。崇祯十年（1637）进士。清兵陷南京，他和太湖民众武装抗清，事败后被捕，投水殉国。诗歌成就较高，亦工词，被后代誉为“明代第一词人”。】

《谒陵诗》

蓟门西望望皇畿，共侍銮舆展谒归；礼罢祾门云自阖，梦回寝殿泪频挥。老臣将去填沟壑，何日重来拜翠微；廿载承恩无寸补，钟鸣漏尽尚依依。

【王士祯（1634—1711），清初杰出诗人。字子真，号阮亭，又号渔洋山人。山东新城人。顺治十五年（1658）进士博学好古，能鉴别书、画、鼎彝之属，精金石篆刻，诗为一代宗匠，与朱彝尊并称。】

《拜明孝陵》

夕阳红树间青苔，点染钟山土一堆。厚道群瞻今主拜，酸心稍有旧臣来。石麟碍路埋榛草，玉殿存炉化纸灰。赖有白头中使在，秋晴不放墓门开。

【孔尚任（1648—1718），戏曲作家。字聘之、季重，号东塘。山东曲阜人。与洪昇有“南洪北孔”之称。有剧本《桃花扇》，诗文集《湖海集》等。】

《随驾谒明太祖孝陵恭记十二韵》

明祖山林在，天家祀典昭。千官随虎旅，万乘驻鸾镳。风雨东来近，江关北睇遥。石城蟠脉厚，灵谷蓄泉饶。狐兔何曾窟，松楸竟不凋。运虽经鼎革，诏特禁刍荛。下马坊犹耸，祾恩殿忍烧。遗民安率土，圣主念前朝。本以仁除暴，还同舜绍尧。统传心有契，社废庙无祧。陵户烦增置，神宫俨旧寮。霸图卑六代，园寝任萧条。

【查慎行（1650—1727），清代诗人。初名嗣琏，后改现名，字悔余，号他山。海宁袁花（今属浙江）人。康熙四十二年（1703）进士。诗学东坡、放翁。自朱

彝尊去世后,为东南诗坛领袖。著有《他山诗钞》。】

《再谒明陵》

山河故国事全销,黄屋青丘锁寂寥。象设尚余三殿制,天威仍拥百灵朝。衣冠世远迷猿鹤,歌咏年深感牧樵。异代一麾惭守郡,拜瞻疑见五云遥。

建业千峰绕旧都,残碑荒草路萦纡。空闻父老悲金碗,犹记高曾痛鼎湖。龙虎层城消王气,钟鱼野寺伴浮图。伤心大帝陵前树,南北山头噪暮乌。

今王崇礼事非常,榱桷重新俎豆香。闻道乘舆亲拜谒,遂令守土饬蒸尝。黄封十幅褒弥重,青史千年道益光。不独普天皆感泣,端知玉历格穹苍。

白头宫使守陵人,展拜龙颜日角新。万国车书齐向化,百年礼乐尽还淳。子孙半贾珰貂祸,庙社旋飞猘豕尘。瞬息兴亡金鉴在,不胜吊古泪沾巾。

【陈鹏年(1663—1723),清代官吏、学者。字北溟,又字沧州。湘潭人。康熙三十年(1691)进士。历官江宁知府、苏州知府、河道总督,卒于任。有《道荣堂文集》、《喝月词》、《历仕政略》《河工条约》等。】

《恭和御制谒明太祖陵元韵》

鸾辂巡行应八方,钟山展谒典椒浆。钦承家法高千古,敬礼前朝重一王。僭乱削平兴礼乐,政刑苛察杂申商。龙蟠虎踞空形胜,厚德由来是巨防。

【沈德潜(1673—1769),诗人。字确士,号归愚。长洲(今江苏苏州)人。乾隆四年(1739)进士。曾任内阁学士兼礼部侍郎。著有《沈归愚诗文全集》,以及选编《唐诗别裁》、《明诗别裁》、《清诗别裁》等。】

《念奴娇·金陵怀古》之《孝陵》

东南王气,扫偏安旧习,江山整肃。老桧苍松盘寝殿,夜夜蛟龙来宿。翁仲衣冠，狮麟头角，静锁苔痕绿。斜阳断碣，几人系马而读。

闻说物换星移，神山风雨，夜半幽灵哭。不记当年开国日，元主泥人泪簇。蛋壳乾坤，丸泥世界，疾卷如风烛。老僧山畔，烹泉只取一掬。

【郑燮（1693—1765），字克柔，号板桥。江苏兴化人。以诗、书、画称为“三绝”，为“扬州八怪”之一，有《板桥全集》。】

《孝陵十八韵》

元鼎沦沙漠，真人唱大风。从南控西北，终古一英雄。貌类唐高祖，家邻汉沛公。玄黄清战血，礼乐启宸聪。重典秋霜下，深心养士中。虎龙占王气，郏鄏定江东。苍野劳耕象，轩湖泣坠弓。黄肠钟阜闼，丹穴水银控。松照金题碧，灯依玉座红。月游偕哲后，庙祔及青宫。开国衣冠歇，中原历数穷。山河余瓦砾，士女亦沙虫。苦竹摇天帚，妖云闪帝弓。兰亭将出匣，牧火欲烧童。昭代宽仁极，前朝典礼隆，守园颁内监，留像获重瞳。禾黍虽萧瑟，香烟竟始终。冬青宋陵树，遗恨不相同。

【袁枚（1716—1798），诗人。字子才，号简斋、随园老人。浙江钱塘（今杭州）人。乾隆进士。曾任江宁等地知县。著有《小仓山房集》、《随园诗话》等。】

《题明太祖陵》

钟山陵寝郁嵯峨，四海当年一奋戈。宋祖应惭燕地少，汉高犹觉泗亭多。金凫气冷消凉雨，石马年深卧绿莎。何代不留兴废慨，英风要自耿难磨。

戡乱兼能致治平，规模宏远照寰瀛。身从乞食艰俱试，目不知书学自成。养士未能犹气节，亲儒初运已文明。始知三百年天下，尽是开天一手擎。

定鼎金陵控制遥，宅中方轨集轮镳。千秋形胜从三国，一样江山陋六朝。燕啄皇孙传岂误，狗烹诸将乱终消。桥陵曾借神僧穴，易代犹闻禁采樵。

圣代深仁到九幽，玉鱼金碗护林邱。有人周陛班三恪，无恙唐陵土一抔。犹见丹青藏寝庙，岂闻樵牧及松楸。居民共说春秋节，每见祠官祀典修。

【赵翼（1727—1814），文学家、史学家。字云崧，号瓯北。江苏阳湖（今常州）人。倜傥多才，与袁枚、蒋士铨并称“江左三家”。著有《瓯北诗话》、《陔余丛考》、《廿二史札记》等。】

《钟山拜孝陵并瞻遗像》

蒋山山下吊松楸，瞻拜遗容识冕旒。凤目龙瞳存尺幅，珠襦玉匣自千秋，林间片壤依元子，石畔荒原附列侯。更望孤恓埂边路，离离禾黍满平畴。

【朱瑄（约1766年清高宗乾隆中前后在世），字枢臣。江苏吴县人。生卒年及生平均不详。工诗。】

《明太祖陵》

泗陵沉没凤陵荒，此地明楼傍夕阳。金粟铭功无石马，醴泉陪葬有名王。六师威略清沙漠，一统规模接汉唐。自是真人出天授，空同云气说轩皇。

亭亭紫气滃朝霞，来访留都赋梦华。秦代已传天子气，吴都原是帝王家。六朝花月无孤冢，万树松楸有暮鸦。太息长陵一抔土，野人相约种秋瓜。

冠古雄图此宅京，千秋余恨亦难平。一篇黄鸟朝天户，百战金川靖难兵。破帽秋衫空有泪，玉鱼金碗岂无情。巍巍御制穹碑在，圣德神功有盛名。

月轮东上夜啼乌，江水西来即鼎湖。蒋帝青山秋雨暗，志公灵谷暮云孤。荐新曾遣中珰奉，带剑应无小吏趋。闻道时巡亲致飨，兴朝优礼古来无。

【陈文述（1771—1843），初名文杰，字谱香，后改现名，别号元龙。钱塘（今

浙江杭州）人。嘉庆时举人。官昭文、全椒等知县。著有《碧城诗馆诗钞》、《颐道堂集》等。】

《孝陵》

蔓草呼风夏亦寒，蓝舆晓发度高原。空余钟阜龙蟠意，莫问长陵风午痕。汉祖有灵崇卓摄，天心已去逖琨难。圣朝自是仁如海，明日祠官例荐豚。

【宋恕（1862—1910），近代启蒙思想家。字平子，号六斋。原名存礼。浙江温州平阳人。与陈黻宸、陈虬并称“浙东三杰”。有著作20余种。】

《谒明孝陵》

郁郁钟山紫气腾，中华民族此重兴。江山一统都新定，大纛鸣笳谒孝陵。

如君早解共和义，五百年来国尚存。万世从今真一系，炎黄华胄主中原。

将军北伐逐胡雏，并告徐常地下知。破帽残衫遗老在，喜教重见汉威仪。

汉兵到处虏如崩，万马黄河晓蹴冰。直扫幽燕捣辽沈，昌平再告十三陵。

【丘逢甲（1864—1912），近代诗人。字仙根，号蛰庵。祖籍广东，生于台湾彰化。光绪十五年（1889）进士。《马关条约》签订，割让台湾，丘逢甲坚决反对并组织义军反抗。尔后积极投身革命。有诗集《柏庄诗草》等，被梁启超称为“诗界革命之巨子”。】

《符号江苏》丛书编委会

宜兴紫砂

贺云翱　张勇盛◎著

图书在版编目(CIP)数据

宜兴紫砂 / 贺云翱，张勇盛著. —南京：译林出版社，2013.1
(符号江苏)
ISBN 978-7-5447-2679-5

Ⅰ.①宜… Ⅱ.①贺… ②张… Ⅲ.①地方文化—文化史—江苏省 ②紫砂陶—陶瓷茶具—介绍—宜兴市 Ⅳ.①K295.3 ②K876.32

中国版本图书馆CIP数据核字（2012）第045104号

《符号江苏》丛书

丛书主编　张道一

第一辑书目

昆　曲
明孝陵
南京云锦
宜兴紫砂
苏　绣
徐州画像石

书　　名　宜兴紫砂
作　　者　贺云翱　张勇盛
责任编辑　张　遇
封面设计　胡　苨
版式设计　陆　莹　常　征
技术编辑　黄　晨　韦　枫
出版发行　凤凰出版传媒股份有限公司
　　　　　译林出版社
出版社地址　南京市湖南路1号A楼，邮编：210009
电子邮箱　yilin@yilin.com
出版社网址　http://www.yilin.com
经　　销　凤凰出版传媒股份有限公司
印　　刷　南京爱德印刷有限公司
开　　本　889毫米×1194毫米　1/16
印　　张　13.5
版　　次　2013年1月第1版　2013年1月第1次印刷
书　　号　ISBN 978-7-5447-2679-5
定　　价　98.00元
总 定 价　580.00元（第一辑全六册）

文化符号的魅力

罗志军

上世纪五十年代，一首来自江苏的民歌《茉莉花》走上国际舞台，让世界记住了江苏。时至今日，这首优美的乐曲，已演化为中国的文化符号，成为中外文化交流的纽带。许多国际友人就是寻着《茉莉花》的韵味，认识江苏并种下了对江苏特有的情结，这便是文化符号的魅力。

位于中国大陆东部沿海的江苏，是中华文明的重要发源地之一。在这片美丽富饶的土地上，一代代江苏人辛勤耕耘，不仅创造了辉耀古今的物质文明，而且形成了吴越古韵、楚汉雄风、金陵人文、维扬风物的文化特色，可以引为江苏符号的资源不胜枚举。

在江苏众多文化符号中，延续六百多年的昆曲，不仅是中国戏曲的“百戏之祖”，也是世界戏剧的三大源头之一；明孝陵空寂神道上的巨大石像，印证着南京虎踞龙盘

的王者气象；“咫尺之内再造乾坤”的苏州园林，代表了中国风景式园林艺术的最高水平；发端于南京的云锦纹样图案和以精、细、雅、洁蜚声的苏绣，以及宜兴紫砂、惠山泥人、江苏书画、江苏美食、南京城墙、徐州画像石、扬州漆器等等，都是江苏历史文化的名片。

随着中国改革开放的深入推进，开放的江苏与世界的联系日益紧密。江苏需要把更多代表自身特色的文化资源介绍给世界，世界亦需要借助更多的文化符号来感知江苏。由江苏省人民政府新闻办公室策划、凤凰出版传媒集团译林出版社编辑出版的《符号江苏》丛书，以图文并茂的形式，介绍了江苏最具公认度和代表性的特色文化资源，其中不少已列为世界物质和非物质文化遗产。这些经过长期积淀形成的标志性符号，体现着江苏这方水土独有的人文精神和文化基因，展示出江苏文化的源远流长与灿烂多彩。相信捧读《符号江苏》的朋友，无论你是否来过江苏，都会为她悠久的历史、灿烂的文化而心驰神往。

现在，江苏正致力于全面建成更高水平小康社会、开启基本实现现代化新征程。我们期望，通过《符号江苏》这套丛书，让更多的海内外读者朋友认识江苏、了解江苏。同时，我们热忱欢迎世界各地朋友走进江苏，亲身体验这方灵秀水土的无穷魅力，与这里的人们一起分享江苏独特的文化、优美的环境和美好的生活。

（作者系中共江苏省委书记）

目　录

引言

第一章　源流篇·上

第二章　源流篇·下

第三章　文化篇

第四章　技艺篇

◎引言

第一节◎天时、地利、人和

宜兴之所以有中国『陶都』之美誉，重要原因之一是它兼具『天时』、『地利』、『人和』三要素。优越的区域位置，良好的地理环境，久远的人文历史，孕育出这方钟灵毓秀的陶业之都。

中国“陶都”宜兴坐落在江苏省南端，位于长江三角洲沪、宁、杭“金三角”的中心，东濒太湖，与苏州、无锡相望，西邻溧阳，南交浙江湖州、长兴，北接常州武进，西南与安徽广德毗邻，拥有地处苏、浙、皖三省接壤的中心区域优势。

宜兴地势起伏，地形多样，既有平原和湖沼，又有丘陵和低山，境内茶园郁郁葱葱，生态优良，环境雅致。这里矿产资源丰富，主要为陶土以及少量瓷石矿。陶土矿中还夹杂有其他地区罕见的紫砂泥料，为紫砂工艺的诞生和发展奠定了坚实的自然基础。山上又盛产林木，为烧制陶瓷器准备了优质的燃料。

◎◎ 水运货场

宜兴境内河流众多，水网密布，主要有南溪、洮滆太、蠡河、凰川等四大水系，可通航河道达百条以上。各大水系之间还罗列有大大小小的湖氿水荡，水路交通便利，给宜兴陶瓷产品的外运销售带来了天然的优势。

宜兴别名阳羡、荆溪，其人类开发史可以追溯到一万年前。在宜兴湖滏镇灵谷洞发现的古人类化石，是万年以前先民的遗存。大约在六七千年前，宜兴已经开始了农业文明，并拥有着发达的制陶业。如今，宜兴境内已发现多处新石器时代到商周时期的古文化遗址，其中以平底腰檐陶釜为特征的新石器时期“骆驼墩类型文化”具有鲜明的地方特色。

三千多年前的商代，宜兴称“荆溪”，西周时为“荆溪邑”，属吴国，是吴文化重要的分布区域。春秋之际，越国灭吴，此地入越，今流经宜兴市区蜀山脚下的蜀山大河历史上也称“蠡河”，据称为越国重臣范蠡所开挖，范蠡还被传为是宜兴陶业的开创者，一直受到陶业者的祭拜。公元前 355 年，楚国灭越，此地入楚。所以，宜兴从文化源流上说属于中国东南地区深厚的吴越文化体系。

公元前 223 年，秦灭楚，在旧楚之地推行郡县制，荆溪定名为阳羡县。从那时到现在，宜兴建城已有两千多年的历史。到西晋怀帝永嘉四年（公元 310 年），时局动乱，阳羡人周玘（周处之子）三兴“义兵”，讨贼有功，史称“三定江南”，因而受封武威将军、吴兴太守、乌程侯，朝廷特为之设“义兴郡”，郡治在阳羡，下辖阳羡、义乡、国山、临津、平陵、永世 6 县。此后宜兴作为一郡之区域中心，历晋、刘宋、齐、梁、陈数朝共 285 年，这是宜兴历史上最为称重的一个时期。公元589年隋灭陈，废义兴郡，改阳羡县为义兴县。

北宋初建，因避宋太宗名讳，改义兴为宜兴县。元朝一度升宜兴县为宜兴府。清雍正三年（1725年），分宜兴县为宜兴、荆溪二县，二县县治并在一城之内，以南北大街（今宜兴市人民路一线）为分界，东面为荆溪县治，西面为宜兴县治。到民国元年（1911年），两县又并为宜兴县。中华人民共和国成立之后，1988年1月9日，国务院批准宜兴撤县建市。目前的宜兴市区由北城区的宜城镇和南城区的丁蜀镇构成，而丁蜀镇正是宜兴紫砂工艺的起源地。

宜兴古称“山水明秀、英贤蔚兴”之地，从古至今，涌现出难以计数的功臣豪杰、文坛巨匠、艺术大师、学术名流，如东汉时蒋氏的“一门九侯”，三国两晋时周氏的“四代英杰”，明代时畲、邵二氏的“一邑三魁”，近现代绘画领域的徐悲鸿、钱松嵒、吴冠中、尹瘦石、吴大羽等，科学领域内的周培源、唐敖庆、史绍熙、潘序伦等，教育领域内的蒋南翔、潘菽、虞兆中等，文艺领域内的张权、倪维德、曹辛之、储师竹、闵惠芬等。陶瓷界尤其是紫砂界从明代以来直至当代更堪称大师辈出，如时大彬、陈鸣远、邵大亨、顾景舟、蒋蓉等。他们如群星闪烁，以骄人的业绩耀人眼目。

第二节 ◎ 历史悠久的技术传统

艺术总是相辅相成的，
壶艺之所以能在宜兴这块土地上兴旺发展，
离不开当地丰富多彩的传统技术与工艺。
宜兴技术传统中最值得一提的，
莫过于陶瓷工艺、建筑工艺与民俗工艺。

陶瓷工艺

宜兴陶瓷工艺起源于约7000年前，此后代代绵延，直至当世，并在数千年的发展中逐渐形成了自己的特殊传统、用途、造型风貌、技术特征和艺术风格。

从史前时代起，这里因其区位优势已创造出别具一格的“骆驼墩类型文化”。生活于7000年前左右的先民们采用泥条盘筑的方法，制作出各类精美陶器。随着原始人类经验的积累，制陶技术也得到快速的发展，逐渐开始了轮制，器形更加规整、匀称。到5000年前左右的良渚文化时期，人们已经能够在黏土堆砌的穴式陶窑内烧制黑陶、灰陶、红陶等陶器，其中夹碳黑陶的技术要求很高，器物表面的装饰丰富多样，有刻划、彩绘、

◎◎ 宜兴古窑遗址堆积物

压印、镂空、堆贴等技法。

先秦时期，这里先后有吴、越、楚三种文化交汇，陶瓷文化也跃上新的台阶。宜兴先民制作出质量更高、技术要求更加全面的印纹硬陶和原始青瓷。至东汉时期，在宜兴丁蜀镇和南山一带已烧制出成熟的青瓷器。汉代窑址广泛地分布于宜兴境内，比如马臀窑、六十头窑、龙丫窑、东瓦窑等。东吴至南朝的“六朝”时期，此地成为全国重要的瓷器生产基地之一，其中小窑墩遗址是典型的六朝青瓷窑址。

宜兴城区发现的西晋名人周处墓中出土了各式罐、碗、杯、壶、盘等青瓷器物，胎质坚硬细密，釉色莹润光亮，造型优美，莲花纹饰较多，反映了佛教艺术对瓷器的影响。墓中还出土了熊形灯、蛙形水盂、鸡头壶、狮形烛台等动物雕塑，其比例协调，生动传神。

历唐代、五代十国时期的南唐，直到宋代，宜兴的青瓷工艺续有发展，产品在胎骨、造型、釉色、纹饰等方面都有自己的风格，所以，考古界和陶瓷工艺界提出了“宜兴（青瓷）窑”（也有专家称“南山窑”）的概念，以区别于浙江、江西、湖南等省境内发现的同时期青瓷窑系。唐宋时期，这里还出现了以釉装饰为特点的瓷器。到明代，工匠们最终在坚持“宜兴窑”青瓷烧造传统并追求艺术创新的基础上，创造出以红、蓝釉窑变为特色的“欧窑”（一称“宜均”）器。

以“宜兴窑”为代表的青瓷产品和以“欧窑”为代表的颜色釉高温陶产品在长江中下游地区有一定的传播面，为中国青瓷工艺和新釉陶工艺做出过积极贡献。

◎◎ 晋异兽尊 宜兴周墓墩出土

六朝青瓷香熏

建筑工艺

宜兴的古典建筑工艺来自于苏州城西太湖之滨及湖中的小岛“香山”。香山建筑工艺师在明代初年曾是首都南京和北京皇宫、陵寝的主要设计者和建设者，在中国建筑工艺史上占有重要地位。宜兴与香山隔湖相望，交通方便，宜兴明清两代的许多古典建筑都出自香山匠师之手。太平天国运动失败以后，不少香山工匠因躲避清兵追查而逃难定居宜兴，成为宜兴传统建筑工艺的领军人物。宜兴城内保存至今的周王庙、瀛园、东坡书院、娘娘庙及一些石桥等，均由移居宜兴后的香山籍建筑匠师负责修缮。因此，这些建筑遗产保留了太湖香山建筑工艺的风格和特点。建筑是凝固的音乐，是综合性艺术，生活于其间的宜兴先人耳濡目染，不断感受着美丽江南的文化熏陶，增长和启迪着艺术的审美与创造力。

民俗工艺

明清以来，宜兴还流行灯会，以西氿旁的徐舍美栖村一带最为著名，因此该地花灯工艺也殊称发达。其花灯类别可分挂、提、肩挑、抬等，内容有昆虫鸟兽、花卉、人物，还有成套组合，如十二月花名、十二生肖以及“东吴入赘”、“负荆请罪”等戏文和带象征意义的“凤穿牡丹”、“麒麟送子”等，不胜枚举。美栖花灯艺术性高，精致美丽，仅“花担”一挑，灯明火烛即有128盏之多，远视灯火辉煌，灿烂夺目。花灯制作中其结构、棱角、色彩、诗文、书画、刻纸剪贴相间，加之选料讲究，灯烛辉耀，给人五彩缤纷、千姿百态之美。

宜兴有着颇负盛名的刻纸工艺，起源可以追溯到唐代，明、清时代刻纸工艺随着商品经济的发展越加隆盛，民国时期还一直保持着旺盛的生命力。它是与宜兴灯会相结合的一种工艺美术。宜兴刻纸最主要的艺术特点是“清、透、明”，“清”就是作品题材清新活泼，富有生活气息；“透”是强调技术的娴熟、老练，不拖泥带水；“明”指图案所反映的思想内涵明白浅显，老百姓一眼就能明了。刻纸的图案内容以祝福称颂为主，包括花鸟鱼虫、人物百戏、田园风光、福星拜寿等。

发达的民间美术与生活、节庆等相结合，给宜兴陶瓷带来了无尽的创作灵感。

宜兴本地的陶瓷文化除了吸取其他工艺的营养，其进步与发展也绝不固步自封，而是不断得益于与周边先进陶瓷工艺的互动和交流。在宜兴周边，自古有着众多陶瓷工艺重地，如浙江的越窑、德清窑、婺州窑、南宋官窑、龙泉窑；安徽的宣州窑、繁昌窑；江西的洪州窑、湖田窑、吉州窑、景德镇窑；湖南的湘阴窑、岳州窑、铜官窑乃至福建的建窑等，这些窑业工艺都与宜兴陶瓷工艺发生过或多或少的联系，不管是在器物形制还是技术的流布上都可以看见交流的痕迹。

第三节 ◎ 能不忆江南

宜兴地处中国『江南』腹地，
不管是其自然条件还是人文传统，
都与这一地理背景有着同呼吸共命运的关联。
江南的山水风情、诗文书画、道禅仙气、才子佳人，
以及婉转含蓄的文化特质，
自然也流淌在每一个宜兴人的血脉之中。

“陶都”宜兴及紫砂工艺所在的“江南”，是一个充满诗情画意的地理名词，早在唐代，已有诗咏之曰：“江南好，风景旧曾谙。日出江花红胜火，春来江水绿如蓝，能不忆江南！”（白居易《忆江南》），这首诗实际上道出了文人士大夫对“江南”魂牵梦萦的普遍心理。

江南地区温暖湿润的气候，丘陵、山地、平原错杂分布的地形，烟波浩渺的河湖水道等自然地理条件，决定了其不同于北方地区的旱作农业和游牧业，形成独特的稻作农业体系，造就了江南独特的经济生产方式。物质的充裕促使了文化的发展兴盛，正所谓“仓廪实而知礼节”。江南人民在不知不觉中培育出超越实用主义的诗画般的人文传统和审美趣味，推动了包

括建筑园林、绘画、书法、文房、版刻、琢玉、刺绣、家具、髹漆、竹刻、刻瓷、金银器、珐琅彩器等工艺美术的创造与精致。

江南小家碧玉式的园林艺术与北方雄浑古朴的艺术风格截然不同，明清时期的江南私家园林成为中国园林艺术后期发展的又一个高峰。江南园林中的山石、植物等园林要素虽本于自然，但由于这些具体的物象在加工过程中已经融入了艺人的艺术构思、思想感情、审美趣味和造园技艺，因而堆叠出来的园林是高于自然的艺术品。“一泓秋水如波涛万里，一片山石似高峰耸翠”，在很小的地段中展现出山林咫尺之美，“虽由人作，宛自天开”。这种天人合一的巧思与和谐，充分展现了江南园林艺术的精致灵动。

江南是中国传统文人书画的高地。至少从吴、晋开始，中国的书画创作和理论中心便已在江南形成，此后流风余韵蔚成高潮，名家辈出，流

◎◎ 明 · 唐寅《桐荫品茶图》

派纷呈,令人不胜慨叹。明代嘉靖前后,以吴伟、张路为领袖的“浙派”日趋衰落,在苏州地区以沈周、文征明为首的吴门画派开始崛起。沈周的绘画师法宋元,技法全面,画风浑朴雄伟,发展了文人水墨写意山水、花鸟画的表现技法。文征明的造诣也颇高,花鸟画风骨秀逸,与沈周、唐寅、仇英并称“吴门四家”,在画坛上声势浩大。文嘉、文伯仁、陈复道、陆治、谢时臣等推其余绪。明代后期以董其昌为代表的“华亭派”影响最大,他以书法融入绘画的皴、擦、点、划中,所画烟云流润,山石树木皆柔中带骨、拙中显秀,笔画转折多变,清隽雅逸,以平淡取胜。陈继儒、宋旭、赵左、沈士充为“华亭派”的中坚力量,这一群画家的产生进一步拓深了江南地区的人文意蕴。

江南地区书家辈出,明初以古体章草著称的宋克,明中期沈周、吴宽、王鏊、祝允明、文征明、王宠等为代表的吴中各家,书法造诣均达到了很高的境界,特别是文征明的书法师承晋唐,取法二王,兼及褚欧,法度严谨纯熟,笔锋秀挺,书体端庄,风格清俊秀雅。晚年所作蝇头小楷,更是出神入化,熔铸古今。明后期董其昌的书法风格一直延续至清代前期,影响至深。

明代江南苏松地区,制作、使用硬木家具成为一种普遍的社会风气。王士性《广志绎》中提到:“姑苏人聪慧好古,亦善仿古法为之……又如斋头清玩,近皆以紫檀、花梨为尚。尚古朴不尚雕镂,即物有雕镂,亦皆商、周、秦、汉之式。海内僻远,皆效尤之,此亦嘉、隆、万三朝为始盛。”明式家具的线条简练、厚朴凝重、圆浑沉穆、不尚雕饰,但气质空灵、厚实并重,典雅、清新交合,劲挺、柔婉并存,无不透露出江南地区的人文气质。

明代嘉万年间,江南地区的琢玉工艺发达,出现了苏州、扬州两大中心,技法简练圆熟,将文人画中的人物、花鸟、山水意象及诗文佳句融入玉器的装饰造型中,丰富了玉器的文化韵味。苏州吴县的陆子刚琢玉技艺高超,人称“吴中绝技”。

正是在江南这一片神奇的文化沃土上,孕育形成了宜兴紫砂工艺。也可以说,宜兴紫砂既是先民们发挥丰富的艺术想象力和巧夺天工的手工技术抟埴出的“火与土的艺术品”,更是当时江南一带温文典雅的文化特质和建筑园林、绘画、书法、刺绣等众多工艺美术技法高度发达与融合的产物。

江南地区不仅产茶，饮茶之风也极为盛行。宜兴的阳羡雪芽、荆溪云片，苏州的碧螺春，杭州的西湖龙井等都是中国著名的茗茶品种。宜兴在中国茶文化的发展过程中占有重要地位，唐代是中国茶道文化正式形成的时期，宜兴阳羡茶恰恰在唐代被列为全国一流的贡茶，时人誉之为“天子未尝阳羡茶，百草不敢先开花”。南唐以后，阳羡茶的地位虽有减弱，但一直到明代仍位列贡茶，影响深远。南京夫子庙一带出土明清紫砂壶标本甚多，原因可能是这一带系科举考试中心，聚集了成千上万

◎◎ 玉杯 中国茶叶博物馆藏

的各地参考士子及陪读侍者，饮茶鉴赏之风颇盛。香薄兰芷的茗茶文化在江南地区的兴盛也是宜兴紫砂出现的一种必要条件。

佛教自印度传入后，就与贵族、文人士大夫结下了不解之缘。江南地区佛寺林立，古柏森森，佛教中的禅宗颇为江南的文人学士所推崇，僧人们恬静雅致的生活及玄妙高深的禅理与老庄的自然无为、退隐适意的

◎◎ 四桶茶叶揉捻机 中国茶叶博物馆藏

追求是一致的，而禅僧们也“以诗礼接儒俗”，二者自然走在了一起。禅修思想与淡雅的茶艺、追求空灵之趣的紫砂精神契合无间。紫砂器线条简单而造型丰富，色彩质朴而内蕴珠玑，这是化繁为简、简中有繁的“禅”和“道”的具体实践，因此也得到了佛、道二界的喜爱。

儒教文化在江南有着根深蒂固的地位，是文人士大夫的精神维系所在。一些文人雅士厌恶了朝廷的勾心斗角或意识到自己的理想抱负难以施展后，便退守隐逸于山林丘壑之间，徘徊于孤松溪水之畔。有些雅士开始关注与日常生活息息相关的工艺技术，紫砂也成为他们笔下记录和颂扬的对象，如海宁人吴骞《阳羡名陶录》及续录，明末江阴人周高起的《阳羡茗壶系》，这些都是紫砂文化的重要典籍。文人的参与与著录维系着工艺的世代传承，推动着紫砂文化的流传普及。

总之，“江南”地区自唐宋以来渐次成为中国的经济文化中心，周边城市如金陵、杭州、扬州、苏州、上海、无锡、常州、镇江、淮安、芜湖、绍兴等都是经济文化发达的城市，存在着一个鉴赏水平较高的消费群体，流行饮茶、收藏、鉴赏之习。有着这样一个广阔的市场和需求，江南地区各种工艺包括紫砂工艺的出现、发展和成熟也就水到渠成了。

第一章◎源流篇·上

第一节◎紫砂起源之谜

『紫砂工艺』这独特的文化遗产究竟起源于何时？目前说法很多，众说纷纭。主要有两种意见：宋代与明代说，且都有考古实物和文献记载两方面的材料作为依据。

宋代说

过去，大部分学者认为紫砂及其工艺创始于明中期正德年间，但一些研究者根据北宋欧阳修、米芾和梅尧臣三位著名的文人在其诗词中留下的一些蛛丝马迹，认为紫砂应起源于宋代。

和梅公仪尝茶

欧阳修《欧阳文忠全集》

溪山击鼓助雷惊，逗晓灵芽发翠茎。
摘处两旗香可爱，贡来双凤品尤精。
寒侵病骨惟思睡，花落春愁未解醒。
喜共紫瓯吟且酌，羡君潇洒有余清。

满庭芳

米芾《宝晋英光集》

雅燕飞觞，清谈挥座，使君高会群贤。密云双凤，初破缕金团。窗外炉烟自动，开瓶试一品香泉。轻涛起，香生玉尘，雪溅紫瓯圆。

依韵和杜相公谢蔡君谟寄茶

梅尧臣《宛陵先生集》

天子岁尝龙焙茶，茶官催摘雨前芽。
团香已入中都府，斗品争传太傅家。
小石冷泉留早味，紫泥新品泛春华。
吴中内史才多少，从此莼羹不足夸。

他们认为欧阳修和米芾诗词中的"紫瓯"以及梅尧臣诗中的"紫泥"指的就是紫砂器，表明当时的文人雅士已经开始使用紫砂器作为自己品茗斗茶的珍贵器具。

但也有一些学者认为，宋诗中的"紫瓯"指的是当时社会上颇为流行的一种斗茶的瓷质器具。宋代上至皇亲国戚，下至黎庶渔樵都喜好饮茶斗茶，将茶末调和成膏状物，放入盏中，注入沸水，看茶面汤花色泽、均匀程度及茶盏的口沿与汤花相接处有无水痕而论输赢。祝穆《方舆胜览》中说："斗试之法，以水痕先退者为负，耐久者为胜。"使用的茶盏据文献记载以黑盏为好，蔡襄《茶录》中提及："茶色白，宜黑盏。建安所造者绀黑，纹如兔毫，其坯微厚，最为要用。出他处者，或薄或色紫，皆不及也。"可见，"色紫"之茶盏，未必是宜兴紫砂器。

除文献之外，考古发现是寻找紫砂源头的有力证据。1976 年 7 月，宜兴红旗陶瓷厂在丁蜀镇蠡墅村西北的一座名为羊角山的小土堆上基建施工时，意外发现了大量的紫砂残器和欧窑器残片。考古人员

◎◎ 建窑兔毫盏

将其年代定为上限不早于北宋中期，盛行于南宋，下限延续至明代早期，并提出了自己的立论依据：

（1）这些地区曾经发现一些六朝的墓砖，说明六朝时还是荒芜的墓地。

（2）断面第四层中出土的一些乱砖同江南地区常用的宋代小型墓砖相似。

（3）出土的早期的龙头形壶嘴与北宋时期江南地区墓葬中常见的随葬龙虎瓶的捏塑手法相似；双把壶柄也是隋唐、宋时流行的柄形。于是，一些学者根据这次发现认为紫砂的出现应该不晚于南宋。

◎◎ 羊角山出土壶盖

◎◎ 羊角山出土的壶嘴和把

诗文中的一些记载加上这一考古发现，使很多研究者渐渐地接受了紫砂宋代起源说。然而，近年来有些学者指出，20 世纪 70 年代的那次发现，其断代可能有误，出土的所谓宋代紫砂标本实际可能只是明代晚期的遗物。这就把“宋代起源说”的考古实物依据彻底否定了。

明代说

持明代起源说的学者基本上是根据明末天启年间周高起《阳羡茗壶系》中的记载。清吴骞《阳羡名陶录》也同样转引了周高起的说法，于是这种说法遂流行于世，为大家普遍所接受。

周高起《阳羡茗壶系·创始》中记载：“金沙寺僧，久而逸其名矣。闻之陶家云：‘僧闲静有致，习与陶缸瓮者处，抟其细土，加以澄练，捏筑为胎，规而圆之，刳使中空，踵傅口、柄、盖、的，附陶穴烧成，人遂传用。”

“供春，学宪吴颐山家僮也。颐山读书金沙寺中，春给使之暇，窃访老僧匠心，亦淘细土为坯……今传之者，栗色暗暗，如古金铁，敦庞周正，允称神明垂则矣。”

由上面的文献记载可知，宜兴境内金沙寺的一位僧人似乎是紫砂的真正创始人，但他也是从制作粗陶器的百姓那里得到的启发。后来学宪吴颐山的家僮供春偷学到金沙寺僧的壶艺，并将其发扬光大。据考证，金沙寺在宜兴山间，距丁蜀镇十余里，至今还有遗迹存在。

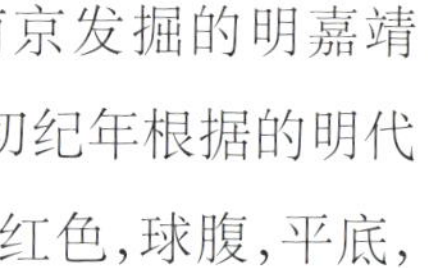

供春 六瓣圆囊壶

“明代说”同样也有考古发现为支撑。1966 年南京发掘的明嘉靖十二年（1533 年）吴经墓中出土了一把目前唯一有确切纪年根据的明代紫砂器，学术研究价值甚重。这件紫砂提梁壶呈猪肝红色，球腹，平底，弯流，葫芦形钮，圆平盖，盖背面有简单的十字形筋，缸胎，壶面有“缸坛釉泪”。倭角弯式提梁的内部有拴绳使用的小系。

以后在历年的考古发掘或施工中都出土了相当数量的明代中晚期的紫砂器，这些紫砂器造型和技艺已经高度成熟，器形规整，泥色匀静，可以作为紫砂断代的标准器。

◎◎ 明代吴经墓出土 紫砂提梁壶

1968年，江都市丁沟公社洪飞大队郑王生产队出土了一件大彬款紫砂壶。它整体呈赭红色，壶身为六方形，用泥片镶接而成，圆盖，半圆形盖钮，钮上有对合的半弧形。六棱形弯流位于壶身偏上部，另一侧有一五棱形弯把，平底，最为重要的是壶底中央刻有“大彬”两字竖行楷书款。壶身通高11厘米，最大宽度为16厘米，口径5.7厘米，底径8.5厘米，肩部宽5—5.2厘米，口沿厚度为0.3厘米。由于出土有买地券，且壶身上有明确的作者款识，这把紫砂壶的价值显得相当重要，它的年代当不晚于万历四十四年，而当时时大彬还未去世，紫砂壶的时代与他的活动时间是相吻合的，这就成为鉴定大彬壶的一件标准器。

◎◎ 大彬款六方圆口壶 扬州市博物馆藏

1984年8月7日，无锡市文物管理部

大彬款如意纹三足圆壶

门在无锡市甘露乡发掘了一座明代夫妻合葬墓，清理出了大批的珍贵文物，在男主人的墓中发现了另一件“大彬”款紫砂壶。

这件紫砂壶色泽鲜艳、润泽，呈猪肝红色，表面有浅色粗砂隐现，似梨皮，虽不细腻，但却有“银砂闪点”的美感，后人称之为“砂粗、质古、肌理匀”。壶身为圆形，鼓腹，壶盖圆形微凸，上部有一宝珠顶，钮盖交接处贴饰有如意云头纹，壶底有三乳鼎足，与壶身浑然一体，无丝毫的镶接痕迹，堪称“壶家妙手”之作，把下刻写有“大彬”二字横排楷书款。出土的墓志表明墓主人为明代南京翰林学士华察之孙华师伊，卒于明万历四十七年（1619 年），葬于明崇祯二年（1629 年）。这件大彬壶的年代与江都出土紫砂壶大致相同。

1987 年在福建省漳浦县盘陀乡庙埔村发现了一座明代墓葬，墓主人是明万历年间户部和工部两部侍郎卢维祯（1543—1610 年），该墓也出土了一把大彬款紫砂壶。壶通高 11 厘米，口径 7.5 厘米。壶身通体呈栗红色，泥中调有粗砂，表面似梨皮。直颈，丰肩，鼓腹，腹下部渐收，整个壶身上下略长、对称，似甜瓜状，平底，假圈足。壶盖圆形凸起，在三等分处还各塑一扁足形錾，高挺、微后翘，盖、身扣合紧密。腹中偏上安置有一弯流，另一侧有一圆把与之对称。器底中间刻有竖行“时大彬制”四字楷书款，刀法犀利，字体方正，转折处痛快淋漓，与扬州和无锡出土的风格极为相似。此壶出土时圈足及盖身结合处有轻度的磨损，应该为墓主人卢氏日常所用之器，死后又将其作为喜爱之物随葬墓中。

◎◎ 大彬款扁鼎足圆壶 漳浦县博物馆藏

镇江市及其周边所属县市也出土了一批紫砂器，以壶为主。1965 年在镇江市丹徒县辛丰山北公社前桃村一古井中发现“一粒珠”式紫砂壶，缺盖，圆球腹，平底，假圈足，弯流，柄外圆内扁平。同年镇江市水泥厂也出土一圆壶，通高 14.7 厘米，口径 8.5 厘米。圆唇，直颈，丰肩，鼓腹，腹下微收，平底，假圈足，圆凸形盖，半圆形盖钮，直流，上细下粗，圆柄。壶底有一葫芦形印款“用卿制”，应为晚明紫砂高手陈用卿的作品。

明代紫砂器不仅在江苏地区大量出土，1987 年 5 月陕西延安地区一座明代墓葬中也出土了一件大彬壶，泥色紫褐，椭圆形壶身，壶盖凸起，扁圆形钮，弯流，高提梁。壶身刻有“以养浩然，大彬”几字。口径 6—7.7 厘米，底径 6—8 厘米，提梁高 8.5 厘米，通高 15.5 厘米。该墓墓主人杨如桂，字德馨，号苏庭，曾任职于华亭、凤翔等县，后转任陵川知县，最后回到延安养老终年，崇祯己卯年（1639 年）寿终。从墓主的经历上看，这把紫砂壶很可能是他在华亭任上时所用之物。

2005—2006 年，南京博物院等文物考古单位开始在宜兴丁蜀镇蜀山古窑址考古发掘，发掘面积达 334 平方米，出土各类陶、瓷标本万余件。初步分析大致可以分为清代初期、清代中期、晚清 — 民国时期，下层还发现一些明末时期的陶瓷片。各个层位中出土的器物时代特征明显，款识多样，有人名款、商铺款、年号款、器名款、寄托款、堂名款、诗文款等。早期地层的款识以刻写为主，晚期多印章款。

这次考古发掘的成果为明代说又提供了一些立论的依据，也为紫砂的起源找到了一把钥匙，但是由于发掘的范围有限、地点单一，还不能以局部材料所得的结论来推断出整个宜兴地区紫砂工艺的起源。

紫砂工艺起源明代说既有明确的文献记载，近些年的考古发现也为其提供了足够的依据，在学者中影响还是很大的。

紫砂工艺起源“宋代说”的重新立论

不管是持宋代说抑或是明代说的学者，他们都给出了相应的理由，但也都有一些偏颇。

明代起源说一个很重要的证据就是吴经墓中出土的提梁紫砂壶。然而，这件提梁壶不管是从造型还是从设计上看，都已经达到了一个非常成熟的工艺水准，是一件融实用性和艺术性于一身的紫砂壶，显然不是初创时期的紫砂作品。在此之前紫砂壶的创始至少已经走完了百年的艰辛历程。而且从学理上来说，明代起源说也无法成立。紫砂的工艺作为一种普遍存在的陶瓷工艺，在宜兴也不是少数几个人制作，当时的文人不可能把它都一一记录下来，传之后世。即使我们现在到宜兴调查研究，也不可能接触到所有的材料，不能了解到全部事实。用少许的材料和事实很难勾画出真实的历史面貌。

至于文献中提到的金沙寺僧或是书僮创造了紫砂，这些都带有文人的旨趣，很难成立。古代的文献都是靠文人记载下来，他们接触的范围有限，且往往附会文雅，把一些传说附会到喜好的或日常接触的人、事、物上面，遗忘了作为一种工艺存在、流传的载体基础 —— 普通的艺人。宜兴发掘的汉代窑址就有百余座，最远的可以追溯到六七千年前，大量的陶瓷制作者、艺人们都是普通人。是艺人们在不断地制作和使用中积累了感性认识，迸发出创新的火花，并将之再次运用于实践，最终创了宜兴独具特色的陶工业体系。

紫砂概念的重新界定

硅酸盐协会主编的《中国陶瓷史》对紫砂器所作的界定为："紫砂器是用一种质地细腻，含铁量高的特殊陶土制成的无釉细陶器，呈赤褐、淡黄或紫黑等色。"并认为紫砂器创始于宋代，至明代中期开始盛行。

在文献考辨与实物资料分析的基础之上，我们对紫砂这一概念做了重新界定。到最终使用紫泥烧制出无釉紫砂器之前，紫砂发展曾经经历过由使用普通陶土或普通陶土中掺杂有紫泥的混合陶土到完全使用紫泥，由有釉到无釉的一个发展、演变的过程。

比如中国真正意义上的瓷器最初出现在东汉末年的浙江地区，但是在此之前，很多地区就开始烧制一些温度较瓷器稍低，但表面也已经上釉的所谓"原始青瓷"。它们虽然在有些方面不如宋元之后的瓷器精致、典雅、美观，然而已经具备了瓷器的几个基本特征：以瓷土作为胎体，表面施釉，在高温下烧制。

◎◎ 晚唐青瓷茶碗

宋元时期出土的一些粗砂制品也就是紫砂的原始阶段的产物，其泥料中已经使用了紫泥，有的还具备了镶接成型的工艺，具备紫砂器特征，我们完全可以把它归于紫砂，而不能作为一种有别于紫砂或与紫砂毫不相关的另外一种事物来看待。从这个角度来说，宋代已经出现了紫砂器。经过漫长的发展和演变，随着泥料加工器具的不断改进、复杂化，人们渐渐地学会了在陶土中分选出质地细腻的紫泥、红泥、绿泥，紫砂泥料的使用比例越来越高，最终完全使用这些泥料来制作紫砂器。同时，紫砂成型工具也在不断地发展、演变中，从最初的几种发展到现在的一百多种，木搭子、拍子、转盘等工具的使用使紫砂器形的规整化、精致化成为可能。吴经墓中出土的提梁壶就是处于缸胎的粗砂器向纯熟的紫砂器过渡阶段的产品，胎质尚不是很细腻，为粗砂质，但是器形的规整程度已经很高，离明末成熟的紫砂器相当接近了。

紫砂虽然起源于宋代，但是由于质地粗疏，不太受到文人雅士的称赞、吟诵，在宋代到明早中期这一段漫长的历史长河中并没有过多出现在文人雅士的笔墨之下。欧阳修和米芾诗词中的“紫瓯”，以及梅尧臣笔下的“紫泥”很可能指的就是粗砂质的紫砂器。

考古发现

镇江市的一口宋代水井中出土了一对挂釉紫砂质带流壶。紫砂质，质地不细腻，圆唇敞口，束颈，鼓腹，最大径在腹中偏下，大平底，带有一弯折状流，整个器物上半部分施有酱黑釉。与这两件紫砂壶伴生出土的还有一些典型的南宋时期风格的器物，因而，可以断定这两件紫砂壶的年代当不晚于南宋时期。

这两件实物应该引起足够的重视，不管是从胎质、釉料还是造型等方面来说都具有早期紫砂的特征。紫泥已经开始使用，由于处于紫砂器

◎◎ 部分制壶工具

的原始阶段，还施有半身的釉料，这应该是模仿瓷器的做法，为的是表面的洁净和降低吸水率。随着艺人们对紫砂泥料性质认识的加深，他们逐渐去釉素烧，并使用匣钵装烧，将其与粗制的带釉缸、坛、瓮分离，以确保器表不粘连上泪釉，烧制出洁净、光润的紫砂器。

过去大家一直争论的是紫砂壶的起源，这里还要补充一点，紫砂壶只是宜兴先民们在特定的自然条件下创造出的一种陶器，这种陶器由于胎质细腻、润泽，泥质多变、耐人寻味，物理性能优越、耐热性好等优点，人们给予了它们极高的评价，上至王公贵族，下至黎民百姓都乐于使用，不吝赞词。但是宜兴紫砂之所以能够在世界陶业体系中占有这么重要的地位，不仅仅是由于它采用了优质的特殊原料——紫泥，更重要的是它作为具体物象的紫砂器承载了先民们凝聚在大脑中抽象的万年智能——紫砂工艺，也就是使用打片、镶接法这两种工艺技术成型，这是宜兴所独有的，世界上其他地区的陶业体系中都未发现。正是由于这一方水土上的艺人们默默地坚守，这一特殊的技艺得以流传，并在世界陶业体系中占有一席地位，为宜兴赢得"陶都"的称号。

第二节 ◎ 大师辈出，创新有人

紫砂壶艺与其他许多艺术一样，其发展流变既离不开众多普通艺人历年的积累，也离不开一些承上启下、兼具传承与开拓之功的大师。他们留下的烙印，深深刻在每一件艺术品上。

晚明是紫砂壶艺得到创新发展的重要时期，一批紫砂壶艺大师的涌现无疑是创新的源泉。

宫中艳说大彬壶：时大彬

时大彬，字少山，也称时彬、大彬，具体的生卒年月无考，主要活跃于明末万历至清初顺治年间。据说时大彬的父亲为明末紫砂四大家之一的时鹏。在宜兴紫砂壶艺的历史上，时大彬是一位里程碑式的人物，“宜兴妙手数供春，后辈还推时大彬”，“陶家虽欲数供春，能事终推时大彬”，“宫中艳说大彬壶”。他的名字如雷贯耳，响彻大江南北，“明代良工让一时”，“为前后名家所不能及”，可以说没有时大彬对紫砂所做的努力和创新，也就不会有紫砂壶艺的繁荣与流传。

时大彬对于宜兴紫砂壶艺的贡献是多方面的。不管是他的成型工艺，还是紫砂泥料的选择、紫砂器形的塑造、紫砂神韵的把握都达到了后人难以企及的高度。明陈贞慧《秋园杂佩》中记载："时（大彬）壶名远甚，即遐陬绝域犹知之。其制始于供春，壶式古朴风雅，茗具中得幽野之趣者，后则如陈壶、徐壶，皆不能仿佛大彬万一矣。"

首先在泥料的选择上，时大彬敢于突破传统，吸收其他艺术的精华，大胆创新，不拘一格。《阳羡茗壶系》中记载："…… 或陶土，或杂缸砂土，诸款具足，诸土色亦具足。不务妍媚而朴雅坚栗，妙不可思。"他首创了调砂的装饰手法，这种手法很可能是吸收了景德镇制瓷的技艺。景德镇制瓷艺人在元代创制了"二元配方"，从而使瓷器的胎骨更加坚固、泥色更加细腻白净。明代中晚期一些江西婺源的制瓷艺人来到宜兴制作紫砂，时大彬的徒弟徐友泉、李仲芳就来自于婺源，在与弟子的交流中，时大彬了解到制瓷中的这一技法，于是将其移植到紫砂壶的工艺中，可能经过了无数次的失败才最终获得成功，"每有新作，如不惬意，即行毁弃，虽碎弃十有八九，亦在所不惜"。大彬在泥料中加入粗砂，一方面可能是为了改变泥坯在干燥和烧成过程中的物理性质，使之不易破裂，另一点应该正如明代许次纾所言："往日供春茶壶，近日大彬所制，大为时人宝惜，盖皆以粗砂制之，正取砂无土气耳。"至于现在大家所认为的是为了增强茶壶的艺术效果，可能并非如此。《匋雅》："时大彬所制砂壶，紫泥中有白点，若花生果也。"这只是文人对铺砂所做的一种赞美描述。一种技法的出现开始可能是为了改变某种特性或遮盖瑕疵，正如清代中晚期流行在紫砂表面施加釉料，最初也是从实用性的角度出发，只是后来有人认为其釉色鲜艳娇翠才大量生产。

时大彬对紫砂壶艺所做的最大贡献在于，从他开始，紫砂陶艺中打身筒和镶身筒的技法形成并逐步推广。在此之前，紫砂艺人基本上采用模制法或轮制法，与同时期的景德镇等其他地区制瓷的成型技法一致。模制、轮制法虽然效率很高、器形规整，利于操作，但是却失去了工艺背后的人文气息，失去了作为一种技艺区别于其他技艺的独特一面。宜兴紫砂陶制作技艺之所以能够在众多技艺中脱颖而出，成为国家级非物质文化遗产，最主要的就是由于其独特的成型技艺。

时大彬丰富了紫砂壶的造型艺术，“千奇万状信手出，巧夺坡诗百态新”，文献记载的种类很多，目前出土和传世的大彬壶造型就不下几十种，有梅花壶、僧帽壶、方壶、柿饼壶、菱花式壶、六方壶、三鼎足圆壶、高执壶、高提梁壶、半瓜水盂、玉兰花六瓣壶、凤首印包壶、瓜棱壶、六角方壶、扁圆壶等等。

时大彬“初自仿供春得手，喜做大壶。后游娄东，闻眉公与琅琊太原诸公品茶施茶之论，乃作小壶。几案有一具，生人闲远之思。前后诸家并不能及，遂于陶人标大雅之遗，擅空群之目矣”。这也是时大彬众多贡献中值得大书特书的一点。大壶本是作为一种日常所用之物，供人们耕作劳累口渴饮用之茶具，不求其文化内涵，只要水容量大。如果那样的话，紫砂壶一直在大壶的圈子中转来转去，永远不可能转出物质层面，上升成为能反映紫砂艺人及欣赏评鉴者内心世界和精神层面的一种艺术品。明代冯可宾《茶笺》中说道：“茶壶以小为贵，每一客，壶一把，任其自斟自饮，方为得趣，何也？壶小则香不涣散，味不耽搁。”文人宁愿物质上贫乏，但是都不希望精神世界是空虚的。

目前考古发现的一些紫砂壶之所以认为是时大彬所制就是由于上面刻写有大彬的名款。周高起说道：“初倩能书者落墨，用竹刀划之，或以印记，后竟运刀成字，书法闲雅，在黄庭乐毅帖间，人不能仿，鉴赏家用以为别。”大彬是艺人出身，并不擅长于书法铭刻等，但是在与陈继儒、王时敏等书画家的交流中对书法也渐渐有所领悟，并开始将作为书法、绘画所独有的题写铭款的做法移植到紫砂壶的装饰中。以后这种手法一直沿用下来，在刻款出现的同时，印款也随之出

◎◎ 时大彬　方壶

现。紫砂款识既提升了紫砂壶的文化内涵,也使得后人能从中区别出不同名家所制之砂壶。

时大彬生活的年代距今已经有400年了,期间战争的蹂躏,乡野村夫的无知,不知多少大彬所制的紫砂壶已经变为灰烬,入化为土,重归于泥,消失得无影无踪。清代大彬壶的价值就已不菲,刘源长《茶史》中记载:“壶古用金银……如供春、时大彬所制,黄质而坚,光华若玉,价至二三十千钱,俱为难得。”一些传世的茗壶陆续流入大收藏家的手中,既保存了砂壶,同时也毁灭了它们,一旦遭遇不测,定将全部消失。流传至今的已是凤毛麟角、吉光片羽,常人难以窥其真容。

时大彬 半菱壶

解放后至今,考古发掘的大彬款紫砂器一共有五把,如故宫博物院收藏的一把明代流传下来的大彬款雕漆紫砂,这些基本上都是没有争议的大彬传世紫砂器,可以作为断代的标准器。另外南京博物院、上海博物馆、香港茶具文物馆及其他公私博物馆和私人藏家都收藏有一些传世品,但是真伪难定。民国中期,上海的古董商人曾邀请了一些宜兴的紫砂名艺人到沪上专制仿古壶,古董商提供样本或传世真品,让艺人模仿制作,当时仿制之砂壶都绝类真品,有的技艺甚至超过古人所为。顾景舟在一些博物馆鉴定紫砂文物时就发现了一些当年自已所仿制之砂壶,紫砂壶的鉴定也变得更加困难。

时大彬 菱花式壶

虽然是仿古制作，但这批壶基本上都是照着真品或样本所制，泥料、手法等也竭力模仿古人，壶风基本上都是一致的，这对于我们划分、分析大彬前后的制壶风格影响不大。下文所提及的大彬款紫砂器，尽量选用各大博物馆中基本得到大家认可的紫砂器以及文献中记载的有年款的砂器作为参考资料，勾勒出大彬壶艺、壶风的变化。

目前出现最早年款的是故宫博物院收藏的一件高执壶，为万历丁丑年（1577 年）制。如果此时大彬大概二十岁左右的话，那么他应该出生于嘉靖后期，假设其活到 80 岁，那么大约卒于崇祯中期。但 1987 年在延安杨如桂墓中出土的扁圆式提梁壶年代偏晚，据考杨氏曾经在华亭（上海松江）任职过，这一带与当时阳羡的交通也很方便，可能是杨氏在任期间购置的紫砂壶，一直随身携带，直至逝世后还将其随葬。因而大彬主要的创作期大约在明万历早期至崇祯中期。按照壶形样式、壶的大小、泥色和款识的变化可以将大彬壶分为前后两期。前期作品发现很少，只有故宫博物院收藏的高执壶为代表，后期作品不管是传世、出土抑或是文献记载的紫砂茗壶数量都不少。

大彬前期的壶形容量较大；泥色深沉，较为细腻，泥中没有砂粒，可能尚未使用调砂的技法；喜好铭刻诗文韵语，书体为行书。

后期的紫砂壶发现较多，有僧帽壶、六方壶、圆壶、扁圆壶、印包壶、花瓣壶等等。壶的形体大多很小，高一般在10厘米左右，最高的也就11厘米，有的甚至只有2厘米多，如唐云所藏之“半瓜水盂”，形体之小叹为观止，应该就是大彬游娄东之后的作品。泥色黝黯，泥中掺杂有大量的砂粒，使用了调砂的技法，隐现砂点。后期作品还有一个特别明显的特征就是刻款所书内容一般有三种，一是人名款，二是纪年款，三是纪年款加人名款。人名款主要为“大彬”、“时大彬”、“时大彬制”、“大彬制”，其中以“大彬”两字款最为常见；纪年款有“万历丙申二十四年”、“万历己酉三十七年”、“万历庚戌三十八年”等。所见最多的是纪年款加人名款，有的在两者之间还加有节气，如“万历丙申时大彬制”、“万历丁酉年时大彬制”、“万历丁酉年春时大彬制”、“丁未夏日时大彬制”等等。这些铭文款识的字体基本都是楷书，“彬”字的三撇起笔都很轻，后往下重按，刀锋犀利。

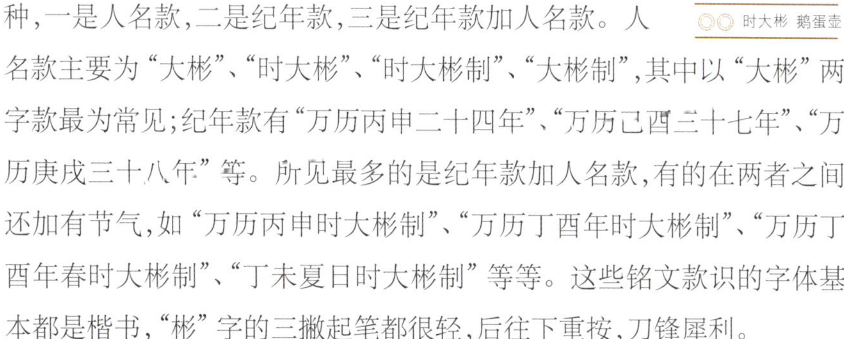

时大彬 鹅蛋壶

此外文献中、传世品中还有一些大彬款紫砂器，我们可以根据造型等方面的特征归纳。故宫所藏雕漆紫砂方壶的形制与扬州出土的六方

时大彬 印包方壶

壶极为相似，都是采用了镶身筒的技法，可以看作同一时期的作品。《阳羡砂壶图考》中记载，碧山壶馆收藏有一件猪肝色大壶，壶身题刻有“叶硬经霜绿，花肥映日红”十字铭文，落“大彬制”名款，可以归于大彬前期的作品。

“壶家妙手称三大”之徐友泉、李仲芳

在明代晚期，形成了一个以时大彬为领袖的制壶艺人群体，其中要么是大彬的徒弟，要么钦慕大彬所制茗壶，仿其手法、风格，壶风与之相近，这一群体的形成也是明末特定的环境造就的。大彬的徒弟中技艺最为娴熟的当属徐友泉、李仲芳，他们与时大彬一起被誉为“壶家妙手称三大”。

徐友泉，也称士衡，江西婺源人，生卒年不详。徐友泉的父亲尤其喜好时大彬所制茗壶，与之私交甚厚，经常延请至家中制壶。有一日，时大彬在其家中制作茶壶，友泉拿了一块泥料出去玩耍，走到户外，见大树下一眠牛欲起，遂目不转睛看着牛的一举一动，用手中的泥将牛的神态表现出来，携归大彬审看，大彬感叹道：“如子智能，异日必出吾上。”后徐友泉在大彬手下学习制壶技艺，刻苦多思，“毕智穷工，移人心目”，终成一代大师。他擅长于“仿古尊罍诸器”，所制的砂壶泥色鲜艳多变，有朱砂紫、石榴皮、定窑白、梨皮等，茗壶品种很多，有汉方、扁觯、鹅蛋、垂莲、小云雷等式样。

徐友泉 三瓣三足壶

李仲芳，江西婺源人，也有说是宜兴人，其父为明代中晚期著名的紫砂艺人李茂林，后到宜兴跟随时大彬制作紫砂，为时大彬的第一大高足，深得大彬的喜爱和真传。

李仲芳曾经手制一把砂壶，见其父，问道：“老兄，这个如何？”从这

◎◎ 徐友泉 仿古虎镦于壶 香港茶具文物馆藏

句俏皮话中可看出李仲芳与父亲之间的情感和技艺的交流。后世遂称李仲芳所制砂壶为“老兄壶”。

仲芳所制茗壶的式样有菱花壶、僧帽壶、扁圆壶等，据传李仲芳有时将自己所制满意之壶拿给时大彬欣赏，大彬认为不错时会署上自己的款识名号，人们在鉴别大彬壶时就不得不考虑这个问题。

大彬和这两大弟子在紫砂壶艺史上地位之高，后人难以企及，但这样也导致后世艺人大量制作钤印有他们款识的紫砂器，鉴别时就必须参考近年来出土的一些紫砂器，通过细部的对比，必要时可采取现代科技手段检测。

惠孟臣、沈子澈及其他

另两位同期的制壶名家为惠孟臣与沈子澈。

惠孟臣，宜兴人，大约生活在明末天启、崇祯年间，具体的生卒年无考，是明代末期宜兴地区的制壶名家，明末吴骞认为他是继大彬之后又一壶家妙手。

惠孟臣擅长于制作小壶，特别是潮汕地区泡功夫茶的水平壶，因其形似黄梨，又称梨形壶。孟臣所制梨形壶往往使用朱红泥制成，朱艳光润，朴素玲珑，古拙内蕴，线条圆转、流畅，古韵悠长。

惠孟臣“善仿古器，书法亦工”，喜好在所制砂壶上刻写铭款，流传于世的一些孟臣壶底刻有“庚寅仲秋孟臣仿古”、“白云一片去悠悠，孟臣”、“清风拂面来，孟臣”、“大明天启丁卯，孟臣制”、“大明天启丁卯，荆溪惠孟臣制”、“八月湖水平，孟臣”、“云入西津一片明，孟臣制”。款识内容既有年号，也有诗文，形式多样，但都有“孟臣”或“孟臣制”名号款。其书法造诣颇高，“笔法绝类褚河南，惟细考传器，行、楷书法不一，竹刀钢刀并用。要不离唐贤风格，仿制者虽精，书法究不逮也”。

由于惠孟臣的砂壶极为有名，日本人奥兰田（又名奥玄宝）《茗壶图录》：“鸣远、孟臣，名尤显 …… 凡刻惠孟臣、陈鸣远、陈曼生等名字者，都受到珍爱。”宜兴本地及潮汕地区的制陶艺人都模仿制作。1995 年在安徽芜湖发现一底部刻有“壬辰仲秋荆溪惠孟臣制”十字楷书铭文款的紫砂圆筒壶，壬辰年为康熙后期，与文献所记惠孟臣年代相距甚远，应该是清代早期宜兴一带所制仿品。清代金武祥《海珠边琐》记载：“潮州人茗饮喜小壶，故粤中伪造孟臣、逸公小壶触目皆是”。孟臣壶也已远远超过

◎◎ 惠孟臣扁鼓小壶 香港茶具文物馆藏

了一个名艺人所制砂壶之概念，成为一种饮茶器具的符号，一种文化的符号，这也就是一种文化的放大效应。

沈子澈，浙江桐乡县人，主要活动于明末崇祯年间。他后到宜兴学习紫砂制壶工艺，并成为一代制壶高手。《桐乡县志》记载：“（沈子澈）与宜兴时大彬齐名，至今士大夫家有藏其手制者，价值甚贵。”

◎◎ 惠孟臣 六方小壶

沈子澈的作品古朴典雅，古韵悠长，稳重厚实。据文献记载，他所制茗壶异常丰富，有印方、六方等方壶，圆珠、美人肩等圆壶，以及大量的荷花、合菊、天鸡、海棠、冬瓜等花货茗壶。

沈子澈所制砂壶的款识形式多样，有年号款、名号款等，“子澈制”、“沈子澈制”、“崇祯壬午十五年”、“崇祯癸未沈子澈制”。明末吴骞曾经收藏有一菱花式壶，底部刻有“石根泉，蒙顶叶。漱齿鲜，涤尘热”十二字铭文。

此外，还有欧正春、邵文银、邵文金、蒋时英、陈光甫、周后溪、陈用卿、邵盖、邵二荪、梁小玉、陈正明、沈君用、沈君盛、陈俊卿、项不损、徐令音、闵鲁生、陈辰、陈和之、陈挺之、徐次京、郑宁侯、承云从、周季山、项真携、沈子洌、王友兰、项圣思、陈子畦等一大批紫砂名艺人，有些名家的茗壶制品依旧流传于世，我们在博物馆欣赏之时无不被它们的神行气韵所震撼，为之痴迷。

◎◎ 惠孟臣 乳顶小壶

第三节 ◎ 创新的动力

大师们的纷纷涌现与成熟，
为紫砂工艺的创新储备了足够的人才。
而创新的动力，
则来源于三个方面：
文人的力量，上层、贵族的介入以及艺人们的文化自觉。

文人的力量

文人是中国社会中一个特殊的群体，有的跻身政坛，有的隐逸山林，但是有一点，他们往往都学富五车，满腹经纶，对于人民和国家有着一种天然的使命感。他们掌握着整个社会最为高端的文化，用自己的审美观念和道德标准来左右着整个社会的风气。中国古代文人于诗词歌赋、书画文玩等无所不精。由文献记载和传世紫砂器中可以看出，从明代中后期开始，文人的力量就开始真正与紫砂艺人发生联系，掌握着技艺手法和掌握着艺术评价标准的两股力量的碰撞，深刻改变了紫砂陶艺的发展方向。自此开始，这两股合力就一直引领着紫砂陶艺的发展，使得任何的改变与创新都以他们的审美情趣和艺术诉求为标准。

时大彬在娄东与陈继儒、王时敏、王鉴等人的交往可以说是两股力量最早的碰撞。陈继儒是明代著名的文学家、书画家、金石学家，号眉公，华亭（上海松江）人，诸生，后隐居小昆山，屡诏不仕，遂有隐士之名。陈继儒于文学、碑帖、书法、绘画等无所不通，文字清雅、格调超拔；书法米、苏，喜画梅花翠竹，与董其昌齐名；所藏碑帖、玺印、文砚、古画颇多，撰述有《泥古录》四卷。王时敏，字逊之，号烟客，江苏太仓人，明末清初著名的画家，开创了山水绘画的“娄东派”，与王鉴、王原祁、王翚并称四王。他出身于官宦世家，家中收藏历代名人字画颇丰。曾游历山东、江西、湖广、福建等地的名山大川，并观摩古今名人字画，对其细加揣摩。入清后，归隐山林，潜习书画，教导子孙。

陈继儒、王时敏都是当时的社会名流，虽归隐山林，但是在文人雅士中有很大的影响力。他们愿意与当时的壶界泰斗时大彬交往。在坦诚交往与吟诗作赋之中，时大彬渐渐领悟到文人所具有的特质，明白了自己以前所制大壶的不足，于是尽弃大壶改制小壶，这就完成了文人旨趣对紫砂技艺的第一次改造，也完成了紫砂由日常生活用品向艺术赏玩品的转变。这一次的转变既是偶然的，也是必然的，在他们的影响之下，更多的文人开始跟紫砂艺人交往。但我们还需注意的是，明末时期虽然有时大彬和陈继儒、王时敏这样的交往，但这只是时大彬在与文人的交往中不断感受着文人的审美趣味，对砂壶的造型和技艺做了一些改变，而真正的文人参与紫砂壶艺的创作要从清代初期陈鸣远算起。

上层、贵族的介入

贵族是一个具有特权的阶层，在中国古代社会很早就已经出现，他们可以享受到衣食爵禄等待遇。到魏晋南北朝时期，许多贵族都出自世家大族，如北方之崔、卢、李、郑，南方之王、谢世家。他们不需劳役就可以过着养尊处优的生活，吟诗弄月，对工艺品精益求精，追求精神的富足。隋唐时期随着科举制的建立与完善，世家大族逐渐退出历史舞台，但是后世很多上层当权者也都对传统的文化艺术有浓厚兴趣，潜移默化影响着某些艺术的发展及其方向。

宋代多数帝王都喜爱绘画，并在南唐、西蜀的画院基础上建立了翰林图画院，画院后来也纳入科举考试的体系中，以选拔、招揽全国的绘画能手。画院画家供职于内廷，属于宫廷体系，虽然有些来自于民间，但是整体画风都受到皇帝和内廷的制约，所画题材和技法带有强烈的贵族绘画的特点，绘画一丝不苟，紧密到位，但又不免柔媚萎靡，靡靡之韵逐渐显现。

清代的书风也是一样。康熙皇帝喜好董其昌书法，“海内真迹，搜访殆尽”。董氏书法飘逸空灵，平淡古朴，布局疏朗匀称，如清风飘拂，微云卷舒，尽得天然之趣。康熙曾常年临摹董氏墨迹，致使海内皆学董书，一时天下皆以董书为正统。乾隆皇帝极为推崇赵孟頫之书法，于是朝野上下书风又为之一变。这些都说明了上层阶级对艺术之影响。

宜兴紫砂也莫能外。至少在明代中晚期，上层力量就已经介入到紫砂这一领域。纵观现在考古发现的一些出土紫砂器，首先是南京明代礼司监太监吴经墓中出土的紫砂提梁壶。明代礼司监是宣德时期设立的宦官系统中的总领机构，位于二十四衙门之首，权力相当大。永乐皇帝迁都北京后，在南京设立南京守备这一机构，负责南京诸卫所及防护的事务。礼司监的宦官也出任南京守备一职，守备南京的都督、公侯伯的地位都不及他们。吴经应该就是礼司监内的宦官，而且应该是南京守备一职，在他的墓中发现了紫砂提梁壶，这也正说明了紫砂壶已经不单单作为老百姓日常生活中所使用的器物，而开始进入上层人物的视野。他死后还以其陪葬，应该是非常喜欢这把壶的。

从考古发掘成果中也能看出些端倪。无锡发现的大彬款如意纹三足圆壶出土于明末华师伊的墓中，华家在江南无锡一带是名门望族，他本人是明代太学生，后做南京翰林学士。在华师伊的墓中还出土一些文房用具，这都可以看出华氏生前的喜好和审美趣味。

福建漳浦出土时大彬款三鼎足紫砂圆壶的墓主人是明代卢维祯。卢氏为福建漳浦县人，隆庆年间进士，长期在吏部任职，后历任太常寺少卿、大理寺少卿等职，后因不满朝廷歪风，告老回乡，著录行善。

扬州市江都县丁沟乡发现的大彬款紫砂六方壶也是出土于墓中，但是由于墓志的一些文字已经腐蚀得漫灭不清，从中只可知道墓主人为曹氏，随葬于万历四十四年，难以窥见其官职、地位，但据推测至少为当地之望族。

延安市宝塔区出土的大彬款扁圆式提梁壶的墓主人是杨如桂，据墓志记载他曾经在华亭、凤翔、陵川做官，卸任后回到延安，其身份也居于一般人之上，能够拥有大彬的茗壶。

山西省晋城泽州县大阳镇出土的“丁未夏日时大彬制”圆壶的墓主人是张光奎，《明史》中有传，载道：“张光奎，泽州人，仕至山东右参政，崇祯五年，流贼躏山西……贼乃再犯泽州，光奎方里居，与兄守备光玺、千总刘自安等率众固守八日，援兵不至，城陷，并死之。泽，大州也，远近为震动，事闻，赠光禄卿，光玺等赠恤有差。”张光奎墓中还出土有一大批制作精美的陶俑，当为皇帝赏赐。

这些近几十年来出土的明代紫砂器，一个共同的特征是都出土于上层当权者或地方望族的墓葬中。这一方面说明了明代名人紫砂壶的珍贵，基本上很少在民间发现，另外也说明了在明代中晚期，上层、贵族慢慢介入到宜兴紫砂这一工艺中，他们使用、赏玩、品鉴、推广之，用自己的影响力左右着宜兴紫砂的发展。

艺人的文化自觉

宜兴紫砂制作作为一项极为平常的手工制作技艺，主要履行的是一种事物的实用性功能，由于文人的介入，渐渐地开始具有文化气息，从中分解出一部分非实用性的产品作为室内陈设或是供人们赏玩之物。这部分紫砂器的作用就发生了变化，由满足人们必需的物质层面的需求转化为满足人们精神层面的需求。艺人在这一转变的过程中担负着很大的作用，从宋元时期默默无闻的民间手艺人，到有文献记载的明代制壶大家供春、时大彬、李仲芳、徐友泉、陈信卿、陈仲美、惠孟臣、沈子澈等等，他们都为紫砂壶艺的传承贡献着自己的一份力量。艺人的文化自觉往往能够决定这门技艺的命运。这就需要艺人对自己所掌握之技艺是否有自知之明；是否能够彻底认识技艺的过去，明了这门技艺过去的传统及技法；是否认清自己的技艺在所有技艺体系中的地位，并且能够吸收其他对自己有用的成分，取长补短，令自己所掌握的技艺在继承传统的基础上不断创新，获得新的飞跃；是否能够展望未来，而没有前面的几点做铺垫，展望未来又是不可能的，也就无所谓技艺的传承与发展、继承与创新。

明四家之一的董翰打破常规的圆壶等范式，始造菱花式壶。李养心从古代制瓷的重要地区婺源来到宜兴，带来制瓷技艺中使用匣钵烧制瓷器的技法，从而避免了砂壶因与其他施有釉料的粗缸、瓮等一起烧制而粘连上釉泪。时大彬更是开创一代风气，精选泥料，改制小壶，舍弃印模等，都是他在明了传统的基础上做出的改进和创新，得到了大众的认可和欢迎。陈仲美也是江西婺源人，在景德镇以制瓷为业，擅长于瓷雕技

◎◎ 陈仲美 三足盉形壶 香港中文大学藏

法，来到宜兴后，他将这种在景德镇瓷器中已经使用得炉火纯青的技法运用到宜兴紫砂制作中，与之融合，丰富了紫砂的装饰技法，这也是艺人的文化自觉的一种表现。诸如此类的艺人还有很多，明清之后，代有其人。这些都体现了艺人们对自己所传习的技艺一种文化觉醒、文化反省、文化创建的过程，他们的举动激励着后起者为之奋起，清代的陈鸣远、陈鸿寿等等都是其中的佼佼者。

第四节 ◎ 宫廷垂青

明代时大彬的思想受到文人很大的影响，将人文因素注入到壶艺之中，而清代的政治、经济、文化发展，则为壶艺发展提供了优越的条件，紫砂更得到了来自宫廷的垂青。

清代是我国古代社会经济、政治、文化发展的最后一个高峰，社会稳定，商品经济得到很大的发展，瓷器、漆器、竹木家具、玉器、纺织品、牙角、金银、珐琅等工艺美术的制作都取得了辉煌的成就，紫砂器也不例外。陈鸣远、陈鸿寿等文人将中国的诗、书、画、印等艺术穿插于紫砂的制作和艺术表现中，提升了紫砂的文化品位和艺术价值。同时，宫廷也开始将其列为贡品，紫砂的使用范围由民间层面上升到宫廷层面，极大地提高了紫砂在社会上的地位和影响力。景德镇、婺源等地区的文人和艺人的参与将紫砂壶艺这一相对封闭的工艺体系打开了一个缺口，为紫砂的制作技艺和装饰艺术的提升注入了新鲜的血液，由一种地域性的单一手工技艺上升到多元文化介入的工艺文化精品。这些都是紫砂能在清代取得前所未有高度繁荣的原因。

明清之前，宫廷内使用的物品基本上都是地方上的贡品和由专人出去采办的物品。随着体制的日益完善，这种小规模的上贡和采办已经难以维持皇室日常生活的正常运作。清代开始设立内务府，掌管宫廷的采办、造办及其他一些事务。此外康熙年间还成立了专门用于生产皇帝日常器物、艺术品的养心殿造办处，其中汇聚了很多艺术修养高、技艺超群的人员，故宫保留至今的许多艺术珍品、文物很多都是由这个机构制作完成的，其中也包括一些宜兴紫砂器。

目前两岸珍藏的皇家紫砂器都是明代中晚期和清代的产品，尚未发现明代前期的作品，可能是由于明代前期宜兴紫砂不管是从泥料选制、造型设计，还是从装饰效果等方面都不符合皇家所应有的气派和格调，因而未能得到青睐。明代万历年间大彬首开风气之先，由精选泥料、改大壶为小壶、优化砂壶线条的美感和流畅性入手，开始提升紫砂壶的文化品位和艺术审美效果，为紫砂壶进入宫廷打开了一扇门。北京故宫博物院收藏的雕漆紫砂方壶，底部有“时大彬造”四字楷书款，这种采用髹漆、雕琢等诸多技法为一身的作品，完整的仅此一件，极为珍贵。故宫还收藏有一件雕漆紫砂壶，可惜壶把已残，壶身的髹漆基本上全部剥落，但是从壶形的风格和雕漆的技法上分析还是应该属于明代中晚期物件，与前一件的年代大致相当。

清代康熙年间，社会渐趋稳定，经济持续发展，社会开放程度很高，许多外国的传教士（如意大利的郎世宁）等纷纷来华传教，并带来了西方先进的自然科学知识。宫廷开始采办和制作一些区别于民用品的宫廷用器。社会上也出现了诸如陈鸣远这样爱好茗茶、壶艺的文人墨客，他们将其他艺术或装饰手法运用、融入到壶艺中，提升了紫砂的文化品位，紫砂器在民间的使用范围和影响力日渐扩大。两种风气的碰撞使得紫砂器通过两种渠道源源不断进入宫廷：一种是宜兴地方政府挑选制作精致的紫砂器作为贡品上贡给朝廷；另一种是宜兴地区的制壶名手依据造办处设计好的样本制作。宜兴紫砂开始由一种地方性、民间性、低层次的日常用品转变为全国性、宫廷性、高层次的艺术品，至此紫砂的地位和影响达到了前所未有的地步，这看似偶然的结果中蕴含着诸多的必然。

康熙帝不仅文治武略功绩显著，还博览群书、兼容并包，善于吸收外来的科学技术，数学、天文、物理、地理、农学、医学等无所不包。康熙年间，造办处将铜胎珐琅彩的技术移植到瓷器上获得成功，所烧制的珐琅彩瓷器色泽鲜艳、华丽典雅、富丽堂皇，深受康熙帝的喜爱。宫廷造办处于是也在紫砂壶上施加珐琅彩，希望能够得到同瓷胎珐琅彩一样的装饰效果。事实证明这种实验是成功的，在紫砂的表面施加带有金属氧化物的珐琅料，将其放入小炉中烘烤即成。紫砂胎珐琅彩器自康熙后期出现后就以其独特的胎质、绚丽的彩料、立体感的画面受到皇帝的钟爱，康熙之后的雍正、乾隆两朝都有生产。清宫档案记载："乾隆三年九月二十五日，七品首领萨木哈来说，太监胡世杰交宜兴画珐琅包袱式茶壶一件，宜兴四方画珐琅茶壶一件，宜兴画珐琅海棠式茶壶一件。"台北"故宫博物院"还珍藏有一批带三代帝王年款的珐琅彩紫砂器。

清宫廷紫砂壶 故宫博物院藏

◎◎ 清宫廷彩漆紫砂壶 故宫博物院藏

雍正皇帝的艺术欣赏水平很高，对御用瓷器、漆器、紫砂、玉器等艺术品的要求精益求精。雍正时代艺术品的整体风格典雅俊秀、隽永柔媚。清宫造办处档案记载："雍正四年十月二十日，郎中海望持出宜兴壶大小六把。奉旨：'此壶款式甚好，照此款打造银壶几把、珐琅壶几把，把柿形壶的把子做圆点，嘴子放长。钦此。'"由此可见，雍正皇帝对宜兴紫砂器有一种超乎寻常的喜爱，并要求造办处照着紫砂壶的形制制作一些银壶和珐琅壶。这是上层社会对宜兴紫砂的一种肯定，紫砂从一种受其他艺术门类影响的艺术品开始渐渐影响到其他艺术品的形制、釉色。

雍正帝用紫砂壶 故宫博物院藏

乾隆皇帝不仅在政治军事上继承祖、父业，政绩卓著，同时也是一位深受汉族儒家思想影响的君王。他从小在四书五经的熏陶下，对中国传统的文化抱有极大的热情，诗词、书法、金石、史学、古玩鉴定等方面都有独特的造诣。他一生中创制了大量诗词，因喜茶、爱茶、品茶、鉴茶，还创制了千余首与茶有关的诗词。乾隆下江南，在杭州看到了茶农采茶时的辛勤，颇有感触，情动所致，写了这首《观采茶作歌》，希望自己能够时刻体恤百姓。

观采茶作歌

前日采茶我不喜，率缘供览官经理。
今日采茶我爱观，吴民生计勤自然。
云栖取近跋山路，都非吏备清跸处。
无事回避出采茶，相将男妇实劳劬。
嫩荚新芽细拨挑，趁忙谷雨临明朝。
雨前价贵雨后贱，民艰触目陈鸣镳。

由来贵诚不贵伪，嗟哉老幼赴时意。
敝衣粝食曾不敷，龙团凤饼真无味。

有的茶诗却充满禅味，乾隆二十七年第三次南巡时，在杭州龙井边写了这首《坐龙井上烹茶偶成》。

坐龙井上烹茶偶成

龙井新茶龙井泉，一家风味称煎烹。
寸芽出自烂石上，时节焙成谷雨前。
何必凤团夸御茗，聊因雀舌润心莲。
呼之欲出辨才在，笑我依旧文字禅。

这首茶诗道出了茶、禅之间的关系，如果辨才（宋代的僧人，曾经在龙井边筑亭）在的话，乾隆将与他以禅入话，以茶通禅。乾隆更希望在禅境中怡情养性，能够在日理万机中获得片刻的闲逸，体会到禅悟之乐和淡逸之韵。

◎◎ 乾隆帝用茶籯 故宫博物院藏

乾隆对茶的钟爱，自然也就带动了茶具的发展，特别是适合泡茶的紫砂茶具。乾隆时期对紫砂茶具的造型、纹样、装饰的考究程度是前所未有的。茶具有茶壶、茶罐，甚至还有一套完整的煎茶、饮茶的工具，包括茶籯、水勺、筷子、炭夹、托盘、炭盆、茶漏等等，每件茶具无不小巧实用，雅致可喜。乾隆朝的茶壶有圆形、筒形、仿青铜器、象生、阔底等多种形制，比康熙、雍正朝更加丰富。装饰手法多样，有浅浮雕、彩绘、陶刻、描金、髹漆等等。一些茶壶的表面刻有御制诗文，如圆筒形茶壶的正面用泥料堆塑有一幅高士品茗图，画面的左侧的亭中主人和来访的客人正侧坐作交谈式，谈笑风生，右边的小亭中一位家僮正在煮茶，另一位家僮正端着煮好的茗茶走在庭院中，整幅画面构思巧妙，纹饰清晰，将每个人的神情都表露出来，给人以怡然、闲淡的感觉。在茶壶的另一面刻有一首御制诗。

雨中烹茶泛卧游书室有作

溪烟山雨相空蒙，生衣独坐杨柳风。
竹炉茗椀泛清濑，米家书画将无同。
松风浮处生鱼眼，中泠三峡何须辨。
清香倏露沁诗脾，座间不觉芳堤转。

御制诗的内容切壶、切茶、切图，在一处溪水环绕、烟雨朦胧的山间，独享着丝丝凉风，竹炉里的茶已煮好，抿上一口，沁人心脾，诗性顿生。茶壶、诗文、茗茶、图画、韵味五者融为一体，飘逸超然、文人趣味浓厚，具有高雅的艺术格调。

故宫博物院与台北“故宫博物院”中除了收藏有一批泥质细腻、造型巧妙、装饰华丽的乾隆朝紫砂茶具外，还有一批文房用器也是精美绝伦、冠绝古今的紫砂艺术珍品，包括笔筒、砚台、水盂、印泥盒

◎◎ 清宫廷紫砂砚 故宫博物院藏

等，不一而足，可证乾隆朝在艺术品的制作上达到了登峰造极的地步。

清代嘉庆以后，国力渐趋衰弱，帝王的文化、艺术修养、造诣难以与他们的父辈、祖辈们相提并论，包括紫砂在内的很多艺术品再没达到过去的艺术高度，紫砂在宫廷中的地位也在下降。

清三代皇帝对宜兴紫砂的极度钟爱和重视既提升了紫砂在社会上的地位，同时也在一定程度上推动了紫砂艺人的文化追求，促使他们向着更高的文化层次发展。在此过程之中，很多文人雅士也钟情于紫砂，或是与艺人合作制作砂壶，或是与艺人相交，自己的理念、艺术追求潜移默化地影响、改变着艺人们的创作。这些都为紫砂能够在清代中晚期取得如此大的成就创造了条件。

第五节 ◎ 陈鸣远与陈鸿寿

明代开始，有一批文人对紫砂产生了兴趣，爱好壶艺。但真正投入到紫砂的设计创作之中，将人文情结和审美取向注入到紫砂工艺中的是清代康熙年间的陈鸣远与陈曼生，紫砂艺术史上两位划时代的人物。

“间世特出”：陈鸣远

陈鸣远，本名远，号鹤峰、鹤邨，又号石霞山人，亦号壶隐，出生于宜兴市川埠上袁村。陈鸣远活动的年代大致在康熙、雍正年间，具体年代无考。有的文献上记载其父是明末的紫砂名家陈子畦。

陈鸣远在家中受到父亲的悉心指导，为日后紫砂艺术的创新打下了坚定的基础，而且自己还不断地探索紫砂的造型、题材、艺术装饰，终于成为上承大彬，下开曼生的一代大家。其紫砂作品的造诣极为精深，独具匠心。汪文柏在《陶器行赠陈鸣远》中写道：“…… 人间珠玉安足取，岂如阳羡溪头一丸土 …… 古来技巧能几人，陈生（陈鸣远）陈生今绝伦。”

陈鸣远制作的紫砂器能够抵得上人间的珠玉珍宝，可见陈氏的技艺之高，构思之妙，艺术之神。《桃溪客话》中载："国朝宜兴陈远，工制砂壶，形制款识，无不精妙。予目中所见，及家旧蓄者数器，亦谓即供春、少山无以过远也。""窃谓就使与大彬诸子周旋，恐未甘退就。"赞其作品之格调高雅不亚于供春。

陈鸣远由于"一技之能，间世特出"，声名鹊起，轰动艺林，"足迹所至，文人学士争相延揽"，受到了文人雅士的追捧、礼遇。这不仅是因为他的壶艺独步艺林，更主要的是他身上具有文人学士所欣赏的书卷气、雅气，并能够将人文上的修养融入到壶艺中，脱去匠气、俗气，创制出"构思之脱俗、设色之巧妙、制作技巧之娴熟"的紫砂珍品。

与陈鸣远交友的文人雅士颇多，"常至海盐馆张氏之涉园，桐乡则汪

◎◎ 陈鸣远 四足方壶

柯庭家，海宁则陈氏、曹氏（曹廉让）、马氏（马思赞），多有其手作，而与杨中允（杨忠讷）晚研交尤厚"。马思赞是清初的书画家，工山水、鸟兽、鱼虫，曾经用方氏的核桃墨与友人互换时大彬的紫砂壶，嗜壶品茗，陈鸣远也曾在其家制壶。《艺术丛编》载："鸣远制方壶一具，壶底镌'衎斋珍赏，

陈鸣远　调砂虚扁壶

鸣远’六字。”衎斋即马氏的号，这件方壶当是鸣远在马氏家为其所制，供其把玩珍赏。马氏、曹氏、汪氏等文人经常和陈鸣远切磋品茗，诗文唱和，鸣远壶艺的文化内涵也得到很大的提升。

这些文人学士中与陈鸣远来往最密切的当数康熙三十年进士杨忠讷。杨曾督江南学政，与查慎行、陈勋诗词唱和，来往密切。他书法晋唐，尤擅草书，往往在陈鸣远所制紫砂壶上刻写铭文。陈鸣远在紫砂艺术上取得如此高的成就不是偶然的，家世风气的耳濡目染，文人学士的诗歌唱和，自己的不断创新，这些都是他成为一代大家的必备条件。

陈鸣远对泥料的选择还是比较精心的，很多流传至今的鸣远款砂壶泥色细腻，经过百多年的摩挲、把玩，表面往往都包裹有一层很坚厚的包浆，更觉优雅古朴，灵动有趣。

鸣远制作的紫砂器型多样，有莲花形壶、松段壶、虚扁壶、海棠形壶、四足方壶、朱泥壶、蚕桑壶、朱泥扁壶、石榴形小杯、梅花形笔山、笋形水盂、回文水盂等。

陈鸣远所制砂壶款识丰富，不仅使用当时流行的印章款识，还一直保持着自明代中期出现的刻款。刻款一般位于铭文的下部，有“鸣远”、“鸣远制”等楷书款识。印款多样，喜好在诗文之下钤印两方印章，上面为“陈”字篆文圆形印，下部为“鸣远”两字方形印，与书画的印章使用样式是一致的，此外还有在壶底钤印“陈鸣远”三字篆书方印者，“壶隐”、“陈鸣远制”等印款。

陈鸣远不但继承了传统紫砂壶的造型并作艺术改进与修饰，而且借鉴其他艺术的造型特征，丰富了紫砂的器型。此外，他还善于将自然界中真实存在的物象融入到紫砂的创作中，创制了许多栩栩如生的象生小品，富有生活情调和自然趣味。顾景舟《宜兴紫砂珍赏》：“陈鸣远……既继承了明代器物造型，朴雅大方的民族形式，又着重发展了精巧的仿生写实技法。他的艺术实践，是砂艺史的又一里程碑。”

陈鸣远将中国传统的最具文人气息的书法艺术引入到紫砂壶的制作工艺中，“而所制款识、书法，雅健胜于徐、沈”，原来光素无纹的紫砂表面顿时增添了隽永、雅致的文人情趣，紫砂壶的书卷气息愈加浓厚。极富晋唐风味的书法铭文、娟秀隽永的印章钤款与紫砂壶体融为一体，合二为一，物情相化，文人趣味、壶艺和品茗开始真正由三极走向一体，这是陈鸣远在紫砂史上所做的最大贡献。

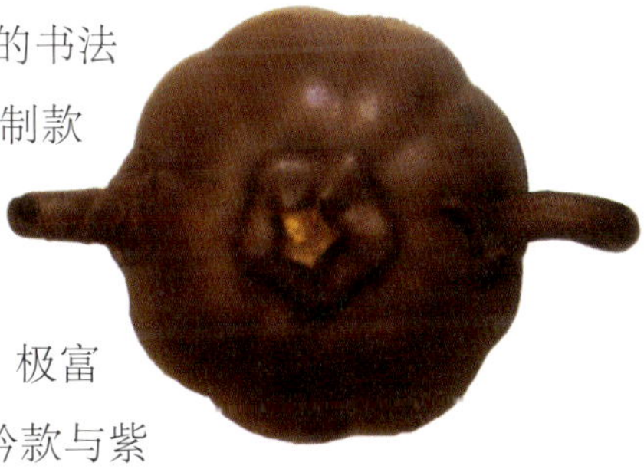

◎◎ 陈鸣远 南瓜形壶

“曼生十八式”：陈鸿寿

陈鸿寿是继供春、陈鸣远之后紫砂壶艺史上的又一座高峰。陈鸿寿字子恭，号曼生、曼寿、曼公、恭寿，别号种榆道人、种榆老人、西湖渔者等等。浙江钱塘（今杭州）人。生于清乾隆三十三年（1768年），卒于清道光二年（1822年），主要活动于嘉庆至道光年间。

陈曼生能诗文，善书画，行书、篆书、隶书无不精妙，收藏的金石碑刻颇丰，精于篆刻，与丁敬、蒋仁、黄易、奚冈、陈豫钟、赵之琛、钱松合称为“西泠八家”，在近代篆刻史上影响深远。曼生又与陈豫钟齐名，并称二陈，陈豫钟犹说：“篆刻余虽与之同能，其一种英迈之气，余所不及。”可见陈鸿寿的篆刻造诣之高，有《种榆仙馆印谱》、《种榆仙馆摹印》等印谱印行于世。

清代乾隆年间，由于朝廷的提倡，书法的规范性更强，形成了所谓的“馆阁体”，千篇一律，缺少书家自我内心情感的流露，最终流于俗套。清代中后期一批富有革新思想的书家纷纷涌出，陈鸿寿就是其中的佼佼者。他提倡碑学，大胆创新，博采众家之长，将自己的真情实感注入到书法的创作中。他善于从摩崖石刻中汲取营养，其书法看似拙稚，但是内在却隐含着苍劲、古朴之势，具有浓厚的金石味，雄浑老辣，结体疏朗，意境萧疏简淡，古韵悠长，自成一家。八分书尤简古超逸，脱尽恒蹊。曼生精于花鸟、山水画，往往寓情于画，笔墨酣畅，气韵悠然，“笔意倜傥，纵逸多姿，脱去画史习气。随意挥洒，虽不能追踪古人，而一种潇洒不群之概，不为蹊径所缚。盖胸次臣怀既尽，腕下自然英英露爽，良由其天分胜也”。诗文宗法李太白、李贺，“洒然而来，不屑屑于字句，而标致自高”，有《种榆仙官诗集》、《连桑理馆集》传世。

曼生“诗、书、画、印”的精妙造诣也成就了他在紫砂壶艺史上的地位。没有这些传统文化的积淀，也就不会出现傲立艺林的“曼生十八式”紫砂壶。而另一方面，在陈曼生的一生中，和杨彭年的相遇算是他的人生转折点，而陈曼生也同样成全了杨彭年，使其在壶艺史上流芳万世。

杨彭年也主要生活在嘉庆、道光年间，字二泉，与其弟杨宝年、其妹杨凤年都在宜兴制作紫砂壶，具有相当名气。杨彭年的制壶手法和宜兴地区其他的制壶家们有所区别，他放弃了模子，恢复了传统的手捏法，所制茗壶自然质朴、浑圆工致，不失天然韵味。杨凤年是紫砂史上有名的女制壶家，擅长于花货，尤其是竹段壶，造型巧妙，泥色莹润，工整自然，不失风韵。宜兴陶瓷博物馆收藏的风卷葵壶是其代表作。

曼生在溧阳做县宰之时，往来于阳羡，品茗赏壶，与杨氏兄妹过从甚密，在紫砂壶艺上有着长达几年的合作

◎◎ 曼生 提梁壶

与包容。曼生在诗书画印等方面的高超造诣和由内而外的书卷气息深深感染了杨氏兄妹。其独特的艺术主张、文人意趣、审美取向得到杨彭年的理解和感悟，后者在创作中慢慢将这种感悟融贯于其中，提升了所制紫砂壶的艺术品位和人文气息，渐渐脱离了原有的匠气，朝着文人壶的方向发展。

陈曼生一生爱好壶艺，与许多制壶名家如邵友兰、杨彭年、杨凤年等合作制壶，特别是与杨彭年合作的最多，成效也最为显著。陈曼生设计壶形，杨彭年等依样制作茗壶，再由曼生及其幕僚、朋友等一大批书画篆刻名家在上面绘画、题名、篆刻。杨氏所制紫砂壶经过文人的艺术再加工之后，身价倍增，为艺林所珍。他们合作创制的紫砂壶就是冠绝古今的“曼生壶”，也叫“曼生十八式”。

“曼生十八式”砂壶造型古雅，巧妙绝伦，有石瓢壶、半瓦壶、半瓜壶、

◎◎ 曼生 匏瓜壶

◎◎ 曼生 箬笠壶 唐云藏

箬笠壶、扁圆壶、井栏壶、高井栏壶、圆珠壶、六方壶、葫芦壶、匏壶、传炉壶、觚棱壶、柱础壶、四方壶、石铫提梁壶、合盘壶、合欢壶等。泥色深沉、造型既有仿古器之形体，又有摹生物之物态，壶身上刻有诗文雅句，壶底钤"阿曼陀室"篆书印，把下钤"彭年"篆书印，真可谓具神来之妙。

目前公私博物馆及私人藏家所收藏的曼生壶仍有一定数量，主要散布在南京博物院、上海博物馆、上海画家唐云手中，以曼生在溧阳任县宰时与杨彭年合作制作的紫砂茗壶最多。

金陵藏家王一羽也收藏有一件邵友兰与陈曼生合作制作的三元式胆壶，泥色深沉，如枣红色，壶身刻铭："三元式，注以丹泉，饮之吉，勿相忘。曼生仿古"，盖下钤印"友兰"款，壶底印"符生邓奎监造"篆书款，也是砂壶中之精品。

在陈鸿寿的一生中，恐怕要数其在溧阳做县宰的这几年最值得留恋，最能实现他将传统文化的感悟通过某一媒介表达出来的愿望。这一媒介就是其为之乐此不疲的紫砂壶艺。他对紫砂壶艺的发展是全方位的，敢于创新，从泥料、造型、装饰等方面入手，全面提升紫砂的文人旨趣和艺术水准，为紫砂在中国艺术史上占有一个崇高的地位做出了自己的贡献。

第一：“曼生公余之暇，辨别砂质。”紫砂壶区别于其他任何地区和时代陶制品的本质特征就是它采用的是宜兴地区所独有的紫砂泥料——紫泥，紫泥由于其细腻的质地、古朴的泥色、优良的物理性能，一直被人们用来制作紫砂器。宋元及明代前期紫砂器所使用的紫泥中杂质比较多，颗粒不匀、粗糙，不如后代紫砂器的质感细腻。好的泥料是制作上品紫砂的必备条件，曼生为了能够制作出符合自己审美需要的紫砂器，对紫砂泥料的选择很是慎重。

第二：曼生自己设计壶形，开创了文人参与设计紫砂壶的第一步。“曼生十八式”就是他所设计的融入自己审美趣味的典型壶形，此外还设计了其他一些独具特色的紫砂壶形，有竹节壶、葫芦形壶、传炉壶、四方壶、天鸡壶等等，种类繁多。丰富的阅历、独特的艺术构思和深厚的文化底蕴，为他设计出线条流畅、造型简洁的壶形奠定了坚实的基础。每个壶形都考虑到其艺术性和实用性，二者之间结合得更加紧密，仿生半瓦形壶就充分说明了其金石学的修养与钟爱对紫砂壶设计的影响。清代中后期，金石考据之风盛行，儒生们喜好搜罗带有铭文的秦砖汉瓦、石刻碑碣作考据研究。曼生曾经跟随经学大师阮元，在金石碑刻中受到阮氏很大的影响，这些潜移默化的内在修养，都在他的壶艺中有所体现。

曼生井栏壶拓片

第三：以篆刻入壶，开启了紫砂壶陶刻装饰的一个新时代。每当杨彭年的砂壶制作完成后，都由曼生亲自或由其友朋代为之刻铭。其实在曼生之前已有紫砂艺人以诗文书画入壶，虽然也达到了很高的水准，但是还处于一种小范围内的文化和艺术自觉，尚未引领时代风尚。而曼生壶的创制，从设计到装饰、铭刻都是由一群上层文人雅士和名工所为，受到人们广泛的关注和模仿。所题刻铭文的内容隽永精妙、耐人寻味，且往往都是题刻者根据壶形、茶叶和整个茗壶的神韵撰写的诗文佳句。《阳羡砂壶图考》：“明清两代名手制壶，每每择前人诗句而漫无鉴别。或切茶而不切壶，或茶与壶俱不切 …… 至于切定茗壶并贴切壶形做铭者实始于曼生。世之欣赏有由来矣。”铭文内容包括歌咏壶形本身之佳句、启迪人生之箴言妙句、寄予情怀之雅语，精心构思，用心篆刻，力求传达出砂壶本身及艺人内在的感情和实现自我欣赏的审美追求。我们面对这

◎◎ 曼生 合欢壶

样的一把砂壶时，看到的不仅仅是砂壶本身的形体、外表、流线，还可以品赏到壶面上诗、书、画、印四者的完美结合所呈现的一种艺术灵动和美感，更可以体味到蕴涵于砂壶及诗书画印背后的艺人的内心世界。

陈曼生对紫砂壶艺最大的贡献是开创了文人与紫砂艺人密切合作的风气。这股风气从上而下迅速蔓延开来，整个清代中晚期涌现出了许多诸如曼生和彭年这种关系的文人和名工。瞿应绍也曾与杨彭年合作制壶，彭年制壶，应绍在壶上题铭刻画，有花鸟、竹梅，古雅绝伦，时人称之为“三绝壶”。此后朱坚、邓奎、梅调鼎等制壶名家与蔡锦泉、吴大澄、

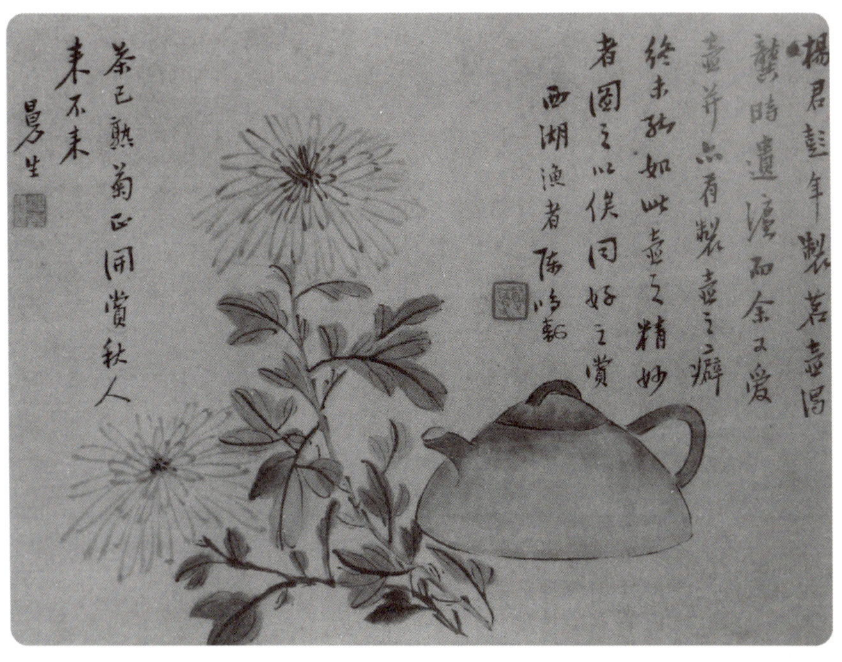

◎◎ 曼生茶画

黄彭年、胡远、吴昌硕、张之洞、端方等文人墨客多有往来，切磋壶艺、品鉴书画，风雅备至，韵味横生。

第六节 ◎ 数风流人物

清前期，紫砂器进入宫廷。此后又有一批文人雅士参与壶艺设计、制作，终令紫砂壶成为融诗、书、画、印为一体的综合艺术。这也为无数大师的出现提供了精神养分。

嘉庆、道光年间的紫砂艺人孜孜以求于壶艺的创新，不断吸收、消化先辈留下的宝贵的紫砂遗产，还从相关的艺术中汲取养分。这些条件的相继成熟最终使得紫砂壶艺在清代中晚期出现了极为繁盛的局面，紫砂壶艺大师如同雨后春笋，辈出不绝。

邵大亨

邵大亨是清代中后期嘉庆至道光时期宜兴地区制壶妙手。他出生于宜兴丁蜀镇上袁村（即今天的紫砂村）。此村家家户户都以制作紫砂为生，在这样一个高手云集、卧虎藏龙的村庄，邵大亨开始了自己一生的追求与实践，默默地传承紫砂这门独特的技艺。

通过自己不懈的努力，大亨所制的紫砂作品渐渐获得了前辈的首肯和消费者的欢迎，名声播于周边地区。大亨为人豪爽，所制紫砂精品赠予友人可以分文不取；但是权贵如果希望通过自己手中的权力来横抢蛮夺，则绝不屈从。清光绪《宜兴荆溪县新志》记载："有邑令欲得之，购选泥色招入署，啖以重利，留之经旬，大亨故作劣者以应，令怒而杖之，亦不吽暴也。"具有如此风骨的紫砂艺人其所制茗壶必将融合其不屈之骨力。

邵大亨因他耿介的性格、动乱的社会环境，大约在其壮年壶艺达到高峰时期就去世了。他所制紫砂壶本来就不多，且经过历次的社会动乱，传世紫砂就更加罕见，寥若星辰，但流传下来的个个都是精品、绝品。大亨壶自问世后就相当有名，受到文人雅士的推崇，历代专门仿制大亨壶的不乏其人，今人在鉴别时应格外谨慎，要从泥料、工艺、壶韵等方面综合分析、考察。

大亨代表性的茗壶有掇球壶、鱼化龙壶、掇只壶、仿鼓壶、八卦壶、鼓腹壶、圆扁壶、圆胆壶、钟德壶、蛋包壶等等，主要收藏在南京博物院、宜兴陶瓷陈列馆、香港茶具文物馆及南京收藏家王一羽处。高熙专门为邵大亨写过一篇序《茗壶说·赠邵大亨君》。序言述及大亨所制砂壶的品种、壶艺风格及砂壶艺术特征，是了解大亨壶风的重要文献资料："邵大亨所长，非一式而雅，善仿古，力追古人，有过之无不及也。其掇壶，肩埙及腹，骨肉亭匀，雅俗共赏，无飧者之讥，识者

◎◎ 邵大亨 掇球壶

谓后来居上焉。注权胥出自然，若生成者，截长注尤古峭。口盖直而紧，虽倾侧无落帽忧。口内厚而狭，以防其缺，气眼外小内锥，如喇叭形，故无窒塞不通之弊。”

◎◎ 邵大亨 钟德壶

大亨光货、花货紫砂壶无不造诣高深，浑朴典雅、圆润细腻、稳重厚实，特别是造型简洁的光货壶最能体现他高超的制壶技艺。

大亨所制鱼化龙壶，泥色红润，如秋枣色，红而不艳，深沉纯正。整个壶身呈扁圆形，上面有线条装饰的水波纹，江水翻涛，水波缭绕，壶盖和壶身的水波纹紧密衔接，无一丝错位，在江涛之中突然跃出一鲤鱼和飞龙，动感十足，壶盖上部也有一可以活动的龙头，双目圆瞪，气势夺人。凡面对该壶者都会被它的气韵所震慑，其器形之稳重、线条之流畅、构思之巧妙、寓意之吉祥，令人叹为观止。

南京博物院收藏的大亨制八卦壶是其花货作品的代表。壶身呈一捆束竹，四周为排列整齐的竹竿，在中间还有一根竹竿横向将整捆竹子捆成束腰状，在每根竹竿的上部都戳有小圆孔，壶把、嘴上装饰有龙首，

◎◎ 邵大亨 鱼化龙壶

壶面装饰最为奇特，上面有浮雕的太极八卦图，表达了道家的一种玄妙的意趣。整个壶体虽装饰较多，但并不给人以一种繁琐复杂的感觉，巧妙搭配，有序布局，浑然天成。

大亨壶上钤印的印款较为单一，一般在壶盖里面印上“大亨”楷书朱文小印。壶柄下、壶肩部基本不见款识，这也是大亨壶的一个特点。

当代著名的紫砂大师顾景舟先生非常钦佩邵大亨所制砂壶，一直以其为楷模，认为大亨的砂壶“堪称集砂艺之大成，刷一代纤巧靡繁之风”。

◎◎ 大亨壶底拓片

冯彩霞

在清代末期宜兴紫砂史上出现了一位著名的制壶女艺人——冯彩霞，其生卒年难考，《阳羡茗壶图考》说：“彩霞，道光时人”，《江苏省志·陶瓷工业志》上记载：“冯彩霞，清咸丰、光绪年间人。”不管怎么说，认为其大致生活在道光至光绪年间是没有太大问题的。

冯彩霞制壶的技艺和艺术造诣并不亚于同时期的其他男性紫砂艺人。她擅长于制作福建地区人们喝茶时使用的水平壶。明末惠孟臣尤善制水平壶，因而水平壶也称孟臣壶。冯彩霞所制水平壶小巧娇人，“大如拳头，小如鸡蛋”，选用红艳的朱泥，造型简练质朴，壶嘴挺拔笔直，嘴、把、沿处于同一个水平面上，绝无高低之分，做工精细周到。冯彩霞有相当的书法造诣，“书法颇有欧阳询之韵”，笔力险劲，骨里峻峭，严整合法，但规矩中见飘逸，方正中寓跌宕，颇有气势。正是由于其熟练掌握了制壶和书法陶刻这两种技艺，所制紫砂壶的韵味就远远超越同时期其他制壶匠人，饮誉海内外，受到大家的追捧。后来，南海伍氏闻其大名，延请冯彩霞至家中，安排她在自己的私家花园万松园内的听涛楼上制壶。香港茶具文物馆收藏有一把“彩霞监制”款扁圆壶。

◎◎ 冯彩霞 小壶

蒋德林

蒋德林，清代中晚期宜兴著名的紫砂艺人，字万泉。蒋德林无师自通，通过自己的不懈努力掌握了制壶技艺，所制茗壶、花盆、文房、陈设品无所不精，得到人们的认可。《宜兴荆溪县新志》记载：“…… 凡茗壶、花盆、杯盘及一切书案陈设器皿，色色工致，为一时之冠 ……”

宜兴市陶瓷陈列馆和南京博物院分别收藏有一件“万泉”款紫砂壶。陶瓷陈列馆所藏为一红泥汉扁壶，泥呈栗色，壶身整体圆润、稳重，简洁朴质，线条流畅，无停滞感，柄下钤有“万泉”篆书阳文小方印。南博收藏的为一“秦权壶”，壶风和神韵与前者一致。

申锡

申锡是清代晚期著名的紫砂艺人，字子贻。他不仅擅长、专注于制作砂壶，而且还精于陶刻，一人身怀两技，确实少见。后人评价道：“考清代阳羡壶艺，蔚为名家者，当推子贻为后劲，此后则有广陵绝响之叹矣。”申锡与当时的很多紫砂艺人合作制壶，与朱石梅、杨彭年等都有合作，现在还有一些他们携手共制的茗壶精品传世。

申锡制壶时对泥料的选择较苛刻，喜好使用白泥，精工细作，制作了很多珍品。南京博物院收藏的梅花钟形壶泥色润泽、深沉，由于长期的把玩摩挲，表面有一层很厚的包浆，黝暗喜人。壶身整体为仿古钟的形制，下大上小，盖为截盖式，壶嘴为一弯式，嘴、身、把的风韵一致，以圆转取胜。壶面上刻有铭文："玉花一木，瑶草两茎，玩之望世，餐之长生。"对应的一侧壶面上刻有一幅"寒梅图"，一枝小干，数朵梅花，有的含苞，有的绽放，布局疏朗，意境悠远，极富文人趣味。柄下钤有"申锡"款，壶底印"茶熟香温"四字篆书款。

此外还有一些机构收藏有申锡制的方斗壶、汉砖壶、高方壶、平盖莲子壶。《阳羡砂壶图考》中也记载了一些当时作者所见申锡制的砂壶，如方形提梁壶、仿古钟壶等。文中说道："尝于羊石见申锡松段壶一具，把作曲枝形，流作断枝状，以树身破形作盖，全壶雕刻松皮，毕肖厥状，形制精雅。"

申锡所制紫砂壶一般在壶底钤印"茶熟香温"四字篆书款，壶盖及壶把印"申锡"款，但也有些壶底钤有"申锡"款。

邵友廷

邵友廷，清代末期宜兴地区著名紫砂艺人，是民国时期著名紫砂艺人程寿珍的养父。邵友廷擅长于制作掇球壶、汉扁壶，其养子程寿珍得其家传，所制掇球壶乃一代绝品，其壶艺造诣在其养父之上，正所谓"青出于蓝而胜于蓝"。

邵友廷的传世紫砂器有掇球壶、汉扁壶、蛋包壶、圆扁壶、瓜形壶、一粒珠壶等。所制砂壶器形均圆浑、光润，做工细腻精到，丰腴致密。一般在砂壶的盖下和柄下钤印"友廷"楷书椭圆印章。

◎◎邵友廷　矮蛋包

黄玉麟

黄玉麟，原名玉林，宜兴紫砂史上赫赫有名的紫砂艺人。1842 年生于江苏丹阳，后由于兵乱避居宜兴，1914 年卒，主要活跃于道光至光绪时期。七岁之时，慈父见背，后与母亲邵氏相依为命，黄玉麟迫于生计不得已从事紫砂制作，长达近半个世纪，终成紫砂艺术史上一代大家。

黄玉麟最初跟随邵湘甫学艺，制作些供农夫种田口渴时使用的大容量茶壶，俗称大路货。在此过程中，黄玉麟时常到技艺水平较高的汪生义家串门，被汪生义收藏的鱼化龙壶深深吸引。后在汪氏的指导下，终于做出了造型优美、灵动圆熟的鱼化龙壶。三年师满之后，黄玉麟所制茗壶的境界、气韵较邵湘甫高出许多，而他幼年时代在紫砂制作上所下的功夫和汗水之多，难以言状。

◎◎ 黄玉麟　鱼化龙壶

黄玉麟因所制鱼化龙壶名满大江南北，并开始与一些文人雅士小集、游乐，翻开了自己制壶艺术的又一页。光绪二十年，著名的金石考古学家、书画家吴大澂邀请黄玉麟至府上制作紫砂茗壶。吴大澂喜好收藏历代古器，黄玉麟得此机会可以历观文物精品，对他这一时段及以后的紫砂创作产生了深远的影响，使其突破旧有的造型束缚，开始新的探索和创新。在吴大澂府上，他没有物质担忧，可以按照自己的思路和情感尽情地制作精美备至的紫砂壶，创制出了一批紫砂精品，境界超乎过去，

◎◎ 黄玉麟　寿桃壶

名声也更加响亮。

光绪二十三年，黄玉麟离开吴大澂府邸，回到了宜兴丁蜀，继续自己的制壶事业。但是在吴大澂府上的这段经历对他一生来说都是受用无穷的。民国二年他在宜兴丁蜀镇去世。

黄玉麟一生制壶颇勤，用力甚多，对于紫砂壶泥料的选择、造型的尺度、壶体的韵味都有很深入的研究，代表性作品有鱼化龙壶、供春树瘿壶、铺砂升方壶、雪花提梁壶、弧棱壶、方斗壶、假山盆景等等。

黄玉麟所制砂壶的壶风、壶韵在不同的时期是有所区别的，虽不能截然断开，但是大体上是可以分成三个阶段。第一阶段是在他到苏州吴大澂府上制壶之前。这一阶段是黄玉麟逐渐掌握紫砂制作技巧，并巧妙创新的阶段，以鱼化龙壶为代表，所制龙壶突破旧有的式样，壶身的整体更加丰满、圆润，鱼、龙的身体更具有动感，水涛的流动性也增强，突出表现了“鲤鱼跳龙门”所应有的韵味，古雅绝伦。壶底的印款为“黄玉麟制”。

◎◎ 黄玉麟 弧菱壶

第二阶段是在吴大澂府上制壶及回去后的一些年。这一时期是黄玉麟壶艺水平突飞猛进的时期，对泥料的选择和加工也越发注意和用力，手法越趋纯熟，构思巧妙，融入了传统的文化气息，文人味更加浓厚。雪花提梁壶、雪花升方壶和供春壶是其代表。提梁壶的泥料采用了铺砂的技法，将颗粒较粗的砂铺压在壶面，使其隐现出来，颗粒大小错杂，壶面光润细腻，没有凹凸感，可见其铺砂技艺之娴熟。所制提梁壶圆滑柔美，盖面与壶身严丝合缝，绝无空隙、错位，是一把传世珍品。雪花升方壶收藏于宜兴市陶瓷博物馆，装饰与提梁壶一样都用铺砂技法。方壶的制作要比圆壶难度大，不易成型，但是这把方壶造型规整、稳重，毫无歪斜之感，显示了黄玉麟深厚的制壶功力。这一时期的紫砂壶盖下钤印黄玉麟本人的印章“玉麟”篆书小印，壶底一般都是钤吴大澂晚年为自己所起的名号“窓斋”。

第三阶段为晚年时期，大概十年。由于前一阶段的经历，黄玉麟对壶艺要求更加严格，“(黄玉麟)晚年，每制一壶必精心构撰，积日月而成。非其人，重价弗予，虽屡空，不改其度”。这时期所制壶境界尤高，往往方圆有度，虚实相生，更加体现出他对人生、宇宙、自然的一种感悟。晚年代表性的砂壶为弧菱壶，泥色深沉、古雅，壶身圆中带方，方中寓圆，下大上小，壶底方正稳重，往上渐收，至壶沿处再次收方，过渡自然。盖面也是有方有圆，上部饰半梅花形钮。壶面有铭文：“诵《秋水篇》，试中泠泉，青山白云吾周旋。”“庚子九秋，昌硕为咏台八兄铭，宝斋持赠，畊云刻。”黄玉麟逝世前几年因体力不支，只能做些假山盆景度日，但也都古雅、天成。这个时期的壶盖下钤“玉麟”，壶底印“黄玉麟作”款识。

说起黄玉麟还有一件事情不得不提，就是关于供春款树瘿壶。民国时宜兴雅士储南强得到一把供春款紫砂壶，原为吴大澂收藏。在吴氏手中时壶已经缺盖，黄玉麟为其制作了一个壶盖。他对壶身审视、思考了半天，认为这是一把南瓜壶，于是就制作了一个南瓜蒂形的壶盖，与之相配。储南强得到这把壶后，与著名画家黄宾虹共同赏玩品鉴，黄宾虹看了之后觉得黄玉麟所配壶盖不妥，认为壶身非南瓜，而是银杏上的树瘿，储南强也认为有理，于是请著名的紫砂艺人裴石民又配了一个与之相搭的树瘿壶盖，并在上面留有铭文，“作壶者供春，误为瓜者黄玉麟，五百年后黄宾虹识为瘿。英人以二百金易之而来，能重为制盖者石民，题记者稚君。”以志此风雅之事，至今仍为人所称道。

◎◎ 黄玉麟　供春壶

赵松亭、吴月亭、东溪

赵松亭、吴月亭、东溪三人生活的年代差不多，且交往密切，往往合作制壶。赵松亭，字支泉，生卒年不详，主要生活于清末道光至光绪年间。赵松亭所制紫砂壶闻名于江南一带，后苏州吴大澂邀请赵松亭至其府邸制作紫砂器。在吴府，赵松亭往往和东溪、月亭合作制壶。吴月亭，字竹溪，擅长于陶刻，与东溪同为宜兴地区陶刻高手。一般由赵松亭负责制作紫砂的毛坯，东溪或者月亭在上面题刻铭文或绘画。东溪的陶刻在当时久负盛名，运刀苍劲有力，但又不锋芒毕露，整体上疏朗清俊，文人味足。

传世作品有隐角竹段壶、仿鼓壶、扁圆壶、圆角四方杯、山水文圆壶等，很多壶身上都有东溪为之题刻的铭文，如“湘江水，洞庭春，松火新煎瑟瑟尘。癸巳仲冬东溪仿古”，“涤我诗脾，东溪”。竹段壶上刻有“中空空而难测，腹恢恢其有余，竹溪”，“侯鼎上之松声，辛巳秋”，壶底钤有“宜兴松亭自造”款。在吴府所制紫砂壶底一般都钤印有“窸斋”款，此外还有“支泉”等印鉴。

月亭不仅仅与东溪、赵松亭合作，还经常与杨彭年合作，杨彭年制作壶坯，吴月亭在上面陶刻铭文、花鸟、人物等，无不精美绝伦。钤印有“阿曼陀室”。

清代中后期嘉庆至光绪年间，宜兴地区紫砂名艺人层出不穷，除了上面介绍的几位之外，还有邵二泉、邵景南、邓奎、吴阿坤、周永福、王东石、邵维新、陈伯亭等人。

◎◎ 东溪　覆斗壶

第二章 ◎ 源流篇·下

第一节 ◎ 国难中求生

清王朝灭亡后，1912年中华民国建立，中国步入一个新的时代。1914年世界大战爆发，英、德、俄等国忙于战事，中国民族资本主义曾获短暂的黄金时代，但国难却很快波及到紫砂业，令其遭遇到前所未有的困境。

20世纪20年代，西方国家处于战后恢复期，放松了对中国的侵略，但是日本却不停地对华进行经济掠夺，使民族资本主义的步履日渐艰难。20年代后期世界经济危机爆发，中国民族资本主义的海外市场链断裂，大批以国外市场为主导的企业难以为继，产品无法销售出去，日常的经营遇到很大的困难，最终倒闭破产。且国外企业为了转嫁经济危机，加紧向中国输入大量的资本和商品，中国民族资本的国内市场也日趋缩小，国内外市场的丧失，使得国内企业举步维艰。30年代，南京国民政府颁布了一些新的经济政策，包括货币统一政策、关税政策等，1930年还成立了全国经济委员会，以保证各项政策的有效执行。这些政策在一定的程度上起到了恢复生产、稳定市场、拉动销售的作用。在这一经济背景下，民族资本主义经济一直处于波动式的发展过程中，宜兴紫砂行业也不例外。

紫砂的制作包括泥矿的开采、泥料的练制、泥坯的制作、毛坯的制作、装饰、烧制、销售运输等一系列的步骤。宜兴本地人主要从事于技术要求较高的制作、烧窑等工作。随着紫砂产量的增加，苏北、常州等各地农人来此从事与紫砂行业相关的工作，如运输销售、挑担提货，或者做其他杂工。每个地区的人都组织起来形成了帮会，如苏北帮、常州帮等。有的资金雄厚的窑户直接将所制的紫砂产品用水运运往南北两地，少了中间的中介费用，获利最高；有些则与这些帮会合作，将紫砂器卖给他们，再由这些人装运出宜兴，运往全国各地。

紫砂产量的扩大，带来了从事紫砂行业人数的增加，同时烧制紫砂的窑炉的数量也逐渐恢复。据《丁蜀镇志》记载，民国二十五年，也是就1937 年抗日战争爆发前夕，宜兴丁蜀地区拥有龙窑 76 座，其中包括烧制不同种类器物窑炉，有黄货窑炉 4 座，黑货窑炉 3 座，砂货窑炉 9 座，粗货窑炉 40 座，紫砂窑炉 10 座。这也正说明了民国中期宜兴紫砂也又开始出现复苏，产品在农村和城镇中得到普遍欢迎。

民国时期一些卓有远见的窑业家就关注旧式龙窑的改良，取而代之以欧洲先进的倒焰式窑炉。宜兴本地的张金良、张兰舟兄弟就借鉴外国的经验，在潜洛建了一座新式的倒焰窑并获得了成功。

这段时期，很多实业家也开始关注紫砂业，纷纷投入资本，成立了一批制作、烧制、销售紫砂的企业。他们延请名师到店内制作紫砂，生产出一大批高档的紫砂艺术品，有的销往国外，有的就地内销。此间，他们还积极组织艺人制作高水平的紫砂艺术品，将其带到国际大赛上参赛并屡获大奖，紫砂在国内外的名声因此更加响亮，国际影响力也日趋扩大。这也从一个侧面说明，民国前期宜兴紫砂业不管在规模还是在质量上都处于一个相对较高的地位。

民国初期紫砂业出现复兴的另一个重要因素是层出不穷的人才，这得益于当地士绅和政府所做的努力。1921 年利用公司创办了“陶工传习所”，这也是紫砂行业第一个专门培养人才的场所，其开创意义不容忽视，为紫砂行业的教育传承开了一个好头。1931，江苏省立宜兴职业学校创办了初中陶工科，后改为窑业科。1933年在该校基础上又创建了江苏省陶瓷职业学校，规模不断扩大，各项课程的设置也更为合理，为宜兴紫砂的振兴发挥了重要作用，后来由于抗战爆发停办。

整个社会经济的复苏、从艺及相关行业人数的增加、窑炉的修复建造、荣获国内外大奖、紫砂窑业学校的开办以及人才的培养，都反映了那个时代艺人、企业家等为复兴紫砂业的所做的努力。

1937年七七卢沟桥事变后，日本全面侵略中国，不仅从政治、军事，还从文化、经济上对中国进行大肆掠夺，宜兴紫砂业也在这次战争中几乎艺绝人亡。

《丁蜀镇志》记载，抗日战争胜利后，丁蜀境内的窑厂全部受损，近一半不能使用。1948年算是抗战胜利后宜兴陶业生产最为繁盛的一年，全年的产值也只有260多万元，只占抗战前一年（1936年）总产值的一半多一点。从事窑业的人员也大幅度减少，把与紫砂行业有关的采泥工和理货员400人也计算在内也只有4000多人。

八年抗战，耗尽了全国大部分人的财力，老百姓流离失所，背井离乡，生存已是奢望，更何况去买作为实用和消遣把玩的紫砂器；稳定的社会环境不复存在，更带来了市场的缺失和缩小。综合以上诸多原因，曾经广受人们欢迎的集实用性和艺术性于一体的紫砂器也渐渐走向衰亡。

第二节 ◎ 困境中坚守

在绝望的困境之下，宜兴丁蜀镇还是有那么一小群人在默默坚守，希望能够在大家都已忘却的记忆里保持着那份宁静，宜兴紫砂陶艺才得以在绝望中保留着那一点点星火。

程寿珍

程寿珍，别号冰心道人。1865 年生于宜兴上袁村，卒于 1939 年，主要活跃于光绪至民国时期，是宜兴紫砂艺人邵友廷的养子。其子名程盘根，从其学制壶，但水平不高。

1915 年美国旧金山太平洋万国巴拿马博览会上，程寿珍所制掇球壶获得金奖，1932 年又荣获美国芝加哥国际赛会优秀奖，至此声名更盛。抗战爆发后，许多艺人纷纷离开宜兴，外逃避难，程寿珍依然留在宜兴制壶。日本人向程寿珍索要茗壶，他拒不服从，被日本人毒打，从此身体衰弱，无法再制壶养家。两年后，由于病情加重离开了与他朝夕相处了长达六十多年的紫砂壶艺。

程寿珍深得家传身教，自己又勤于制壶，终日手不辍泥，与泥为伴，所制茗壶颇多，技艺日渐成熟，艺术水准也得到极大提高，逐渐摆脱了一般的匠气。程寿珍擅长于制作光货紫砂，最具代表性的作品有掇球壶、紫砂扁壶、大圆壶、扁圆壶、汉扁壶、仿鼓壶等，器形不多，但都是绝品。程寿珍在其六十多年的习艺生涯中，所创制茗壶的壶风基本相同，只是茗壶技艺和艺术水准的成熟程度有异。前期所制紫砂壶形简练，线条流畅舒展，富有弹性，粗犷而不失精致细腻，粗细有度，整体壶风典雅古朴，深沉丰润。晚年技巧纯熟，且又融入了自己的家国之恨，壶艺达到炉火纯青的地步。

◎◎ 程寿珍 掇球壶

程寿珍所钤款识有一定的模式，一般都是在盖下钤“寿珍”篆文方款，壶把下钤“真记”楷书印，壶底钤“冰心道人”篆文印。1932 年获奖后，曾有人送给他一方“八十二老人”印，他非常宝惜，以后所制茗壶往往使用此印。常州市文物商店和香港茶具文物馆分别藏有一把掇球壶，南京博物院藏有一把扁圆壶，曾钤此印。

◎◎ 程寿珍 茄段壶

李宝珍

李宝珍，1888 年生于宜兴，卒于 1938 年，民国时期著名的制壶艺人，少年时随紫砂名艺人俞国良学习制壶，学成之后与吴云根一道至山西平定县创办平民陶器厂。后在沪上戴国宝开办的铁画轩陶器店里制作茗壶。李宝珍生不逢时，抗战时期，生活因窘迫而难以为继，故临死前立下不许子女学做紫砂的遗嘱。

李宝珍所制茗壶品种有菱花式壶、传炉壶、圆珠壶等，使用的款识一般为“宝珍”，其作品古雅典朴，稳重厚实，功力很深。

李宝珍 竹鼠壶 宜兴紫砂工艺厂藏

俞国良

俞国良，又名祖琳，生于 1874 年，卒于 1939 年，是民国初期宜兴地区制作紫砂壶的又一高手。在俞国良的制壶生涯中，要数在吴大澂家中为吴氏制壶的那段时间最为重要。

在吴大澂的苏州宅第中，俞国良得以遍览历代钟鼎彝器、秦砖汉瓦、文房古玩、宣炉奇石，视野大为开阔，得以将古代优秀的艺术品中的精华融入到紫砂壶的创作中，使其集万千神韵于一体。

后来，俞国良前往利用陶器公司等地从事教学和紫砂创作，技艺精进，所制四方传炉壶被选送到美国旧金山参加巴拿马国际赛会，并获大奖。民国二十四年 (1936 年)、二十五年 (1937 年) 两年都获得江苏省物

◎◎ 俞国良 红泥大传炉壶

品展销会的特等奖，这也正说明了俞国良所制砂壶的魅力。俞国良晚年移居宜兴丁蜀镇，与邵氏结婚，由于年岁已大，遂将一身制壶之经验与技巧传授于邵氏后人，使其能传之于后世，不致人亡技绝。1939 年逝世后，归葬无锡故里。

俞国良所制茗壶颇见功力，被国内外很多博物馆收藏。传世茗壶主要有掇球壶、鱼化龙壶、朱泥大壶、大红传炉壶、线元壶、梅花周盘壶等，其中尤以传炉壶最为出神入化。晚年所制大红传炉壶，泥色朱红，壶面滋润，光泽度高，有方有圆，方圆有度，整体秀俊挺拔，婉丽多姿，诚是神品。

俞国良早年在吴大澂家所制茗壶上面一般都钤有吴氏晚年的名号“愙斋”，后来一般都使用“国良”、“锡山俞氏”等款识。在 1936 年和 1937 年获奖后，所制茗壶底部分别钤有“江苏全省物品展销会特等奖状，俞国良，民国廿五年，时

◎◎ 俞国良 传炉壶

年六十三”、“江苏全省物品展销会特等奖状，俞国良，民国廿六年，时年六十四”，盖钤“国良”篆文小方印。

吴汉文

吴汉文，清末民国时期的商人，主要是以民国五年创办了专营高档紫砂的商号“吴德盛陶器行”而闻名。吴汉文最初为小规模经营，亲自在紫砂上陶刻，所使用的印章有“吴德盛制”、“吴德盛”等。

在后期的经营中，吴汉文注册了“金鼎商标”品牌。金鼎商标的印章的形制为圆形，内部有一三足鼎，鼎内有篆文“德盛”二字，鼎的四周界栏内的四角有楷书“金鼎商标”四字。商标的注册是吴汉文从公司的长远发展的角度考虑的，有效避免了他人的恶性竞争及故意仿制，可以说是一种创新。随着公司业务的扩大，吴汉文采用了新的经营模式，将紫砂器制作的步骤分解，使每道工序更加专业化，所制茗壶日趋精致，工艺日趋完善，获得了很大的成功。吴汉文的紫砂毛坯订购于宜兴当地的制壶艺人，计有蒋燕亭、俞国良、冯桂林、裴石民等，他还聘请一些刻字先生专事陶刻。商号以高质量的产品赢得市场，于1929年在上海开办了吴德盛陶器行分行，从事沪上及海外贸易。后期的款识除了“金鼎商标“印款外，还有陶刻的款识，如自己的刻款“跂陶”、“潜陶”等，刻字先生的刻款有“友石”、“北岩”、“漱石”、“缶硕”等。

戴国宝

戴国宝，别号玉道人、玉屏，清末民初著名的刻瓷和紫砂高手，1875年生于金陵，卒于1926年。少年时期曾拜南京画师华约三为师，学成之后赴沪上经营刻瓷业，用嵌有金刚石的铁笔在瓷器上刻画，所绘人物、山水、花鸟，无不神形毕肖，得其韵味，获得了商业上的成功。后来在友人的劝说下创办了“铁画轩陶器店”，主营紫砂，兼及竹刻、石雕、漆器等艺术品。

铁画轩的经营采取定向供坯、来料加工、自行销售的形式，省去了很多中间环节，获利颇丰。铁画轩跟宜兴地区的制壶名手建立长期的合作关系，如俞国良、蒋彦亭、陈光明、吴云根、汪宝根、胡耀庭、王寅春、范大生、李宝珍等人，他们所制的紫砂壶坯直接运往店内。戴国宝除自己亲劳外，还聘请了陶刻师傅陈少亭、饶寿传等人常住厂里陶刻紫砂。他采取较为合理的经营方式，使得紫砂每个环节的制作更加专业化、熟练化，最终制成的紫砂也就成为多种高超技艺的结合体。铁画轩的紫砂产业越做越大，不仅在国内取得了很大的市场，还向海外开拓市场，在东洋、暹罗、西欧都有不错的业绩，既为自己企业获得了相应的销售收入，也在国际上推荐了紫砂品牌。戴国宝后不幸患病去世。

铁画轩所制产品多样，有紫砂茶壶、花盆、文房、陈设花瓶、咖啡杯、烟灰缸等。款识主要有"铁画轩制"、"戴氏"、"玉屏"、"玉道人"等，有些艺人也在上面钤有自己的印章作为标识。

储铭

储铭，号大匠巨人、龙溪山人。清末民国时期著名的紫砂艺人，生卒年代不详。少年时代拜师学艺，勤奋努力，很快就掌握了制作紫砂壶的技艺，并日趋完善，尤其擅长制作洋桶壶，号称"洋桶王"。他后来在一些公司内制作紫砂壶，还获得过南洋劝业会优胜奖。

储铭起先制作出口暹罗等东南亚地区的抛光独角洋桶壶，得到当地人民的欢迎，后改制牛盖洋桶壶。所制桶壶泥色均匀，光亮润泽，壶盖、壶肩圆滑浑厚，再经抛光后，表面更加耀眼夺目，整体沉稳健重，端庄美观。

蒋燕亭

蒋燕亭，民国时期著名的紫砂艺人。又名彦亭，号志臣，宜兴川埠潜洛人，生于1890年，卒于1943年，中国工艺美术大师蒋蓉的伯父。蒋彦亭没有专门拜过师学过艺，紫砂技艺主要靠自学而来，据蒋蓉先生回忆，他曾经跟一位有名的雕塑高手学习过一段时间。

20世纪20年代蒋彦亭应上海铁画轩戴国宝的邀请去沪上专门制作仿古紫砂，当时蒋蓉先生也跟随伯父一起前往。他们被安排在一个小亭子里单独制作紫砂器，砂壶制作好了之后，一般现场由戴国宝在砂壶上钤上仿制的明清时期制壶高手时大彬、陈鸣远、陈鸿寿等人的印章；有时则将制作好的壶坯拿回去钤印，再经做旧，充当紫砂名器卖出。

蒋彦亭的很多精力都花在制作仿古器上，流传下来的钤印有自己名款的紫砂器很少，因而还有待于我们从传世的一些名人紫砂中区分出他的仿制紫砂品。这项工作很难入手，随着蒋蓉先生的离去，就更难加以辨别了。

陈光明

陈光明，字匡庐，小名润宝，1859 年生于宜兴，1930 年卒，主要活动于光绪至民国初年，是当时宜兴地区著名的紫砂艺人。《宜兴紫砂珍赏》中记载，陈光明中年之后，随着女儿一起移居沪上制作紫砂，所制的砂壶较同辈精致。

传世作品有印包壶、灵芝陶塑、牛盖莲子提梁壶，此外还有一些花货摆件。宜兴紫砂工艺厂收藏的印包壶泥色黄润，四方端正，规矩稳重，但四角圆滑，不见棱线，壶身的褶皱纹自然生动，毫无雕饰之感，整体协调质朴、古雅涵韵。灵芝雕塑更见其配泥之巧妙，构思之奇特。使用的款识有“陈”、“光明”，壶底一般钤有“陈光明制”篆书印。

汪宝根

汪宝根，号旭斋，宜兴丁蜀人，生于 1890 年，卒于 1954 年。汪宝根幼年时即跟随伯父紫砂名艺人汪生义学习制壶，颇得其真传，学成之后，被上海戴国宝聘请到铁画轩陶器店任技师，还曾在吴德盛陶器公司任职。

有一段时间汪宝根与著名制壶艺人黄玉麟为邻，有难以把握的地方就随时向黄玉麟请教，黄氏也悉心指导，他跟随黄玉麟学到了不少壶艺技术，制壶技艺精进飞跃，为以后的发展做了铺垫。民国二十三年，汪宝根制作的三友瓶和大东坡壶参加美国芝加哥博览会，并一举夺得了博览会优等奖，声名鹊起，受到人们的关注。

汪宝根在铁画轩陶器公司任职时，经常与陶刻师傅陈少亭合作制壶，汪宝根负责制作壶坯，陈少亭在上面陶刻纹饰及铭文，珠联璧合。汪宝根的技艺全面，掌握了茗壶的制作技法，光货、花货、筋囊货皆得其神韵，代表性的传世作品有合桃壶、线云壶。合桃壶现藏于宜兴市陶瓷博物馆，壶身泥色黯灰，包浆浑厚，整体呈一个水汁饱满、丰润的甜桃，壶身有五道筋纹，每个筋囊一般大小，不差毫厘，的子（即钮）为一段桃枝，几片小叶，壶身上还刻有铭文“玉茗，铁画轩主人制，世间绝品甚难识，闲对茶经忆古人，东坡句”。这件茗壶乃汪宝根在铁画轩所制，有其印记为证。汪宝根所用的款识不多，有“汪”、“宝根”、“旭斋”等。

◎◎ 汪宝根 紫砂壶

陈少亭

陈少亭，光绪至民国时期宜兴地区著名的紫砂陶刻艺人，生年不详，卒于1953年，宜兴县丁蜀镇潜洛村人。陈少亭师从紫砂艺人卢兰芳，与著名陶刻艺人任淦庭同出一门。陈少亭曾长期供职于上海铁画轩陶器店，与汪宝根合作制壶，所制茗壶型好铭切，相映成趣，是不可多得的紫砂珍品。

《江苏省志 · 陶瓷工业志》中记载了一件陈少亭与蔡元培合作完成的紫砂树桩盆，在盆的一面陶刻有蔡元培诗文：“不使宝山空手回，濒行精选赠盆栽，花神未必增惆怅，迨得君家衣钵来。岳渊主任属，蔡元培。”

范大生

范大生，1875年生于宜兴丁蜀西望圩，1942年卒。字绳武，号承甫。

大生从小跟随紫砂名艺人范鼎甫习艺，在师傅的严格要求和指导下，壶艺进步很快，不久即成名于丁蜀地区。范大生先后在利用陶器公司和学校任技师和教员，在工作和教学中壶艺提升得更快。民国二十四年，大生制作了雄鹰雕塑，获得了英国伦敦国际艺术展览会金质奖。

大生所传紫砂器尚多，代表性的有雄鹰雕塑、鱼化龙壶、六方竹顶壶、六瓣合菱壶、四方隐角竹节壶等。大生所制筋囊工整秀丽，质朴雅致，浑然天成，筋纹流畅，给人以古朴典雅之感。宜兴紫砂工艺厂所收藏的竹节壶泥色滋润，形制和汪宝根所制的合桃壶有异曲同工之妙，不同的是一个采用翠竹入壶，一个是将仙桃化入。的子为一小节竹段，盖面上模贴有竹叶，嘴和把也都是竹段状，壶身有铭文："但看雪泛双瓯，涤芳情于肠胃。果尔风生两腋，沁凉思于心脾。"常用的款识主要为"大生"款。

◎◎ 范大生 雪桃壶

◎◎ 范大生 竹节壶 宜兴紫砂工艺厂藏

冯桂林

冯桂林，民国时期宜兴地区的制壶名手，擅长于花货紫砂。民国十年利用陶工传习所创办之初，冯桂林参加考试，并以优秀成绩获得入学资格，进入传习所内拜紫砂名师范承甫为师，随其制作茗壶。冯桂林天资聪慧，勤奋刻苦，深得范氏的喜爱。范承甫擅长制作合桃壶等形制的茗壶，于是就将自己的拿手绝活毫无保留传授于他，冯桂林自此技艺日精，在传习所的最终考核中以改进版的合桃壶得到大家的一致认可。

后来，冯桂林经人介绍到吴德盛陶器行任职。得益于陶器行的老板吴汉文的严格要求，冯桂林勤奋努力，最终形成了自己独特的壶风。

冯桂林1937年赴杭州汪裕泰茶行制作紫砂茗壶，得到茶行老板的赏识。通过与文人雅士交流，他的壶艺更加富有神韵，进入了纯熟期。抗日战争爆发后，冯桂林回到了宜兴，但不久之后就因病逝世。

冯桂林的一生是幸运的，遇到很多赏识、理解自己壶艺的人，但也是不幸的，在壶艺即将登峰造极之时生命却戛然而止，令人扼腕痛惜。他一生制壶可以分为三个阶段，每个阶段的壶风都有所区别。在传习所学习属于早期学习阶段，他那时所制的合桃壶已很精致，灵秀雅洁，生气盎然。中期阶段是在吴德盛陶器行度过的，期间他制作了大量的花货紫砂，如松鼠葡萄壶、梅桩壶、竹段壶、筋囊壶等，所选用的泥料细腻，泥色配搭和谐，往往喜好以竹、梅、葡萄及小动物入壶，表现出所制花货壶的高洁特性。后期冯桂林延续了自己前期的壶风，以制作花货为主，但是每种花货内部的细节更加多变，竹段壶分为多个品种，绝不雷同，显示了他高超的技艺和巧妙的构思。冯桂林所制砂壶的款识主要有“桂林”、“冯桂林”等，底部一般都钤有商号的印款。

除了上面介绍的紫砂名艺人外，宜兴地区还有很多艺人，如方拙、陈宝大、邵元亨、芝亭、束金寿、范福奎、汪宝洲、嘉顺、范鼎甫、许立成等，他们都在默默地传承着先人留下的紫砂技艺，不管遭遇到什么困难，都将坚守那份事业作为自己的职责。也正是有这样一批紫砂艺人的努力与守护，紫砂技艺得以在解放后重获新生。

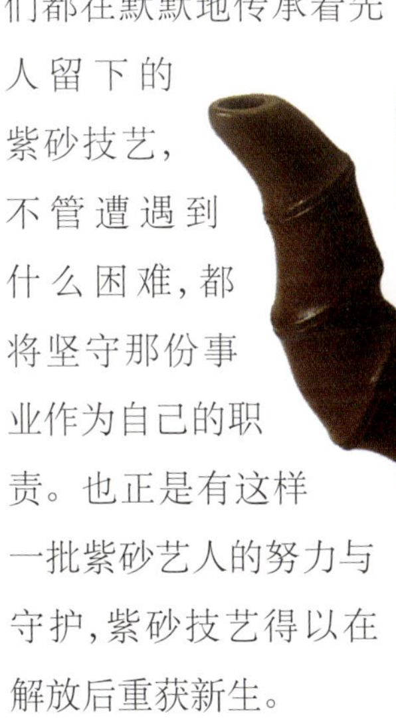

冯桂林 五竹壶

第三节 ◎ 传承中发展

新中国成立前后，
宜兴紫砂壶业几乎陷入技穷人绝的境地。
很多龙窑在抗战时期都已毁坏。
之后政府的扶持创造了复兴的客观条件，
而七位老艺人的奉献则使紫砂复兴成为可能。

1951年至1952年，在政府的扶持下宜兴成立了“宜兴紫砂产销联合营业处”，由政府统一主导，对生产、销售统一管理。一些紫砂艺人也重新拾起自己丢下了多年的老本行，制作紫砂壶等其他一些器具，紫砂行业渐渐地走出了濒危的困境。

两年后，吴云根、朱可心、裴石民等几位紫砂艺人住进紫砂工场，接受订单制作了一批高档的茶具，创造了一些经济效益，为紫砂的继续发展做出了贡献。

1955年，在宜兴丁蜀镇成立了宜兴县蜀山陶业生产合作社。同年10月又成立了紫砂工艺厂，也就是现在大家常说的紫砂一厂。紫砂一厂是宜兴所有紫砂工厂中建立时间最早、人才最为集中、技艺最高的工厂。

为了培养紫砂工艺人才，紫砂工艺厂设立了紫砂工艺班，前后分两批招收艺徒，第一批 35 人，第二批 26 人，共计 61 人，由吴云根、朱可心、顾景舟等老艺人培养。此后紫砂工艺厂还成立了中心试验室，专门负责产品的造型设计和紫砂技术的改革创新，为紫砂的成型、装饰和烧成提供了便利和变革。文革期间，紫砂工艺厂还承担了一些来自于欧洲、美洲、香港、日本等地区的订单，大量的紫砂器作为外销的产品运往世界各地。其中朱可心制作的“可心梨式茶具”等还被作为国礼赠送给日本首相田中角荣，扩大了紫砂在社会上层的影响，提高了地位。

1956 年，为了使紫砂壶艺这门民间技艺更好传承，同时也为了扩大出口的数量和力度，江苏省人民政府任命任淦庭、朱可心、裴石民、吴云根、王寅春、顾景舟、蒋蓉七位紫砂艺人为技术辅导员，他们中蒋蓉的年纪最小，当时才三十出头。这七位艺人在民国时期就已经声名鹊起，是宜兴紫砂行业中的佼佼者，在接下来的岁月中，他们几乎将自己全部的心血和精力倾注在培养艺徒、任教把关上。

解放后紫砂行业逐渐从单一的、家庭的、手工作坊制的劳动形式中解放出来，变为组合的、集体的、手工工场制的形式。传统的形式主要以家庭为单位，掌握着一定的生产工具和原料，一般不雇工人，经营较为分散。将紫砂艺人组织起来统一生产和创作，虽然也存在弊端，如难以表达出艺人本身的艺术构思和创作冲动，产品单一化、统一化，但是作为那个时代的必然产物，紫砂业的集体化也为紫砂陶艺技术能够传承下去积聚了人才，为改革开放后紫砂的迅速繁荣和蓬勃发展打下了基础。

在宜兴紫砂业的重新复兴中，七位老艺人起到了关键的作用，没有他们将自己的绝活技艺无私地传给下一代，如今的宜兴紫砂壶艺可能是另外一番情形。

任淦庭

任淦庭，著名的紫砂陶刻艺人，1889 年生于宜兴丁蜀镇，1969 年 12 月去世。原名缶硕，又名干庭，号漱石、大聋，擅长以左手写字、陶刻，自称左腕道人。任淦庭本出身于书香门第，兄弟四人，但家道中落，仅读了三年私塾就被迫辍学，不得不学习一门技艺以度日。任淦庭在其15岁的时候就跟随宜兴雕刻名人卢兰芳学习，期间焚膏继晷，刻苦有为，不仅研习陶刻技法，还旁及绘画、书法，使自己掌握的技艺更加全面，师满之时已出类拔萃，小有名气。后到宜兴县城吴德盛陶器行谋求生计。在吴德盛的几年里任淦庭技艺飞速进步，老板吴汉文也对其非常器重，将自己对陶刻的理解，包括布局、章法、线条、题材等方面的内容都与之交流，任淦庭也努力备至，陶刻技法更加娴熟，颇具金石味。就这样，他完成了从前期的技艺磨练期到技艺纯熟期的转变。

1937年抗日战争爆发后，宜兴紫砂的销路不畅，很多店铺纷纷歇业、停产，吴德盛陶器店也不例外。任淦庭不得不离开陶器店，另谋出路，终日以鬻画为生。抗日战争胜利后，才又回到自己的老本行陶刻上。

1954年他参加蜀山生产合作社，并重新开始陶刻创作，留下了不少陶刻精品。1956年被省政府任命为七位老艺人之一。

任淦庭在宜兴所带徒弟众多，他们继承了任淦庭的衣钵，现在大多成为紫砂行业的顶梁柱，陶刻技艺卓然。

任淦庭的一生为陶刻奉献出自己的力量。在其多年的习艺生涯中，我们可以发现，他陶刻的作品不管是布局、章法，还是题材、用刀，都发生了变化，形成了自己的独特风格。早年在吴德盛陶器店做陶刻技师，是其技艺日臻成熟的时期，也可以说是他陶刻艺术的第一个鼎盛期。其时，作品布局疏朗，往往喜好对称图案，规整匀称，也可以用左右手同时作画题字，可见功力之深厚，用力之勤奋。题材一般为花卉、翎羽、山水小品、文人小景，与民国时期景德镇彩绘瓷器上的题材相似，这也正是那个时代的反映；用刀流畅，书法题词的文人韵味很重。民国时期的款识有"跂陶刻"、"缶硕"、"漱石氏作"、"干庭"、"漱石氏"、"缶硕老人"、"左民"等。建国后，他加入到生产合作社，在新中国刚刚建立、人们对新生政权热切期盼的背景下，他创作了大量反映那个时代风格的陶刻作品，代表性的有"喜上眉梢"、"蜡梅喜鹊"、"渔舟听莺"，这些都是老百姓所喜好的吉祥图案，表达了人们对美好生活的向往。还有以"解放一江山岛"、"婆媳上冬学”等国内重大事件和人们在新政权下摆脱原有陋习、开始新生活的典型事例为题材。此外传统的博古、山水题材也较多。书法往往以先秦及秦汉时期的文体为切入点，有钟鼎文、甲骨文、篆书、隶书，刀法精到多变、老辣刚劲，金石味更浓，技法达到炉火纯青的地步，款识有“任淦庭”等。

朱可心

朱可心，著名的紫砂艺人，七位老艺人之一。1904 年生于宜兴县丁蜀北厂，卒于 1986 年。原名凯长，1918 年由古句“虚心者，可师也”为自己取可心之名。他在 14 岁的时候拜紫砂名艺人汪生义为师，学习紫砂壶的制作。朱先生勤奋刻苦，天赋胜人，在 20 多岁时就已显示不凡制壶技艺。1931 年被聘为江苏省立宜兴陶瓷职业学校窑业科指导老师。1932 年他制作了竹节壶和云龙壶参加美国芝加哥博览会并一举荣获“特级优奖”，自此声名远播，壶艺得到了更多人的认可和褒奖。抗日战争爆发之后，宜兴紫砂陶艺奄奄一息，很多艺人都改行另谋生路，朱可心却一直以制作紫砂为业，苦苦坚守，期间制作了很多紫砂精品。

解放后，他加入生产合作社。1954 年，朱可心前往中央美术学院华东分院进修，对艺术造型等理论有了更加深入的了解，技艺精进。1956 年被江苏省人民政府任命为技术辅导员。50 年代末他还仿制南京博物院珍藏的明末名家项圣思所制紫砂陶杯，所制陶杯神形具备，颇得古人遗风。六七十年代他制作的一些紫砂新品作为赠送给外国领导人与政要，都是造型优美的艺术珍品。

◎◎ 朱可心 劲松壶

朱可心在 60 多年的壶艺生涯中，为宜兴紫砂行业培养了大批的优秀人才。他将自己的高超技艺毫无保留地传授给后人，弟子中有的现已成为中国工艺美术大师，如汪寅仙等颇得其真传，还有潘春芳、许成权、吴震、王小龙、高丽君等紫砂名艺人。

朱可心一生创制的紫砂壶花样复杂、品种繁多，代表作有鱼化龙壶、云龙鼎壶、竹节壶、一节竹段壶、松鼠葡萄壶、报春壶、长青壶、彩蝶壶、万寿壶、梨式紫砂壶、三友壶等等，大部分为新创品种。早期的云龙鼎壶气势磅礴，美观豪壮，代表了其年轻时的自信与青春活力。竹节壶做工精致，以竹附壶，相映成趣；解放后设计制作的云龙壶，突破了前人的造型模式，大胆开拓，将两条云龙的气势和神韵表露无遗；晚年的彩蝶壶造型独特，立意新颖，以彩蝶入壶，显示出春天的气息和萌动。壶身简洁、光润，壶嘴、把以花卉为之，壶盖为一翩翩起舞的彩蝶。整个壶工艺精湛，艺术手法相当高超，造型雅致，寓繁于简，恰到好处，富有生活气息和人文趣味。朱先生制壶使用的印章款识有"可心"、"朱可心"、"江苏公立宜职窑科实习技师芝加哥博览会特给优奖朱可心"等。

◎◎ 朱可心 彩蝶壶

朱可心的紫砂壶艺全面，造诣高深，早期作品以气势夺人，造型新颖；中晚年更喜撷取自然界的生物，特别是文人味十足的松、梅、竹、柏、桃等入化于壶形中，造型简朴、浑厚，大方沉稳，寓意吉祥，生趣盎然，自然清新，以简洁取胜，不愧是"一代宗师，花货巨匠"。

◎◎ 上：朱可心 竹节壶 下：朱可心 云龙壶

◎◎ 上：朱可心 扁鱼化龙壶　下：朱可心 报春壶

裴石民

裴石民，原名德铭、德庆。1892 年生于宜兴县宜城镇，1979 年卒。著名的紫砂艺人之一。他上过私塾，15 岁时即拜自己的姐夫江祖臣为师，学习紫砂壶艺。江祖臣对紫砂的基本功特别重视，这也为裴石民将来的成长打下了良好的基础。石民后随姐夫赴上海仿制明清时代的紫砂名壶，尤其擅长仿制陈鸣远的紫砂壶和花货摆件，有“陈鸣远第二”之说，所制天鸡壶、凤首壶、花货象生摆件无不神形毕肖，难辨真假。在沪上是裴石民紫砂壶艺生涯中最为关键的时期，期间他不仅观看、把玩历代传世名家珍品，体会古人对紫砂的造型把握、泥色搭配、气韵神貌，而且还与沪上名流雅士结交、乐游，提升了他对于古代传统艺术的理解和贯通，使其能够将壶艺上升到文人所提倡的物我两忘的境界。

1923 年，宜兴雅士储南强得到一把绝世佳壶——树瘿壶，请石民配缺失的壶盖，配成后气韵与原壶相谐，古韵悠长。1926 年，他与沪上著名魔术师莫悟奇结为莫逆之交，两人终日切磋壶艺，使其技艺得到更大的提升。抗日战争爆发后，他常居家中，很少外出，不与外人交往，日军几次欲强得其茗壶，都没有得逞。解放后他加入紫砂工厂，1956 年被省政府任命为七位技术辅导员之一，迎来了壶艺制作的第二个高峰，创制了一大批复古和创新的名壶。他还积极地投身到紫砂茗壶的造型设计中，使得建国初期宜兴紫砂壶的造型一直保持着相当高的艺术水准，基本没有受到大环境的影响。1968 年，裴石民中风后不再制作紫砂茗壶，但还是一直关心着艺徒的壶艺。

裴石民将一生的精力全部奉献给紫砂陶艺，传世名壶较多，代表性的有天鸡壶、凤首壶、南瓜壶、葫芦水盂、金蟾水盂、田螺水盂、百果水盂、串顶秦钟壶、五蝠桃壶、矮石瓢壶 、树瘿壶、梅段壶、松段壶、螃蟹、花生、牛盖莲子壶、三足鼎壶、串盖腰线壶等。裴石民的印章款识主要有“裴石民”、“裴”、“石民”，晚年钤“裴石民年七十六制”、“七十七老人”等。

裴石民紫砂艺术的形成经历了一个渐变的发展过程。早期在沪上仿制陈鸣远的紫砂壶及化货象生，尚未形成自己的艺术风格，但是却注

◎◎ 裴石民 串顶秦钟壶

◎◎ 裴石民 树瘿壶

◎◎ 裴石民 牛盖莲子壶

入了传统的人文艺术美感，为后期的勃发做了重要的准备。抗战时期，他致力于紫砂花货的制作，使用泥料考究、多变，搭配雅致，如南瓜壶，整体以南瓜为形，枝蔓蜷曲，壶嘴、把分别以墨绿色的泥色制成，再现了南瓜的自然形态，形成了格调高雅，古韵悠长，富有山野情趣的风格。解放后他对花货紫砂的制作更是达到炉火纯青的地步，壶形简洁古朴、自然典雅、生趣盎然。晚年为表达自己对社会将传统文化抛弃的不满，创制了一些仿古壶并有所创新，这些都是他内心情感的流露，是真性情的表达，也诠释了一代大师对紫砂壶艺的责任感和使命感。

吴云根

吴云根，原名吴芝莱，1892 年生于宜兴县丁蜀镇，卒于 1969 年。14 岁（1906 年）时拜当地艺人汪春荣学习壶艺。1915 年由师父推荐，经江苏省宜兴利用陶器公司介绍赴山西省平定县平民陶器工厂，在那里做了三年的技师，推广宜兴的紫砂壶艺。朱可心在吴云根之后拜汪春荣为师，作为师兄，吴云根对师弟朱可心的关心和照顾至今依旧使人们感动不已。民国十八年，吴云根受聘于南京国立中央大学（今南京大学），任陶瓷科技师。

1932 年，吴云根赴江苏省公立宜兴中学窑业科任职。期间与公司合作创制出了一批紫砂珍品。抗战后，学校歇业，所制紫砂甚少，几乎不见传世佳器。

1954 年，吴云根与朱可心、裴石民、施福生等六人组建了丁蜀陶业生产合作社，1956 年被省人民政府任命为技术辅导员之一。他倾注了大量的心力传授紫砂壶艺，培养了一批当今声名显著的紫砂艺人，吕尧臣现已为中国工艺美术大师，是其弟子中的佼佼者；汪寅仙最初也师从其门下，后被他推荐给师弟朱可心。此外诸如吴震、葛明仙、何挺初等皆卓有声名。

吴云根为人正直、刚硬，要求严格，但是对待徒弟却和蔼可亲，循循善诱，德艺双馨，为人们所敬重。解放后他忙于教学，且去世也早，故其一生流传的紫砂壶不多，但传世的基本上都是精品、神品，代表性的有

◎◎ 吴云根 红海棠壶

◎◎ 吴云根 竹节提梁壶

◎◎ 吴云根 提梁弧菱壶

◎◎ 吴云根 弧菱壶

双色扁柿壶、绿泥线云壶、传炉壶、牛盖洋桶壶、提梁弧菱壶、竹段提梁壶等。所钤款识有“芝莱”长方楷书或篆书款，“云根”、“吴芝莱造”、“阳羡吴制”等。

吴云根的紫砂传器虽不多，但还是可以看出他各个时段的艺术风格，光货、花货造诣均极高。20 世纪 30 年代他制作的传炉壶参加美国芝加哥博览会获得优秀奖，其器端庄古朴，稳健有力，却不失壶韵精气。抗战期间基本上没有什么作品问世。解放后尤喜好用竹子点缀茗壶。他对竹子长年观察，体会到竹子所特有的文化气息，不仅重视其形，更重视对自然界的感情体悟，力求神似。吕尧臣先生评价其师父的竹段壶“有力利索”。

王寅春

王寅春，1897 年生，1977 年卒。他祖籍镇江，后随父迁至宜兴上袁村。在一个“家家做坯，人人抟泥”的村庄里，家境并不宽裕的王家很自然地让王寅春去学习紫砂壶艺。13 岁时他随宜兴当地陶艺人金阿寿学艺，至此开始了长达六十多年的紫砂生涯，一生都与“五色土”结下了不解之缘。

民国二十四年，王寅春前往上海为古董商制作仿古茗壶。这期间终日与前代紫砂名壶相伴，他渐渐能够体味到古人所制紫砂的神韵和气势，受益良多。抗战爆发后，他返回宜兴继续从事紫砂壶的创作，制作了一批销往泰国、欧洲的紫砂器，有牛盖洋桶壶、线圆壶、咖啡茶具等。

1955 年，王寅春参加蜀山生产合作社，1956 年被省人民政府任命为“七位技术辅导员”之一，开始收徒授艺。由于技艺高超，他于 1959 年、1960 年两次被省政府评为劳动模范。此后，还多次制作了一些国礼茶壶，作为领导人出国访问时的礼品。

王寅春是一位多产的紫砂名艺人，因而传世佳器颇多，睹之往往能透见古韵。代表性的紫砂名作有当年仿制的四方鼓腹壶、玉兰花壶，还有半菊壶、铺砂大石瓢壶、圆筒直壁壶、六方菱花壶、小梅花壶、十三头咖啡茶具、玉笠壶、五头梅花周盘茶具、亚明方壶、六瓣高瓜酒壶、圆条茶具、裙花提梁壶、汉群壶等等。款识有“寅春”、“王寅春”、“王寅春制”等。

◎◎ 王寅春 高菊蕾壶

◎◎ 王寅春 柿形壶

◎◎ 王寅春 玉笠壶

王寅春技艺超群，所制品种繁多，尤擅长于制作方器、筋囊等紫砂器。所制紫砂方器严整规范、中规中矩、雍容大度，合乎中国传统所提倡的中庸之道，方而不板，整而不滞。筋囊诸器，造型娇美，口盖严实，线条阴阳有度，柔中寓刚，繁简得体，不愧是一代大师所作。

第四节 ◎ 开放中繁荣

改革开放之后，艺人们逐渐摆脱过去大锅饭制度下紫砂产品的单一化倾向，敢于在自己设计和制作的紫砂壶中表达内心的情感和思想，使紫砂陶艺真正回到了艺术品的行列。

改革开放前，宜兴紫砂行业采取了计划经济体制，这在当时发挥了很大的作用，为人民的生产和生活提供了大量的紫砂产品。但是作为融实用性和艺术性于一体的紫砂器，艺人创作的热情与个性一直未曾磨灭。

1978 年改革开放后，宜兴紫砂行业迎来了发展的又一个高峰。紫砂艺人开发了大量的创新品种，顾景舟、徐汉棠、汪寅仙、吕尧臣等人制作了一批紫砂精品茶具，如僧帽壶、提璧茶具、碧波、八方凌云茶具、四方藏圆咖啡具、汉云壶，被作为长期保留作品或是被故宫博物院等单位收藏。1979 年，宜兴县紫砂工艺厂生产的紫砂器获得国家银质奖。

1979 年，祖籍广东梅县的罗桂祥（1910—1995 年）先生到宜兴参观紫砂器，并和名艺人交流，希望能够仿制一批明清时期的紫砂名器。1981 年，罗桂祥将定制的仿古紫砂器运往香港，他将自己毕生辛苦收集的历代名壶与这些大师的仿制作品一起捐献给了香港市政局，并建立了香港艺术分馆茶具文物馆来收藏、陈列这批紫砂器。由于罗桂祥先生的宣传实践和积极推动，很多香港、澳门、台湾、东南亚和新加坡的商人陆续来到宜兴定制名人紫砂，此后，国际上紫砂热潮一波接着一波。

紫砂过去在内地并没有引起人们过多的关注，只是作为一种日常生活品被使用着。但是随着改革开放的进行，一位商人的介入，将这项技艺推介给其他地区的人们，受到了大家的追捧和钟爱。这股浪潮之后虽有炒作的痕迹，但也彰显了海外华人对自己本土传统技艺的认同感和归属感。随着大陆经济的突飞猛进，人们在物质上满足的同时也逐渐感到精神世界的贫乏，感觉到失去了一种文化的延续和传承，因此也逐渐在紫砂等工艺中来寻求对传统文化的眷恋和慰藉，正是在这种大背景下才出现了紫砂热。

紫砂工艺二厂、三厂、四厂、五厂随后在宜兴丁蜀镇建立。这些乡镇企业以市场为导向，产品适合不同个体的需要，也制作一些高档的紫砂艺术品，供人们赏玩、娱乐。企业的积极性调动上来，艺人的创造力也相应得到激发。

同时，政府也对紫砂陶艺等非物质文化遗产的发展给予了充分的关注和支持，设立了非物质文化遗产日，颁布了《中华人民共和国非物质文化遗产法》，建立了文化遗产的保护制度，文化遗产的保护环境和状况得到很大的改善。

在这一大背景下，宜兴又涌现出一大批优秀的制壶大师，尤以下述几位中国工艺美术大师最为杰出。

顾景舟

顾景舟，原名景洲，别号曼希、武陵逸人、瘦萍等，号壶叟。中国工艺美术大师。1915 年出生于宜兴市川埠乡上袁村，1996 年逝世。他少年时代在家乡东坡书院读私塾，受业于吕梅笠先生，研习古文。1933 年，因家境原因，跟随祖母邵氏学习制壶，勤学苦练，很早就掌握了紫砂的制作技艺。20 世纪 30 年代曾赴上海制作仿古紫砂名器，在此期间观摩把玩了众多传世明清紫砂重器，打下了坚实的传统壶艺基础。此外他还与海上名流书画家往来，拓宽视野、提升艺术修养，对与陶瓷工艺相关的知识也多有涉猎，融传统文化素养和现代科学知识于一身，是一位集大成的壶艺泰斗。

1954 年，顾景舟积极加入到汤度陶业生产合作社，1956 年起担任技术辅导，1959 年为人民大会堂设计了一批茶具和花盆。他 1982 年被评为中国工艺美术师，1985 年起担任宜兴紫砂研究所所长。1988 年轻工部授予他中国工艺美术大师称号。顾景舟从上世纪 50 年代初就开始收徒，几十年来，桃李满天下，他的徒弟有的已经被评为中国工艺美术大师，如徐汉棠、李昌鸿、周桂珍等。

顾景舟拥有深厚的人文素养，其所制茗壶具有超乎常人的韵味，形成了自己独特的壶风。整体造型典雅古朴，严谨刚健，富有骨气；线条流畅优美，具有文人气质。代表性作品有柱础壶、藏六抽角茶组、僧帽壶、提梁壁壶、莲心壶、矮石瓢壶、雪华壶、上新桥壶、云肩如意壶、如意石瓢壶等传世名壶。使用的款识多样，民国时期一般使用“顾景舟”、“曼晞陶艺”、“吾足所好玩而老焉”等，以后钤有“景舟”、“景舟制壶”、“景舟七十后作”、“顾景舟印”、“壶叟”、“荆南山樵”、“啜墨看茶”等。

顾先生对于壶艺理论也多有阐发。他认为壶艺创新要注意三个要素：“其一是形，即壶的形象，也就是形状式样。这来源于对造型的熟悉深度，取决于自己的精心设计。其二是神，即壶的神态，也就是通过形象表达散发出的情趣。创作的时候，万不可在平面上探索而要在起伏上思考。其三是气，即壶的气质，也就是形象内涵的实质性的美的素质。紫砂壶艺是实用工艺美术产品之一，是具有艺术气质的实用品和装饰品，要求产品的气质要美。壶艺的创新如能做到形、神、气三者融会贯通，方可称为佳作。”

◎◎ 顾景舟 僧帽壶

◎◎ 顾景舟 牛盖莲子壶

◎◎ 顾景舟 五头提璧茶具

顾景舟 上新桥壶

蒋蓉

蒋蓉，原名蒋林凤，生于1919年，卒于2008年，出身于宜兴川埠潜洛六庄村的陶艺世家。蒋先生11岁时随父母做坯制壶，20岁时应聘至上海，与伯父蒋宏高（燕亭）一起制紫砂仿古器。1941年时，应聘到上海标准陶瓷公司任工艺辅导，1944年受聘于上海虞家花园，设计制作各种花盆。她于1945年回乡制壶，1955年加入蜀山陶业合作社，制作国礼九件果品，1957年被评为“七位技术辅导员”之一。她1978年被江苏省省政府任命为工艺美术师，1993年被国家授予“中国工艺美术大师”称号。1998年80岁高龄时她仍然偶有创作。蒋先生的作品荸荠壶、芒果壶分别被英国伦敦维多利亚阿尔伯特博物馆和香港茶具文物馆收藏。另一作品枇杷笔架作为国宝，被中南海紫光阁收藏。

蒋先生能在紫砂花货的制作上独领风骚，当提及丁蜀镇当地的一位开明绅士——华荫堂。蒋先生从上海回到宜兴后，没有什么事情可以做，就去找华荫堂先生。华先生家的几座龙窑当时都停产歇业，无法满足蒋先生的要求。但是他向蒋先生展示了自己收藏的一把绝世妙壶，清代制壶名家杨凤年的风卷葵壶。蒋先生被它婀娜的身姿、动感的造型打动了。此后，蒋先生暗自下定决心，这辈子专攻紫砂花货器。

紫砂花货的制作不像其他的紫砂器那样，它需要丰富多彩的泥色来表现出五彩缤纷的自然物体，因而泥色的配制就显得尤为重要。紫砂泥料的颜色主要由泥料的种类、配泥时所加的元素以及烧成温度决定。所以蒋先生在配制泥色时往往都是自己去找相应泥料，然后不停调试，所配泥料还要经过多次的试验，直到烧制出满意的泥色。

蒋先生晚年回顾自己所走过的紫砂一生，认为当年在上海，特别是在虞家花园的那一段时间是其紫砂艺术的转折点，为她以后花货的创作打下了基础。据先生回忆，虞家花园的主人叫虞顺恩，曾经在四川做过官。他因为喜欢蒋先生设计的两款紫砂盆，破例让蒋先生参观自己收藏的古玩、珍宝，事后蒋先生渐渐体悟到紫砂作为一种艺术品，出现时间很晚，许多造型都是从毗邻的艺术中借鉴过来的，因此，紫砂作为一种尚未成熟的艺术门类，发展的空间还很大。几个月后，蒋先生离开了虞家花园。这段时间虽然不长，但是在蒋先生的脑海中却时常浮现，也为其紫砂艺术之路注入了古典的养分，使她能够在紫砂花货上取得很大的成就。

蒋蓉 蛤蟆莲蓬壶

◎◎ 蒋蓉 西瓜壶

◎◎ 蒋蓉 绿荷叶壶

◎◎ 蒋蓉 九头藕形壶

徐秀棠

徐秀棠，中国工艺美术大师。1954年师从著名紫砂陶刻艺人任淦庭学习陶刻，深得其精髓，刀能随物赋形。1958年，他参加原轻工业部与中央工艺美院合办的“中国民间雕塑研究班”培训，结业后转入中央工艺美院“泥人张”（张景祜）工作室学习。通过多年的辛勤耕耘与执著探索，他史无前例地将紫砂雕塑开创为紫砂艺术中的一个独立门类，并一跃成为紫砂雕塑大师，其人物雕塑神形兼备，写真雕塑栩栩如生。

顾景舟与徐秀棠的父亲私交很深，在徐秀棠小的时候顾先生是他们家的常客，在这样的环境下渐渐成长起来的徐秀棠，对紫砂艺术也多了一层感悟。

解放后，徐秀棠开始跟着任淦庭学习陶刻。传统的陶刻方法包括刻底子和空刻两种，这些技巧的掌握都需要经过长期的训练。徐秀棠对陶刻有自己的理解，认为在掌握传统陶刻技法的同时，还必须对美学有所研究。他经过实践将美学理论融入到作品创作中，建立起自己的美学观点：陶刻不是简简单单地将书法、绘画、金石、图案等艺术搬到紫砂上面，而是要能表达出创作者自己的美学观点和艺术思想。徐秀棠还充分吸收了陶文、青铜铭文镌刻时的艺术神韵，不求雕琢规整精工，但求明快质朴，走刀自如，运刀无痕。

在跟随任淦庭学习陶刻的过程中，徐秀棠创作了一尊“任淦庭像”，正是这尊塑像使得他有机会去北京学习，更重要的是使其在紫砂艺术上

◎◎ 徐秀棠 萧翼赚兰亭雕塑

的道路发生了转变，走上了紫砂雕塑的道路。他认为紫砂雕塑的发展也要循着“传统也要跟着时代走”，这样才会创作出具有时代意蕴的艺术品，而不会陷入传统之中，难以自拔。

在紫砂壶方面，徐秀棠先生在花货、光货、筋囊货以外开创了一种新的风格，突破了非圆即方的茗壶模式，可称其为雕塑类壶。雕塑类壶在陈设效果和实用性相结合上有了新的突破，给人以一种全新的审美情趣。

吕尧臣

吕尧臣，1940 年出生于江苏宜兴高塍镇，中国工艺美术大师。他 1958 年进入紫砂工艺厂，师承紫砂老艺人吴云根学习紫砂制壶技艺。1970 年服务于宜兴紫砂研究所，专门从事紫砂壶的造型设计。在此期间，其新品层出，如竹炉茶具、竹圈酒具、玉带壶等作品屡次荣获全国陶瓷美术评比金奖、银奖。

20 世纪 70 年代后期，吕尧臣与其子吕俊杰发掘唐代绞胎陶技艺，创制成紫砂绞胎工艺（吕氏绞胎），使紫砂的形象更加丰富多彩、千变万化。80 年代开始，他受聘于中国宜兴陶瓷博物馆，建立吕尧臣陶艺工作室——“醉陶居”。1992 年吕尧臣先生被载入英国剑桥《世界名人录》第 22 版，并成为世界名人协会终身会员。

◎◎ 吕尧臣 冰提壶

其代表性作品有碧波茶具、八方凌云茶具、银葵茶具、御玺壶、乐泉壶、银钺壶、云方壶、冰提壶、稀世壶等等。

上世纪 70 年代初吕先生就开始关注泥料的搭配，80 年代在大家基本上都使用紫砂厂配置的泥料时，他还依然到矿山上亲自选泥，因而以后创制的作品还使用当年自己采的上好泥料。他在紫砂装饰的探索上也不遗余力，将银丝、宝石和金珠等镶嵌在紫砂壶上，拓宽了紫砂装饰的视野，力排众议，坚持将嵌银丝的银葵壶制作完成，并得到业内的认同。

他认为，在紫砂的发展中既要保持紫砂的传统工艺特色，不失紫砂的原有材质本色，但也不能排斥其他材质的融入，以起到画龙点睛之妙，使二者相映成趣，和谐统一。

吕先生认为自己壶艺的艺术特色有四点：一是题材广泛；二是装饰变化多端；三是敢于突破；四是在坚持传统工艺手法的基础上，走前人没有走过的路，做别人不敢做的事。

汪寅仙

汪寅仙，女，中国工艺美术大师。1943年6月出生于江苏宜兴丁蜀镇。汪先生酷爱紫砂艺术，勤奋研习，探求创新，不仅对紫砂塑皿（花货）艺术有深刻的研究，而且对简练的几何形体也有一定的追求和探索。她技术全面，兼融各派技艺，善于将自然美的形态注入于壶艺之中。她技艺严谨，手法独特，共设计创作新品300多件套，种类有壶、茶具、咖啡具、酒具、花盆、瓶、文房四宝陈饰品等，造型各异，格调高雅。其中三件被故宫博物馆收藏，两件被北京紫光阁陈饰。国家博物馆、上海博物馆、南京博物院、中国工艺美术珍宝馆、香港茶具文物馆、无锡博物馆、美国大都会博物馆、英国大英博物馆均收藏有她的作品，有些还被选为国家领导人出访礼品。她的许多作品在日本、美国、德国、前苏联、新加坡、加拿大、澳大利亚、葡萄牙、香港、台湾等20多个国家与地区展览，部分作品被当场高价竞购。多年来她还培养了一

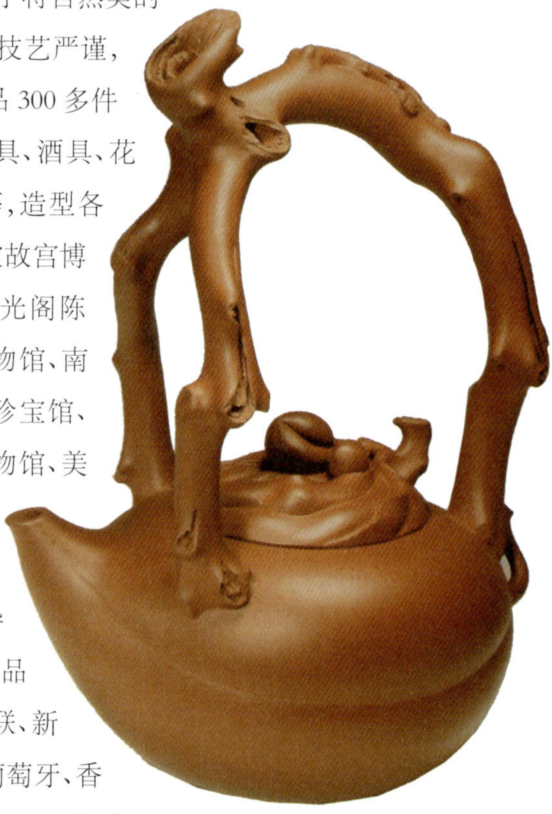

◎◎ 汪寅仙 桃形提梁壶

批青年技术人才，总结并撰写紫砂方面的文章20多篇，1997年出版了《汪寅仙紫砂作品集》一书。2001年10月在北京中国工艺美术珍宝馆举办“汪寅仙紫砂工艺展”。

汪先生在花货和光货紫砂上都取得了很高的成就。她认为花货就是要把自然美融缩到紫砂作品中，不仅造型的仿生性要高，再现自然物的形态，而且也要将自然的趣味和神韵表现出来，这样才具有艺术美感。而光货就是用最简洁的线条来表达出自己的构思，这也是紫砂工艺的传统精神。

徐汉棠

全国工艺美术大师徐汉棠先生，1932年5月11日出生于宜兴紫砂陶业世家，于20世纪50年代初拜壶艺泰斗顾景舟为师，是顾景舟的第一弟子。

徐汉棠艺术功力深厚，紫砂传统技艺掌握全面，创作设计能力强，所制作品以壶、盆为主。

徐汉棠创作的微型砂盆造型精巧多变，盆的点、线、面结构匀称，细部处理严谨，品种达数百种，名冠全国。他制作的砂壶，无论是素净的传统器形还是创新的形制，造型均简洁端庄，线条周正流畅，手法干净利落，气势雄厚健伟，显示出陶艺大师的风范。

徐先生一生中共创制紫砂作品300多件套，风格洗练精巧、端庄秀丽，蜚声海内外，文革期间潜心做盆250多个品种，扬名海上，世称“汉棠盆”。

徐汉棠先生个性朴实，半个多世纪以来不争名利，踏踏实实从艺，老老实实做人，是一位德艺双馨的紫砂艺术大师。作品有龙宫宝灯、牛盖提梁、砂方壶、菱花提梁、牛盖洋桶、灵芝供春壶、虚扁壶、掇只壶、百岁树桩、四世同堂、汉棠组盆等。在创作实践的同时，徐汉棠对紫砂工艺理论亦进行了系统的研究，论著有《传统紫砂壶艺》、《传统紫砂壶的成型》、《琐谈紫砂成型工具》、《茶与紫砂壶》等。其作品曾多次在全国陶瓷美术评比中获奖并被国外多家博物馆收藏。十五头嵌银丝咖啡具被故宫博物院收藏，石瓢壶被英国维多利亚博物馆、比利时皇家博物馆、中国历

◎◎ 徐汉棠 四方壶

◎◎ 徐汉棠 大礼花提梁壶

史博物馆、南京博物院、无锡市博物馆收藏，微型十锦壶被香港茶具文物馆收藏。

作为顾景舟的第一位弟子，顾先生对徐汉棠的要求相当严格，也促使徐汉棠打下了扎实的基本功。顾先生留给徐汉棠的第一项作业是自己制作紫砂工具。他接连做了十把矩车，得到了顾先生的首肯。徐先生认为，工具的好坏不仅仅影响着壶的外形的制作与修整，更重要的是和紫砂的内在气韵还有着密切的关系。紫砂艺人在制作和使用工具的时候，传递着个人的内心情感和审美趣味。这不是一个或有或无的程序，因而必须自己亲手制作工具，以适合自己需要为准。

谭泉海

谭泉海，中国工艺美术大师，字石泉，室号“陶逸轩”。他 1939 年 7 月出生于宜兴市和桥镇，1958 年进入宜兴紫砂工艺厂，师从任淦庭先生学习陶刻，1975 年到中国工艺美术学院陶瓷艺术系参加培训。他在陶瓷艺术领域中涉猎范围较广，擅长陶刻装饰，对金石、篆刻、书法、绘画、造型艺术等均有深入研究，揣摩曼生三刀法、板桥画风，力追唐碑汉瓦之神韵。谭先生陶刻用刀多变，表现手法多样，作品以俊秀细腻见长，同时亦不乏粗犷奔放之神韵，自成独特风格。其书法作品构思新颖，风格清新洒脱，造型简练浑厚、明快大方、古朴雅致，以传统手法主为而博采众长，其作品多次获奖，并长期为工艺美术师谭晓君、谭晓燕设计造型。其中花翎壶、古韵壶现为中国工艺美术馆珍宝馆收藏。代表性作品有松鹰、群马、太湖颂、庐山飞瀑陶刻挂盘，百帝图紫砂鼻烟壶、万壑松风陈设圆筒，千寿瑞祥描金凤耳瓶、段泥博古百寿凤耳瓶、牛盖莲子壶、六方山水诗画通转笔筒等。

谭先生曾经多次参加在马来西亚、新加坡、日本、美国、香港、台湾等国家和地区举办的展览和学术交流，作品被故宫博物院、紫光阁等单位和私人收藏家收藏，1984 年雕刻装饰的百寿瓶荣获德国莱比锡国际博览会金奖。

谭先生认为紫砂陶刻的艺术特点主要有两个，一是挺秀，一是圆润。

挺秀的采用三角底和平底刻法，但是相较于平底刻法，三角底更加秀拔，刻出来的字带有晋唐风味，石刻之韵。而圆润的字形、大型的字就要使用砂底，字可以刻得大一点，放得开一点。砂底与钟鼎、石刻结合得比较紧密，金石的味道更加浓厚，刻线边宜毛糙，体现残缺之美。行刀时要慢琢，或轻或重，同时吸收石刻的手法，有的地方需刻家自己去感悟，以努力表现金石之味。

谭泉海 刻四方瓶

李昌鸿

李昌鸿，男，1937 年生于宜兴丁蜀镇，1955 年高中肄业考取宜兴紫砂工艺厂工艺学习班，师从顾景舟大师，之后一直浸淫于紫砂艺术，2007 年被评为中国工艺美术大师。

李昌鸿在紫砂制陶技艺上有扎实的基本功底，熟知紫砂生产工艺全过程。他在紫砂造型、装饰创新设计上执着追求，格调高雅、构思深邃、严谨治艺、手法新颖。学艺期间，他研制了紫砂绞泥装饰、紫砂印纹装饰新工艺。其作品获奖无数，如和沈蘧华 1984 年合作竹简茶具，荣获德国莱比锡国际博览会金质奖；1986 年合作丙寅大吉，获全国艺术陶瓷创作一等奖；1989 年合作九龙组壶，荣获香港锦锋杯创作设计一等奖；1990 年合作紫砂乳白釉制品，获全国轻工业优秀新品三等奖；1991 年合作紫砂乳白釉制品，荣获江苏省第七届轻工业优秀新品金奖；1992 年合作孔雀茶具，荣获山东淄博国际陶瓷艺术作品展评大奖。1999 年作品高八方壶荣获中国艺术研究院举办的共和国社会主义文学艺术五十周年研讨会一等奖。1999 年斗方壶荣获第四届中国民间艺术节民间工艺展金奖。2000 年作品四方特奎，荣获首届中国工艺美术大师暨工艺美术精品博览会银奖。2001 年作品青玉四方茶具，荣获第三届中国工艺美术精品博览会金奖。2002 年作品母子方壶荣获中国工艺美术华艺杯银奖。2002 年作品一衡茶具，荣获第四届中国工艺美术大师作品博览会金奖，同时在 2003 年中国陶瓷工业协会获大师作品特别荣誉奖。2004 年合作运通提梁壶获中国民间艺术节阿福金奖。2006 年合作福禄寿三星获第七届中国工艺美术精品博览会金奖。

同时他也根据自己的研究成果发表了多部（篇）论著论文，如 1991 年合作《紫砂标准》，荣获全国科技进步三等奖。1991 年合作《宜兴紫砂珍赏》一书在香港三联书店出版，为当代紫砂壶艺宝典。1993 年合作《宜兴紫砂茶具使用功能的研究》，荣获全国硅酸盐理事会学术研讨论文二等奖。1999 年应中国科学院自然科学史研究所聘为《中国传统工艺全集》编撰委员会委员。2005 年 1 月他参与撰写的《陶瓷》卷完成出版。2002 年 12 月与沈蘧华合著《紫田耕陶》、《紫苑笔谈》出版。

周桂珍、高海庚

周桂珍，中国工艺美术大师、高级工艺美术师。她 1943 年出生于宜兴丁蜀镇，1958 年进入宜兴紫砂工艺厂，在王寅春的带领下学习紫砂成型的基本技法和相关知识。后又得到顾景舟的悉心指导，在紫砂工艺方面取得了相当的成就。20 世纪 80 年代，她与丈夫高海庚合作，创作了诸多既合于传统法则，同时融入现代新意的紫砂作品。他们还借鉴青铜器、玉器等传统造型工艺，合作创作了集玉壶、扁竹提梁壶、鼎纹立足壶、四季如意壶、追月壶等，受到广泛好评。1978 年由高海庚设计，她本人制作的集玉壶被选为国家领导人出国访问时的礼品。

周桂珍的丈夫高海庚也是著名的紫砂艺人，生于 1939 年，是著名紫砂大师顾景舟先生的得意门生。他 1960 年进入中央工艺美术学院学习，在此期间，美术理论修养得到了很大的提高，为其后紫砂造型艺术的设计做了重要的铺垫。他 20 世纪 70 年代回到紫

◎◎ 高海庚 集玉壶

砂工艺厂专心于紫砂的创作。80年代初开始担任紫砂工艺厂的领导，实行改革、延请名师、出国考察，为紫砂工艺厂的振兴作出了很大的贡献，1985年因操劳过度，不幸去世。

◎◎ 高海庚 点犀壶

高海庚先生离开后，周桂珍忍受着莫大痛苦，振作精神，倾注自己全部的精力于紫砂壶艺的创作中，努力攀登紫砂艺术的高峰，仿制历史名壶——曼生提梁壶、僧帽壶等，皆得其神韵；创作了春神提梁、联璧壶、高枝提梁壶、汉方提梁壶、真知提梁壶、珍竹提梁壶等，造型典雅、线条流畅、色泽甜美、儒雅大度，极富现代气息。

1989年，周先生的环龙三足壶、云泉壶分别获轻工业部中国工艺美术协会颁发的陶瓷美术设计奖，同年，玉带提梁壶获亚太地区陶瓷美术精品展一等奖。1995年，真知提梁壶荣获江苏省陶艺创新评比特别奖。2001年，天津人民美术出版社出版了《周桂珍个人作品专集》。

关于制作者工艺素养的养成，周先生认为可以分为几个阶段。初学时主要是打好基础，在基础扎实的前提下才可以提高一个层次，做更高档的作品。再进一步，必须学会"仿古复制"，从前人的积累中汲取养分。在这些过程中制作者必须采用手工制作，才能真

◎◎ 周桂珍 玉匏提梁壶

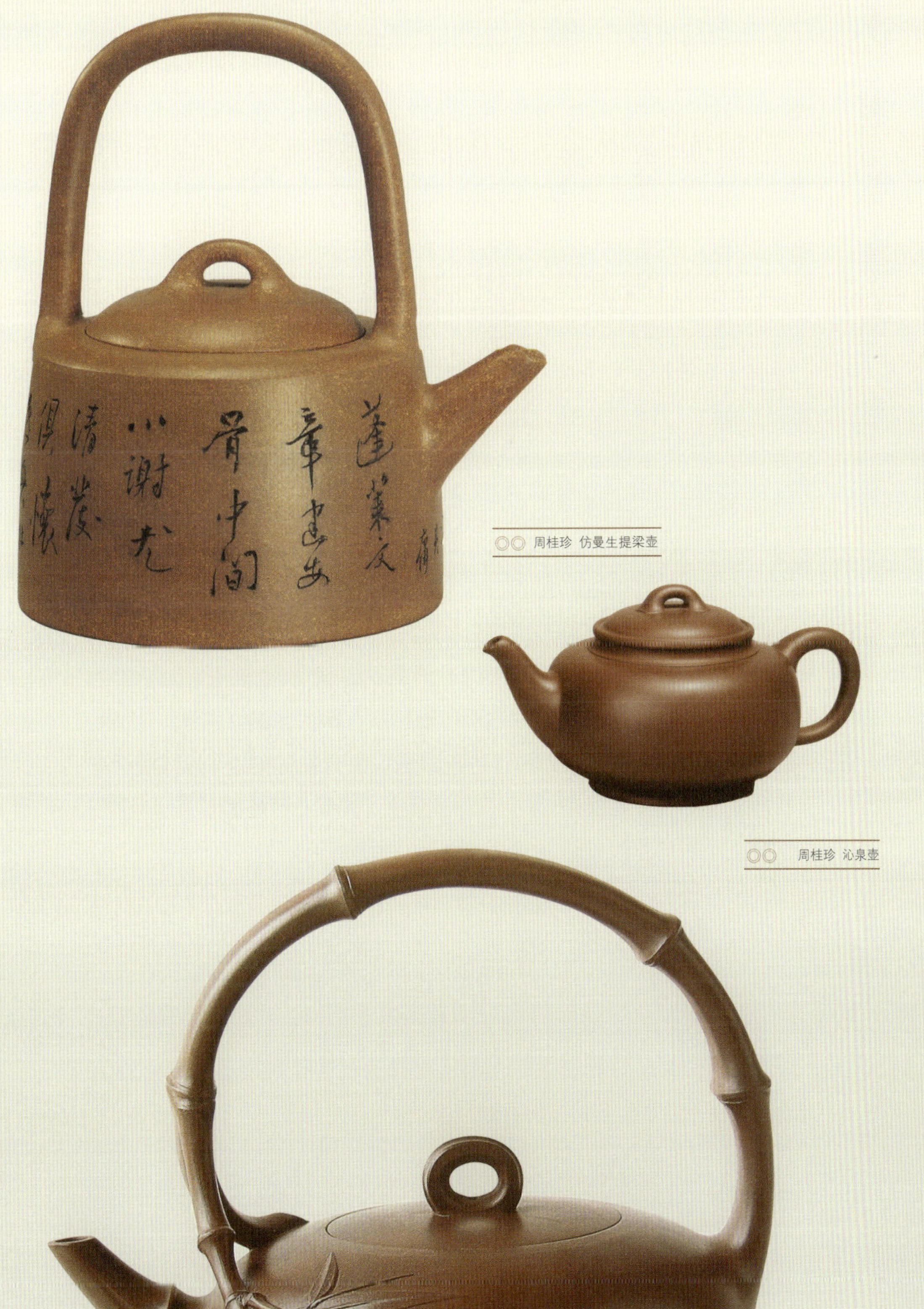

◎◎ 周桂珍 仿曼生提梁壶

◎◎ 周桂珍 沁泉壶

◎◎ 周桂珍 仿曼生提梁壶

正体会到紫砂壶艺的美妙之处。如果图省事采用模具,紫砂壶的造型就会受制于固定的模具,紫砂的工艺价值和艺术价值也会丧失殆尽。

顾绍培

顾绍培,1945 年出生于宜兴陶业世家,中国工艺美术大师。1958 年进宜兴紫砂中学读书学艺,启蒙老师为潘春芳教授。转入紫砂工艺厂后,师承著名老艺人陈福渊,后得当代壶艺泰斗顾景舟长期悉心指导提携。从业紫砂几十年中,他创作新品 100 余件。顾绍培设计、谭泉海镌刻的紫砂百寿瓶曾获德国莱比锡国际博览会金奖、中国工艺美术品百花金杯奖、首届中国工艺美术华艺杯金奖。

代表性作品有大梅桩壶、大东坡壶、大华方壶、枕式凤耳瓶、百寿瓶、高风亮节壶、六方龙凤壶、松云壶、天龙鼎珠壶、天地方圆壶、双百福寿壶、掌上盆、巴金百岁华诞瓶等等。

顾绍培认为,一件上品紫砂壶应具有的品质,首先要有视觉上的冲击力,一眼看上去就深深地被它吸引。其次要看它各部位的制作、比例、端庄、线条的处理是否恰当,这些还都是从细节方面考察。最后要看壶的造型有没有文化气息,有没有诗情画意。如果事后还能够让人回味,则算是一件成功的作品。

顾先生在花盆的制作上也取得了很高的成就,在 1961 年进厂之后就开始制作花盆,前前后后大概 20 年的时间。他制作的最大的花盆盆面长 3.2 米,宽 1.22 米,高 0.44 米,是目前为止最大的紫砂花盆。

他认为紫砂壶、盆、瓶三者虽然在造型上是有区别的,但也有很多共同点。它们都是生活中需要的物品,都是为生活服务的,这也是在作品设计和创作中要理解的最重要的东西。

鲍志强

中国工艺美术大师鲍志强,1946 年出生于江苏宜兴蜀山,字“乐人”,室号“醉陶离”。他 1959 年进厂师从谈尧坤、范泽林学习陶刻,1962 年转投老艺人吴云根门下学习制壶技艺。1965 年得著名陶刻家任淦庭先生教泽，从事陶刻创作。1975 年到中央工艺美术学院陶瓷艺术系进修，后致力于紫砂艺术的创作研究。

鲍先生善设计制陶，尤擅陶刻装饰，对书法、绘画、篆刻、紫砂史等方面均有独到研究，作品集紫砂陶造型和制作、陶刻装饰诗、书、画于一体的表现形式，注重以文化主宰紫砂艺术的设计思路，形成了鲜明的个人艺术风格，在紫砂艺林中别树一帜。其代表性作品有艺术壁饰、富贵茶具、秋有佳色花瓶、阳羡茗壶陶刻、紫玉飘香茶具、古风壶、金声玉振壶等等。

其作品曾获各类国家级艺术评比奖项数十个，其中全国陶瓷艺术创新设计评比一等奖四个、国家级工艺美术大展评比金奖四个。作品收藏于中国国家博物馆、故宫博物院、南京博物院、广东省博物馆、中南海紫光阁等处，并多次举办个人艺术展览。2002 年、2003 年中国人民画报社出版《中国当代陶艺名家鲍志强紫砂陶艺作品集》，2006 年上海人民美术出版社出版《鲍志强紫砂艺术集》。

鲍志强认为设计要有自己的理念，制作传统的东西可以显示出一个人的功力，可以适当仿效，但不是绝对的“抄袭”，在制作的过程中要用自己的眼光去不断调整，注入自己的文化修养。此外，他还认为艺人的作品得跟得上时代，反映各个时代的风貌，反对钻进传统中不出来的做法。

鲍志强的陶刻师承任淦庭，达到了很高的境界。他认为，作为陶刻艺术，首先是要确定作品的“先见面”—— 最适宜刻字画的有效面积，然后，还需要考虑画龙点睛之笔应放在哪里，最后再调整整个构图，当然还有刀法的配合。手中的刻刀要表现出线条的轻、重、宽、窄，同一刀的轻重要有相应变化。在先领悟书法的笔势和韵味之后，才能再用刻刀刻出毛笔所表达的气韵和意境。

第三章 ◎ 文化篇

第一节◎『寓繁于简』的造型美

在数百年的工艺发展过程中，紫砂艺人广泛汲取中国传统工艺中各种造型艺术的精华，并结合紫砂泥料的特性、独到的成型工艺和器物的功用，形成了十分丰富的紫砂造型系列。

手工紫砂陶艺尽管属非物质文化遗产，但其最终产品却是集实用、审美与文化功能于一体的物质形态的紫砂器，紫砂器特别是紫砂壶也最能体现紫砂陶艺的特色与内涵，自古就有“千奇万状信手出”、“方匪（非）一式，圆不一相”之说。当代学者认为，紫砂器作为一种民间工艺，其器物造型集中国传统立体造型之大成，在民间工艺造型艺苑中堪称典范。

紫砂造型分类

紫砂器按用途大略可分实用器和陈设器两大类。实用器含茶具、花盆、文房用具以及其他日用杂项；陈设器包括清供、果品雅玩、瓶鼎及挂饰等，其中尤以紫砂茶壶的工艺成就最为丰硕，也最具代表性。

紫砂陶艺根据成型及修饰工艺的不同，形成了紫砂茶壶的三大造型流派：光器（光货）、花器（花货）、筋纹器（筋囊器）。清代后期兴起了雕塑类，以后雕塑类的器物日见增多，艺术性较强，可以单独将其分为一类。

茶壶类

茶壶是中国博大精深茶文化的承载者，至少从明代以来，宜兴紫砂茶壶就在中国茶具中占有至高的位置。明清以来对紫砂茶壶评说甚多，如"茶壶陶器为上，锡次之"（明冯可宾《茶笺》）；"茶壶以砂者为贵，盖既不夺香，又无熟汤气"（明文震亨《长物志》）；"茗注莫妙于砂，壶之精者，又莫过于阳羡"（清李渔《杂说》）；"荆溪陶正司陶复，泥沙贵重如珩璜，世间茶具称为首，玩赏楷模在人手"（清林古度诗）；"阳羡壶、茗固甲天下"（康熙《重刊宜兴县旧志》卷十）等。前人总结出紫砂茶壶有隔热性能好，不烫手，泡茶隔夜不腐，茶香四溢等优点，这也是紫砂壶经久不衰的原因。

就紫砂茗壶而言，早在明代已出现提梁壶，供春树瘿壶，时大彬款六方壶及瓜棱壶、大提梁壶、高执壶、虚扁壶，李仲芳款瓜棱壶、梨皮泥壶，徐友泉的汉方壶、扁觯壶、菱花壶、鹅蛋壶，陈用卿的仿古壶、金钱如意壶，陈子畦的南瓜壶，惠孟臣的孟臣壶及朱泥梨形小壶等数十种造型。

至清初，陈鸣远等在壶的造型上又力创新品，仅陈氏一人就有数十新品问世，其天鸡壶、海棠壶、诰宝壶、包袱壶、梅干壶、束柴三友壶、四方桥顶壶、松鼠葡萄壶等均负盛名。

至清嘉、道年间，著名书画家、金石家陈鸿寿（曼生）创制新样，手绘十八壶式，由制壶名家杨彭年、杨凤年兄妹制作，世称"曼生壶"。从有关资料可知，"十八壶式"中有的壶形在清中期以前已经存在，部分壶形凝聚了许多紫砂艺人长达数百年的探索，迄今已成为经典式样，如石瓢壶、合欢壶、圆珠壶、井栏壶、覆斗壶、提梁壶、乳鼎壶、横云壶、汲直壶、梅桩壶、笠帽壶、柱础壶、传炉壶、方壶、匏壶、觚棱壶等。此外，这一时期杨凤年的竹段壶、风卷葵壶，邵大亨的掇球壶、一捆竹、鱼化龙、束竹八卦纹壶等也是今天仍被紫砂艺人效仿的壶型。

在近当代紫砂工艺界，著名作品有俞国良的红泥四方传炉壶（1932年获美国芝加哥博览会奖）、六瓣梅花壶（1937年获江苏省产品展览会特别奖），程寿珍（冰心道人）的掇球壶，范大生的六瓣合菱壶、梅花树桩壶、雪桃壶，冯桂林的四方折角壶、葵仿古壶、竹根壶、三友壶、上松段壶、四方竹段壶、福寿蟠桃壶、龙头玉环壶、佛手壶，朱可心的云龙鼎（1932年获美国芝加哥博览会金奖）、一节竹段壶、松鼠葡萄壶等，它们代表着民国时期紫砂作品的成就。

现代的著名手工紫砂艺人在坚持传统工艺的基础上，力求在作品上再攀新高。光货流派代表人物顾景舟的作品有雪华壶、汉云壶、上新桥壶、时乐壶、如意仿古壶、提璧壶等；花货流派代表人物蒋蓉的作品有荷叶壶、牡丹壶、荸荠壶、百果壶、蛤蟆莲蓬壶、芒果壶等；朱可心的报春壶、提梁竹节壶、云龙壶、常青壶、线圆壶；裴石民的上松段茶具、五蝠蟠桃壶、双圈石鼎壶、三脚炉壶、牛盖莲子壶；吴云根的弧棱壶、大型竹提壶、传炉壶、线云壶、合菱壶；王寅春的亚明方壶、圆条壶、六方菱角壶、梅花周盘壶、提梁裙花壶、六方抽角壶；高海庚的集玉壶、扁竹提梁壶、北瓜提梁壶、双龙提梁壶、水浪壶、龙母壶、志泉壶、追月壶、卧虎壶；徐汉棠的四方冰纹壶、礼花提梁壶、上六提梁壶等；吕尧臣的玉带壶、竹炉茶具、银葵茶具、碧波茶具、八方凌云茶具、御玺茶具（中南海紫光阁收藏）等；汪寅仙的南瓜壶、梅桩壶、岁寒三友壶、曲壶（张守智设计，1990年国际精品大奖赛一等奖、全国陶瓷艺术展评一等奖）、云龙壶、水利壶（与徐秀棠合作）、玉炉壶、龙凤印壶、大印包壶等；李昌鸿的竹简茶具（获1984年德国莱比锡国际博览会金奖）、九龙组壶、高八方壶、斗方壶、青玉四方茶具等；何道洪的古带提梁壶、四季如意壶（2000年杭州西湖博览会金奖）、璧钮壶、竹提壶（中南海紫光阁收藏）等；周桂珍的掇圆壶、半月壶、如意壶、登柏寿壶、曼生提梁壶（中南海紫光阁收藏）、玉带提梁壶（获亚太地区陶艺展一等奖）等；顾绍培的百寿瓶（1984年获德国莱比锡春季博览会金奖）、仰宁提梁壶、十六竹丁筒（中南海紫光阁收藏）、高风亮节壶等。

（1）光货壶

光货壶是宜兴紫砂的一种基本造型，以圆球形、圆柱形、方形、菱形等几何形为基本形态。光货因此不加修饰，大家看中的就是表面的线条和轮廓，因此在构思和制作的过程中一定要把握好各种曲线、抛物线及其之间的组成关系。不能出现生硬的棱角、顿挫、弯折，线条要流畅弯曲、明快流利，线条和线条之间的结合处不显山露水，要浑然一体，达到“虽由人作，宛自天开”的效果。

光器由于壶身造型及成型工艺的不同，又分为圆器和方器两支。

◎◎ 光货

圆壶的线条要饱满、圆润，造型有古拙感。判断一件圆壶的造型是否具有艺术性可以从“圆、稳、匀、正”四个方面来考察，“圆”就是讲究线条流畅、清秀，但也不可酥软，无弹性。“稳”要求器物的重心不能倾斜，必须在壶的中轴线上。“匀”指壶的比例协调，且线条之间的过渡衔接有序、自然。“正”指造型的规矩有度。典型器物主要有掇球壶、圆珠壶、牛盖洋桶壶、合欢壶、石瓢壶、汉扁壶、瓦当壶等。

掇球壶是紫砂壶中的一个传统品种，形态优美、比例协调，深得大家的喜爱。一般可以分为大、中、小掇球壶。在制作中，最为重要的是要把握好“三球”，即壶钮、壶盖、壶身这三个圆球形，三圆球大小依次渐变放大。

清末程寿珍所制的掇球壶最为大家宝重。清代中期的邵大亨、邵友廷等人也都有制作。程寿珍深得家传并胜其养父（邵友廷），他所制作的掇球壶曾经在1915年美国旧金山太平洋万国巴拿马博览会上获奖，在1917年美国芝加哥国际赛会上获优秀奖。其壶色漆黑，底部一般会钤有“八十二老人作此茗壶巴拿马和国货物品展览会曾得优奖”。

◎◎ 圆器

传世“黑漆古”铜镜多有包浆，壶形匀称、简洁、明快，线条晓畅不塞，极富生活气息，粗中有细，质朴无华，韵味十足。

牛盖洋桶壶清末时期极为流行。壶身呈圆筒状，上下一般大小，牛鼻形盖，金属提梁。由于体量大、容水多，且底部受力面积较大，不易倾斜翻倒，取用方便，特别受百姓欢迎。现代紫砂大师顾景舟先生制作的牛盖洋桶壶在紫砂界享有盛誉。

水平壶。在我国福建、广东一带特别流行功夫茶，泡这种茶的器具就是宜兴所产的紫砂水平壶。功夫茶有自己的一套泡茶和饮茶的方式，与江浙地区不一样，它是在水平壶中装上茶叶，倒入沸水，再将其放入茶盘中，用水浇淋，因此，需要壶的把、嘴必须重量相当，才能浮在水面上，不致下沉。近现代制壶名家王寅春水平壶制作得又快又好，可谓一代大家。

光货中圆壶的线条最为流畅，虽然不施铭刻、雕镂等装饰技法，但是它所要求的技术水准最高，也最能体现出制壶者的基本功和技艺。一条条弯曲明快的线条勾勒出壶身的轮廓，这些“圆非一式”的线条正是制壶者内心情感的真情流露。他们将自己对人生的感悟全部融入在这一根根线条及线条所组成的壶形上，朴素自然，蕴含了丰富的老庄哲理，将壶艺与传统的人文气息紧密结合在一起，达到了极高的境界。

方器也是光货中的主要造型，是以正方形、矩形、六方、八方等形状制作的紫砂壶。方器在制作过程中采用泥片镶接的方法成型，与圆器的围身筒有所区别。方器要求每个面做都得毫无二致，壶盖不管怎样转动摆放，都要与壶身契合，严丝合缝，不能出现歪曲的现象，因而较圆器技术要求更高。方器的造型要求端庄，稳重，重心下移，“四平八稳”，线条刚柔有度，“以方为主，方中寓曲，曲直相济”，比例匀称，开合有方，规规矩矩。典型的方器有汉方壶、四方壶、八方壶、僧帽壶等。

扬州市博物馆收藏的大彬款六方紫砂壶就是方器中的典型，壶身、壶把、壶嘴都是有棱角的，壶钮为半圆形，整个壶体线条平直，带有阳刚之气，稳重大度，半圆的壶钮恰是点睛之笔，打破了原来的严谨局面，韵味十足。亚明设计、王寅春制作的亚明方壶，造型规矩，结构匀称，线条

亚明方壶

转折处柔和、弯曲，大方稳重，诚可称之为珠联璧合的佳器。

僧帽壶是北方少数民族使用的一种饮食器。随着蒙古族南下，僧帽壶也随之流传开来。景德镇御窑厂自明初到清都有制作，现在故宫博物院中还珍藏有一批青花、釉里红、斗彩僧帽壶。僧帽壶的形制似喇嘛教僧人的僧帽，故得此名。瓷质僧帽壶的造型主要有两种，一种是直桶形壶身，外带细方流，后部有柄；一种高帽，圆腹，束颈，平底。紫砂质的僧帽壶的形制与第二种较为接近，但又不完全一样，主要的变化在壶身，为六方形或八方形，壶帽也与之相对应。

香港茶具文物馆藏大彬款紫砂六方僧帽壶，造型别致，极为珍贵。泥质中含有砂粒，似梨皮，壶身为六方形，壶腹外鼓，束颈，僧帽为六瓣形，似一朵盛开的莲花，妖娆绰约，鸭嘴形流，宝珠顶。整个壶身刚劲、挺拔，线条流畅明快，体现了大彬高超的制作技艺和巧妙的艺术构思，化圆为方，既继承之，又发展之。

美国堪萨斯市纳尔逊·爱坚斯博物馆收藏的玉麟款采茶图方斗壶也是富有神韵的方壶，壶上还钤有清末著名学者吴大澂的别号，是当时

◎◎ 大彬款紫砂六方僧帽壶 香港茶具文物馆藏

黄玉麟寓居于吴氏家时所制，名工名刻，堪称一绝。

(2) 花货壶

花货是相对于光货而言的，也称为“象生器”。花货通常以大自然中常见，且民间喜闻乐见的花卉、树木、枯桩、禽鸟、鱼虫等为题材，将其融化到壶体之中。这些动植物的形象基本上都是作为附件，如壶把、嘴、流、盖等，装饰在壶的表面，起烘云托月的作用。花货是在光货的基础上发展、演变而来的，在二者身上可以看出传承的痕迹。

自古至今流传下来很多精美绝伦的花货壶，其中首推民国时期宜兴储南强先生在苏州地摊上买回的供春款树瘿壶，造型模仿银杏树瘿，泥色紫黑，古朴典雅，生动精致，是目前所见最早的花货紫砂壶。清末的黄玉麟，现代的顾景舟、汪寅仙等人都仿制了一些，同样古雅绝伦，堪称一绝。

花货紫砂壶中使用最为广泛的植物题材有竹子、梅桩、松段等。花货不仅要求所模仿的对象神形毕肖，秋毫必似，达到乱

◎◎ 树瘿壶

真的效果，还要求能够通过所选取的对象来表达出制壶者的情感、精神、气节。

竹子的形象既可以作为壶身制作竹段壶、一捆竹壶，也可以模拟一段竹子枝叶装饰在壶嘴、壶柄上，两者的效果一样，既美观了壶身，表现了竹子“咬定青山不放松”的高贵品格，同时也寓含了制壶者的铮铮铁骨、不屈不挠的精神气节。梅桩壶一般都是以梅花老桩的形象为壶身，壶嘴和壶把模拟梅枝做成，为了表现出自然界梅桩饱经沧桑、历经风雨，采用脱皮露骨的方法塑出壶身，造型苍老、虬曲，气势恢宏，很好表达了创作者对大自然的热爱，面对生活曲折波澜不惊的积极态度。

杨彭年之妹杨凤年所制的风卷葵壶也是传世的花货珍品。泥色紫中隐蓝，壶嘴、壶柄和壶盖上都塑贴有葵花或葵叶造形，稍微卷曲，壶身上多压出若干弧线，整把壶看起来好似一丛葵花在微风中摇曳，但又根基牢固，毫不动摇，尽显本色，生动传神。

南京博物院藏东陵式壶是花货紫砂壶中的绝品，壶身似南瓜，圆鼓丰满，壶身筋纹自然流动，壶嘴模拟南瓜叶卷成，刻画细腻生动，造型和谐雅致。邵大亨、黄玉麟所制的鱼化龙壶，龙首可以自由摆动，鲤鱼作跃起之态，壶身线条流畅，表现了汹涌的波涛，鲤鱼在水中奋进游动，冀望“跳门化龙”，立意新颖，动感有力，气势夺人，艺术感染力极强。

当代紫砂大师蒋蓉先生擅长花货制作，荷花壶是其代表性作品。这把壶的构思灵感源于20世纪50年代中期，蒋先生在荷塘边散步，看见荷花娇艳欲滴，荷叶婀娜多姿，风韵独存，还有青蛙在荷叶间跳跃，于是将所见的荷塘小景融化于自己的壶形中。整个壶身呈一朵含苞欲放的荷花，处于半开状态，别具“犹抱琵琶半遮面”的韵味。壶嘴为荷叶造形，荷柄做把，盖面是一个尚未成熟的莲蓬，莲子微微凸起，一只青蛙蹲坐其上，壶身下用三个菱角作为三足。整件作品自然、生动，造型新颖别致，反映了江南水乡夏日的风光，具有浓郁的生活气息。蒋先生对紫砂光货和花货有着独特的理解，认为紫砂的光器与花器是同门中的两只硕果，各有特色，但它们没有本质的不同，更没有贵贱之分。紫砂光器实际上是把人们对茶壶的艺术追求和对人本身的人格追求融为一体，以简练的线条表现人的精神，也表现了人与茶壶之间简洁的关系。而花货用堆和塑的手段模拟自然和其他生命，用象真的形态表现了对周围事物的关注，表达人与自然、人与环境、人与其他生命形式之间的关系。这是对这同一门类中的两种不同艺术形式的理解。

花货最重要的是追求仿真，造型块面，线条比较复杂，要做到出淤泥而不染，自俗出而不俗，从另一层面上体现茶的精神和壶的内质；光货追求素净，简洁，线条要出乎意料得简洁，同时要做到简洁而不简单，从而凸现茶艺的精神，表达壶的内质。光器更注重内在美的体现，而花器更注重通过形式美表达一种寓意，两者都有着深刻的文化内涵。

(3) 筋囊器

又称筋纹器，造型原理主要是依照植物瓜果、花瓣的筋瓤和纹理，经提炼加工归纳而成器，常见如瓜棱、菊花、玉兰、水仙等各种壶型，纹理组织等分均衡，韵律谐调，线面变化强烈，富有节奏美感，反映出紫砂工艺丰富的表现力和精细、秀洁、婉约、光润的风格。筋囊壶在明代时就已经在制作，董翰、时大彬、陈鸣远等皆是制作筋囊壶的巧手，代表性的品种如半菊壶、合菱壶、圆条壶等，都是极富韵味的传统造型。

《阳羡茗壶系》中记载董翰始造菱花式壶，作品文巧精致。香港茶具文物馆藏有"李茂林造"款八瓣菊花壶一把，造型似菊花，从壶钮、壶盖到壶身都是一条流线，饱满挺直，流畅明了，不差毫厘，筋囊之间凸凹相间，极富动感。

故宫博物院也珍藏有一些菱花式壶，胎质细腻，色调匀正。

◎◎ 筋囊壶

筋囊壶的制作要求极高，每一块小面都要对称不爽，而且壶盖要能够自然放置，不限定于哪一面，这样除要求制作时有极强的耐心外，还要具备深厚的基本功。过去一般都是用手工做成，现在也有使用模具的方法，虽方便省时，但是失去了原有的自然韵味和人工造诣，可以作为批量

李茂林 八瓣菊花壶

化的生产，但高级的工艺品还是需要手工操作完成，这样才能更好地将艺人们的阅历、感情注入到茗壶中，不至于看起来呆板无神韵。

三大茗壶流派各自发育形成了独特的造型语言和装饰手法，光器强调“素面素心”、简朴光华、洁净深沉，讲究自身的天然肌理和线面之间的起伏节奏、流畅优美，也有饰以陶刻书画，但技法和画面同样要求雅致凝练，以为壶艺锦上添花；花器以堆塑雕饰的工艺手法，充分利用紫砂原料可塑性强、色彩丰富的特点，吸收大自然的物象精华提炼设计成壶形，其常见的题材有松、竹、梅、荷花等以及各种花果、树木、鱼鸟、虫草等，具有师法自然、表现自然但又高于自然的特点，造型多生动有趣，充满了田园气息和民间工艺个性；筋囊壶的整体效果明净、秀雅，形似光货，而又略施小计，富有动感。

花盆类

至少在明代的时候，紫砂花盆的制作就已经开始。除茗壶外，紫砂盆也是明清以来紫砂工艺中颇具特色的品种。

清代陈鸿寿与杨彭年也制作了一些紫砂花盆，古朴雅致，一般都是杨彭年制作花盆，陈鸿寿在其上刻铭题画，称为“曼生盆”，为世所珍，与他们合作的“曼生壶”一样驰名海内外。

故宫博物院收藏有一批清宫旧藏的紫砂花盆，为当时阳羡地区呈贡。泥色多样，口径较大，在50厘米左右，应该是中大型花卉盆栽之用。装饰手法不一，有素心素面式的光货，有彩绘泥绘的花盆，还有的使用了模印贴花的装饰手法。紫砂盆分花盆与盆景盆两种，因口面形状、大小、盆脚、装饰技法的不同而有数百个品种。盆的高度不一，有专门适宜栽种兰花和悬崖式盆景的高盆，有栽植一般植物和花卉的中性盆，有盆高远远小于盆径，可以用之栽种水旱式盆景和水仙花等需要观赏整个植物造型的矮盆。紫砂盆有的有足，有的无足，足的形制丰富多样。盆足既有利于排水，也使盆与地面隔开一定的距离，避免蚯蚓、蚂蚁等虫子进入伤及树根，兼具了装饰和实用双重功能。

花盆一般有素面、泥绘、陶刻、绘画等装饰手法。素面素心的花盆泥色深沉，造型较为典雅复古，古趣盎然。一般泥绘的色调都能与盆体本身的色调融为一体，使二者结合得更加紧密和谐，有凹凸感，增强了画面的立体感、纵深感、层次感，是一种重要的装饰方法，现在还在普遍使用。绘画的题材一般有山水、花鸟、人物、鱼虫等。岁寒三友、梅兰竹菊、吉祥灵芝都是老百姓喜闻乐见的。艺人往往在盆面上用竹刀刻画出一截老干，几朵盛开的梅花，就可以将其神韵表现出来。盆面上的刻铭既能够表达出主体，也可以将整个画面盘活，诗书画印四位一体，传递着古代的文人气息。

紫砂盆不仅造型别致，工艺精湛，而且由于其表面不施釉，烧成后质地紧密，具有特殊的物理性能，排水通气能力较好，用之栽种花木有不烂根、易于成活的优点，既可以放置在屋外园林中，也可以陈设于几架、桌案上，深受园艺家们的喜爱。

现代工艺美术大师徐汉棠先生对原来的紫砂盆加以改良、创新，创作出了一批微型花盆，造型精巧多变，盆的点、线、面结构匀称，细部处理严谨，品种达数百种，名冠全国砂盆行业。

◎◎ 清宫廷用紫砂花盆 故宫博物院藏

◎◎ 清宫廷用紫砂水丞（鸣远款）故宫博物院藏

清供文房类

陈设、清供、文房类的器物较多，有瓶、盒、公道杯、香熏、笔筒、砚台、墨盒、砚滴、水盂、香炉、笔架、镇纸、鼻烟壶、蟋蟀罐、挂屏、象生果品、枕头等等，种类繁多。其中除紫砂花瓶、香熏、盒的形体较大外，其他都小巧玲珑，适合把玩，陈设于紫檀或黄花梨书案上，顿觉有一种超然脱俗的意蕴。

清末民国时期，很多达官贵人和家境富庶的人家都会在厅堂、卧室内摆放几对花瓶，作为陈设装饰之需。民国时期，丁蜀镇上的很多陶器生产公司都大量制作花瓶，利永陶冶公司、吴德盛、葛德祥等商号当时生产的产品在民间还有留存。瓶口有圆口、四方口、六方口、八方口等，瓶身以圆形居多，常见的为小圆口，深腹，腹下渐收，撇足，平底式。瓶身上一般都装饰有泥绘、彩绘、陶刻、绘画等。清代杨彭年制作的一件仿孙吴国山碑花瓶，古雅绝伦，堪称一代绝品。它以青泥为料，泥色青暗，如蟹壳，花瓶为筒状，口微收敛，圈足。在瓶身上篆刻有国山碑文，下面题刻“孙吴国山碑，为江东第一古碣，诸金石编考证详矣。兹请国工以本山绿泥抟制，其体不及百一，缩临篆文模刻之，亦艺林韵事也……”整个瓶身浑厚古朴、铭刻入木三分。现代紫砂大师顾绍培先生创制、谭泉海铭刻的百寿紫砂瓶泥色纯正，发色老熟，撇口，束颈，溜肩，高长瓶身，撇足，造型匀称，比例协调。在瓶的正面篆刻有一百个寿字，书体万变，笔画流畅，背面刻有松鹤延寿纹，寓意吉祥富贵。

挂屏是古代的一种挂在墙壁上的装饰物件，瓷质的较多，是模仿书画的样式和陈设方式设计的。紫砂的挂屏很少，但往往都是精心制作、雕刻、绘画的上品，常在其四周再用紫檀、黄花梨或鸡翅木做一个屏框，可以防止屏角碰碎，一般挂在书房内供文人雅士看书疲倦时欣赏品鉴，装饰效果很强。苏州市文物商店收藏有一对紫砂挂屏，两块挂屏都是长方形，长 41 厘米，宽 34 厘米。泥色呈朱红微微泛褐，包浆光亮，在平面上采用了泥料堆塑的技法。一面表现的是枝蔓葡萄，一只小松鼠穿梭在藤间，葡萄枝条扭曲，枝蔓缠绕，硕果累累。松鼠一只前爪攀附在藤间，另一只抓住葡萄，后肢紧紧抓住后面的藤条，后尾上翘，还回头侧目，看是否有人发现，形象生动活泼，欲摘不敢，欲放不休的神情跃然于眼前。挂屏左上方署有“岁次壬寅冬月朔日阳羡跂陶刻”，壬寅年也就是光绪二十八年（1902 年），至今已逾百年。另外一幅挂屏是泥料堆塑，但是题材不一，主题画面为花叶繁茂的月季花，花枝上面栖息一对白头翁，二者顾盼生情，窃窃私语，左上角署有“与时偕老 跂陶刻”。

公道杯是艺人们发挥创造力制作的工艺珍品，在小水杯的中央立有一童子或老者，人体内中空，注水时不可注满，只能浅平，否则便将全部流出，系利用物理学上“虹吸”原理制成。

紫砂水盂一般形制都极小，有方形、圆形等，表面往往刻有铭文。杨彭年所制的仿古井栏水盂，敛口，溜肩，直腹。从上面的长篇铭刻文可知，杨氏做此井栏的出典是，唐元和四年，澄观和尚在将一石井栏和石盆作为佛前供物供奉在零陵寺，并做了一偈：“此是南山石，将来造井栏，流传千万代，各结佛家缘，尽意修功德，应无朽坏年，同沾胜福者，造于弥勒。”泰州市博物馆收藏的杨彭年制、内施哥釉的腰形水盂，也是一件难得的妙品。

陶瓷枕是我国古代瓷窑中经常出土的器物，长沙窑中遗址中出有很多蓝釉、宝石绿釉、黄釉瓷枕。据说陶瓷枕可以起到清心明目的作用。紫砂枕的生产不多，有方形、半圆形等。

古代达官贵人喜好斗蟋蟀，将其置于陶制、瓠制或紫砂质的器物中饲养、打斗。淮安市博物馆收藏的一件紫砂方形蟋蟀罐由大盖、小盖、暗抽门、隔板、罐身等五部分组成，结构设计巧妙，玲珑雅致。

鼻烟壶在清廷上层社会中极为流行，主要用琉璃、水晶、陶瓷、琥珀等珍贵材质制成，也有使用紫砂制的鼻烟壶，别具一格。现代谭泉海等制作的鼻烟壶娇小可爱，精巧喜人。

文房用品中的砚台、笔筒、笔山等使用得极为广泛。紫砂砚台在明清时代极为流行，形制有长方形、圆形、多边形等，一般在砚台表面还会雕刻有一些纹饰，如云纹、山水纹、动物纹等，在砚侧铭刻有铭文，更加增添了人文气息。由于紫砂砚台的泥料中含有砾粒，并可以随着需要自行添加或减少，在研墨时，能够更好、更快地发墨，且泥色古雅，深受文人的宝惜。故宫博物院中藏有一批当时为乾隆皇帝特制的御用砚，泥料中掺杂有澄泥，另配有镶玉紫檀木砚盒。笔筒的形制一般为圆形、方形等，清末民国时，一些商号、公司都大量制作，有的表面泥绘有山水、人物等小景，有的笔筒采用竹段形，将老竹根部的破裂纹雕镂得神形毕肖，泥色也与之相似，几能乱真。

雕塑类

紫砂雕塑的工艺传统注重精致秀雅，多以案架陈设品或掌上把玩器为主，体现出紫砂工艺细巧的技法。近代以来，又发展出雕造人物和宗教造像一类，风格题材逐渐丰富，拓宽了手工紫砂陶艺的表现领域。

明代中期以陈仲美的雕塑最为著名，其观音大士持经像神采奕奕、古典安祥，将观音大士普度众生的仁慈之心很好地表现出来。清代陈鸣远制作的小件象生紫砂器形态逼真，有茨菇、花生、板栗、瓜子、螃蟹、莲藕、菱角、螺蛳、鱼虾等模仿自然界瓜果、蔬菜、动物的作品。范大生的雕塑久负盛名，“雄鹰”在英国伦敦国际艺术展览会上荣获金奖。

当代徐秀棠先生的紫砂雕塑也得到一致好评，称为“徐塑”，代表作有“始陶异僧”、“雪舟学画”、“坐八怪”、“刘海戏金蟾”、“陕北汉”等。

始陶异僧作品取材于明代周高起《阳羡茗壶系》中将“五色土”告诉众人的异僧形象。异僧的前额高隆，脸部下凹，留有一圈络腮胡子，两手相接，脚蹬草履，背负箬笠，手持五色土，神态安详，气宇不凡。

徐先生不仅具有传统的学养，还在新时代背景下把紫砂雕塑向前推进一步。正如他所言：“时代的发展带动欣赏的习惯、生活的方式和审美的情趣在改变，需要的东西不同了，那你的生产设计也要跟着改变。这里面包括了形

徐秀棠 始陶异僧

式创新与题材内容的创新。”

明清以来手工紫砂陶艺不断获得文人的支持和参与，使得紫砂制品或造型日趋丰富，寓意深远，间或饰以诗书画印，品位高雅。文化的介入又极大地推动了民间工艺艺术化的进程，使紫砂工艺既立足于民间和实用，又不断吸纳优秀文化成果，将其有机地融入传统工艺之中，创造出一种既保持强烈的地域性、生活实用性和工艺传统性，又随民族文化的发展进步而不断保持生命活力的工艺文化形态，为提升茶文化及人们日常生活的品质、弘扬民族传统文化发挥着独特的作用。

第二节 ◎ 茶、禅、花之友

宜兴的茶文化与宜兴紫砂陶工艺存在着天然的因缘关系，壶因茶而生，茶因壶而显。茶理、壶艺中蕴含着禅机。

宜兴市全年温暖湿润，降水丰沛，地面水、地下水丰富。境内地形复杂，适宜多种经济作物，特别是茶叶和毛竹的生长，遂成为中国历代重要的茶叶生产地。这里有唐代诞生的我国第一个贡茶品种——阳羡茶，有发端于宋、兴盛于明的紫砂陶。茶文化遗产自唐代至今长达1000多年，在中国的茶文化史中占有重要的地位。紫砂盆作为紫砂的另外一种重要的门类，在清中期就开始出口日本，并与盆景结下了不解之缘。

宜兴的茶文化与紫砂茗壶

早在唐代宗永泰元年（765年）至大历二年（767年），阳羡茶就被“茶圣”陆羽评为“品质冠绝他境”，并将其推荐为皇家

"贡茶"。唐代诗人、有茶界"亚圣"之称的卢仝在品饮了阳羡茶之后，发出"天子未尝阳羡茶，百草不敢先开花"的感慨，从而写出了中国茶史上著名的经典之作"七碗茶"诗。宜兴市境内如今尚存有许多有关唐代阳羡茶的遗迹，身处闹市中的人们亲临山间田野，面对着这些斑驳、枯朽的遗存，不禁会发出思古之情，畅游于古今之间，徘徊于曲水松林之际，缓解工作后的疲惫，达到物我两忘的境界。

洞灵观、茶舍、罨画溪

洞灵观位于今宜兴市湖㳇镇西北张公洞附近的阳羡茶场范围内。据道书记载，春秋时道家庚桑楚曾在洞内隐居，并著有《庚桑子》九篇，东汉的张道陵和唐代的张果老也曾在洞内修道。唐代开元时，唐明皇在张公洞敕建洞灵观，并亲自题写了观额。宋代改建为天申万寿宫，清代改为朝阳道院。

唐代初年阳羡茶成为贡茶后，常州太守李栖筠在邻近茶场的洞灵观附近设茶舍专制贡茶，这也是我国古代最早制作贡茶的场所。此后，又将茶舍从洞灵观移至"画溪"之畔。

阳羡茶成为贡茶后，每年需采制万两进贡，李栖筠于采茶季节都要来到茶场督造修贡。阳羡茶作为贡茶一直延续至南唐，清康熙《重刊宜兴县旧志》载："唐保大四年，命建州置的乳茶，号京挺，乃罢贡。"此后，茶舍渐荒废，今已不见踪迹。明万历《宜兴县志 · 古迹》载："茶舍，旧在罨画溪……始羽一言，而舍不存矣。"

唐贡村、唐贡山

唐贡村位于今宜兴市丁蜀镇，以"新长铁路"为界，铁路以东为外唐贡村，铁路以西为内唐贡村。内唐贡村前有几座小山，当地老年人仍称之为"唐贡山"。

唐李郢题有《茶山贡焙歌》："春风三月贡茶时，尽逐红旗到山里。焙中清晓朱门开，筐箱渐见新芽来。凌烟触露不停采，官家赤印连帖催。朝饥暮匐谁兴哀，喧阗竞纳不盈掬……万人争啖春山摧，驿骑鞭声砉流电。半夜驱夫谁复见，十日王程路四千……”记载了唐代制作阳羡贡茶进贡的场景。如今唐贡山上还可以见到老茶树和唐代的石臼、陶臼。唐代茶叶成片状，也称饼茶、片茶，石臼、陶臼即为制作片状茶时“捣”茶之工具。

南岳山、南岳寺

南岳山早在三国东吴时期即已成名，唐代时也为阳羡茶的产茶地之一。康熙《重刊宜兴县旧志》载：“南岳山，在县西南一十五里，即君山之北麓。孙皓既封国山，遂禅此山为南岳。其地即古阳羡产茶处。”

山麓有古南岳寺，唐代高僧稠锡禅师曾在此为阳羡茶的种植和饮用做出了贡献，并留有美丽的传说。寺前有卓锡泉，昔稠锡禅师驻杖于此，泉即涌出，亦名珍珠泉，清冽如镜，又有白蛇衔茶种来植于侧，芬芳冠绝他境，阳羡茶、泉所由得名。

悬脚岭、境会亭、茶山路

悬脚岭又称垂脚岭、啄木岭，地处江浙要冲，岭上旧有“境会亭”，唐代时湖州（当时“顾渚茶”产地长兴属湖州所辖）和常州（当时“阳羡茶”产地宜兴属常州所辖）二州太守每年值采、制贡茶时都要在这里举行隆重的仪式。

在宜兴与浙江长兴交界的悬脚岭上，考察人员发现了分处于长兴境内和宜兴境内密林中的两段石砌古道，其中浙江境内一段古道长200多米；宜兴境内的一段古道长1000多米，宽度都在1.2—2米余。路面以小石板和块石铺成，路面被历代先人踩磨得十分光滑，古道旁采集到多件宋代至明清时期的白瓷、黑瓷、青瓷、青花瓷瓷片。这条古道应即为唐代以来沟通江、浙著名贡茶“阳羡茶”和“顾渚茶”两大茶区的重要遗存“茶山路”，可称之为“贡茶古道”。

康熙《武进县志》载：“茶山路。县西南广华门外十里内，墩阜累累，有山形焉。唐末湖、常二守会阳羡造茶修贡，由此往返，故名。境会亭，在茶山路，湖常二守造茶修贡会此。”

龙山、西施洞

陆羽曾一度游历活动于龙山地区。今在龙山脚下的龙山村中发现了一段古老的山道，山道可通达浙江长兴境内。雍正《宜兴县志》载：“武陵洞一名西施洞，在龙山下，去湖滏十里。”西施洞至今仍存。

离墨山、善权寺

离墨山、善权寺如今都在善卷风景区内，离墨山高 342.9 米，分为张渚镇上干村、下车村所辖。

善权寺，又名善卷寺，位于离墨山南麓，南朝齐建元二年（480 年）以祝英台读书处宅址建。现善权寺前存两口比邻的古井，另存十余处古代石刻。据陆羽《茶经》载：“生圈岭（宜兴）善权寺、石亭山，与舒州同。”说明善权寺一带在唐代时便是著名的产茶地，而且陆羽对这一带的情况比较熟悉。明代钱椿年《茶谱》载：“善权寺前有涌金泉，发于寺后小水洞。有窦形如偃月，深不可测。”今仅在寺前有一水池，泉已不见。

宋代是我国茶文化发展的高峰时期，尽管这一时期唐人首重的阳羡茶已让位于福建建州茶，但其历史地位仍被人称道，今仍存有众多的茶文化遗产。

宋代也是宜兴紫砂起源的时期，宋梅尧臣诗曰：“天子岁尝龙焙茶，茶官催摘雨前芽……小石冷泉留早味，紫泥新品泛春华。”这是紫砂器与饮茶的最早记载。当时饮茶方式转变，由原先的煮茶改为冲饮，同时也促进了宜兴紫砂陶的发展。

金沙寺、玉女潭

金沙寺离丁蜀镇约十余里，为唐相陆希贤之山房。宋代大文学家苏东坡在宜兴（今存有东坡书院）时喜用离金沙寺不远的玉女潭潭水煎茶，并求助于金沙寺僧人为之监督取水人的诚信。古金沙寺遗址发现大量宋元时期的陶瓷残片遗存，而“玉女潭”迄今还是宜兴的名泉和胜景。苏东坡酷爱阳羡茶，曾有“雪芽为我求阳羡，乳水君应饷惠山”之叹。苏东坡在宜兴时创制的“东坡提梁壶”，成为中国紫砂史上的经典壶型之一。

元初在张渚镇设批验茶引所，时名“茶园提领所”。

明朝时期，官府在张渚设“茶引所”，还在宜兴城区设立“茶局”专门负责贡茶事宜；著名的阳羡茶也吸引了许多文人前来品尝寻访，茶农们则在重要产茶地茗岭上建起了茶神庙，该庙又称柳宿庙，后被人误称刘秀庙。茶神庙一带所产茶业品质优异，称“庙前庙后茶”，庙后还有佳泉。如今在庙址上还可以发现有柱础、墙体、砖瓦等遗存，而且在庙址之后也有一泉址。这是江苏省目前发现的唯一的一座古茶神庙遗址，为认识宜兴阳羡茶的丰厚文化内涵又增添了有力的证据。另外，现宜兴主城区还保留有“茶局巷”街，它即因明代茶局设在此街区而得名。

明代时期，宜兴阳羡茶的兴盛还直接促进了宜兴紫砂茶壶工艺的迅速发展，到清代早期，已有“阳羡壶、茗固甲天下”之说。明代马治有诗：

阳羡茶

灵芹发天秀，泉味带香清。
蛇衔颇怪事，凤团虚得名。
采摘盈翠笼，封贡上瑶京。
愿因锡贡余，持赠君远行。

明代著名书画家文征明对阳羡茶爱不释手，对其不吝笔墨，写了两首诗文来赞美、褒扬阳羡其茶、其人。在一番泼墨挥毫之后，用紫砂壶煮上一杯阳羡茶，那是何等地惬意、舒畅。俯仰于宇宙之内，品鉴于炉茶之间，此情此景，意兴思发，畅快淋漓。其诗如下：

闲兴（六首之二）

苍苔绿树野人家，手卷炉熏意自嘉。
莫道客来无供设，一杯阳羡雨前茶。

桐城会宜兴王德昭为烹阳羡茶

地炉相对两离离，旋洗沙瓶煮涧澌。
邂逅高人自阳羡，淹留残夜品枪旗。

清代宜兴每年向朝廷"贡芽茶一百斛"，可见当时的产量之大，对阳羡茶的描绘与赞美更加广泛地出现在文人的诗文著作中，喜爱之情流露于字里行间。汪士慎有诗：

阳羡秋茶

烘褫精谨重灵芽，题处荆溪秋焙茶。
铛里松声生活火，杯中藻影泛轻花。
通宵神静因无寐，几日吟怀别有涯。
留取余芳供冷客，寂寥风雪坐山家。

民国四年，茗岭、湖㳇、张渚茶农戴长卿、洪顺元、戴骐所制雨前雀舌茶曾获巴拿马赛会金质奖。抗战前，宜兴农业学校创办了实习农场，其中百余亩茶园即为芙蓉茶场前身。民国间，茶叶的经销主要由专门的茶行完成。抗战前，宜兴湖㳇、张渚、宜城、和桥等镇分别设有较大规模的茶行，其中宜兴城南的宏圣昌为最大，抗战后仅存宜城两家茶行和三家规模很小的茶叶店。

1949 年以来，宜兴市先后建立的一批茶场基本上位于历史上阳羡茶的主要产区范围内，考察人员也调查了多处建于 20 世纪中期的茶场，这些茶场上承阳羡茶优良的种、制传统，下启当代宜兴茶产业和茶文化的先河，全面展示了宜兴阳羡茶久传不衰的生命力。

与茶文化息息相关的用具都可以称之为茶具，陆羽《茶经》中记载的茶具有灶、釜、甑、扑、规、承、杵臼、贯、熟盂、碗、扎、畚等等，这些都是与当时的饮茶习俗与饮茶方式相适应的茶具，大部分现在已经不再使用。明代以来，随着泡茶之风的盛行，茶具种类逐渐减少，程序简化，现在一般意义上的茶具主要指茶壶。

宋元之前，使用的茶壶主要是一种瓷壶，称为“注子”，很多的窑址和墓葬中都大量出土，如长沙窑的执壶就一直远销到东南亚、非洲、欧洲等地区。

宋元之后，随着紫砂茶壶的出现，开始渐渐地取代瓷质或金属质的壶具。

明代之后，紫砂茗壶不管是从泥质、造型还是工艺、韵味都已经了质的飞跃，达到了相当的高度。明代中晚期，已出现一批工艺成就卓著的民间紫砂艺人，如明嘉靖前后的供春、董翰、赵梁、元畅、时朋等。万历年间的时大彬首开风气之先，在娄东与陈继儒等文人相交、游历回乡后，开始创制小壶，其壶“不务妍媚，而朴雅坚粟，妙不可思…… 前后诸家并不能及”。继之而起的有徐大有泉、李大仲芳，他们与时大彬并称“壶家妙手称三大”。明代末期有陈俊卿、周季山、项不损、陈子畦、惠孟臣等。这些民间艺人对紫砂茗壶的泥料性能、手工成型工艺及装饰工艺不断探索，在原料上完全采用天然泥料或不同泥料的配比，根据器物要求呈现出海棠红、朱砂紫、定窑白、冷金黄、淡墨、葵黄、梨皮、榴皮、沉香水等各种颜色；在造型方面则逐渐形成了以圆器和方器为代表的光货造型体系，从瓜果等自然实物获得启发并经提炼改造后的筋纹器造型体系，采用仿生雕塑手法成器的花货造型体系等三个特色鲜明的茗壶造型流派。

清初杰出的紫砂艺人陈鸣远技艺精湛，雕镂兼长，在紫砂器造型，特别是花器方面有诸多创造，以致时人给予紫砂工艺以很高评价，称“人间珠玉安足取，岂如阳羡溪头一丸土？”“古来技巧能几人，陈生陈生今绝伦”，他制作的紫砂器极受人欢迎，在京城也有“海外争求鸣远碟”之誉。至清代中期嘉庆年间，追求实用功能与审美情趣相结合的紫砂陶艺吸引了越来越多的文化人的兴趣与重视，陈鸿寿（曼生）亲自设计新壶样十八式，由宜兴紫砂艺人杨彭年、杨凤年兄妹制作，陈鸿寿则在壶上镌刻诗词书画，使古老的紫砂陶艺与中国传统的诗、书、画、印等艺术形式相结合，进一步形成了紫砂陶艺天人合一、雅俗共赏的文化特征。

紫砂简约流畅的线条、深沉暗淡的色调、古朴浑厚的气韵正好与文人士大夫所追求的宁静、深远、平淡的精神境界相吻合，于是紫砂茗壶几乎完全取代了其他材质的壶具，占据了至高无上的地位，其他壶具只能望其项背。

茗壶、香茶与禅理的交融——禅茶一味

茗壶、香茶、禅理本来是不相关的事物，但是当佛教自东汉末期传入东土后，三者之间就紧紧地结合在一起，你中有我，我中有你，不分彼此。茗壶、香茶是在中国传统文化的沃土上发育出来的具体物象，而佛教却是中国传统文化的思想来源之一，作为具体物象的壶、茶与思想精神来源的禅机融合贯通，就形成了禅茶文化。

禅茶文化是在不断地接触、碰撞、交会中融合而来的。唐代陆羽的《茶经》中记载："茶者，南方之嘉木也。一尺，二尺乃至数十尺。其巴山峡川有两人合抱者，伐而掇之…… 其名，一曰茶，二曰槚，三曰蔎，四曰茗，五曰荈。"据文献记载，晋·常璩《华阳国志》："周武王伐纣，实得巴蜀之师…… 丹、漆、茶…… 皆纳贡之…… 其果实之珍者，树有荔支，蔓有辛蒟，园有芳蒻、香茗。"这里的香茗指的就是好茶。中国人至少在商周时就开始使用茶。三国时期，"孙皓每飨宴，坐席无不悉以七胜为限。虽不尽入口，皆浇灌取尽。曜饮酒不过二升，皓初礼异，密赐茶荈代酒。"(《三国志·韦曜传》) 孙皓时宫廷中就以茶代酒，招待客人了，后来饮茶之风日趋盛行。

唐以前饮茶，是将茶叶碾碎，里面加上膏脂，制成茶团，饮用的时候将其捣碎，加入一些调味品煎煮。渐渐地文人开始关注饮茶的器具与法式，将其精致化、典雅化、繁琐化、艺术化，使普普通通的饮茶活动上升到艺术修养的层面。宋代饮茶之风得到更加广泛的传播，蔓延到生活中的各个领域。王安石说："茶之为民用，等于米盐，不可一日以无。"宋代变唐时的煎煮茶法为点茶法，由于文风兴盛，还出现了"斗茶"的方式，丰富了茶文化的内涵。明代朱元璋颁布命令改煮茶为泡茶，彻底改变了茶的制作与饮用方式。

东汉末年，佛教初传入中土还未站稳脚跟，依附于黄老之学而存在，至南北朝时佛教得到了广泛的传播，开始了本土化的过程。隋唐时期，佛教的宗派林立，教义纷繁。六祖慧能创立的南禅宗提倡不立文字，直指人心，顿悟成佛，禅修方式多样，不拘于繁缛礼节，禅定的状态贯通于日常生活之中，这些教义在民间得到很大的发展。宋代之后，禅宗又进行了一些改革和创新，逐步融入于中国文化体系中，影响深远。

茶开始出现时是作为祛除疾痛、缓解目涩的药物使用的。由于它还可以清醒明志，魏晋时很多玄士作为一种清思助谈的饮用物来普及，佛教僧侣也加以模仿。南方的佛教寺庙大多隐藏于深山之中，历来有“深山藏古寺”之说，而山林丘地，气候湿润、云气缭绕，适合茶树的栽植，以供日常取摘之便。故此风一出，便迅速传开，佛教与茗茶结合得更加紧密。僧侣们不仅栽茶，还不断改进制茶工具，推动制茶技术的不断进步。

随着从种植、采摘、炒制到煎煮、品茗等一系列的步骤都在寺院中展开，茶文化渐渐地融入到了禅僧的方方面面，不仅饮茗助禅、以茶待客，还把茶纳入佛教的仪轨之中作为佛前供物之一，赋予茶以更深层的禅理。这时的茶已不再是作为本体的茶，而是禅化之茶，禅理通过茶这一载体表达出来，达到以茶入禅，以禅达茶。

中国茶道最高的境界是其与哲学、宇宙观结合融汇。“禅茶一味”是对这一过程的最为精辟的智慧总结。《神龙茶经》：“茶茗久服，令人有力悦志。”饮茶可以清心、寡欲、益思、节制，这都是茶叶本身的药用性所决定的，文人将其人格化之后视茶为洁净之源、悟道之本。这些品性与“顿悟成佛”、“人人皆有佛性”、“直指明心”的禅理并无差别，是融会贯通的、互为表里的。与饮茶相结合的最高禅修境界即是“顿悟”，也就是达到“悟即众生佛”。

唐代僧人皎然在这方面有着杰出的成就。皎然幼年出家，专心作诗，颇为推崇谢灵运，好茶乐饮，且能诗会文，号称“诗僧”，又称“茶僧”。他与“茶圣”陆羽为挚友，二人茗禅唱和，品茶参禅。他把禅理、茶道、哲理结合，推进了禅茶文化的意境观，将宇宙思想融入于其中。皎然在自己所作的《饮茶歌》中提出了“三饮”说，最能体现他的禅茶观。

饮茶歌·诮崔石使君

越人遗我剡溪茗，采得金芽爨金鼎。
素瓷雪色缥沫香，何似诸仙琼蕊浆。
一饮涤昏寐，情来朗爽满天地。
再饮清我神，忽如飞雪洒轻尘。
三饮便得道，何须苦心破烦恼。
此物清高世莫知，世人饮酒徒自欺。
愁看毕卓瓮间夜，笑向陶潜篱下时。
崔侯啜之意不已，狂歌一曲惊人耳。
孰知茶道全尔真，唯有丹丘得如此。

一饮便可以洗涤掉每天生活中的昏头、寐意，顿时感到神清气爽，透心沁脾。再饮“清我神”，自我的精神放松，渐入佳境，心平气凝，犹如皑皑白雪飘洒在世间，微尘随之升腾，为之舞动。三饮便得道了，不必苦心参禅，冥心顿悟，不悟乃是顿悟之源。

中国的禅茶文化历经千年的流变，其精神价值逐渐融入到文人、禅僧的血液之中，佛教禅理是中国茶道的精神源流，如翠竹含珠，灵石生玉一般。茶洁净、爽清的特性与之贯通，将山水、自然、禅机、宇宙观融为一体，创造出清新悦耳的旋律，飘荡在中国文人的心中，“寂了身外禅，洁净水中茶”。

镇江市金山寺内原有一把清代紫砂方壶，造型典雅古朴，包浆匀厚，古韵十足，应为当时的寺内高僧终日赏玩、清供之物。

我国的茶叶很早就通过“海上丝绸之路”和“陆上丝绸之路”输往中亚、西亚、欧洲、东南亚、东亚等地。随着暹罗、百济、高句丽、日本的学问僧返国，不仅带回了中国栽茶、制茶、喝茶等具体的手工工艺，还带去了作为精神层面的禅茶文化。尤其是日本，使禅茶文化得到更大的发展，并结合自己的文化传统，创造出了有别于中国的茶道文化。

紫砂盆与"立体的画、无声的诗"—— 盆景

紫砂器基本上是以紫砂茗壶著称于世的，但是在实际生活中，作为栽植花卉植物的紫砂盆却也广泛流行。

紫砂盆由四片泥片镶接而成，盆面比茗壶开阔得多，陶艺家可以更加自由地表达自己的情感追求，毫不受画面的限制，使大幅的画面绘制成为可能。作为融合诗、书、画、印等四种艺术为一体的综合艺术载体，紫砂盆是除茗壶、雕塑、文房器具之外紫砂器的又一朵奇葩，深受众多文人雅士、园艺家的喜爱。

各种质地的盆

在新石器时代的很多遗址中都出土了大量的盆钵，但这些类似于花盆的器物还是日常生活用器，而不是供欣赏栽植用的花盆。宜兴博物馆收藏有一件汉代墓葬中出土的陶盆，盆底有孔，是目前为止可以确定为花盆的最早实物。唐代以三彩盆最为绚丽多彩。宋徽宗为了建造庞大的园林工程 —— 艮岳，网罗天下奇花异石，后又命河南禹州钧窑烧制了一批官窑瓷器。其盆式多样，有葵瓣口、海棠式、六方、长方形等，釉色润泽、妍丽，有海棠红、玫瑰紫、月白等色，瑰丽多变。明代宣德年间烧制的青花瓷盆，胎质细腻，发色浓艳，有铁锈斑。清末，景德镇御窑厂烧制了一批"大雅斋"款的粉彩瓷盆，花鸟鱼虫，无所不包，清新淡雅。不过，瓷盆虽娇艳袭人、装饰性强，但由于表面施有一层釉料，空气和水分难以渗透进去，排水和通气性都较差，影响了植物的生长。

旧时泥制的花盆一直都有大量的生产，透水性虽好，但质地粗糙，疏松易碎，表面基本无装饰，暗淡无光，难以上升到艺术欣赏的层面。现在也有用石盆、塑料盆、铁盆等栽植花卉盆景，但都显不足，难以适合植物生长的需要。

盆景界公认的最适宜花卉植物生长的盆就是宜兴紫砂盆。其吸水率在 1.3%—5.19%，显气孔率在 3.35%—12.07%，易于排水透气，非常适合植物生长的要求。

明代文震亨《长物志》中记载："盆以青绿、古铜、白定、官哥等窑位第一,新制者五色内窑及供春粗料可用。"

清代陈淏子《花镜》中云:"近日吴下出一种仿云林山树画意,用长大白石盆,或紫砂宜兴盆,将最小柏、桧,或枫、榆、六月雪,或虎刺、黄杨、梅桩等,择取十余株……随意叠成山林佳景,置数盆于高轩书室之前,诚雅人清供也。"

◎◎ 家具配紫砂

紫砂盆造型多样规整,有方形、圆形、倭角方形、椭圆形等多式,口沿形式多样,线条流畅,有直口、漂口、窝口、蒲包空等等,不一而足。

由于紫砂的色调偏暗,古朴深沉,静穆稳重,与中国传统的贵重硬木家具,紫檀、黄花梨、铁力木、鸡翅木等木材的颜色基本接近,搭配协调,因此栽植在紫砂盆中的盆景陈设于几架、桌案上与古代的整个屋内陈设、木结构建筑是一致的,显得格外和谐、融洽。

紫砂盆越洋东渡——"古渡盆"

日本盆景界对中国的紫砂盆颇为热衷,江户时代之后大量进口,一般将嘉道之前传入日本的上品紫砂盆称为"古渡盆"。古渡盆线条柔和、舒畅,造型稳重、厚实,泥色古朴典雅,与日本盆景中常用的黑松、五针松等松柏类植物的神态、韵味极为相似,神貌暗合,融为一体。如今上海植

◎◎ 古渡盆

物园、扬州盆景博物馆等单位还收藏有一些当时出口到日本的古渡盆。

“盆”、“景”合璧

盆景艺术起源很早，在唐代的墓葬壁画中已有盆栽的花卉山石。它是以山石、植物花卉和水土等为主要材料，经过艺术的构思、创作和园艺的栽培、管理，模仿大自然优美景色，将其塑造在盆中的一种工艺陈设品。它呈现出小中见大、缩龙成寸的艺术效果，是植物栽培技术和造型艺术的巧妙结合物，犹如“立体的画、无声的诗”，“一峰则太华千寻，一勺则江湖万里”，表现了深远的意境。同时它寄予了创作者的胸中丘壑，和紫砂艺术一样，是艺人们情感的真实流露。

紫砂盆按审美趣味和尺寸的不同可以分为盆栽用盆和赏玩、清供微型盆。盆栽用盆的尺寸一般较大，但也有小型的，主要用于栽植花卉、山石、植物等山水盆景；赏玩微型盆的尺寸较小，有的小到只掌可容数只的地步，主要陈设于桌案、几架、博古架中，作为观摩、把玩之需。此外，还可以做成小的亭、台、楼、阁、水榭、人物、走兽、家禽，装点在盆景之上，起到点睛的艺术效果。

紫砂盆和盆景的结合是一次偶然的际遇，但又是必然的结果。大概从明代时盆景艺人们发现了紫砂独特的结构特性和古朴的泥色造型，将紫砂盆和老桩、花卉开始结合在一起，惊叹于它们的邂逅竟然是如此的完美。紫砂盆如果没有虬曲的枯干、通透的山石、灵动的流水的点缀就显得古板而黯淡，枯干、山石、流水不置于沉雄、静穆的紫砂盆中也会黯然失色，失去灵动之妙。你中有我，我中有你，互相依存，二者美的一面都在互相的衬托中更加彰显。

第三节 ◎ 跨海的使者

越是民族的，也越容易走向世界。宜兴紫砂无论是作品或是文化，都在西洋、东洋、南洋留下了紫泥的芬芳，香韵久远。

紫砂的外销、工艺的外传及国外的仿制

“西洋生意”与壶艺西渐

“西洋”在明代一般指是文莱以西的东南亚及印度洋沿岸的一些国家，清代主要指是欧美国家，与“东洋”相对，包括英国、法国、意大利、瑞典、美国等。明清时期大批的景德镇瓷器销往欧美国家，紫砂器作为中国一种独具魅力的陶器也随之传入到欧洲。由于欧美人分不清外销瓷器与紫砂器的区别，于是就笼统地称之为“红色瓷器”。作为外销的紫砂器以茶壶为主，还有一些咖啡具等，使用的装饰技法与内销的有所区别，一般都是以朱红色泥料为主，本山绿泥、紫泥产品不多，模印、镂雕、

◎◎ 欧洲绘画中的紫砂壶

贴塑等装饰手法使用的很多，而内销的紫砂却很少使用，题材有人物纹、双狮绣球纹、狮纹、花卉纹等。有的紫砂壶壶底还钤印有外国贵族的族徽或标志，制作砂壶的陶工的款识很少。

随着宜兴紫砂大量进入欧洲，一些国家如德国、英国、比利时、荷兰等国的陶艺家也开始模仿宜兴紫砂。据乐宾纳《宜兴陶艺西渐》一文记载，英国的埃乐斯兄弟、德国的席勒及格尔宾等公司和其他一些陶艺家都加以模仿。由于在泥料等方面存在着先天的差异，他们仿制的紫砂器不敌中国所制，但是对于欧美国家来说也可以称得上是成功之作，受到当地人的欢迎。

壶艺跨海东传与“东洋生意”

入唐之后，中国寺院的饮茶之风盛行。在此大背景下，来中国留学的大批日本学问僧及中国到日本传法的僧人都将佛教寺院的饮茶之风带到日本国内，促使了日本饮茶风尚的出现和形成。学问僧中的永忠、最澄和空海为之做出了不懈的努力。此后,扬州的鉴真大和尚东渡日本传法,带去了一整套唐代的文化体系,包括佛教经典、建筑、医药、园林、绘画、书法、漆器、茶艺等等工艺美术与人文精粹,极大地促进了日本文化的发展和繁荣。

随着日本饮茶之风的日盛,当地人对泡茶的壶具也格外重视、考究起来。明代宜兴紫砂因此源源不断地输往日本,与此同时,日本人也开始在本国设窑烧制紫砂器,万古烧紫砂器就是其中最有代表性的。16 世纪末,沼波弄山开始在日本三重县四日市朝日町烧制陶瓷器。他还仿制从宜兴地区外销到日本的紫砂器的形制和颜色,用当地所产的一种紫色泥料来烧制“紫泥急须”器,也就是紫砂器。这个时期所生产的工艺品都叫做万古烧。

明末清初,大量的紫砂器销往日本,尤其是钤印有“孟臣”、“陈鸣远”等紫砂名艺人款识的紫砂器特别受到日本上层社会的欢迎与钟爱,为得到这些名家所制精品紫砂壶,他们不惜花费巨大的代价。这一方面说明了日本文化受中国传统文化影响之深远,同时也可以看出日本虽然也仿制了紫砂器,但是与宜兴的紫砂器相比还是有很大差别的,不然宜兴紫砂不可能在日本有如此大的市场。

日本国万延、文久年间,宜兴紫砂在日本国内的影响已经达到了无人不知的地步。常滑地区世代医药名家平野忠司对于宜兴紫砂极为钟爱,嗜壶如命,且对过去万古烧紫砂器不太满意,于是就与日本制陶艺人冈二光一起制作紫砂壶。他们一般选用红色的陶土作为泥料,用手制、轮制或模制的方法制作,但尚未采用宜兴地区所特有的打身筒和镶身筒的成型技法,制成之后,再将其表面加工、磨削,使之平滑、光亮。

不管是万古烧还是常滑烧,它们都只是对紫砂器表面器形、颜色等方面的一种模仿,还未突破物象的范畴,接受的是一种表面的影响。清末光绪五年左右,著名的宜兴紫砂艺人金士恒受日本常滑地区陶工鲤江高须的诚挚邀请,赴日本传授紫砂壶制作的技艺,与金士恒同往的还有吴阿根等人。他们将宜兴紫砂制作技艺中最为独特的打身筒和镶身筒的做法展示和传授于日本陶工,使他们第一次知道原来宜兴紫砂不是通过轮制、模

◎◎ 日本收藏紫砂壶

制等手法制作出来的。常滑地区的制陶业开始完全突破了旧有的束缚，实现了陶业的技术革新，至此，结束了形式上的模仿与借鉴。时至今日，日本常滑陶艺者还没有忘记金士恒等人，给予他们以极高的评价。

明清紫砂在日本各界都产生了很大的影响，促进了日本盆景的发展和茶道的改进，与此同时，日本本土文人对紫砂的收藏逐渐兴起，并撰写专书出版。1874 年（日本明治甲戌年）日本著名的紫砂收藏家奥兰田撰写了日本第一部关于紫砂的书籍《茗壶图录》，其自序云：“人非圣，孰能无癖……予于茗壶嗜好成癖焉！不论状之大小、不问流之曲直、不言制之古今、不说泥之粗细、款之有无，苟有适于意者，辄购焉，藏焉。把玩不置，而虑其或毁灭难保，欲作图记以垂于后而未果。”这也就道出了作者因为甚喜茗壶，又恐其毁坏，故著录之。

◎◎ 日人制玉川珍壶

《茗壶图录》共分为上下两册，上册是文字叙述，系统记载了紫砂茗壶的历史传承、茗壶技艺及相关内容，分为源流、式样、形状、流鋬、泥色、品汇、大小、理趣、款识、真赝、无款、捏、别种、用意等十四个章节；下册是图版，包括紫砂线图和相应尺寸大小，也是这本书的最大价值所在。

奥兰田在《理趣》一节中道出了赏玩紫砂壶所应存之心态：“然壶本玩具也，玩具之可爱在趣而不在理，故以理则小直而可，以趣则大曲亦可。知理而不知趣者，独取小与直而不取大与曲，知理又知趣者，不论大小曲直，择其善者皆取之。知理而不知趣，是为下乘，知理知趣，是为上乘。”这对于今天的爱壶、好壶者亦有可取之处。

“东洋”一词近代指中国以东日本、朝鲜半岛，但很多场合下主要指日本。民国时期，紫砂器依旧大量销往日本，紫砂行业就把外销到日本的紫砂叫作“东洋生意”，民国初年，宜兴地区的紫砂窑户葛翼云与日本商人合作紫砂壶生意，并且在日本名古屋市开设了专门销售紫砂的陶器店，销售紫砂茗壶、花盆、文房器具等一些用具。

“南洋生意”

“南洋”为明清时期对于东南亚一带的称呼,主要包括印度尼西亚群岛、马来群岛、菲律宾群岛、中南半岛、马来半岛等地。古代中国南方地区的汉族曾大量移民到这些地区,明末之后,汉人更是大量进入,在此种植、经商、结婚、定居,在一定时期内甚至还建立了一些汉族政权,因而汉化的程度很高。清朝光绪十九年,清廷宣布废除海禁,开放一些口岸,这种背景下,南方大批的人外迁,因而南洋地区的华侨很多。他们基本保持了中华民族旧有的生活和风俗习惯,“衣冠语言礼仪风俗,尚守华制”,“楹联匾额所在皆有”,体现了一种强烈的乡土观念和历史观念。

大批华侨、华人的生活中需要大量的瓷器、紫砂等日用品,当地的制作水平很低,且价格昂贵,因而,这些日用品都依仗于中国的生产,紫砂器的出口量极为庞大。行内把这段时期销往南洋的紫砂器称之为“南洋生意”,有南洋人到中国内地购买运输过去的,也有国内紫砂商人运输到当地的。光绪二十八年,宜兴大窑户陈氏和鲍氏联合起来做南洋生意,在新加坡开设“鼎生福”商号,销售宜兴所产紫砂大路货和工艺精品。

在销往南洋的紫砂中,以“暹罗生意”销量最大。暹罗是泰国古代的称呼,由于习俗的差异,销往暹罗的紫砂装饰及工艺与国内紫砂有所不同,造型有牛盖洋桶壶、梨形壶、扁壶等,特别是洋桶壶,一般都是在壶的的子、盖缘、壶沿、壶肩、壶足、壶嘴等部分镶嵌铜、锡、银等金属片或条,有的在壶身上面也罩有镂雕的带图案的银片,壶提梁也常使用金属制成。

参加国际比赛荣获大奖

民国时期,中国的各种工艺品开始走向国际舞台,参加各种国际赛事。在众多精美的艺术品中宜兴紫砂以其独一无二的泥料、独特的造型、巧妙的构思、实用性和艺术性紧密结合的特点得到国际上的承认,获得了众多殊荣。

民国四年(1915 年),程寿珍、范大生等紫砂艺人制作的掇球壶、大柿壶等紫砂精品获得美国旧金山太平洋万国巴拿马博览会头等奖，这是宜兴紫砂首次在国际博览会上获奖，其意义不容忽视。也正是由于这次的成功及其他各种有利因素，才使得宜兴紫砂在接下来的博览会上屡创佳绩。

民国十五年（1926 年），宜兴利永陶器公司选送了一批本公司生产的紫砂精品，有紫砂茗壶、茶杯、紫砂碟等，参加在美国费城举办的费城世界艺术博览会，并获得奖状。民国十九年（1930 年），该公司又选送了一批精美紫砂参加在比利时举办的列日国际博览会，并且获得银质奖章。

民国二十一年（1932 年）是宜兴紫砂在国际舞台上获得巨大成功的一年，也是民国时期宜兴紫砂最辉煌的一年。宜兴紫砂在芝加哥世界博览会上一举获得了 8 块奖章，俞国良所制的红泥传炉壶、程寿珍最为拿手的掇球壶、范大生创制的鱼化龙壶以及合棱壶、朱可心制作的云龙壶及竹节鼎壶、汪宝根制作的紫砂三友壶及紫砂大东坡壶等获奖。

民国二十四年（1935 年），范大生创作的雄鹰雕塑获得英国伦敦国际艺术展览会金奖。

民国建立之后至抗战爆发前宜兴紫砂能够在国际舞台上频频崭露头角，获得殊荣，与它们早在 1910 年（清宣统二年）在南京举办的南洋劝业会上获得大奖也有关系。

南洋第一次劝业会是中国官方首次举办的具有全国性乃至国际性的一次商品博览会，张謇、虞洽卿、李平书、端方等著名商界和政界人士都积极筹划、参与此事。参赛方包括南洋的雅加达、新加坡、爪哇等地，国内的直隶、陕西、湖南、两江、河南、安徽、云南、四川、江西等 22 个行省都设立展览馆，参与评选，参展的还有一些欧美和东洋产品。参展产品有教育、图书、经济、交通、制作工业等 24 部 400 多类，约百万余件，种类之多、数量之大，几乎涵盖了生活的方方面面，难怪人们盛赞“一日观会，胜于十年就学”。在历时六个月的时间里，参观人数多达 20 万。

在劝业会上，宜兴地区的著名实业家、公司商号及陶艺家也选派了紫砂及相关产品赴南京参展、评奖。经过专家评审，共评出各类奖项 3345 项，宜兴紫砂也榜上有名。宜兴阳羡陶冶公司、宜兴物产会等选送的程寿珍、俞国良、范大生等著名紫砂艺人制作的宝鼎壶、传炉壶、海竹顶壶、大柿紫砂壶等获奖，此外，宜兴鲍明亮制作的高达 1.6 米的均釉大花瓶也获得劝业会的奖状。这些选送的紫砂产品都是聘请紫砂名艺人特地制作的，泥料精选、胎质细腻、造型创新、构思巧妙，获得了评审团的一致好评。

南洋第一次劝业会意义重大，“开启明智，振兴产业”，推动了中国近代工业和手工业的发展。宜兴紫砂业在南洋劝业会上得到的荣誉也激发了紫砂艺人及整个宜兴地区人民对紫砂陶艺的一种文化自觉。他们更加积极地投入到紫砂的制作和创新中，既保存、延续着紫砂壶艺特有的传统，又不断与时俱进，令宜兴紫砂能够在接下来的 20 年中屡屡在国际上发出自己独特的光辉，为宜兴乃至中国的工艺及文化赢得了世界的尊重和认可。

改革开放后，许多紫砂艺人纷纷被邀请到国际上作技艺交流，同时宜兴紫砂在国际舞台上继续获奖。1984 年，著名紫砂艺人顾绍培制作、谭泉海陶刻的紫砂百寿瓶以及李昌鸿、沈蘧华制作，沈汉生陶刻的紫砂竹简茶具同时获得德国莱比锡春季国际博览会金质奖章。

2010 年在上海举办的世界博览会上，宜兴紫砂同样以不凡的身姿亮相，成功举办了《陶都风 —— 中国宜兴陶瓷艺术上海世博展》。

国外的收藏

《瑞典藏中国陶瓷》一书披露了两件宜兴紫砂器，一件为西方古董公司所收藏的镶嵌银饰的红泥紫砂圆筒提梁壶，壶口径 9.6 厘米，足径 13.6 厘米，高 17 厘米，为朱红泥制成，壶身稳重规整，壶盖为牛鼻形，壶嘴与正常的牛桶壶不一样，为方形。壶嘴、壶肩及壶底足部分包连珠纹形银条，底足下还有三个外撇的小足，砂壶提梁也为银条所制，装饰的手法与销往暹罗的洋桶壶相似，这都反映了不同的文化传统和审美趣味。还有一件是歌德堡市博物馆收藏的粉彩开光式折枝花纹六棱紫砂壶，壶身为六棱形，壶嘴与壶把也都是带棱角的，表面采用粉彩装饰，壶身先施一层绿松石色釉，再在上面做开光装饰，里面绘画有折枝菊花纹、折枝竹纹，依

◎◎ 外销欧洲的暖壶套

器形和装饰看大致是清代中期偏后的产品。

其他如丹麦、德国、英国等皇室过去都收藏有大量的紫砂器，一部分是明清时期外销后流传至今的传世品，还有相当部分是近几十年来在通往欧洲国家的印度洋、大西洋海域中出土的紫砂器。它们的造型和皇室传世品的造型一致，说明确实是明清时期外销到欧洲的。

第四节 ◎ 非凡的人文价值

宜兴紫砂工艺自明代发展成熟以来，在一代代陶艺人持续不断的发展、创新中，至今走完了 800 年左右的历史，还一直保持着旺盛的生命力。

紫砂工艺的特点

宜兴紫砂工艺在近千年的发展中一直保持着原真性的面貌，有着如下的特点：

第一，具有工艺形成及传承地域高度集中与稳定、工艺体系发展脉络与结构清晰且延绵不绝、作品类型适应中国民间饮茶等活动需求而逐渐丰富这三者统一的唯一性特征。根据目前资料，在全国和世界范围内，还没有任何一个地点存在与宜兴手工紫砂陶艺相同的工艺体系。

第二，具有融实用性与艺术性于一体的特征。宜兴手工紫砂陶艺在泥料选择与练制、工具磨制、造型构思、打片或镶接成形、装饰、焙烧成器乃至考虑使用功能及使用效果方面等整个工艺过程中都包含着实用性与艺术性的有机结合。

第三,具有原料产地、结构、性能的稀有性特征。优质紫砂原料产于宜兴丁蜀镇黄龙山地区的甲泥矿层之中,产量很少(据专家统计,每开挖1000吨普通陶土才能从中分选出4吨紫砂泥料)。这一原料的发现是宜兴陶业者在千百年实践过程中反复选择的结果,稀有的黄龙山紫砂原料是宜兴手工紫砂陶艺得以存在和最终形成的自然基础。

第四,手工紫砂陶艺成型技法的个性化特征。手工紫砂陶艺既不同于一般陶器使用的泥条盘筑法,也不同于普遍使用的瓷器拉坯成型法,它是一种经过历史演变、针对特定泥料和特定造型精细加工要求而形成的特殊工艺技法。在具体工艺操作过程中,它还因工艺流派或个人手法、招式、手工工具的不同而产生因人而异的变化,其中奥妙非亲自操作难以体会。

第五,造型和装饰风格的人文化特征。手工紫砂陶艺作为一种民间工艺,在发展过程中不断吸纳各种文化营养,以提升工艺的文化含量,保持旺盛的生命力。历代紫砂艺人也主动与文化人合作,改进作品造型,丰富装饰内容,拓展工艺的生存空间和表现力。因此,千百年来尽管时代背景不断变化,但它在坚持工艺传统的基础上仍持续传承和发展。

第六,坚持人文之美与自然之美高度和谐的特征。手工紫砂陶艺的重要特征是人与自然的互动与和谐。具体表现为:一,是制陶人发现了自然界紫砂泥料的天然之美,它不需要添加任何其他原料即可制成人们所需的物品;二,工艺过程的目标是适应泥性要求,尽量展现天然材料的外形与本质之美,内外不施釉,全手工操作,取其纯朴之质,追求的是人与自然之间的互动、尊重和亲近;三,在工艺手法中,注意升华自然之美,通过各种造型和技法,不断开拓紫砂作品美的内涵,使自然材料在人力的辅助下实用化、艺术化、人文化、审美化;四,工艺的目的是让人们享受自然之美,紫砂作品主要不是用作纯粹的陈设观赏,而是被引入民众的日常生活,与开门七件事(柴米油盐酱醋茶)之一的“茶”相结合。不管是农人、市民在田间、茶馆的共饮,还是文人、僧道在书斋、庙宇的品鉴,饮茶人当时的舒心、共享、淡泊、宁静的心境与紫砂茶具的纯朴、典雅、简洁甚至有些土气的风格皆和谐共美,体现出东方民族工艺的智慧,是先民对生活之美的独特体悟与创造,也是传统民间工艺遗产给予今天与未来人性与生活的馈赠。

紫砂工艺的价值

宜兴紫砂自明代以来一直受到人们的重视和喜爱,不管是在禅院高堂,抑或是在茅屋农舍、田间地头都可以看见它们的身影。

经对现代尚存的手工紫砂陶艺活态遗产的调查,并结合宜兴境内发现的紫砂窑址出土标本、全国各地考古发现紫砂实物及传世紫砂器之工艺分析,证明 800 年以来该工艺的技法、流程、特征得到了完好的保存。传承至今的宜兴手工紫砂陶艺堪称文化“活化石”,对研究中国传统陶艺内涵及其文化发展过程具有重要的历史价值。

宜兴先民在千百年的制陶实践活动中,发现了罕见的紫砂原料及其所具有的透气性好、可塑性强、收缩率小、呈色丰富等优点,并且发明适合该原料特性要求的独特的成型工艺,继而制作出饮茶等器具,在这一过程中体现了多种科学原理的使用。经当代中国科学院上海硅酸盐研究所等机构的研究,证实紫砂泥料具有特殊的分子结构和诸多优良特性,在手工打片、拍打成型和明针修光的过程中,一方面提高了材料的密度、强度和可塑性,器表的光亮度及美感等,同时又能使器胎内部仍保持良好的透气性能,大大提升了器物的使用价值。此外,为提高器物的工艺水平,艺人们对不同泥料的配比率、收缩率、成品在焙烧前后色彩变化的经验把握等,都蕴含着丰富的科学原理。今后随着现代科学研究的深入,这一文化遗产中所包含的科学价值还会得到更多的揭示。

手工紫砂陶艺在成器过程中创造了很高的美术价值,一是其材质之美:质朴无华、完全裸露的天然肌理,珠粒隐现,或如玉石,或如金铁,且愈用愈美,质比玉石,使人喜爱;二是其工艺美:各种造型端庄完美,大小适中,体态和谐,圆器珠圆玉润,方器轮廓周正,花器表达逼真,筋纹器脉络清晰，嘴、盖、的、线搭配协调，浑然天成，各种装饰手法更是丰富多彩；三是使用的功能美：前人总结出紫砂壶饮茶可获得诸多美的享受，其他门类的紫砂制品也经久耐用，性能良好；四是高雅的品位美：紫砂陶器吸纳了大量的传统文化精华，日本学者奥兰田曾在《茗壶图录》中用拟人化手法称誉不同风格的紫砂壶，谓之或温润如君子，或豪迈如丈夫，或风流如词客，或丽娴如佳人，或廉洁如高士，或脱尘如衲子。作为一种民艺类生活器具，它真正达到了雅俗共赏、可用可品的崇高艺术境界，从而将中国陶器之美推进到了极致。

紫砂在中国历史悠久的陶瓷工艺上及其文化传统上具有唯一见证的价值。手工紫砂陶艺扎根于太湖之滨的宜兴市丁蜀镇社区，千百年来，其工艺传统世代相承，具有悠久而鲜明的地方特色。目前可知，在我国乃至世界范围内，还没有第二处地方存在类似的以紫泥为原料，采用打身筒、镶身筒等工艺手法成型的独特的工艺体系。

• 具有体现高超的民族工艺水平的价值。手工紫砂陶艺用料独特，需采用传统方法开采、分选、晾晒风化、粉碎、澄练等；加工技艺独特，艺人自己制作各种各样艺术化的加工工具，采用围片打身筒法或切片镶身筒法及拍、刮、压、削、勒、推、捏、塑等多种成型技法，在装饰上又吸纳传统的诗、书、画、印、刻、雕等民族文化精华，造型语言丰富，器形繁多，融实用性与艺术性于一体，切实体现出高超的工艺水平。

• 手工紫砂陶艺自宋元时代诞生、明代成熟以来，历代艺人在坚持传统工艺的基础上，不断汲取各种文化营养，在泥料配制、制作工艺和烧制工艺及相关工具改进、造型翻新、扩大器种等方面，适应生活方式不断进步之需求，提升文化品位，形成不同工艺流派，持续创新，具有充分展现中华民族文化创造力的特殊价值。

• 中国古代陶瓷工艺成就称冠于世界，宜兴手工紫砂陶艺是其中杰出代表之一，也是成就中国“陶都”宜兴的主要因素。紫砂陶艺作品富含民族文化内涵，在材质、造型、装饰、用途和审美等各方面与道家文化、儒家文化、佛教文化特别是茶文化有着密切联系。数百年来，它流传广泛，除在中国各地，尤其是中国南方及港台地区影响深远，其作品还传播到日本、东南亚、南亚、欧洲等多个国家和地区，并为国内外许多著名博物馆收藏，不少作品被我国领导人作为“国礼”赠送给外国政要。某些工艺要素还被日本及欧洲的陶艺界学习和效仿，促进了不同国家民族之间的文化共享。近代以来，许多优秀作品在国内外获得百余个国际或国家级的工艺奖项，一些工艺传承人被多次邀请出国作手工工艺表演或作品展示。由此证明，该遗产在促进中华民族文化认同，体现中华民族独特的文化精神和民族智慧，增进不同国家和地区的文化交流等方面都具有特殊的价值。

• 宜兴手工紫砂陶艺及作为一种经过千百年积淀形成的民族民间工艺遗产体系，其生存空间、工艺特征、传承谱系、传统文化内涵等迄今保存完好，具有见证中华民族活的文化传统和维系中华民族文化传承的宝贵价值。

自明清以来，手工紫砂陶艺其工艺产品受到社会各阶层的普遍欢迎和高度评价。近年来，随着国际文化交流的频繁和国内人民生活水平的提高，紫砂陶艺表演、紫砂作品展销、紫砂文化研究、紫砂工艺论著出版等活动相当活跃。加强传统手工紫砂陶艺遗产的保护，对提升中国传统工艺的经济利用价值、拓展传统工艺旅游业和展览展示业、增强中国传统手工技艺及其作品在国际上的影响力和竞争力等都有重要价值。

宜兴的紫砂陶艺也是十分重要的非物质文化遗产。按照联合国教科文组织确认的定义，人类口头非物质遗产指“人们学习的过程及在学习过程中学到的和自创的知识、技术和创造力，还有他们在这一过程中创造的产品以及他们持续发展的必需的资源、空间和其他社会及自然结构；这些过程会使现存社区具有一种与先辈们相连续的意识，对文化认定很重要，对人类文化多样性和创造性保护也有着重要意义”。宜兴手工紫砂陶艺从制作到使用，数百年来的发展形成了独树一帜的紫砂文化，成为体现宜兴地域特色和地域空间文化创造性的重要文化形态。

第四章 ◎ 技艺篇

第一节 ◎『五色土』的传说

紫砂泥料的颜色丰富多变，朱红色的，艳若朱砂；紫黑色的，深沉典雅；黄褐色的，宛若秋梨，表面隐隐有沙点；还有墨绿色的，恰似仲夏荷叶，美轮美奂，令人心驰神往。

当我们看见一件件五颜六色的紫砂器时，犹如进入万花园中，美不胜收。我们不禁要问，紫砂难道还有这么多色调？

据明末周高起《阳羡名壶系》中记载："相传壶土初出时，先有异僧经行村落，日呼曰：'卖富贵！'人群嗤之。僧曰：'贵不欲买，买富何如？'因引村叟，指山中产土之穴去。经及发之，果备五色，灿若披锦。"清吴骞《阳羡名陶录》延续了周高起的说法，也有类似的记载。因而紫砂泥料又被人们称为"五色土"或"富贵土"。前者突出了泥料的发色，后者更多地寄托了先民们对泥料带给他们幸福的感恩。

五色土的丰富色调给予制陶艺人们以视觉上的享受，激发了他们的创作灵感。一把把精致、典雅的茗壶在灵巧的双手中诞生出来，留给我们无限的遐想，而藏家们却很难一一辨识，难怪日人奥玄宝《茗壶图录》中说："泥色之辨洵难矣，每壶各异，辟犹天文之灿然，不可得而名状也。"

面对诸多泥色的同时，不同的泥料由于化学元素的差异、烧成温度的不一，以及窑位等环境的不同，也可能烧成异样的色调，甚是玄妙。有的如雨过飞虹，有的似流霞跌宕，有的像古鉴黑漆，各色各样，目不暇接。清吴梅鼎《阳羡茗壶赋》："若夫泥色之变，乍阴乍阳。忽葡萄而绀紫，倏橘柚而苍黄。摇嫩绿于新桐，晓滴琅玕之翠。积流黄于葵露，暗飘金粟之香。或黄白堆沙，结哀梨兮可啖。或青坚在骨，涂髹汁兮生光。彼瑰奇之窑变，非一色之可名。如铁如石，胡玉胡金。备五文于一器，具百美于三停。远而望之，黝若钟鼎陈明廷。迫而察之，灿若琬琰浮精英。岂隋珠之与赵璧可比，异而称珍者哉。"吴梅鼎的这篇赋将五色土的种种发色描绘得淋漓尽致，十分形象，认为就算是隋珠（也就是月明珠）和赵国和氏璧这样的人间至宝都不可以与之相比，更加突出说明了"富贵土"的珍贵。

第二节 ◎ 泥料的开采和加工工艺

坑道暗洞洞，鬼火烟雾浓。腰酸前痛出洞口，鼻如烟囱两眼红。
紫砂泥料的开采与加工，
是紫砂工艺得以产生发展的基础。

紫砂泥料的开采是紫砂工艺的首要步骤。一般可以分为两种:一种就是所谓的“明宕”、“明掘”，也就是露天开采，这种矿藏一般露于地表，或在地面以下几米深，矿层浅而易采;另一种就是所谓的“暗宕”、“暗掘”，古代开采时，一般先在矿山上开出一矿坑，用坚硬的黄石块将矿口边围砌一周，保证矿口的牢固，进入矿洞后一边采，一边砌，防止矿石下塌危及生命。有的坑道能够深至矿山下二三里，深达数十丈。

明清时期，开采陶土成为当时丁蜀镇一带农民的副业。他们在农闲时往往多人一组，形成小团体去开采，开采出来的泥矿卖给场户加工成泥料。除了农民团体外，还有一种宕户雇工开采的形式，他们拥有简单的工具和少量的资金，用尖嘴锄等农具开采，竹畚箕搬运，菜油灯照明，虽然很辛苦，但效率低下，规模很小。当地流传的一首民谣中唱道：“坑道暗洞洞，鬼火烟雾浓。腰酸背痛出洞口，鼻如烟囱两眼红。”

紫砂原料产于黄龙山一带的甲泥矿层中间，呈块体岩石状，需要在开采过程中加以分选，然后经摊晒风化、粉碎、过筛、加水搅拌、除水沉淀、脚踏踩练或捶练、切块、陈腐备用等一系列工艺程序，以达到控制原料精细度、排除泥料中的杂质和空气、融合泥水以增加泥料可塑性等目的。这一过程历时数月，甚至有将泥料存放数十年者。紫砂泥料的处理和配比有严格要求，有“取用配合，各有心法，秘不相授”之说。

练好的熟泥

紫砂的泥料加工工艺经过了手工制备到机械制备的转变。20 世纪 50 年代之前泥料的粉碎一般采用打杵法，以后变为研磨法。民国徐珂《清稗类钞》中说：“泥初出山时，大如煤块。舂以杵，必数次，始取其较细者，浸之于池，经数月，则粗分子下沉，其最上层，皆有黏性，乃取以制器。”在一般生活用品的制作中可以使用机械制备泥料，但是对于反映艺人们艺术构思、审美意趣的工艺品的制作还是多采用传统的技法，以体现出紫砂技艺的坚守和文化的传承。

艺人们对泥料的认识也存在着一个逐渐认识的过程。开始时主要采用量大、易采的甲泥制作一些粗糙的日用生活用品，如缸、瓮、罐、坛等等。这一过程经历了很长的时间，一些蕴藏在甲泥中的紫泥也被人们当作一般泥料来对待，大家尚未

开采紫砂泥料

认识到它的真正价值，更未具备一种文化自觉。在漫长的岁月中，有人逐渐发现紫泥的泥质较甲泥更为细腻、匀润，于是将其筛选出来加以利用。因为紫泥质地较硬，故将它堆放在露天，靠风吹日晒使之自然崩裂、分化，再经过捶打、碾磨成为可供使用的粉末。

起初可能由于产量较少，紫泥只能用来制作小件器物，烧成后发现表面光亮、洁净，大不同于用甲泥制作的器物，而是更加规整、典雅。利用紫泥制品的过程，凝聚了先民们长年的经验积淀和无限的想象力，可以想象出当时在没有任何化学检测的条件下他们的智慧与能力。

紫砂泥料的发现与大量使用是宜兴紫砂业得以发展的物质基础，没有这一厚重的根基，也就不会有风靡世界的宜兴紫砂艺术。

第三节 ◎ 宜兴紫砂陶的成型技法

宜兴紫砂陶的成形技法，从纵向来说经历了万年的演变，从横向来说吸取了其他地方陶艺的经验，最终形成了独有的工艺特色。

中国古代制陶业的成型技法

史前时期陶器可以通过手制法和轮制法两种途径制得。手制法在前，轮制法在后。手制法从陶器出现的那一刻就随其左右，一直被人们使用。

手制法主要包括捏塑法、泥条盘筑法、泥片贴塑法和模制法。它们出现的时间早晚不一，使用的范围也各不相同。

捏塑法就是不借助于其他工具和设备，完全用手捏出一定的器形或形状。捏塑法可能是最早出现的制陶技法，主要捏制小型器皿、玩具和器物附件等，会在器物的表面留有大量凹凸不平的手指纹。新石器时代早期的很多遗址中都出土了一些捏制法制成的碗、盘、杯、罐等日用器皿，长江中游石家河文化中出土了一些捏制的玩具，小巧喜人。大溪文化出土有一种会发出响声的陶球，里面还先预置有一粒小石子，也是使用捏塑法完成。汉代的陶人、猪圈等陶明器尚在使用捏塑法。

泥条盘筑法在新石器时代早期出现，中期极为盛行，晚期还有一些地区继续使用，前后延续了几千年。一般是先用泥料制成一圆饼状的泥块，同时搓出很多泥条，可长可短。根据泥条的长短和使用方法不同，可以分为两种情况，一种是在制成的圆饼状泥片上面一层层地堆筑基本等长的泥条，口沿的大小可由泥条的长短来控制。一种是只使用一根长泥条，将泥条的一点按在圆饼形泥块上，然后沿着顺时针或逆时针的方向作螺旋式向上盘筑。制作过程中需要随时拍打，用手带水将器内外的泥缝抹平、按实。这种方式制成的器物内部都有泥条盘筑的圈痕，有的器物外部也存在。制作水平较粗糙的器物，经过烧造后泥圈往往会脱落，一些史前遗址中就出土有这种烧制过的泥条。商周一些遗址中出土的原始瓷器也是采用泥条盘筑法。这一技法在云南等少数民族地区依然使用着。

泥片贴塑法是以具有一定形状的木头、砾石等其他物体为依托物，将泥料拍打成的泥片贴在依托物的表面，再用手将器物泥面之间的缝隙抹平，后脱去依托物。泥片贴塑法的缺点和泥条盘筑法一样，泥片与泥片之间黏合得不牢靠，容易脱落。广西甑皮岩遗址中出土了很多泥片贴塑的陶器。

模制法分为两种，一种叫作内模法，适用于带有袋足的陶器，如鬲、甗等。使用陶质、木质等其他材质的器物作为模体，将搓制好的泥条盘筑或圈筑在模体上，用拍子或手拍打成与内模形状相似的陶坯，有的袋足内部有反绳纹，这是用表面带有绳纹的器物作为模体的。还有一种叫外模法，即把泥料或泥片压在模型内部，稍干后取出即为器坯。

轮制法在新石器时代的中期就已经出现，使用结构极为简单、速度很慢的轮盘制作陶器，还可用此来修整陶器的口沿，使之更加规整、光滑。随着陶车结构的完善，速度也开始提升，将泥料放置在转盘上，用手或木棍拨动转盘，使之快速旋转，再用手护住泥料，将其慢慢向上提升，器物的形状也随之渐渐呈现出来。可以通过改变手法和转盘的转动速度来制作各种形状的陶器，但只能用于制作圆器。轮制法带动了制陶技术的飞跃，是一次跨时代的技术革新，制出的器物器形规整、造型优美、厚薄均匀。新石器时代后期龙山文化中出现的蛋壳陶就是使用轮制法制作的史前最为精美的陶器。

宜兴地区万年的陶瓷成型技术

陶瓷器的成型技法

宜兴地区在新石器时代早期偏后时就已经有人定居。2001—2002年，南京博物院在宜兴市新街镇夏姜村唐南村发现了一处距今7000—5000年左右的重要的新石器时代文化遗址——骆驼墩遗址，取得了重大收获，遗址中出土的大量陶制品拉开了宜兴地区制陶业的帷幕，推进了宜兴地区文明发展的进程。

骆驼墩遗址中出土的陶系以夹蚌陶为主，还有一些夹砂陶，泥质陶在后期的地层中才有所发现。器形有釜、灶、盉、罐、豆等，流行平底釜，类型多样，包括罐形、尊形、直筒形等，每一种器形在多年岁月中都有一定的变化。

骆驼墩遗址中出土的陶器以泥条盘筑法成型为主，有的附件如鋬可能使用了模具成型，这些都是宜兴地区最早出现的制陶成型技术，为以后的发展奠定了基础。

汉代的窑址在宜兴地区大量分布，器形规整程度不高。一些窑址中出土了大量的直颈瓮和大敛口瓮，胎体的内部有一些陶捶的压痕，采用了一种有别于轮制的成型技法，即手工打片成型，这也是宜兴地区日用缸器成型的传统方法。

南朝隋唐之时，丁蜀镇及其周边地区窑炉林立，青烟四起，所制的青瓷器釉色纯正，胎体厚实，轮制的技法更加娴熟，器形规整，产品运销于长江中下游地区。宜兴地区陶瓷成型技术囊括了中国陶瓷成型技法的全部，为宋代紫砂器的出现、形成、发展奠定了厚实的成型技术基础。

紫砂器成型技法的流变

宜兴紫砂陶自宋代起使用手制成型法和轮制成型法。宜兴先民在不断的实践中对之加以改进、发展，并最终形成了紫砂陶制作独具的两种成型技法——打身筒成型和镶身筒成型。这两种主要的成型技法区别于世界上所有其他的制陶成型技法，它们并不是凭空出现的，而是在宜兴乃至中国万余年的制陶经验积累的基础上产生和发展起来的。任何一种技术、文化的出现和发展都离不开周边大环境的氛围，没有中国悠久、精湛的制陶业也就不会产生宜兴独特的紫砂工艺。

捏塑法主要用来制作一些小型的或器形不要求规整的紫砂器具，现在的花货产品或一些紫砂附件依然使用着捏塑的技法，借助于一些制作精巧的工具使其更加精致化、象形化。

泥条盘筑法在紫砂的成型中一直都使用着，制成后的器物内部会留下一圈圈的泥条痕，器外用明针等工具加以修整、精加工，凸显出紫砂特有的细腻泥质和光润的表色。

模制法也是紫砂传统的成型技法，使用甚为广泛，“供春制壶，‘斫木为模’”、“淘细土抟胚，茶匙穴中，指掠内外，指螺纹隐起可按，胎壁累按，故腹半尚现节腠”。供春所制的茶壶腹伴有手捏的节腠痕，吴经墓中出土的提梁壶的腹半处确有节腠痕迹，可知文献记载不虚。现代很多筋囊类的产品常用模制的成型技法，器物规整划一，但缺少自然美感和手工的韵味。

近几十年来，宜兴紫砂也使用了一些其他的如注浆成型和塑压成型的技法。注浆成型技法是20世纪50年代开始使用的，用石膏做成内外腔体，将含有一定量水分的泥浆注入到石膏腔体之中，随着时间的推移，石膏会渐渐吸收泥料中的水分，要随时添加泥料，等到器物的形状形成后脱去石膏模，毛坯就完成了，经过进一步的加工，才能使其表面变得光滑、润泽。但是不管怎么精加工，这类作品表面依旧没有使用打身筒成型的器物光滑，因而中高档的紫砂艺术品是不使用这种方法的。

塑压成型主要是利用泥料的可塑性，将泥料放置在石膏模型的下模，随着上模的下降，形成一定强度的压力，泥料也挤压成相应的器形。再通过空气压缩机把气体注入到模型内，使泥料中的水分排出，在与模型接触的地方形成水膜，这样方便把器物从模型中脱出。塑压成型法主要用于生产器形不规整的花盆，操作简单，省工省时，生产效率高。

第四节 ◎ 解剖紫砂壶

紫砂茶壶的主体为壶身，壶盖、壶钮、壶嘴、壶把、壶底、壶足各部件分别单独制作成型，通过镶接与壶身契合。方壶及大众产品多用明接法，接痕明显。圆壶使用暗接法，壶嘴、壶把与壶身之间天衣合缝，浑然一体。

壶身

壶身是茶壶最主要的部位，它中间形成了空腔，可供泡茶。依据壶身的形状可以分为圆形、直筒形、方形、多边形、象生形等多种，不同的造型各有韵味。圆球形和直筒形都采用打身筒技法成型。方形壶身的成型方法和圆形壶不一样，采用镶身筒的成型技法。壶身四周用四块泥片组成，如印包壶、方斗壶等。象生形花货壶的壶身一般模仿自然界的生物制作。传为供春所制的瘤瘿壶壶身就是仿照银杏树瘤的形状制成的。

壶盖

按照壶盖与壶身接触位置的不同可以分为嵌盖式、截盖式、压盖式三种。

(1) 嵌盖式:壶盖镶嵌于壶口内部,其中一种为平嵌式,壶盖与壶口处于同一个水平面上,没有丝毫的偏差。

(2) 截盖式:把制成的完整的壶身上面截下来作为壶盖。截盖式茶壶整体性最强,没有多余的感觉,造型简洁、线条流畅。但截取难度大,不易操作。梨形壶、西施壶、芒果壶、印包壶等壶形非常适合采用截盖式技法,盖、身浑然一体,毫无匠气。

(3) 压盖式:壶盖压在口沿之上,壶盖的外径稍大于口沿。一般分为方形和圆形两种,如掇球壶、云肩如意壶等。

壶盖不管采用哪一种形式,都要做到紧密、合缝、可转。紧密是指壶盖与壶身之间的扣合要牢靠,不能晃动摇摆。合缝,就是要求盖与口沿二者之间要严丝合缝,间不容发。可转,要求圆盖可以自由地来回转动,不会有阻滞感。方盖和筋囊类的壶盖要求每一个固定的口沿与任何一条边都能扣合得紧密无间,具备有这些特点的壶盖才可以很好地和壶身搭配。

盖钮

盖钮位于壶盖的最上面,主要体现其功能性,方便提起壶盖,但是随着壶钮制作工艺越来越精巧,壶钮显现形制多样化,有的还压印有纹饰,贴塑一些泥片,装饰性更强。宜兴地区一般称其为“的子”。

壶钮以圆形、方形钮最为常见,还有动物形钮,如虎钮、鼠钮等等。植物形钮的使用也较为普遍,主要用于象生壶,与壶身、壶把的装饰相应生情,有竹钮、桃形钮、梅枝钮等。并不是所有的茶壶都有壶钮,如清末民国流行的寿星壶、龙蛋壶、蛋包壶就只有下凹形的壶盖而无壶钮。除此之外,还有桥形钮、圆环钮等,花样繁多,不一而足,壶钮的正确使用可以起到画龙点睛的作用,使整个壶形看起来妙趣横生、自然活泼,洋溢着田园之气。

壶嘴

壶嘴是茶壶的重要组成部分，好的壶嘴出水顺畅，刚劲有力，水线弧度圆润，注七寸不泛花、直泻杯底不起声，断水果断、利索，不带残水。好的壶嘴与壶形、流形、流的位置、流径与口径之间的比例、网孔的多少及大小都有着密切的关系。壶身较大的茶壶壶嘴也应与之协调，要稍大些。壶流须下边粗、上面细，这样内部的压力较大，水柱才能一泻而下，劲道十足。壶嘴的位置一般都位于壶身的中下部，这样出水方便。早期的紫砂壶的网眼多单眼，清末盛行三孔、五孔或气孔组成的多孔网眼。

壶嘴依据造型的不同可以分为直嘴、弯嘴和流形嘴三种。

(1) 直嘴

直嘴的最大好处是出水快而干净利索，清洗方便，据嘴身的不同又可以分为圆形直嘴、四方形直嘴、多边形直嘴等多种样式。

(2) 弯嘴

弯嘴的线条流畅、优美，适合于圆壶及其他带有圆角的壶形，如龙蛋壶、菊瓣壶、汉方壶、掇球壶等。根据壶嘴弯曲的角度及多少可分为三种。

一弯嘴，一弯式嘴由一条弧线构成，实用性强，在很多壶形中广泛地使用。

二弯嘴，二弯式嘴由两曲弧线构成，壶嘴下部圆凸，容水量多，倾倒时冲击力大，可使水柱快且急，方便倒水，为人们所喜爱。

三弯嘴，三弯嘴的弧线较二弯多一曲，即在与壶身相接触的地方多出一弯。制作的难度较其他弯嘴大，如果制作不精，就难以达到出水流畅、圆润、不打麻花的效果，影响壶的使用价值。

(3) 流形嘴

流形嘴因形似鸭子的嘴巴，故又称鸭嘴，在僧帽壶、茶杯及出口到欧洲等国的咖啡具中使用较多，形制奇特、新颖。

壶嘴的设计造型要与壶身及其他附件的造型相协调，不管采用明接法还是暗接法，镶接的壶嘴都要过渡自然，要充分考虑到茶壶的实用性和艺术性的统 ，不可偏重于一方。

壶把

壶把主要为方便倒茶，和壶嘴一样必不可少。按照壶把安装的位置和形制的不同可以分为横把式、提梁式、端把式三种。三种壶把都有与之相对应的壶形，二者达到完美统一。

(1) 横把

横把在紫砂壶中使用得较少，一般都是呈向上扬起的形状，有的与壶身呈九十度角。

(2) 提梁

提梁在古代的瓷器、青铜器、漆木器中使用较多，以为提取之便。按照提梁的材质、做法及造型可以分为硬提梁、软提梁和三叉形提梁。其中以三叉形提梁最具特色，在一些明清时期的文人画中经常可以发现提梁紫砂壶。

硬提梁:在制作茶壶时用泥料将提梁一并做成，使之与壶身相连，这样提梁的位置就得以固定，不再移动错位。硬提梁有圆形、多棱形等多种形制。吴经墓中出土的提梁壶即为硬提梁，在提梁的一侧还粘贴有一圆形小系，在使用时一般都会用一根棉线一端系在系钮上，另一端系在“的子”下面，避免在倒水时角度过大，壶盖掉落摔坏。

软提梁:有的紫砂壶在制作时不安置提梁，而是在壶肩两侧安置一对带双孔的系钮，一般使用铁质、铜质、铝制、银质等金属质地，还有用藤制、竹制等质地的材料作为提梁，有的还在其上包裹一层棉线或麻绳，以增加摩擦力，避免提取时因提梁表面光滑而掉落。软提梁的好处是不占空间，不使用时可以将提梁放下，还可以随时更换提梁，便于长期使用，深受百姓的欢迎。

三叉提梁:一般由一弯梁和两条直梁构成。在宜兴地区三叉提梁还与大文豪苏东坡有关系。传说苏东坡晚年退出庙堂之后，来到宜兴蜀山一带居住，品着贡茶玉泉，总觉得哪里不妥，原来是茶壶太小。苏轼就自己动手做起紫砂茶壶，后来又仿照灯笼提梁的形制做了一个三叉提梁。大家感于东坡对紫砂壶艺的贡献，将这种形制的紫砂壶命名为东坡壶。

一些三叉形提梁的造型参照方竹段、梅桩、松干等制成，虬曲盘绕、苍老有味，虚实结合。

(3) 端把

紫砂壶把中最为常见的形式，还可以根据端把的重心所在分为正耳把和倒耳把。形状有圆形、多棱形，扬州市出土的大彬款紫砂壶为六棱形端把。一般花货茶壶的端把都呈不规则的形状，如龙形、虎形、莲藕形、梅桩形、竹段形等等。

壶底

壶底是壶与其他物体接触的地方。壶底的设计一方面要考虑到保温等实用性，还要从美观艺术的角度设计。壶底可以分为圈底、钉足、一捺底三种形制。

(1) 圈底

圈足与圆形壶相配，一般都是在制作好的壶底外用脂泥粘贴一泥圈，也有在制作过程中将壶底一并做成，后再用工具旋削出壶底。

(2) 钉足

钉足器在商周青铜器中使用很多，如鬲、甗等。一般都是三足，有圆柱形、袋形、乳足形、兽面形等形制。钉足的高度、粗细需要和壶身协调。

(3) 一捺底

一捺底指在做紫砂壶底时不使用附加的泥料，而是将底部向内按进去，形成一个凹面。一捺底在明代早期的瓷器中也有使用，以这种方式处理的底足简洁、雅致，韵味十足。

第五节 ◎ 从成型到装饰

在紫砂壶制作开始之前，先完成对泥料、工具的选择，造型、艺术效果等方面的构思，这样才能成竹在胸，有条不紊、按部就班地完成一把紫砂壶的制作。

成型工艺

紫砂壶的制作最少要经过12道工序，有的甚至更多，一般工艺流程为:加工好的泥料通过手工打泥片、泥条、打身筒(即以泥片拍打成圆形器体)或镶身筒(以泥片镶接成方形或多边形器体)→装底、满→上大只→上假底→复脂泥、上线片→做嘴、把、盖(做盖板→上虚片→装子口→挖盖头→捻的子→钻孔)→装嘴、把→啄嘴、把→开口→用明针光身筒(刮压修整坯体)→成器→阴干待烧。

打泥片、泥条

打泥片是紫砂壶制作中的首道步骤，将泥料放置在泥凳上，用木搭子拍打泥料，拍打时的频率要一致，手的力度也要求相近，不可忽轻忽重，这样拍打出来的泥片才可能厚薄均匀一致、表面光滑，不会出现凹凸不平。拍打成的泥片根据具体的造型需要用矩车划裁为相应尺寸。打泥条的方法和打泥片相似，只不过泥条呈长条形，但也要求厚薄均匀，打好后，再用矩车划裁出需要的形状备用。

成型技法

一般来说紫砂壶有三类：光壶（圆壶、方壶）、筋囊壶和花货。不同类形的紫砂壶有不同的成型工艺，无论哪种工艺都是以打坯成型的工艺为基础。圆壶用打身筒成型的方法；方壶用镶身筒成型的方法；筋囊壶也用打身筒成型的方法加工筋囊；花货的成型技法比较复杂，但都不外乎打身筒成型法和镶身筒成型法。这些都是传统的手工成型方法，为求快求美，有些壶型的部分工艺程序亦借助于模子来操作。

装底、满

底就是壶底片，满就是壶口片。装底、满和打身筒与镶身筒是不能截然分开的，这里为了分解步骤，故将其单独列出。

当圆器的身筒拍打得和底片大小相当时，开始在口沿部抹上一圈脂泥，将底片安置于其上，用刀将多余的脂泥刮除，再用木拍子拍打四周使之牢固，这样壶底就做好了。将筒身翻转过来，依然按照刚才的拍打方式使其收口，口径达到要求时，将满片贴其上，修整成型，这样，一个鼓腹圆正的球体壶身就做好了。

方器也是用相同的拍打方式将底片和满片镶贴于壶身上下。方壶的壶身由多片泥片镶接而成，因而在镶贴完后，需要再次对整个壶身修整，使壶身周正、不偏不倚。

上大只

“大只”为加在身筒口沿上部的一圈泥片。将拍打好的泥条用脂泥粘贴在壶口沿，用刀拍打牢固，再适当修整，保持壶形的端庄、平正。

上假底

上假底通俗讲也叫“底部加强圈”，也就是在身筒底下加一块泥片。在底部涂抹脂泥，将其覆盖在上面，用刀压紧、修整边缘，使其平正圆稳。

复脂泥、上线片

在身筒的口部和底部分别抹上脂泥，将制作好的线片（小而薄的泥片）粘贴于其上，并修整、刮光。

做嘴、把、盖（做盖板→上虚片→装子口→挖盖头→捻的子→钻孔）

壶身做好后，就可以制作紫砂的附件嘴、把、盖了。取出一些泥料用手来回搓，搓成一头大一头小的泥条，用尖刀把泥条的中间戳穿，粗的一头要求孔径大些，细的一头小些，形成中空的小长圆筒，再将内部修整光滑，以便使用时流水通畅，之后根据具体的壶形需要将泥条弯成几弯式的壶嘴。方形壶嘴的制作和制作壶身的方法差不多，都是采用镶接成型法将泥料拍打成泥片，泥片由厚到薄，厚的一边为壶嘴的下端，使用预先制好的模片贴在泥片上，用刀以一定的角度裁划出相应片数泥片，用脂泥使之结合，并用刀修整，使其端正、光润，注意壶嘴里面不能残留过多的脂泥，防止堵塞壶嘴。

取少许泥料同样搓成圆形泥条，粗细大小因形而定，两端斜切，将其弯成所需要的形状，刮光备用。

壶盖，使用矩车裁割出圆盖片，将脂泥涂抹在盖片的边缘，将打制好的泥条竖起，围成一个圆圈，用刀切去多余的泥条，再行粘贴。然后，搓出需要的"的子"的形状，用脂泥粘贴在壶盖的中间。最后，修整壶盖的外表，再用铜管在的子和虚之间穿一个小孔。

壶嘴、壶把制成，干燥后就可以安装了。在壶身安装壶嘴和把的地方挖出适当的空洞，抹上脂泥，再将其置于其中，修整刮平。需要注意的是壶嘴、把二者要处于同一条水平线上，不可歪斜。

开口

上面的工序完成后就可以开口，用矩车在壶口上划出适当大小的圆圈，用刀挑出，再将口沿内部用刀刮平，不致妨碍壶盖的转动。

精加工

开完口之后，紫砂壶的毛坯算是完成了，但是要达到紫砂表面光润、发亮还需精加工。在紫砂工具中有一种独特的器物——明针，它由牛角制成，为精加工必用。艺人右手握住明针修整紫砂毛坯的表面，将凸起的地方往下压平。紫砂泥料内部含有粗细不等的砂粒，这样也可以将紫砂壶表面的粗细砂粒挤压进坯体内部，使其隐现而不外露。经过修整的紫砂壶表面顿时变得光滑、平整、细腻、有油脂光泽，而且使用和把玩的时间越久，表面越润泽。如今传世的很多大师作品的表面包浆莹润、色泽深沉、稳重，显示了大师们当年在精加工时倾注了大量的精力。精细的刮平修正，可以使器形结构更加严谨，轮廓线条分明得体，筋囊纹理清晰，达到珠圆玉润、浑然一体的制作要求。

成器、阴干待烧

经过上述十几道工序后，一把紫砂壶成型基本上算是完成了，但是在入窑烧制之前，还必须将其放在阴暗的地方阴干，不能放在阳光下暴晒，否则会使紫砂壶表面开裂。阴干一般需要2—3天，如果天气阴湿，时间可以长一些，没有充分阴干的紫砂壶，放在窑炉中烧制时也会爆裂。自然阴干后，紫砂壶就可以装在匣钵里，放入窑中烧制。

虽然现在的紫砂也有使用模具等其他成型方法，但是手工成型法依旧保持着旺盛的生命力，手工成型的关键在于泥坯厚薄、大小及造型处理得规范到位，恰到好处。

在手工成型工艺操作过程中，艺人从实用和美观的双重目的出发，需要对作品各部分的结构、点线面的比例和加工技艺细节有深刻领会。同时熟练把握泥料干湿度、不同泥料的收缩率、泥性、泥色及其在烧成后的效果，才能够完成一件高质量的紫砂作品。

值得一提的是，在紫砂成型的不同工艺环节中需要使用不同材质和形状的工具，因制陶者手法、习惯、器种和技艺个性的不同，完成一件器物所用工具从几十种到百余种不等，而且这些工具必须由制陶者自己制作完成，工具本身表现出强烈的个人风格和工艺特性，有“紫砂成型工具也是艺术品”一说。

装饰工艺

那么，成型之后的紫砂壶是不是可以算作成品了？答案是否定的。作为一种富有民族特征和地域特色的非物质文化遗产，宜兴手工紫砂陶艺由若干程序构成,主要包括原料加工工艺、器物成型工艺、装饰工艺和烧成工艺四个部分。这四项工艺技术贯穿于紫砂制作和烧成的整个过程,是宜兴紫砂陶业技术的灵魂所在,是我们在现代化浪潮中真正需要传承下去的一种活态的技艺。在讲到紫砂陶的原料加工工艺、器物成型工艺后,同样不可忽视它的装饰工艺和烧成工艺。

宜兴紫砂陶器以素面为主(或辅以调砂、铺砂之法),内外不施釉,从而充分展现其独特的天然材质纯朴、古雅、细致、含蓄的肌理之美以及独特的透气性能,但不少艺人也对陶器表面作装饰,以提高实用紫砂器针对不同人群需求的观赏性。明清以来,经艺人的长期探索,形成了一系列装饰技艺,大致有陶刻、镶嵌、包锡、包铜、包银、包漆、泥绘、粉彩、彩釉、珐琅彩、描金、浮雕、镂雕、绞泥、模印、贴饰等,其中最具代表性的是陶刻。

陶刻

陶刻技法的历史悠久,源远流长,在新石器时代的晚期龙山文化遗址中就出土了一些在陶器上刻画的符号,古拙、雅致,反映了较早时期的刻画水平和艺术欣赏力。秦砖汉瓦上也发现刻有一些工匠的姓氏和作坊,陶刻工艺一直流传下来,技法也日趋成熟。

(1) 紫砂陶刻的源流

紫砂陶刻是诗文、金石、书画及篆刻艺术在紫砂上的结合和运用,是集多种艺术于一体的综合艺术,是紫砂装饰工艺中最具生命力和影响力的一种装饰手法。由于其始终与文人结合在一起,具有典型的中国传统文化特征。

最早的关于紫砂陶刻的文献记载是关于元末孙高士遗留下来的紫砂罐,上面有用工具刻写的“且吃茶,清隐”五字草书,古雅绝伦,飘逸灵动。

明代时大彬起始往往请能书者代为落墨,自己用竹刀刻划,随着文化的积淀,书法渐次精进,便自己落墨刻划。流传和出土的大彬款壶上的款识书法楷书、行书居多,笔画劲道,入木三分。“壶家妙手称三大”之一的李仲芳亦擅长于书法,有时还代时大彬刻款,但终不及时之力道、韵味。陈子畦和项不损的书法风格追溯晋唐,端庄规整。沈子澈的款识也古雅浑朴，超凡脱俗，文人气息浓厚。陈用卿书法钟繇，虽不及，但刻工亦雅。正因陶刻可以提升紫砂的文化气息和人文底蕴，这一风气在明末遂渐趋盛行。

清代前期陈鸣远的书法雅健，“其款识有晋唐风格”，胜于徐友泉、沈子澈等辈，诗文造诣也达到一定境界。陈鸣远制南瓜壶上刻有“仿得东陵式，盛来雪乳香”行书铭文，落“鸣远”款，字体端庄、娟秀，与壶艺融为一体。有清一代，乃至在整个紫砂陶刻艺术发展史上做出突出贡献者，当属清嘉道年间的陈曼生。曼生尤好品茗壶艺，与自己的好友、知己设计出名噪于世的“曼生十八式”紫砂茗壶，并延请宜兴紫砂艺人杨彭年等人制作砂壶，自己在光润的紫砂表面刻写绘画，这是紫砂发展史上的一次飞跃，标志了紫砂艺术完成文人化，“壶随字传、字随壶贵”这一说法也逐渐传布开了。

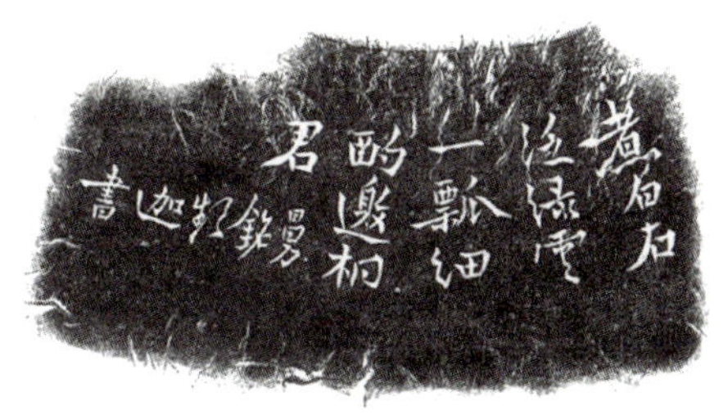

曼生煮白石拓片

清代中晚期，文人参与紫砂的创作和陶刻装饰已成为一种社会风气，吴大澂请制壶高手黄玉麟制壶，自己手刻铭文。黄玉麟所制的弧棱壶上刻有：“诵《秋水篇》，试中冷泉，青山白云吾周旋。”“庚子九秋，昌硕为咏台八兄铭，宝斋持赠，畊云刻。”钤有“吴昌硕”方印。陶刻紫砂艺术在社会上层文人和艺人们的互动、交流中不断得到发展、推进。

清代末期，陶刻工艺开始独立化、专业化，出现了专门的陶刻艺人，在宜兴本地称之为“刻字先生”。他们一般都是当地小有名气的金石书画家，对古代传统的诗书画印有一定的造诣。紫砂艺人们往往将自己的作品交由他们陶刻铭文、绘制图案。一些公司商号聘请陶刻艺人专门从事陶刻，如金陵人戴国宝创建了铁画轩后，就聘请了诸如邵宏俊、陈少亭等艺人在紫砂上刻写铭文。

解放后一批艺人都具有相当高的陶刻水平。任淦庭老艺人的陶刻技艺卓越脱俗，花卉鱼虫、山水人物无所不精，雕刻手法娴熟、老练，笔道遒劲，结体周密，刀锋圆润、挺俊，尤其以隶书、篆书见长，显示出极高的金石、书法、绘画造诣。徐秀棠、谭泉海、鲍志强等都是其得意门生。

(2) 陶刻工具与工艺技法

紫砂陶刻与书法、绘画也有不尽相同之处。陶刻面对的材质是泥土，由于泥料之间有颗粒物，壶面涩手，而中国传统的绘画、书法的载体是纸绢之类的软性材料，表面平整光滑，柔软多变的毛笔在上面运行时没有阻碍，游刃有余。陶刻只能借助于竹、钢之类的硬质工具，二者的力度与法度都不一样。

历史上陶刻使用的是竹刀，所刻字体老辣、柔硬适中、起合有力，大彬款紫砂壶上的铭款就是采用竹刀制作。现在一般使用薄型斜口钢刀，以保证切口整齐流畅、光滑平齐，可以准确表达书法笔锋在紫砂器上起、止、行、留的细部特点，如同使用毛笔一样，特别能够表达出笔锋的转折起伏，线条的灵活多变。

陶刻艺人执刀用“执笔法”，须凭借腕力运行钢刀，运刀如笔，神采飞扬。用刀为“捻管法”，在刻刀的柄部套一空心圆管，这样可以随意转动刻刀，改变刀锋，达到自己需要的效果。

陶刻可以根据艺人的工艺水准和艺术造诣分为印刻和空刻两种。印刻一般是初入陶刻行业的艺人采用的技法。新手艺术修养不高，难以用刀直接在紫砂上刻画，需要先在紫砂的坯件上画上底稿，然后采用相应刀法陶刻。空刻是相对于印刻而言，高超的紫砂艺人书法、绘画修养达到一定程度，刀法娴熟、故喜用此法。他们视壶面为纸绢，执钢刀如毛笔，钢刀在壶面上纵横驰骋、起合有度，将自己的情感和领悟全部注入到刀尖，故整幅作品一气呵成、神形兼备。

(3) 陶刻的内容和文化意蕴

紫砂陶刻以文字为主，真、行、草、隶、篆各体，汉魏碑文、钟鼎铭文无不入刀。其中，陶刻中以汉代隶书成就最高，艺人变篆书圆转的笔画为方折式，变纵势为横式，左右舒展，适合在紫砂壶具上铭刻。行书介于楷书和草书之间，紫砂壶上使用得最为广泛，点画以露锋入泥为宜，变圆转为方折，钩、挑、牵丝的使用可以加强前后的呼应。陈鸣远擅长以行书入壶，风韵独存，雅致可观。

此外，陶刻文字内容宜切壶、切茶、切盆。吴骞藏菱花式壶底镌“石根泉，蒙顶叶。漱齿鲜，涤尘热”，与壶形、茶韵相切。《阳羡茗壶图考》记载有六件惠逸公传世古器，五件上刻有诗铭，铭文富有诗意、雅致切题。陶刻的诗文简洁凝练、寓意深刻，具有很高的文化品位，充分反映了艺人的内心世界和价值取向，是人们研究他们艺术风格的转变和内心情感变化的可贵资料。

陶刻内容多以花鸟、山水、人物等为主，尤其是民间寓意广泛的梅、兰、竹、菊、松等更是被反复使用的传统题材。梅花形象不仅在陶刻中被作为重要的题材，还广泛使用在花货壶的造型中，如梅段壶、梅花镂空壶、高梅壶、梅瓣壶、报春壶等。面对着漫山的竹林，紫砂艺人情有所动，以竹入壶，借颂竹之品质，歌己之人格。以竹为装饰的花货壶历来受到人们的喜爱，有竹报平安壶、竹段壶、竹节提梁壶等等。这些题材的运用很大程度上是因为雅士将文人画中的题材引进到紫砂壶的造型和装饰中，讲求壶艺与题材的统一、融合，倡导意境、神韵的营造，书卷气息浓厚。

同一内容由不同艺人使用不同技法也会表现出不同的艺术效果。有的艺人强调写实，有的以神韵取胜，各得其造化。

(4) 款识

紫砂器上还有作为紫砂艺人印记和标志而钤盖或刻画的印章、题名。其表现形式和艺术效果与传统的绘画、书法、陶瓷等艺术是一脉相承的，既吸收了其他艺术的精华，也创造出自己独特的形式和内容。

• 紫砂款识的历史源流

紫砂器虽然在宋元时期就已经出现，但是当时作为一种日用器似没有必要在上面刻画、钤印铭文款识。明代中期紫砂器上开始出现款识，按所使用的工具和表现形式的不同可以分为刻款和印款两种。目前考古所发现的明代中期带款的紫砂器基本上都是刻款，如无锡华师伊墓出土的“大彬”圆壶，漳浦卢维祯墓出土的“时大彬制”圆壶，扬州江都曹氏墓出土的“时大彬制”六方壶，而且都是楷书刻款。

明末清初开始使用印章款，这一方面是为了提高效率，避免刻款的随意性，另外还因为艺人的人文素养普遍不高，大彬开始时也是请别人代笔，自己刻写。此时像陈鸣远这样的文人将书画中的印章装饰融入到紫砂的装饰中，丰富了紫砂的装饰手段，促进了印章款的发展。至清代中期刻款装饰基本上被印章装饰取代。

清代后期随着曼生的加入，印章、诗、书、画与紫砂壶艺已经结合得相当成熟，达到了一个难以企及的高度，印款装饰一直使用到现在。

紫砂款识字体多样，异彩纷呈，篆、楷、隶、行、草五体皆备，刻款以楷书为主，印款尤以篆书为大宗。

印章款识的外形不一，有方形、长方形、圆形、肖形、异形、花形等。清末民国时期很多方形印款的四周还包裹有回文。豫丰款寿星壶和龙蛋壶的盖面上都钤印有对称的葫芦形“豫丰”款，底部钤印二龙戏珠纹环绕的满汉文“豫丰”款。

• 款识内容的分类

紫砂款识按照内容的不同可以分为艺人款、纪年款、堂名款、公司商号款、地名款、诗文款及其他的一些款识。

艺人款：明清以来，艺人款盛行，明代中期以刻款为主，末期出现了印章款。印章款适应大规模的钤印且规整划一，渐渐取代了刻款而成为紫砂款识的主流，一直延续至今。

堂名款：堂名款在明末清初使用得极为广泛，多用自己的厅、堂、轩、斋、屋、馆名，一般都是达官贵人、能工巧匠、文人雅士定制或制作的紫砂器。

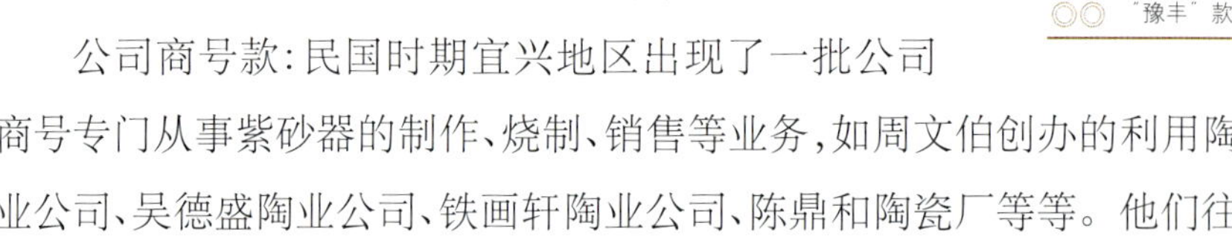

◎◎ “豫丰”款

公司商号款：民国时期宜兴地区出现了一批公司商号专门从事紫砂器的制作、烧制、销售等业务，如周文伯创办的利用陶业公司、吴德盛陶业公司、铁画轩陶业公司、陈鼎和陶瓷厂等等。他们往往在紫砂器上钤印有自己的款识。

诗文款：紫砂款识中最富有人文韵味的当属诗文款，有的是转引摘抄古人的妙语佳句，有的是自己根据壶形和人文素养吟出的。诗文使用的恰当与否直接关系到紫砂的文化和艺术价值，一把制作精良的紫砂茗壶如果配上拙劣的诗文会破坏整体的美感和韵味。

纪年款：具有纪年款的紫砂是断代的标准器，能够很好地帮助我们区别不同时期的紫砂器。有帝王年号款，有干支款，还有纪年干支款。在一些宫廷使用和收藏的紫砂器中发现钤印有“康熙年制”、“大清康熙年制”、“康熙御制”、“大清雍正年制”、“乾隆年制”、“大清乾隆年制”等款识，这些都是当时贡品。干支纪年法是中国古代主要的纪年方法，在日常生活中使用极为普遍，紫砂干支款出现在明末，清代使用得最为广泛，几乎都是刻款，印款很少。纪年干支款是将两种纪年方法结合起来使用，并不多见。

地名款：宜兴古称“义兴”、“荆溪”、“阳羡”。一些紫砂艺人往往在自己的紫砂壶上钤印有“荆溪”、“阳羡”等印款，表明自己的籍贯或制作地点。清代中期以后常见，有的印款上就只有“荆溪”二字，有的是和艺人的姓名连用，镇江市博物馆所藏一把紫砂壶底钤有“荆溪史维高制”印款。民国后期，很多寿星壶、龙蛋壶底都会钤印有回文环绕的“宜兴紫砂”、“宜兴紫砂名壶”等地名款识。

• 钤印工艺与艺术

紫砂钤印工艺包括印款大小、内容、风格、位置、轻重等，要求与紫砂造型及材质肌理等相得益彰。

印款的大小与紫砂的壶形和紫砂的文化内涵有关，最忌小壶用大印。明清以来，逐渐形成约定俗成的印款格式，以茶壶为例，壶把梢为“姓”之印，壶盖内为“名”之印，壶底为“姓名”之印，有的底部也盖“闲文印”或“斋馆印”，或“商号印”，或图案印等，有的在钤印后再施题刻。

壶面有铭文的砂壶以在铭文下钤一至两枚印章为宜，一朱一白，一阳一阴，一方一圆，两枚印款的大小相等或相似。印款的内容可以是自己的姓名、姓氏，也可以是堂、轩、斋、舍名等等，自己不具备相当篆刻功力的紫砂艺人，最好请专门的篆刻家帮助设计、篆刻，这样就避免出现印不谐壶，辞不达意的窘相。

印款是艺人对自己所制作品质量和艺术性的保证，也是我们区别不同艺人作品的重要依据。印款的使用提高了紫砂作品的文化表现力，是紫砂陶艺的重要组成部分，构成了紫砂工艺体系的另一特色。

◎◎ 吴大徵印款

流线装饰

线条由许许多多的点组成，它是所有艺术的源流点。史前时代的岩画艺术就是用曲折不一的线条接连而成，反映了先民们对自然、自身的一种崇拜和信仰。线条不仅有长短、粗细、浓淡、曲直、轻重、干湿、虚实、疏密、顿挫、聚散等外在的形式，还是反映艺术家内在情感世界的一把标尺。不同的线条所反映的神韵与气质是不一样的，横线给人以一种平稳、沉重之感，斜线给人以奋进勃发之气，圆线给人以融通贯和之韵。线装饰形成的节奏线条是中国艺术的主要表现形式，如绘画、书法、篆刻、陶瓷、漆器、玉器、珐琅彩、盆景、明式家具等等都是如此。中国绘画中用“游丝描”和“铁线描”绘制的作品给人的感觉是截然不同的，这就是线条的魅力所在。

◎◎ 流线装饰形成的节奏

线装饰

泥绘

泥绘即泥料绘画的简称。泥绘装饰是紫砂传统的装饰手法，产生于清代早期，在清代乾隆年间使用得较为广泛。一般是将紫砂泥加水和成稀泥，用毛笔蘸取泥料在已经制作成型但尚未干透的紫砂坯体上绘画，可以采用多次上泥的方法，使泥显现出来，凸出于器物表面，达到一种浅浮雕的装饰效果。泥绘就是以泥为墨，以紫砂器为宣纸、绢本，将艺人所见所感描绘在砂器上，融书画诸艺术于一体。

泥绘的题材很多都带有浓厚的文化趣味，以穿插有人物的山水小景为主。山丘、陵壑的取景采用中国古代绘画中“三远”的手法，“从下相连不断，为之平远；从近隔间相对，谓之阔远；从山外远景，为之高远”。山石采用清代文人山水画所常用的斧劈皴、披麻皴、荷叶皴等皴法，且凹凸不平，较宣纸绘制的山石更胜一筹，老树虬曲，枝干盘绕，小径幽深，水波粼粼，在有限的器物表面表现出无限的自然丘壑、高莽，纳千里于一寸、盈万物于掌面，意境深远。泥绘图案的正确、合理使用，可以提高紫砂的文化价值和艺术美感，但不可过度化、程序化，要将紫砂所具有的简洁、冲淡之美与泥绘的题材紧密结合起来，使两者相得益彰。

泥绘紫砂画面的绘制和在宣纸上绘画是不一样的，首先需要保证绘画器物表面的干净、润滑，这样毛笔在运行时不会阻滞。为了表现出图案的立体感和层次感，有的画面需要来回涂抹几遍，使其泥料的堆砌达到一定的厚度，山石的明暗和皴纹要表现出来，这样的泥绘作品才具有艺术美感。

一些大型的博物馆、文物商店都藏有泥绘的紫砂器，下图为南京博物院收藏的雪夜渡江图泥绘紫砂笔筒，笔筒为圆筒形，直口，假圈足，底部有“杨季初”三字篆书阳文方款。画面上部有峰峦叠嶂，屋舍临水，一个戴斗笠的老者正站在小舟前端，向岸边划去，对岸一人手持油纸伞，站在河边，朝着小舟望去，焦急之情跃然纸上。在屋舍、江岸、人物、小舟上面都使用了白泥，笔筒的底色为暗褐色，对比强烈，表现出雪夜笼罩下的江上小景，整个画面中无一处是表现江水的，但是就是那无景之处的大片留白却将滔滔江水表露无遗，以无胜有，以虚现实，虚实结合，有无相生，妙趣横生，意境远达。故宫博物院收藏有一些多色泥绘的笔筒，在浅色调中突然呈现出点点朱红色、浅绿色、宝蓝色，确有画龙点睛之妙，将整个画面变得更加灵动，意趣盎然。一件泥色纯正、绘画精细、意境深远的泥绘紫砂，总会带给人们以美的享受和无限的遐想。

◎◎ 雪夜渡江图　泥绘紫砂笔筒

施彩挂釉装饰

在商周时期，瓷器表面就开始施加釉料；釉上施彩始于金元时期，在釉表施有红、绿两色，名红绿彩；此后釉色渐多，万历朝的五彩瓷器极富盛名，雍正朝的粉彩技术达到了登峰造极的地步；清代康熙年间，外国传教士带来欧洲的珐琅彩技术，康熙帝对其梦幻般的颜色极为钟爱，将此技术移嫁到瓷器上，创制出了瓷胎珐琅彩技术。施彩挂釉方法的采用既美化了瓷器表面，也清洁卫生，深受人们的喜爱。

明清时期景德镇的一些制瓷艺人改行来到宜兴从事紫砂创作，他们将景德镇日趋精致、繁复的瓷器装饰手法带到宜兴，与本土的紫砂艺人交流技艺和经验，瓷文化开始介入到陶文化中。宜兴的紫砂虽以不施釉料彩绘的陶胎而著称于世，但在当时以宜兴为代表的陶文化体系和以景德镇为代表的瓷文化体系相互碰撞、激荡的大背景下，两地艺人共同开始了紫砂装饰手法的探索历程。他们吸收了瓷器的装饰技法，如彩绘、施釉，将其运用、施加在紫砂的表面，在经历了反反复复的失败和经验积累后，终于将瓷文化的装饰工艺嫁接到紫砂器上，完成了陶文化和瓷文化两大体系技术的交融和对接。

彩釉装饰

(1) 粉彩

清代宜兴的彩料为本地所产。清吴骞《阳羡名陶录》记载：“大潮山一名南山，在宜兴县东南，距丁蜀二山甚近，故陶家取土便之。山有洞，可容数十人。又张公、善卷二洞，石乳下垂，五色陆离，陶家作釉，悉于是采之。”

粉彩装饰大致出现于清代早期的康熙年间，嘉、道之后大兴，一直到民国年间都有生产，豫丰款的紫砂壶上施彩颇多。一种方式是在紫砂器上直接描绘图案、纹饰，还有一种方式是双层釉，器表首先全部施釉，在窑炉中烧成，后在釉面上描绘纹饰，一般都是采用开光的手法，将图案绘制其中。

紫砂加彩的器形主要为罐、壶、油壶等，文房、日常生活类的基本不施。纹饰以花鸟、山水、人物、团花、忍冬等常见，图案一般都含有吉祥寓意，如富贵白头、双狮绣球、太平有象、瓜瓞绵绵、长命富贵等。

正如《阳羡紫砂图考》中所言，紫砂加彩器开始出现时是为了弥补紫砂胎体干涩、粗糙的缺点，但由于其色彩娇艳，还是有一定市场需求的，

清宫廷紫砂壶 故宫博物院藏

故一直都有生产。但彩料的施加破坏了紫砂的物理性能和朴素、雅致的韵味。阮葵生《茶余客话》:“近时宜兴砂壶覆加饶州之鎏,光彩照人,却失本来面目。”作为日常生活使用的罐等器物是可以施加的,但作为具有特殊文化内涵的紫砂壶,施加釉色则多此一举,画蛇添足。

(2) 珐琅彩

珐琅彩技法是欧洲人发明的,开始时运用于铜器的装饰中,康熙年间被传教士带到中国并使用在景德镇瓷器上,制作出了世所罕见的珐琅彩瓷器。珐琅彩在雍正、乾隆朝极为兴盛,后世基本不再生产。

康熙年间也将珐琅彩的技法运用于紫砂器上,创烧出了珐琅彩紫砂器,现在台北“故宫博物院”和北京故宫博物院还收藏有少量,弥足珍贵。清初,由于文人的参与和艺人的不断实践,宜兴紫砂器的人文价值更加深厚,制作技艺越发娴熟,清代最高统治者的目光不再局限于景德镇的御窑瓷器上,紫砂器得到皇家的青睐。宫廷造办处出示样图,交由紫砂艺人制作,烧成后将其运往宫中,再施加珐琅彩在小炉中烘制。

珐琅彩属于宫廷独有的技术,概不外传。珐琅彩紫砂的特点是紫砂胎质细腻光滑，彩料凝重妍丽，色泽鲜艳，画工精致，据传世的珐琅彩紫砂器可以看出纹饰以折枝花卉、植物、蝴蝶、缠枝牡丹、西番莲纹为主。珐琅彩紫砂由于费工费时，制作要求很高，难度相当大，随着乾隆后期清王朝的衰弱，珐琅彩紫砂器和珐琅彩瓷器及其他工艺品渐渐消失在人们的视野之中。

(3) 挂釉 —— 宜均

宜兴均陶一称宜均，是宜兴陶瓷工艺的又一享誉世界的品种。由于它的釉色（以天青、天蓝、云豆等色调为主）与宋代五大名窑之一的钧窑（典型窑址在今河南禹州市）器有相似之处，所以有学者认为宜兴均窑是宋钧窑影响下的产物，但实际上宜均为陶非为瓷（钧窑产品为瓷器），且宜兴早在唐代就有了与后来宜均釉色类似的乳浊釉的产生，所以宜兴均陶是宜兴古代人民独自开发并不断摸索而形成的一种美陶工艺。

在宜均的发展史上，以明代中期嘉靖、万历年间欧子明的宜均烧制技艺最高、釉色最为莹润，深受当时人们的欢迎，称为“欧窑”。朱琰《陶说》:“明时江南常州府宜兴欧姓者造瓷器，曰欧窑。”

欧窑产品以白胎和紫胎为主，分别以宜兴所产的白泥和紫泥为原料，表面釉色以天青色、云豆色、天蓝色等诸色调为主，间有葡萄紫色，基本釉色“灰中有蓝晕，艳若蝴蝶花”，娇妍动人，品种除了上面提到的花盆，还有尊、瓶、盂等陈设品和文房用品。

到清代，宜均工艺界又出了葛明祥、葛源祥两位高手，其所制产品曾在英国伦敦博览会上展出，轰动一时，被国际友人称誉为“名器名陶，天下无类”，并获得博览会的奖状、奖章。日本万延、文久时代（相当于中国清初康熙年间）的贵族平野忠司也高度评价宜均器，称之为“海参器”，意即无与伦比的名器。因此，欧窑是宜兴陶瓷工艺体系中的又一著名窑口。

镶嵌工艺（嵌金、银、玉石、色泥、螺钿、红木、瓷花、瓷珠等）

镶嵌工艺在青铜器、木器、漆器等材质的器物上使用较为广泛，且时代都很早，青铜器上的错金银工艺就是镶嵌工艺的典型代表。古代高丽王朝也有使用镶嵌工艺制作的青瓷。

在紫砂上采用镶嵌技法是近几十年的事。使用的镶嵌材料有金、银、玉石、蚌壳、红木、珍珠等，取材广泛。

金银的镶嵌一般都是将其拉成丝或捶打成片镶入紫砂表面，经过刻槽、镶嵌、捶打、磨光等几道工序，这就需要长期的磨练，技术到家才行。最后一步就是磨光，刚刚镶嵌完的器物表面凹凸不平、有的地方还没有完全嵌入，用木炭或毛皮反复来回磨擦，既可以去除金银丝的毛刺，又可以使其表面的金属光泽更加耀眼夺目。

镶泥也是紫砂传统的一种装饰手法，是在尚未完全干透的紫砂器的表面用刀刻出凹槽，将不同颜色的泥料填充在凹槽之中，再将表面修磨平整。镶泥法用于紫砂器表面形成的纹饰有冰裂纹、花瓣纹等，自然生动、巧夺天工。

螺钿，又叫螺填、陷蚌，它是将海贝、螺壳等修整成特制的形状，如花鸟、人物、文字、楼阁等，再根据具体的需要镶嵌在器物的表面。在漆器、木器、铜镜等器物中使用得很多，由于螺壳、海贝在光照下会发出特殊的蛤蜊光，绚丽多彩，十分美丽。在紫砂器中使用螺钿工艺也能达到在漆木器上的效果。

近年来徐达明先生使用硬木、象牙等贵重材质镶嵌到紫砂器的表面，充分注意了两者之间的主次地位，使硬木、象牙等装饰物与紫砂原本的泥色、气韵相协调，产生装饰美感，提升了紫砂的艺术价值和文化品位。

包裹（包锡、包铜、包银、包漆）

(1) 包锡

包锡作为紫砂的一种装饰技法，为清代嘉道年间的朱石梅首创，在紫砂的表面包裹锡皮，有的壶嘴、把、钮等地方则用白玉或青玉代替。

南京博物馆收藏有一把出土于清咸丰元年墓中的包锡镶玉紫砂方壶。壶身为方形，下部呈圆形。壶身除钮、把外都包裹有锡皮，底部砂胎，钮为玉质方钮，壶把也为四棱形，壶嘴上细下粗。壶面一侧刻有“微润欲沾，雨前吐尖”八字隶书，落“己丑小春月，石楳”七字行书款。壶底钤有“杨彭年制”四字阳文篆书款。由此可见，这是一把杨彭年手制、朱石楳包锡、刻字的工艺珍品。

包锡工艺在发展中完成了由实用性向装饰性转变的过程。紫砂器在使用的过程中难免会有磕碰、撞击,壶把、嘴、钮等突出的地方容易撞断,壶身可能破裂。古人出于对紫砂壶的宝惜,使用锡皮将其表面包裹起来,防止壶身再次受到碰撞,用玉制的把、钮、嘴镶接在断裂缺失的地方,后来大家觉得经过修整的紫砂器也可爱动人,这股风气渐渐流布开来,有的人干脆从装饰的角度出发,将壶嘴、把、钮打掉,镶接贵重的材质,一时之间蔚然成风。民国之后这种工艺渐趋消失。

(2) 包铜、包银

包铜、包银工艺产生的时代与包锡工艺差不多,在清代中期偏后阶段出现。一般是在砂壶的盖钮、盖缘、口沿、肩角、底足、壶嘴等处用黄铜、白银包裹,有的出口到暹罗的紫砂壶还对表面抛光,达到光可鉴人的程度。透明的玻璃光与铜、银之光相映,富贵俗气,与一般意义上的紫砂壶的风格、韵味迥异,反映了当地人的审美观念和风俗习惯。

(3) 包漆

明清时期漆器的制作水平很高,出现了扬州、福建等一些制作漆器的中心,将漆艺技术运用到紫砂壶的装饰中也是一种紫砂装饰的探索。

雕漆紫砂的制作工艺繁琐,难度很大。在紫砂器表面一层层地髹漆,髹漆的层数至少需要几十层,甚至一二百层,达到一定的厚度之后,在表面打出草稿,再用雕刻刀剔刻出纹饰,刻纹深浅不一、凹凸有致,漆层较厚的器物表面会呈现出一种明暗对比的效果,有很强的装饰性。

髹漆彩绘是在髹完漆的器物表面再加彩绘,产生的艺术效果与雕漆法不同,以绚丽繁复的纹饰、娇艳多姿的颜色取胜。彩绘纹饰与同时期(雍正、乾隆)的粉彩瓷器上的纹饰一致。

髹漆描金是在髹完漆的紫砂表面用金粉描绘纹饰,所选底漆的颜色一般较深,以黑色为主,也有一些采用红漆作底漆。纹饰有吉祥图案、山水人物、楼阁界画、花卉折枝等,金碧辉煌,但在长期的把玩拂拭下金粉会渐渐脱落,呈现出暗淡之光。

戳压印、模印贴花

(1) 戳压印

戳压印是宜兴紫砂一种传统的装饰技法，在木板或者是陶器、石器表面雕琢、刻画出凹凸的纹饰，将其压印在制作好的紫砂器表面，呈现出连续贯通的纹饰。

(2) 模印贴花技法

模印贴花也是宜兴紫砂的传统装饰技法之一。模印贴花分两个步骤，首先是借助于印模（主要有木模、陶模、石膏模等）将泥料填充在印模中，使其表面模印出凹凸的纹饰，其次将模印好的泥块用泥浆粘贴在紫砂器表面，再用工具将两者压紧，最后再对纹饰修整。使用模印贴花的技法可以打破紫砂器的单一平面的单调，产生凹凸感、立体感、层次感，变一维的视觉效果为三维，有的采用色调相异的泥料来装饰，艺术和感官效果也不错。模印贴花要达到"疏密有致、厚薄相间、生动传神"的装饰效果才行。

调砂、铺砂、绞泥

(1) 调砂

调砂也叫掺砂，是紫砂的传统装饰技法之一，出现于明末清初，是将一定量的细熟砂粒调和、掺杂在泥料中，反复揉搓、捶练，使之均匀分布，再用调过砂的泥料打制泥片，制作砂壶。明周高起《阳羡茗壶系》："时大彬善此法，或陶土，或杂缸砂土，诸款具足，诸土色亦具足。不务妍媚而朴雅坚栗，妙不可思。"明周容《宜兴瓷壶记》："时乃故入以砂炼土。"可见时大彬是调砂的高手，所制调砂壶都古朴端庄，难以摹状。

调砂工艺的最先出现应该是从实用而不是装饰的角度考虑的。调有细砂的紫泥不管在紫砂器制作还是在烧成过程中都起到一定的作用。可以降低紫砂器泥料的收缩率，防止在阴干和烧成过程中发生干裂和爆裂。同时还可以起到一种装饰的效果，应用性在前，而艺术性、装饰性在后。经过调砂这一步骤制成的紫砂器的表面会出现隐隐的星点，有的似梨皮，有的似桂花点点，《阳羡名陶录》："珠粒隐隐，更自夺目。"

(2) 铺砂

铺砂工艺与调砂工艺的手法基本一致，都是在泥料中加入砂粒，但铺砂是将砂粒平铺在泥片的表面，而不是掺合在泥料中间，这说明铺砂工艺更多的是强调砂粒的装饰性而不是其所具有的实用性。

铺砂工艺所选用的砂分为生砂和熟砂两种。为了产生强烈的对比效果，一般都选用和器物本身泥色不一致的砂粒平铺，用手触摸有凹凸感，表面隐隐现砂粒，似满天星斗，可爱喜人，令人爱不释手。

(3) 绞泥

绞泥也称绞胎，把两种或多种泥色不同的泥料分别制成泥条，将其拧在一起，再经过揉搓、盘卷层叠等工序，制成新的泥条，直接拉坯成型或切成片状泥片镶接成型。

◎◎ 调砂壶的肌理

绞胎工艺出现得很早，目前可见最早的一件绞胎器是西安唐代懿德太子李重润墓中出土的一件骑马俑，人、马都使用绞胎技法，工艺复杂，纹饰流畅，可见当时的艺人们已经可以很好地掌握这一技术。扬州市博物馆、苏州博物馆中都藏有绞胎枕、碗、盘等唐代瓷器。镇江市博物馆收藏有一件宋代的绞胎器，弥足珍贵。1988 年和 1989 年泰州市郊分别出土了一件绞胎罐和壶，年代为明代中期或偏后，是目前仅见的出土紫砂绞胎器。

宜兴紫砂绞泥工艺是继承唐宋以来瓷器绞胎的工艺特点而发展起来的。制作绞泥的工序和瓷器一样，但在成型工艺中有一些区别。紫砂绞泥成型主要采用打泥片的技法，按所需要求大小切割，或者粘贴于紫砂器表面，或者直接镶接成型。经过绞泥这一工艺后，紫砂表面形成各种纹饰，有木理纹、鸟尾纹、梅花纹、流云纹、水波纹、雨花石纹。紫砂中使用绞泥工艺是借鉴姊妹艺术装饰工艺的典范之作，其层次分明的泥色、流云般的线条、梦幻般的特质，无一不牵动着欣赏者的眼球，妙趣横

吕尧臣 绞泥华径壶

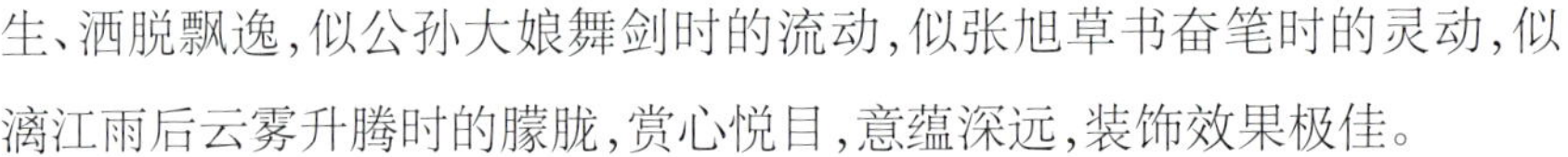

生、洒脱飘逸，似公孙大娘舞剑时的流动，似张旭草书奋笔时的灵动，似漓江雨后云雾升腾时的朦胧，赏心悦目，意蕴深远，装饰效果极佳。

第六节 ◎ 焙烧工艺

焙烧是紫砂器成品的最后一道工序，也是成品是否能体现创作者意图的关键所在。

不同泥料、泥性的制品烧成后呈色和收缩率不同，紫砂艺人必须在制作时就要掌握焙烧时的相关特点。

紫砂的烧成温度介于普通陶器和瓷器之间，约在1050℃—1250℃之间，具体的窑温由坯料泥性和所需陶色决定。其工艺流程是坯体晾干→装入匣钵→入窑（龙窑或倒焰窑，现代也有用煤气窑或电窑）→焙烧。紫砂陶窑火不易掌握，过火则老，老则不美，甚至发泡或变形；欠火则稚，稚则有沙土气。同一器物的器身及其嘴、盖等必须用同一块泥料做成，以防止因收缩率及泥性、泥色的差异而造成废品。

宜兴地区是我国古代重要的陶瓷产地，境内窑址众多，有以小窑墩为代表的六朝青瓷古窑址，唐代涧众龙窑遗址和真武殿古龙窑群，宋代的筱王村古窑群、南缸窑遗址、羊角山紫砂窑址，明清的前墅龙窑、欧窑以及蜀山紫砂龙窑遗址群、前进龙窑等。龙窑是我国古代依山而建的一种地上窑炉,主要分布于南方地区,与北方盛行的马蹄形窑不同,为中国两大窑炉体系。

液化气窑

宜兴龙窑烧制技艺至少于西晋时期已有发展,并经历代延续传承至今。位于宜兴市丁蜀镇的前进龙窑始建于清代晚期,民国年间扩建,20 世纪 60 年代后期被隧道窑替代。窑长 84 米、窑基宽 8.7 米,是目前我国现存最大的保存较好的龙窑遗址。

龙窑一般利用自然山坡建造,由窑头、窑身和窑尾三部分构成。

窑头又称预热燃烧室,砖瓦梁架结构,窑头南壁正中有一火门,半圆形火膛,火门下有通风口,可助燃料充分燃烧。近窑头处有一下凹 1.5 米的烧火时的操作平台。

窑身是装烧胚件的地方,又称烧成室,是龙窑的主要部位。窑身内壁以耐火砖筑成山坡斜直焰式筒形的弯状隧道,外壁敷以石块和太湖边上特有的白土,窑身左右各设投柴孔。西侧设窑门 5 个,窑身上方建有窑棚,花岗石柱,上覆以木质梁架及小板瓦。

窑尾为挡火墙和烟囱。挡火墙上有六个长方形的排烟孔,烟和废气

龙窑外观

通过排烟孔,由烟囱排出。挡火墙的功用是防止窑内火焰流速过快,增加火焰与胚件的接触时间和提高窑内温度。

龙窑利用山坡而建,优点有很多:1. 地势高,不受地下水的影响,可保持干燥;2. 龙窑窑床有一定的倾斜度,一般在8—20度之间,在山上可以利用自然坡度建窑,符合火焰自然上升的原理,造价低,又能充分利用余热,省工省事;3. 江南地区古代烧窑都用木柴,且瓷土矿大都埋藏在山上,窑建在山上,可以就地取材,使用方便;4. 江南地区山地较多,窑建在山上,土地可得到合理利用,大量的窑渣废品处理起来也较为方便。

宜兴地区的龙窑烧制技艺在六朝时期已有发展,已走过1000多年的道路,龙窑烧制艺人代代延续相传。由于古代烧窑工人地位低下,历史上并无具体的文献记载,民国以前的代别关系已无从追溯。宜兴龙窑烧制技艺在民国时期及以前是家人承传的方式,1949年后,为学徒方式传授技艺。由于龙窑烧制辛苦、经济收入不佳、没有好的发展前景等诸多原因,目前已无人愿意学习,此技艺面临濒绝的局面。

宜兴龙窑的烧制工艺包括晾胚、装窑、预热、烧窑、冷却、出窑等过程。从前墅龙窑的烧制工艺可以看出,它是我国古代龙窑发展的见证和延承,并具有如下基本特征:

(1) 唯一性:宜兴龙窑烧制技艺是我国仅有的两处保存下来的古代龙窑烧制工艺之一,也是唯一用传统方式烧制紫砂陶的技艺。

(2) 实用性:龙窑烧制技艺是经过两千多年的历史演变,而逐渐形成的成熟的工艺体系,是人们生活中陶瓷用品烧制不可或缺的工艺。

(3) 艺术性:龙窑烧制过程是火与土的艺术,火的淬炼,展现的是陶瓷的自然、纯朴之美。宜兴特有的宜钧所呈现的色彩斑斓的釉色,正是火的艺术的体现。

(4) 地域性:龙窑烧制技艺是中国南方特有的窑业工艺,其在"陶都"宜兴的发展、延续,形成了特定的宜兴龙窑烧制技艺。

前墅龙窑展现了我国传统的龙窑烧制工艺,可作为专题性的非物质文化遗产展示场所,应对其进行有效的保护与利用,使之成为活态的保护,而不是博物馆式的保存。

第七节 ◎ 工欲善其事，必先利其器

紫砂陶艺的工具本身具有强烈的个人风格和工艺特性，有『紫砂陶成器工具也是艺术品』一说，这充分证明了『工欲善其事，必先利其器』的精辟。

在紫砂成型的不同工艺环节中需要使用不同材质和形状的工具，通常以木、竹、牙、角、金属、陶、石、塑料等材料制成，以适应不同工序中对工具坚硬度、柔韧度、光滑度等的要求。因制陶者手法、习惯、器种和技艺个性的不同，完成一件器物所用工具从几十种到百余种不等，而且这些工具必须由制陶者自己制作完成。

紫砂器制作工具可分制作泥料的器具和成型器具。其中以成型器具最为复杂，这些工具要求由紫砂艺人自己动手制作。紫砂业界认为，学徒要从学做工具开始，如果不会做工具必然也做不好产品。由此可见工具在紫砂工艺中的作用和地位。

作为现代紫砂界泰斗级的人物——顾景舟大师不仅亲自

制作紫砂工具，还要求他的徒弟徐汉棠亲自制作，我们可以从徐汉棠先生的一些话中体悟到，对于一位紫砂艺人来说工具是何等重要。谨以此访谈作为本书的结尾。

做一把好壶要 118 种工具

○ 您在谈话中几次提到做紫砂器的工具，这里面有什么奥妙吗？

● 我五六岁的时候到我舅舅家玩，他也是做壶的。我到外婆家后，小舅舅经常带我到景洲哥家去玩，见到他的工作台上的工具做得非常规整，方的就是方的，圆的就是圆的。我那时虽然还不懂，但是看了就很喜欢，把那些工具当玩具，每次去都要拿在手里玩。景洲大哥看到之后，就对我这样讲：你玩归玩，不要带着走，不要弄坏，这是我的吃饭家伙。所以我那时就知道了这些工具是很重要的，走的时候按原样乖乖放好。我以后自己做紫砂，感受就更深了，谁把我工具搞坏了，我最恼火了。

○ 做紫砂的工具是从街上买来的，还是艺人自己制作？

● 要自己做！真正的紫砂艺人必须会自己动手做工具。1952 年父亲带着我拜顾老为师的时候，他说：汉棠要做我的学徒啊，我先出一个题考考你。他要我先做一套工具，是紫砂工具中最基本的一种——矩车，用来划圆片的。我在读书的时候就对手工很感兴趣，这个题目难不倒我。回去后我做了 10 把（矩车），都用竹子做的，每一把都有差别。现在还留着这一把，有 50 多年了。那个时候家里也没什么工具，矩车上要开个榫眼，我买不到工具，怎么办呢，就找个铁钉，放在炉灶里面烧一烧，自己打一下，连锉刀都没有，要用到锉刀的地方就用石头代替，就是在那种条件下做出来的。做完 10 把，我交给顾老看，他说：可以，过关了。就收我为徒了。为什么先要我做工具呢？在紫砂工艺中，工具是非常重要的，工具做得好，下面学起（做紫砂）来也就学得好了。刚开始学紫砂的时候，有很大一部分时间要花在做工具上。

○ 顾景舟先生是否特别重视紫砂工具的制作？

● 顾老对工具很讲究，我受他影响，自己的工具都尽量自己做，不依赖别人。

○ 一开始就有这种认识吗?

● 那个时候我还是学徒,基本功不怎么扎实,但是我不肯拿老师的工具用,要自己做,我有一次拿了老师的一个勒子做样品,照着它规规矩矩地仿制了一把,每一个角度都学得非常像,我用的竹子还不是新的,是老竹子。我做完了以后,就在那里使用了,正好老师过来,拿在手里一看,说:汉棠,你这个(工具)是拿我的吧。我讲我自己做的。老师说,你没有这个水平嘛,就不相信(我的话)。我也不再吭声,总不能跟老师争吧。老师就把这个勒子拿走了。走了以后,我就连做三个,一模一样的,在上面刻上我的名字,刻了一个"汉"字,我到现在还在用着。后来我师傅也知道了真相,对我制工具这件事就不多说什么了。

○ 紫砂艺人为什么那么重视制作工具呢?

● 工具的制作在紫砂工艺中占有相当重要的地位。古人说得好,工欲善其事,必先利其器,好比请木工师傅的时候,懂行的人家就先去看这位木工的工具好不好,工具好的话,做出来的活也一定是好的。紫砂工艺也是这样,自己的工具能做好的话,做壶的技术也不会差了。有一些工具需要特定的材质制作,像篦子,一定要竹子的,而且需要各种不同形状的。我有的时候看到农村一些搞紫砂批量生产的人,壶坯从模子里挡出来后,用一块塑料板,放在轱辘上呼噜呼噜一转就完事了。我们一定要用手工"篦",在"篦"的时候,壶的规格、形制有各种考究,(做壶人的)硬功夫才能体现出来。"篦"的程序不仅仅是使表面光滑,还要把壶的线条表现出来。工具影响的不仅仅是表面,还有壶的质地和内在的气质。你在做工具和使用工具的时候,传递的是一个紫砂艺人的内心世界,这不是个可有可无的程序和技术。

○ 像您做的这把壶与工具有什么关系?

● 这个壶我做了大概三四天,心血来潮地算了一下用的工具,有100多种,连图章一起,总共是118样工具。如果只有五六十样工具,也能做出来,但是做不出这个味道。你们听了也许不相信,我(做这个壶)的工具要用箱子装一箱的。

〇 **主要有哪些工具?**

● 工具里有一类是基本工具,像搭子、转盘。不过我用转盘也分大小的,壶身用大转盘,壶盖用小转盘。讲究的工具主要是和线条有关的,像“勒子”,壶肩用一种,壶肚用一种,壶底用一种,转折的地方也要专门做一种(工具),篦子、明针也是这样,每一处线条都有对应的工具。同一个壶,做的过程中干湿度有变化,壶身会收缩,线条变了,用的工具也要变。工具都是自己做的,看你需要什么就做什么。如果马马虎虎的话,细节的地方就表现不出来了,这对艺人来说,是个大忌。

〇 **顾先生做工具怎么样?**

● 师傅不同时间做的同一种工具,规格上能够完全一样,因为(他的)眼光非常厉害了,就是说他对工具的要求是极高的,这一点对我影响很大。

《符号江苏》丛书编委会

苏绣

李明 沈建东◎著

图书在版编目(CIP)数据

苏绣 / 李明, 沈建东著. 一南京：译林出版社，2013.1
（符号江苏）
ISBN 978-7-5447-2653-5

Ⅰ. ①苏… Ⅱ. ①李… ②沈… Ⅲ. ①地方文化—文化史—江苏省 ②苏绣—介绍 Ⅳ. ①K295.3 ②J523.6

中国版本图书馆 CIP 数据核字（2012）第037814号

《符号江苏》丛书
丛书主编 张道一

第一辑书目

昆 曲
明孝陵
南京云锦
宜兴紫砂
苏 绣
徐州画像石

书 名 **苏 绣**
作 者 李 明 沈建东
责任编辑 孙 茜
封面设计 胡 苨
版式设计 陆 莹 常 征
技术编辑 黄 晨 韦 枫
出版发行 凤凰出版传媒股份有限公司
译林出版社
出版社地址 南京市湖南路 1 号 A 楼，邮编：210009
电子邮箱 yilin@yilin.com
出版社网址 http://www.yilin.com
经 销 凤凰出版传媒股份有限公司
印 刷 南京爱德印刷有限公司
开 本 889 毫米×1194 毫米 1/16
印 张 14
版 次 2013年1月第1版 2013年1月第1次印刷
书 号 ISBN 978-7-5447-2653-5
定 价 98.00元
总 定 价 580.00元（第一辑全六册）
译林版图书若有印装错误可向出版社调换
（电话：025-83658316）

文化符号的魅力

罗志军

上世纪五十年代，一首来自江苏的民歌《茉莉花》走上国际舞台，让世界记住了江苏。时至今日，这首优美的乐曲，已演化为中国的文化符号，成为中外文化交流的纽带。许多国际友人就是寻着《茉莉花》的韵味，认识江苏并种下了对江苏特有的情结，这便是文化符号的魅力。

位于中国大陆东部沿海的江苏，是中华文明的重要发源地之一。在这片美丽富饶的土地上，一代代江苏人辛勤耕耘，不仅创造了辉耀古今的物质文明，而且形成了吴越古韵、楚汉雄风、金陵人文、维扬风物的文化特色，可以引为江苏符号的资源不胜枚举。

在江苏众多文化符号中，延续六百多年的昆曲，不仅是中国戏曲的“百戏之祖”，也是世界戏剧的三大源头之一；明孝陵空寂神道上的巨大石像，印证着南京虎踞龙盘

的王者气象；“咫尺之内再造乾坤”的苏州园林，代表了中国风景式园林艺术的最高水平；发端于南京的云锦纹样图案和以精、细、雅、洁蜚声的苏绣，以及宜兴紫砂、惠山泥人、江苏书画、江苏美食、南京城墙、徐州画像石、扬州漆器等等，都是江苏历史文化的名片。

随着中国改革开放的深入推进，开放的江苏与世界的联系日益紧密。江苏需要把更多代表自身特色的文化资源介绍给世界，世界亦需要借助更多的文化符号来感知江苏。由江苏省人民政府新闻办公室策划、凤凰出版传媒集团译林出版社编辑出版的《符号江苏》丛书，以图文并茂的形式，介绍了江苏最具公认度和代表性的特色文化资源，其中不少已列为世界物质和非物质文化遗产。这些经过长期积淀形成的标志性符号，体现着江苏这方水土独有的人文精神和文化基因，展示出江苏文化的源远流长与灿烂多彩。相信捧读《符号江苏》的朋友，无论你是否来过江苏，都会为她悠久的历史、灿烂的文化而心驰神往。

现在，江苏正致力于全面建成更高水平小康社会、开启基本实现现代化新征程。我们期望，通过《符号江苏》这套丛书，让更多的海内外读者朋友认识江苏、了解江苏。同时，我们热忱欢迎世界各地朋友走进江苏，亲身体验这方灵秀水土的无穷魅力，与这里的人们一起分享江苏独特的文化、优美的环境和美好的生活。

(作者系中共江苏省委书记)

目　录

第五章　美哉苏绣

前言

苏绣，投影在江苏水乡河荡上一片轻灵飘逸的云霓，盛开在江苏平原沃土间一丛花团锦簇的奇葩。她不仅是千百年来伴随着江苏地区民众生活的日常用品，还是一种文质兼备的手工工艺，更是凝聚着从世俗百姓到文人雅士风韵情愫的物质载体。

一

苏绣从最初的单线辫股勾勒轮廓，到今天变幻多姿的各种针法，经历了由简到繁、由粗到细的漫长过程。数千年的演变与发展，已形成丰富多彩的艺术表现手法，凝结着地域文化特点。这一个性，可从其历史发展和横向比较中加以认识。

绣品的精细入微。明清时形成独特风格的苏绣，以精细雅洁著称。无论山水景物还是花卉翎毛，都讲究精巧细致，达到成像精美、设色雅致的极高境界，与其他地区绣品的粗犷与浓艳形成鲜明比照。

技艺的不断创新。历经千百年的磨砺和淬炼，苏绣从传统针法到乱针，从单面绣到双面绣，乃至双面异形异色绣，在创新中不断提升，臻于完美。

绣工与画理相结合。苏绣不仅从民间服饰、年画、器物等姐妹艺术中获取灵感，更从专业绘画艺术中汲取营养。历来江南文人对闺阁绣格外钟情，为之提供绣稿，指导创作；出身于书香门第的绣娘，通过各种途径浸润于书画艺术，甚至本身就是擅长丹青的高手。画绣相彰，更添绣品运化之妙。在近代，传入中国的西画，在透视、比例、分色等方面对苏绣产生巨大影响，诞生出新绣种。

实用与欣赏相兼容。苏绣制品首先是应用广泛的实用品。与此同时，刺绣图案纹样也凝聚着源自生活又超越生活的美。随着刺绣工艺的专业化，与涌现出的刺绣艺人相对应，苏绣欣赏品吐芳挺秀，连连在国际、国内博览会上获奖。实用品与欣赏品相互涵养，相得益彰，推动着苏绣艺术登上传统手工艺成就巅峰。

二

江苏行政区划形成于清康熙朝，在明正德年间已扬名海内外的苏绣，指的是以苏州为中心的吴地一带的刺绣。随着技艺的成熟和影响的扩大，苏绣覆盖到更大范围。那么，为何苏绣这株奇葩盛开在江南？这方水土又为苏绣风格的形成提供了什么样的滋养呢？

江南，山水清丽，气候温润。律动季节所繁育的花卉果实、虫鱼禽鸟，为苏绣提供着无尽的创作题材。而灵动的水面，氤氲的水汽，以及气象、物候、色相的灵敏变幻，则涵养着江南女子精巧、细腻、温婉、柔美的内在品格，深深影响着苏绣艺术，赋予其婀娜多姿的风骨神韵。

江南文化虽有远古先民信仰和审美的遗传，带有某些神秘印记，但更多是崇尚自然，并融入人文伦理。这一地域文化特征，历世代积淀更迭，定型为一系列礼仪行为和文化符号，渗透到地域刺绣中，展现着生活中的真善与纯美，发挥着道德教化和艺术熏陶作用。

宋以降，江南快速发展的农业生产带来劳动力的富余，更多女性转而以手工副业为生。而农副业和手工业的发展，又使社会物质和文化生活水平得到提升，促成人们对生活中美的更高追求。苏绣的兴盛，本质上是维持物质生活的生产劳动向追求精神享受的文化艺术创造的跨越。

明清，江南是商品生产最早发育的地方。受此影响，江南绣娘不再把自己封闭于闺阁绣楼，而是从事一定规模的刺绣商品化生产，自发而有组织地把绣品推向市场。经济利益的激励，引导苏绣成为专业生产，也激发起一种活力，促使苏绣跟随市场需求成功地走向海内外。

绚烂夺目的苏绣作品背后，是数以千万计的绣娘凝聚心智的劳作。在一代又一代创意者群体中，不断涌现出真正意义上的艺术精英。她们不断发明创造，乃至开宗别派、著书立说，成为苏绣领军人物。正因为代有杰出才女在刺绣园地里引领播种耕耘，才培育出苏绣艺苑的姹紫嫣红、满园春色。

三

本书以多元视角和多种方法考察苏绣，共分为五章。

首章纵向梳理苏绣的渊源流变，展示其在历史长河中清晰的变迁轨迹；横向记述苏绣的空间流播，揭示其与各地刺绣文化的交流和影响，观照她在当今的生存和发展。

第二章讨论绣娘群体。透视她们生活中的喜悦与虔敬，以及对美丽和幸福的憧憬。不仅盛赞名重一时的奇才高手，更高度关注生活于市井和村野的草根大师，关照其在当今的生存和发展。她们彼此相生相发、并驾齐驱，共同为苏绣发展注入生机与活力。

第三章通过多姿多彩的日常生活，展现功能多样、璀璨生色、与生活息息相关的缤纷绣品，重拾过去，回味刺绣留给人类的无穷艺术魅力和隽永审美享受。

第四章在兼及传统与当代的基础上，详述苏绣精湛缜密、光顺和谐、雅俗相宜、“有常”“无定”的技艺风格，整体揭示其自成一派的艺术秉赋。

最后一章将目光深入到美学领域。苏绣是地域文化与江南人审美理念的结晶，饱含着人们的共同理想和愿望，具有超越时空的审美价值。那些争奇斗妍的绣品，折射出不同时代社会文化的投影，赋予薄如蝉翼的绣件以厚重的文化内涵和无限隽美 。

苏绣的传承是苏绣得以延续的重要手段。该章内容及有关对新生代绣娘群体考察的文字已经抽出，今后将单独作论文发表。

本书第一章的第二节、第二章的第一节及第三章由沈建东和李明合著，专此说明。

第一章 ◎ 苏绣源流

宋 · 赵昌《蛱蝶图》(局部)　高建伟绣制

第一节◎滥觞

原始彩绣在人类美饰自我的追求中发轫。骨针的发明让『以针缀彩线』成为可能；文身习俗或是刺绣肇始的另一源头；章服制度的确立，终使『画缋』与『针黹彩缕』同构互渗，迎来刺绣艺术的确立期。

远古刺绣与原始绘画同源，中华原始艺术萌芽中，早已蕴含着绣艺的胚叶。琳琅满目的出土文物可以证实，远在四五万年前，人类就已懂得缝制衣服，用染成红色的线串缀各种饰物。新石器时代，大量纺轮、刀杼、彩陶以及骨针、布帛痕迹的发现，说明先民已发明纺织和染布，而古人以笔蘸彩汁涂写（黹），从专家对篆文“繡”字的考证来看，即已含有“绣”的原始意义。让我们从与刺绣相关联的几个要件谈起。

一、先民制骨针

“针”，亦称“引线”，乃缀衣之工具。初写作“箴”，可见与“竹”有关，后来因为有了金属，原先与“竹”组合的实物形体便自然换成"金",写作"鍼"(针)。

针的发明,源于人类对美原始而朦胧的追求。

大约在一万八千年前,我们的祖先已不再赤身露体,他们在探索美化自我的过程中逐渐学会制作骨针,用其缝制兽皮类衣服。上世纪30年代,首枚骨针于北京房山县周口店出土,残长8.2厘米,孔径0.31—0.33厘米,针孔窄小破裂,针尖锐利,通体磨光,保存相当完好。本世纪初,在内蒙古又发现一批距今八千五百年的骨针,多数微微弯曲,少数直针,尾端有着规整的针眼。这是先民最初的文化创造之一! 当我们审视、抚摸那一根根粗细不一、长短不等的骨针时,会深切感受到祖先磨制骨针时的颤动心灵,它们蕴含着人类争取生存和自身繁衍的智慧,也是华夏服饰文化史的最早发轫。

距今六七千年前西安半坡村妇女缝纫纺织用的骨针和骨梭

骨针的使用,对中国刺绣艺术的发生无疑具有重大意义。因为对于后世刺绣艺人而言,针如同手中之画笔,飞针走线,描龙绘凤,离不开纤细如毫的金针。如果没有先人创制骨针,后人很难从缝制衣服的针法中获得启示,也不可能孕育出延续至今的刺绣艺术。

二、文身孕彩绣

文身是刺绣艺术肇始的源头之一,由涂画身体的习俗演变而来。

史前,人类祖先最初的审美活动浸染着浓厚的原始宗教色彩,体现为先民对红色的特殊情感。初始阶段,猎人将自己猎物的血涂在身上,有意无意地向同伴暗示,他是猎物的获得者。逐渐地,红色就成为一种特殊符号。部落中有人获得猎物,众人便在身上涂抹红色,欢悦地舞蹈,以示庆祝;狩猎者出发前,以红色涂身,举行仪式,祈求成功;以红色画身,还可取悦异性,因为只有具有战斗力的男子才能被女人视为英雄。

这种将涂画身体作为祈神和装饰自身的行为方式，经漫长发展，演变成可以使神秘色彩和图案得以永久保存的最佳方式——文身。

世界各地原始部落民族大多盛行文身，用来美化自己，吓唬敌人，彰显力量，产生崇拜。中国的许多民族也都有文身习俗。西安半坡类型人面纹彩陶尖底罐，圆形的人面被分成三部分，上部是两边被染黑的额头，可能就是文面习俗的反映。

太湖流域史前为荒蛮之地，土著以渔猎为生，常遭蛇害。因此，吴越先人敬畏蛇神，崇拜龙蛇，遂断发文身，仿蛟龙之状，以避水神。

古人文身，过程十分痛苦。需以针锥刺破皮肉，血随针冒，针随血落，而且每次文身只能及于身体的一部分，刺后二三日，人会全身红肿，卧床不起，直至结痂后方可行动。待到痂落，身体复元，再刺第二部分。因此，相传泰伯死后，仲雍不忍后人承受在身上刻刺图纹之苦，召集众人商议对策，被正在房内低头缝衣的孙女听到，女孩便认真揣摩起来，一不小心针扎破手指，血色沾衣。她受此启发，急中生智，尝试在衣服上一针一线地刺绣文身图纹。为使其更加美丽，她用五彩染丝，仿照自己辫子的结构，埋头绣制七天七夜方才完工。当小女孩双手捧着绣衣交由祖父展开并将绣衣穿上时，只见其五彩纷呈，比文身图案更光彩夺目。于是，仲雍择一吉日，身穿绣衣，召集众人宣布：从今往后可照此方法制作衣服，不必再文身。替代文身的锦绣针刺艺术由此被称为“女红”。

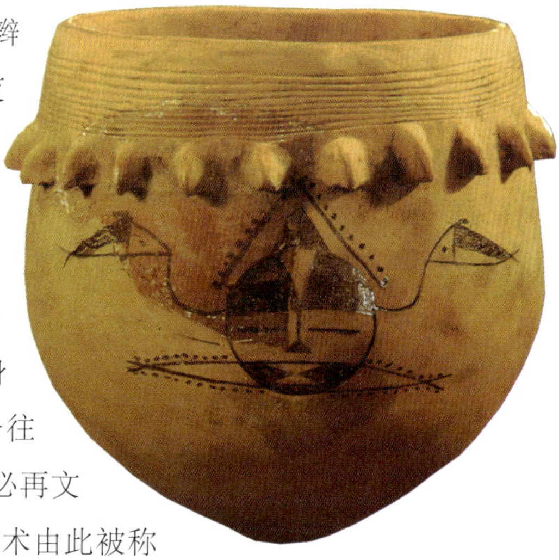

西安半坡类型人面纹彩陶尖底罐　张朋川提供

值得一提的是，文身过程毕竟充满了亢奋的激情和审美的愉悦。也许正缘于此，文身的施行者和文身工具才会引起人们关注。文身不仅在行为文化层面与刺绣相关联，其工具同样为刺绣艺术产生创造了契机。

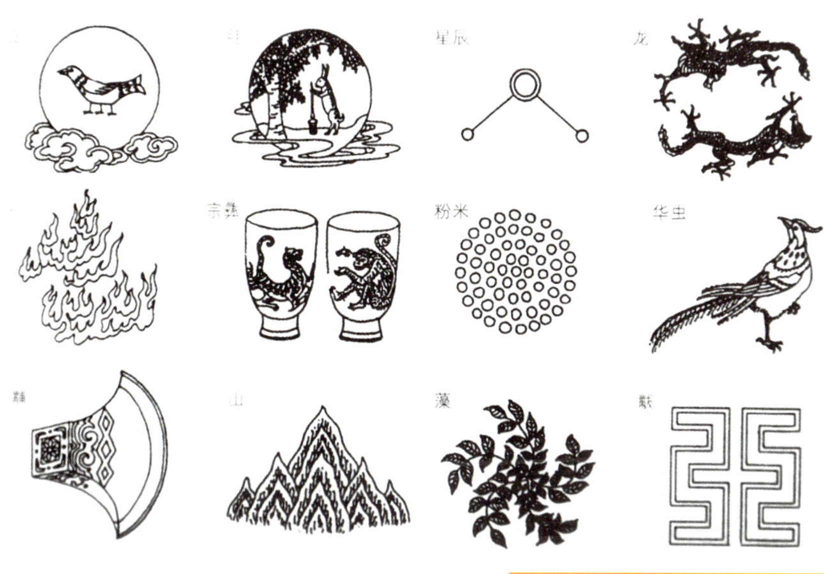

帝王服饰专用的十二章纹　诸葛铠提供

三、黼黻施章服

大约在四千多年前，中国进入父系氏族社会，私有制确立，人类服饰制度发生深刻变革，章服制度处于初创期，原始彩绣始被纳入到“礼”的轨道。《尚书 · 益稷》中就有关于舜命禹做刺绣服饰的记载。

> 帝（舜）曰：臣作朕股肱耳目，予观古人之象，日、月、星辰、山、龙、华虫，作缋；宗彝、藻、火、粉米、黼、黻，希绣。以五彩彰施于五色作服，汝明。

可见，早在舜禹时代，先民就以取象比类之法，将天地万物的形态施于服饰，以彰其义，来真实而形象地反映客观事物的某些现实关系。这十二象征性符号统称为“十二章”。除此之外，色彩上也有严格定规。《考工记》中就有《画缋之事》，张道一先生将该节译为：

> 绘画的职务和工作，是调配五色，用来在服装上描绘纹饰。东方

呈青色，南方是赤色，西方是白色，北方是黑色；代表天的是玄色，代表地的是黄色。色相的渐次关系，青色与白色相次，赤色与黑色相次，玄色与黄色相次。

规范化服饰制度的建立，使先民衣装出现尊卑荣辱之别。更由于统治者对华丽的推崇，远古彩绣中的章服绣（画缋）应运而生。1975 年，宝鸡高茹家庄西周前期鱼伯墓出土了一块刺绣衣衾印痕，上有清晰的锁绣痕，附着红、黄、褐、棕四色，朱色的底子和石黄色的绣线仍鲜丽如新。它向我们展示出那个时期的美饰之风，表明当先人在画缋不能满足审美和仪礼需求时，则采用针黹彩缕的刺绣，而刺绣工艺的演变取决于统治者的价值观念和审美情趣，两者密切相关。

第二节 ◎ 生态

江苏之所以享有世界声誉，
是因为她富有清新绮灵的江南气息。
温山软水、得天独厚的地理环境，
滋养着发达的渔稻、蚕桑经济，
造就了江苏人独特的审美情趣和社会心态。
昌盛的文化折射出生态与人和社会所保持的『精神联结』。

一、温山软水之乡

古人造字，透露出刺绣与江苏息息相关的信息。绣者，取“五采备也”之义，而“蘇”以“丝”、“禾”结构成字，则表示其与蚕桑、稻谷密不可分。江苏温山软水，乃著名的鱼米之乡，具备孕育和发展刺绣的天然条件。

江苏，是一个水文化生态之地：她东濒大海，海岸线绵延近千公里，海洋文化繁荣兴盛；她河湖纵横，拥有湖泊二百九十多个，全国五大淡水湖中江苏得其二。京杭大运河纵跨江南江北，长江横贯江苏东西，这一纵一横，使吴、楚汉、淮阳之三大文化得以共生共融。经济商贸汇通，人民生活富庶，构成江苏地域的主要特征。

与水相呼应的是江苏的低山丘陵，蜿蜒起伏，峰峦叠翠，各擅其胜，同湖光田畴互为映衬，构成旖旎独特的山光水色。

桃花坞木刻年画《刺绣姑娘》 张晓飞提供

优越的自然环境为江苏人创造丰厚的物质资源奠定基础，多样的水文化孕育出江苏人如水一样仪态万千的文化灵性和精神气象，也塑造了江苏人"尚智"、"巧智"的文化基因，精细灵巧的手工艺早已成为江苏特别是苏南地区的创意之业。

参考资料表明：物华天宝，人杰地灵，为刺绣发展增添了无限生命力。发端于苏州地区的苏绣，现已遍及江苏省的常州、无锡、扬州、宿迁、东台、宝应等地，成为中国工艺美术宝库中一颗璀璨的明珠。

二、桑蚕丝绸之都

山清水秀的江南，养蚕缫丝起于何时，难于考辨。民间却有着众多关于蚕桑起源的美丽传说。相传很久以前，在烟波浩渺的太湖之畔，有一位聪明伶俐的姑娘名唤巧姑，她为后

吴江盛泽先蚕祠 罗建军摄

母所逼，在风雪天到野外割草，在山坳里遇见身披七彩薄纱、美貌无比的七位仙女。仙女赠与她紫色桑果和雪白蚕茧，那蚕茧正是由天宫里的蚕姑娘结就。每天清晨，蚕姑娘坐在云堆上，把彩霞和天地的灵气一起吸入腹内，然后张开小嘴，徐徐吐出千丝万缕，再用灵巧双手梳理一番，就变成一缕缕闪闪发光的五彩丝线。织女仙姑就是用这蚕丝织成漂亮的绫罗绸缎，供天界神仙四时之用。巧姑返家，按仙女吩咐，将桑果撒至地里，栽桑采叶，用蚕茧孵出蚕蛾，产卵育蚕。经勤喂精养，蚕儿长大，不断摆动着头部，将绿色的生命汁液化成一丝一缕，结成一只只洁白如云的蚕茧。

根据考古资料，吴越民族从新石器时代便开始饲养家蚕。在苏浙交界的吴兴钱山漾新石器遗址中，曾出土家蚕丝带和绢片，这可能是目前世界上出土的最早的丝织品。在河姆渡遗址中，出土了大量纺织工具如骨梭、梭形器、陶制纺轮等，其中有一盅形象牙雕器上，刻有编织纹和蚕纹图像。众多文物考古资料表明江南太湖流域的丝绸起源于远古。

在太湖地区，养蚕、缫丝、编织是丝织品生产的全过程，原本是由蚕农完成。后来，桑蚕业逐渐出现分工，从中分离出机户，即专业的丝织手工业者。明清时期，苏州是丝织业最发达的地方，与南京、杭州并称为全国丝织业的三大中心。于是，刺绣因丝绸文化的发达而兴盛，及至光绪十年（1884 年），仅苏州一地经营绣品的绣庄就有七十余家，后又猛增至一百五十多家。在苏南一带，因蚕桑丝织业繁荣，蚕王马头娘（又称马明皇菩萨、马明王、马明菩萨）成为民间一大信仰。

正是由于蚕丝的出现，丝织、刺绣逐步发展为中国古代具有高度创造性的重要手工艺门类，开创出华夏民族灿烂的丝绸文明，至今仍在文化和产品上展现出博大精深的内涵和意蕴无穷的魅力。

三、人文昌盛之地

江苏历史悠久，人文昌盛，尤以苏州为中心的江南一带为盛。

江南文化素呈开放态势，具有良好的包容性。自古以来吴中便接纳众多移民。泰伯、仲雍奔吴开文明之先河；三国时，北方居民南渡达十万余户；东汉末，北方士大夫不断南迁；六朝之际，北人大量南移；隋唐

《姑苏繁华图》（局部）清·徐扬绘于乾隆二十四年（1759 年）

时，仍有北人南来就食；北宋末年，金人入侵，宋室迁移，北方士民纷纷南下…… 历经百代，南北文化的融合使江南文化不断蜕变更新，并经长期熔炼，吴中地区终于发展成为东南文化的轴心。

江南地区的民风心态是因该地区经济的开发而显著变化的。又由于政治风暴的影响，导致六朝之后的江南人从尚武逐渐转向以知足淡泊、温文儒雅为尚。他们崇文重教，将全部心智倾注于文化事业，以此来实现人生价值。特别是明清时期，江南文化方面的成就达到鼎盛，杰出人才难以计数，所涉领域之广、声誉之高、影响之远，举世瞩目。

与此同时，顺情遂性的特定心态也导致了人们对生活趣味化和艺术化的追求。在诗词、散文、戏曲、小说等各领域，不但流派纷呈、个性突出，而且各领域都涌现出领军人物，形成中坚力量。如杰出诗人高启、“前七子”中的徐祯卿、“后七子”中的王世贞、昆曲创始人魏良辅、传奇作家沈璟、“三言”的作者冯梦龙、著名小说评论家金圣叹等等。至于在绘画、书法、园林、音乐、工艺美术等艺术方面，江南人更是将精细灵巧的秉赋发挥到了极致，创造出无数新异、精致、富有特色的文化样式，影响遍及全国各地，推动着华夏文明向前迈进。

这一切，都可视为江苏不朽的灿烂篇章。而苏绣艺术的繁荣，正是江南人文昌盛的鲜明体现之一。

第三节 ◎ 流变

江苏刺绣始于何时?
距今五六千年的丝绸织物令人遐想无限……
东吴的锦绣衣衫,宋元绣画的流行,
明清刺绣的精雅,今世绝品的惊艳,
无不说明江苏刺绣在历史上曾经历过不同的发展时期。

江苏刺绣,发源于苏州,历史灿烂而悠久。她源于民间,源于生活,随着历代社会政治和经济的发展,呈现出鲜明的地域风格,生动反映出人民对生活的渴望和审美追求。

一、东吴已有锦绣衣

锦绣衣裳,一个美妙而令人遐想的名字。身着饰有彩色花纹的丝织锦衣或绣衣,这样的生活方式是与良好的社会物质条件及文化氛围联系在一起的。

自公元前560年起,苏州作为春秋时期吴国的都城,雄踞江南,至秦汉,改名吴县,为会稽郡治地,仍不失其“江东都会”之称。及至六朝,为吴郡首邑,社会发展迅猛。在长达一千一百多年的历史中，虽然未见刺绣史料，但有两条相关材料不应忽视：

其一，《史记·吴太伯世家》曾记载吴王僚九年（公元前518年）吴楚争桑之事：

> 楚边邑卑梁氏之处女与吴边邑之女争桑，两女家怒相灭。两国边邑长闻之，怒而相攻，灭吴之边邑。吴王怒，故遂伐楚，取两都而去。

吴楚两国边境居然为争桑而发生战争，说明当时两国都十分重视蚕桑生产。有桑则必有丝。尽管未必有丝必有绣，但“丝绣同工”还是有可能的。

其二，这期间，吴地各业在汉兴之后有长足进步，极有可能成为刺绣艺术产生的先决条件。

至于吴地的刺绣实物，目前倒尚能见到几批，由此可知宫廷贵族用绣情景：

1982年，江苏高邮天山广陵王刘胥夫人之墓出土刺绣残片，图案类似马王堆出土的“长寿绣”，有穗云纹、豆荚纹、金钟花纹，线条如行云流水，中间有鸟头的形状，采用单一的辫绣针法，线条较细，弧度大小一致。

1993年，江苏东海县尹湾汉墓群出土的绣衾残片，经拼复后呈一幅大型汉绣，棕色真丝绢地，图案自下而上展开，穗形的流云为主体图案，布满整幅绣品，中间穿插有遨游神天的瑞兽，采药炼丹的羽人，奔腾跳跃的梅花鹿，变形的凤鸟、孔雀，顶上还有脚踏彩云的金龟，绣幅中有九颗大小不一的珠慧球，喷射出五彩火焰，飞跃升入天际。绣衾的针法运用为单一辫绣，排针紧密均匀，技巧娴熟。

东汉末年，在丝织业发展的基础上，吴郡出现刺绣

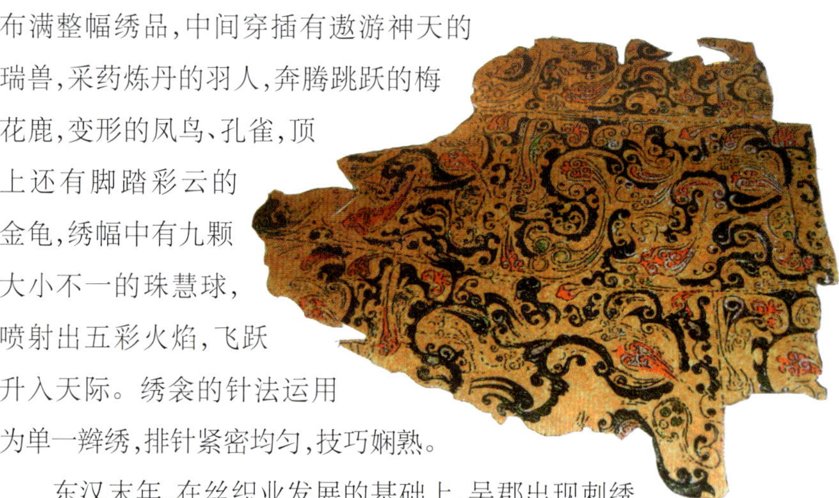

扬州出土西汉广陵王刘胥夫人墓出土刺绣品残片

工艺。“妇人为绮靡之饰”，“绣衣黼黻，转相仿效”，史料记载表明：色彩鲜艳、花纹精美的刺绣乃始于服饰。

孙吴时期，刺绣已在吴地生根。上千吴人身着“绣衣”和“锦衣”，如此巨大的规模，意味着刺绣已经历了一个漫长的发展过程。

迨及南朝，梁武帝不仅提倡佛教，还是刺绣艺术的倡导者。其他被记载的还有齐、梁的刺绣锦裙和法被。由于六朝均建都于今天的南京，可见，当时刺绣的范围不断扩大，在江南地区已相当普及。

隋唐五代，苏州为江南雄州。大运河黄金水道的开通，使两岸城市获得全面滋养。唐代安史之乱后，全国经济中心逐渐从中原移向江南，扬州、苏州日益富庶繁华。这时期，手工业欣欣向荣，尤其是丝织业开始走向高层次，白居易曾用“天下取样人间织……染作江南春水色”来赞美吴郡绚丽多彩的丝织物。另外，受北方先进技术的影响，特别是佛教的兴盛，绣经、绣像成为刺绣的重要内容，刺绣题材日益丰富、技艺不断提高，意味着刺绣工艺得到广泛发展。

二、宋元绣画驰于世

两宋之际，统治者推行右文治国之策，带来文化的兴盛。士大夫在以“真仁之世”的政治气节入世的同时，纷纷参与绘画，谈文论艺蔚然成风，文人绘画达到鼎盛。与此同时，受院体画影响，“绣画”、“绣书法”开始流行。特别是南宋偏安江南后，文化在南方得到较大发展，纯欣赏性刺绣流派逐渐形成，出现画家供稿、艺人刺绣、画绣结合之趋势，名人墨宝也被绣于绢素。为能使仿画绣品达到惟妙惟肖的程度，需要调动运用各种技艺，这在很大程度上使平绣针法和设色处理技巧进一步创新并趋于成熟。

需注意的是，刺绣工艺也在此时出现分化，呈现为两大走向：一是由绣制佛像转化为模仿名人书画的画绣；一是以服饰为主体的日用品刺绣。二者并驾齐驱，相互影响，沿袭不辍。

这一时期，江南一带的画绣不仅精细生动，日用品刺绣亦具有较高水准。平线绣技巧和网绣戳纱等针法的相继问世，表明民间刺绣的表现力大为增强，主要体现在佛教刺绣用品上。

1956 年，在虎丘云岩寺第二层正西门口夹墙中的石函内，出土了建隆二年（961 年）保护经卷的丝织物——经袱，其针法齐密匀顺，有平抢、铺针、接针、施毛针等，虽时隔千年，仍完好无损，花卉图案清晰鲜艳，古朴大方。1978 年，在建于北宋天禧元年（1017 年）的苏州瑞光塔里又发现刺绣经袱，图案平整，针法齐密，还用三线晕色，十分精细。1975 年，江苏金坛茅麓周瑀庙出土绛罗贴绣牡丹纹褡裢，以贴绣工艺制作，先用薄绢剪成牡丹花叶的形状，贴于褡裢正面，然后用辫子股针绣制花叶的轮廓线和花茎。

江苏金坛茅麓周瑀庙出土的绛罗贴绣牡丹纹褡裢

除此之外，还可以把目光投向同属江南文化的浙江。瑞安慧光塔（又名仙岩寺塔）中曾出土北宋庆历以前绣品，经袱三方，罗地上用黄、白等色粗绒施平针，绣制成对的翔鸾团花双面图案，绣面平，针脚齐，是迄今所见双面绣品中有明确年代的最早作品。福州南宋黄昇墓也有大量绣品出土，纹饰以花卉为主，夹杂小蝴蝶、蜻蜓、鱼藻纹等，针法有铺针、齐针、斜缠、抢针等 15 种。

上述绣品，绝大部分为佛教刺绣，也有少量日用品。从实物可以看出，南宋江南一带的刺绣，不仅针法不断增多，而且充满创造力，为日后刺绣的进一步发展奠定下良好的技术基础。

徽宗末年，朝廷在苏设织造衙门，兼办官货绣品。南宋后，苏州相继出现绣线巷、滚绣坊、锦绣坊、绣衣坊、绣花弄等与刺绣有关的专业坊巷，表明刺绣品在当时有着日趋扩大的需求，统治者、世家大族和佛教信徒用绣甚多。

南宋时期，江南一带的刺绣欣赏品艺术水平不凡。目前所能见到的《达摩渡江图》，绣工精细，画绣相彰；《瑶台跨鹤》、《梅竹鹦鹉》、《海棠双鸟》无不绣艺精妙，设色简洁，晕色和顺，具有工整秀美的艺术特点。虽然专家对辽宁省博物馆的花鸟绣藏品是否为宋绣尚有分歧，但经笔者与刺绣专家孙佩兰老师沟通，根据绣品呈现的院体画形式、南宋黄昇墓出土绣品体现的技艺，以及清初著名收藏家安仪周的鉴定意见，暂且将其归为南宋作品，且极有可能出自吴地苏州一带，可以说明商品绣兴起前这些地方的画绣已臻妙境。

元代是中国织绣史上的一个高峰。入主中原的元人，在全国各地广

南宋画绣《梅竹鹦鹉》辽宁省博物馆藏

设绣局和罗局，刺绣的成品和功用日趋艺术化。元世祖推崇藏传佛教，中原拜佛信教之风复兴，虽有绣局仍沿袭宋时路子，不仅刺绣花卉虫鱼及名画，而且更加推崇佛教刺绣，其中仍能见到充盈着动人心魄的佛家精神的作品。南京博物院现藏《刺绣观音像》，出自大画家赵子昂之妻管仲姬之手。其所居地吴兴紧邻苏州，作品丝绣、发绣相结合，静穆生动，

管仲姬《刺绣观音像》 南京博物院藏

工整雄健。管仲姬乃元代第一才女，由其刺绣可以大致推断，元时江南刺绣水平当有明显宋绣特点。

三、精、细、雅、洁明清绣

明清的江南，经济和文化进一步繁荣昌盛，人才辈出，个别部门甚至出现新的生产方式，直接影响到地域文化艺术的演变和整体跃升。而洪武年间在苏州复建织造局，也促使苏绣艺术更趋成熟。民间家家养蚕，户户刺绣，商品刺绣相当发达，作品时出新意，绣种日趋丰富，如洒线绣、蹙金绣、发绣、绒线绣、缉线绣等都出现于这一时期。

明中叶，无锡尤仲骥妻余氏早年守寡，为育孤儿，依靠女红刺绣养家，创制出堆纱绣针法。其作品巧夺天工，乡人纷纷仿效，余氏成为最早被地方志记载的无锡刺绣艺人。

这一时期，作为“苏式”文化样式之一，苏绣“精、细、雅、洁”的独特地域风格业已形成，不仅在国内独树一帜，还受到西方人士雅爱，外国人求购者，数千金一小幅乃为常事。

明代韩希孟绣宋元名迹册《洗马图》

嘉靖年间，毗邻苏州的上海，有露香园“顾绣”崛起，名震海内。其创始人为顾名世长子顾汇海之妾缪氏。相传她的绣法从皇家内院得来，擘丝细过发丝，针刺纤细如毫，配色别具心裁，所绣人物、山水、花鸟，生动有致，极为精妙。顾绣传至名世次孙媳韩希孟时，绣艺更加完备，达到登峰造极之境界。其特点表现为运用高超的刺绣技艺，将实用刺绣升华，把对事物的精微观察融于刺绣艺术创作，“画绣相彰”，顾绣名冠江南，一度成为丝绣的通称。

顾绣之所以能成为品牌，原因在于其深得宋代画绣真传，兼受“云间派”画风影响，以摹写宋元画迹为尚，画理与刺绣浑然一体。绣品细、平、齐、薄，宛然生动，针法复杂多变，灵活走针，设色丰富传神，韵致精雅，十分符合文人和市民的审美趣味，代表着一种社会时尚，从而身价也随之大增。当时，士人都以拥有一件“露香园”绣品而自豪。

顾绣的艺术化，对后世苏绣发展影响极大。特别是作为商品绣的顾绣，因文人名士的题咏赞颂而广为流传，以致经营苏绣的商人纷纷以顾绣为其商铺命名。直至 20 世纪 50 年代初，苏州仍有顾绣庄。然而，顾绣与苏绣毕竟不能混为一谈，两者在具体风格上存在明显区别，况且清代嘉庆年间以后，顾绣已逐渐衰落，不能与至今仍蓬勃发展的苏绣同日而语。

值得提及的是，明代江南文化艺术上的一件盛事：嘉靖年间，发源于昆山地区的昆腔经魏良辅改革创新，形成“水磨调”昆曲，流传甚广，很快跃居各腔之首。窄衫、绣绔、金蟒、白衣等戏衣的形象记载，说明昆曲剧种的兴起也推动了刺绣业的发展，成为其迅速成熟的重要因素之一。

清代，苏州城一度被誉为“绣市”，持续着欣欣向荣的局面，大量家庭作坊从事刺绣的制作与营销。此时，宁、扬刺绣也空前发达，出现专业性生产区域，绣品作为宫货进贡清廷，同时满足了戏衣、戏具及殿宇、佛事用具刺绣装饰的需求。

晚清，江南社会激烈动荡，经济文化遭受重创，苏绣艺术有退无进，欣赏品画绣濒于绝迹。面对衰败状况，苏州沈寿，无锡丁佩、华琪等“针神”，潜心于刺绣研究和创作，倡导“以新意运旧法”，将西洋美术的知识和技巧融入中国的刺绣艺术。1910 年，清政府举办“南洋劝业会”，沈寿的肖像绣《意大利皇后爱丽娜像》一举夺魁，华琪的风景绣《山水绣件》荣获金牌奖，常州、无锡等获奖作品多达几十件，苏绣传统技艺因现代转型而名扬四海，进入一个新的历史发展时期。

苏绣《群猫》 苏州刺绣研究所出品

四、绝品惊艳在今朝

民国期间，作为一代宗师，沈寿美名继续蜚声艺坛，引领苏绣艺术的发展。至20世纪30年代初，丹阳正则女校杨守玉勇攀艺术高峰，一改传统细绣“密接其针，排比其线”的绣法，创造性地将西洋画用笔及用色原理融入刺绣技法中，首创乱针绣，缤纹交错，自成一格。这期间，虽宫货绣已中止，但海外市场的开辟使得苏绣外销量猛增，从业者甚众。20世纪40年代起，战争导致艺术品绣制日渐衰落，日用品生产也因粗制滥造而走向没落。

解放后，社会大环境几经起落。20世纪50年代掀起的合作化高潮，极大推动了苏绣发展。组织起来的绣女有条件专事苏绣的传统研究和技艺探索，全力挽救、继承和发扬这一传统艺术。从艺者在刺绣题材和技法上的频频出新，标志着苏绣艺术进入一个前所未有的鼎盛期。手工

苏绣《南京长江大桥》 苏州刺绣研究所出品

刺绣方面，双面绣、乱针绣技艺日益精进完善，精品迭出；濒临灭绝的发绣远远超越历史水平；进入现代生活的手工日用品刺绣，则主要依靠农村广大女工，形成“家家绣绷、人人习绣”的繁荣局面。此外，机绣品也因工效快、人工省、价廉物美而在全省范围内得到发展。这不到 30 年的时间，成为苏绣发展史上的又一巅峰。

上世纪 80 年代以来，伴随着时代发展和市场化进程，传统苏绣面临蜕变和再生的考验。一方面，在不断扩大的绣品营销中，以苏州高新区镇湖为代表的农村刺绣产业群迅速崛起，刺绣新人大批涌现，苏绣这颗“东方艺术明珠”更加璀璨夺目；另一方面也存在着刺绣行业恶性竞争，产品雷同、实用刺绣日益萎缩等状况。行业发展面临的新困境，意味着更新发展契机的到来。

无锡硕放出土 明代 缘罗纱对襟夹衣贴绣凤穿牡丹（局部）无锡博物馆提供

第四节 ◎ 传播

苏绣艺术的空间传播，使其得以在兼容并蓄的基础上除旧布新，实现艺术的移植与交融，并形成相应的苏绣艺术文化圈。

长期以来，作为一种富有地域特色的文化现象，苏绣艺术在空间上得以广泛传播。其主要途经有：因艺人迁徙而造成的艺术播布；以采借方式形成的苏绣向不同地区的扩散和传播；因承接外贸加工，通过与外国的交往或国内各加工点的广泛联结，实现刺绣艺术的移植与交融；以刺绣艺术表演和展示为内容，感染欣赏者，获得亲身传播的艺术效果。

一、艺人流寓播绣艺

（1）莲仙徙湘创名绣

因艺人的迁徙造成的苏绣艺术的传播，最典型的莫过于胡莲仙的远嫁。

吴县胡莲仙(1832—1899年)本籍安徽,少时随父长期生活在苏,很早就学会刺绣、绘画和剪制绣稿。20岁时,嫁湖南湘阳人吴健生,中年寡居,生活困窘,便开始以绣谋生,维持生活。

1878年,胡莲仙托人介绍,到曾国藩家中做绣女,教女眷们绣花。次年,即挂牌"绣花吴寓",接受刺绣订货,因鲜人问津,又改为"彩霞吴莲仙女红",经多年努力,其精巧手艺方为人所识,绣品供不应求,于是开始设帐授徒。她还邀来街坊邻居共同绣制,魏氏即其中的佼佼者。

魏氏(1842—1914年),湖南长沙人,丈夫供职于城里亲戚家的绣庄。当时的绣庄以运销苏绣为主要业务,魏氏因而有机会接触到苏绣并学习绣制。1886年,魏氏进城拜访胡莲仙,两人很快成为密友。她们在解决生活的实际需要和遵循美感要求的创作过程中,在苏绣基础上,借鉴粤绣风格,使绣品带有鲜明的湘楚文化特色,成为湘绣的创始人。为进一步开创新局面,光绪二十四年(1898年),胡莲仙的儿子吴汉臣在长沙开设第一家自绣自销的"吴彩霞绣坊",作品精良,流传各地,从而闻名全国。

湘绣双面绣《虎头》

光绪末年,湘绣以浓郁的地域风格成为中国"四大名绣"之一。1934年,长沙周边地区以刺绣为业的妇女达近万人。这些地方至今仍是湘绣中心。

(2)举办教育艺广传

苏绣艺术的广泛传播,与沈寿赴京任教、坚守教育、艺传南北有密切关系。

1904年，沈寿夫妇因由商部代奏，进呈绣屏为慈禧祝寿，遂获懿旨嘉奖，随后农工商部被奏准特设绣工科。1906年初，沈寿、余觉创办“同立绣校”，在我国职业教育史和刺绣史上写精彩的一页。

同立绣校是沈、余夫妇走上“以绣自立于世”道路的开端。1906年5月，沈寿携苏州办学人员，应召赴京，出任绣工科总教习。

绣工科名为部属机构，实乃贵族学校。课程以刺绣为主，兼设图画和国文。其学生多为满族官员子女或八旗子弟，娇生惯养，难以伺候，但沈寿总是循循善诱，口手相传，不厌其烦。由于学生对生活缺乏观察，面对绣绷上的纹样，难以下针，沈寿便常带她们去京郊万牲园（动物园）写生做笔记，引入启发、激励和评价机制，提升学生认知水平和实际刺绣能力。

教学之余，她还悉心研究针艺，历经三年多时间的揣摩和实验，终于将“仿真绣”发展到一个崭新阶段。

辛亥革命后，绣工科解散，沈寿率原班人马（除蔡群秀、金静芬早已南返外）避兵出京。翌年，借天津种植园设立“自立女子绣工传习所”，以教授自给。

1914年，沈寿应张謇之邀抵达南通，出任女红传习所所长兼教习，继续弘扬刺绣艺术。她采用生动灵活、因材施教、注重实践的教学方法，教

◎◎《蛤蜊图》　沈寿绣制

育成果蜚然。到第七个年头，传习所不仅人才频频涌现，绣品销路也同时大开。于是，应销售之需，张謇又新设织绣局，沈寿为局长。总局设于南通，在美国纽约和瑞士、意大利等地分设分局和销售处。从此，细致、生动、美观的南通绣品在国际市场上声誉日隆。

南通女红传习所从1914年创办到1939年停办，历时二十余年，为当地及苏、皖、浙乃至湖广地区培养出大批刺绣后人。作为苏绣艺术的重要分支，南通刺绣基本上沿袭着女红传习所的传统规范。虽有新的题材不断融入，但始终坚持强调“以针代笔”的平绣绣技，多选用古典名画为蓝本，采用“画绣结合”、“以画补绣”的虚实处理方法，形成细、薄、匀、净的风格特色。特别是人物绣作，形象

沈寿仿真绣《济公像》　苏州博物馆藏

生动，色彩雅致，针法变化多端，有明显的沈绣遗风。上世纪60年代的南通工艺美术研究所，就曾集中一批以宋金龄、巫玉等为代表的女红传习所学员或绣工，包括周禹武、李巽仪、张元芳、陈锦、庄锦云等等，她们都是仿真绣的出类拔萃者，是承前启后的一代中坚力量。

(3) 正则刺绣播天下

正则绣艺的最初传播，乃因战乱引起。上世纪20年代末，由杨守玉首创的乱针绣诞生于丹阳正则女校。正当校长吕凤子激情满怀，打算推广这一艺术形式之际，国际风云变幻，抗战烽烟四起。随着沪宁沿线城市的相继沦陷，吕凤子率正则骨干教师和家人历尽千辛万苦，西行入蜀，卖绣捐款，在重庆璧山建立私立江苏省正则职业学校蜀校，乱针绣随之传入四川。

在正则绣传播过程中，苏州是弘扬绣艺的重镇和中心。

◎◎《夕阳返照图》　南通女红传习所早期学员张淑德绣制

《群鸡》 陈嗣雪绣制

今日的乱针绣工艺，经广泛传播，已创造出很多表现手法，如虚实法、衬托法、留色法、彩绘法、攀丝法等，加之以拼布合成、多种线材的综合运用，各种题材、各种形式、各种效果无不可以传神表达。

（4）发绣奇葩绽东台

发绣起源于唐代佛教的流行和发展。民间信女青灯黄卷，长斋绣佛，落发描绘宝像，以示虔诚。然至清代，发绣已寥寥数幅，几成绝响。

1954 年，工艺美术专家高伯瑜与苏州刺绣研究所艺人共同努力，抢救濒临失传的发绣工艺，创作出建国后第一幅发绣作品《屈原像》。1972 年，原以加工人发、羽毛、猪鬃为出口原料来换取外汇的东台镇跃进工艺厂，为发展工艺美术，听闻高先生下放苏北，闲居农村，特三顾茅庐请先生出山，任该厂艺术指导。高老集结起八十多位工艺美术专技人员，把国画和刺绣工艺品生产搞得热火朝天，培育出一批新生技术力量。1973 年，第一幅多色发绣《黄山迎客松》问世，经外贸部门鉴定后，远渡重洋，获国际人士好评。就这样，沉睡已久的发绣绝艺奇迹般复苏，在东台重新绽放异彩，高先生由此获得“发绣奇葩播种人”的美称。

如今，东台发绣又开辟出新纪元。艺人们改墨绣为彩绣，融画、绣于一体，变双钩为晕色，开发出双面和双面异色发绣艺术品。

“文化大革命”结束，高伯瑜重回故乡。从事会计工作的女儿周瑩华发现，苏州的发绣居然没人做，面临后继无人的险境！而发绣与丝绣相比，具有清秀淡雅、线条明快、清隽劲拔、耐磨耐蚀、永不褪色、富有弹性、利于收藏等特点。为重现苏州发绣之精彩，她决意承继父业，研制发绣，让这朵奇葩在故土展露新颜。

周瑩华如饥似渴地汲取中外各类艺术精华，尽力提升自身艺术水平，旨在让发绣成为拥有恒久收藏价值的绝妙艺术品。天道酬勤，在她的作品连续获“百花杯”工艺美术精品奖金奖后，周瑩华成功创办起自己的明瑩刺绣美术工作室，创作出一批大型发绣艺术珍

左：东台发绣《拙政园香洲图》 右：东台发绣现场

发绣精品《李嵩货郎图》 周蓥华绣制

品：如《姑苏繁华图》、《清明上河图》、《韩熙载夜宴图》等发绣长卷，精彩绝伦，令人惊叹。至此，发绣终于又回到了她的"娘家"苏州。

二、主动撷取求发展

(1) 中日交流衍新艺

苏绣艺术的转型，很大程度上得益于中日文化交流中各自对邻国艺术的主动摄入与再创造。

中国对日本文化输出较早。中世纪，约在飞鸟时代（592—710年），佛教传入日本，寺院佛殿开始供奉织、绣佛像。传世实物有《天寿国曼荼罗帐》残片。该帐因圣德太子逝世（622年）而制，从莲台、佛像等图案内容看，明显受到中国南北朝佛画盛行的影响。

唐代，日本曾先后13次派遣使团入唐，每次都带回文化典籍、陶瓷、丝绸（包括刺绣）等物。佛教界人士往来更为频繁。高僧鉴真东渡日本，随行人员和携带物品中就有绣师和刺绣工艺品。绣师、绣品的输出，使得日本刺绣几乎全盘接受大唐文化，显现出鲜明的中国风格。

镰仓至室町时期（1192—1575年），日本绘画兴起，刺绣开始与本民族风俗文化结合，呈现出本土特色。至江户时代（1603—1867年），日本出现学习中国文化的第三次高潮。苏州版画随这一浪潮传入日本，对日本在文化交融与杂糅中产生的新画种浮世绘形成较大影响。以青楼女子、演员画像、情爱描绘、自然风光等为主题的美术作品，受到市民阶层广泛喜爱。与此同时，对西洋铜版画和透视构图的热衷，又使其风景画几可媲美欧美艺术品。这一时期，日本刺绣出现日用与欣赏两大门类，主要用于服饰。日本绣构图丰满，色彩鲜明。针法的发展和金银线的普遍应用，又与明清中日贸易扩大，中国锦绣、织锦织物大量流入有很大关联。

◎◎ 江户时代日本浮世绘名作《江户名所百人美女京桥》

◎◎ 江户时代日本浮世绘名作《簪子》

明治时期（1868—1912年），日本盛行洋风，刺绣图案、技法表现频频出现新意。直接采用西洋画作绣稿的日本刺绣开始进入国际市场，获得世界瞩目。

而此时的中国，正值晚清民初新一波西学东渐热潮再起之际。大量官方资助及民间自行前往的留日学生，对于通过日本媒介学习西学有很大助益。

在这样的情势下，鉴于当时“中国刺绣板滞难得画神，更加设色少学识”情况，为改变墨守成规的现状，1905 年 11 月，余觉、沈寿夫妇受农工商部委派，赴日考察，亲身接触西洋绘画与日本刺绣，视野因此大开。

沈寿的日本之行，成为苏绣艺术发展的历史性拐点。走出国门，使她拥有学习西方优秀文化艺术、反观苏绣的优点与不足、提升艺术理念的机会。回国后，她将西洋写实技法融入中国刺绣，扬苏绣精细之长，避日本针工粗细不一之短，开启摄影人像绣先河，中国刺绣因此焕发生机，蜚声海外。由此不难看出，刺绣艺术在向不同地域或民族传播时，其形态、功能等会因巧妙采借而衍生许多变化，而这正是艺术传播的意义所在。

(2) 苏南乱针苏中传

上世纪 80 年代末，扬州宝应县鲁垛农民莫学春，因迫于生计，投奔工作于常州工艺美术研究所的亲戚，得到的是学刺绣，办绣厂，一年能挣三四千元的建议。莫学春旋即回乡借款，带领八名熟习女红的妇女再度赴常，最终在常州刺绣大师陈竹青指导下，开始他们的学艺生涯。两年后，这批人回到宝应鲁垛，带回了乱针绣艺。

1991 年，莫学春创办乱针绣坊，开始承接日本和服腰带等日用绣品。上世纪 90 年代后期，苏南刺绣急剧萎缩，给鲁垛乱针绣带来发展空间。周边农村妇女纷纷到莫学春的小作坊学艺，办起一家家绣坊。

鲁垛乱针绣在承继苏绣传统技法的同时，还充分发挥“扬派刺绣”善于描摹中国书法、国画作品的特长，结合现代喷绘工艺，将油画用笔、用色原理融于绣艺中。其作品注重整体精神与效果，用针施线纵横交错，收放自如；大处落墨，细处运针，飘逸潇洒，形成别具一格的鲁垛乡绣风格。鲁垛刺绣题材，主

《母亲》 宝应华艺苑刺绣研究所制作

要分人物、风景、动物三类，绣品鲜活逼真，呼之欲出。

鲁垛移植乱针绣的成功之例启迪人们，一个地区要想有所发展，途径之一是积极利用外部资源。正是由于宝应人及时采借了苏南趋于萎缩的刺绣手艺，才成就今天的宝应乱针绣，并最终实现了艺术传播与富民经济的良性互动。

三、借助加工促传播

（1）以点带面广联结

上世纪，为适应外贸生产发展需要，亟需在农村办厂或设立刺绣加工点。尤其是日本和服、和服腰带刺绣的生产，供货时间紧，技术难度大，在非常情况下，苏州刺绣厂、吴县刺绣总厂等企业创造出“以点带面”、快速培养合格绣工的新方法，成为刺绣艺术快速传播的主要途径。

以吴县刺绣总厂为例。20 世纪 70 至 80 年代中期，该厂刺绣和服腰带生产渐趋旺盛，从最初的年产值 9 万元，到 1985 年猛增至 1657 万元，达到历史最高水平。刺绣和服腰带订单的快速增长，意味着刺绣队伍也必须随之迅猛发展。时任厂长，现为中国工艺美术大师蒋雪英独辟蹊径，以“滚雪球”之法解决刺绣技艺培训问题，即以老带新传授绣技，在每遇新订单，急需创新针法之际，蒋雪英先辅导本厂刺绣骨干，使她们具备娴熟的专业水平，然后以其为核心，组织她们分赴各乡辅导当地刺绣好手，再由当地技术骨干充当小老师，教会其他绣女。

就这样，一传十，十传百，一张和服及和服腰带刺绣的技术队伍网络终于构建起来：以刺绣厂为龙头，乡镇刺绣发放站为基地，村级刺绣工场发放员为纽带，由村级辅导员连接为数众多的农家绣女。两万多绣女在飞针走线致富的同时，也使苏绣技艺得在继承的基础上发扬光大。

（2）古洋齐用求创新

上世纪 70 年代起至 90 年代，以苏州为中心、由江苏地区出产的苏绣和服及和服腰带有过近 30 年的光辉历程。

为日本加工的刺绣实用品，为何冠以苏绣之名？这是因为在承接日本来料加工之际，有的客商仅有一个基本思路，具体绣制图案尚需加工者帮助设计；有时，即便客商在刺绣方面提出具体要求，但因日本针法结构较粗糙，难以与精工细作的和服、特别是和服腰带在艺术上协调，加工者就会根据长期经验及对日本市场的了解，给客商一些改进建议，有选择地将中、日刺绣针法创造性地融合，以迎合消费者心理需求，赢得客户信赖。

上世纪80年代中期，苏州刺绣厂为适应和服由单纯礼服穿着向与收藏相结合的发展趋势，进一步运用苏绣技法，在和服腰带上强化艺术效果，体现苏绣语言。

为此，设计制作人员将原先仅应用于网眼纱底上的戳纱针法应用到平面织物上，令刺绣表现、图案造型的变化更丰富，装饰趣味更浓郁；将苏绣彩平绣与抽拉雕针法相结合，令一贯使用纯色线的抽拉雕画面呈现五彩缤纷的效果；把平绣的打子、手捻线绣等技法与其他许多平绣针法巧妙 结合，刺绣图案的艺术感染力大为增强。

与此同时，吴县刺绣总厂厂长蒋雪英和技艺人员一起，在刺绣图案、色彩、针法方面进行全方位设计与开发。特别在针法方面，将美观性、实用性及省工原则有效结合在一起。

对打子针法的创新性运用成为古为今用的重要内容。打子，又称结子、点绣、环绣、打籽，其粒整齐细小，便于组织，是苏绣中常用的辅助针法之一。由于打子绣系一个个小结，在防止起毛和耐磨性方面较传统平

虚实打子绣《云龙》日本来稿　蒋雪英绣制

丝线绣与金线绣结合的平绣腰带（局部） 吴县刺绣总厂出品

绣具有优势，因此将其作为主要针法，大量运用到和服及和服腰带的刺绣之中，可有效克服平绣易起毛、不耐磨的弊端，这对和服刺绣工艺来说无疑成为一种有效的推进。

移植日本工艺则是洋为中用、促进苏绣艺术发展的又一重要途径。苏州刺绣厂引进日本扎染和手绘技术，将喷绘、单线防染等工艺技能与刺绣相结合，开发出既有别于日本国内纯友禅工艺，又不同于传统刺绣的新品，令人耳目一新，成为日本和服腰带高档品市场的新宠。

针法应用上，设计和制作人员也在原来传统细平绣、打子绣、盘金（银）、绕针、散套、虚实针等基础上吸收海外的刺绣针法，以满足更多刺绣爱好者及更多不同审美品味的日本民众的需求。

加工日本和服及刺绣和服腰带，一方面使日本实用刺绣技艺得以在中国传播；另一方面，为使刺绣和服具有更大竞争力，加工者积极吸收海外新颖针法和工艺，不仅以多样化的苏绣技艺为日本市场提供了美不胜收的实用工艺服饰，还形成许多苏绣新品，将和服腰带加工法融入旗袍制作，使其更为高雅、多姿。刺绣技艺在更高层次上的交融与双向传播，让苏绣艺坛因此而生机无限。

四、展出展演频互动

苏绣艺术以静态实物的方式呈现在观者面前，直接给国内外人士提供具体可感的艺术形象，肇始于清末的展览活动。宣统二年（1910 年），清政府在江宁（今南京）举办第一次劝业会，旨在振兴全国实业，推进社会教育。展会上，江苏刺绣品出品多，获奖颇丰。

1915 年，苏绣艺术在巴拿马太平洋万国博览会上赢得世界瞩目，沈寿绣《世界救主耶稣像》脱颖而出，被誉为“旷世神绣”，获一等大奖，此后，苏绣在各类国际博览会上以独特的艺术风采屡获殊荣，也将苏绣的精美、雅致及江南的文化内涵带给世界各地的每一位消费者。

建国后，苏绣艺术品更是在国际、国内各种形式的展览、展销会上频频亮相，而苏绣艺术品的广泛展示与传播，恰似那友谊的纽带，联结着五大洲的各国友人，赢得他们对中华苏绣艺术的由衷赞叹与尊敬。

苏绣艺术通过艺人表演、亲身加以传播则始于上世纪50年代。1956年，新中国培养的第一代刺绣艺人顾文霞赴英国伦敦，参加由国际贸促会举办的手工艺品及家庭爱好品国际展览会。这是解放后苏绣艺术首次出国展演，令人叹为观止的东方艺术魅力强烈地感染着在场的每一位参观者。两年后，顾文霞又赴瑞士洛桑表演刺绣，当地媒体竞相报导。从那以后，仅苏州刺绣研究所就先后有五十多人次赴世界各地展演，江苏各刺绣专业单位也不断有人通过亲自表演的方式，将中国灿烂文化的组成部分传播到世界各地。

中国工艺美术大师蒋雪英

特别值得提及的是，当代苏绣艺术对外传播过程中，有一位对繁荣苏绣事业、促进中日民族文化交流作出重大贡献的使者，那就是草根出身的中国工艺美术大师蒋雪英。

1973年，日商到上海寻求和服腰带生产厂家，时任吴县刺绣总厂副厂长的蒋雪英从上海外贸公司争取到试制任务。由于她设计的和服亮丽鲜明，让人赏心悦目，在参试厂作品中脱颖而出，由此打开日本实用刺绣品市场。

几十年的辛勤耕耘，由蒋雪英大师所指导设计、绣制的日本和服及刺绣和服腰带已成为日本人所向往的珍贵礼服。许多人以拥有一件绣有“蒋雪英大师”印章的和服或刺绣和服腰带为无上荣耀，因为精美华贵的服饰是身份地位的象征。

和服及刺绣和服腰带让日本人认识了蒋雪英，她也由此成为东瀛极富魅力的明星，媒体、政界、市民关注的焦点。人们赠与她“人间国宝”的美誉，其刺绣技艺被称为“蒋氏刺绣”。日本人还专门成立“苏州刺绣研究会”，探究苏绣艺术的精华所在，参与苏绣在日本市场的策划与展销。

标有蒋雪英大师之名的打子和平绣结合的日本和服

第二章 ◎ 绣工群体

◎◎ 虚实乱针绣《白猫头》 任嘒闲绣制

江南一带妇女多以绣织为业，以绣为工的女性则俗称“绣娘”。由于她们所处阶层、社会地位和从事的绣种不同，绣娘群体相应地大致分为宫廷、闺阁、民间几种。宫廷绣娘以“织绣局”或“绣坊”招募的民间绣匠为技术主体，制品多为“上用”，无论欣赏品和实用品，都以华贵、繁缛、极致之艺风彰显着帝王皇权的至高无上；闺阁女性，以大家闺秀、名门闺媛为主体，她们生活优裕，勤修家政，藉刺绣陶冶性情。绣品承“画绣”传统，追摹绘画原作的笔墨线条、色彩浓淡和风神气韵，作品高雅脱俗，穷极精巧，宛然生动；民间绣女，是那些出身寒门、生活在广袤乡村或社会下层、灵性聪慧的女儿家，她们刺绣的目的在于谋生。绣娘群体中不乏精英，其中闺阁英杰是精英文化的积极参与者，往往引领时代风尚；民间草根大师则是大众文化的出色实践者。虽然由于刺绣群体有分层，其绣品也会在风格、用途等方面显现文化差异，但群体间并不会因阶层、文化的不同存在明显区隔，而是彼此相互借鉴、相辅相成，在并驾齐驱中实现着刺绣技艺与文化的多元融合，共同为苏绣艺术发展注入生机与活力，造就新的高峰。

时至今日，中国社会急速转型，作为传统手工艺代表之一的苏绣，同样面临着危机和希望。改革开放以后，以镇湖八千绣娘为代表的乡村绣娘中，涌现出大批刺绣高手，纷纷投身于自主创业的大潮，通过当代的刺绣实践，绣娘群体在传统的“裂变”过程中，不仅实现着文化的薪火相传，也使苏绣艺术对当今社会有所贡献，在某种意义上获得了文化再生。2006 年，刺绣入选中国非物质文化遗产名录。古韵今艺，传承创新，苏绣艺术在更大范围和更高层次上被人们重新认识，拥有广阔的发展前景。

第一节 ◎ 绣娘身影

江南女性多善女红针黹。不论是未婚女子、已婚主妇，还是年迈老妪，虽身份不一，心态各异，但人人都能描龙绣凤，倾情于绣，展现心智与技巧。历史长河中，绣娘们留下了匆匆的身影和各种形象，折射出的却是人世间的悲欢离合、善恶美丑……

刺绣成为女性的必修课，与传统社会对女性的性别规范密切相关。“男外女内”是封建社会对男女两性空间配置最形象的标识，故而女子深锁于闺中，不出闺房半步。方寸之内再造的乾坤是绣娘们内心的独白，而历史长河中留下的是不同社会阶层、社会地位的绣娘们匆匆的身影和鲜活的生活形象。

一、倦绣正逢停针线　欢聚游春情缱绻

明清时江南等地商业经济发达，各阶层消费活动活跃，春游之风极盛。特别是苏州、扬州、南京等地，闺阁女性都可在踏青之期停下手中针线，出外游赏。

春节过后，第一次停针线在农历二月二龙抬头之日，以免

针线误伤龙目。此时春耕大忙即将到来，对于农家女子来说，也是最后一个玩日，意味着要从春节的狂欢状态转入寻常的辛勤劳作。

另一次停针线则在清明前后，各地开始春社。祭祀之礼结束，人们酒食分餐，友朋欢聚，厌倦刺绣的女子们亦可停针游春赏花，呼朋引伴，结伴去踏青。

春社之期，城里的女性也可暂时抛开性别规范的束缚，观赏那牡丹粉红、迎春鹅黄、桃花含雨、柳叶飞绿、泉水汩汩、燕子双飞的佳景。

江南大自然丰富的色彩，愉悦着女子们的性情，也培养了她们审美的眼光。俗话说："绣花容易配色难。"江南分明的四季，秀丽的山水，红黄绿紫色彩的频繁交替，为绣女们提供了飞针走线的绝佳素材。

二、闺阁女儿绣关情　游园惊梦幽思春

在传统社会，官宦大户人家的金枝玉叶，处于社会上层，游春机会相对受到制约。她们独守空房，春心萌动，无以遣怀，只得去自家花园游园赏春。

应闺中少女遣怀之需，就有人家在自己家里建起小姐楼。宅园合一

网师园彩霞池

的苏州网师园集虚斋楼上就有小姐楼，为园中最佳观景点之一。那里曾是园主女儿的闺房所在，也是古时大家闺秀们花样人生的舞台。她们在闺房楼头眺望，园中景色历历在目。以园主女儿名字命名的彩霞池，水体荡漾，轻巧别致，尽收眼底。她的静谧安逸，或许可给予停绣的怀春少女些许心头慰藉。

◎◎ 网师园小姐楼　郑可俊摄

千金闺阁女除春日游园外，还可品茗闻香。对于闺秀而言，茶乃闺中密友，琴乃闺中至爱，绣乃闺中良伴。

江南丰富的自然美色和人文景致，陶冶着闺阁绣女们的闲情逸致，如诗如画的绣品与园林相得益彰，已经很难说得清，究竟是绣品反映着园林，还是园林影响着绣品。

三、莫道乡村寻常女　刺绣寄情传绣歌

对于社会下层的乡村寻常女子而言，生活自然要鲜活得多，并不断地滋养着她们的绣艺。于是，刺绣亦能生情、传情，彩线与绣针成为绣娘寄情的最佳媒介。

◎◎《听琴》金静芬绣制

《十绣荷包》乃吴歌之精品，歌中形象再现了乡村女性“以绣传情”的动人场景：

东南风吹来浪头高，三层头楼浪格小姐勒拉绣荷包。一面要绣龙来一面要绣凤，要买五彩花线针来挑。

头一挑要挑松鼠采葡萄，第二挑要挑白鹤童子御仙草，第三挑要挑三戏白牡丹，第四挑要挑白娘娘许仙相会在断桥，第五挑要挑五尺龙船龙演舞，第六挑要挑霍定金女扮男装离家逃，第七挑要挑七七四十九只灵官庙，第八挑要挑杭州西湖间几株杨柳间株桃。

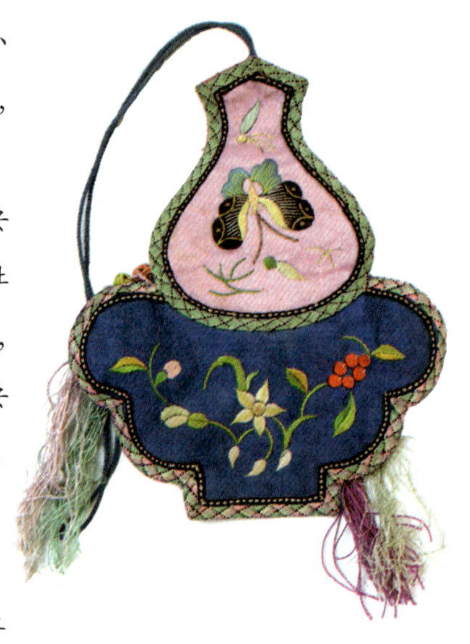

苏州民俗博物馆藏荷包

小小荷包全绣好，拨拉（送给）郎君哥哥挂勒腰，倻（你）郎君哥哥高楼浪吃酒、低楼浪吃茶勿要说，起格种真情事，漏仔口风断脚断手命难逃。

闺阁女停针赏春，私定终身于后花园；乡村女以绣传情，勇敢地表达爱意。透过各种绣品，我们可窥见女性对爱情的憧憬，是烦恼、是甜蜜、是期待、是率真，种种心态，虽然难以尽述，但乡村女性的绣品已透露出两种文化交融与互动的无限可能性。

四、蓬门刺绣谋生女　勤绣无暇赏春妍

刺绣是江南劳动女子赖以糊口的重要经济来源，也可表明传统社会女性对经济生活所做的贡献。她们以刺绣劳动技能自立，谋求生存，体现出女子万般柔情背后的坚韧。

过去，以刺绣为生的贫家女，苦怨无诉，穷极一生也可能无法赚足一份嫁妆的大有人在。

理所当然，这些绣女刺绣的人生体验与游园思春的闺阁女性有着

平民绣女为他人加工的鞋头花　李品德收藏

天壤之别，故而，她们在倦绣之余，倚绣所思的是："蚕事正忙农事急，不知春色为谁妍。"然而，正是在长年累月施展飞针走线技艺的过程中，也孕育着江南一带女性自强坚韧的品性，随着时代发展，这一品性成为近代社会江南女子觉醒的前奏曲，乃至江南一带率先走向近代化的基石。

五、怨妇绣龟换君归　绣匠深宫叹春逝

还有一类绣女形象是怨妇怨女，她们的绣品是对传统社会中沉重劳役及战争的一种控诉。这些女子有的长期独守空房，绣品成为其希冀夫妻团圆的寄托，甚至是一种可以巧妙利用的武器。流传最广的就是有关唐代"绣龟换君"的故事。据说唐将张揆防守边疆近十年，其妻侯氏十分思念他，于是便绣诗于丝帛之上，呈给唐武宗，诗曰：

> 睽离已是十年强，对镜那堪更理妆。闻雁几回修尺素，风霜先为制衣裳。开箱叠练先垂泪，拂杵调砧更断肠。绣作龟形献天子，愿教征客早还乡。

唐武宗读后，非常感动，诏令释放揆还乡，并赐侯氏绢三百匹，以奖赏她的贤德。

至于那些充当绣匠的绣女，长年锁于深宫高墙之内，不能与家人团聚，她们的处境更为凄凉。明清时期就曾出现过不少以"倦绣"为主题的绘画与诗作。笔者藏有一件刺绣钱褡，由文物收藏爱好者李品德先生所赠，苏派风格，上绣"深宫二十年"字样，丁未年所作，下绣牡丹与蝈蝈。江南地方，蝈蝈又名"叫哥哥"，画中之意十分直白。可以想见，当年那位宫人背地里小心翼翼地行针走线时，悲叹青春已逝，梦想飞身出宫，尽快有情哥哥前来迎娶的哀怨与急切心情。

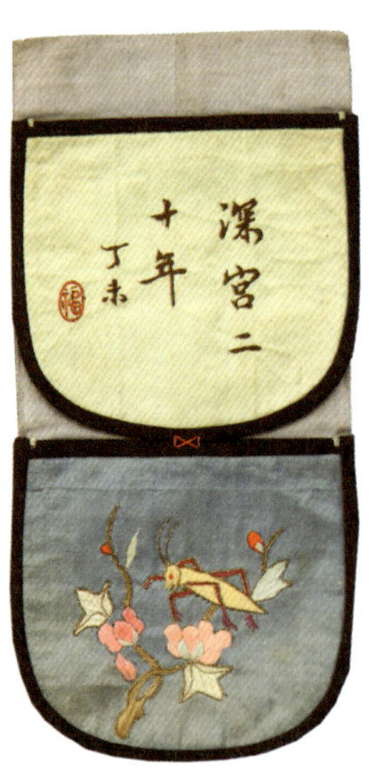

深宫二十年钱褡　李品德提供

尽管时间无痕，绣娘们依然留下了匆匆的身影；虽然身份不一、心态各异，但绣出的都是一幅幅美丽的图画，而折射出的正是人世间的善恶美丑、悲欢离合。

第二节 ◎ 闺阁英杰

江南闺阁中，曾涌现出一代代名重一时的奇才高手。她们的创造，引领着苏绣艺术的文化魅力和品位。近现代以来，以沈寿、华堪、杨守玉、朱凤、任嘒闲等人为代表的艺术大家，潜心运新意，铸就了苏绣艺术的辉煌。

在江南这块土地上，风气开放，尚文崇艺，文雅而有才识已不单单是衡量男子的尺度，也成为对女子的期望与价值判断的标准。闺阁女子崇尚才华，热烈追求着知识与技能，她们进入艺术创作、商品生产等各个领域，为人们所认同和赞赏。

刺绣，是最为闺阁女子喜爱的女红技艺。那是由于在刺绣的造型、纹饰、色彩、装饰、审美向度等方面，闺秀们可争奇斗巧，一展才华，赢得他人钦慕，倍增自信之心。没有一代又一代刺绣名手的创造，没有她们的引领，很难形成苏绣艺术的文化魅力和品位，造就今日的辉煌。

这些引领者，我们可称之为绣坛闺阁英杰，她们是闺秀群体中涌现的出类拔萃人物的集合体。她们勇于探索，革故鼎新，一次次地超越艺术和人生境界，在刺绣艺术领域创下令世界瞩目的璀璨业绩。

清末至民国三四十年代，江南闺阁涌现出一批卓越的刺绣艺术家，如苏州的沈寿、沈立、丁渭琦、蔡群秀、沈英、朱心柏、金静芬、徐慧珠、胡莲仙，无锡的华堪、李佩黻、李韵和、张应秀、王畹香、赵禄增、缪艺、陈华贞、郭景英，常州的杨守玉、朱凤、任嗜闲、周巽先，常熟的王守明、唐义贞、程竞强，南通的巫玉等人。这些有才有识的闺阁女，在女性解放思想的浪潮中，积极接受现代意识，自觉追求自我实现，不仅在刺绣艺术上潜心运新意，频频赢得国际声誉，领导刺绣时尚潮流，而且致力于刺绣工艺教育，精心传授绣艺，在手工艺术教育领域中展露才智。她们有的还呕心沥血，著书立说，在中国刺绣艺术画卷上及近世江南社会变迁中用心描绘出灿烂篇章。

让我们共同来认识几位20世纪以来苏绣艺坛上最受推崇的卓越的闺阁刺绣艺术家。

一、雪君仿真　引领风潮

沈寿，原名云芝，字雪君，苏州人，精于绣术，仿真绣一代宗师，传统女红艺术现代化之先行者。其父嗜好古玩字画，母亲善绣。云芝天分很高，从小受家庭艺术熏陶，爱好绣艺，更添刻苦勤奋，十四五岁已为闺阁名手。二十岁时，她与擅长书画的余觉结为伉俪，夫绘妻绣，绣品更具神韵。慈禧七十寿诞之际，近代大画家、任伯年入室弟子颜元，即著名油画家、教育家颜文樑之父，亲自为余觉夫妇创作绣稿《八仙上寿图》，由云芝、沈立、金静芬等人精绣而成，进呈宫中，慈禧惊为绝世神品，挥毫亲书“福”、“寿”两字，分赐余、沈夫妇以作嘉赏，由此云芝更名为寿。

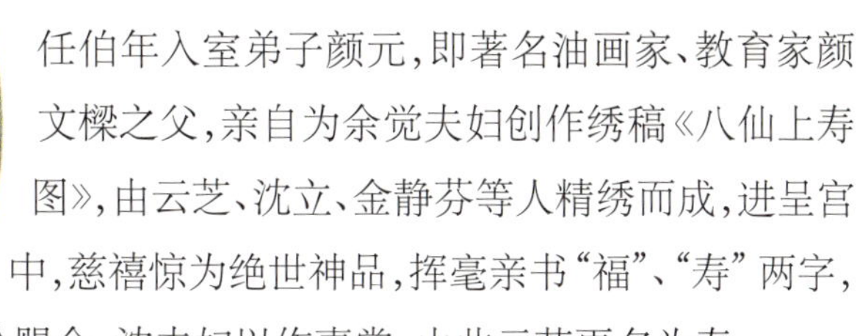

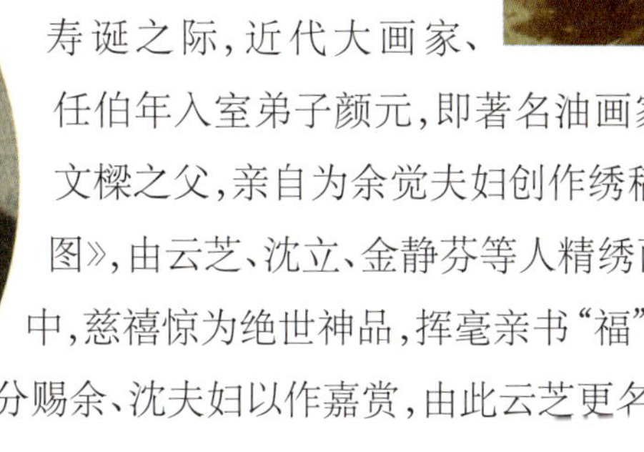

上：沈寿像　下：余觉像

蘇行楷 余覺習字帖之一

三在居士臨古

朕自臨御未曾不四更初即起具衣服禮尊容蓋所為蒼生祈福也昨十數日前曰禮謁事畢之後曙色猶未分端坐靜處有若假寐忽夢見一真容云吾是汝遠祖吾之形像可三尺餘今在京城西南一百餘里時人都

余觉习字贴之一 张朋川提供

同年，沈寿受农工商部委派，赴日考察西洋美术和日本刺绣，眼界大开。回国后，在应召任京师总教习期间，潜心针艺。她循画理、师真形，经三年多仔细揣摹研究，终于突破传统刺绣书画以摹古为能事之窠臼，将西洋美术知识和技巧融入中国刺绣艺术中，首创仿真绣，代表作《意大利国王像》和《意大利皇后爱丽娜像》冠绝天下。

《意大利皇后爱丽娜像》 沈寿绣制

据沈寿学生金静芬回忆说：她的绣法确实与寻常有所不同。绣花时，她常把鲜花折了来，插在绷架上，一边看，一边绣，绣出来的花，色彩浓淡变化，枝叶阴阳向背，都栩栩如生。遇到绣人物时，更见她时而对画冥想，时而顾镜自揣，一针一线都煞费苦心。仿真绣的发明，率先打破中国刺绣因袭数千年的传统，开辟了前所未有的新境界。

沈寿不但将全部心血倾注在刺绣创新上，还顺应潮流，与丈夫余觉先后在苏州、天津、南通三地创办“同立绣校”、“自立女红传习所”、“南通县立女红传习所”，毕生致力于刺绣工艺教育，栽培职业刺绣人才，引导女子以绣自立于世。这对于当今探索传统技艺在新的社会形态中的存在价值和方式，具有重要的理论和实践意义。

沈寿所绣《花卉图》

难能可贵的是，在长期患病、身体日趋羸弱之际，沈寿还将其四十年艺术实践的甘苦与心得，一物一事，一针一法，口讲指画，细分类别，由她艺术人生的真知者张謇记录下来。每天记二三条，积数月逐步记录整理成《雪宧绣谱》。这部呕心沥血的专著，把刺绣从纯粹的审美趣味提升到系统化的理论层次，张道一先生评价其“不失为工艺理论的升华，为后来的苏绣所取法”。

1999 年，台湾佛光山佛光缘美术馆举办“中国之宝——沈寿艺术展”，新闻媒体介绍说：

> 沈寿，这位清末杰出的刺绣艺术家，创造了许多的不同凡响的“第一”。首先，有“世界美术家”之称的沈寿，是第一位在国际艺坛上（巴拿马太平洋万国博览会获奖）大放异彩的华人。此外，沈寿也是

第一位代表中国前往日本考察(刺绣)艺术的华人。尤其值得一提的是,沈寿也是中国大陆首创“女红传习所”,开创中国职业学校先河的第一位华人。……“沈绣”堪称是代表中国刺绣的最高水平。

《女优贝克像》 沈寿绣制

上述赞赏对沈寿这样的刺绣艺术家、教育家、理论家来说是恰如其分的。这位“天下奇女子”,将心血和生命与刺绣融为一体,堪称真善美的化身!

二、华瑾列针 洒脱新颖

华瑾(1870—1940年),字图珊,无锡荡口人,出身世家大族。其祖父工山水画。华瑾自小生活在优越的书香翰墨环境里,既受到中国传统文化熏陶,又有良好机会接触到传入我国的大量西方文化艺术,因而思想先进,视野广阔。少年时代的华瑾聪颖过人,能诗善画,尤以刺绣山水风景和飞鸟走兽见长,显露出不同凡响的才气。

华瑾成年后嫁与张守彝为妻,丈夫是位金石家兼书画家,两人情投意合,互相切磋,研究画艺与绣艺。夫妻间共同的人文志趣,成为华瑾日后成名的有力支撑。

1906年,华瑾偕堂妹华珣于荡口鹅湖女学教授刺绣。1910年,姊妹俩的佳作《山水绣件》和《牡丹绣品》在第一次南洋劝业会上脱颖而出,受到一致好评,分获金牌奖和银牌奖,成为同时期众多艺人中的佼佼者。

1912年,华瑾夫妇来到上海,开办刺绣传习所。当时的上海,是中西文化交流中心，来华传教士在徐家汇地区的土家湾创办工艺厂，下属各部中以国画馆最为著名，创办者以培养西画美术人才为宗旨，授予学生各种绘画技能，徐悲鸿先生曾称它为“西画的根据地之一”、“中国西洋画之摇篮”。如此优越而特殊的环境，无疑成为刺绣融合中西文化、孕育新意新法、丰富既有程式和技巧的最滋润土壤。1915 年，华堪又一力作《公鸡图》在巴拿马太平洋万国博览会上荣获金牌奖。

《公鸡图》华堪绣制

华堪现存作品较少，苏、锡各有一幅藏绣，均为风景绣作。其家属收藏的《群猫图》和《春夏秋冬》(花卉四屏条)，皆毁于文化大革命之中。这两幅绣作艺术特色十分鲜明：以西洋水粉画、油画为稿本，采用洒脱的

《秋》华堪绣制

列针、珬和针法绣成，且两幅都是秋景，属现代绘画的写实风格。由此可见，在中西艺术融合背景下，西方写实绘画在20世纪初的中国艺术界已有一定社会实践，并蔓延到刺绣界，掀起一股写实创新之风，华瑾正是先行实践者之一。为追求刺绣仿真效果，她精研细琢，于针法上大胆突破，通过平列、斜列、不规则排列等法，创制出具有独特风格的列针和珬和针，突破以往平、匀、细、密的传统绣法，追求放针自由，线条活泼多变，绣线多色绞合，粗犷中带有缜密，洒脱奔放的艺术效果。正因为对列针运针方法的自由灵活运用，在华瑾的风景绣作中，不论树木、草地、远山、近石，抑或是天空、道路、建筑物，其线条均表现得腾挪自如，排列有致，虚实得当，恰当地呈现出对象物体的立体质感，大大增强了刺绣艺术的表现力。

在对作品的明暗层次和色彩处理上，华瑾也是匠心独运。她不但妙用自己用心悟出的光影理论，还善于根据色彩在光线中的变化来配线运色，将数百种色线安排在同一画面之中，利用丝线的色光，真实反映大自然中的天光、云色、林荫、草丛，给人以和谐的美感。

1937年，上海"八一三"战事爆发，华瑾返回家乡，1939年病逝。在生命的最后一年，她将几十年刺绣生涯的经验予以总结，与许频韵合著《刺绣术》一书，由商务印书馆出版。这是继丁佩《绣谱》、沈寿《雪宧绣谱》后，我国刺绣史上的又一部技法专著，所不同的是，它直接服务于刺绣专业教育。《刺绣术》作为我国第一本刺绣专业教科书，它的问世足以证明：华瑾不愧为卓越的刺绣艺术家和教育家。

三、杨绣乱针　艺坛一绝

杨守玉（1895—1981年），原名杨韫，字瘦玉、冰若，江苏武进人。她出身名门，先祖为明末状元杨廷鉴，父亲的元配夫人史氏，乃"七君子"之一史良的姑母，母亲则是画家刘海粟的姑妈。由于杨守玉早年失怙，海粟少年丧母，两人同病相怜，又共同爱好书画，于是水墨生情，互萌爱慕之心，期盼早日结成连理。可是，天不遂人愿，因八字相克，家族长辈最终忍痛割爱，一对有情人被活活拆散。1912年，17岁的刘海粟不满封建

《少女图》 杨守玉绣制

包办婚姻，离家出走，瘦玉从此也因之改名，矢志守玉。

杨守玉能画善绣，更兼满腹锦绣，才华横溢，当她 20 岁刚从常州女子师范毕业之际，就受吕凤子延聘，到丹阳私立正则女校任绘绣科教师。该校由教育家吕凤子为发展教育、提高妇女社会地位而创办，校园内满溢着爱与美的氛围。

在正则女校，杨守玉初执教于缝绣科，实践使其深深感悟：中国刺绣应是一门独立的艺术。于是，在她的建议下，刺绣与缝纫分开，作为重要的科目独立设置，杨守玉任刺绣科主任。

上世纪 20 年代初，随着新文化运动兴起，西洋画在国内广为传播，确立起在中国画坛上的地位。新美术运动的浪潮，猛烈冲击着陈旧的画坛。受此鼓舞，杨守玉雄心勃勃地研究起新的刺绣针法和绣法。她尝试过“机针绣”，别具一格，画意盎然，还曾发明“丝塑绣”，即在绣品中加入灯芯草，表面铺以刺绣，产生类似浮雕的艺术效果。一个偶然的机会，她从素描《老人像》中获得启发，顿生灵感，以针代笔，用线代色，试制“素描绣”。

杨守玉一改传统平绣排比其线、密接其针之绣法，像素描那样，运用长短、粗细、方向不同的各种线条，自由地起针落针，时密时疏，忽短忽长，既不拘一格又小心翼翼，以交叉重叠、分层加色的新法取代刺绣旧法，使作品线条的呈现流畅活泼，色调丰富多彩，明暗准确，层次分明。这种以穷极线条之变化为归旨的表现手法，吕凤子先生极为称道，认定是一种异乎寻常的全新创造，他鼓励杨守玉大胆地按照新路子走下去。这就是后来别具一格的“乱针绣”。

在呕心沥血研究新针法期间，杨守玉新作层出不穷。当听闻刘海粟因将裸体模特儿引入上海美专课堂而引起轩然大波，处于孤军奋战之际，她全力声援，力作《美女与鹅》就是在这一背景下问世的。这是一幅正面的女子裸体绣品：少女光洁的脖颈，丰满的乳房，弹性十足的腰肢，蓬松卷曲的长发，这一切美，都被丰富多变的色彩和针法淋漓尽致地表现出来，自然纯真而富含神韵。

杨守玉创造的新绣种一经正式诞生，便以新意新法一鸣惊人，引起轰动，被美术届誉为东西方艺术完美结合的范例。吕凤子也对这中国刺绣史上的一大变革激赏不已，作出高度评价：乱针绣是美术作品，而不是工艺品，它表达的不是与具体事物像与不像的问题，而是表达作者的强烈感情，它的每一针，每一线，都是力和感情的结合。

◎《美女与鹅》 杨守玉绣制

他为此特设高级绘绣科广传新绣艺，热情提议称新绣种为“杨绣”，杨守玉谦辞不承，遂定名“乱针绣”，又名“正则绣”。

抗战爆发，学校西迁，杨守玉随吕凤子在四川创立正则蜀校，这期间也正是杨守玉乱针刺绣艺术发展的高峰期，佳作迭出，硕果累累。

杨守玉一生抱定为艺术而献身的宗旨，以美诲人，桃李满天下。尽管晚年生活清苦，孤寂多病，但从未放弃对艺术的追求。她出任常州工艺美术研究所顾问，培养陈亚先等乱针绣后人，使这一具有独特艺术个性的绣种誉满绣坛，为有识之士所仰求。

1952 年，刘海粟欣赏杨守玉创作的《毛主席像》和《斯大林像》绣作后，激动不已，欣然提笔给郭沫若写信，盛赞乱针绣“其思密意，多有创造”，并为杨守玉题词“夺苏绣、湘绣之先声，登刺绣艺术之高峰，见者莫不誉为神针”，足见杨守玉的艺术成就何等绚烂。

四、朱凤散套　推陈出新

朱凤（1910—1993年），原名寿臣，字瑞成，又名琪，出生于上海。其父是一名铁路员工，朱凤虽难以称为大家闺秀，却也算得上小家碧玉，因为她的母亲善绘又善绣，受母熏陶，小小年纪的朱凤酷爱绘画，尤恋刺绣。

1924年，朱凤考入丹阳正则女子职业学校绣工科，师从杨守玉，因成绩优异，提前毕业留校任刺绣教师。18岁那年，她只身前往栖霞山乡村师范任劳作课老师，开始其"以绣自立于世"的人生。20岁时，《孙中山先生》绣像获"南京工艺美术展览会"金质奖牌和奖金。五年后，她应邀重返母校任教，随守玉先生学习乱针绣艺。

朱凤的传奇经历始于抗战。1937年，她随母校西迁四川，途中，为照顾一位员工家属而掉队。此后，便以惊人毅力只身在湖南、广西、贵州、四川、福建等地携针辗转流亡，相继考察湘绣、贵绣、蜀绣、花苗绣、老苗绣、畲绣、瑶绣、傣绣、回绣等诸多绣种。在湖南吴镜蓉家，她得到湘绣掺和针法之真传。这趟西行，历时三年，行程之长，生活之苦，见识之多，收获之丰，实乃可遇而不可求。她尽情地汲取着各民族刺绣文化养分，也为日后的厚积薄发打下坚实基础。1940年，朱凤迁往福建南平，之后又往杭州，近十年间，勤研针法，创作颇丰，其绣品在当地成为热销珍品。

朱凤认真阅读《姑苏工艺美术》

建国后，朱凤返回刺绣发源地苏州定居，意欲在此一展抱负。由于她十多年前曾绣过国父像，技艺上有过一定积累，新时代对刺绣艺术的探索和实践便从人像绣开始。

上世纪50年代上半期，朱凤研究和绣制人像共经历四个阶段，一步步行来，殊为不易。1951年，她历经五次失败，花半年功夫，以新散针绣成五彩毛主席半身像一幅，绣像与照片几乎完全一致，色彩鲜明，线条均匀，被誉为"近代手工艺作品中最上乘者"。1953年，她改用散套针法绣制主席像，针脚平匀，色彩厚润和顺。对此，朱凤仍不满意，继续改革针法组织，努力使作品更趋完善。她在绣制原苏联领导人绣像时，用散套针法上下直行，以克服丝光反射现象，又改“单线调色”为“合线调色”，即“针上调色法”，一针上穿两种乃至多种不同色线，最多时用五种色线合并，如此，既省工又使绣像更富神采。1955 年，朱凤以散套直行针法又绣制一幅毛主席像，形神兼备，人物眼睛炯炯有神，观众无论从何角度看，总觉得主席在亲切地看着自己。之后，这幅绣像转赠给主席本人，中央办公厅秘书室特致函给朱凤，高度评价其艺术成就。

朱凤对苏绣艺术的最大贡献莫过于散套针法的发明。为使刺绣更好地达到仿真艺术效果，熟谙传统针法的她，匠心独运，综合套针及擞和针的优点，创造出散套针。其针法优点突出：分线条参差排列、丝理转折自如；分批绣制，批批相连，针针相嵌，丝丝服帖；边口紧密齐整，调色和顺，色泽鲜明，绣面细腻平服，针迹少。

朱凤以散套针绣制的《敦煌供养人像》

由于散套针具有丰富的表现力，一经问世，便广为传播，成为刺绣者最常用、最爱用的一种针法，至今不衰，依旧在中国刺绣界中被普遍应用。

继散套针发明后，朱凤又吸取西洋画中点彩画的用笔顺序，结合针上调色法，以针代笔进行刺绣，这种新颖的针法可省工时一半左右，定名为“点彩绣”，运

晚年的朱凤

点彩绣《北海》 朱凤绣制

用于人物和风景题材创作。

朱凤在绣坛的耕耘是全方位的，不但在技艺上锐意创新，理论上更是上下求索。1957 年，她集三十多年研究心得，编著《中国刺绣技法研究》，这是建国后第一部刺绣理论专著。1993 年她又出版《苏绣》一书，将毕生心血凝成的结晶奉献给她钟爱的刺绣事业。

五、嗜闲“神针” 建树丰碑

1916 年 12 月 27 日，任嗜闲诞生于丹阳一个四世同堂的大家庭中。严格的家教及母亲温驯贤淑素质的影响，养成她娴雅好学的性格。九岁那年，她就读于由美术界一代宗师吕凤子创办的私立正则女子职业学校附属小学，在其开明祖父的支持下，嗜闲开始了学生生涯，她特别珍惜这一学习机会，成绩也格外优异。

课余时间，嗜闲对刺绣尤感兴趣。于是，她边读书，边随婶娘学绣。

在对知识和刺绣艺术的快乐追求中，少年时代匆匆而逝。此时，正值正则职业女校设立刺绣科，任嘒闲顺利进入该校绘绣科，师从并追随朱凤和杨守玉。她勤奋刻苦，得到杨先生真传，很快在众多学子中脱颖而出。19 岁，作为杨先生的得意门生，她留校执教，正式开始刺绣艺术生涯，乱针绣《匡庐短瀑》等两幅山水作品收入 1936 年出版的《正则绣》。

任嘒闲刺绣艺术高峰期的出现始于上世纪 50 年代。迁居苏州后，她在苏绣艺坛上辛勤耕耘长达半个世纪，执着追求，默默奉献，于绣坛屡建艺术丰碑。

作为杨守玉的高足，任嘒闲首先忠实承继先生衣钵，在苏州传播和发扬乱针绣。她与校友朱凤、周巽先合作，绣制中、苏两国领袖像，朱德和斯大林像由她执针绣成。这批作为国礼的肖像绣，不仅引起轰动，还为其日后发展为名品奠定坚实基础。不久，任嘒闲因著名画家谢孝思推荐，参与刺绣学校筹建工作，任刺绣教员兼乙班班主任。1954 年，"苏州市文联民间艺术研究组刺绣小组"（苏州刺绣研究所前身）成立，任嘒闲出任艺术指导，在按时完成中国美术家协会委托制作的出国礼展品同时，培养出一批富有造诣的技艺骨干。其间，她个人绣制的作品近百幅，题材广泛，尤其是乱针肖像绣具有独特的个人艺术风采。

她绣制的《列宁在拉兹里夫湖》和《农民代表来见列宁》逼真传神，人物形态和思想情感表现入木三分，各大报刊予以高度赞扬，著名小说家和园艺名家周瘦鹃称她为"现代神针"。

一位出色的艺术家，既不会仅满足对于师长前辈的传承，也不会拘泥于传统，而是更清楚艺术创新的价值与意义。任嘒闲就是一个执着于为乱针绣增色添彩、开创艺术表现手法、开拓新意境的人。

上世纪 50 年代中期，任嘒闲凭借自身的素描基础、深厚的乱针绣功力以及对艺术的悟性，开始致力于新针法的探索。她尝试着借鉴素描理论和技法，借助底料色相，采用单色线色，以线条的粗、细、疏、密来表现绣面的深、淡、明、暗；以有限的线条，通过长短交叉、疏密得当的排列，运用刺绣丝线的折光变化，体现绣面丰富的层次，在艺术上达到以少胜多的独特境界。

1958 年,《列宁胸像》绣作问世,标志着虚实乱针新型绣法的诞生。作品以纯色单一的素描笔触来表现对象,色彩简洁,运针用线巧妙灵活,线条疏密有致、潇洒洗练,明暗变化丰富准确,接针不露痕迹,整个画面的透视、明暗、空间、质感表现得深入细腻、恰如其分,用刺绣语言直抒绣者肺腑情怀,真实生动地呈现出列宁的风采神韵,风格自成一派。这幅有极高艺术造诣的新品备受各界瞩目,它代表着人物肖像绣艺术跃上一个新台阶,中国刺绣艺术被注入新血液,为东西方艺术的进一步结合开辟了一个新前景。该作品在全国刺绣质量评比会上被定为肖像绣的质量标准,1999 年获中国工艺美术大师精品展金杯奖。

左:创作《列宁在讲台》的工作照　右:虚实乱针绣《列宁胸像》

虚实乱针绣的创新成功,并未令任嘒闲停下求索脚步,她一如既往,孜孜以求。上世纪 60 年代初,她被解放军战士王杰、刘英俊舍身救人的事迹所感动,决意构思崭新的艺术形式,绣英雄、颂英雄。她与老艺人赵骊珠合作,共同创制《王杰、刘英俊像》,首次将两个不同色彩、不同形象的人物肖像,组合到同一幅绣品的正反面上,以“双面异色异样绣”形式为上世纪 70 年代盛开的艺苑奇葩“双面三异绣”开创先河。

◎◎《齐白石像》周爱珍设计 任嘒闲绣制

进入花甲之年的任嘒闲，恰逢改革开放契机。她思维活跃，不断焕发艺术青春，1979 年创作的《齐白石像》即是该时期的代表作。著名画家袁运甫先生说：“我看过不少齐白石像，而任嘒闲绣的齐白石像是最传神韵的。”

1988年，她又用虚实乱针绣手法成功为叶圣陶绣像。叶老在《来自故乡的赠品》中称其："不但形似，而且传神；针法疏朗，色彩淡雅，像钢笔素描，又像蚀铜板画，可是线条保持着针绣的韵味，……我想这幅绣像该称得上曲园先生赞美沈寿之作的神品了。"

◎◎《叶圣陶像》余克危画　任嘒闲绣制

古稀之年的任嘒闲，与美国摄影家罗伯特合作多年，指导学生先后绣制《雪松》、《冒气的池塘》、《晨曦红枫》、《雾中石》等摄影作品，用刺绣语言淋漓尽致地表现西方艺术，令罗伯特赞叹不已，更让艺术界为之喝彩。

1999年，为弘扬中国刺绣文化，培养接班人，任嘒闲建立起自己的工艺美术大师工作室。翌年，与中国刺绣艺术（香港）有限公司合作，创办任嘒闲刺绣艺术发展有限公司，旨在让刺绣艺术瑰宝能得以千古流传。

在生命的最后岁月里，任嘒闲不顾年老体弱，与时俱进，相继绣制《彩荷》、《春暖解冻》、《老虎》等作品。每绣一幅新品，老人都会根据不同的内容，探索最适合的表现形式，每每具有新意，也使虚实乱针绣更臻完美，不仅具有素描的笔触、油画的色彩，更有摄影的光影和国画的留白之美。特别是《白雪》、《大红花》、《大黄花》，只绣背景，不绣主题，寥寥几针，光影毕现，体现出老人在艺术上的一种回归，天真烂漫、妙境天成，这种以主观情感和意愿去提炼对象的审美意识，是对传统文化"无相恬淡"审美心理的顺应，给人以强烈的视觉冲击和心灵震撼。

任嘒闲一生淡泊名利，温文娴雅，但对艺术的追求却是激情似火，将其融入自己的生命。她平生有两个愿望：带一批徒弟，留一批精品。如今，那众多的海内外学生，从她七十多年穿针引线的艺术创作生涯中陆续培育出来，有的已深得其艺术真谛，成为当今绣坛大师或名家；她汇集自己

《彩荷》 袁运甫画　任嘒闲绣制

47幅刺绣精品于1995年举办的个人作品展，也是苏绣历史上首位刺绣艺术家作品展。一幅幅不同时期绣制的人物、花卉、动物、风景等绣品光彩夺目，成为对老人“人生有涯艺无涯”这一座右铭的最好注解。

任嚐闲指导学生刺绣

人生有涯 藝無涯

嚐闲时年八十

任嚐闲亲笔所书的座右铭

第三节 ◎ 草根大师

生活于市井和村野的绣娘，也不乏灵心妙手。李娥瑛、顾文霞、殷濂君、陈亚先……这群草根绣娘中的出类拔萃者，解放后先后从农村来到城市，在苏绣艺苑里顽强拼搏，承先启后，终成新中国第一代草根精英。

“草根”，指的是无权无势的广大底层平民。他们虽不入流，不被载入史册，却具有旺盛的生命力，为生存而顽强拼搏。

江苏历史上，特别是苏南农村，长期存在自给自足的农业生产与商品性家庭手工业劳动相结合的生产方式，刺绣业格外发达，有着庞大的绣娘群体。农闲之余，绣女从绣庄领取活计，在家刺绣，换取报酬，贴补家用，成为人们最为熟悉、也最有感情的生活模式。

解放初期，苏绣业风雨飘摇。为能顺利度过国民经济恢复期的困难，政府采取各种措施组织生产自救，引导人们走互助合作道路，由此，城乡绣娘卷入到重大的政治革命和社会变革中。这期间，原本处于个体分散状态的绣女被组织起来，参加集体生产，刺绣名手也响应号召，参与新的社会主义文化创造。从此，草根绣娘中的顶尖巧手有机会进入城市，逐渐成长为精英。现任中国工艺美术大师的李娥瑛、顾文霞、殷濂君、蒋雪英，苏州民间工艺家顾金珍，荣获国际顾氏和平奖的王祖识等，当初就是在文联组建刺绣小组之际，分别从苏州市郊的木渎、香山、光福、通安来到市区，接受培训，成为新中国第一代草根出身的苏绣艺术精英。在将近半个世纪的岁月里，这些艺术家带领着弟子们，承继和发展苏绣优秀传统，在图案、针法、技巧、底料等方面全方位创新，开拓出大批既有民族传统精神，又有时代气息的精品，被公认为苏绣艺术殿堂中的技艺灵魂、草根大师。

一、此生爱煞丝线绣

在当代苏绣发展史上，来自乡村的中国工艺美术大师李娥瑛无疑是一位开创者和领军人物，占据着十分重要的地位。

李娥瑛，1926 年 10 月出生于木渎石码头上庄。她自幼酷爱刺绣，每每见到刺绣，总是仔细端详，一心学着要绣。10 岁起，娥瑛一家迁居木渎镇，她跟着母亲做刺绣加工活。14 岁时，在协助父亲放绣过程中，娥瑛习得套针，开始自己劈线、绣花。几年放绣生活，使她有机会见识到各种花样，也学习到多种针法技艺。一次，娥瑛看见他人发放的绣品上有只梅花鹿，采用“活毛套”针法绣制，色泽调和，富有绒缉感，便连忙取其方法，用花格线试绣出一双赭色松鼠花样的拖鞋，毛茸茸的，生动可爱。此后，她就尽量采用活毛套针法绣制鸡、狮、虎、牛、龙、凤等动物图案，绣艺日趋稔熟精湛。

李娥瑛工作照

1954 年，苏州市文联组织刺绣小组招工，娥瑛闻讯，立即赶往城里应考。在刺绣小组工作期间，由于她技法全面，勤于钻研，很快崭露头角，成为技术骨干，并作为主力人员成功研制出第一幅双面绣欣赏品《五彩牡丹》，使失传已久的绝技重新大放异彩。

上世纪 60 年代，李娥瑛对苏绣的最大贡献莫过于发现和研究刺绣的丝理规律。丝理，乃指刺绣线条排列的方向，对表达物体的凹凸转折、阴阳向背具有关键作用。李娥瑛由墙角边生长的月季花而顿生灵感，根据植物的纤维组织和动物的毛丝生长方向，摸索出一套丝理变化规律，指导刺绣生产，使绣工所绣花朵迎风争艳，鸟儿枝头跳跃，小猫呼之欲出…… 绣品的艺术效果显著增强。从此，丝理规律被广泛运用，成为苏绣发展史上的一大进步。

作为传统苏绣针法集大成者，李娥瑛从苏绣最基本的艺术语汇入手，精心主编《苏绣技法》、主持汇编《戳纱针法研究》，不但为刺绣后人提供了可资参照的基本图式，更为苏绣发展奠定下极为重要的基础。

李娥瑛还是绣坛卓有成效的园丁。1958 至 1962 年，她在出任首届刺绣专修班班主任和教员期间，自编教材，严格训练学员，辛勤传授针法、丝理、配色等专业知识，培养出一批热爱刺绣、功底扎实、术有专攻的接班人，先后成为传承苏绣传统艺术的中坚力量。

运用丝理原理所绣《百蝶图》（局部） 王芗设计

李娥瑛亲绣订婚拜盒套上的刺绣图案　李娥瑛提供

李娥瑛对苏绣艺术的革新创造是全方位的，她是一位活用针法的杰出高手和推陈出新的实践者。她首创双面施套针法，通过创作各式日用刺绣小品，诸如书签、领带、糖娃娃、五彩粽、香囊、手提包、台毯、盘金龙头及虎头等，探索不同针法的变化。她在疗养院休养期间，运其巧智，反复试制小样，发明戳纱双面绣。她运用传统技艺，精心致力古代绣品复制，指导绣制从五代到明清各类出土绣品及故宫藏品的复制工作，从中学习和承继传统。

花卉瓜果实用品绣法部分示范小样

李娥瑛设计，以缎纱合一为双底指导绣制的《海鹤竞翔图》

左：李娥瑛与金线绣《万笏朝天图卷》 右：《万笏朝天图卷》小样 施海霞绣制 李娥瑛指导

正因为李娥瑛把大千世界的点点滴滴都与刺绣联在一起，从中获得驾驭丝线的能力，能动地去改变事物的常性，在刺绣工艺的设计上取得了累累硕果，最终成为一名杰出的设计刺绣大师。

二、灵心妙手二美兼

1956年的一个秋日，在英国伦敦国际手工艺品及家庭爱好品展览会中国馆表演台前，一位清秀聪慧的大眼睛姑娘被金发碧眼的外国友人争相围观，只见她手持小小银针，牵引着五彩丝线上下翻飞，针尖下殷红婀娜的月季、翩翩起舞的蝴蝶、活泼可爱的小猫一点一点地跃然于洁白的苏缎上。人们屏息静气，欣赏着，赞叹着。

一位专程从苏格兰坐飞机赶来的英国教师恳求姑娘说："我已经来了五次，还是看不够，能让我轻轻摸一下猫尾巴上的丝吗？"姑娘含笑点头，当着观众的面，灵巧地将一根丝线一捻、一分、一挑，居然劈成16根如发丝般的细丝。她告诉那位老师，小猫尾巴就是用这细若游丝的丝线绣成的。

这位姑娘就是普通苏绣女工顾文霞。她的妙手神技并非天生，而是多年来孜孜以求的结果。

顾文霞1931年出生于古镇木渎。她自幼丧父，母亲带着她和弟弟，

苏绣代表作《白猫戏螳螂》曹克家画　何慧绣制

生活艰难。懂事的文霞白天勤奋读书，晚上在油灯下加工绣活，为母分忧。

1954 年，一个偶然的机会，文霞被苏州市文联刺绣小组录取，成为新中国第一代苏绣女工。在苏绣艺苑里，她有幸遇到名师指点，有幸绣制画猫专家曹克家的创稿，有幸成为第一个跨出国门、为国际友人表演苏绣艺术的双面绣能手。

苏绣猫是苏绣的经典代表作。建国后，刺绣设计人员选定小猫、金鱼等为主要题材，是因为它们最能体现苏绣精、细、雅、洁的地方风格。刺绣是以无数线条组成的艺术创造，丝路的转折，会在不同受光条件下造成反射，而小猫、金鱼之类图案，特别容易产生丝光流动、栩栩如生的艺术效果，便于发挥苏绣的艺术特色。

苏绣猫在英国轰动一时后，曹克家先生又多次应邀到苏州辅导，顾文霞拜在曹先生门下，琢磨和体会绣猫要领，思考如何进一步把猫绣得活灵活现，呼之欲出。

在观察猫和读懂猫的基础上，她终于成功绣制出《花猫》和《黄猫》，

双面绣立体屏风《揽镜自照》 顾文霞绣制

成为苏绣猫的第一代代表作品。

1962 年，著名教育家叶圣陶参观刺绣研究所，顾文霞作陪。这天，回到家乡的叶老显得尤为兴奋，他欣然挥毫，在嘉宾簿上写下“国艺之花”四字。见年近古稀的叶老如此关心苏绣，文霞深为感动。她利用业余时间精心绣制《猫蝶图》一幅，作为寿礼敬献老人以示谢意。在京的叶老对这一特殊礼物甚为喜爱，欣赏之余挥笔写道：“顾文霞同志以所绣《猫蝶图》见贻，精妙非凡，受之欣然，题十四韵为酬。”

正当顾文霞全身心投入苏绣艺术创作之际，文化大革命中因为批判“猫论”，导致绣猫成为她的一大罪名，“苏绣猫”也与“苏修”联系起来，

◎◎《玳瑁猫》曹克家画　顾文霞绣制

顾文霞被扣上了“修正主义”的大帽子。

1978 年，中国迎来春天。时任刺绣研究所所长的顾文霞有感于国家出现的新气象，萌生邀请著名画家合作创作歌颂祖国繁荣昌盛的大型绣稿之想法。为此，她重托凌虚先生，请其遍邀全国名家。于是，由王个簃、朱屺瞻、关山月等 12 位画坛大家通力合作的国画《春回大地》展现在人们眼前。之后，顾文霞挑选出十余名绣娘开始绣制。历时十个月，一幅集多种传统针法创制的巨幅精品终于诞生，引起轰动，市场反应极好。

1986 年，顾文霞出任刺绣艺术博物馆馆长一职，她以收集、整理、研究、保管、陈列以苏绣为主的中国刺绣历史文物，承担刺绣珍品的复制工作为宗旨，四处奔走。她和李娥瑛等艺术家共同努力，征集古代珍贵刺绣文物及民族、民间绣品二百余件，研究复制各代刺绣历史珍品，举办“苏绣历史文物展”、“清代宫廷绣”、“中国民族、民间绣”、“近现代苏绣精品

展”等专题展览，还组织技术力量，将宏伟长卷《姑苏繁华图》再现绣屏。

2001年，已是古稀之年的她又自筹资金，成立顾文霞大师工作室，致力于古代绣品复制、现代新品绣制和苏绣后继人才的培养。她对当前年轻人急功近利、缺乏精品意识的状况特别担忧，在如何实现苏绣原创设计问题上，提出“仿古要乱真，修古要传神，今用要创新”之三大原则。顾文霞正继续以她对苏绣的热爱，绘写着执着追求的刺绣人生。

三、“花王”异绣造极峰

“花王”曾是中国工艺美术大师殷濂君拥有的一个美名。

1930年，殷濂君生于光福。那是一个刺绣之乡，家家女孩都会描龙绣凤，殷濂君的艺术人生就从这里起步。她读过三年私塾，因家中贫寒，13岁时随母刺绣，通过绣制枕套、被面、台布、坐垫、鞋头花、围巾等日用

巨幅精品《春回大地》　苏州刺绣研究所刺绣专业人员绣制

品，习得传统刺绣的基本针法和技巧。

1955 年，市文联成立刺绣小组，招募刺绣能手。殷濂君闻讯报考，怀着欣喜而怯生的心情跨入苏绣艺术殿堂。在那里，她聆听中央美术学院老师授课，对绘画和刺绣的关系逐步加深理解，又得到著名刺绣艺人朱凤和任嘒闲的指导。难得的机遇和良好的学习环境，使本来就热爱刺绣的她越发刻苦钻研绣艺。

在刺绣小组期间，令殷濂君最难忘的是朱凤和陶声甫先生对她的关爱与指教。当时，朱凤的散套针发明时间不长，尚不为人重视，但殷濂君对这新针法却学得特别认真。她遵照朱先生的教导，刺绣时小心翼翼地将针眼隐去，不露一丝痕迹，努力使绣出的花卉线条组织灵活、丝理转折自如、色调自然和顺、绣面细腻平服。名画家、刺绣设计师陶声甫十分赏识殷濂君，经常在她刺绣时从旁指点。一次，陶先生一边认真地观看殷濂君绣制大中堂牡丹，一边点拨说："你的牡丹花绣得很好，但花叶褶皱的质感还表现得不够，再多做几针就好。"殷濂君马上领悟，加以修改，果然牡丹花叶的艺术效果跃然而出，不同凡响。

殷濂君工作照

殷濂君最爱绣花卉。为了让针下的花更加生动鲜活，她在自己住处种花养花，平时还到花园、公园看花。从花骨朵、花叶到花枝的结构、丝缕、色泽，每一个细微的变化都细细琢磨。正因为心中有千姿百态之花，所以她用刺绣语言表现的花无不光彩照人，牡丹千娇百媚，月季摇曳多姿，梅花雅洁清新…… 神奇花卉的魅力征服了她的姐妹们，大家都管她叫"花王"。

她不仅绣制名花异草，还绣制动物、人物，走上全面开拓的创新之路。

上世纪 60 年代,双面异色绣的成功问世,标志着苏绣艺术发展到一个新的高峰。那么,能否再上一层楼,增加一个"异样",为苏绣赢得更高声誉呢?殷濂君和另一位刺绣大师邱秀英共同为此不懈地摸索研究着。

殷濂君在 2005 年 5 月的访谈中说道:

> 1966 年机绣上发明了双面异色绣,后来我们车间的邱秀英根据机绣原理做刺绣,双面的。在这个过程中,吸取双面异色绣针法,再研究三异绣。创新要克服很多困难,首先是设计上的问题。以前没有两面不一样的图案。我就和设计师金兴元商量,设计出一个外轮廓相同、内轮廓不同、颜色不同、针法不同的图案,才能进行三异刺绣,这个过程非常不容易。先确定两面的图案,再画稿,刺绣过程中还要修改。画好后,我先在小样上试验,星期天休息,在家里自己研究,反反复复地试,可以了才能应用到产品中去。一面做一面改进,不容易。

就这样,在倾注过许许多多心血后,双面三异绣《小白猫与叭儿狗》终于诞生。其正面是向右蹲伏的小白猫,以散套和施针绣成,毛丝柔软细腻,和顺光亮,蓝眼睛注视着前方,灵活明亮;反面是左蹲伏的棕黄色叭儿狗,乃乱针和施针绣制,双目圆睁,天真可爱。殷濂君还特地用四十分之一的丝线来绣毛丝,巧妙地藏去针迹,使正反面图像毛丝的糅合天衣无缝。

追求艺术永远没有止境。殷濂君不但在艺术欣赏品方面频频创新,几乎每隔一二年就有新品问世,向世人展示新的艺术境界,在日用新品开发上,其贡献同样令人瞩目。

上世纪 70 年代,苏州刺绣厂成立和服腰带刺绣针法研究小组,殷濂君接受任务,率先成功复制日本和服刺绣针法 34 种,并试制样品,日商看后,连连盛赞。1988 年,她绣制的和服腰带《岚山》,美丽典雅,绣作上呈现的一派令人陶醉的田园风光,臻于完美艺境,唤起人们的美好情感。

殷濂君对苏绣艺术一往情深和卓越贡献,让人们领略到草根大师的风采。

双面三异绣《小白猫》（正面）金兴元设计　殷濂君绣制

双面三异绣《哈巴狗》（反面）金兴元设计　殷濂君绣制

四、“痴情弟子”铸绣魂

“痴情弟子”是指绣坛宗师杨守玉的学生陈亚先，一位草根出身的中国工艺美术大师。

陈亚先是无锡前洲镇人。1929 年，她出生于平民人家，为谋生计，年仅 8 岁的她就随母进无锡缫丝厂当一名抽丝童工，开始与蚕丝的最早结缘。

解放初期，常州兴办缝纫机绣花班，陈亚先闻讯，兴趣十足地报名参加，从此一头扎进刺绣艺术里，为此倾尽毕生心力。

1954 年，在合作化高潮中，陈亚先进入合作社绣花组，随后，该组被并入常州机绣手帕厂。由于美术功底好，她被挑选进入设计室从事设计工作。

1958 年，因工作出色，陈亚先升任为主管技术的副厂长。正当其雄心勃勃之际，她幸运地在一次展会上看到了杨守玉的乱针绣，为其震撼，痴迷如醉，“我要学乱针绣”的想法油然而生，她决意拜师学艺。杨守玉被她的诚意所感动，终于同意两下结成师生缘，破例收下这个将届而立之年的关门弟子。

那是一段非同寻常的时期。陈亚先白天从师学针法，谨记师傅的每一句话，每一个动作，竭力从杨守玉教授的零星针法和色彩运用中寻找规律，细研深究；晚上自学绘画，努力掌握人体结构，特别是面部线条，有时还让自己的孩子当模特。躺到床上，她总爱细细琢磨恩师的指点与教诲，将每个动作在头脑里过一遍，以便更好地领会、消化和吸收。

陈亚先与恩师杨守玉合影

三年苦学，陈亚先终于出道满师。她于 1960 年组建起常州市工艺美术研究所，先后出任乱针艺术刺绣创作设计室主任、副所长、总工艺师，以满腔热情执著追求乱针绣艺术，不

陈亚先和女儿孙燕云同绣《雅克·罗格》

断探索，不断创新。

1965 年，中国首届工艺美术展览会在首都举办。陈亚先绣制的《毛主席像》、《织渔网》等作品入选参赛，引起轰动。乱针绣展品被尽数收购，用于出国展览，赢得了国内外人士的赞誉。

然而，这仅是常州乱针绣作品的首次精彩亮相，艺术道路上前行靠的是坚韧不拔的精神。此时的陈亚先想得最多的问题就是如何在良好开端的基础上，进一步传承、光大乱针绣。她把研究的重点放在最难把握的人物绣像上，努力形成自己的独特风格。

从 20 世纪 60 年代中期直到 70 年代末期，陈亚先手中的绣针彩线，随着她的梦想，缠缠绕绕，一刻也不曾懈怠。十载光阴，一路艰辛，然而她终于迎来了艺术创作高峰期。

1979 年，她的一幅以日本著名女演员为题材的肖像绣《秋吉久美子》在天津全国人像绣会议上展出，反响强烈。绣品一改杨守玉乱针绣之粗犷风格，首次以斜斜交叉的线条诠释油画笔触来表现女性光洁的脸庞，突出其细腻的肌肤，将油画的肌理美感完美地呈现出来，体现出陈亚先对绣面肌理作为刺绣技法加以整体处理、彰显整体效果的认识和实践。就在全国人像绣会议后不久，常州工艺美术研究所成为国务院外交部的国礼创作指定单位。

1982 年，陈亚先凭乱针绣《幸福老人》一举夺得全国工艺美术最高奖——百花奖金奖杯。这又是一幅经陈亚先精心打造的杰作。她以丝绒为底料，目的为借助丝绒质感，将其与刺绣本身表现出的质感相融，更好地让人物立体化；她采用短而粗的线条，把它们杂乱地交织在一起，取得控制丝线光泽、真实表现粗糙物体的艺术效果；刺绣过程中，她还专意绣出一些微空小点，用以表现老年人的粗糙皮肤；同时采用绣虚不绣实的

乱钟绣《幸福老人》　陈亚先绣制

技法，有机地调整人物与背景间的空间距离，使呢料帽子的毛质感从针迹中有意无意地透显出来。从这幅代表作中，人们可清晰见到刺绣艺术家的个性才华，以及对艺术美学和时代气息的整体把握力。以写实刺绣艺术语言为载体来体现对人生关爱的《幸福老人》，带给观者无尽的审美愉悦。

乱针绣人像《伊文斯先生》

在这之后，陈亚先又有《里根》、《沙特阿拉伯国王》、《伊文斯先生》、《憧憬》等一系列佳作问世，每幅绣品在题材选择和技法表现上都有不同突破。1986 年春，她在日本进行长达 79 天的巡回表演展，精美绣艺蜚声东瀛。这一切均成为其艺术探索一个又一个印记。

同年，陈亚先退休，两袖清风地回到家中，将其精心绣制的恩师像《杨守玉》和名作《伊文斯先生》等作品留在单位，还义无反顾地把她在文革期间千针万线修补好的《朱德委员长》献给研究所。那是杨守玉的珍贵遗作，文化大革命期间被打穿两个洞，是她在垃圾堆里把这幅珍品捧回家的。如今，这一件件国宝悬挂在常州博物馆，无声地诉说着两代艺术家的大家风范。

2001 年，陈亚先又自筹资金，创办起以她名字命名的乱针绣工作室。2006 年，78 岁高龄的陈亚先以两年时间，精心打造新品《祈祷》，绣品上以立体浮雕形式塑造的合十双手，指向天空，代表着老人对天下芸芸众生的美好祝福。

2009 年，80 岁的陈亚先因突发脑溢血被送进医院，发病前还在坚持创作新品。医院里的看护阿姨半夜发现，老人的双手不停地在做着一个动作，

◎◎《祈祷》 陈亚先绣制

非常惊奇，便询问其小女儿孙燕云，老人家以前是做什么工作的。孙燕云百感交集，因为唯有她这个传承人才知道：她母亲一生穿针引线，直至生命的最后一刻。她用一生痴情铸就的绣魂，将永存于中国刺绣艺术的记忆中，也将延续在后人的艺术创作中。

第四节 ◎ 后起之秀

崛起于改革开放浪潮中的农村绣娘，
以自己的智慧和吃苦耐劳精神，携绣艺闯天下，
寻发展，致富强，在不断拓宽生存空间的过程中逐渐裂变，
实现了从传统到现代、从封闭到开放的跨越。
新生代精英活力无限，
已经在更广阔的层面上与外部世界融为一体。

后起之秀，即新生代绣娘精英，是指出生于20世纪60至70年代，崛起于改革开放后农村绣娘中的成功者，她们是集智慧、才能、威信于一体的极少数人。

兴起于上世纪70年代末的改革开放浪潮，使传统手工艺生态环境发生了深刻变化。现代文明新风的冲击、日益加快的城镇一体化步伐、急剧的社会变迁，犹如一把双刃剑，一方面使城市国营或集体手工艺企业纷纷改制、解体，传统刺绣技艺濒临失传；另一方面，私营作坊、个体手工业户却悄悄地顽强成长起来，乃至形成手工艺专业村、专业镇，以新的发散型手工艺生态结构实现着传统手工艺文化的再生。

正是在社会转型的历史机遇面前，广大农村绣娘以自己的

智慧和吃苦耐劳精神，携绣艺闯天下、寻发展、致富强，在不断拓宽生存空间的过程中，涌现出新生代精英群体。这是新时期出现的新现象，以苏州高新区镇湖街道最令人瞩目。我们就以此为典型，看一看新生代精英绣娘的生成以及辉煌背后的艰辛。

一、自立创业三部曲

（1）国门初开　抢占市场

镇湖位于苏州西部，地势偏僻，三面环水，交通闭塞，人们历来以刺绣为主要家庭副业。计划经济时代，农民的家庭副业受到国家体制调控，那时，绣娘们虽然天天挑灯夜战，但做刺绣活计的收入必须拿到生产队重新分配。为挣钱贴补家用，绣娘们还得躲起来偷绣私活。而这样的刺绣生产方式，却在某种程度上为日后刺绣业发展奠定了技术基础。

20 世纪 80 年代中期，国门初开，旅游产品销售兴旺，苏州刺绣小猫成为外销主产品之一。可观的利润促使具有商品经济意识的农村绣娘，利用苏州刺绣研究所出版的苏绣小猫挂历和明信片，大量进行仿制。这一阶段，刺绣的代名词由原来的“做生活”被“卖猫”取代。“卖猫”过程使绣娘在原始资本积累、艺术品市场信息的搜集与梳理、刺绣技艺经验的积淀方面大获收益。

姚建萍作为特邀嘉宾出席第四次世界妇女大会

（2）顺应新潮　镇上创业

刺绣所带来的可观经济效益的同时，也让绣娘们看到了巨大的利润空间，使她们萌生离开土地、到镇上开店的想法。1994 年，镇湖绣女梁雪芳首开先河，第一个走出农村，到镇上创办首家个人独资企业——镇湖工艺美术绣品厂，迈出改变自身命运、从边缘到中心的关键一步。

绣女离开土地到镇上，最初在街面租房，随着经营的不断扩大，她们干脆搬迁到镇上创业。于是，刺绣业雨后春笋般发展起来。对于来自绣女的开店需求，政府予以积极扶持。

因生产方式变革导致的轰轰烈烈的开店过程，实质是由务农转变为务工经商的角色转换和文化适应过程。这对广大绣娘来说，既是一次巨大挑战，也是改变她们命运的极好时机。她们很好地把握住了机遇，以满腔热情投身于这场变革，不仅寻找到自身的位置和发展空间，也使传统刺绣在新的条件下获得再生。

（3）拓展市场　走出国门

农村绣娘到镇上创办绣庄，走上自主创业道路后，如何在激烈的市场竞争中站稳脚跟成为萦绕在其心头的重大问题。她们不但辗转于各大城市，积极捕捉商机，还主动出击，在国际、国内各类博览会、展览会、展销会上精彩亮相，展出绣品，参加评比并屡获大奖。她们中的杰出者还时常举办个人绣品展，扩大知名度，获得认同，赢得市场。

一些更有魄力的绣娘，干脆把目光转向国际，在国外寻求合作伙伴或开设分店，拓展国际市场。卢福英先后数十次赴日、德进行刺绣作品展示；姚惠芬曾作为文化交流形象大使赴欧洲做刺绣巡回展演；姚建萍

镇湖绣品街

先后在澳大利亚、新西兰、荷兰等国举办大型刺绣展览;朱寿珍曾携20幅优秀作品到法国参展……绣娘们通过各种途径,在国际市场上推介自己,展示苏绣艺术的高超及绣品的精美,以独特的江南文化魅力,吸引国外商人订购苏绣艺术品。

就这样,从镇湖绣品街基层市场出发,镇湖绣娘抓住手工艺复兴带来的机会,以足够的自信,向中小城市、中心城市、国外城市步步进发,在不断向外拓展的过程中,构建起刺绣的市场网络体系,实现从传统到现代、从封闭到开放的一种跨越,她们中的精英已经在更广阔的层面上与外部世界融为一体。

二、跋涉艺术探求路

新生代绣娘,必须有一手刺绣绝活,才能在高飞群雁中充当头雁。

然而,长期沿袭的家庭传习方式,制约着绣娘的技艺发展。上世纪80年代后期起,在拓展生存空间和生活半径的同时,一部分绣娘日益感到追求艺术高层次的重要性,于是,她们将学习前辈、汲取艺术精华化为一种主观诉求,拜名师、请专家、学绘画、求深造,向着刺绣艺术家的方向不懈地努力,一路行来,甚为艰难。

(1)访师学艺

拜师学艺是新生代精英必须经历的技艺上的涅槃,在年轻绣娘中蔚然成风。

姚建萍指导自己的团队创作大型原创作品《江山如此多娇》

平针绣《苏州吴门桥》 姚惠芬绣制

1987年，绣娘姚建萍于刺绣实践中发现自己根基甚浅，强烈的求知欲望使她的心一刻不能平静。她独自到苏州工艺美术学校校办厂刺绣班学习三年，又随刺绣名手徐志慧学艺四年。取回“真经”后的姚建萍一心一意在人物肖像绣上力求突破，她呕心沥血，经二百四十多天完成大幅绣像《沉思》，将周总理忧国忧民的高风亮节呈现于丝帛之上，给人以强烈的艺术震撼。第二年，她一鼓作气又完成邓小平绣像《伟人的风采》和精微绣《吹箫引凤》。1998年，姚建萍的这三幅作品在首届中国国际博览会上亮相，以巨大的艺术魅力深深打动了评委和观众，不少人噙着泪花在绣像前久久凝视。最后，她一人夺得三个金奖，成为中国国际博览会历史上获此佳绩的第一人。

牟志红正在指导姚惠芬刺绣

1989年，姚惠芬挑着简单的行李，踏上拜师求艺的路程。经辗转相托，她终于

“缠”上了“针神”三传弟子牟志红老师，一学便是五年。通过近乎残酷的磨砺，姚惠芬练得一手“针”功夫，刺绣技艺得到长足进步，她能灵活将苏绣的几十种针法运用于传统刺绣。

然而，对于这来之不易的成绩，姚惠芬并未满足，为进一步兼收并蓄，博采众长，她又拜在虚实乱针绣创始人任嘒闲先生门下。业转多师，使姚惠芬刺绣功力日增。她的绣作，不论是人物、动物、花卉，均具有平整细腻的绣面、调和的色彩，不但显示出娴熟的刺绣针法和技巧，而且灵动鲜活，充满真情，在虚实乱针绣及写意水墨画的绣制中形成自身的艺术风格。

1995年，在京举办的首届中华巧女手工艺品大奖赛上，姚惠芬所绣的一幅乱针绣——《张大千肖像》荣获一等奖，被誉为“中华巧女”。

（2）学府深造

刺绣是一门艺术，其价值在于创造，而创造则需要专业知识和文化理念的支撑。镇湖绣娘文化水准都不太高，当她们拥有纯熟技艺，欲自行开发高端绣品时，便在修养、审美、创意等方面深感力不从心，在发展遭遇瓶颈之际，她们想到了高等学府。

姚惠琴可能是最早自费去清华工艺美院进修的镇湖绣娘。如果说，当年姚惠琴的学习动机偏重于提高绘画技艺的话，那么，十年后梁雪芳

《荷韵》梁雪芳摄影并绣制

以访问学者的身份进入清华园，开始她的纤维艺术之旅，则在观念上有着质的飞跃。这位慧心独具的绣娘进学府的宗旨很明确，那就是要改变老观念，跳出旧模式，植入新理念，使刺绣在广阔的纤维艺术空间里汲取营养，寻找到新的表现形式和内容。

在校园里，梁雪芳通过对梧桐、白杨、松树的观察，萌生表现生命美之想法，大胆突破刺绣之局限，广泛选用麻、毛、纸、渔线、钢丝等材料，采用染、扎、劈、刺、粘等手法进行艺术创作。通过对事物生命过程的抽象及概括，一幅迥异于以往绣作的新作品呈现在众人面前。她将这幅富含创意的作品命名为《生根、开花、结果》，在第五届“从洛桑到北京”国际纤维艺术双年展上荣获优秀奖，并在奥运新闻中心展出。

纤维艺术作品《生根、开花、结果》 梁雪芳创作

如今，几乎每年都有镇湖绣娘去各种高研班读书，为的是苏绣发展到现在，“创意”成为必须要突破的问题。而要跃上新台阶，领军人物务必具备“内在宽阔”的功底，植入现代创新理念。这批后起之秀，正以自己的虔诚、智慧和热情，求博求通，进一步成就着苏绣。

(3) 塑造品牌助腾飞

镇湖的每位新生代精英，都十分注重自身形象与品牌的打造。

她们以自己的名字作为品牌，开设绣坊，以个人的魅力、知名度及行业影响力，谋求更大市场。

绣女的个人品牌还体现在绣庄的制品上。每件绣品都会绣有坊主个人姓名或艺名，它是对绣品出自哪一位大师或民间工艺家的认定，如同书画家的钤印，绣得考究而清晰，给人以完满的交待，成为绣品质量的保证。

除此之处，镇湖绣娘紧紧依靠政府，努力实现个人子品牌与“镇湖刺绣”母品牌的良性互动。由国家工商总局核发的“镇湖苏绣”地理标志集体商标注册证，可让每位绣娘都能共享品牌利益和附加值，藉此实现腾飞。而在绣娘个人品牌的打造过程中，也会形成无形资产的积累，不断反哺于母品牌，提高知名度，增强市场竞争力，推动整个镇湖刺绣业的持续发展。

第三章 ◎ 品类缤纷伴生活

民国刺绣大发禄袋挂件　苏州博物馆藏品

苏绣的品类主要有欣赏品和实用品之分。欣赏品取径书画，从闺阁绣中脱胎出来，技艺精湛，意趣生动，唯妙唯美。苏绣精品中的花鸟、小猫、金鱼、肖像绣等，都以鲜明的江苏地方特色，声名远播，享誉世界。

然而，欣赏品替代不了实用品。一部《红楼梦》，曹雪芹在其中提到的绣品不下四十余种。为装饰大观园，贾蔷还专程到苏州带回“妆蟒洒堆，刻丝弹墨”数千件，仅椅搭、桌围、床裙，每份就一千二百件，无一不是既具有实用价值，又有艺术性的刺绣实用品。这充分表明：在传统社会里，刺绣实用品品类缤纷，功能多样，与人类生活息息相关。正因为有了那些服饰、家居、小件类等各色绣品，民众的生活才更加多姿多彩，充满趣味与活力，而绣品本身凝聚的浓郁地域风情与特色，也使其不仅是一件件令人爱不释手的手工绣品，更成为富有意蕴的传统文化载体，璀璨生色，代代流传。

第一节 ◎ 璀璨绣品汇节俗

江南节多俗繁。为应时应节，女子们在节俗中一展精湛绣艺。俏装倩服，多姿多彩；绣品缤纷，成为岁时节日的美妙点缀，也表达着人们美好的愿望和对生活的祈求。

一、装扮节日　各尽其妍

中国传统社会，岁时节日是最为多姿多彩的民俗活动，在周期性的时空转换中如期进行。丰富的节日生活带给人们新鲜与欢欣，而随之出现的缤纷绣品，在点缀节日的同时，也增添了人们的喜悦之情。

以绣品装点隆重的节庆活动，可烘托特定场合的氛围。年关腊祭、三元之节祭祀时所用的桌围、椅披、经幡、绣幛等绣件，多为女子陪嫁绣品，色彩图案寓含深意；节庆活动中免不了人们的聚会与交往，互相馈赠礼物是不可或缺的内容。于是，那些由五彩线绒、金银线、串珠、盘结精制而成的琳琅满目的刺绣小物件，如绣鞋、香囊、褡裢、烟荷包、针线包、手帕、扇套、眼镜套、耳套等，作为寄情表意的物质载体，被人们互相传递，营造出和谐、愉悦的美好氛围，不失为传统社会中的流动广告，蔚为风尚。

伴随循环往复的岁时节令，会有许多节场庙会，女性参与者不在少数。她们不仅观赏优戏，仪式中的道具、演出中的服饰，不少也都是出自女性巧手的绣品，品类丰富多样，为热闹喜庆的场面增色添彩。

更有一些节庆，本身就是女性的节日，自然为她们所重视。上元灯火，她们盛装打扮，争赏花灯，走历三桥，祓除疾病；三月上巳节，女性着华服香装，结队郊游；清明前后祀蚕神，蚕农家妇人必穿亲手缝绣的衣裳，拜求蚕花娘娘，赐己灵心巧手；女儿归宁之日，女子无不精心修饰自己，享受与亲人团聚的温馨；中秋良宵，女性盛装炫服，赏月夜游，兰闺彩伴，相携往还……每当这些时刻，那些女性以心血制成的绣衣、绣裙、绣鞋，便显得格外俏丽多姿，在节日期间斗艳争奇，展露万种风情，成为最令人赏心悦目的风景线。

二、祈福求吉　表达心愿

传统岁时节令，多直接起源于信仰民俗。融入节日活动的绣品，作为寄托情感、表达心意的物质载体，有着恒常的表现主题。围绕世俗生活的祈福纳吉就是最为常见的题材。

祈福纳吉源于正面祈祷吉利的吉祥观，逐渐形成于人们长期的社会实践和共同的心理需求。其中“吉”表示善和利，与凶相对；“祥”原本指吉和凶的征兆，后来发展为仅指吉兆。深受其影响、渗透着吉祥观念的刺绣艺术，虽不乏宿命、蒙昧的心性，有时还带有功利色彩，但其本质上反映的却是人类对于生命的光彩和种族繁衍的美好追

庙会图　李涵画

求，也因此而世代流传下来。

应节绣品中，关于祈福的内容比比皆是。集中体现为“五福”及“三多”观念。所谓“五福”，即为寿、富、康宁、攸好德和考终命；“三多”，则指多子、多福、多寿。其中，“五福”理念经漫长历史积淀，在民间艺术中演化为最具普遍意义的福、禄、寿、喜、财的民俗文化，所表达的内涵也已大大超出其原始意义，成为寄托上至天子、下至百姓祈求一生幸福的美好意愿的典型象征，并自然地反映到丰富的绣品中。

事事如意发禄袋　苏州博物馆藏

伴随节日而产生的苏绣制品，就有不少“暗八仙”、“八吉祥”、“瓶磬戟”等图像组合，是约定俗成的祈福得禄的符号体系；佛手、桃子和石榴组合的福寿三多纹，意味着健康长寿，子孙满堂，家族兴旺；频频出现的龙、凤、麒麟、大象等瑞兽形象，被人们赋予神力，守护着人类的家园；祥云、花瓶、牡丹、莲花等图案则是和平与安宁的象征；更有以数字作为吉祥颂语的组图，如一路连科、一团和气、一帆风顺，和合二仙、二龙戏珠，三羊开泰、平升三级、喜中三元、三星高照，四季平安、四路财神、四季花开；五谷丰登、五福捧寿、五子登科、五世其昌、五福临门，六畜兴旺、六合同春，八仙过海、八仙庆寿，九九消寒、九如三多，十全十美、百年好合、万代盘长等等。这些含蓄、被赋予隐喻的艺术形式，作用于人们的潜意识，成为观念性的符号，深深影响着人们的精神生活。

蝶恋花荷包　南京民俗博物馆藏

在节庆之际，人们摆放出深含祝吉之意的绣品，或者收到各类寓意丰富的刺绣小物件，整个身心都会沉浸在对幸福的无限憧憬之中。绣品虽小，却有助于人们从社会生活层面和心理层面上树立信心，不愧为人们生活中的至爱之宝。

三、禳灾祛邪　祈盼得福

要求取生活的平安吉祥，必须驱邪禳灾；只有先辟邪，方可求祥瑞。这种民俗心理源自于原始先民古老的驱鬼辟邪信仰。借助自然界中超自然的神力，获取战胜邪魔的信心，护佑自身，成为人们求取吉祥的另一种需求，促使以避凶消灾为主题的民间艺术得以成熟和传播，并反映到绣品中。因为现实生活的富裕安康，是在抵御及消退了凶邪干扰的前提下才能实现的。

“福禄万代”“三元及弟”“金玉满堂”扇袋　苏州博物馆藏

吴地节俗繁多，人们的应时装扮也花样百出，绣品中不时有太极八卦、笔（必）锭（定）胜天、钟馗镇宅、虎食五毒、葫芦收五毒等纹饰出现，成为人们祈福消灾等美好祝愿的外化艺术形态。

众多节日中，作为“毒月”的五月，尤其是端午，无疑是禳毒祛瘟最重要的日子，人们的主要活动几乎都围绕该主题进行，五毒绣品也特别为人们所钟爱。在江苏，端午当天，孩子要穿五毒衣、虎头鞋、龙头鞋，以避虫毒。其中，五毒肚兜或坎肩最为常见，中间绣制虎形，四周绣有蛇、蜈蚣、蝎子、蜘蛛、壁虎等“五毒”图案，寓意老虎护佑，五毒不侵。虎头鞋的制作十分复杂，要经过糊硬衬、纳鞋底、做鞋帮、绣虎脸、上鞋帮、扎虎须等程序。龙头鞋的制作则是在黑底上用金线盘绣成龙头形状，龙须用绿丝和金线盘绣，龙舌和嘴唇以红线绣制，更有那水晶眼和玲珑角，威风凛凛，惹人喜爱。

龙头鞋　苏州工艺美术博物馆藏

端午时节，成年人则需佩戴装有雄黄、菖蒲、苍术等香料的香袋、香囊，以驱邪除瘟。绣制香囊是一项十分繁复的女红。旧时，每到节日前夕，闺阁女子、媳妇妯娌们纷纷早做准备，在提前做好的香囊上设计出新奇的纹饰，再巧手绣制出活灵活现的吉祥图案如生肖、狮子、双鱼、盘肠、花草、珍禽、瑞兽、蔬菜、瓜果等；香囊造型更是匠心独运，椭圆形、三角形、菱形、鸡心形、棱角形、斗形、月牙形、扇面形、粽形等等，应有尽有。再用五色丝线弦扣成索，做成各种不同形状，将香囊结成一串，玲珑别致，令人爱不释手。

盘金绣荷包

这种以绣品承载文化符号和民俗心理的传统，源远流长，并较好地传承下来。

第二节◎人生礼仪用绣多

人的一生，从呱呱坠地的婴孩到步履蹒跚的老人，贯穿着各种人生礼仪。在满月、周岁、婚庆、寿诞、丧葬等仪式场合，精美的绣品作为重要媒介，其造型和纹饰富有象征意义，发挥着求吉、祝福和礼赞的作用。

人生礼俗包括诞生、冠笄、婚嫁、庆寿、丧葬等各种礼仪，是每个人一生中在不同年龄阶段所举行的仪式，贯穿着传统，也包含了不同地方人们的民俗心理。在礼仪举行过程中，蕴含着人生信仰和社会需求的方方面面，绣品作为重要媒介，发挥着传达祝福和礼赞的作用。用作孩子诞生礼的虎头帽、寄名袋、肚兜、钥匙鞋，摆满洞房的婚礼“绣货”，用于寿堂装饰的喜幛，丧俗的莲花绣等等，丰富多彩，寄托着百姓民众的美好愿望，彰显着地方文化的特色。

一、秋实华美章，礼赞宁馨儿

江南民间，孩子满月要举行隆重的剃头礼，外婆家则送给外孙金银项圈、手镯、锁片、老虎帽、虎头鞋等礼物。主要仪式为抓周，以占卜小孩将来的志向。家里人丁单薄或体弱多病的小孩则必须寄名。或寄名神佛，或寄名孩子多的人家，期荫护，以保安康。寄名时，需将孩子的生辰八字放入寄名袋中，择黄道吉日，到庙中烧香跪拜后，把寄名袋挂在佛龛下，直到孩子 18 岁时取回，并谢神护佑之恩。若寄名给人家，则选吉日，设宴为父母祝寿，寄父母必送见面钱，以及衣帽、鞋袜、手镯、项圈等，其中以包袱、项领、肚兜三物最为重要，谐音“保领大”（“大”在方言中音“肚”）。寄名袋必须用绸制成，忌用缎，因其谐音“断子”，上绣“独占鳌头”、“必定高中”等吉祥寓意的图案。“保领大”包袱上则绣松、鹤、灵芝，以四季常青植物和代表长寿的动物寓意松鹤延年，聪明如意。肚兜、项领上则绣蝴蝶、花卉和回纹图案，祈祝孩童茁壮成长。

立桶里穿着绣花衣饰的小儿

苏南一带，婴儿满月，需行过剃头礼才可戴帽，并有定规：春夏两季，戴绣花的“张生帽”。这种帽子，形似头匝，上绣蝴蝶、花卉等图案，并点缀着“福”、“寿”、“寿星”和“八仙人物”等银饰配件。秋冬天，及时换上绣花的狗头帽，帽子上也镶配银饰。孩子们身上还常年佩戴着一种六角形、两面绣有动植物图案的通书袋，以辟邪驱秽、保佑他平平安安。

苏北地区，新生婴儿有穿黄马褂之俗。旧时每年有春、秋两个社日，“社”与“赦”谐音。出生婴儿如遇到第一个社日时要穿黄马褂。马褂为对襟套褂，前后襟各绣一个红色圆框，前绣四个红字“天运交社”或“天赦百岁”，

瓜瓞绵绵围嘴 李品德藏

后绣“长命富贵”或“福寿康宁”，第二、第三年社日也要在这一天穿上它，传说能免灾辟邪。

婴儿周岁时，普通人家要为孩子做衣服，姨母送袜子，舅妈送褂和裤子，姑母送鞋。这鞋的款式很特别，是肥肥的可爱的猪造型，鞋头上绣有猪嘴、猪鼻和猪眼，两边各装一个大大的猪耳朵，寓意猪泼辣好养，少病少灾。还有一种叫钥匙鞋，鞋头上绣有三个钥匙齿，取意钥匙开心窍，祈愿孩子聪明，将来光宗耀祖。

二、鸳鸯成双对，“绣货”耀洞房

旧式婚俗既丰富多彩，又繁缛复杂。绣品在婚庆典礼中大放异彩。江南一些地方，过去人们谈婚论嫁时，男方家媒人要先请女方出示绣品，从闺绣的图案针脚中判断未来媳妇是否灵巧和贤惠，甚至只有中意了绣品，才答应看姑娘本人。

喜期前一日或当日，女家要将所有妆奁发送至男家。按规矩，妆奁要饰以锦袱、绣幔，一路鞭炮齐响，招摇过市。男家依女家提供的妆奁簿点收，谓之点妆，涉及的绣品有很多，如顾绣聚宝盈盆、绣花发禄千年、锦绣台毯全福……还有大量的绣品小件，如荷包、扇袋、名片袋、油面榻、绣帕等等。

婚庆中，新人自用的绣品有“凤穿牡丹”绣花袄、盘金绣大红裙。牡丹贵为“花中之王”，象征着繁荣昌盛、富贵吉祥。四灵之一的凤凰为百鸟之王，能给人间带来祥瑞，由此成为民间婚俗服饰和绣件上寓意夫妻恩爱的常用纹样。与此同时，“凤穿牡丹”除含有喜庆吉祥之意外，还隐含着男女相交、阴阳相合、子孙繁衍、生生不息之意。苏南一带新娘，新婚绣鞋格外讲究，“玉堂富贵”、“福寿齐眉”、“梅兰竹菊”三双绣鞋替换穿，每双鞋都绣有万年青纹样，象征新婚夫妇百年好合，万年长青。

过去的婚礼，新娘子还要穿戴凤冠霞帔。所谓霞帔，即云肩，也叫披肩，是从隋代发展而来的一种衣饰，常以四方四合云纹装饰，并多以彩锦绣制，如雨后云霞映日，晴空散彩虹。

江苏各地的婚俗中，云肩的应用十分普及，款式多为如意式、柳叶

刺绣蟠银凤凰女袄裙套装　苏州刺绣博物馆藏

柳叶式云肩　苏州民俗博物馆藏

式、排穗式，绣有喜鹊登梅、牡丹富贵、鱼戏莲、如意、梅兰竹菊等吉祥纹饰，工艺之精巧，色彩之丰富，特别是其深蕴的“天人合一”的文化内涵及象征生殖繁衍的艺术符号，饱含着情爱，恰如云霞般烂漫。

江南水乡迎亲时，新娘装束另有一番风情。通常头扎“大兜”，黑绸面，绒布里，正中镶宝石，两侧镶银饰件。戴上珠冠，蒙上卷草图案的双面绣盖头，身穿蓝绸缝制的贴肉棉袄夹裤，外套大红绣花纹衣裙，腰束红绸长裙和杏黄、水红或粉红绸做的汗巾，小腿裹织锦缎夹卷膀，脚穿杏黄色纱袜，足蹬扳趾头“福寿双全”纹样的“踏糕鞋”，随带丰盛的绣花嫁妆，满怀憧憬地踏进“龙凤呈祥”的绣花轿到新郎家。然后，换上“玉堂富贵”纹样的花鞋，行结婚大礼。之后，新人进入花团锦簇的洞房。

苏北一带的民间婚礼，新娘行完开脸仪式后，要把进门时候穿的鞋即“踩堂鞋”换下来，踩堂鞋薄底子，绿里红帮，绣满喜庆花卉，扔到床下最低处不能见人，以示自己此生不二嫁。

洞房布置以新床最为显眼，有喜帐、和合被、绣花枕、各式绣花发禄袋等等，每样绣品都饱含着夫妻百年好合、鸾凤和鸣之意，因而显得格外珍贵美好。龙凤被绣图多为百子、双鱼、凤凰、鸳鸯，以取吉祥口彩。最为耀眼的是大红色彩百子被，上面绣着天真无邪的男童，情态各异，活泼可爱，象征着早生贵子，人丁兴旺。

洞房中，墙上挂画和桌围椅披多为《麒麟送子图》，画面上男孩骑在麒麟身上，一手持万年青，一手抱笙，寓“连生贵子，千秋万代”之意。

多姿多彩的发禄袋，江南人家用来悬挂于房门或床帐四周作为装饰，象征家道兴隆，好运常在。悬挂发禄袋习俗约始于清代。其时，苏绣品种

苏绣《麒麟送子图》

繁多，应用广泛，针法技巧的发展已臻全盛期。特别是以苏州为中心的妇女，擅长运用刺绣装饰服装，美化生活环境。最初用实物做成的发禄袋，逐渐演化为以丝绸、棉布为材，精裁细绣、讲究寓意的吉祥物，便于长期保存。发禄袋悬挂在洞房的新床或樑上，祈愿新人福禄双至，生活美满幸福。其刺绣图案主要有寿桃、石榴、佛手纹，寓意福禄寿喜；双喜万福绵长纹，象征着万福绵长、双喜临门；蝴蝶、南瓜、花卉纹组合，意味着瓜瓞绵绵、子孙绵延；花瓶形上绣制蝴蝶与大理菊，表明平安吉祥、大吉大利；鱼型满绣花卉图案则意为财帛满室、金玉满堂。

苏北连云港一带，婚庆新房的布置仍承袭着老规矩，那就是一定要

在帐子上挂一个“和气人”。“和气人”是由手巧的“全福”妇女绣制的吉祥娃，头上扎着两个黑色发髻，以不同色彩丝绸刺绣缝制或贴绣而成。“和气人”端坐莲花里，双手捧着“早生贵子”的小条幅，以祝福新婚夫妇和睦美满、子孙满堂。

连云港婚俗里的“和气人” 连云港民俗博物馆藏

喜帐外面还挂着帐飘，和江南地区的发禄袋有异曲同工之妙，吉祥花纹、祝颂之愿，针针线线满帐飘。婚礼中另一种绣品是小件，多由姑娘待字闺中时慢慢绣成，在过门之际按辈份、性别将这些精巧的手绣品分赠给公婆及叔姑姐弟。其中，有赠送给男家亲友的名片袋、香囊、扇袋等腰间饰物，有送给女眷的镜套、油面塌（梳头搽油用）、粉盒、绣花鞋等。江南水乡农村中，还有媳妇进门要敬赠婆婆一双绣花拖鞋的习俗，有的甚至要做 12 双绣花鞋压在箱底，以“鞋”音“偕”，喻“百年偕老”。

花开富贵帐飘 南京民俗博物馆藏

在启东和南通、海门一带，姑娘出嫁前要绣制鞋垫送给未来的夫婿，少则几十双，多则一二百双。采用挑花、堆绣、打子绣等不同绣法，绣上“喜鹊”、“凤凰”、“鸳鸯”、“并蒂莲”、“双喜”、“万年青”等，送给心上人，希望他穿上心爱姑娘精心绣制的鞋垫后，走到天涯海角也不忘记亲人的牵挂和柔情。

三、鹤桃赠寿星，延年福寿多

传统社会里，做寿讲究礼仪和排场，子女亲戚竞相赠送寿桃、寿糕、寿面，寿礼堆积如山。寿星的女儿、媳妇则要做羹汤敬献。

双面绣立体屏风《群仙祝寿图》(局部) 潘氏建英绣庄出品

做寿一般以家中正厅为寿堂，正中张挂八仙祝寿画轴，或寿字绣轴，或缂丝八仙寿联。八仙有明暗之分，明八仙为绣制或缂丝的八位仙人画像，取仰寿、祝寿之吉祥寓意；暗八仙则绘画或绣制八仙手中之法器，有暗中保佑之意。桌围椅披满绣吉祥纹饰，通常上绣凤凰衔灵芝翱翔，中间为博山图，四周绣饰富贵牡丹。寿厅两边，挂有亲朋好友赠送的寿幛，多由社会名流书写“寿序”，称颂功德，祝其长寿。

寿庆中的大幅中堂多为绣品《瑶池集庆图》，或是由蝙蝠、寿桃、双钱合成的“福寿双全”，无不富含深深的祝福。

传统社会寿庆中，绣品随处可见，随着历史的变迁，早期的寿俗又成为日后的绣品取材。究竟是绣品成就了寿俗，还是寿俗丰富了绣品的内

苏绣《五彩牡丹寿字图》 苏州民俗博物馆藏

容，似乎再也难以分清。

四、脚踩莲蓬朵，天堂路风光

丧葬习俗的出现是人类生死观的反映，与宗教信仰有着密切关系，具有丰富的文化内涵和地方特色。

丧葬习俗中所用绣品图案十分丰富，规则多样。其中寿鞋为主要绣品。一般死者所穿的老鞋不允许纳底。女寿鞋的鞋底上通常绣有白莲、绿莲叶、红荷花，花叶端头绣以金黄梯子，梯头上绣万年青，寓意“脚踩莲花步步高，阴曹路上好风光”。苏北连云港丧俗有送老衣之规定。老衣俗称“寿衣”，女寿鞋的鞋底绣荷花，鞋帮上绣小狗小鹅，意思为“小鬼、小鬼你莫忙，奶奶脚底有大荷花，小狗小鹅搀着奶奶来过河”。在徐州，去世老人所穿寿鞋，其上绣有金桥、银桥、奈何桥、舟、莲花宝树、金童玉女、鸡猫狗鹅等，祈愿逝去的亲人能一路走好，登上幸福天堂。

绣有金童玉女和小鹅的寿鞋　高伟提供

寿鞋上绣制荷花，与宗教信仰、民间习俗有很大关系。由于莲花具四德，有着“华实齐生”的特质，故而在佛家看来，她能同时体现过去、现在、未来。众生若得善报，不再堕入胎生、卵生、湿生等轮回，便得以往生极乐世界，会有观音手持莲花迎接，而往生者就在莲花里“化生”为极乐世界一员。因此，莲花作为净土世界的圣物，具有独特的含义和象征，莲绣也由此成为丧俗中的重要组成部分。

绣鞋纹样荷花固然不可缺少，然也需与其他吉祥图纹相配，方能体现其美好寓意。如莲花茨菇纹寓意清廉慈善；祥云纹意味积德荫福，祥云五福纹表示多福多贵、寿终正寝；蝙蝠葫芦纹则象征福荫万代等等，所有一切无不深深寄托着人们心头之愿，但愿逝去的亲人能继续福佑子孙，千秋万代。

第三节 ◎ 祈福求佑宗教绣

江南人『信鬼神、好淫祀』，
频繁的民间信仰活动催生出大量宗教绣品。
为表敬畏虔诚之心，一些女子以青丝为缕绣制佛像，
她们被认定是『三从四德』的典范；
更多的女性则乐意在迎神赛会等活动中争艳斗绣，
在奉神娱神的同时净化心灵……

江苏素为宗教胜地，乃古代中国出现佛教活动最早的地区之一，也是近代中国佛教文化的传播、研究中心。“南朝四百八十寺，多少楼台烟雨中”，既是人们对当年佛教兴盛的追忆，也是江苏以弘扬佛教文化隆盛于中国的佐证。为数众多的庙、寺、观、庵，使宗教刺绣品应运而生。

一、墨绣佛像享盛名

公元7世纪，佛教从印度传入中国后，便与中国本土文化相融合，逐渐发

南京大报恩寺地宫铁函内发现的鎏金阿育王塔

《醍醐灌顶》，清早期罗汉像册册页残本之一，为顾绣之遗稿

展，形成自身的民族风格和特色。宣传教化佛教的过程，引起中国美术创作的变化产生出极具特色和多样化的佛教艺术，丝绣佛像或发绣佛像便是其中之一。

据传，唐永贞元年（公元 805 年），卢眉娘以《法华经》七卷，绣于尺绢之上。武则天晚年也曾命绣工绣制《净土变相图》四百幅，进而推动了刺绣针法的创新。传说固然不可全信，但就今日出土的唐代绣品中，可见不少唐绣佛像，较为著名的如大英博物馆藏《绣帐灵鹫山释迦说经图》，日本奈良国立博物馆所藏《释迦说法图》等。之后，佛教绣品多使用微细平绣之绣法，以各种色线和针法运用替代颜料描写之绘画，形成一门特殊的艺术。后来，绣品中大量使用平针绣、盘金、缀金片等技术，以致佛像更为庄严神圣，细腻传神。时至今日，佛像刺绣又增加了贴绣、堆绫绣等表现手法，使佛像绣更具有立体的艺术效果。

无量寿佛绣像　苏州民俗博物馆藏

就苏州而言，最早可见的苏绣佛教实

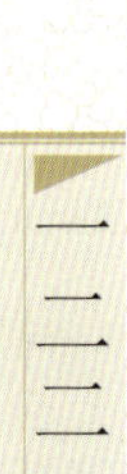

发绣《柳枝观音》 周莹华绣制

物应为1956年虎丘塔内所发现经卷的经帙和刺字。

刺绣与宗教发生关联，涉及人类的精神世界，故而绣制佛像有着严格的礼仪规矩：每绣必先行斋戒，青灯黄卷，清修苦行，于静室设绣架，洗手焚香，绣前用熄灭的线香头画绣稿，再根据各部位需求构图设色，完成一幅绣像，少则一两个月，多则半年一年，甚至更长。

除丝绣外，还有绣娘刺血写经，以示敬意和虔诚。如宋代苏州朱亿之女，曾刺血写成《莲花经》一部，入宫赐号"莲花夫人"。更有绣娘为表敬畏之心，以青丝为线，绣成观音和如来宝相，焚香膜拜。在中国传统伦理思想中，身体发肤受之父母，但"以发带绣"因合乎孝道节义，自不在禁止之列。发绣发展到极致，则称"墨绣"，以吴江杨卯君及其女儿沈关关所绣佛像、山水最为有名，有"过江人以不与题词为恨"之誉。

而在苏北大丰一带还流传着一个有关发绣佛像的凄恻故事：

> 明朝嘉靖年间，御史叶大镛遭严嵩诬陷，女儿叶频香决心为父报仇申冤，但苦于无计可施。后用一幅二丈四尺长、八尺宽的红绫作绣底，就以发代线，绣了一年零八个月，方成一尊佛像。最后在点睛时，姑娘眼神伤尽，双目失明。

迄今为止所发现的最早的发绣是现存于英国伦敦博物馆的《东方朔像》，相传为南宋皇帝赵构之妃刘安所绣。

发绣源于宗教，发明以来曾几经沉浮，朝代更迭、政治运动均对其产生很大影响，其中心地也有所转移。元末明初，吴王张士诚兵败苏州，手工艺人流落到里下河地区，发绣也随之传入，但此后日益稀少，几近绝灭。直到建国后，这一古老而神奇的绣种得以复苏光大，名扬四海。

二、绣幡奉神表虔心

江苏的道观、庙宇和全国一样，善男信女均尚敬献刺绣长幡，一来用于装饰殿堂，显示神仙的庄严和威力，二则以绣满富含吉祥意味的纹饰，表达捐献和绣制者的一片虔诚，祈求佛祖神灵护佑自己和亲人平安健康。

这在民间通俗文学作品中多有体现。

长篇叙事吴歌《赵圣关》里就有大段关于绣长幡的描述。歌里唱的是赵圣关与林二姐相恋，遭到父母专横压制，不禁心忧如焚，相思成疾，一病不起。在圣关病重之际，林二姐亲临赵府，端汤送药伺候郎君，无奈情郎病入膏肓。为了祈求上天相救，她连夜赶绣长幡，将自己搭救郎君的决心，以及对菩萨的祈求都倾注在针针线线中。人们耳熟能详的各路神灵，包括地藏王菩萨、东海龙王、本府城隍、森罗殿阎王、骑龙太子等，一一被林二姐绣于幡上，其意真情切，令上苍感动。

绣长幡体现了民间刺绣对民俗信仰活动的介入，在其中起到增强神圣之感的装饰作用。时至今日，类似绣幡进献给庙宇的现象仍在江苏民间有其孑遗，民间绣品供在佛龛前的情况也屡见不鲜。

三、迎神赛会用绣多

如果说"刺绣长幡"是人们日常心愿得以实现的媒介，那么迎神赛会所用绣品则是民众狂欢心态得以表达的道具。

江南自古多庙宇。以扬州为例，当地庙、观、寺、院、会各种佛事用具均以刺绣装饰，使扬州刺绣业十分发达。

在迎神赛会的队伍里，旗幡飘扬耀眼，绣衣五彩缤纷，目不暇接，好

洞庭东山台搁

比一场绣衣绣裤的集中展示舞台。表演者穿“窄衫绣裤”、“金蟒缠身”，围观者也是着绣衣锦衫相随。这些五彩缤纷的绣品，都是在庙会前由绣娘们日夜赶制出来的。在迎神赛会的时间里，精美的绣品不仅用于装点庙会，也要展示绣娘自身及其精湛手艺。

青莲衫子藕荷裳，透额垂髫淡淡妆。拾得青条夸姊妹，袖来瓜子掷儿郎。急管繁弦又一时，千门杨柳破青枝。

除此之外，还有小商小贩在迎神赛会时招揽生意，兜售绣品。如“五路财神出巡仪仗”的小摆设，按比例微缩至盈寸，人物造型生动形象，器物玲珑精巧，旗帜和幡上的字和吉祥花样均为刺绣，精细异常，十分耐看。

◎◎ 五路财神出巡仪仗小摆设　苏州博物馆藏

第四节 ◎ 融入戏曲两相彰

刺绣戏衣伴随戏剧而出现。
戏曲艺术的繁荣促进着戏衣业的兴旺和刺绣艺术的提高，
而刺绣技艺的嬗变，又影响着剧装艺术的发展。
与此同时，戏曲艺术的普及与教化，
为刺绣提供着丰富的题材和表现内容，
成为民间女子精神情愫的摇篮……

戏曲是通俗的大众化艺术形式。演员们粉墨登场，演尽人世间悲欢离合，反映丰富多彩的社会生活，特别为老百姓所喜爱和欣赏，成为他们娱乐生活的重要组成部分。戏剧服装随戏曲诞生而出现，刺绣艺术的融入使剧装日趋精致、完美，并成为其显著标志。刺绣技艺的嬗变，影响着剧装艺术的发展，而戏曲艺术的繁荣，反过来又促进戏衣业的日益兴旺和苏绣技艺的提高，两者相辅相成。与此同时，戏曲艺术的普及，为绣娘的刺绣不断提供着丰富的题材。

一、刺绣、戏衣互推助

刺绣历来是剧装服饰的重要组成部分，要使演员服饰斑斓夺目、满台生辉，离不开刺绣之装饰。

明代，随着昆山腔的广泛传播，各地职业戏班纷纷出现，促使苏州戏衣业快速发展，至清代逐渐形成苏派风格，并从刺绣业中分离出来，成为融画、绣、制衣于一体的独立行业。过去，苏州城区西中市、吴趋坊一带为戏衣制作集中地，作坊多达三十多家。作坊主雇用画工勾勒图案，刺绣活计发放至周边木渎、香山等地，作为农村的主要副业，绣娘们依靠刺绣加工维持生活。所产戏衣，除供应本地戏曲班子外，主要满足苏、浙、皖三省的徽剧和京剧“水乡戏班”之需，甚至清代宫廷演戏使用的行头，也常在苏州订制。解放后，苏州戏衣业以京剧为基础，沿袭传统制作工艺和绣图，品种多达五十几个，仍雄踞全国戏衣业之首。

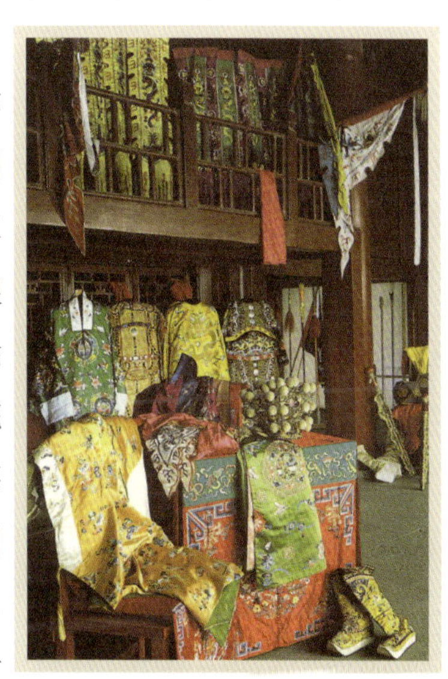

清宫廷所用戏衣、道具　黄良莹提供

清代的扬州，戏曲业同样兴盛繁荣。当时，扬州的戏曲舞台上，名班众多，诸戏杂陈，盛极一时，而各种戏剧所用之戏衣、戏具，促使刺绣业愈加发达。

戏衣刺绣，通常根据刺绣传统和舞台演出需要而绣制，因演员档次和演出场合的不同，有粗绣和细绣之分。前者以“绒绣”为主，用未经捻紧的原丝炼熟染色绣制，较为低档；后者用捻紧合股的“丝线”绣制高档产品。随着戏衣制作的日益精致化，戏衣刺绣开始出现“花线绣”，即和传统苏绣一样，分丝劈缕绣制精细产品。乾隆年间，以“四大徽班”进京为标志，昆曲逐步衰弱。鸦片战争前后，京剧正式形成，迅速传播，于20世纪三四十年代达到鼎盛。由于京剧服饰追求金碧辉煌、绚丽多彩的艺术效果，戏衣刺绣因之以光彩夺目的平金绣、平银绣，富丽堂皇的金绒绣和清雅秀丽的丝线绣，形成精湛之艺，蜚声全国。

除此之外，京剧的改良与提高，也对刺绣造成积极影响。特别是名演员的“私房货”，由于艺术家与众不同的种种创意，求取戏衣款式、古装头、髯口、舞台美术等方面全方位革新，推动戏衣刺绣在图案设计、色彩和针法上时常出奇制胜。国家级非物质文化遗产传承人李荣森曾多次谈到戏衣服饰的改进提高，有赖于京剧表演艺术家及周围文人的努力，有赖于剧装制作者审美能力的发挥。如京剧大师梅兰芳在苏州演出《贵妃醉酒》，特意穿戴经制作者巧妙设计的遍绣万字梅的镶边女蟒，吴语中“万”、“梅”相谐音，暗寓其姓。麒派艺术家周信芳来苏演戏，剧装厂特制巨型天幕，中心部分精绣麒麟一只，用去金线竟达六万余尺，耀眼夺目，璀灿生辉，充分展现出盘金绣的独特魅力。

可见，戏曲兴盛使刺绣业日益发达，而以精良绣艺制作的戏衣，又为戏曲艺术平添光彩，两者交相辉映，留给人类隽永的审美享受和无穷的艺术回味。

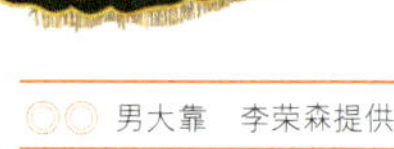

男大靠　李荣森提供

二、文秀焕发添魅力

刺绣在戏剧服装上的应用具有独到的艺术效果，漂亮的行头特别适合人们远距离观看。舞台上，演员身着戏衣，上绣丰富多彩的图案，布局既有定规，又错落有致。蟒的庄重、靠的壮丽、帔的明艳、袖的柔丽，每一件都有锦绣装饰，角色于起转行走间，光彩照人，展示出衣饰的辉煌之美。毫不夸张地说，中华民族大气端庄、含蓄质朴的气质美在戏衣上得到了最佳体现。

戏衣对戏剧中人物的塑造起着非常重要的作用，戏衣上的刺绣则是人物身份、地位的象征，通过绒绣、盘金、粗细绣的不同方式来体现人物角色的差异。细绣文雅，装饰的人物是公子少年和闺阁小姐；粗绣多是用来装点武生、武旦，厚实耐用；盘金、盘银可使图案更加清晰，金碧辉

龙披、凤披绣片 翁维提供

煌，光彩炫目，富有立体感。

戏衣刺绣的色彩通常分成上五色(正色)：红、黄、绿、白、黑，下五色(副色)：粉红、淡黄、皎丹、蓝、紫，需根据剧中人物和舞台精心配制，搭配得当即可获得浓艳、素静、对比、调和等不同的色彩效果，即行话所谓的“显五彩”、“素五彩”、“野五彩”、“全三色”、“一抹色”等。戏衣刺绣装饰纹样有龙凤、鸟兽、鱼虫、花卉、云水、八宝等，这些具有象征意义的图案花纹，除以各色丝绣表现外，还常以金线或银线盘托。演员在舞台上举手投足、转身亮相间，刺绣因灯光的照耀而熠熠生辉，璀璨夺目。这样，只要人物一出场，内行人一看便知其在这部戏里的身份和地位，有所谓“宁穿破，不穿错”之说。

本世纪由白先勇打造的青春版《牡丹亭》，为适应现代观众的审美需求，戏衣设计制作人员尝试做出一系列创新。从舞美设计到演员服装中刺绣图案、色彩的设计，均以简约为特点，体现高雅的艺术风格。如柳梦梅的梅花男褶子中的梅花图案设在衣摆一侧，造型简练，构图雅致。杜丽娘所穿的杏黄飞蝶女帔，不仅与少女怀春的羞涩、朦胧心态十分协调，且蝶绣不只是意味着破茧化蝶的蜂蝶寓意，还是女性成熟和婚配的象

赏心悦目的蝶装　翁维提供

征。演员服饰均以刺绣艺术装饰，取材各类秀美的花卉或蝶恋花传统纹样，颇得中国绘画洗练、传神的意境美和江南园林的雅致美，恰如其分地衬托出其两情相悦的青春美好，又充分发扬了传统昆曲高雅秀媚的审美特征。从针法的细腻多变到配色的高雅大方，无不显示出苏绣工艺之精湛，也唯有苏绣才能把戏装的高雅表现得如此淋漓尽致。

三、戏曲入绣助教化

戏曲是一种综合性的舞台艺术，通过唱、念、做、打来表演故事，不仅深为民众所喜闻乐见，还可让人从中受到教育。因此，看戏是千家万户日常娱乐生活的重要组成部分。

江苏各地的女子，她们熟知和钟爱京、昆、越、扬、锡等各个剧种，这是因为丰富的剧种、纷呈的流派、声情并茂的唱腔，可为其封闭单调的生活增添无穷情趣，让她们丰富的情感在戏曲里得以寄托，获得慰藉。女性对戏曲中才子佳人的爱情故事、悲欢离合的人间悲喜剧具有特殊的感受力和理解力，她们人生经历的酸甜苦辣，潜移默化于刺绣和戏曲两种艺术形式及审美角色的不断转换中，也为其刺绣花样提供丰富的题材和表现内容。绣制戏衣之余，看戏、听戏就成了江南女性人生的重要内容。

戏曲在全国的普及和影响力，催生着其他多种艺术形式。也许是由于戏曲激发的各种想象，在江苏地区乃至全国各地，戏曲悄然成为妇女们刺绣的主要内容。戏曲绣品有的参照舞台形象，表现简洁，有的是实景的戏曲故事描绘。这些绣品如同年画一样，装饰于人们的日常生活中，使得刺绣借助戏曲更增表现魅力，戏曲则依托刺绣得以更广泛的传播。

民间女性的绣衣上经常会出现人们熟悉的戏曲故事和人物形象。苏州民俗博物馆藏有一片晚清的女性绣衣残片，上面绣的是家喻户晓的戏曲《昭君出塞》。昭君离别故乡、远嫁匈奴和亲是历史上真实的故事，后来演化成各种戏曲的经典曲目，流传至今。虽然绣衣白色的缎料已经发黄，但彩绣依然鲜艳，昭君、王龙、马夫的人物形象十分生动传神，背景深远广阔，充分体现了绣女对戏曲人物的同情和理解。

长篇叙事吴歌《五姑娘》，描写五姑娘和徐阿天结私情的故事，流传甚广，其中就有这样一段唱词：

> 青纱罗帐凉悠悠，五姑娘叫徐阿天哥哥看看倍格对花枕头，上头要绣薛仁贵跨海征东去，下头要绣薛丁山挂帅要平西…… 青纱罗帐凉悠悠，五姑娘叫徐阿天哥哥看看倍格对花枕头，卜头要绣诸葛亮要把东风借，下头要绣岳飞枪挑小梁王……

《姑苏繁华图·春台戏》 李荣森提供

从上述反映的情况看，五姑娘亲手绣制的花枕居然不是鸳鸯，而是好几出戏曲，包括：《薛仁贵征东》、《薛丁山挂帅》、《借东风》。

文人闺阁同样为戏曲所痴迷。《穆桂英》是近代苏绣艺术家沈寿的门人朱应初的作品，完成于民国二十四年（1935 年），所绣的是折子戏《穆柯寨》里穆桂英的形象：武旦打扮，头戴七星额子，披女靠，下甲，穿彩鞋，绣片以素库缎为底料，刺绣针法有擞和针、铺针、缠针、接针等等。无锡著名刺绣艺术家华慧贞，也曾精心绣制过关良的《戏曲人物》。关良是一位苦心孤诣探索中国画创新和油画民族化的画家，其人物造型和用笔赋彩稚拙生动，生趣盎然。他尤精于点睛之妙，尽传人物不同眼神的特点。有“针神”之称的华慧贞，慧眼独具，选择关良之创稿，用丝绣方式渲染水墨淋漓的戏曲人物，以静止的刺绣画面凝固住那瞬间的灵动美，戏绣相融，浑然一体，耐人寻味。

苏绣《穆桂英》　朱应初绣制

苏北地区，妇女刺绣的帐飘、门帘等绣品，多绣丰富的戏曲题材，而且是以熟悉的地方戏曲为主，如《穆桂英挂帅》、《老羊山》（绣成“老杨山”）、《西厢记》、《小花园》、《杨八姐游春》等，都是深入人心的经典戏目。这些绣品充分反映出戏曲对刺绣不可低估的影响力。

关良作品　华慧贞绣制

◎◎《荷花》 黄河设计 诸葛林妹绣

第四章 ◎ 技艺风格

《双鹤》 周巽先绣制

明代，苏绣便以“精细雅洁”的技艺风格著称于世，其中，精细为技术特点，雅洁为艺术特色，蔚为一代风尚。之后，苏绣长期以“平、光、齐、匀、和、顺、细、密”的技艺特色闻名中外。这种自成一派的艺术禀赋，映射出江南特定的水生态环境和社会人文背景。

江苏人崇尚自然山水，终日与其厮守，生命受水滋养，心灵为水滋润。在对温山软水的体味玩赏中，其慧性被天趣启迪，生发出充满诗性的亲水柔情，滋长出尚清尚情的情怀情趣。与此同时，在和渔稻、蚕桑文化的漫长磨合、适应、观照、体悟中，也渐渐养成缜密思维、精巧劳作的习性，细致而有耐心的韧性，以及追求淡雅、精致的审美趣味。几百年来，苏绣的技艺风格之所以能大放异彩，因为她在很大程度上受到江苏人自足、恬淡之人文精神的直接浸润，所以情调高雅，风貌隽丽，工艺精巧，富有清新绮丽的江南气息，是水生态特性与人的审美理念共同作用的结晶。

有研究者提出，当今的苏绣艺术，具有博、新、神、妙的艺术特点。让我们兼及传统与当代，共同来领略苏绣的技艺风采。

第一节◎精湛缜密

苏绣以『精』成就其独特品质与魅力。在画稿设计、布丝运针、染线装裱等各道工艺环节上，无不缜密精微，一丝不苟，精益求精，神妙绝伦，令人屏息，叹为观止……

精湛缜密是苏绣核心的技术和艺术风格。精湛意味着精深、精良，缜密则体现为细致精密。其中，“精”字为关键，含有多重字义，诸如上好、细密、聪明周密、专一深入等等。没有“精”，也就无所谓刺绣的技术难度，也不可能以千余种色阶来调和色彩。以“精”成就苏绣的品质与魅力，体现在画稿设计、布丝运针、染线装裱、成合工艺等各道环节上的精细周到，精益求精。

一、绣稿设计　精研细究

刺绣要有稿本，欣赏类苏绣在晚清前均以国画为本，与画坛风尚一脉相承。明代，吴门画派驰誉艺坛，其中就有文人画家参与刺绣欣赏品的创作或评估，使以绘画为蓝本的苏绣欣赏品得以进一步发展繁荣；清末，沈寿受西方文艺影响，始创人像绣，稿本扩展到素描、油画、摄影；刺绣日用品则有专门设计作坊，设计师除创稿外，还承担用白粉将花样勾在面料上的工序，俗称“画白粉”，然后通过中间商绣庄放给绣工。

欣赏品刺绣稿本的设计与绘画并不完全等同。比如，中国传统的泼墨法为近代画家掌握运用，墨色的浓淡任其渗化，生宣纸的固有特性得以充分发挥，水墨淋漓的艺术效果使画者情感也尤为酣畅。不过这样的绘画却不太适应刺绣，既不利于刻意摹仿，花费工夫也大，针痕难藏，难显苏绣特色。

因此，一幅精美的刺绣品，首先要精心设计，合理布局，使稿本动静结合，疏密有致，把握好神韵和格调，此乃刺绣之魂。

当代苏绣艺术，既有利于发挥刺绣独特的艺术语言，又具有时代气息的设计更居首要地位。

苏绣设计师徐绍青，画风自成一体。作品空灵雅致，驰誉画坛。他覃精运巧，设计的绣稿既有绘画个性，意境幽淡，恬静平和，明快清新，又宜于表现苏绣艺术特色，两者相得益彰，为苏绣艺坛贡献出一批优秀代表作。

苏绣设计师徐绍青先生

优美的工笔花鸟绣《白孔雀》和《海棠冠梅》即是徐先生的杰作。前者画面以白孔雀为主，红崖墨竹相托。经刺绣后，整幅绣面光洁匀称，秀美活泼。洁白的孔雀亭亭玉立于红崖上，背依墨竹，昂首向阳，放射出银色的光彩，高雅文静，栩栩如生。后者《海棠冠梅》，用笔工整细腻，色彩柔和淡雅。冠眉鸟毛片光润，活灵活现，树干挺拔，竹叶娟秀，花朵风神清逸，恰似听禽呓语，闻香馥郁，艺术境界至清至妙。两幅作品中深深蕴含着设计者的精深智慧和卓越才能，而这仅仅是这位中

《白孔雀》 徐绍青设计

《海棠冠梅图》 徐绍青设计

国工艺美术大师上百幅绣稿佳作中的点滴。

中国工艺美术大师周爱珍，擅长油画，才华不凡，几十年来，为细研画绣结合规律，不断摸索着提升画绣水平的途径。

周爱珍的绣稿设计从熟悉刺绣技艺开始。她深入生活，在生活中寻找创作题材，以技巧的提高来获得创作的自由。她选择金鱼为创稿内容，旨在通过绣制金鱼尾巴，将刺绣丝理运转的特点发挥到极致。为此，在绘画过程中，她尽可能吸收国画工笔渲染之法，减弱油画笔触趣味。画面上没有水，没有特定的光源，仅几尾金鱼、几根摇曳的水草和几个冉冉上升的水泡。画稿被绣成后，意趣盎然，尤为生动，那以彩线绣制的细如游丝般的金鱼尾巴，在水中若隐若现，自然流动，成为西方艺术样式与本土文化环境相结合的代表作。

◎◎《金鱼》周爱珍设计

上世纪 90 年代，周爱珍设计出《虚实白猫》、《虚实黑猫》，她凭借自身扎实的造型功力，将具象刻画与简练虚化有机结合，意在画外，大大丰富了苏绣传统代表作的艺术内涵，令人称绝。

刺绣日用品图案的精心设计，对于刺绣品能否为人们所喜爱，能否融入日常生活同样起到决定作用。

苏绣图案设计家柳炳元，14 岁即在上海陈心竹描花作学艺，习得一手打样本事。回苏州后，专为绣庄加工描花。他善于动脑筋，改套路，被誉为“翻花样的能手”。

上世纪 50 年代，柳炳元加入苏州刺绣厂，任设计室主任。为使绣品在不同时期适应时代潮流，他施展才华，锐意创新，推出的花样总能不落俗套，清新活泼，惹人喜爱。他的一生，设计图案数以万计。

柳炳元的样稿，主题突出，造型美观，形象生动；纹样富于变化，和谐统一，动与静、疏与密、曲与直、点与面等对比关系处理得恰到好处；线条流畅自然，一气呵成；文化内涵丰富，寓意美好。

《虚实白猫》和《虚实黑猫》 周爱珍设计 余福臻绣制

《团花小鸡葡萄》和传统图案《九狮图》 柳炳元设计

从大师们的设计生涯中可以看出，苏绣画稿设计，须深得苏绣风格特色之要领，构图工整、结构均衡、疏密得当、笔墨精妙、色彩典雅。所有这一切，只有用力精到才能实现。

二、布丝运针 精细缜密

苏绣艺术以精细见长，其风骨在宋代就已奠定。布丝运针的精细缜密，是绣制精品的关键所在。

精细缜密首先指审稿的缜密，沈寿将此称为“缜性”。缜性需从审视绘画笔法和体察事物的形态开始，凡绣各式花卉、鸟兽、人物、山水画，都要分清明暗阴阳，对于浓与淡、高与远、动与静、正与侧等变化，以及如何因势利导、怎样获得情趣等问题，务必细致周密地思考，审慎处理。

其次，苏绣的精细缜密还体现在运针的方法上，即刺绣线条的组织形式。针法是刺绣最重要的艺术语言，也是增强刺绣艺术表现力最主要的途径。

江南一带，过去虽无记述针法的专著，但至少在宋代，出于摹绣书画、追求丰富多彩、精妙传神的效果之需，刺绣界对针法的改进和创造可谓前所未有。后世常用的套针、抢针、滚针、接针、打子、钉线等针法当时已经基本完备，其他如钉金、网绣、刻鳞、扎针等用于表现不同对象的针法也开始出现，并被引入日用刺绣品的绣制。

明代，上海顾绣在发扬宋代以来画绣针法的基础上，又有所创新和提高。擞和针的运用，各种传世针法的改变使用，使仿真、写实的书画绣

苏绣针法图　顾文霞大师工作室出品

品能生动再现笔墨氤氲之美，几可乱真，显示出苏绣精湛的针法技巧。

发展到清代，苏绣作为地方绣种日益成熟稳定，形成传统。绣坛名手对针法的组织和运用研究颇深，继丁佩、华堪、许频韵后，沈寿于《雪宧绣谱》中共记述18种针法，这是首见于文字记录的苏绣传统针法。

建国后，随着苏绣的全面快速发展，针法变化极为丰富。1965年，李娥瑛主编的《苏绣技法》一书，将针法归为9大类43种；1982年，任嘒闲和周巽先、张美芳合作编著《乱针绣技法》；20世纪90年代初，朱凤先生又根据自身60年的从艺经验，辛勤笔耕，在《苏绣》专著中总结出13类37种传统针法，附21项子法，以及根据仿真和图案两大系统归类的散套针和点彩绣新兴针法。机绣方面，新针法也被频频推出，如长针绣的脱节针、漏空针，短针绣的兰花针、石榴针等等。

多种类别针法和新颖针法的不断推出，在充实苏绣艺术宝库的同时，对提高绣品艺术性起到至关重要的作用。因为每一种针法都有一定的组织规律，都具有独特的表现效果：如绣花卉，宜采用散套针法，其线条组织灵活，便于丝理转折自如，可使镶色、接色和顺，善于表现花卉娇艳多姿、五彩缤纷的特点。又如绣猫，则宜采用施针，因为施针的线条是稀铺后分批逐层施密的，线条可以略有交叉，适宜表现小猫遍身柔和松软的茸毛。乱针则以似乱非乱的线条交叉搀和绣面，使作品生动逼真。

不仅如此，艺人们还竭尽针法调色之能事，彰显神工运针之技巧。于是，自解放以来，苏绣艺苑里，一朵朵奇葩相继绽放：双面绣精美绝伦，虚实乱针人像绣形神兼备，双面三异绣鬼斧神工，古代刺绣品复制超凡绝伦，屈铁盘丝般的发绣重新焕发青春……

一代代刺绣精品的诞生，重要原因在于艺人千方百计选用合适针法表现刺绣物体质感，以取得精致神妙的艺术效果。而针法之细腻完备，以及绣者对针法的活用和妙用，正是苏绣艺术的显著风格之一。

苏绣布丝运针的精细缜密还体现于刺绣针脚齐平，针针紧密，排列紧凑，灭净针迹。为与之相适应，刺绣用线日益纤细，劈丝技术应运而生。

劈丝是一种分线的技巧，具体指将一根花线按丝缕分成二股、四股、八股、十六股，以至更多。丝线分劈均匀，排针就平，线光也亮，整幅绣面

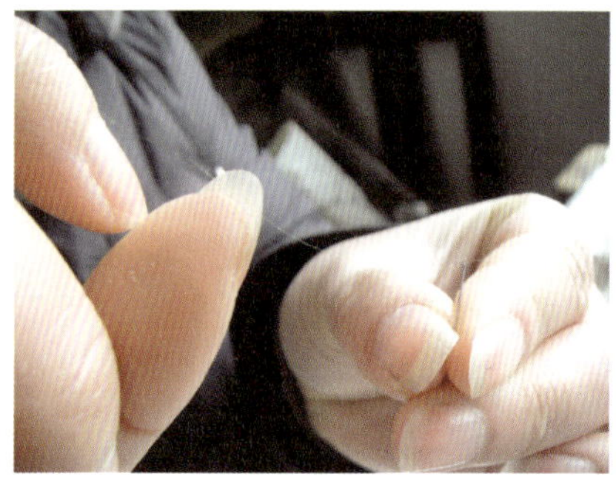
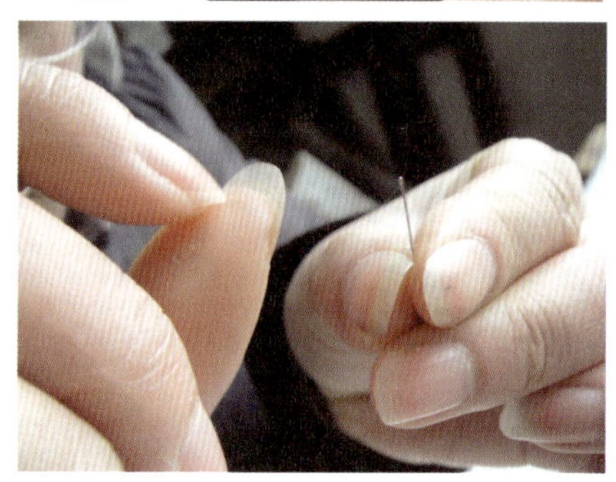

李娥瑛弟子海霞正在劈丝

看上去平整服帖。因而，劈丝技巧乃与刺绣的细密息息相关。有经验的艺人，劈丝时先用拇指和食指捏住花线的一头，然后用另一只手的拇指和食指把线向内一勒，将线退松，接着用双手的拇指和食指捏住线的两头，绷挺丝线，用一小指轻轻把丝绒挑开，按刺绣所需丝线之粗细，分成二分之一、四分之一、八分之一……

目前苏绣欣赏品的绣制已达到怎样一个精细程度呢？具体而言，就是在绣制动物、花鸟时，丝线常劈分到一丝（一根丝的十六分之一，用以绣出翎毛的层次感），绣制金鱼和仕女时，最细的地方自然是金鱼的尾巴和仕女的五官、鬓发，此时用丝仅四十八分之一，仕女脸部开相时有可能更细。劈线本身就是一门技术，若能劈出四十八分之一以上丝线者，当

精微双面绣屏《百寿图》 赵红育绣制

精微双面绣屏《阿房宫》 赵红育绣制

是灵性十足、功底非常扎实之艺人。问题的关键在于，不仅要运用好这细如游丝的线，还要把对象绣密，因而也有人称这“劈丝纤如毫毛”的手上功夫是进入刺绣艺术殿堂的一张门票。

说到苏绣的精细，无锡的精微绣乃绣苑之奇葩。其卷幅微小、构思巧妙、绣技精湛。作品往往在很小的画面中，精心勾画丰富多彩的文字和图案，经由刺绣艺人运用双面绣技法精工绣制，无论细若蝇毫的文字，还是寸人豆马的图案，都形神兼备、意趣无穷，令人爱不释手。

精微绣在用线的粗细上特别有讲究。如双面绣屏《百寿图》，绣面仅有巴掌大小，刺绣艺人以高超的绣技将南极仙翁捧桃祝寿的形象生动地呈现出来。在寿翁的袍服上，绣有 108 个写法各异的篆书“寿”字，精妙无比。若借助放大镜观看，其上字迹笔笔清晰，令人惊叹不已。

精微绣的创作其实并非一味追求用线之细，而是根据画稿立意、布局和色彩，合理地搭配丝线的粗细，在差别和对比中增强作品的生动性。精微绣创作的丝线搭配，关键在于根据物体的主次关系和不同质感、前后层次、虚实效果，灵活地采用不同粗细的丝线加以表现。

三、装裱成合 精良完美

一位天生丽质之女子，施以薄薄脂粉淡淡妆，将倍添妩媚清艳。一幅精美的刺绣欣赏品，经过装裱，不仅锦上添花，而且足以传世。若是古代刺绣珍品，因年代久远、收藏不当而破损，一经精心修裱，犹如枯木逢春。笔者就有一件清代湘绣作品，从文物商手里购得时品相破旧，经刺绣研究所高手装裱，立马显出精神，这正好用于说明装裱的重要性。

那么，何谓装裱呢？所谓“装”，就是为刺绣装潢门面，使其有天地，有边框，有绢丝包缝的“衣裳”；所谓“裱”，是指用多层复背纸托在绣品之后，延长其寿命。装裱，实质就是为刺绣穿衣。

刺绣品与国画相比有很大特殊性。由于刺绣是用丝线或金、银线绣在软缎、绢纱、塔夫绸、硬缎、缂丝、富春纺等底料上进行，而这些底料并非像国画用的宣纸那样薄而平，加之不同的底料，其厚薄不一、经纬组织不同、绣法各异，导致装裱时极易因绣面的疏密不匀、高低不平而起皱，从而必须得采用特殊方法加以解决。

一般而言，双面绣装裱比较简单，只需把绣品夹在两块玻璃中间，边上上浆，将其粘在玻璃外面即可。要求无渍、无线头、丝缕平整，底料和绣面无松绉现象，人物脸部的丝缕平直不弓，建筑物和图章四边不容歪斜。

单面绣装裱往往要复杂得多，需根据底料的不同质地，运用不同的托裱方法。操作时，很重要的一点是要将宣纸上的细砂、稻草等刮净，把绣品反面的色线头和牵拉多余的线剪掉，如此才能有效避免线色在绣片正面显露而影响美观。

托裱的方法大致有三种：“直托”、“复托”和“飞托”，如何使用视绣品实际情况而决定。但无论采用什么手法，甚至有的直接在绷子上托裱，其目的只有一个，那就是使托裱出来的绣品，既不会脱壳，也不会产生浆渍、水印，丝光保持原样，更不至于“飞色”。

绣品托裱好以后，还要镶嵌和上复背。为保证绣面无任何浆迹，通常仅一幅一镶，而且镶好后及时复上背纸，用塑料袋装好或塑料纸盖好，以免镶边浆口水分过少而出现翘皱等弊病，上复背时不易复平。

高档刺绣欣赏品，上复背时还必须采用“干复”法，将绣品正面向下，把吸干水分的复背纸翻在绣品后面，刷平后再将有绣线的部位用棕刷笃实，然后上挺板，裱成不同规格的画片、中堂或立轴。如此的装裱才能使绣品挺括，天地相称，色彩和谐，不翘卷，不断裂，不脱壳，以精良的品格与精美的刺绣相互匹配，相得益彰。

《松鼠》刘奎龄画　程美玲绣　苏州刺绣研究所提供

双面绣、双面异色绣和双面三异绣则需装入硬木镜框台屏或地屏。该配套装饰，本身属于苏作家具，凝聚着独特的文化内涵与审美取向。其多以紫檀、花梨、鸡翅、酸枝等名贵硬木为材料，色泽沉着，纹理优美，造型温文娴静，雕饰简洁雅秀，题材古朴吉祥，具有较强的装饰性。这些精美的制品，形制大小各不相同，有圆形、矩形、扇形等等，还有大型屏风。台屏有活动装置，能够转动，以便于欣赏者观赏；屏风可以折叠，有四折和六折不等，大屏风就地而立，小屏风则可立于茶几或写字台上，它们与绣品结合一体，交相辉映，富丽堂皇。

日用刺绣品的成合，同样体现出精湛的技艺。绣品最后完成时，需充分运用贴、滚、嵌、镶、扣等近 20 道手工技巧。如花衣的开边、拼夹里、打大小裥、上内外嵌线、盘扣等，剧装戏衣成合时，更牵涉到金银丝、宝素珠、排须织物、五彩光片等配套工艺，这些过程，细致而繁复，无不需要精工细作和精益求精的精神。

第二节◎光顺和谐

绣面平展齐整，线条细密均匀，丝缕圆转自如，
光影变化巧妙，运用刺绣语言，
把握整体意境，这是苏绣最独特的艺术风格。
正是这光顺和谐的品质，才使得苏绣艺术品虚实相间，
动静结合，光彩可鉴，
展现出独特的韵味与美感……

“光”从艺术角度而言，具有很强的造型作用。刺绣艺术中对光的运用，旨在于仿真过程中，通过对各受光面的处理，使对象具有质感，取得肖神的艺术效果；从技术角度而言，由于刺绣最大的特点是丝线本身具有色光，画面上的物象因光影也会产生明暗变化，这就需通过色线熏染来铺陈效果，其中会涉及到许多光色运用的技术性细节。因此，刺绣艺人对细微处光影变化的处理技巧，使绣品光彩炫目、色泽鲜明，是苏绣技艺特色之一。

“顺”是指顺着丝理排列的方向施绣，目的是使绣品光彩可鉴，这同样是苏绣技术特色的关键。

有关光色的运用之道，“针神”沈寿早在《雪宧绣谱》中陈

述了独到见解：

> 日月的光线强烈，灯火的光线微弱。面光的称为阳，背光的称为阴。阳面亮而阴面暗，山水、人物、走兽、翎毛、花卉没有一样例外。同样的，宫室、器具也是如此。而画面中分阴阳的，只有摄影、铅画、油画，而中国画却不尽然，刺绣的人不可不明白这层道理。

以色线的粗细和色阶表达明暗效果，追求绣面对象的立体感，沈寿的艺术探索，无疑使苏绣在原有江南文化清雅气质与秉赋的基础上，具有了西方观察事物的方法与特点，从而将画绣艺术推向更为广阔的艺术空间。凡物象的质感、人物的神情、山水的远近等，无一不在表现之列，无一非神妙不能奏效，不仅为后世所沿用，成为苏绣之新特色，更为传统中国刺绣艺术注入新生命。

《耶稣临难像》、《意大利皇后爱丽娜像》、《女优贝克像》均为沈寿之杰作，作品分别以铅笔画、油画、摄影人像为稿本，遵循画理，师法自然，是她对求光以和的感悟及实践的结果。

沈寿之后，经一大批刺绣名家、名手的不断完善，将求光之道与苏绣本身的平、齐、细、匀等特点相结合，相辅相成，形成苏绣艺术求光于和的种种技巧：以晕色或镶色之法，通过多层色阶的过渡，使刺绣色彩从浅到深，从近到远，由阳渐阴，由明渐暗，不跳色、脱色，达到自然和色之艺术效果；以粗细不同的线条，互相交叉，分层加色，表现绣面的深、淡、明、暗；运用针上调色方法，将深浅不一、颜色不同的线合在一起使用，调和色彩，避免一般绣像的反光；以运针的不同，使明暗有所区别，如处理人物脸部，明部施针偏长，排针密，即可增加亮度，而暗部缩短针脚，排针渐稀，就可减少亮度等；通过劈丝细绣来求匀求光……这一切，充分显示出苏绣技艺的风格特色已在内涵方面得到大大丰富。

“顺”在刺绣中指的是丝理合理，圆转自如，其中的“丝理”也是对色光反射原理的巧妙运用，成为表现刺绣艺术的关键之一。

刺绣艺人手中的丝线，由于反光性很强，竖丝和横丝间至少有四到

《月季》 沈国庆摄影 李华绣制

五级明暗级差，如何才能处理好这一问题，艺人们为之而苦苦思索、探寻。一个偶然的机会，刺绣艺术大师李娥瑛对丝理有了重要发现。

她通过观察动物、植物的自然生长规律，将它们的各种动态变化与刺绣的线条方向有机联系起来，总结出刺绣的丝理理论：丝绣方向必须与花的纤维组织、动物的毛丝生长规律一致，才能正确表现正、反、转折等各种变化关系。

她采用三块相同的面料、相同的底稿、相同的色线，仅改变丝理排列的方向，结果得到三幅艺术效果迥异的绣品。之后，又经反复试验，终于证明由于光线角度和视角的变化，丝线能产生"移步变光"的灵动感，这一变化规律在后来的刺绣中得到广泛应用。

于是，针对各种物体的不同生长规律，运用丝理来表达其凹凸转折、阴阳向背的形状，使得苏绣艺术品中的《小猫》、《金鱼》、《孔雀》、《月季》无不栩栩如生，格外惹人喜爱，艺术效果远胜图画，这项创造性发现成为苏绣技艺的一大特色。

和谐，指绣者在掌握求光、运用丝理规律的基础上，始终把握刺绣对象的整体意境，选择最合适的底料、丝线、针法，确定正确的丝理走向，巧妙运用这些刺绣艺术语言，在施绣过程中，通过不断对比和修正，使对象渐趋合理，最终以完美协调的统一整体表达设计意图，展现出苏绣特有的韵味与美。

苏绣巨幅作品《丝竹吟碧林生翠》即是一幅完美的艺术品。2008 年，苏州刺绣研究所受外交部委托，开始创作《竹林小鸟》(初名)。只见画面中浩瀚的竹林，郁郁葱葱，生机盎然，茂密的竹竿昂然挺拔，晨曦光芒射入林中，变幻出奇妙的色彩，八只小鸟在林中飞翔吟唱。面对这样一幅充满生活气息的绣稿，如何细腻地表现翠绿竹林和飞翔小鸟的质感，处理好光与影、虚与实的层次？经周密思考，艺人们以五彩小鸟为亮点，根据其身体结构和活动姿态，采用细绣方式来处理丝理转折，同时将灵活多变的线条，把黄、蓝、灰等几十套不同色相丝线"施"入小鸟羽翼之中，充分表现其风中飞舞的动态美。至于整体色调和局部细微变化的处理，则运用从黄绿到灰绿几十套绿色系列的丝线，按光、色变化规律逐步过渡，通过乱针和细绣法的结合，使竹竿、竹叶与背景融为一体，于细微处充分表现虚实相间、动静结合、光影变幻的神妙。这幅由 14 位工艺师花费一年多时间绣制的精品现被悬挂在中国驻美大使馆贵宾大厅，向世界展示着苏绣精细雅洁、和谐完美的艺术特色。

《丝竹吟碧林生翠》现场装裱效果

第三节◎雅俗相宜

苏绣艺术以清雅恬淡为尚，但又不失淳朴率真之个性。日用绣品雅而不蔫，艳而不俗，秀丽可爱；欣赏品鲜而不火，文而不暗，华而不浮，重而不浊，柔和典雅，可谓雅韵与俗趣兼备，尽现江南地域特色。

苏绣的用线设色，曾受到上层社会风俗的深刻影响。一方面，因礼制所限，某些颜色为禁用；另一方面，统治者的喜好往往通过造办物品、出巡视察等途径向下扩散。统治阶层的大量用绣，包括缂丝品，使民间刺绣工艺日益繁荣，其审美追求也由宫廷流入民间，对精丽高雅之地域艺风，具有启迪和引导作用。与此同时，苏绣的用线设色，还深受文人士子崇雅观念和清丽的江南审美倾向影响，讲求脱俗成为艺人们自觉的艺术取向。村野中富有特色的刺绣设色，相对保持着自己浓艳淳朴率真的个性。

受姐妹艺术影响，苏绣配色曾一度多仿效于瓷器和年画，五彩炫丽，包括独色、顺色、显五色、文五色、野五色等。多少年来，这一特色在苏绣日用品中依旧有所延续。目前，苏绣常用的色线已达一千四百四十余种，绣工们从这些缤纷的色线中选择作品所需色线，通过千万根粗细不同的线条，绣制出光彩夺目的精美绣品。

康熙珐琅彩神猴仙桃盘

一、日用品五彩纷呈

苏绣日用品品类繁复，其设色的风格特色与画绣有紧密联系，无论是达官显贵，还是普通百姓，生活中的大量绣品，小至佩饰，大到床幔，特别是服饰装饰，其色彩搭配显现出以柔和雅致为尚的倾向。从清中期桃花坞木版年画中，可以见到当时闺阁女子的精美服饰，其大襟、袖边、衣领等部位，均有精雅绣花装饰，色彩十分文气。

民国以后，苏绣日用品之设色，一般没有严格定规，通常只需对比恰当、层次清楚、色彩和谐即可。艺人们总体上按“显五彩”、“文五彩”、“素三彩”等配色规律绣制，绣品色彩具有雅俗相宜的特点。刺绣日用品配色还在一定程度上反映出刺绣艺人的风格和色彩爱好，有些人将自己配色的经验总结成口诀流传至今，如：水红、银红配大红，秋香、古铜配鼻烟，玉白、古月配宝蓝等等，由此反映出苏绣地方风格和流派特色。

上：水乡女性服饰绣花穿腰　下：水乡女性服饰绣花鞋　马觐伯摄影

近现代水乡农村，以苏州东部为中心，农民荆钗布裙上的刺绣装饰，色彩别致。妇女首服包头常以黑、青作主色，两端以浅色布作拼角，上绣细小彩色花纹，配上玫红流苏，端庄秀美。女性的穿腰（腰带）和绣花鞋，色彩鲜艳，纹样丰富，生趣盎然，显示出苏绣独特的风采。中老年男子所用之襕裙则选用靛青色土布缝制。

当代刺绣日用品，显光弄色已不仅为己用，而是作为商品出口到世界各地，或供应国内市场。因而，设计人员首先考虑的是产品的视距色彩效果。这是因为视距远近的不同，人们的色彩感觉会有所变化，通常拉远一公尺视距，线色就相应提升一光。其次，是为产品确定色调。有时一件产品会用到三四十种线色，那么，就该先确定主色调，以此来统一整体。如将一束鲜花绣于白色底料，用于婚庆，设色时可考虑采用暖色调，纯色明朗鲜艳。月季花用大红表现，根据花朵的造型和光源，明部转一些橘红、玫红、中黄，而暗部适当加一点绛红、咖啡、深褐之类纯色，做到在和谐中有对比，体现“雅而不蔫，艳而不俗”的风格特点。

苏绣日用披肩

二、欣赏品柔和淡雅

苏绣欣赏品设色，以柔和淡雅著称，这成为人们成熟的审美标准。施淡彩时，清新、潇洒，给人以柔和、淡雅之感；设重彩时，华而不浮，重而不浊。如绣品《锦衣天工》，画面是一对绿孔雀，羽衣华美，一株古老的山茶，花儿绽放，复色花瓣，红白相映，妖艳动人，红绿对比，以赭黑晕色调和，鲜而不火，艳中具秀，可谓雅艳共融。

苏绣丝线有千种以上色级，这是民间染线工匠们汗水和智慧的结晶。每种颜色从浅到深有十多种之分，有时一件作品用色多达一二百种。

苏绣色彩之所以柔雅，关键在于其妙用“晕色”，浑化于毫厘之间。李娥瑛复制的顾绣《络纬秋鸣》，画面中，野花数丛，络纬（即纺织娘）在枝叶上振翅而鸣。绣者巧妙运用晕色，使那些野花和绿叶上，隐现着水润未褪的感觉，散发出一股新秋清晨的气息。

对于苏绣色彩的运用，朱凤先生曾在前人的基础上进行过深入研究，她根据自身的长期实践，提出刺绣中常见的几种色缎应配用的线色组合，能使刺绣色彩在得以调和的同时，仍富有对比，由此可体会到苏绣艺术独特的色彩语言：

桃红缎上配黄味的红，纯红至深暗，明黄至白，密绿深浅至白，石青深浅至白，橙黄深浅至白。如果要配紫色粉红时，则需有青绿衬托；

枣、酱红缎应配明黄至白，水绿深至浅，石绿中色至白，粉红至白，朱红至白，纯灰中色至白；或用三蓝配色，如底料深，线色可以略加深浅；

血牙缎上以配纯红至深，牡丹红至深，酱红至墨酱、深浅石绿，深浅青绿，粉紫，红至白，柠檬黄至白，孔雀蓝至白为宜；

青蓝色缎底应当配牡丹红深至白，大红、明黄、黄味的绿、菜绿、油绿、中色纯灰等为宜；

绿色缎底配用牡丹红、西洋红、朱红、紫红、油绿、青绿、纯灰、黄深

苏绣《锦衣天工》任嘒闲刺绣艺术发展有限公司出品 张玉明画 王继珍绣制

浅各色至白；

湖色缎底宜配用粉紫、牡丹红、橙黄、柠檬黄、大绿、大红、酱红，各分深浅至白；

黄底色缎以配用牡丹红深至白和近紫色，绿色近青味为好。

苏绣艺人高超精妙的设色技艺，创造出苏绣色彩的独特风格，这就是秀丽、柔和、文静、典雅。具有这种特色的绣品，鲜而不火、文而不暗、浓而不俗、华而不艳，如同自然界中的万千事物一样，自然、真实、美丽。

三、戏衣文武相宜

苏州为昆曲发源地，戏衣款式多样，图案丰富，再辅之以精美的刺绣工艺，那金碧辉煌、色彩斑斓的行头立即满台生辉。

苏派行头历来是苏绣的一个重要分支，因为刺绣是剧装上必不可少的装饰。苏州戏衣所以能驰名全国，胜人一筹，与苏绣艺术锦上添花的作用密不可分。戏衣的色彩，主要根据剧中人物的身份、年龄、个性特点和舞台气氛的需要，分别以浓艳、素静、对比、调和等不同方式加以处理。因而，戏衣色彩总体与苏绣色彩风格相吻合，但特殊的用途也使刺绣色彩的运用拥有自身的五彩体系，主要表现为：

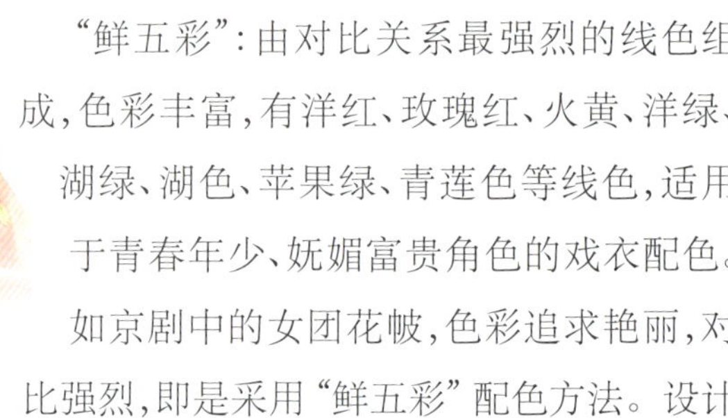

《牡丹亭》中杜丽娘服饰　鲜五彩

"鲜五彩"：由对比关系最强烈的线色组成，色彩丰富，有洋红、玫瑰红、火黄、洋绿、湖绿、湖色、苹果绿、青莲色等线色，适用于青春年少、妩媚富贵角色的戏衣配色。如京剧中的女团花帔，色彩追求艳丽，对比强烈，即是采用"鲜五彩"配色方法。设计师依据底料颜色，对不同图案进行色彩搭配、力求用色丰富的同时，还要讲究艳而不俗的原则。

"素五彩"：较之"鲜五彩"明显素雅得多，以冷色或中性色的不同明度来搭配。戏曲《红楼梦》中，宝、钗、黛三个人物，宝、钗戏服的刺绣色彩为"鲜五彩"，以示人物身份的高贵及开朗、聪慧的性格，而黛玉的刺绣服

《朵兰图》酒色财服饰　野五彩

装色彩就采用“素五彩”，以蓝色花系相配，既突出其寄人篱下的身份，又显示出她内心善良，但外表常现伤感、爱使小性子等性格和心理。除此之外，通常情况下，老生、武生（包括武丑）的服饰，其配色处理基本上也以“素五彩”为主。

“野五彩”指传统色彩以外的各种间色，常有朱红、橘红、橙黄、叶绿、油绿、红头紫、古铜红、豆沙色、玫瑰紫等线色。其中，最为突出的配色运用是戏曲中媒婆角色的穿着（彩旦衣裤）。这类戏衣配色强调色彩鲜艳，对比强烈，虽毫无章法，却把一个“俗”字表现得恰到好处。

“全三色”在上世纪 30 年代前指一种色彩的深、中、浅各个色阶，如“全三蓝”、“全三黄”、“全三红”等，以示与独色之区别。随着丝线染色技术和颜料性能的改进和提高，目前，每种色彩均至少可染至五种色阶以上，而根据习惯，人们仍沿用“全三色”之名。其配色品种也是目前戏衣种类中使用最多的。

“独色绣”不需搭配，只需单色运用。一般大靠的扉裙（腿裙外边配舞的两块侧群），武生的腰箍和旗腰、飘带等醒目部位均使用独色绣。

“一抹色”是介于“全三色”和“独色”之间的一种色彩搭配方式。表现为两到三种接近的绣色糅合使用，给人以远观为一色，近看为多套颜色搭配的艺术效果。除线色外，有时还适当加入金、银线衬托。

“文五彩”是上世纪 50 年代才出现的配色方法，运用相当广泛。其冷暖色调兼备，对比较弱，追求和谐柔美、温文尔雅之感。

戏衣刺绣中，金、银线的运用相当广泛。金、银在色彩学中被称为“无极色”，其与任何一种色彩搭配都能起调和作用。因而，艺人常大量采用金、银线勾边戏衣图案，使五彩纷呈的剧装更为协调统一。同时，由于金、银线在舞台灯光照射下会反射光线，光耀夺目，其强烈的装饰性，使舞台效果得以很好地彰显出来。

总之，绣线色彩是有限的，苏派戏衣却能表现出无限的色彩感觉，不论艳丽还是素雅，均能通过苏绣恰如其分地展现，为更好地表现戏曲人物服务。

既注意遵循一定规律，做到『有定』『有常』，又不拘泥于规范成法，以『无定』『无常』达到出神入化的妙境，乃苏绣艺术的显著特色和发展路径。苏绣艺术的每一次创新，甚至裂破古今的改变，无不是在『有常』基础上的『无定』之举。

第四节 ◎ 『有常』『无定』

刺绣作为一种艺术，有着自身的技法，主要是针法与绣法，还包括色彩运用、造型定规等。这些都可称之为刺绣之法，也叫做“有常”。

如日用品上最常见的梅花图案，一般运用四种针法刺绣。花瓣丝理、花蒂、花须、花蕊分别采用平套针、齐针、滚针、打子针绣制，较为简单。欣赏品中的梅花，定规就要复杂得多：

花有红、绿、白三种，一般运用散套针绣花瓣，滚针绣花须，打子针绣花蕊，齐针绣花蒂。花瓣丝理呈放射形，用浅红线绣，由边缘向内进行，色渐转深。花瓣重叠处，后瓣用色略深，以分清前后层次。用浅绿色线绣花蒂，深红色线绣花须，花须必须从中心出发,排列要长短略有参差,最后以黄线用打子针绣花蕊。

这些常规由优秀的历史传统和丰富的技艺经验构成,是刺绣艺术的规律,也是使刺绣走向"无定"、"无法"的前提。

刺绣中的"无定",说的是不拘泥于规范成法,以自由的心态,抒发情绪与感觉,无拘无束,活力四溢,成为对"有常"的一种升华。

当年沈寿在《雪宧绣谱》中就提到在刺绣创作上既要注意"有定"、"有常",遵循一定的规律,又要做到"无定"、"无常",达到出神入化的妙境,即是对刺绣创作客观规律和美学法则的辩证解释。

1987 年及 1994 年,沈寿再传弟子牟志红受苏绣博物馆委托,先后复制两幅《耶稣像》,通过模仿,领会大师在技法运用上的不拘一格。

首先是针法采用不定。作品中,作者综合运用擞和针、散套针、滚针、接针、施针、虚实针等多种针法,以追求特殊的艺术效果。如在处理耶稣面部肌肉纹理时,沈寿灵活运用自创的虚实针和旋针,突破传统平铺直套的方式,根据丝理走向施针;背景处则用传统集套针,巧妙利用放射形丝理,表现先知哲人头像周围的四射光芒和特有光圈,渲染神圣之感;同时还用滚针、接针,灵活而恰如其分地表现拳曲自如的发须的质感和形态。

其次是针法运行不定。绣制耶稣头像时,沈寿以长短不等的针脚、疏密不同的排针,精心处理明暗关系,增加绣面层次。人物眼球处施以滚针,根据眼睛向上的弧度和丝理,绣至亮光时以留空白表示高光。这样处理,既达到眼珠高光的效果,又和鼻梁丝光有所区别。

牟志红复制的沈寿《耶稣像》

正是在"有常"基础上,根据艺术需要"无定"地施行新意和新法,才使得这幅作品达到绝绣之可贵境界。

"有定"、"无常"不仅仅是苏绣的风格所在,还是其求取发展的根本路径。

传统“小猫”是苏绣代表作，历来在白底上绣黑猫，黑底上绣白猫。这种“有定”能否变为“无常”呢？ 1988 年，张美芳在美国夏威夷看到一幅油画，画面中心为一个手捧鲜花的女子，只有头部和鲜花显现出来，其余均为留白。画面主体突出，具有艺术空灵之感。她大受启发，回国后即请画家周爱珍创作设计《虚实黑猫》、《虚实白猫》两幅油画，运用逆向思维，于黑底上绣黑猫、白底上绣白猫，而且只绣猫头，猫身隐入背景之中。这种别出心裁的创造，人人称绝，成为新一代苏绣的代表作。

《双燕》是苏州刺绣研究所的另一幅上乘绣品。画稿为绘画艺术大师吴冠中代表作，以水墨画形式展现清新独特的江南情调。画面上，乌瓦白墙、苍劲的枯树、飞舞的燕子，大师将江南景致的纯净提炼在画面上，着重体现水乡的形式美。若按苏绣传统绣法，高大的粉墙以及那水面均需丝线绣满。而这幅绣品却忠实秉承原画风格，强调虚实对比，仅精致地表现苍劲的枯树，树干的纹理、树杈和树叶清晰可辨。至于黛瓦白墙，只绣轮廓，大部分地方未着一针，水面则以乱针绣法绣出淡淡水意。

《双燕》 吴冠中画 徐建华绣制

《蓝雾雪松》由江苏省工艺美术大师黄春娅绣制，绣稿系美国著名风景摄影艺术家罗伯特的摄影作品。

绣者以变化丰富的乱针，通过冷暖色调对比，表现雪松的受光部和背光部，将松树老干的深沉含蓄、新枝的活泼生机、寒冬松林的单纯静穆，统一在“雪压青松挺且直”的氛围中，赋予作品极高的艺术品位，苏绣的艺术语言也通过丰富的艺术表现力得到极大彰显，达到出神入化之妙境。

苏绣欣赏品如此，民间日用刺绣同样千变万化。特别是自用或作为馈赠的小礼品，是女性倾注情感的一种寄托，她们或是借针线表白对未来婚姻的美好向往，或是兰汤浴手，虔绣金身佛像，或挑灯夜绣全家老小穿戴，用花针彩线为家庭增添光彩和荣耀…… 女性在绣制这些用品时，情由心生，纹由心绘，彩由心出，不论是幸福，还是期盼、祝福、愁怨，均可通过缠缠绕绕的绣花线表达得淋漓尽致。这些寄寓丰富情感的绣品，成为用生命之彩绣出的人间美景。

◎◎《蓝雾雪松》 罗伯特摄影 黄春娅绣制

第五章 ◎ 美哉苏绣

《蒲塘金粉》恽南田画 黄春娅绣制

苏绣的生产，在旧时沿着宫货和民间制作这两条流脉发展。宫廷和官府用品，其设计和造作自有法度，以符合统治阶层的审美喜好为最终目标，因而与点缀日常生活、民间自用，或是进入市场的绣品截然不同。但统治者的审美倾向，对于以精巧隽丽而著称的苏绣，不无启迪和引导作用。

宋王朝偏安江南后，欣赏刺绣品流行于世，形成由画家供稿、艺人刺绣、画绣结合、合作精品之趋向。为使摹绣制品尽量惟妙惟肖，必然要求针法和设色与之相适应，这对平绣针法处理技巧的细腻化和不断创新有很大助推作用。受此影响，民间刺绣，尤其是针法的表现，在已有较高水准的基础上不断发展，并以丰富的造型、色彩和针法变化，展示出苏绣艺术的独特魅力。

与此同时，由于苏绣是在江南特定的自然和人文环境下生成和发展，直接浸润于这方水土所拥有的自足、恬淡之人文精神，从这一角度而言，苏绣又是地域文化与江南人审美理念的结晶，寄寓着人们的共同理想和愿望，具有超越时空的审美价值。

第一节 ◎ 丰腴之地产美材

苏绣之美首先是地材美。五彩斑斓的精美丝绸底料，光滑细柔、盛名天下的苏州花线，相伴于绣阁红楼的小小苏针、翘头绣剪，均为造就苏绣之美提供先决条件，成为决定刺绣质量的重要因素。

苏绣之美，前提之一就是材料美。材料运用不同，效果就会千变万化，苏绣艺术所以名扬天下，与得地利而拥有美材密切相关，真可谓“得地独厚，先天丰足”。

一、“画家的画纸”—— 刺绣底料

刺绣底料是刺绣艺术表现语汇之一。刺绣时，人们借助于丝绸布帛，用绣花针和彩线按设计图案，运用各种针法，刺缀出种种花纹来。故而，上好的丝织底料犹如画家的上等画纸，可以激发绣者的热情和潜力，出色地展示绣者的技艺，绣出最新最美的画图。

素有“锦绣之乡”、“绫罗之地”称号的江苏因盛产丝绸而闻名，丝绸业也成为其经济命脉。

宋时，丝织中心南移至江南，太湖地区的“湖丝”远近闻名，吴郡生产的罗、纱传于四方，其中，罗尤为名贵，名称也新颖别致。与此同时，与各种画绣相适应的织物也发展起来，厚重细密的“院绢”、纤细的“独枢绢”均为南京地区生产。理想的“画纸”，尽可满足已进入艺术观赏范畴的刺绣之需。

明清鼎盛时期，太湖东南各地形成蚕、桑、丝织业中心，空前繁荣的丝织业促使丝绸集镇相继崛起。

当时，大都东南之利莫大于罗、绮、绢、纻，而三吴为最。丝织品种类很多，有锦、纻丝、罗、纱、绫、绢、细等，色泽鲜艳，平服光亮，轻软滑爽。尤其是著名的“吴绫”、“苏缎”，面料精美，可用做上佳的刺绣底料。

丁佩曾在《绣谱》中记录，刺绣底料以缎为最，绫次之，绸绢又次之。苏州特产的素绉缎，缎面手感滑爽，富有弹性。由于纬线加有强捻，因而组织密实，既有双绉类织物抗皱的优点，又有缎类织物光滑柔软之特性，成为刺绣底料的最佳选择。

随着时代的发展，苏产丝绸织物品种日益丰富。上世纪 50 年代，为试制双面绣，艺人们改用平纹绸和塔夫绸作底，细洁柔和，平挺美观。

迨及上世纪 60 年代，更细腻、具有半透明效果的纱绢被选为双面绣底料，绣面尤为通透，其中的窗纱可用于绣制打点、戳纱绣品。

1965 年，为形象再现原子弹爆炸的“蘑菇云”，李娥瑛首次试用轻型织物尼龙绡。由于尼龙绡又薄又稀，难以插针，她又试着以两层底料叠绣，绣品制成后再剪去一层绡纱，空间感得以大大加强。从此，尼龙绡底料大量引入苏绣，并从双层减至单层，用以表现“金鱼”、“花鸟”等题材，艺术效果大大增强。

1978 年，苏州东吴丝织厂专门试制真丝绡，用以成功复制马王堆出土刺绣品。

上世纪 80 年代始，苏州丝织业根据苏绣发展要求，相继研制出“青云绡”、“闪光金银真丝织锦缎”、“闪光疙瘩绉”等新型织物，由这些新材料绣制的“乱针三猫”、“小白狗”等新品格外熠熠生辉，美不胜收。

可见，五彩斑斓的精美丝绸，为造就苏绣之美奠定下坚实的基础，也使刺绣艺术语汇的日趋丰富成为可能。

二、“绣娘的丹青”——花线

用于绣花的五彩缤纷的丝线，人们通常称之为花线。一根细细的花线，看起来微不足道，却是刺绣必不可少的材料。花线是否柔韧光洁，直接决定绣品的观赏效果。正是依赖于花线工高超的制作水平，苏绣方能巧夺天工。

苏州生产花线历史悠久。宋时就有制作绣线的专业坊巷，所产的绣线品质好，可劈成细如蚕丝的线绒，丝缕均匀，易使绣品平薄匀贴。

花线制作十分讲究，规格多，要求严。每种色线常常有好多档色阶，因而染色首先是关键。解放初期，苏州花线只有十多种色彩，每种仅分四至五档色阶，而今，由赤、橙、黄、绿、青、蓝、紫派生出的色号竟达上万种，为苏绣艺术的色彩运用开拓了广阔天地。

由于花线使用时，绣女常常会将一根丝线劈成几丝甚至几十丝来绣制，细如发丝一般，所以并纡头又是关键一环。制线工人须预先安排好十几根细丝来并纡，否则，即使是最巧的绣工，也难以随心所欲地分劈丝线。

花线的制作，采用百分之百白厂丝，经过络丝、并丝、捻丝、成绞、煮练、染色、脱水、烘燥、摇线、扯线等多道工序加工成线。苏州花线选料讲究，以精染色丝著称，绒采妍丽，别有慧心，产品具有光、滑、细、柔、品种繁多之特点，曾多次在国内外博览会上参展并获奖，不仅广泛适用于苏绣艺术精品和日用工艺品，还热销全国各地。

三、刺绣工具——针、剪

绣花针，上下穿梭之“引线”，虽然极为细小，却是决定刺绣质量的重要因素。

苏针，历史悠久，其针身匀圆，针尖锐利，“坚而不脆”。其中最细的称为“羊毛针”，具有光、直、细、锐之特点，十分适用，很早就已远近驰名。至今，苏州市中心观前街尚有“邵磨针巷”，说明制针业曾具有一定规模，以致形成专业坊巷。

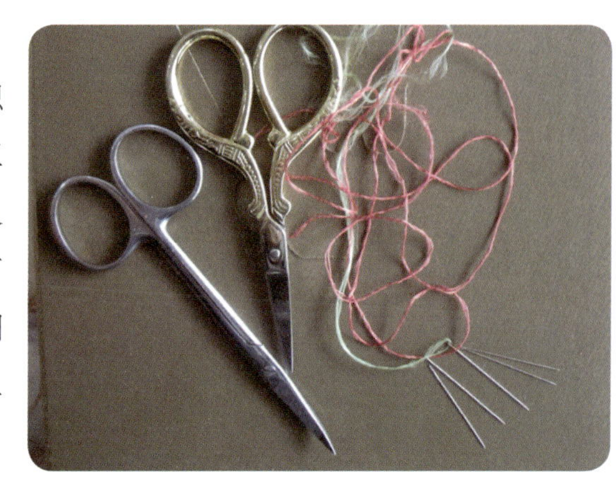

张小泉翘头剪刀

刺绣所用剪刀，体积小，刀口锋利。苏绣绣工最钟爱的是苏州张小泉的翘头剪刀。张小泉剪刀选用闻名的“龙泉”钢为原料，镶钢均匀，磨工精细，刀口锋利，开闭自如，因而名噪一时。

张小泉剪刀的翘头部分为特别制作，尖头十分锋利，以方便剪断线头，同时又不会伤及绷面。其整体造型美观，又耐用舒适，小巧方便，因而一剪在手，绣花无忧，为其他工具所无法企及。

第二节 ◎ 拈针引线显智巧

苏绣之美，美在这种以拈针引线表现艺人创造力的劳作，承载着绣女太多的智巧。

千变万化的针法，巧妙考究的施色，纷繁灵活的造型，尽情吟唱着人们美好的心曲和寄托，以强烈的艺术感染力提升着刺绣的审美价值……

刺绣是旧时女子的必修功课，一生不辍，代代相传，成为传统社会女性特有的生活方式。无论是衣食无忧、单纯娱情的悠闲女子，还是以绣为生的蓬门妇女，均可在一天天、一年年的刺绣生活中，自主、能动地选择心爱的东西入绣，尽情发挥想象，以自己的情趣和感悟创造对象，展示技巧，抒情寄意，满足物质和精神之需，体验人生之乐。即便是加工刺绣活计，同样可以通过鞋头花、帐幔等实用品的绣制，熟能生巧，使以彩色丝线绣成的图案日益漂亮生动。这样一种以拈针引线表现个人创造力的劳作，在锻炼手工技巧的同时，人的智慧也会得到相应提高。于是，绣品越做越巧，意境越来越美，层出不穷的各类绣品，装点着生活，也潜移默化地培育起人们的审美意识。

一、针法巧

刺绣针法犹如绘画笔法，通过以针带线，在底料上积丝累线表现丝绣独特艺术效果，与以笔蘸墨或颜料绘于宣纸的山水、古木、竹石、花鸟，有着异曲同工之妙。

汉以前，主导中国刺绣针法的是辫绣，简便易学。它多以流畅圆润的线条来表现形体的轮廓，不加画填彩。后来，辫绣的运用有所改变，绣女将其密集排列，填满图案，形成具有肌理效应的块面。但是，辫绣毕竟缺乏柔顺之感，于是，绣女又转变运针方法，齐针应运而生。绣面匀称平整，不重叠，不露地，相对明亮，标志着针法在当时的发展水平。

由于刺绣图案与绘画密切相关，随之产生晕色之需，抢针、套针相继出现。前者是以两皮（批）以上的齐针绣，先后进行排列，每皮针迹相接；后者同样以两皮以上的齐针分批运针，但后一皮须嵌入前一皮线条中，丝丝相夹。如此些许差别，表现效果大不一样：抢针绣层次清晰均匀，富有装饰性；套针绣则镶色和顺，绣面平服，具有国画渲染效果。就是在这样的不断实践中，刺绣女子经长期摸索、归纳，迄今为止，苏绣已有九大类四十余种传统针法。

最能体现绣者能工巧手聪慧的是那些17世纪以来的杂佩和衣饰。如香囊、荷包、扇袋、眼镜袋、锁匙袋、手帕袋、袖边、绣领等刺绣饰物。特别是满族入主中原后，腰间杂佩成为宫廷赏赐、官场缙绅相互馈赠的精巧礼品，重要性非一般绣品可比。

苏州博物馆所藏典型清刺绣扇袋，均以缎子作底，四周用花边滚镶，袋口饰盘金如意纹。带子上穿有红绿料珠，玉璧坠子，采用戳纱、打子、盘金、齐针、抢针等针法表现效果，无不时尚可爱。尤其是戳纱扇袋，用几何形分割开地锦形式，以彩线按经纬线

苏州博物馆所藏扇袋

之间的空眼运针，绣出不断头的万字图案，纹样周围留有水路，纱眼明显，跃动着节奏与韵律之美。

女子上衣的边饰、彩绣衣领等同样是女性施展刺绣技艺的对象。过去，女子出嫁到夫家后，箱子打开，要亮出绣件，俗称为“上艳”，以显示灵巧和贤德。这样的背景，加上江南盛行的奢靡生活之风，激发起女性的创作热情，各类针法也被巧手们应用得淋漓尽致。

除了运针巧，还得讲究绣法巧。笔者在连云港接触到的割绒绣，则是一种别开生面的巧绣。

任嘒闲用于教学的针法小样

割绒绣法，主要运用于绣花鞋垫。绣制时，将数层甚至十余层棉布层层叠加，并在中间以两层网状物隔开，然后开始两面纳绣。绣好后，用刀片从两层网状物中间割开，成为一双对称的鞋垫。纳针的密度、绣线的粗细和松紧决定鞋垫的厚度和柔软度。 如此纳绣出来的鞋垫，硬面紧密细致，绒面柔软舒适，十分透气。别具匠心的纳绣，赋予不起眼的小小鞋垫以特殊艺术内涵，也饱含着民间女子的巧智。

二、施色巧

苏绣色彩之文气为世人公认，这突出表现在处理色彩调和与对比关系的技巧上。尤其是民间刺绣色彩运用，既有定规，更有对感情和生活的吟唱。因而，刺绣的色彩体系十分庞大。一件小小绣品，往往要用十至数十种颜色来绣，因调和色彩手法各异，加之纹样的简繁疏密不同，就会取得或雅洁、或华美，各臻其妙的艺术效果，美不胜收。

苏绣日用品的绣制，特别是小物件，色彩使用巧妙而考究。一般而言，浅底多用细纹淡彩，深底则施显纹重彩，又各不以此为限。在处理对比较为强烈的色彩关系时，或圈边，或留水路（指刺绣日用品纹样交接与重叠处所空留的一线绣地），或加饰金、银线。此外，绣工还特别善于运用“退晕”、“色晕”技法，调谐融浑色彩。所见最多的是对同一颜色进行不同深浅色阶的递增或递减，抑或是对色谱上的邻近色以缓变来增加层次。

李娥瑛所绣花卉小样.莲花色彩

如此讲究的配色还并不完全，更非一成不变。实际使用中，色彩如同绣娘心中开出的花朵，千姿百态，万般娇艳。

李娥瑛大师在其《蝴蝶汇编》实品绣法中，所绣的蝴蝶范例充分体现出其对色彩性能的熟悉度，以及和色的技巧和敏感的色彩捕捉能力。翩翩三蝶，分别以秋香黄、水绿、茄紫为主色调，每只飞蝶通过五色以上色阶逐步退晕，由深到淡，由暖到冷，以黑白圈边调和。其中，豆沙、湖蓝、水灰色的运用，尤为赏心悦目，可谓鲜而不俗，精美细腻。

李娥瑛主编《蝴蝶汇编》中蝴蝶绣法范例

三、图形巧

图形包括造型和图案。苏绣的款式和纹样，宫货类有着钦定的法度，共同性要大于特殊性；用来陈设和赏玩的刺绣欣赏品，取径于书画，以消遣怡情为主要目的，画绣相彰。在追摹画稿的过程中，对造型准确性的要求达到极致，针法和设色上也成就卓著。这种风气，影响着实用性刺绣，使得由能工巧手精心创造的民间刺绣实用品图形丰富，绚丽多姿，不断提升着刺绣的审美价值。

江苏各地民俗博物馆和文物爱好者收藏的清代以来民间刺绣活计，诸如发禄袋、香囊、褡裢、荷包、眼镜袋、扇袋、名片袋、油面揚、被面、桌围等绣品，在造型上师法造化，直接取形于生活中常见的植物、动物、器物、文字，以生动、可爱、有趣、吉祥为尚，可谓纷繁多样，争奇斗巧。

它们有的为独立造型，最常见的有蝙蝠、寿桃、如意、金鱼、葫芦、佛手、瓜、石榴、宝瓶、八卦等，作为具备祥瑞或辟邪功能的象征物，被民间广泛采用。

实用小绣品的造型，还经常以组合的方式出现。或动物与植物组合，或器物与植物搭配，甚至还有动物、植物和器物，动物与文字，以及动物与动物、植物与植物、器物与器物等各种巧妙组合。这些形象，多为约定俗成的符号，由民间艺人代代相传，经不断修改、提炼而成，具有强烈的艺术感染力。如江南人寿庆礼仪中所用“寿”字贴绣中堂，即是巧用图形之典型。其以特定意义的“暗八仙”组形，表示祝颂长寿之意。“八仙”手中所持的八种宝物与三只

瓜形香囊　苏州民俗博物馆藏

万年青桌围，典型的一团四角图案 李品德藏品

寿桃、五蝠（福）、祥云、如意、八卦共同被组合在五彩寿字内，喻示八仙庆寿、福运升腾、五福同至、寿比南山。再如，福寿双全发禄袋，以蝠、桃、粽组合成串饰，蝙蝠变形为如意，寓意福寿双全、万事中（粽）意。

至于苏绣纹饰之巧，首先体现于题材十分宽泛。举凡山川花树、鸟兽虫鱼、日月风云、林园亭榭、人物故事、几何图案，只要寓意吉祥，具有认知教化和情感寄托功能，均可收于数寸绫缎或布帛之上。尤其是民间刺绣，往往通过隐喻、谐音、象征等表现手法，巧妙地将客观物象化为吉祥的艺术形象，给予民众以莫大心灵慰藉和精神满足。

其次，苏绣图案或画稿的设计，建立在依据苏绣针法特点的基础上，以能调动刺绣艺术表现手段为归旨，不落俗套，深显其巧妙构思和功力。

苏绣图案的巧，除了通过巧喻，以象征性图形传达文化内涵，获得精神或情感方面的效果外，主要体现在构图形式上的多样性和灵活性。枝花、散点、一团四角、侧角、边花、团花、单独纹样等形式，可广泛适用于各类实用绣品和装饰。

特别是枝花形式，或斜出，或下垂，既可倾向一边，也可四处散开，无固定格式，完全根据需要自由伸展，成为最受欢迎也最为常用的一种形式。

◎◎ 和合万年发禄袋　苏州民俗博物馆藏

第三节 ◎ 清雅灵秀吴趣生

苏绣充溢着地缘情趣。她清丽温雅的艺术品格与『苏式』艺术的共通性格和趣味相契合。她以吴地民俗文化为撷取对象，将其显于方寸之帛，无论是市井风貌、山水园林，还是那水乡服饰、以发禄袋为代表的民间刺绣小物件，无不绣趣盎然，散发出馥郁芬芳的江南韵致。

苏绣之美，在于其作为一种民间艺术，受到江南地域文化的滋养，具有浓郁的地方风貌和地缘情趣。

一、艺术趣味"苏式"化

"苏式"艺术成熟于明代中晚期，其巧变灵通、典雅华美、精巧闲散的总体艺术风格，形成于当时地域各风俗层文化的良性互动。江苏依托的江南文化是一个富有特色的文化系统，各文化层的相互沟通传动相当典型。特别是明清至近代，这种互动和融合有效助推了区域文化的整体提升。一方面，处于上、中文化层的士绅和文人，以标新立异的心态主动汲取民间文化的丰富养分，创造出具有独特人文色彩的艺术精品；另一方面，正在壮大的新兴市民阶层，以特有的审美情趣接纳高雅文化的神韵和技巧，融汇民间习俗的精华，不断充实大众化的文化活动，孕育了新的社会风尚。两者的共同参与，熔铸成明清时期一系列冠以“苏州”或“苏式”名号的艺术文化和生活习俗，由此激发出地域文化前所未有的辉煌，并以工精艺巧、淡雅秀美的审美风尚引领时尚潮流。

当然，这种总体艺术风格，在江南的不同地区也会存在一定的差异，表现出随着空间分布而展开的地域特点。

以苏绣而言，地处太湖地区的苏南，山水绮丽，“红似相思绿似愁”。唐宋以降，经济又趋于繁荣，对于精致、内敛、柔中带刚的苏南人而言，清丽温雅的刺绣艺术无疑最能符合他们的共通性格和生活情调。于是，人们可以看到，明清以来，进入成熟期的苏绣欣赏艺术，自然而然地显现出清雅明秀的地域特色，在题材选择、构图设色、技法处理等方面，不但承继画绣传统形式，细密、端丽、雅致，散发出馥郁芬芳的江南韵致，而且常常标新立异，独领风骚。

苏北地区，南起南通、海门，中经扬州、泰州和高邮，北至盐城、阜宁和淮安一带，在经济文化上较接近江南，因而刺绣风格与苏州刺绣大同小异。南通仿真绣由沈寿创立，与苏州刺绣一脉相承。沈寿在研绣、教学期间，仿真绣艺术日臻成熟升华。两地刺绣艺术风格细微区别处在于：苏州刺绣好以猫、狗等小动物为题材，小巧玲珑，情趣盎然；南通仿真绣则以人物绣见长，针法变化多端，五官传神，这是“针神”所创之传统，因而被称为“沈绣”。扬州刺绣也根植于苏，然因受扬州盐商文化影响和扬州画派之熏陶，扬绣在追求国画的文化内涵和笔墨情趣基础上，“仿古山水绣”和“水墨写意绣”逐步形成两大特色，以再现扬州八怪清刚奇倔、跌宕传神之艺术风格而在绣坛独树一帜。

江苏最北部的徐州和新、海、连地区属于淮北，同属齐鲁文化系统。受其影响，生活在这方水土上的人们豪迈不羁，绣品中自然少一分风雅，多一分粗犷。如徐州地区的民间刺绣肚兜，大红底色，

徐州地区的民间刺绣

徐州地区的民间刺绣

桃红、湖蓝、深蓝、枣红、白、黑等色巧妙搭配，令绣品色彩明快，对比强烈，充分体现了浓艳、鲜明、强烈而协调的民间艺术特色，与鲁绣浓丽的艺术风格如出一辙。

二、市井风貌尽显方寸之帛

明清，江南一带社会经济发展迅速，手工业和商业之繁荣冠于全国。当时，号称“东南一大都会”的苏州是富甲天下的“人间天堂”，以经济发达、文化昌盛驰誉全国。而与苏紧邻的无锡，自隋唐京杭大运河开凿以来，得水路运输之顺畅，商业、手工业日趋繁荣，一跃成为江南名城。

对于这充满地方特色的市井景象和民俗风情，文人雅士，包括丹青妙手们颇有兴致。为此，在明代，仇英就曾绘制《清明上河图卷》，细致入微地描绘苏州城乡景色和江南特有的生活情致。清盛期，宫廷画家徐扬花 24 年时间，创巨制《盛世滋生图》，即《姑苏繁华图》，丹青所至，地域风情跃然纸上。

上世纪 90 年代初，大型长卷《古运河梁溪风情图》在无锡工艺美术研究所金家翔笔下诞生。画家顺古运河由北向南横贯锡城之走向，将 16 个景点连贯组合成卷。

这些珍贵的画卷，成为苏绣创作的极好题材。

1986 年，在中国苏绣艺术博物馆成立之际，李娥瑛大师独具慧眼，首先取《姑苏繁华图》片段进行复制。七年后，顾文霞大师决定用苏绣艺术将《姑苏繁华图》整体再现绣屏。由她率领的团队，采用十多种针法，配用五百多种色线，将风俗名卷化为华彩，尽显于绣面。

2009 年，出身于艺术世家的周莹华，以千缕丝情，完成发绣巨作《姑苏繁华图》的绣制。作品不但完整呈现了苏州风光，而且与丝绣相比，更为清雅劲拔、耐磨耐蚀、永不褪色、利于收藏。

2011 年，由镇湖绣娘、高级工艺美术师蔡梅英领衔绣制的《姑苏繁华图》绣作按长卷蓝本 1:1 比例绣制，采用平绣、乱针绣、打子绣等近 20 种针法，细致地表现出原作中气势宏伟的古城市井风貌。

在工商名城无锡，工艺美术研究所的刺绣艺人们于 1991 年在试制《古运河龙舟竞渡》的基础上，开始绣制规模空前的发绣长卷。在画家本人和工艺美术大师赵红育的悉心辅导下，十位刺绣艺人将精微绣和发绣技艺相融合，尽量运用发丝本色，体现原作遒劲流畅的线描笔触，将素雅清淡、自然质朴之韵表现得淋漓尽致，整幅作品精微密致而针工娴熟，充分显示了材美工巧的效果，成为当时发绣艺苑之最。

地方风情巨制佳作，本身充满江南文化气息，具有无穷魅力和珍贵价值。以刺绣艺术进行忠实摹写，将其技艺特色发挥到极致，精彩绝伦，可

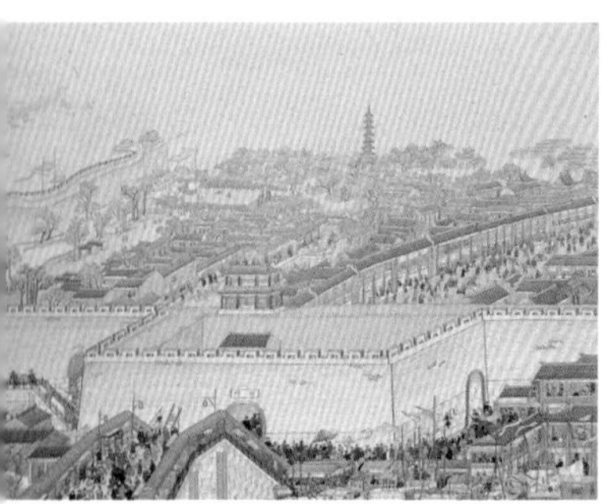

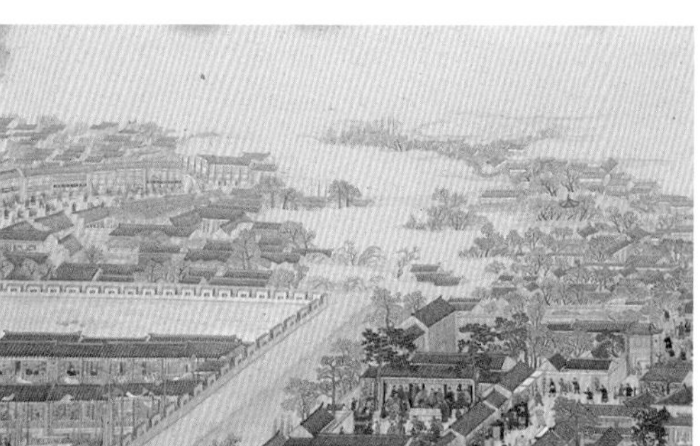

◎◎《姑苏繁华图》（局部） 苏州刺绣博物馆出品

谓绘画与刺绣相得益彰，流传千古。

三、山水园林跃然绫缎绢纱

古典园林是中国古代独特的文化景象，与中国传统文化一脉相承。江苏得天独厚，其苏州、扬州两座城市均拥有“园林之城”的美誉。

扬州园林多系盐商为迎接銮驾，赢得皇帝恩宠和赏识，不惜一掷千金而建，或其自身为吟花弄月、趋附风雅而大兴土木，建园筑亭，极池、石、台、榭之美。

苏州私家园林是中国古典园林的最好范本。正是由于古典园林“虽由人作，宛自天开”、“咫尺之内再造乾坤”的设计，能折射出中国文化取法自然、超越自然的深邃意境，故这种独树一帜的艺术魅力，不仅对其他艺术影响深远，还走出国门，延及世界一些重要地区。

苏绣和其他姐妹艺术一样，积极汲取园林艺术提供的丰富养料，不约而同地在题材选择上突出这一鲜明的地域个性，不论欣赏品抑或日用品，不乏以花木庭园、亭台楼阁为表现内容的佳作。人们把隐逸、雅趣的符号绣于服饰和各类腰间杂佩之上，使绣者自身和使用者时时刻刻与园林心灵遇合，长相厮守。

苏绣挽袖《庭园仕女》 李品德收藏

苏绣挽袖《庭园仕女》、《亭台楼阁》、《渔樵耕读》、《狮子滚球》、《盘金打子绣人物》，以及彩绣团花《庭园仕女》、《庭园戏婴》，还有清绣花女褂、上世纪80年代出口的刺绣女褂，均取材于古典园林。但见其上山池相映，亭榭有致，花繁叶茂，峰石玲珑，红栏曲桥，浮廊可渡，园中有士子和佳人在悠闲游赏。画面虚实并施，颇具匠心，人

庭园题材女褂 华胜仪提供

们在欣赏针法和设色的同时，会被园林之魅力所吸引，情不自禁生出遐想，充分反映出江南人受文人、士大夫影响，对"城市山林"的向往和对闲适生活方式的追求。

园林之外，江南自然山水旖旎灵秀，如诗如画，同样成为文人墨客心中的精神乐土，也常为刺绣所取材。此类绣品，纯朴而清新，饱含着江南水乡的风俗人情和神韵。

四、水乡女服绣趣盎然

江苏为水乡泽国，最多见的是水，与人们关系最为密切的也是水。这方水土拥有典型的稻作文化，人们的穿着鲜明地映射出水乡环境和稻作生产共同作用之影响。特别是生活在苏州以东角直、胜浦、唯亭、陈墓一带的水乡农民，至今依然保留着传统的水乡民俗服饰，显眼、俏美，人见人爱。

由于常年从事水田劳作，这一带乡民一般都上穿对襟或大襟短衫，下着大腰裤或裙。大腰裤的好处在于裆大，易起蹲；裙子于劳作时穿着，俗称"作裙"。其下摆大，宜于行动，冬可御寒保暖，夏天穿着轻便、凉快，还有护肤和防雨作用。妇女装束为梳盘盘头，扎三角包头，以肚兜护体，

水乡女子三角包头　马觐伯摄影

着大襟纽襻拼接衫，穿作裙，外罩青束腰，裹卷膀，脚蹬绣花百纳鞋。

水乡服饰的美主要通过装饰工艺来体现，除拼接、滚边、纽襻、带饰外，刺绣是美化服饰的重要手段，包头巾、肚兜、襡裙、穿腰、百纳鞋上均有俏丽绣花添美，鞋花的绣制尤为讲究，代代传承。

有趣的是，吴东一带水乡服饰的施绣还有自己的套路和定规：包头巾在拼角上绣花，以彩色丝线锁边，分外精美；肚兜的绣花置于宽边上，均取海棠、梅花、茉莉等纹样。穿腰上的刺绣纹饰最多，除花卉、八结外，还有藕、鱼、寿字等吉祥符号。

水乡绣鞋主要有扳趾头鞋和猪拱头鞋，其鞋帮正中合缝处，均用红绿丝线锁结、锁梁。鞋面上的花样左右对称，随不同年龄和礼仪之需而变化。

幼女、少女鞋绣以“蝴蝶花”、“梅花蝴蝶”、“囡囡花”图案，显示对女孩之怜爱；年轻姑娘的绣鞋，常饰“蝶穿梅菊”、“五园梅”、“小妹壮”。其中，“小妹壮”花样由芙蓉、茉莉和盛开或含苞待放的梅花组成，以“梅”谐音“妹”，蕴含着深深祝福。

桃花坞年画中的水乡女子服饰　张晓飞创作并提供

新婚女子绣鞋一般至少三双。举行婚礼时的“玉堂富贵”花鞋，上有玉兰、海棠、芙蓉、桂花等花卉纹样，各取名称中一字组成吉语；放于“轿前盘”糕上的“踏糕鞋”，绣的是蝙蝠、双桃、荸荠、千年叶和芙蓉。其中，双桃和千年叶象征长寿，用来祝福新人“举案齐眉”，“福寿双全”；婚后替换绣鞋为“梅兰竹菊”，加绣千年叶等纹样，颂祝有情人百年和合。

中年妇女的绣鞋以“三梅花”和“蓝采和”为主，由于蓝采和是最贴近生活的神仙，代表着女性对自然美的向往，因而被绣于花鞋，受到喜爱与敬奉。

老人的寿鞋，除绣以“三荷花加万年青”外，还有“仙桥荷花”纹样，由荷花和拱桥组成，桥上绣人的形象，因为人们相信，走过仙桥即意味着进入仙境。还有的在鞋底和鞋帮上绣“扶梯纹”，象征着踏着扶梯进入天堂。

寡妇的花鞋绣的是“三兰花”，绿色中夹杂以少许红色，以讨吉利，同时也以兰花的高洁来约束妇女恪守贞洁。

总之，以水乡常见的草木鱼虫为题材，用五彩丝线绣将其绣于衣裙鞋履，女子服饰因之而更加清丽俏美，分外娇媚动人，充溢着水乡情趣，体现出浓郁的民族传统和地域特色。

五、锦绣发禄独步江南

发禄，顾名思义为发迹、腾达之意。“发禄”乃是读书人登科及第、封妻荫子的普遍愿望。也许又因发禄的“禄”意含“福”，而求“福”心理人人有之，于是，群体心理逐步外化为象征符号，借助具体物象表达出来，装饰平常人家的生活，寄寓祝福。

笔者至今保存着母亲16岁时绣制的丝绣发禄袋，虽然没有闺阁绣那样文秀典雅，却也精致玲珑。发禄袋以对为组合，一取形于当地特产

母亲的发禄袋　李明藏

柿子，其上有荷花、莲蓬、北瓜、如意及方胜铜饰；一取双桃、蝙蝠、古磬之形，加饰万年青，整对饰品以深红为主调，施以粉、湖蓝、橙色等色彩，用白、黑、灰调和，以丝绣戳纱针法绣成并盘金，参差排列的图案花纹规则美丽，变化达十多种，象征着同心双合，连生贵子，事事如意，福寿双全，万年吉庆。多么丰富的内涵，带着情窦初开的少女的情思与祈愿！

丝绣发禄袋是地域特征明显的刺绣日用品。从现存的实物资料来看，它多用于女子陪嫁，至少在苏南地区流行。

由于发禄袋是用来张挂或悬挂的装饰品，因而有单面和双面之分。前者正面为刺绣，背面以硬衬衬之，中间盛装填充物后封口；后者则正反都为绣面，内填丝棉等物，使之较为饱满，也更具立体感。

发禄袋的造型特别精妙可爱，常取动、植物和器物自然之形，或独立造型，或组合造型，无拘无束，随意搭配，追求神似，出神入化。用来造型的吉祥植物有桃、石榴、佛手、葫芦、万年青、瓜、荷花、藕、莲蓬等；吉祥动物和器物则有蝙蝠、蝴蝶、金鱼、鹿、鸳鸯、如意、花篮、宝瓶、元宝、聚宝盆、八卦罗盘等等。这些吉祥物一经组合，便成为“象”与“意”的共生物，表达出人们心中的诗意和精神追求。

正是由于发禄袋寄托着人们的情感，故而面料选用考究，搭配构图别出心裁，色调五彩鲜艳，针法灵活多变，有平绣，也有戳纱，娟秀亮丽，喜气盈盈，意匠之美，独步江南。

第四节 ◎ 丝情画境富美韵

一人、一绷、一针、一线，
但见纤手上下翻飞，指下花儿点点……
刺绣场景所呈现出的绵长、灵动与意境神韵是那么美不胜言！
在大爱深情下绣出的刺绣物件，活色生香，
犹如一颗颗宝石，点缀着生活；
诗、书、画、印融为一炉的艺术创作模式常被绣女引入刺绣，
丰富内容，扩大画面境界，
使苏绣艺术更添丝情画境之美韵。

苏州民俗博物馆收藏的刺绣小品，在结集出版前曾恭请联合国教科文组织中国民间艺术家评委张道一先生作序。老人饶有兴趣地欣赏着活色生香的刺绣活计，由衷地写下这样一段文字：

如果单独看一件绣品，不论从外廓式样还是刺绣纹样，及至上面的绳带和流苏，都是精工巧做，显示出一种意匠之美。纹样的题材内容大都含有吉意，给人祝福，有的绣上诗句，更是丰富了它的文化内涵。如果将众多的绣件汇集在一起，不仅相互搭配非常协调，而且聚成一个独特的生活氛围……那些精致的绣品，像是一颗颗的宝石，点缀着人生，成为生活的

亮点。

那么,来自民间的绣品为何会如此美不胜收,被誉为"点缀生活的宝石"呢? 除了绣品所体现的智巧外,至少还有"三美":

一、情寄丝绣心意美

刺绣品,尤其是琳琅满目的刺绣小品,每一件都凝结着浓浓的人间温情。

绣品通常是男女相爱表达情意的信物。 特别是男女初识生情之际,几乎无绣不成情。一双绣鞋、一只荷包,哪怕一方小小手帕,对于绣制者来说,一针一线无不寄托着悠长的情思;对被赠者而言,则可通过对形、色、纹、针法等无声话语的欣赏,获得审美感受,珍藏起或矜持或直白的种种爱意,并在亲自使用这些绣品时,或睹物思人,或向亲朋夸耀,观赏时、谈笑间,温情流淌于心田,进一步体味生活之美和人世之情。

清瓜瓞绵绵挂件

由于手巧是吸引人爱慕的重要原因之一,因而在过去的年代,每位女子都会费尽心机,学习最流行的针法、样式,构思最美的纹样,以最精心的绣制寄托自己的情思,贫家女与大家闺秀概莫能外。

而当这些女子一旦为人妻、为人母,甚至当上祖母或外婆后,针线依然不会离手。业已改变身份的她们,会以慈母深情、贤妻之爱、孝女心意,以及为结缘各种人情而绣制各种生活用品和礼品。孩子的帽子、围嘴、斗篷、肚兜、鞋子、坎肩、糖娃娃等一应俱全的针线活计,出自母亲、外婆、奶奶、姑姑、阿姨等姻亲之手,随着新生儿的呱呱坠地,这些充满春辉的绣品便将孩子包围起来;鞋垫、荷包、褡裢、眼镜袋、扇袋、名片袋等饰品,大多由妻子亲手绣制,盛满浓浓深情,送给丈夫作为体己物,随身携带;美丽的绣鞋是出嫁的女儿为母亲所做,回家省亲时送给老人家,或者赠给敬重的亲朋,以示孝心。

总之,小小绣品,不论是自用还是馈赠,它们伴随着迎春、度夏、祭秋、辞岁,以及清明、端午、中秋、重阳、元宵等各个不同的节日,在诞生、成婚、寿庆、终年等各大人生礼俗中,通过人与人之间的传递,成为人际间表达关爱之情、和睦相处的最常用艺术品。鲜亮精美的绣品,内蕴的美好心意,让日常生活处处充满着美和温馨。

二、气静神恬绣德美

传统社会女子刺绣重要目的之一在于修身养性。过去的文人雅士,将女子的柔弱恭顺、贞节耐劳、矜持庄重视为美德,因而刺绣是最能陶冶女性心性的劳作。

正因为如此,每位绣娘平时需要极其严谨地规范自己,细致认真地对待一针、一线、一剪,努力为刺绣创造良好的空间,井然有序地进行劳作,使针、剪、线之类手到擒来,哪怕是一段残线都会善加利用,这体现出的是怎样的一种境界与美德!

而这些可贵品质的养成,亦有利于女子在刺绣时做到心无旁骛,安宁投入。

可以想象,当女子一个人、一架绷、一枚针、一丝线,在窗明几净的环境下,伴着均匀的呼吸,纤手上下翻飞,银针随之起落,在有节奏的"嘣嘣"声中,指下花儿朵朵绽放,茎叶徐徐舒展,所谓"绣花花生香,绣鸟鸟能鸣",其呈现出的绵长、灵动与宁静实在美不胜收。就是在这样长年累月的花针彩线生涯中,女性那种细致、坚忍、勤俭持家的品格得以养成。

当然,气定神闲地以纤手夺天工者并非仅限于深闺中的千金少妇,乡野女子、寻常农妇同样能参与细致的工艺制作。

民国年间,刺绣为苏州妇女之特长,尤以农家女性为多。支硎山下、白马涧乡村一带的妇女,多才多艺,无论老少,个个都会刺绣。就连抬山轿的女子，也能见缝插针地绣上几针。

经年累月地习绣生涯，还可陶冶绣女的审美情致，使其以虔诚和恭敬的心态来对待所从事的艺术，精益求精。

李娥瑛大师的爱徒汤惠琴，是其所有门生中最具定力的一个。她谨记老师教诲，不走商业化道路，几十年来坚持在家独自刺绣。

她的绣作，摹唐、宋、元、明名迹，或端丽渊雅，或冲和萧散，令同行名手们见之也深为感动。一幅唐代《宫乐图》，她整整绣了四

右：北宋名迹《听琴图》 左：绣制中的《听琴图》（局部） 汤惠琴绣制

年;如今所绣的北宋人物画杰作《听琴图》,画面空灵静雅,令人屏息。

但凡优秀的绣娘,都会像汤惠琴那样,义无反顾、年复一年地坐在绣绷前,在享受宁静和愉悦的过程中,以千丝万缕造就极致的美。

三、画绣相映匠心美

刺绣与绘画有着天然联系。特别是刺绣欣赏品,多择名画为稿本,写真写生者皆可入绣。绣制技艺上始终讲求以针代笔,不失绘画笔墨意趣;在构图布局、造型纹样、色彩搭配等方面,均从绘画角度加以斟酌,追求画面各要素间的平衡,以符合绘画法度、体现摹画的惟妙惟肖之美。

明代顾绣《凤凰双栖图》 苏州博物馆藏

明代中叶,"吴门派"书画艺术繁兴。以"明四家"为代表的诗文才艺之士多身兼诗、书、画、印数绝,在文人画独领风骚的时代,将诗、书、画、印融为一炉的中国书画艺术表现形式推向顶峰。新颖的程式化创作模式对手工艺的表现形式影响深远,也非常自然地被引入于刺绣艺术,用来丰富表现内容,扩大画面境界,更添绣品运化之妙。

最为注重诗、书、画、印结合的是顾绣,形成独具江南特色的画绣主流。为人们所熟知者有《韩希孟绣宋元名迹册》,八开,每开绣一画,真实再现原作风貌。又如苏州博物馆藏明代顾绣《凤凰双栖图》,让人们获得闺阁画绣与丹青妙迹的双重审美享受。其图像精绣细绘，绣面上方以斜缠针墨绣“旭日朝霞光彩异，碧梧翠竹凤凰栖”题句，点景抒怀，将绘画内容生发开去；接针绣圆形“露香园”、方形“虎头”朱文印章，不仅点明绣品出自露香园，还起到活跃画面的作用，大大增强了画绣的形式美感。

延续到晚清，苏绣欣赏品的绣制，融诗、书、画、印于一体的形式仍被较多采用。沈寿早期代表作刺绣生肖屏，现存虎、兔、龙、猪四帧，每幅生肖动物构图简练，以小景和题记相配，印章或朱或白，有腰圆形、方形、葫芦形不等，分别以“沈氏”、“天香阁”、“龙韬”、“吴中天香女士书画真迹”标明绣者姓氏、别号、斋馆，别具一格，生趣盎然。

沈寿刺绣生肖屏　苏州博物馆藏

清末，西洋画在中国确立起一定地位，刺激着绣界对其进行深度研究。沈寿利用赴日考察机会，深研日本绘画和刺绣术，创制仿真绣，将摹画范围扩展至素描、油画、摄影等；稍后，杨守玉又借鉴西画笔触、利用透视等原理，发明纵横交叉的乱针绣法，进一步增强了苏绣艺术的表现力。

时至今日，苏绣早已突破对单个画种摹绣的局限，将刺绣题材拓展到中西绘画和摄影等各个领域。不仅如此，绣者还运用刺绣的特定艺术语汇，充分发挥针法、丝理、色线、底料等各自特点，综合运用各种绣制技巧，调动一切刺绣艺术表现手段来展现苏绣特有的风格和意趣，以艺人的再创作，实现刺绣技艺对绘画作品的艺术再创造。

上世纪 90 年代初，美国摄影艺术家罗伯特同苏州刺绣研究所开展项目合作。他的《野地红叶》摄影佳作，层次丰富，背景复杂多变，以绚丽的色彩变化表现出红枫树叶在阳光和空气中微微颤动之美，树干、树枝与树叶间的变化点滴入微。黄春娅在接到绣制《野地红叶》任务后，凭借自身的专业知识和艺术修养，将乱针绣技艺与传统的鸡毛针、彩谷针、打子针灵活结合起来，努力表现刺绣艺术的独特效果，使作品中各个生动细节整体完美地呈现出来，令罗伯特激赏不已。

在苏绣实用品领域，因长期受到文人书画、园林艺术等深刻影响，书画相融，诗、书、画、印四艺一体的艺术程式同样屡屡被引入各类绣品，赋予其细腻而清雅的气质。

乱针绣《野地红叶》 罗伯特摄影 黄春娅绣制

《如意》开光刺绣云肩　苏州民俗博物馆藏

南京民俗博物馆所藏两对花鸟挽袖，水墨花鸟清新秀逸，兼工带写，层层渲染，墨色丰富，浓淡相生，具有很强的立体感。芦苇丛中的水鸟、牡丹枝头的莺雀神态逼真，栩栩如生。该馆又一藏品琴棋书画名片袋，蓝底，以白色丝线绕绣诗文。设黑色边框，外绣书籍、画卷、棋盘、古琴，以飘带连接，柔和飘逸，极具文气和艺术感染力。

由此观之，明清以来诗文书画被纳入实用刺绣语境已蔚然成风。其中，以扇袋、眼镜袋、褡裢、云肩、中堂等表现最为丰富，或书画搭配，或诗画结合，或诗、书、画、印汇于一体，不仅凸显出画面的形式美，还说明：实用刺绣品的创作与消费，包含着不同文化层次间的相互借鉴与吸收，已经形成独特的地域文化品格。

第五节 ◎ 图式无声诉心灵

苏绣的纹饰图案，弥漫着浓郁的吉祥色彩。
荷花、圆盒、毛笔、金锭、荸荠、宝瓶、牡丹、莲藕……
作为富含意蕴的文化符号，
无不折射出江南人的心态和心声，
反映着民众的共同心理和对幸福的向往。

苏绣艺术植根于江南的自然环境和社会人文生态，在江南核心区域生长、发育、成熟，被广为传播。其艺术形态，特别是纹饰图案，不仅受到江南精神的影响，更折射出江南人与自然和社会所保持的“精神联结”。有意蕴的图式的灵活运用，令各类绣品拥有丰富的文化内涵，这也是苏绣艺术不断走向成熟的标志之一。

一、“和合”精神千年传

苏绣实用品中，弥漫着浓浓的和合精神，在各类绣品中均能见到“和合”及“一团和气”的形象，成为一种最具地域特征的传统象征图式。

"和合"思想源远流长。"和"本是儒家学派创始人孔子提出的人文精神之核心。而江南地区流传的"和合"乃是传说与故事的紧密结合，以旺盛的生命力传播演变，生根开花，反映着民众的共同心理与美好期盼。

"和合"传说生成于唐代。相传诗僧寒山多文才。一日，他在云游途中，听见有孩子啼哭，闻声寻去，见一婴孩躺于路边草丛，顿生爱怜之心。婴孩见风就长，竟成为幼童。由于孩子是从路边拾来，寒山便替其取名"拾得"。从此，寒山与拾得亲若兄弟，二人简称"寒拾"。他们同进国清寺，自愿投身伙房为僧众服务，兄弟俩形影不离。

寒拾二人在国清寺平静和美地生活着，却因巧遇越州汪氏携女芙蓉进寺烧香而生波澜。汪氏因病临终托孤，希望将女儿嫁给其中一位，以报大恩，兄弟俩点头答应。从此，两人视芙蓉为同胞妹妹。拾得与芙蓉年龄相当，互生爱意，但亲朋好友因寒山为长兄，促成其与芙蓉成亲。一日，寒山砍柴回来，听到拾得与芙蓉互诉衷肠，明白了一切。为成全两人姻缘，他毅然题诗，远走他乡。

拾得被寒山义举深深感动，决定找回寒山。兄弟终于重逢时，拾得折下荷花献给寒山。寒山则持着装有素斋的圆盒赠给拾得。他们互赠的荷、盒因谐音"和合"，从此成为二仙象征。民间婚姻中随之出现与其相关的"和合"崇拜习俗，长盛不衰。

人们可以在婚庆场合看到有各种"和合"形象的绣品。

直到今天，江南地区特别是农村人家婚庆中，和合仍是最受认同和欢迎的祈福形象。

任何一种比较定型的核心思想，总是一个开放性的生命系统，在不同的时代引出不同的生长点，呈现出蓬勃的生机。明代《一团和气》漫画的出现，使江南又多了一个求和的文化图式，同样数百年相传，深入人心。

清刺绣和合顺袋　苏州博物馆藏

任伯年所绘和合之像

上：戳纱绣明代《一团和气》图　下：戳纱绣《一团和气》刘振夏设计　刘慧菁绣制

《一团和气》图由明中期宪宗皇帝朱见深为倡导君臣间的亲密团结精心所作。该图采用漫画手法，远看像个球，近观是一眯眼嘻嘻笑的老汉，细瞧却是三位长者合抱一团，三张脸紧凑一起，巧妙地构成一个笑容可掬的脸庞。

统治者求和尚和的文化行为，对社会文化起到示范和催发作用。受此影响，刺绣艺术中出现了"和合"与"一团和气"合流或转义现象。如苏州民俗博物馆藏戳纱油面搨，图式符号为"和合"，而童子形象一如"一团和气"；连云港婚俗中的堆绣"和气人"，形从"一团和气"出，童子坐莲上，手持"连生贵子"横书，寓意夫妻和合，连生贵子，福寿双全。

由上可知，祈求和衷共济、和谐美满是江南人的基本价值取向，经千年流传演化，已为人们普遍接受，世代相传。

二、"笔锭"如意求吉利

苏绣艺术纹样中，还有一种图式常被人们引用，那就是将笔与金、银锭组合在一起，与其他吉祥纹样配合，以祈求吉利。

锭，原为金银铸成如意形状的一种小锞子，供赏玩或装饰用。"笔锭"与"必定"谐音，象征如意吉祥。江南地区的"笔锭"，又因与定胜糕有某种联系，表意尤为强烈。

龙凤银锭　李明藏

相传南宋建炎年间，金兵进犯临安未成，退往苏州，名将韩世忠、梁红玉奉命率部阻击。韩世忠虽英勇善战，但只有八千人马，如何对抗十万敌众？就在统帅苦思良计妙策时，苏州的百姓送来几箩甜糕请他品尝，其形状如同金锭。韩世忠伸手取过一块掰开，只见糕里有纸条，看后豁然开朗。原来百姓是在向他传递军情，告诉他金兵阵势是两边大，中间细，拦腰一截，就可破敌。他连夜调兵遣将，把金兵阵势齐腰斩断，然后乘机追杀，乱中取胜。后来，韩世忠就把这糕称为定胜糕，意味着吃了这糕，一定取胜。

从此，苏州民间重要节日和仪式上，都会用定胜糕来讨吉利，象征着步步高升，“笔锭”形象也频频出现在民间艺术品中。

苏绣纹样中的“笔锭”符号通常并不单独使用，而是将“锭”变形为如意，与其他吉祥纹样相配，构成祝福、祈寿、求富、求贵、求平安的图式，表现人们的普遍心态。

“平安富贵”荷包，以“笔锭”符号与宝瓶、牡丹、莲藕、如意结、笙、双钱、福字、寿纹等构成必定如意、平安富贵、连生贵子、福寿双全的美好寓意，作为婚庆吉祥刺绣用品。与之相类似的还有“必定高升”名片袋，以袋本身谐音“代”，比喻必定高升（笙），代代封（蜂）荣。

三、热衷科举尚功名

在以科举取士、强调“学而优则仕”的时代里，江南人读书氛围浓厚，对跻身仕途的追求一点也不亚于对福、寿、财的向往。

江南人强烈的功名心态，往往借助小说、戏剧、曲艺、手工艺品等表现出来，折射出人们对登科及第、功名富贵的普遍渴望。

苏绣品中出现的科举吉语和纹饰多出现在名片袋、褡裢、眼镜袋等男子使用的随身物品上，形式多样，各具匠心。有的十分直白，譬如“五子登科”、“一品当朝”、“金殿唱题”、“独占鳌头”等，有的是较为含蓄的图案，如水中数根芦苇和一只螃蟹组成画面，被赋予“一甲传胪”之义。在朱红提花绸缎上，以黄色绣线绣一只螃蟹和一根芦苇，四周盘金并绣如意云头，意味着科举场上拔得头筹，获一甲第一名，即高中状元。“杏林春燕”以杏花和飞燕组合而成，古代“宴”、“燕”相通，故“杏林春燕”用来比喻得中进士。

《一甲传胪》眼镜袋　苏州民俗博物馆藏

四、一清二白守平安

江南人在追求功名利禄的同时，也有着浓烈的市隐心态，两者十分

◎◎《一清二白》搭裢　苏州民俗博物馆藏

和谐地调节着江南人的人生选择。

苏绣艺术品在“市隐”文化的浸润中，也表露出民众安宁为尚，不贪恋自轻的独特心态。如青菜、萝卜相依，和“万”不断头几何纹、梅花纹花边相组合，取“青”、“清”、“卜”、“白”之谐音，表示只有清清白白做人，保持一清二白，吉祥才能连绵不断；苏州民俗博物馆收藏的一对钱褡，上图为白菜与蜻蜓，下图系绿竹与猫、蝶，同样取“青白”和“耄耋”的谐音，意为清白做人，坚持操守，高寿延年。

◎◎“一品清廉”名片袋　苏州民俗博物馆藏

苏绣制品中，梅、兰、竹、菊四君子形象频频出现于人们随身携带的小物件上，用以表达主人志向，成为代表着超凡脱俗的隐逸符号。

经常被人们用以明志的主题纹饰还有莲花。苏绣实用品中，多用一茎莲花象征“一品清廉”，寓意居高而不贪，清正廉洁，具有鲜明的地域色彩。

总之，绣品虽小，却不难窥见江南人因“市隐”文化熏染所养成的举止平和、知足长乐、小富即安、闲适和安逸的文化秉性。

第六节◎融入当代绎华章

当代苏绣业，借助科学技术培育新花，
探求着『艺术应随当代』之路。
通过跻身现代装饰行列，
将刺绣引入婚纱、礼服设计制作等途径，
传统的刺绣艺术正努力融入现代生活，
发挥新的实用功能，绽放出更为瑰丽的光彩……

进入当代，苏绣艺术面临着如何融入现代生活的重大历史命题。来自生活的新美学、新品位要求苏绣从业者听取时代召唤，跳出保守框框，以开放为前提，汇集各种创意，开发出更多的体现时代气息的艺术品和实用品，包括集成创新，使苏绣艺术在获得现代演化的基础上，走向多元化发展格局，迈上新的台阶。

一、借助科技培育新花

苏绣艺术随时代进步，借助科学技术不断推陈出新，具体表现在对缝纫机刺绣的探索上。

20 世纪 50 年代末，苏绣的机绣艺术得到长足进步。手绣传统针法分别与短针机绣、长针机绣相结合，连连推出新的艺术品。1960 年，由殷忆娟绣制的双面长针机绣《仿古百鸟图》台屏问世，与精细雅洁的手绣艺术品几乎看不出分别，达到出神入化的艺术境界。从此，机绣成为苏绣的一个重要组成部分。

进入到上世纪 80 年代，微电脑技术在国际上被广泛推广和应用，电子绣花机也从初级阶段跨入到微电脑控制阶段。1988 年，苏州工艺美术研究所与国营二六七厂联合开发，研制成功“电脑刺绣机及其编程系统”。

长针绣欣赏品《群芳竞辉》 林锡旦提供

国产电脑绣花机及其程序系统的发明，将最原始的一针一线的手工刺绣与最先进的电脑技术有机结合，绽放出苏绣新花 —— 艺术与科技相融之花，在我国刺绣史和科技史上写下浓墨重彩的一笔。

二、跻身现代装饰行列

刺绣艺术品如何与现代装饰艺术相融合，是一个重要命题。这些年来，特别是上世纪 80 年代以来，刺绣艺人和相关专家在这方面进行着可贵的探索。

1965 年，李娥瑛大师在指导绣制大型艺术品《鲜血浸透的土地上》时，创造性地运用“分绷合绣”方法来缩短工艺流程。该方法也为日后同一幅刺绣中用不同底料合绣，以及大绷分绷的合绣提供了一条天衣无缝的解决途径，为刺绣与现代装饰艺术的结合在技术层面上奠定基础。

同时期，南通刺绣艺人着手研制彩锦绣，努力将“点彩”、“纳锦”的古老针法从传统的附属装饰地位发展为独立的刺绣装饰新样式，实现传统工艺美术在现代的新突破。

彩锦绣装饰艺术相比主流苏绣可谓别具一格。它最大限度地利用

“点彩”、“纳锦”针法的装饰性，以突显民族的、传统的又是现代的艺术语言为旨归，设计时突破具象的自然主义表现形式，以意向的表现性装饰画风为主，注重作品的形式美和抽象美。由于彩锦绣有较强的表现力，因而她不仅广泛应用于欣赏品、日用品和旅游工艺品领域，还跻身于公共艺术大型作品行列。专为北京饭店打造的大型刺绣壁画《长城万里图》，将崇山峻岭中逶迤伸展的长城雄姿表现得瑰丽壮美，淋漓尽致，当之无愧地被载入当代艺术史册。彩锦绣装饰艺术也由此成为苏绣传统与现代结合的典范。

上世纪末，由苏州刺绣研究所研制的一批新品首次以“艺术品”身份赴美展出。这批绣品突破传统题材，将雪松、乡间的池塘、金秋的落叶、舒展的白鹤等新颖题材以苏

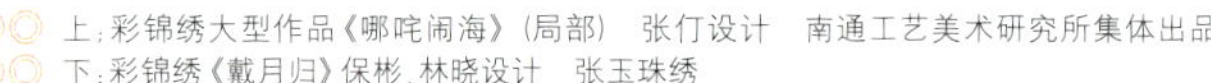

上：彩锦绣大型作品《哪吒闹海》（局部） 张仃设计 南通工艺美术研究所集体出品
下：彩锦绣《戴月归》保彬、林晓设计 张玉珠绣

◎◎《布袋和尚》 姚红英绣制

《夕照》吴霞靓设计　江蕾绣制

绣的形式呈现在人们眼前，令人眼前一亮。

这批艺术品的推出，说明苏绣艺术家们经多年思考和探索，已在“艺术当随时代”方面寻求到突破点，找到新的生存发展空间，那就是民族传统工艺与西洋现代艺术及现代科技相结合，体现东西方艺术的结合。她们积极开拓题材，改革沿用千百年的底料和丝线，选用和创新出多种刺绣针法，将西方绘画、摄影艺术与东方刺绣艺术有机融为一体，追求精神内涵的再创造，使绣品不仅具有原作神韵，而且用苏绣语言讲述着世界的故事，并以现代之美体现出民族特色与国际风格的和谐统一。

镇湖绣娘姚红英，她对苏绣艺术如何发展持有清晰的思路，那就是双管齐下，一手抓传统，通过基因库，给艺术与设计提供灵感；一手开发现代刺绣品，瞄准白领阶层，以现代设计、现代面料，量身打造个性化的时尚日用品，使绣品成功融入现代生活。

三、融入华服塑造时尚

瑞富祥兰姿绣服饰　戚秋兰提供

现代化背景下，传统生活空间的改变，使传统苏绣艺术渐行渐远，游离于最为鲜活的寻常百姓生活之外，日益丧失实用功能，刺绣日用品发展面临困境。

然而，其实，现代服饰无论怎样变化，经典永恒的材质和刺绣装饰始终是使其出类拔萃的法宝。有眼光的绣娘开始探索当代刺绣与品牌服装联手，既创造时尚，又体现苏绣精髓的途径。

郑叶青，19岁时独自离家，去珠海制衣厂做工，成为高新区东渚镇上第一位奔向创业之路的打工妹。2005年，郑叶青赴法国时装展览会，置身于世界最高水平的各类时尚服饰中，心中已有开发新市场的蓝图。

NE · TIGER 时尚服饰上的苏绣

回国后的郑叶青，与苏州瑞富祥有限公司合作，将苏绣艺术巧妙地融于丝绸服装，共同精心研发各类产品，使颇具江南情韵的绣娘品牌在吴文化影响下享有日益广泛的美誉度。当瑞富祥公司着力打造第二代高端品牌“兰姿绣”之际，郑叶青全力配合，紧紧依托苏州“丝”、“绣”、“珠”的优秀技艺传统，结合传统手绣及现代机绣，将苏绣精湛的工艺手法运用于流行服饰，佐以 SWAROVSKI 水钻与珠片，使“精、细、雅、洁”的苏绣艺术风格与“兰姿绣”服装相得益彰，成就纷呈的华彩和丰富的视感。

郑叶青还与中国第一奢侈品品牌 NE · TIGER 结缘。“融会古今、贯通中西”的共同理念，使他们不约而同地致力于将传统刺绣工艺复兴于华服之上的事业，将华服打造为精妙绝伦的刺绣艺术珍品。

正如郑叶青所言，现代刺绣服饰已经实现多方面的突破：材料新颖会给刺绣带来新风格；传统图案的任意解构与随意搭配，是为了追求更加美观的现代装饰效果，更能体现时代气息；刺绣纹样的布局也异于以往，常在后背、腰线、肩、肘等非常规位置进行刺绣，以体现立体装饰理念；工艺上常见的雕绣、珠绣、丝绣混搭，可让刺绣时装在时尚舞台上绽放出现代魅力……

一位农村绣娘对现代刺绣服饰的诠释，让人们足够相信：只要能深刻理解和正确把握现代生活理念，从传统文化中汲取养分，以旧养新、新旧交融，那么，传统刺绣手工艺必定会与时俱进，在当代焕发出新的活力，传统工艺文化也将显现出多样的繁荣，人们的生活会因此而更加绚丽和美好。

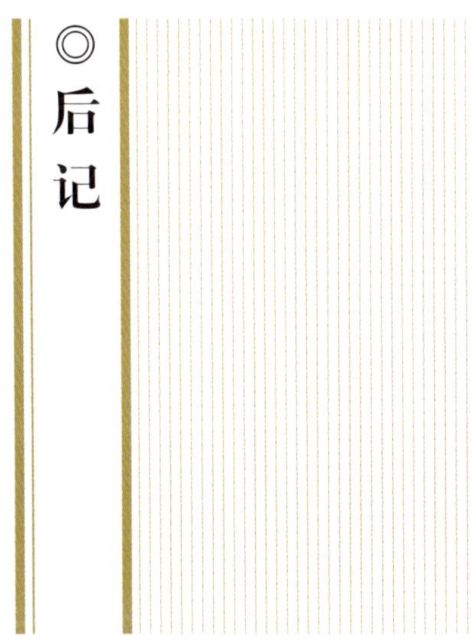

◎后记

写作本书纯属偶然。2009年12月的一天，张道一先生来电，询问苏绣研究专家孙佩兰的联络方式，说要请她撰写《符号江苏》丛书中的《苏绣》分册。不巧的是，当时孙老师正被目疾所困，无法写作。“那就你写吧。”张先生的信任与激励，使我鼓足勇气接手了撰稿任务。

与刺绣结缘，冥冥中也有些许天意。

我生长在姑苏，最能体现这座城市温婉神韵的艺术之一便是苏绣。我母亲心灵手巧，裁剪刺绣样样皆能，荷包、发禄袋等刺绣小件制作得十分精美。同院对窗而居的郑家师母，以加工刺绣活计为生。每天忙完家务，她就会坐定在落地长窗旁的绣绷前，边听着广播里播放的评弹，边埋首刺绣。随着两手娴熟地上下翻飞，指下龙飞凤舞、莺飞草长…… 这便是昔日市井中部分妇女的生活场景。那些年，我得空就会站在她的绣绷前，痴痴观绣，感受着刺绣的魅力。

上世纪70年代中期，我从苏北农场调回苏州后，从事工艺美术工作，这让我有机缘进一步熟悉刺绣。我与手艺人交往，将其视为良师益友；有幸欣赏到精美绝伦的刺绣精品，为之心驰神往；还曾在母亲指导下，自绣了一对白底红色涤丽纶包梗绣枕套。

然而，喜欢刺绣并不等于能写好刺绣，何况本书的写作不同以往，要求写出带有普及性的"大家小书"，整体展示江苏刺绣风貌，揭示苏绣文化符号意义和当下生活的关系，殊为不易。

时间紧、写作又要有新意，单枪匹马很难按期完工。于是，我诚邀民俗专家、苏州博物馆研究员沈建东，由她来任《生态》、《绣娘身影》、苏绣品类等章节的主笔，建东欣然应允。她的热情仗义及认真付出，有效推进了本书的写作进度。

在田野调查、图片拍摄、资料搜集和文稿写作过程中，我们曾得到业内外人士的倾情支持和无私帮助，铭感于心：

首先，本次写作过程得益于有大量相关研究成果可以借重。特别如《苏州工艺美术》、《姑苏工艺美术》等非公开出版的书刊，尤具价值。没有前人扎实的的基础工作，很难想象能顺利写就书稿。

著名学者张道一先生，作为丛书的主编，多次予以极富洞见的指导和启发，为书稿写作指明方向。

德高望重的中国工艺美术大师李娥瑛、蒋雪英是接受我采访最多的老人。她们不但亲自为本书提供珍贵实物资料和图片，还不厌其烦地解答每个问题，详述专业知识，使我受益终身。

中国工艺美术大师顾文霞、余福臻、张玉英、郝淑萍、张晓飞、王金山，江苏省工艺美术大师黄春娅、李华、赵红育、梁雪芳、姚建萍、姚惠芬、王祖识、周莹华，江苏省工艺美术名人梅桂英、蔡梅英、濮惠菊、姚红英，高级工艺美术师杨家琳、牟志红、朱爱珍、王开萍、徐肖勤、李荣森，工艺美术师周文英、高建伟，李娥瑛弟子马彩云、汤惠琴、施海霞、李鸣苏，叶绣工艺厂厂长郑叶青，剧装戏具合作公司设计师翁维，均在接受采访、提供作品、辨认纹样与针法、答疑等方面予以热心协助，应如是说：她（他）们是本书的共同作者。

苏州任嘒闲刺绣艺术发展有限公司总经理张允凯、其弟张允苏，作为任大师之子，立志承继母亲宏愿，弘扬中国刺绣艺术。他们热情无私地提供资料，特别是老照片及大师手迹，弥足珍贵。常州孙燕云乱针绣艺术创作中心，其主人作为陈亚先大师的女儿、省工艺美术大师，热忱为我们提供帮助，感念之情，岂能言表！

我所敬重的博士生导师张朋川教授，是位学问渊博深醇、诙谐风趣、爽朗乐观的知名学者。点针绣扇袋，余觉墨宝等均是他淘来的宝贝，奉献给本书，昭见其云水襟怀及大家风范。

研究员级高级工艺美术师孙佩兰、冷坚、林锡旦均为苏绣史专家，他们不仅倾力相助，还运用诸种类型史料，小心求证，解决疑点，其严谨、专注的治学精神当为治学者终身奉行。

无锡市政协研究室主任汤可可对于本书的相助是全方位的，尤其是在提纲和部分文稿的写作、修改方面倾注了心力。同在无锡的挚友孙结绿、郑文千等一起参与了调研活动。朱锡凯先生特地从南禅寺淘来绣品相赠，其诚意令人感动。

年逾古稀的马觐伯先生，是个挥笔成章、痴迷摄影、人称“胜浦赵树理”的全才能人。当我们在滂沱暴雨中抵达他家，说明来意后，老人二话没说，当即从电脑里万余张照片中挑出水乡妇女着装和绣花扳尖头鞋等老照片。这些美景美图为全书增添了一抹水乡亮色。

诸多单位和热心于文化事业的专家学者、新朋老友，如：苏州文广局民族民间文化保护办公室、南通市非物质文化遗产保护中心、扬州非物质文化遗产保护中心、苏州博物馆、南京民俗博物馆，镇江文物局副局长王玉国，连云港市重点文物研究所所长高伟，河南省委组织部王悦勤，苏州工艺美术博物馆馆长马建庭，苏州工艺美术协会副秘书长单存德，苏州高新区东渚镇党委副书记张锦峰，镇江博物馆副馆长王书敏，苏州刺绣研究所有限公司总经理张小华，苏州刺绣博物馆副馆长黄晓洁，苏州瑞富祥丝绸有限公司总经理戚秋兰，苏州花线厂有限公司总经理韩小平，研究员级高级工艺美术师黄云鹏，上海师范大学唐力行教授，苏州教育学院濮安国教授，苏州大学艺术学院诸葛铠、李超德教授，郑丽虹博士，社会学院朱琳博士，台湾黄良莹博士，常熟理工学院周巍博士，苏州工艺美术职业技术学院学报主编董波博士、濮军一副教授，苏州职业大学李涵教授，江南大学崔荣荣、朱文涛博士，南京博物院杜臻硕士，无锡博物馆保管部主任袁勤，苏州博物馆李亚萍、孙云、郭子叶、张炜、江伟达，上海美术馆杨奇硕士，吴江电视台罗建军，苏州工艺美术博物馆陶寒璇、郭凯，南京民俗博物馆赵树宪、高勇，苏州园林局郑可俊，任嘒闲刺绣艺术发展有限公司设计师沈蓓蕾，苏州刺绣研究所赵明珠，苏州大学艺术学院研究生李燕、本科生宋圆圆等，都曾予以直接或间接的帮助，来自你们的那份真诚和温情将永驻我心头！

本书附图中的刺绣实物，一部分系私人藏品。天柱山房主人李品德、无言斋斋主许逊、东山镇文物商郑万诗、华胜仪女士等慷慨借出藏物，文琦摄影工作室陆兆里、常熟理工学院吴春年硕士则冒着高温，拨冗无偿为本书拍摄精美图片，我们感恩在心。

我的先生在上世纪 80 年代曾任苏州刺绣研究所领导之职，出于对苏绣挥之不去的情感，他和我儿子对本书写作给予最大理解和支持，甚至亲自去“同立绣校”旧址和花线厂拍摄资料照，对此我必须深深地道声：谢谢！

书稿付梓算是了却一桩心事，但我们却毫无释负之感，担忧与责任始终萦绕心头。社会转型期，刺绣艺术的存留空间日益缩小；随着人们观念、情趣的转变，为适销和媚俗，部分刺绣产品正在逐渐磨灭自身的艺术品格。这份宝贵的历史文化遗产怎样才不至于湮灭？也许只有从历史的镜鉴中，深入思考刺绣艺术的改革创新，把握好提升艺术价值与实现商品价值的平衡点，才能推动这一古老的艺术紧随时代而前行，真正融入现代社会和生活。期许更多的人关注苏绣，让这枚璀璨明珠焕发出更加瑰丽的光彩！

李 明

2012 年 2 月

《符号江苏》丛书编委会

徐州画像石

张道一◎著

图书在版编目(CIP)数据

徐州画像石 / 张道一著. 一南京：译林出版社，2013.1
（符号江苏）
ISBN　978-7-5447-1721-2

Ⅰ.①徐…　Ⅱ.①张…　Ⅲ.①地方文化—文化史—江苏省 ②画像石—简介—徐州市　Ⅳ.①K295.3 ②K879.42

中国版本图书馆CIP数据核字（2011）第042601号

《符号江苏》丛书
丛书主编　张道一

第一辑书目

昆　曲
明孝陵
南京云锦
宜兴紫砂
苏　绣
徐州画像石

书　　名　**徐州画像石**
作　　者　张道一
责任编辑　袁　楠
封面设计　胡　苨
版式设计　陆　莹　常　征
技术编辑　黄　晨　韦　枫
出版发行　凤凰出版传媒股份有限公司
　　　　　译林出版社
出版社地址　南京市湖南路1号A楼，邮编：210009
电子邮箱　yilin@yilin.com
出版社网址　http://www.yilin.com
经　　销　凤凰出版传媒股份有限公司
印　　刷　南京爱德印刷有限公司
开　　本　889毫米×1194毫米　1/16
印　　张　16.25
版　　次　2013年1月第1版　2013年1月第1次印刷
书　　号　ISBN 978-7-5447-1721-2
定　　价　108.00元
总 定 价　580.00元（第一辑全六册）
　　　　　译林版图书若有印装错误可向出版社调换
　　　　　（电话：025-83658316）

文化符号的魅力

罗志军

上世纪五十年代，一首来自江苏的民歌《茉莉花》走上国际舞台，让世界记住了江苏。时至今日，这首优美的乐曲，已演化为中国的文化符号，成为中外文化交流的纽带。许多国际友人就是寻着《茉莉花》的韵味，认识江苏并种下了对江苏特有的情结，这便是文化符号的魅力。

位于中国大陆东部沿海的江苏，是中华文明的重要发源地之一。在这片美丽富饶的土地上，一代代江苏人辛勤耕耘，不仅创造了辉耀古今的物质文明，而且形成了吴越古韵、楚汉雄风、金陵人文、维扬风物的文化特色，可以引为江苏符号的资源不胜枚举。

在江苏众多文化符号中，延续六百多年的昆曲，不仅是中国戏曲的“百戏之祖”，也是世界戏剧的三大源头之一；明孝陵空寂神道上的巨大石像，印证着南京虎踞龙盘

的王者气象；“咫尺之内再造乾坤”的苏州园林，代表了中国风景式园林艺术的最高水平；发端于南京的云锦纹样图案和以精、细、雅、洁蜚声的苏绣，以及宜兴紫砂、惠山泥人、江苏书画、江苏美食、南京城墙、徐州画像石、扬州漆器等等，都是江苏历史文化的名片。

随着中国改革开放的深入推进，开放的江苏与世界的联系日益紧密。江苏需要把更多代表自身特色的文化资源介绍给世界，世界亦需要借助更多的文化符号来感知江苏。由江苏省人民政府新闻办公室策划、凤凰出版传媒集团译林出版社编辑出版的《符号江苏》丛书，以图文并茂的形式，介绍了江苏最具公认度和代表性的特色文化资源，其中不少已列为世界物质和非物质文化遗产。这些经过长期积淀形成的标志性符号，体现着江苏这方水土独有的人文精神和文化基因，展示出江苏文化的源远流长与灿烂多彩。相信捧读《符号江苏》的朋友，无论你是否来过江苏，都会为她悠久的历史、灿烂的文化而心驰神往。

现在，江苏正致力于全面建成更高水平小康社会、开启基本实现现代化新征程。我们期望，通过《符号江苏》这套丛书，让更多的海内外读者朋友认识江苏、了解江苏。同时，我们热忱欢迎世界各地朋友走进江苏，亲身体验这方灵秀水土的无穷魅力，与这里的人们一起分享江苏独特的文化、优美的环境和美好的生活。

（作者系中共江苏省委书记）

目 录

◎引言

中国的文化与文明，是由多种形态和各个地区的独特创造所构成的，它反映出不同时代的思想，体现出一种精神，最重要的是历史的积淀。五千年的历史长河，有急流，也有缓水，滋润着神州大地。当我们回首审视那漫长的路径时，就像在海边拾贝，有许多可珍贵，可炫耀，可启人智慧的东西。其中，徐州汉代的画像石即是一种。

“徐州”这个地名的出现，由来已久，所辖地域的广狭也不一样。在《尚书·夏书》中有一篇《禹贡》，说夏禹时将中国划分为九州，徐州便是九州之一。当时的徐州地盘很大，所谓“海、岱及淮惟徐州”；《尔雅·释地》也说“济东曰徐州”。海指今黄海，岱是泰山，淮是淮水，济东即济水以东，其面积包括了现今江苏、安徽、山东的很大部分。汉武帝时，将全国分为十三刺史部，即俗称的十三州，徐州为其一，辖区相当今江苏长江以北和山东东南部。东汉时期的治所在郯（今山东郯城）。三国（魏）将治所移至彭城（即今徐州）。

现在的徐州市，秦末为西楚国都，东汉时是彭城国的首府，三国以后才为徐州治所，至清代为徐州府治。民国时期，1938 年由铜山县析置徐州市。其位置在江苏省的西北部，津浦和陇海铁路的交点，据鲁、豫、皖、苏四省要冲，向为军事要地。解放战争中淮海战役即以此为中心，基本上解放了长江以北的华东、中原地区。

本书的宗旨是谈文化，论艺术，主要介绍徐州地区的画像石，而其时代在西汉中期至东汉的近三百年间，即公元前的一个世纪和公元之初的两个世纪。所涉及的地域范围，既包括现在的徐州市区，也包括周围的若干县，它们在艺术上属于一个系统，并不严格受行政区划的限制。

什么叫“画像石”呢？这是一个专用词，即在一些巨大的石板上所镌刻的图画。只是在这一时期出现，以前没有，以后也很少见到。最初是由厚葬之风所引起，为了更加牢固和持久，人们在丧葬中以石板代替木椁，以石板上的刻画代替漆棺或悬挂的帛画。因为那时候对于艺术的分类还不精细，它可以被视为雕刻，但不像一般的圆雕或浮雕那样尽力追求立体感，而仍然以线条为主，最多是将空白处刻深一层，考古家习惯称作“减地法”；也可被视为建筑装饰，因为那些大石板除了制作石椁之外，又用来建造墓室和地面上的祠堂、门阙。然而它毕竟是以线条为主的平面艺术，看起来像“画”，难以发挥石雕和建筑艺术的特长，所以叫做“画像石”。后来的拓印术发展之后，将那平面石板上的画面用墨捶拓下来，通称为“拓片”，反显出一种独具的艺术效果，实际上就是人类最早的“拓印版画”。它比“木刻版画”还要早，因而成为中国美术史上重要的一章。

我们所要介绍的重点，是画像石在艺术上所达到的高度成就，它标志着中国绘画的成熟，既有对现实的描绘，也有表述思想的想象，譬如神话、信仰的偶像和诸种神怪，深沉雄大，气象万千。在艺术的造型上，既有点缀性的装饰和仪式性的纷呈，也有错综复杂的“关系性的律动”。由此留下的各种画面，是将近两千年前若干社会现象的写照，成为当时许多现实与幻想的形象记录。

这是了不起的艺术成就，是中国优秀文化的重要部分。为了全面地了解它和深刻地认识它，我们应该将它形成的环境和历史条件等作全面探究。任何事物的发生与发展，都不是偶然的，凭空而来的，不但有其历史的背景和条件，也有思想的诱发原因。因此，我们讲述的对象虽然在公元之前和之初的汉代，但故事的起点要推得更早。特别江苏这个省，居于中国的东南，东面靠海，腰间的长江像是一条彩带；地分南北，苏南是历史上的吴国，苏北是历史上的东夷之地，曾是徐戎国，也曾是楚国的一部分。从绝对年代看，这里的文明进程较晚，当中原地区已进入奴隶制的盛期时，江南还处于半原始状态。然而，就在这两千年间，江南发生了很大的变化，甚至成为后起之秀；而江苏省的南部和北部，在文化上的沟通和联系，也是源远流长、非常密切，相互影响是很明显的。全省七千多万人口，地分南北；在人文精神上，有人说苏南人讲究秀雅，苏北人表现质朴。当然，这只是笼统而言，并非绝对。不过也确实应了孔夫子“文质彬彬”的话，如果你看到徐州地区出土的数以千计的画像石，一幅幅画面，深沉雄大，给人以强悍之感，确实令人振奋！

就像电影的画面一样，我们将从远镜头慢慢拉近，进入画像石的宏壮之美的境界。

第一章 ◎ 在季札挂剑的地方

第一节 ◎ 两个王子出走

三千多年之前，即在商代后期，周国的两个王子从现今的陕西跑到了江南的太湖之滨，即今江苏省的无锡梅里。那时候这里还是荒蛮之地，人们『断发文身』，傍水而居。

所谓“断发文身”，因为这里水网密布，人们常在水中活动，故断其头发，身上刺以花纹，模仿成“龙子”，以防受到伤害，其生活仍然处于半原始状态。直到若干年后，中原和山东地区的纺织已经发展到很高水平，这里还是一片空白。《韩非子·说林上》中记载着一个故事，说是鲁国（今山东西南部）的一对夫妇，各有专长，男的会编麻鞋，女的善于丝织；两人想迁到江南去。有人劝他俩不要去，在那里会穷苦败落的。鲁国人不相信，说自己有手艺在身，怎么会穷困呢？那人说：你编一手好麻鞋，可是江南人赤脚，根本就不穿鞋；你夫人会织缟做冠，但是江南人披发，不戴帽子。“以子之所长，游于不用之国，欲使无穷，其可得乎！”——你们的特长，想在不用的地方发挥，如果不穷，怎么可能呢？

现在要问：那两个出走的王子是谁呢？他们为什么要到这荒蛮的江南来？说来话长，它是西周之前周部族的事迹，是在贵族中所反映出的一种道德品行。当时的商王朝已走向衰落，殷纣王是最后一个君主，残暴腐败，而由周部族所建立的周国，发展农业，蒸蒸日上，逐渐兴盛起来。两个王子就是周太王之子——泰伯和仲雍。

周太王有三个儿子，长者名泰伯（亦称太伯），次者名仲雍，少弟名季历。季历就是周文王（姬昌）的父亲。周太王看出姬昌有“圣德”，有意传位于季历，由季历传位于姬昌。泰伯勤奋好学，为人忠厚，孝敬父母，兄弟和睦无间。他知道父王的想法后，也赞赏季历的品德，不是设法争夺王位，而是假托为父病采药，离开周国，为他们让路。他与仲雍商量，一起奔往江南“荆蛮”之地，改从当地习俗，文身断发，以示不归，表现出让国的风度。果然，季历继位后整饬国政，征伐戎狄，扩大领地，由是遭忌于商王朝而被害致死。季历死后，继任王位的姬昌，便是赫赫有名的周文王。这时商代的君主是残暴的殷纣王，周文王也遭到殷纣王的迫害。周文王之子周武王继位后，才以武功消灭了殷纣王。于是，商代灭亡，西周建立。

西周王朝在中国历史上是奴隶制盛期，所谓“文武之道”，即是指周文王和周武王。周武王之弟周公，名旦，曾助周武王灭商。武王死后，因成王年幼，由周公摄政。他曾出师东征，平定反叛；大规模分封诸侯，巩固政权；制定礼乐，建立典章制度。所以，孔子说他“祖述尧舜，宪章文武”。他在老年，还感叹说：“甚矣吾衰也！久矣吾不复梦见周公。”为什么孔夫子做梦老是梦见周公呢？过去有人说这是复古思想作怪，实际不然，这不过是对于历史的借鉴。同样，历史学家称赞泰伯让国奔吴，从西周到东周，成就了八百年的周王朝。

用现代眼光看泰伯和仲雍，他们这样做不仅有利于周王朝的发展和巩固，也有利于现今江苏南部的开发，加速了文化与文明的进程。他们兄弟两人能放下贵族的架子，穿上当地人的衣裳，从俗而躬行，与江南人民和睦相处，向他们传授黄河流域的先进生产技术，开荒耕作，栽桑育蚕，驯养家畜，兴修水利，发展经济和文化，受到当地人民的拥戴，被尊为首领，建立的国家号曰“句吴”（勾吴）。据传泰伯领导人民所进行的改进是多方面的，除了发展农业生产、增收粮食之外，也包括由“半生为食”改为全熟食，由“搭棚为窝”改为建村立巷；并且“以歌为教”，将周族的诗歌同原有的蛮歌、土谣结合起来，形成了“吴歌”的雏形。至今在江苏无锡的梅里一带，还留有一些名称，如人工运河称为“伯渎港”，有村落“荆村”、“蛮巷”等。据说泰伯曾在梅里一带筑起一座土城，曰“吴墟”，后人也叫“吴城”或“泰伯城”。泰伯死后无子，葬今江苏无锡之梅里。其弟仲雍继位。周灭商后，正式封仲雍的后代为君（吴王），建立吴国，并迁都姑苏（苏州）。

司马迁在《史记》中专门列了一篇“吴太伯世家”，并引了孔子的话说：“太伯可谓至德矣，三以天下让，民无得而称焉。”

太史公曰：“余读《春秋》古文，乃知中国之虞与荆蛮勾（句）吴兄弟也。延陵季子之仁心，慕义无穷，见微而知清浊。呜呼，又何其闳览博物君子也！”

一个“至德”的泰伯，一个“仁心”的季子，标志着吴国的文明。季子是谁呢？

第二节 ◎ 季子是谁

季子是春秋时期吴国的季札。他是吴王寿梦之子，也称吴季札、公子札；因封于延陵，又称延陵季子；后又封州来，又称延州来季子。季札贤而多闻，以推让王位著称。

公元前770—公元前476年，共二百九十五年，为中国的春秋时代。那时候全国有数以百计的诸侯国，在诸侯国之间出现了大国争霸的局面，有所谓“春秋五霸”之称。“五霸”的一个说法是齐桓公、晋文公、楚庄王、吴王阖闾、越王勾践。吴国也称句吴（勾吴），其地在今江苏、上海的大部和安徽、浙江的一部分。吴国的建国始祖是周太王之子泰伯和仲雍。吴起初很小，至春秋后期国力开始强盛，遂成为“五霸”之一。

公元前585年，吴国寿梦称王，建都于吴（今江苏苏州）。寿梦是泰伯的第十九代孙。传至吴王阖闾时，曾于公元前506年一度攻破楚国。传至其子夫差时，又战胜越国，迫使越王勾践屈服求和，并北上与晋争霸。但好景不长，公元前473年吴国被越国所灭。

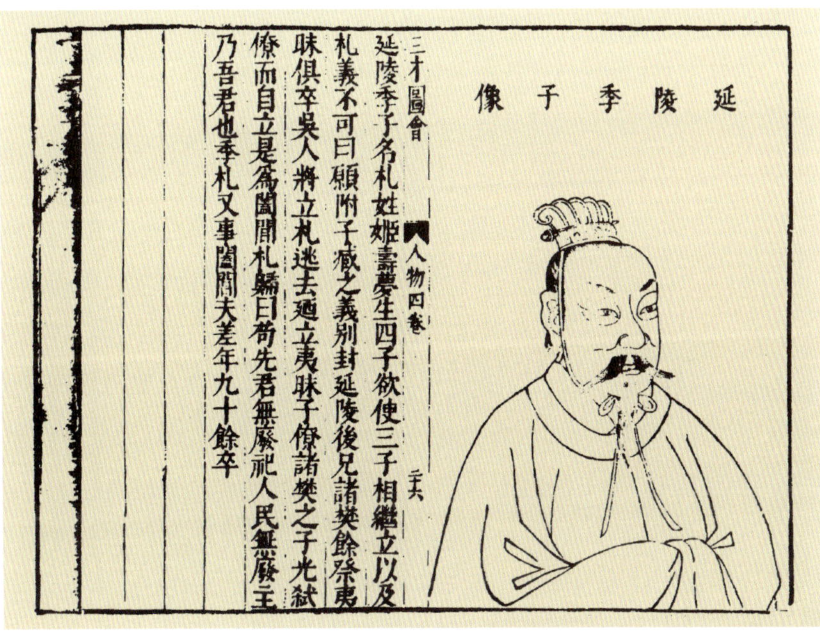
延陵季子像

三才圖會 人物四卷

延陵季子名札姓姬壽夢生四子欲使三子相繼立以及札義不可曰願附子臧之義別封延陵後兄諸樊餘祭夷昧俱卒吳人將立札逃去遂立夷昧子僚諸樊之子光弒僚而自立是爲闔閭札歸曰苟先君無廢祀人民無廢主乃吾君也季札又事闔閭夫差年九十餘卒

延陵季子像(春秋吴国季札像)

明代《三才图会·人物卷》

“季子”本是通称,为兄弟中排行居次或最幼者,但在历史上又多是专指春秋时期吴国的季札。季札是吴王寿梦的第四个儿子,相传生于周定王十九年(公元前588年)。从小聪颖敏慧,有礼有德,为父兄所器重。《史记·吴太伯世家》说:“季札贤,而寿梦欲立之,季札让不可。”他此后又是多次推让君位,以为不合礼制。季札为了“逃位”,甚至跑到乡下,“弃其室而耕”,种田去了。这在当时被视为“义”,受到了吴国人的尊重。

季札的推让君位,从奴隶制社会到封建制社会,在中国历史上是非常少见的,但也绝非消极。他不做国王为大夫,非常重视自身的修养,包括道德操守和文化素质等。作为封建时代的贵族,季札受封于延陵(今江苏常州),故号曰“延陵季子”。以后又加封州来(今安徽凤台),称“延州来季子”。他曾代表吴国出使了许多国家,游说协调,作政治、军事、文化等方面的沟通,在当时以“多闻”著称,影响很大。说来也巧,季札与他的先祖泰伯相距二十代,走了同样的路,难怪孔夫子赞为“至德”。

季札的年龄大于孔子,孔子很敬慕季札。季札死后,孔子为其写了墓碑。宋代范成大写《吴门志》,说到季札:“其卒也,孔子书其葬处曰:‘呜呼！有吴延陵君子之墓'，至今传于世。"

"呜呼！有吴延陵君子之墓"，今何在呢？

据说，周敬王十三年（公元前507年）季札在延陵宫辞世，享年八十一岁（也有的说他活了九十多岁）。这时正是吴王阖闾当政，国力强盛。过了三十多年，吴王夫差时期，在公元前473年，吴国走上了灭亡之路。

吴国亡后，季札后人为了表达对故国和先贤的怀念之情，便改姓吴氏，并在延陵行宫季子墓侧修建了季子祠，以后又改为季子庙。据光绪《丹阳县志》载："唐景龙年间，狄仁杰毁淫祠，唯此祠存。大历十四年润州刺史萧定改修。（北）宋元祐戊辰（公元1088年），知润州杨杰祈祷有应，请旨敕赐嘉贤庙，季子被封为嘉贤。"

季札墓在今江苏丹阳市延陵镇的九里村。孔子所题的墓碑世称孔子篆"十字碑"，为唐大历十四年（公元779年）润州刺史兰陵萧定摹刻。原有碑亭，"文革"中被毁，碑因群众保护而幸免于难。在当地群众中，至今还流传着关于季札的故事。

孔子赞美泰伯"三以天下让"为"至德"；在季札当年的封地，也流传着季札"三让其国"的美谈。所谓"三让"，一是季札自幼聪颖，知礼重德，深受人们喜爱，其父吴王寿梦病重时，曾想将王位传给他，但他坚辞不从；二是在吴王寿梦驾崩后，其长子诸樊考虑到父王的心愿和季札的人品才干，再次让位于他，但他终不肯受，并且采取了"弃其室而耕"，跑到他的封地种田去了；三是他的第二个王兄馀眛临终时，遵照先王之命，要把王位传给他，可是他正出使在外。等到季札回到吴国，馀眛已死，馀眛的儿子僚就自立为王，即吴王僚。但诸樊的儿子光不福气，于是杀了僚，让位季札。季札见兄弟间为王位相互残杀，继位之心更无，便决定出走，出走时发誓"终身不入吴"。

这就是季札的"三让王位"。另一个故事是：季札背着一个包袱出走，哪里才是隐居之地呢？只好到处乱转。走到一个贫穷的村子，见一位老农坐在田头。他为了要到镇子上办点事，便将包袱托给老人，自己轻松地走了。他看到镇子上人们和气，秤平斗满，买卖公平。回来时又见一路人从衣袋里丢落了一锭银子，后边的人看到了，拾也不拾，用脚踢到路边，竟说：不要把人绊倒。可是，走到田头取包袱时，老农不见了，正在疑惑，来了一个年轻人，说是爷爷回家吃饭了，让他送来了包袱。季札接过包袱，非常感动，赞叹说：泰伯之风已传到民间，这里才是我要隐居的地方。这地方就是他后来入土的九里村。

这是听人讲的故事。事实上，季札并没有消极地隐居，他避开了权力之争，在精神文化上做了更大的建树。他访问过许多中原的先进国家，学习他们的文化，素以“多闻”著称；他不仅提高了本国的文明，并且将文明送到了徐国（包括现在的徐州）。在他看来，道德和文化的建设非常重要，可以改变人们的心。在《史记·鲁周公世家》中有一条记载：“（襄公）二十九年，吴延陵季子使鲁，问周乐，尽知其意，鲁人敬焉。”也就是说，季札的人文修养，连受到周公教养的鲁国人都为之敬佩。

尤其是在音乐方面，他对于歌舞的理解和评论，已升到古代中国文化的至高点，在他所处的时代，达到了无可比拟的程度。

第三节 ◎ 上国观乐

古人重视音乐，认为『乐和民声』、『乐以象德』、『乐以治心』。季札深知其义，能从各国的歌声中体察出民情所向，看出国运的盛衰大势。在他访问鲁国时，有机会观赏了周天子和各国的乐舞，并作了精辟的评论。

诗是语言的精练，歌是情感的抒发。诗歌连称，是说明诗可以唱出来。《尚书·舜典》就指出："诗言志，歌永言，声依永，律和声。八音克谐，无相夺伦，神人以和。"——诗是用来表达思想感情的，歌是把这种思想感情咏唱出来，唱出的歌要与思想感情一致，也要合于音律。八类乐器能够演奏出和谐的声音，相互之间不能弄乱了次序，这样，神与人听了都会感到高兴。

《诗经》三百篇是我国最早的一部诗集，其产生的时代，大约在西周初期到春秋中叶。据说《诗经》成书，孔子曾参与过编订。孔子生于公元前551年，到了晚年才致力于整理古代文献，包括《诗经》在内。季札于公元前544年访问鲁国，观赏周乐。也就是说，当时孔子只有七岁，不可能编订诗经。说明在

《诗经》编订之前，许多诗篇已经在社会上流传，所以季札“尽知其意，鲁人敬焉”，但只是见其文、未见其声而已。

吴国地处江南，视中原为“上国”。吴王馀祭四年，即鲁襄王二十九年（公元前 544 年），季札作为吴国的使者，出访鲁、齐、郑、卫、晋等国，不仅了解国情、疏通关系，也交流文化。鲁国是他出访的第一站。

鲁国在今山东西南部，建都曲阜，这里也是孔子的出生地。当时的鲁国，在分封的诸侯国中有些特殊，因为开国的君主是周公旦。后来周公由于辅成王，便让他的儿子伯禽代管。也因为周公的关系，鲁国所演奏的有许多是天子礼乐。

《左传 · 襄公二十九年》详细记载了季札访鲁观赏乐舞的情况。这在中国艺术史上是一件大事，不仅有对于音乐、舞蹈的具体评价，并且涉及到艺术理论的一些重大问题。《左传 · 襄公二十九年》说：

“吴公子札来聘…… 请观于周乐。使工为之歌《周南》、《召南》，曰：‘美哉！始基之矣，犹未也，然则勤而不怨矣！’”

《周南》是周朝“南国”的民歌，也包括用南国的曲调所写的歌。“南国”泛指洛阳以南直至江汉一带的地区。《召南》之“召”在陕西岐山之南，为周初召公奭（shì，音是）的采邑。召南也包括长江上游的民歌。季札聆听了《周南》、《召南》之后说：美好啊！确有王业初建之势，只是奠定了基础，还没有达到尽善。虽未能安乐，然其音并不怨怼。

“为之歌《邶》（bèi，音北）、《鄘》（yōng，音庸）、《卫》，曰：‘美哉，渊乎！忧而不困者也。吾闻卫康叔、武公之德如是，是其‘卫风’乎？’”

周武王灭商后，以殷商旧都周围的邶、鄘、卫分封其地为“三监”。后来三监反叛，周公平定，将其地更封给武王之弟康叔，故三国尽被康叔所教化。季札听了三国的音乐后说：美啊！深远开阔。虽有亡国之忧，却无哀怨。我听说康叔的德政如此，这就是“卫风”之音吧。

“为之歌《王》，曰：‘美哉！思而不惧，其周之东乎？’”

“王”即《王风》,注家以为指《黍离》篇。季札说:美啊!王室衰微而遗风犹在,虽有忧思,但不畏惧。这是平王东迁洛邑的事吧?

“为之歌《郑》,曰:‘美哉!其细已甚,民弗堪也。是其先亡乎?”

“郑”即《郑风》。郑初为周宣王之弟郑桓公的封地,在今陕西华县东。周幽王时,桓公见西周将亡,把部族、家属、财产连同商人迁移到东虢和郐之间。郑武公即位,先后攻灭郐和东虢,建立郑国,都新郑(今属河南)。在春秋初年为强国,后渐衰弱。季札听了郑国的音乐后说:美好啊!但其风过于细弱。他们夹在大国之间,既无远虑,也难持久,所以人民难堪,恐怕会灭亡的。

“为之歌《齐》,曰:‘美哉!泱泱乎,大风也哉!表东海者,其太公乎?国未可量也。’”

“齐”即《齐风》。齐国在今山东东部,为西周太公望的封地。季札聆听了齐国的音乐后很感动,说:美啊!真是泱泱大国的弘大之声。就像是大海,不愧有太公,国家前途无量啊!

“为之歌《豳》,曰:‘美哉,荡乎!乐而不淫,其周公之东乎?’”

“豳”即《豳风》。豳(bīn,音宾),亦作邠(bīn,音宾),古都邑名,在今陕西境内,传为周代祖先立国之地,周族后稷的曾孙公刘由邠迁居于此,到文王祖父太王又迁于岐。周公摄政时曾遭管蔡之变,东征平乱,又追述后稷、公刘不敢荒淫的事迹,陈述《豳风·七月》以戒成王。季札听了豳风之乐说:美啊!坦荡无忧,欢乐而不过度,自乐而不荒淫。这就是周公东征所戒的了。

“为之歌《秦》。曰:‘此之谓夏声。夫能夏则大,大之至也,其周之旧乎?’”

“秦”即《秦风》。秦为古国,在今陕西境内。周代秦仲时始有车马礼乐,去戎狄之音而有诸夏之声。秦襄公时因护送周平王东迁有功,被周分封为诸侯。季札听了《秦风》说:这是诸夏之声。只有华夏之音才能扩大,大而无边,完美无缺。这恐怕就是周代的旧乐吧!

“为之歌《魏》,曰:‘美哉,沨沨乎!大而婉,险而易行。以德辅此,则明主也!’”

“魏”即《魏风》。魏为西周时分封的诸侯国,在今山西芮城北。季札听了《魏风》说:美啊!乐声婉转悠扬,平易而宽厚,艰难而易行,再辅以德,是为贤明也。

“为之歌《唐》,曰:‘思深哉!其有陶唐氏之遗民乎?不然,何忧之远也?非令德之后,谁能若是?’”

“唐”即《唐风》。传说远古部落的陶唐氏,在今山西临汾西南,尧乃其领袖。以后建国,为尧的后裔。西周时为周成王所灭,后来为其弟叔虞的封地。季札听了《唐》乐说:所思深邃啊!情发于声,具有尧的遗风。不然,怎能如此忧深思远;如若没有尧的德行,谁能做到呢?

“为之歌《陈》,曰:‘国无主,其能久乎?’”

“陈”即《陈风》。陈国在今河南东部及与安徽的交界处。季札对《陈风》很不满意,以为多是靡靡之音。说:国家没有主张,让淫声放荡,无所畏忌,能够持久吗?

“自《郐》(kuài,音快)以下,无讥焉。”

“郐”即《郐风》。郐国在今河南密县东南。在《诗经》中,《郐风》之下还有《曹风》。曹国在今山东西部。这都是一些小国。对于它们的歌曲,无所讥刺评论。

“为之歌《小雅》,曰:‘美哉!思而不贰,怨而不言,其周德之衰乎?犹有先王之遗民焉。’”

《小雅》是《诗经》乐歌的一种,大部分用于贵族的宴会。为西周后期和东周初期所作，其中有批评当时朝政过失和抒发民间怨愤的歌谣。季札评论《小雅》，认为很美，说它思文武之德，无二叛之心，虽有怨而不言。道德微落，不会大衰，还有先王的遗民啊！

"为之歌《大雅》，曰：'广哉，熙熙乎！曲而有直体，其文王之德乎！'"

《大雅》为《诗经》的一部分，多是西周王室贵族的作品，主要歌颂从后稷、文王以至武王、宣王等的功绩，所谓扬"文王之德，以正天下"。所以季札聆听之后感慨地说：多么宽广啊，盛世清明，祥和太平。曲直自如，刚柔相济，这就是文王的盛德啊！

"为之歌《颂》，曰：'至矣哉！直而不倨，曲而不屈；迩而不逼，远而不携；迁而不淫，复而不厌；哀而不愁，乐而不荒；用而不匮，广而不宣；施而不费，取而不贪；处而不底，行而不流。五声和，八风平；节有度，守有序。盛德之所同也。'"

《颂》即颂歌，为《诗经》的一部分。主要是赞美周王的"盛德"，通过敬神祀祖，"以其成功告于神明"。季札称赞《颂》乐，说它道德备至，已达到极点了：正直而不傲慢，委屈而不折服，亲近而不逼迫，疏远而不离心，情迁而不淫荡，反复而不厌倦，悲哀而不愁闷，欢乐而不荒废，常用而不匮乏，广布而不宣扬，给予而不耗损，收取而不贪婪，相处而不损道，行事而不随流。作为宫、商、角、徵、羽的"五声"谐和，八方之气的"八风"平调，节律有度，无相夺伦而有序。在《颂》中有殷有鲁，故盛德所同也。

"见舞《象箾》、《南籥》者，曰：'美哉！犹有感。'"

箾（shuò，音硕）是舞者所执之竿，籥（yuè，音月）是舞者所执的竹制乐器。《象箾》与《南籥》都是古代的乐舞。季札看了之后说："美哉！犹有感。"注家说"感"字为"憾"字之省，憾恨"不及伐纣而致太平也"。

"见舞《大武》者，曰：'美哉！周之盛也，其若此乎！'"

《大武》是周武王时的乐舞。季札说：美好啊！周代的兴盛如同这个样子吧。

“见舞《韶濩(huò,音获)》者,曰:‘圣人之弘也,而犹有惭德。圣人之难也。’”

《韶濩》为殷成汤之乐,表现了能继承大禹的事业。季札说:像圣人那样伟大,尚且还有所惭愧,可见当圣人不容易啊!

“见舞《大夏》者,曰:‘美哉!勤而不德,非禹,其谁能修之?’”

《大夏》相传为夏禹时代的乐舞。季札赞美夏禹的亲身治理水土,说他勤劳而不自以为德;不是禹,还有谁能做到呢?

“见舞《韶箾》者,曰:‘德至矣哉!大矣,如天之无不帱也,如地之无不载也!虽甚盛德,其蔑以加于此矣。观止矣,若有他乐,吾不敢请已。’”

《韶箾》即有虞氏之乐《大韶》,或称《箫韶》。所谓“箫韶九成,凤皇来仪。”“九成”就是九个乐章的曲终,会引得凤凰来了。季札看了《韶箾》的舞蹈之后说:周王朝的道德之于韶乐,已达到至美至善的地步。就像上天之无不覆盖,大地之无不承载。盛德到达顶点,真是无以复加了。歌舞就看到这里罢,若还有其他音乐,我不敢再请求了。

这就是中国历史上所称赞的“季札观乐”。司马迁写《史记》也引用了这段文字,内容基本相同。

相传古乐中有所谓“六乐”者,即:《云门》为黄帝之乐,《大成》为尧乐,《大韶》为舜乐,《大夏》为禹乐,《大濩》为汤乐,《大武》为武王之乐。周代的礼乐制度很严格,以上“六乐”,鲁国只能用“四代之乐”。杜预《左传集解》说:“鲁用四代之乐,故及《韶箾》而季子知其终也。季札贤明才博,在吴虽已涉见此乐歌之文,然未闻中国雅声,故请作周乐,欲听其声,然后依声以参时政,知其兴衰也。闻秦诗谓之夏声,闻《颂》曰五声和、八风平,皆论声以参政也。舞毕,知其乐终,是素知其篇数。”所以,季札的最后一句话说“若有他乐,吾不敢请已”。

所谓“周乐”，即奴隶制社会盛期的音乐和舞蹈，并且纳入礼仪的规范，受到上层社会的推崇。其中大部分歌词收入《诗经》，保存了下来，但其歌声和舞蹈的样式已失传，就是在两千多年前的春秋末期，季札在吴国也是只见歌词、不闻其声的。

季札“观乐”较系统，不仅有各国的“国风”和“小雅”、“大雅”，而且有各种乐舞。他不但逐一谈了自己欣赏后的感受，还作了具体的评价。在中国历史上，可说是最早的一篇对歌舞的全面评论，表现了季札的艺术观。

季札的艺术观，首先是将艺术与“美”联系起来，把审美看作是艺术活动的主旨。他为歌舞的表演所感动，不时地发出“美哉！”的感叹。“广哉”、“渊乎”、“荡乎”、“泱泱乎”、“沨沨乎”、“熙熙乎”等，又揭示了不同的美和美之所在。

和谐是审美的理想。所谓“直而不倨，曲而不屈；迩而不逼，远而不携；迁而不淫，复而不厌；哀而不愁，乐而不荒；用而不匮，广而不宣；施而不费，取而不贪；处而不底，行而不流”，都是为了达到和谐的目的；而将“五声和，八风平，节有度，守有序”作为美的极致。

社会的安定以道德维系，而道德不是空洞的教条，它体现在具体的情感与行为之中。季札称赞《大夏》之舞“美哉！勤而不德，非禹，其谁能修之？”，称赞《韶简》之舞“德至矣哉！”，把“观德”作为评价艺术作品高下的标准。观乐舞以参时政。特别是对于各国的“国风”（民歌），能看出人民的喜悦与哀怨，判断一个国家的兴衰。

季札不仅具有高尚的智慧和情操，而且是个讲究实际的人。他欣赏艺术，并且把艺术的功能发挥到极致。他也注意到音乐的负面，对于淫荡之声，发出“国无主，其能久乎！”的感叹。所谓“乐而不淫”，是有相当深度的。

而季札之最可贵处，不仅在于修身，强调自我素养，而且在于以崇高的道德影响别人。他在他的家族中这样做，他在他的封地这样做，当他出使别国，无论在哪里，也都是这样做。

第四节 ◎ 季札挂剑

季札出访中原诸国，要路过一个东夷部族的小国——徐戎。地在江淮一带，包括现在江苏的徐州。当时吴国的铸剑技术已经很高，远近闻名；由季札所佩之剑，引出了一个感人的故事。

中国历史进入到奴隶制社会之后，统治阶层已经形成了一个庞大的体系，并用分封的方式巩固其统治。但在若干边远地区，有一些较落后的部族时服时乱，经常出事。所谓“四夷”者，有东夷、西戎、南蛮、北狄。东夷中的徐戎，便是一个。

徐戎也称徐夷或徐方、徐君，最初分布在今淮河中下游，江苏西北部和安徽东北部。周初，以今江苏西北部为中心建立徐国，在东夷中势力最大，曾多次联合临近的淮夷抗周。那时鲁国为周公的封地，他因辅成王，不能离开洛阳，就由他的儿子伯禽代领，也常受到徐戎的侵扰。在《尚书·周书》中有一篇《费誓》，便是伯禽在今费县西北率师征伐徐戎、淮夷时的誓师词。这在《诗经·鲁颂·泮水》中也有反映，歌中不停地唱着“淮夷攸服”,“淮夷卒获”(淮夷臣服了,淮夷终于降服了)。

据《后汉书·东夷列传》:周穆王时,曾封徐偃王为徐君。“徐夷僭号,乃率九夷以伐宗周。”说徐夷超越本分的封号,联合诸夷造反。周穆王害怕,便请楚国“大举兵而灭之”。《后汉书》说徐偃王“行仁义,陆地而朝者三十六国”。又说“偃王仁而无权,不忍斗其人,故致于败,乃北走彭城武原县东山下,百姓随之者以万数,因名其山为徐山”。春秋时,周敬王八年(公元前512年)为吴国所并。

季札北上出使,是在徐国并入吴国之前的三十二年。《史记·吴太伯世家》说:

“季札之初使,北过徐君。徐君好季札剑,口弗敢言。季札心知之,为使上国,未献。还至徐,徐君已死。于是,乃解其宝剑,系之徐君冢树而去。从者曰:‘徐君已死,尚谁予乎?’季子曰:‘不然。始吾心已许之,岂以死倍吾心哉!’”

当时的“徐君”是谁,已无从知道。但可推想,他与季札的交谈非常投机,所受影响很大。一方面是他的祖先崇尚仁义,当他遇到更高的贤人,无疑会有更深的认识。徐君不仅尊崇季札其人,也羡慕他所佩戴的宝剑。如果季札对徐君没有产生相当深厚的感情,也不会默许将自己的宝剑相赠。

说到铸剑,在春秋时代,江南吴越所铸之剑全国闻名。著名的“干将莫邪”雌雄双剑,便是吴国冶炼家干将的作品。按照古代的礼制,在社交活动中,男子都要佩剑或佩刀,既是表示威武,也以标志身份。因此,季札代表国家出访,佩剑是服饰仪表的重要部分,绝对不能缺少。在当时,徐君喜欢季札的剑,当然不敢开口;即使季札愿意将剑相赠,也不能马上付予。因为有出使的任务没有完成,是不能不佩剑的。

遗憾的是,待到季札出聘诸侯归来,又路过徐国的时候,徐君已经去世。季札伤心地到墓地祭奠徐君,并解下了自己的宝剑,挂在坟头的树上,以实现心中的承诺。

季札挂剑图(一)
山东嘉祥武氏祠左石室第八石

从一个人的言论能窥见他的思想,更重要的是看其行动,言行是否一致。这件事震动很大,引起了强烈的反应。从事情的表面看难以理解,连当时他的随行人员都说:“徐君已死,尚谁予乎?”(徐君已经去世,你把剑送给谁呢?)但是季札认为:“始吾心已许之,岂以死倍吾心哉!”(我的内心早已把剑送给他。)“倍”即背弃。一个“倍”字表明了诚信之心,怎能因为变故而背弃自己的承诺呢!

人死不能再生,把剑挂在树上,长眠于九泉者也无法享用。死者不知,生者有情,这正是高尚人格之所在。

季札之后数百年,到了汉代,人们仍在怀念他,传颂着他的美德,甚

季札挂剑图(二)
山东嘉祥县宋山出土

季札挂剑图（三）

陕西横山县孙家园子汉墓，墓室门左立柱画像局部

至将他的事迹刻在石头上，赞扬他的为人诚信，这就是汉代画像石中所表现的"挂剑"故事。

"季札挂剑"的画像石，在山东、四川、陕西各地都有发现。画面上，季札跪在徐君的墓前，以酒食为祭，似乎是在述说未及献剑的遗憾。那宝剑挂在树上或是插在坟头，好像是一颗君子的心，震撼着人们的灵魂。

季札挂剑图（四）

四川雅安市姚桥乡出土（石阙画像）

千年之后，范成大写《吴门志》，依然讲述季札挂剑的故事，称颂他“贤名闻天下”。

山东嘉祥县在徐州的西北，相距不远；现在跨省，古代则是一片地带，画像石也属于同一个艺术群。武氏祠系汉代武氏家族的墓地，由石阙和几个石祠组成；因发现较早，宋代已闻名。除武氏祠外，嘉祥出土画像石较多。

陕西横山和四川雅安出土的画像石，所表现的《季札挂剑图》，与山东嘉祥的明显不同。但在主题内容上，都是突出了“挂剑”，由一把宝剑点出了故事的情节。时隔数百年，相距数千里，人们仍然记得这件事。这不但说明了季札的人格魅力，更证明了人与人之间友爱和诚信的永恒价值。徐州地区是季札挂剑的地方，经过春秋末年的吴国兼并，以及战国时期的楚国管辖，远古的徐戎已经淡去，更不知徐君其人，可是人们对季札挂剑不会忘记，因为他竖起了一杆道德的标尺。

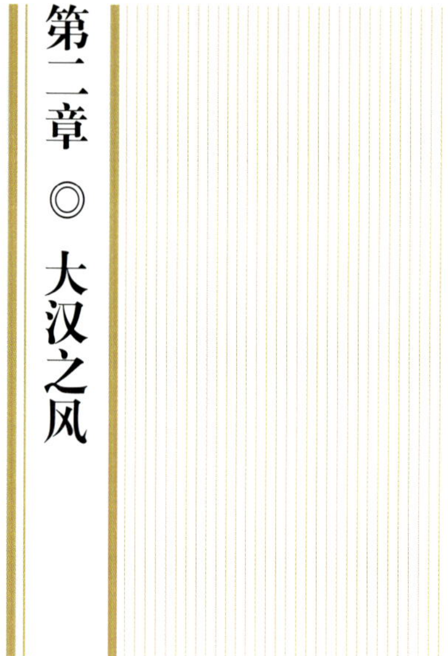

第二章 ◎ 大汉之风

第一节 ◎ 东南天子气

公元前221年秦始皇统一了中国，但是秦王朝时间不长。公元前206年刘邦(即汉高祖)灭秦，后来又打败项羽，在公元前202年称帝，是为汉代。汉代分为西汉和东汉，或称前汉和后汉，共四百零六年，是中国历史上最强大的封建王朝之一。

秦王扫六合，虎视何雄哉！

挥剑决浮云，诸侯尽西来。……

这是诗人李白形容秦始皇气势汹涌统一中国的情形。公元前221年，秦始皇建立了中国历史上第一个专制主义中央集权的封建国家，宣布他是“始皇帝，后世以计数，二世、三世，至千万世，传之无穷”。具有讽刺意味的是，仅仅在第二世，秦王朝就被推翻了，总共统治了十五年。

史学家翦伯赞在《秦汉史》开篇就说：“秦代王朝，虽然像纸炮一声，轰然而灭，但它却揭开了中国中期封建社会的序幕，中国的历史，从这一时代起，就从初期封建制走向专制主义的封建制。”

秦始皇结束了群雄争霸、相互兼并的战国混乱局面，统一了中国。一方面，统一法律、度量衡、货币和文字，修建驰道，筑长城，有助于巩固统一和推动经济文化的发展。但是另一方面，为了加强统治，销毁民间兵器，焚书坑儒；实行专制主义，严刑苛法，租役繁重，加之连年用兵，人民痛苦不堪。他去世不久，即爆发了大规模的农民起义。

秦始皇迷信，追求长生不老。司马迁在《史记·高祖本纪》中说："秦始皇帝常曰'东南有天子气'，于是因东游以厌之。"厌即镇，镇住那股"天子气"。但所谓"天子气"是什么样，或什么味，谁也不知道。可能是他的敏感，或是心理反应。

于是，他真的东巡，到山东的泰山封禅。"封者，山巅之祭；禅者，山麓之祭。"因为地上的皇帝是"天子"，天上的至尊是上帝；天子祭上帝是理所当然的。那么，祭天为什么要到泰山呢？可能地处黄河腹部，受到地理知识的局限，以为泰山最高，所谓"登泰山而小天下"。泰山之下有一座小山名梁父，在山东新泰县西。封泰山后禅梁父，统称"封禅"，是为皇帝的重大祭典。据说，秦始皇在上泰山的路上，遇着一阵大风雨；后来的诸儒就造谣说：始皇上泰山为暴风雨所击，不得封禅。

《史记·秦始皇本纪》说：封禅之后，"始皇还，过彭城（今江苏徐州），斋戒祷祠，欲出周鼎泗水。使千人没水求之，弗得"，这就是秦始皇的"泗水升鼎"故事。

泗水曾是一条有名的河，发源于山东，由四源合为一水，流经曲阜、徐州，至洪泽湖畔入淮河。春秋时孔子曾在泗上讲学授徒，汉高祖刘邦曾做过泗水亭的亭长，管辖着十里路面，是秦代地方行政一个最小的官。宋代以来，泗水河道几经变迁，最后为黄河所夺，把它裹得向北去了。于是，在今天只留下"泗水"一个空名。

"泗水升鼎"就是在泗水中打捞一只大鼎，所以也称"泗水捞鼎"。在古代，作为青铜器的鼎本是一种食器，但因为用来祭祖祀天，由食器变为礼器。从奴隶制到封建制，建立起一整套礼制规范，包括用鼎的数量，都有严格的规定。如天子用九鼎，诸侯用七鼎，卿大夫用五鼎，士用三鼎或一鼎；虽然都是"钟鸣鼎食"，但在用鼎的数量上不能随便逾越。由于九

泗水升鼎图

高131厘米，宽90厘米，厚21厘米
徐州贾汪区散存，祠堂山墙石，徐州汉画像石馆藏

鼎为最高级别，也就成了王权的象征。《史记·秦本纪正义》说："禹贡金九牧（州），铸鼎于荆山下，各象九州之物，故言九鼎。历殷至周赧王十九年，秦昭王取九鼎，其一飞入泗水，余八入于秦中。"这是历史书上的记载，说大禹所铸的九鼎，"其一飞入泗水"。一个"飞"字，用得很巧妙，青铜器怎么会飞呢？耐人寻味。

秦始皇兼并天下，统一了中国。在他赴"东土"巡游时，路过泗水，想起了"飞"入泗水的那只大鼎。这是"泗水捞鼎"的正式记录。也就是说，捞是捞了，并且动用了上千人去捞，但是没有捞到。

事情过去了两百多年，到了东汉时期，人们仍在议论此事。从民间传说演绎出的是，鼎被找到了；正当用绳索往上拉时，鼎已露出水面，秦始皇喜出望外，自以为"德合三代"。不料，从鼎中伸出一个龙头来，咬断了绳索，鼎又沉入水中，再也找不到了。

民间传说并非真实历史，但是反映了人民群众对秦暴政的态度，以此说明他无德不长，不可能获得"九鼎"镇国之宝。

有关秦始皇"泗水升鼎"的画像石各地很多，由于涉及情节和场景，表现的手法也多种多样。前页徐州贾汪出土的《泗水升鼎图》便是其中之一。本图分上下两格：上格表现水榭和荒野。水中有游鱼，榭边有修炼者；荒野中有狩猎者。下格表现"泗水升鼎"，构图采用意象手法。秦始皇坐在桥头，两边众人用滑车升鼎。正是龙头在鼎中出现、咬断了绳索的当儿。鼎斜了，就要掉入水中了，秦始皇的喜悦也落空了。

俗话说"人心如秤"，老百姓的心中之秤，一直在衡量着秦始皇的功过。

第二节 ◎ 楚汉之争

秦朝末年，反秦之声四起，有三种力量混杂，一是农民起义军，二是战国时诸侯的旧贵族，三是地方上的小官员和地痞流氓。经过反复的斗争之后，出现了刘邦和项羽争夺封建统治权的战争。最后以『霸王别姬』而告终。

秦始皇统一中国之后，为了巩固其统治，做了一件极为愚蠢的事，就是“焚书坑儒”，以为如此就没有反对他的人了。专制者必然实行愚民政策。但他没有料到，推翻秦王朝的并非那些读书人。唐代章碣有一首题为《焚书坑》的诗：“竹帛烟消帝业虚，关河空锁祖龙居。坑灰未冷山东乱，刘项原来不读书。”

“刘”即刘邦，“项”即项羽，他们的确不是读书人。翦伯赞《秦汉史》说：“刘邦本来是一个小地主，所以他才能做到沛县的亭长，他的父亲和诸兄，都善治产业，但他却‘好酒及色’，‘不事家人生产’，因此他在他父亲眼中，是一个‘无赖’之子。他青年时代，因为服徭役，曾经到过咸阳，有一天，看见秦始皇御驾出游，‘喟然太息曰：嗟乎！大丈夫当如此也！’因而历史家说他少有大志。……

“项羽，是楚国大将项燕的后裔，是一位没落了的贵族公子。当项燕被杀于秦将王翦之时，项羽还不过七八岁。其叔项梁，教他学书，不成，去学剑，又不成。项梁责之，项羽说：‘书足以记姓名而已。剑一人敌，不足学。学万人敌。’于是项梁乃教以兵法，但亦未能深入。适于此时，秦代政府通缉项梁，于是项羽随着项梁，亡命吴中（今江苏苏州）。他们在吴中，常为地方主办徭役和丧事，因此结识了不少吴中下层社会的青年。秦始皇游会稽，车驾经吴中，项羽叔侄，也在观众之列。当项羽远远望见始皇时，他向项梁说：‘彼可取而代也。’但是后来的历史家，并没有说项羽少有大志。……”

他们之间分分合合，起初，项羽在军事上处于优势。公元前206年，秦亡后，项羽在彭城（今江苏徐州）自立为“西楚霸王”，并分封天下，以赏有功。他封刘邦为“汉王”，又划地分封了十七个王。这样，又回复了战国时代的局面，使旧贵族的政权得以复活。但是他们明争暗斗，相互之间的力量不时地发生变化。公元前203年，约定以鸿沟为界，界东为“楚”，界西为“汉”。次年，刘邦乘项羽从鸿沟撤兵的机会，全力追击，项羽败退至垓下（今安徽灵璧南）。在垓下，兵少食尽，受汉军重重包围；刘邦设计让战士大唱楚歌。项羽大惊，以为楚国四面皆为汉军所占。他在军幕中坐立不安，虞姬陪他饮酒悲歌，唱道：“力拔山兮气盖世，时不利兮骓（zhuī，音追，骏马）不逝；骓不逝兮可奈何！虞兮虞兮奈若何！”当项羽跃上那苍白杂毛的骏马奔向乌江时，虞姬已经与他永别，他在乌江（今安徽和县东北）刎剑自杀。

两个徐州人争天下，这就是秦始皇所说的“东南天子气”，结果是一败一胜。于是，刘邦即帝位，建立了汉朝，由一个小地主，升为全国大地主和大商贾的总代表。

在此期间，据说有一次项羽通知刘邦，要与他个人决斗。项羽说：“天下匈匈数岁者，徒以吾两人耳。愿与汉王挑战，决雌雄，毋徒苦天下之民父子为也。”但刘邦的回答很妙：“吾宁斗智，不能斗力。”这是刘邦的长处，如“鸿门宴”的脱险，“四面楚歌”的设计，都起了重要的作用。

人确实会变的。刘邦当了皇帝之后，在洛阳南宫的一次酒宴上说："列侯诸将，无感隐朕，皆言其情。吾所以有天下者何？项氏之所以失天下者何？"让大家说真话，作评论。有的说刘邦傲慢，"慢而侮人"；项羽"仁而爱人"。也有的说刘邦在战争中的收获能与大家分享，"与天下同利"；但项羽"妒贤嫉能，有功者害之，贤者疑之，战胜而不予人功，得地而不予人利，此所以失天下也"。刘邦最后说："公知其一，未知其二。夫运筹策帷帐之中，决胜于千里之外，吾不如子房（张良）。镇国家，抚百姓，给馈饷，不绝粮道，吾不如萧何。连百万之军，战必胜，功必取，吾不如韩信。此三者，皆人杰也，吾能用之，此吾所以取天下也。项羽有一范增而不能用，此其所以为我擒也。"这话是真实的。但他后来要消灭他的同盟军领袖即所谓"异姓王"时，给他们加一个叛变之罪，也是真实的。

高帝刘邦学会了宫廷的礼仪之后，大臣们向他跪拜，群呼万岁，他也手捧玉卮（zhī，音只，酒器）为其父太上皇祝寿，并说："以前你常说我'无赖'，不能治产业，不如我弟弟；现在我的产业，谁比谁多呢？"

得意的汉高祖刘邦，在他去世的前一年曾经回到故乡徐州沛县，酒醉后唱起了："大风起兮云飞扬，威加海内兮归故乡。……"这首《大风歌》，确实是一股强劲的雄风；有汉一代，唱出了中国人的雄健精神。

至于项羽，一个失败的英雄，历史学家并没有忘记他。司马迁说："羽非有尺寸，乘势起陇亩之中，三年，遂将五诸侯灭秦，分裂天下，而封王侯，政由羽出，号为霸王，位虽不终，近古以来未尝有也。"翦伯赞说："司马迁之言是也，余于项羽亦不胜其钦佩，但可惜他是贵族的后裔，决定了他走向历史的反动方向，因而终于碾死于历史前进的车轮之下，实为可悲。虽然如此，他仍不失为封建社会中一个典型的英雄。他的英勇，坚强，慷慨，坦白和丰富的情感，都是英雄本色。即因他具有这样的性格，所以他才能领导起一个倒转历史的运动，而且也终于一手把历史的车轮倒转了。至于他之必然失败，则诚如他自己所云：'此天之亡我，非战之罪也。''战'也者，即主观的创造；而'天'也者，则为客观的倾向。项羽的失败，不在他主观创力的不强，而正是由于他违反了历史发展的客观倾向。垓下的悲歌，乌江的浩叹，正是中国初期封建的历史贵族之最终的悲剧。”

第三节 ◎ 封建社会的全盛时期

两汉四百年，已进入封建社会的全盛时期，各方面都得到很大的发展。文景之治，与民休息；黄老之学，顺应自然；汉武雄才，独尊儒术。造就了中国历史的辉煌。

范文澜《中国通史简编》认为:“西汉朝的建立是秦末农民战争的后果。…… 刘邦是胜任的起义首领,他比陈胜、吴广、项羽较多地代表农民阶级的要求,因而得到农民的支持,终于击败强大的项羽军,成为最后的成功者。”但汉初刘邦在位,基本上实行秦制,即中央集权制度。先后消灭韩信、彭越、英布等异姓诸侯王;迁六国旧贵族和地方豪强到关中,以加强控制;实行“重本抑末”政策,发展农业生产,恢复经济。

公元前 180 — 前 157 年,汉文帝刘恒在位;公元前 157—前 141 年,汉景帝刘启在位。前后几十年,在汉初社会经济衰微的情况下,实行“与民休息”的政策,减轻地税、赋役和刑狱,使农业生产得到恢复和发展。改田赋十五税一为三十税一(即三十分之一的税收),进行"削藩",削弱诸侯之势力,平定吴楚七国之乱,巩固了中央政权。当时土地开辟,人口增加,出现了多年未有的富裕景象,国家的财政收入也增多了。有所谓"京师之钱累巨万,贯朽而不可校。太仓之粟陈陈相因,充溢露积于外,至腐败不可食"。因而被誉为"文景之治"。

汉初期,由于采取"与民休息"、恢复生产的政策,颇为崇尚黄老"清静无为"的治术。所谓"黄老",是战国以来至汉初形成的一个道家学派。将黄帝和老子,同尊为道家的创始人。强调"无为而治",并与"刑名法术之学"有一定联系。如著名的法家韩非就是"本于黄老而主刑名"。一个"刑"字,看了令人发怵,容易同刑罚联系起来。在这里,所谓"刑名",也就是"形名",原指形体(或实际)和名称,主张"形"、"名"要正。先秦法家则把"刑名"和"法术"联系起来,把"名"引申为法令、名分、言论等,主张"循名责实,慎赏明罚"。"无为"是道家的哲学思想,即顺应自然的变化之意。老子认为,宇宙万物的根源是"道",而"道"是"无为"而"自然"的,人对"道"的效法应以"无为"为主。但他又说:"道常无为而无不为,侯王者能守之,万物将自化。"所以汉初实行的"无为而治"和"与民休息",对稳定社会秩序与发展生产,起了很大的积极作用。

汉武帝刘彻是汉景帝之子,有雄才大略。在位五十四年,对内实行政治经济改革,发展生产;对外打通西域,开拓疆域,并与西方世界建立了交往。范文澜说:"西汉经过六七十年的休养生息,社会经济逐渐繁荣起来,到汉武帝时达到极盛的阶段。繁荣的经济配合着汉武帝的才略,西汉中期成为中国历史上第一次大规模的扩展时期。这一次疆域的扩展,并不是不巩固的军事行政的暂时联合,而是一般地区与中心地区黄河流域在经济上文化上联系起来了,这就为现代中国的广大疆域奠定了初步的基础。"

为了有效地进行思想统治,汉武帝接受董仲舒的建议:废黜百家,独尊儒术。从此以后,儒家哲学变成了封建社会最高的政治原则和衡量文化思想的标准。翦伯赞说:"西汉的政权和秦代的政权一样,同样是商人地主的政权。为甚么同样的商人地主,在秦代那样仇视儒家哲学,至于火其书而坑其人；一到汉代，反而把儒家哲学捧成了自己的圣经呢？非常明白，这主要是因为儒家哲学有着两面性，即特殊性与一般性。从其特殊性上看，它是哲学地辩护初期封建制之合理的存在；从其一般性上看，它又是贯通封建社会全时代而皆准的政治指导原理。”

到了东汉时期，盛行“谶纬”迷信，使儒家走向了玄学化，蒙上了一层神学的色彩。难怪直到今天，儒家仍同佛教和道教被称作“三教”。

什么叫“谶纬”呢？

“谶”是古代巫师或方士制作的一种隐语或预言，有谶语和符谶，作为吉凶的符验或征兆，假托上天给人的预示。“纬”是相对于“经”而言，是方士化的儒生编集的附会儒家经典的各种著作。谶纬结合为一体，使儒家学派走向了宗教性的迷信。

儒家宣扬“河图洛书”神话，传说远古伏羲氏时，有龙马从黄河出现，背负“河图”；有神龟从洛水出现，背负“洛书”。伏羲根据这种“图”、“书”画成八卦，就是后来的《周易》(《易经》)。因为是古人的造作，没有实据，可以多头解释。也有的说，夏禹治水时，上天赐给他《洪范九畴》，即《尚书·洪范》，也就是“洛书”。这种神话式的传说，为儒家学说的神化开了一个头，后来把自然界发生的一些偶然现象加以神秘化，附会于儒家的经典和现实的政治，看作社会安危的决定原因。有些“祥瑞”动物，如龙凤象征帝后、麒麟象征“仁”，也是在这种谶纬思想的指导下产生的。

东汉时期，章帝刘炟(dá，音答)召集博士儒生在白虎观讨论五经同异，写成了《白虎通义》，进一步把谶纬和今文经学混合在一起，使儒学神学化。在汉代画像石中，有很多是与谶纬有关的图像。

现在的徐州一带，两千多年之前是出皇帝的地方。
无怪当年的秦始皇常说『东南有天子气』。
汉朝四百年，
改异姓诸侯王为一姓诸侯王，当然也少不了徐州这地方。
这里本是富裕之地，画像石也在此产生。

第四节 ◎ 汉代的徐州

今日之徐州，是汉高祖刘邦的故里。西汉初，刘邦封韩信于楚，称楚国，都下邳，都城故址在今睢宁县古邳镇西北。汉六年（公元前 201 年），刘邦废楚王韩信为淮阴侯，分其为二，其一位楚国，封其异母弟刘交为楚王，“薛郡、东海、彭城三十六县”，都彭城。楚国自西汉初年刘交始封，至西汉末王莽篡汉后，刘纡被废，计十二位楚王。刘交世系传八代，其后以宣帝子刘嚣为楚王，传四代至王莽时绝。东汉将楚国易名彭城国，计有五位彭城王。又，东汉时期，在今江苏淮北一带还分封下邳国，都下邳，即今睢宁县古邳镇。《后汉书 · 明帝八王列传》载：汉明帝于永平十五年（公元 72 年）改临淮郡为下邳国，封刘衍为下邳王，传至汉献帝建安十一年（公元 206 年），国除，共传四代，前后共历一百三十四年。这些郡王，形成了新的贵族封建、国中之国，不仅在地方上拥有权威，在经济上也是不小的财团。

徐州及其周围一带，两汉时期是全国比较富裕的地区之一。土地肥沃，河流纵横，有古汴水、泗水和淮河等水系的滋润，既有鲁盐舟楫之利，又得农桑丰盛之益。当时正提倡牛耕，劳动效率倍增，受到农民的欢迎，以至“谷米丰赡”，“人口殷盛”，经济发达。

除了农业之外，自汉武帝实行盐铁官营之后，这一地区的冶铁业也得到了长足的发展，在沛郡、东海、彭城、临淮郡都设有铁官。据考古发掘的材料，汉代大量铁器的出土证明，至迟到西汉武帝时期，各地铁官已熟练地掌握了多种先进冶炼技术。

徐州及其附近已发现的采矿和冶铁遗址，规模较大的有好几处。在铜山县利国驿汉代冶铁遗址可以看到，地面上粒状矿石成堆、炉渣遍地，断崖上暴露出高大炼炉多处；铁矿石坑深达十米。在另外的遗址中，出土的铁器上铸有标记。在两汉时代已普遍使用铁器，不但农具和工具，兵器也大量用铁。在东海尹湾汉墓中出土的“武库永始四年兵车器集簿”中，记载了十多种兵器的名目，库存量很大，可装备五十万人以上的军队，而这仅是一个郡的情况。《管子·轻重乙篇》说：“一农之事，必有一耜（sì，音寺，铲土工具的下端）、一铫（yáo，音姚，大锄）、一镰（镰刀）、一耨（nòu，除草的农具）、一椎、一铚（zhì，音质，短小的镰刀），然后成为农。”由此看来，农民所用农具如此之多，对于铁的需要量也就可想而知了。铁官不但制造各种铁器，也是一个巨大的财库。

古代有“百炼钢”之说，比喻铁经百炼而成钢的坚硬。在出土的钢剑中，有的在剑柄上错金铭文曰“五十湅”，并记有制造者和价值。“湅”即“炼”。据分析这种剑是用含碳量较高的炒钢为原料，将不同含碳量的原料叠在一起，经过多次加热、锻打、折叠成形而制成的。“五十湅”的含义代表了一定的工艺和产品的质量，可能是指叠打后的层数。据说这种剑硬度很高，也最锋利。由此我联想到汉代画像石的雕刻工具，也一定非常锋利，在石头上镌刻自如，否则，那些线条怎么会那样生动呢！

男耕女织是中国农业社会的基本模式，所谓“一夫不耕或受之饥，一妇不织或受之寒”。两汉时期徐州地区的家庭纺织业已很普遍。当时的纺织有葛、麻、丝几种。《汉书 · 地理志》记载淮北“地狭民众，颇有桑麻之业”。在全国出土的画像石中，表现纺织题材的以徐州出土者最多；就目前所知，徐州出土的纺织画像石已有八方。从画面内容看，也有两种情况，一是用小机织造的家庭自用，只有多余才拿到市场上卖。《汉书·薛宣传》注引《风俗通》曰：“临淮有一人，持一匹缣到市卖之，宣曰：‘缣直（值）百钱耳。’”类似的情况在徐州画像石中也有表现。与此同时，也出现了具有一定规模的家庭作坊，有多人进行生产，大都为贵族地主和商贾控制。两汉时期的物质财富已相当丰裕，除了农民大众能过上温饱的日子，巨大的财富都掌握在贵族、地主和商人手中。

虽说物质生活的充裕并不等同于精神文明的提升，但却是它的重要基础。有汉四百年，不论在经济上，还是在文化上，无不表现出一种高大的气度，使中国成为世界上最强盛的大国之一，屹立于世界的东方。在地球的那一边，罗马帝国正在兴起。东西方开始沟通交往，遥相呼应，推动着历史的进展。

徐州，包括它的周围地区，不过是中国东南方的一小部分。经过几百年的锻炼，由一个东夷部族融入到华夏民族之中。它虽然距汉代的政治文化中心较远，但又因为皇族的特殊关系，居于一方之首。

徐州人自古具有尚武重文精神，加之南有吴文化的熏陶；北靠齐鲁，不远处即是孔子的家乡，深受儒学的影响，以儒学求进取成为风尚。以至“汉兴以来，鲁、东海多至卿相”。

这使我们想起了刘邦当初征战的年代。那时候，他相信的惟有武力。当项羽在“四面楚歌”声中退出了战争舞台之后，他又举兵往东，围攻鲁国。

《史记 · 儒林列传》说：“及高皇帝诛项羽，举兵围鲁，鲁中诸儒尚讲诵习礼乐，弦歌之音不绝，岂非圣人之遗化，好礼乐之国哉？”这是正史所记。1972 年，在距徐州不远的山东临沂白庄，出土了一方表现“刘邦举兵围鲁”的画像石。画面生动，寓意鲜明，令人深思。在构图上，仿佛是以河为界，中间架一大桥，两端都有界牌。河左是鲁国，儒生们排列成行，正在认真地诵经;河右是汉军,持刀带弓,正在快速地前进。领队的第一辆马车已经过桥,里边可能就是带兵的刘邦;第二辆车正在桥上,马见到诵经者受惊了,致使车翻,一只车轮掉进了河里,惊动了水中的游鱼。看了这幅画,不禁会问:这是战争吗?谁和谁作战呢?难道是手持兵器的汉军去打手拿竹简的儒生吗?这是很可怕的,连驾车的马都害怕了,如果平安坐在车里的是高皇帝,他会怎么想呢?

刘邦举兵围鲁

山东临沂白庄汉墓出土,选自《中国画像石全集》

文化是文明的标尺,每个时代的文化标志着这个时代的文明。它属于思想的体系,是不能用武力去铲除,去消灭的。汉代的皇帝们,从高帝刘邦起,逐渐地懂得了这个道理,由轻视文化转变为重视文化、保护文化,并引导和发展自己的文化,才有了后来的辉煌。在这辉煌的氛围中,徐州人是个什么样子呢?画像石的可贵在于,不仅描绘了当时的人,也记录了他们所做的事,使我们在两千年后能看到他们的形象和事迹。这在过去的中国历史上是做不到的,也由此显示了造型艺术的作用和汉代人的创造。

两汉时期的徐州地区,文明进程很快。人们由尚武而重文,史书上说“人口殷盛”和“谷米丰赡”,徐州成为全国最发达的地区之一。从画像石上可以看出,不论男女,都是温文尔雅,东夷之气尽消。有一块画像石,在石头的两面,分别刻着男女青年,我们定名为《两千年前的徐州人》。画像石的正面为男士,头戴进贤冠,身着深衣,腰挂玉佩,足着高履;双手前抱,似施礼状,一派书生打扮。在古代,深衣上下皆服,做官者为便服,庶人视为吉服。进贤冠为儒生所戴之冠,前高后低;冠上的横脊称“梁”,梁的多寡以示级别,一般私学弟子只准一梁。

背面为一女性,头着布巾,深衣着地,双手拱起而身略前倾,显得文

两千年前的徐州人

高116厘米，宽55厘米，徐州贾汪区大泉乡岗子村出土，徐州汉画像石馆藏

静、朴素而大方。如果将两个人物的造像并列起来，便可看出他们的素养和内在的高尚品格。

《相敬如宾图》，原图也是刻在石头的两面，正面刻一男士，背面刻一女士。男士头戴进贤冠，身着深衣，手捧笏板；女士头着布巾，长裙及地，也是手捧笏板。如果将两个人物并列起来，明显可以看出，双方相互施礼；但这是在闺房中，并不符合礼制。

“笏”是古代官员朝会时所持的手板，有事则书写在上边，如同现在的笔记本，以备遗忘。起初，上至天子，下至士，皆执笏，其质料有玉、象牙、竹木等，在使用上也有等级之分；后来只限于品官执笏；至清代废止。此图刻于居室，而且是在夫妻之间，不可能使用这种官方用品。说不定由于夫妻恩爱，曾有如此故事，如同游戏；抑或刻画者为了表现两人相互尊敬，以此示意：反正是将两人分别刻在石板的两面，不易觉察。在古代的典故和图画中，还未见有女性持笏的。由此，可以看出古代徐州人的幽默。

另外，从二人的装束观察，在腰间都有佩饰物，可惜看不清楚。一般

相敬如宾图

高116厘米，宽53厘米，徐州贾汪区大泉乡出土，徐州汉画像石馆藏

地说，古人有所谓“君子必佩玉”。用玉的温润等品质比喻人的修身道德，是读书人最为重视的。

《徐州姑娘》是一幅画的局部，画中人身份可能是个侍女。原画分上下两格；上格表现“二桃杀三士”故事，下格为一所新建筑，外面有执戟举刀者守卫；右边还有两位人祖保护。在建筑的左边有一棵大树，树

下有一男一女正向右边走来，可能就是这所建筑的主人。主人要来了，惊动了三个年轻的侍女。一个半开着门，探身向外观望，另外两个躲在两旁，这位“徐州姑娘”便是右边的一个。可惜原石已破碎成数块，画面难以完整。

看那姑娘，年龄不大，但举止文雅，头微低而带腼腆，像是一朵含苞欲放的花，充分展现了中国女性的内在之美。作为全画中的一个人物，高不过十几厘米，并非是作者有意刻画的对象，用画家的术语来说不过寥寥几笔，以为衬托，竟然如此深刻，足见当时的刻工不但技巧熟练，在艺术修养上也达到相当高的程度。

文静武动，文柔武刚；亦文亦武，尚武重文，成为徐州地区自古以来的风俗习惯。1923 年，胡朴安编《中华全国风俗志》上篇卷二之“江苏”部分，其中的“徐州”条说：

徐方邹鲁旧国，汉兴犹有儒风。（杜氏《通典》）
人颇鸷悍，其士子挟任节，好尚宾游，盖楚风焉。（《隋书志》）
霸者之余，以武为俗。（宋陈师道《学记》）
萧风俗浑厚，多智虑，务农生财。（晁端中）
沛地邻邹鲁，务稼穑，尚礼义。（《沛县志》）
沛以勇宕为俗。（李蔚《美政记》）
砀邑之学，弦歌方盛。（元《大成殿记》）
丰熟可抵三州，民事农桑，乐输赋役，而其俗亦淳。（《丰县志》）
俗多楚音，朴直舒徐。（《地理志》）
风俗高迈，迥出等伦。（《旧图经》）
士愿民朴，重廉耻，崇信义。（《邳州志》）

这是历史的记录，已属于文献资料。其中有些用词，如“鸷悍”、“勇宕”是否偏执过激，还是指远古时代，已无从论证，但更多的评说是民风淳厚朴实，知耻尚礼，崇信讲义。我在一幅新见的画像石上，从那人物的造型和气质，看出了这一点。

徐州姑娘

原题《仕女盈门》，画像石局部，选自《中国汉画像拓片精品集》

感慨的武士

原题《龙首神异》,徐州画像石,高 146 厘米,宽 76 厘米
选自《中国汉画像拓片精品集》

《感慨的武士》是一幅艺术水平很高的传神之作，收入近年出版的《中国汉画像拓片精品集》，为私人收藏。但原题为《龙首神异》。原来，拓印所据的石刻，由于年代久远，风化严重，石面上出现细密的小点，致使画面不清，只看出大体的轮廓，分辨不清具体的形象。因为头上插着三根羽毛，误以为是龙首；又感到整体的动势雄劲有力，于是，便定名为神异了。实际上，在拓印时，这些细密的小点是可以得到修补的，只是没有经过耐心处理。我们经过剔修之后，所显现的是一位高大威严的武士。他年岁渐高，身佩绶带，可能享有功名。头上的弁冠不太正规，像是在低矮的山形帻上插了三根羽毛。汉时的武冠也称“鹖冠”，上面插着鹖鸡的尾羽，表示勇猛。鹖鸡，青灰色，似雉而大。据说鹖鸡有一种“猛气”，善斗，直到斗死为止，所谓“斗终无负，期于必死”。武士将鹖鸡的尾羽插在冠上，以显尚武精神。这种习俗，并不限于汉代，早在春秋时，孔子的学生子路好勇，就喜欢在帽子上插一根鸡毛。汉代有的画像石刻者不明其意，索性在子路的头顶上刻了一只公鸡。

这幅《感慨的武士》，人物形象魁梧，轩然不凡。冠上插着鹖羽，昂首怒目，注视着前方，难怪原收藏者说是“龙首”。不知是什么原因，惹得他大发感慨，一手提着绶带，一手高举，好像是在说什么。这架势，显出一种压倒一切的气度，不是什么“神异”，而是人的威慑力量；画像石的作者知道，这种力量是巨大的，你看那画框的边线也被那举起的手臂冲破，手臂伸到画外去了。

古代的武功，并非专用于战争，也是健身、自卫的基础。所以，这一带人身体健壮，豪爽而聪慧。

以上，就是我们介绍的古代徐州和徐州人。它既是产生画像石的大背景，也是制作画像石的智慧和力量。不论什么艺术，从来就不是孤立于同时代的生产和生活之外的，画像石也不例外。即使那些画像石是为了纪念死者，却也是生者的述说。总之，它的产生并非偶然。

第三章 ◎ 刻在石头上的图画

第一节 ◎ 汉代的厚葬之风

人死了要埋葬，称为『入土为安』。不但要带走许多财物，还要有『生活』的处所。这是由古人『灵魂不灭』的观念所演绎出来的行为。厚葬之风并非起于汉代，但在汉代却是越演越烈，所谓『事死如事生』。

关于“灵魂不灭”的思想，是古代全人类都有的。一个活生生的人，为什么会停止呼吸了呢？于是，便想象出另外有一个地方，是灵魂到了那边。早在新石器时代原始人的墓葬中，已有各种不同的随葬品，因为他们在那边也要生活。

中国古代尚礼，制定出一套葬礼和祭祀的礼节。《礼记·祭法》说：“大凡生于天地之间者皆曰命，其万物死皆曰折，人死曰鬼，此五代所不变也。”“命”是生命，“折”是损毁，“五代”指唐、虞、夏、商、周，说明古人已形成较稳定的观念。但对于鬼神，没有说无，也未肯定有。于是，许多年来出现了一句“敬神如神在”。

《礼记·祭义》说：“宰我曰：‘吾闻鬼神之名，不知其所谓。’

子曰：'气也者，神之盛也；魄也者，鬼之盛也。合鬼与神，教之至也。众生必死，死必归土，此之谓鬼，骨肉毙于下，阴为野土，其气发扬于上，为昭明，焄（xūn，音薰，气味）蒿凄怆，此百物之精也，神之著也。因物之精，制为之极，明命鬼神，以为黔首则，百众以畏，万民以服。'"

宰我向他的老师孔子问鬼神，孔子的回答耐人寻味。他说：气，是由神的充盛而产生的；魄，是由鬼的充盛而产生的。将鬼神合起来祭祀，就达到礼教的目的。一切有生命的东西都是要死的。死后的体魄归入土中，就叫做"鬼"。骨肉在地下腐烂，变成田野里的土，而它的气却升腾而上，发出光芒，并发出一种气味，使人感到凄怆悚然，有所触动。这就是众生物的精灵，神的显示。圣人称此为鬼神，百姓据此为法则。因此，众人敬畏，万民顺服——绕了一个大圈子，由虚幻的鬼神，又回到鬼神的虚幻。几千年间，一直在虚幻之中绕来绕去。

战国时的墨子是有鬼论者，他强调借用超人的力量，限制统治者的残暴。他提倡"节用"，为了避免浪费社会财富，在《墨子·节葬》篇中："子墨子制为葬埋之法，曰：'棺三寸，足以朽骨；衣三领，足以朽肉。掘地之深，下无菹（zū，音租，潮湿）漏，气无发泄于上，垄足以期其所；则止矣。哭往哭来，反从事乎衣食之财，佴（èr，音二，次者，犹言随后）乎祭祀，以致孝于亲。'故曰子墨子之法，不失死生之利者此也。"

这位尊称为"子墨子"的学者，为"棺葬"想得很具体——棺材板三寸厚，衣衾三件，足以使死者的骨肉在里面散不出来。掘地的深度，以下面不湿漏，尸体的气味泄不出来为度。地面上的坟堆，能够认出来就行了。这样，哭着将死者送去，哭着空手回来。回来后安心本业，谋求衣食之财，以助祭祀之道。故此，子墨子的这个办法，不损害生者与死者的利益。

然而，真正实行起来，并非那么简单。他在同文中又说："今王公大人之为葬埋，则异于此。必大棺、中棺，革阓（皮带）三操（累）。璧玉即具，戈剑、鼎鼓、壶滥、文绣、素练、大鞅万领、舆马、女乐皆具。曰：必捶差通，垄虽凡山陵。此为辍民之事，靡民之财，不可胜计也，其为毋用若此矣。"那么豪华的外棺和内棺，那么丰厚的衣衾，那么多的随葬品；还要修造宽阔的墓道，坟墓雄伟可比山陵。这样劳民伤财的事不可胜数，却没有什么用途，完全是浪费。

王充也是主张薄葬的。他在《论衡·薄葬篇》中说："圣贤之业皆以薄葬省用为务。然而世尚厚葬，有奢泰之失者，儒家论不明，墨家议之非故也。墨家之议右（崇尚）鬼，以为人死辄为神鬼而有知，能形而害人，故引杜伯之类以为效验。儒家不从，以为死人无知，不能为鬼，然而赙（fù，音富，助人丧事）祭备物者，示不负死以观生也。……是以世俗内持狐疑之议，外闻杜伯之类，又见病且终者，墓中死人来与相见，故遂信是，谓死如生。闵死独葬，魂孤无副，丘墓闭藏，谷物乏匮，故作偶人以侍尸柩，多藏食物，以歆（xīn，音心，喜悦）精魂。积浸流至，或破家尽业以充死棺，杀人以殉葬，以快生意。非知其内无益，而奢侈之心外相慕也；以为死人有知，与生人无以异。"

这里引出一个杜伯，王充看不起他，两次称作"杜伯之类"。他是何许人呢？他是周宣王时的大夫。封于杜，亦称"杜主"。西周时为杜伯国，在今西安市东南之杜县。《墨子·明鬼下》据《春秋》说：西周时，周宣王借故杀了他的大臣杜伯。杜伯不服，以为无辜。便对周宣王说：你不要以为"死者无知"；"若死而有知，不出三年，必使吾君知之"。果然，过了三年，周宣王同诸侯到田野打猎，有"田车数百乘，从数千人"，布满山野。中午时分，见杜伯乘坐白马素车，身着红衣红冠，手持朱弓朱箭，追赶周宣王，在车上射箭，射中了周宣王的心脏，当场死在车上。

这个故事，最初可能是编史者的预言，或是暗杀行动。墨子则是"借若信鬼神之能赏贤而罚暴也"。

在古代，"厚葬久丧"的风气尤其是统治者的一种顽症。他们寻求长生不老之术不得，便想把权力和财富带进坟墓，在另一个世界里得以享受。

秦始皇是中国历史上第一个皇帝，即位后便开始营建自己的陵墓，并开创陵园制度。据《史记·秦始皇本纪》记载：建陵工程巨大，征调劳力达七十多万人，前后延续三十余年。"冢内作宫观及百官位次，奇器珍怪徙满冢中。"仅从已发掘的陵园东边的兵马俑坑来看，那些模仿军阵送葬的陶人、陶马，如同真人、真马大小，竟达数千个，可见规模之大。

两汉四百零六年，共经历二十四个皇帝。其中的茂陵，是汉武帝刘彻的陵墓。坟丘呈覆斗状，底部东西长229米，南北长231米，高46.5米；外边围以巨大的陵园，是西汉诸陵中规模最大的一座。汉代帝王奢侈豪华，皇帝即位的第二年，即开始动工修陵。汉武帝在位五十三年，可见其陵墓营建的程度。

至于各地的郡王诸侯，从表面看墓制的规模可能略小，形状不一，其厚葬的程度却不一定低。如满城汉墓，是西汉中山靖王刘胜及其妻窦绾墓。刘胜是汉景帝刘启之子，汉武帝刘彻的庶兄。他与妻子窦绾之墓开凿在山岩中，两个长达五十多米的大洞，夫妇并穴合葬，所谓“同坟异藏”。除棺椁外，刘胜和窦绾均以“金缕玉衣”作为殓服；刘胜的玉衣由两千四百九十八片玉片拼成，用金丝连缀。两墓共有随葬品四千两百多件，包括金银器、铜器、玉器、漆器、陶器等。在刘胜的墓洞中，就有不同的车六辆，马十六匹，以及十一只狗，一头鹿。在已发现的汉墓中，是规模最大的。

长沙马王堆汉墓，共有墓三座，是有墓道的长方形竖穴，深16米。所葬者为西汉初期长沙国丞相、轪侯利仓及其家属（妻子、儿子）。其中一号墓保存完好，系利仓之妻“妾辛追（？）”；尸体经两千一百年没有腐烂，随葬物品也基本完好。出土时，妾辛追（？）“身穿丝绵袍和麻布单衣，足登青丝履，面盖酱色锦帕，并且用丝带将两臂及两脚系缚起来。然后包裹十八层丝、麻衣衾，捆扎九道组带，又覆盖两件丝绵袍”。除身上穿的之外，在边箱的几个竹笥中，有十二件相当完整的绵袍及裙、袜、手套、香囊和巾、袱，还有四十六卷单幅的锦缎和绣品。另外，马王堆出土的各种漆器共约五百件，在遣策中称作“木器髹者”，黑朱相间，加以流动的彩绘，厚重而带灵气，可谓中国漆工艺的历史高峰。

马王堆的三座汉墓都是木椁墓。一号墓椁室庞大，其中有四层套棺，各有彩画，约用木材五十二立方米。

在徐州地区，西汉初期，刘邦封韩信于此，称楚国；后来实行同姓封王、异姓以功封侯的分封制度，废楚王韩信为淮阴侯。分其为二，其一为楚国，封其弟刘交为楚王，“王薛郡、东海、彭城三十六县”，都彭城，也就是现在的徐州。

楚王自刘交初封，至西汉末王莽篡汉，刘纡被废，计十二位楚王。其中，刘交世系传八代；其后以宣帝子刘嚣为楚王，传四代，至王莽时绝。就目前所知，在今徐州市周围已发现或发掘的楚王陵墓有八处，楚王和王后墓十五座，除楚元王刘交和王后墓未发掘外，其余十三座均已发掘或早已被盗。

审视西汉楚王的陵墓，虽然多经盗掘，其中文物所剩无几，但从墓葬的规模和某些随葬品判断，其豪华的程度很高，仍然能够看出那时上层人物的厚葬之风。

由于徐州附近多山的自然环境和楚国独特的政治地位，以及较强的经济实力，西汉楚王的陵墓都是采用依山为陵、凿山为藏的墓制。这是在山岩中开凿的一种巨大的地下宫殿，一般是从平缓的山丘腰部横向凿进，动辄上百米，其中应有尽有，如同生前的豪华生活设施一般。

狮子山楚王墓。该墓早年被盗，但还有金缕玉衣的玉片，其他玉器、金银器等出土。金缕玉衣表明了墓主人的身份，另有十七万枚半两钱，显示出雄厚的经济实力。又发现陪葬兵马俑坑四座，出土各种造型与动态的陶俑，虽然不大，但数量以千计，足见其规模。

北洞山楚王墓。该墓由七个小龛、八个主体墓室和十一个附属墓室组成。墓道中部筑有双阙，阙内墓道两侧为小龛，龛内共有武装的仪卫俑二百二十二件。主体墓室的四壁和顶部都髹饰朱砂，一片彤红，充满庄严神秘的色彩。这种做法，与《汉旧仪》记载秦始皇陵“致以丹漆”是相同的。附属墓室分别为武库、仓房、乐舞庭、天井、厨房、臼房、凌阴、水井、柴房和厕所间等。这是我国汉代最具代表性的凿山为藏的大型石室墓。此墓早年被盗，但仍出土不少金、玉、铜、陶和玻璃等器物，以及七万余枚半两钱和鳞甲状的玉衣片。

东汉时期的彭城王，据史籍记载有五代。他们的陵墓，目前仅调查发现了葬于土山的一位彭城王和其王后墓葬，并且发掘了其中的一号墓（可能是王后墓）。

土山一号墓较小，为砖石混砌，使用“黄肠石”结构。墓顶和封门墙及甬道前端均用方石封盖，方石规格一致。这种“黄肠石”被认为是帝王陵寝的墓道石。出土“银缕玉衣”，玉片共两千六百余片。随葬品丰富，有铜、银、铁、陶、漆器及玉石珠饰等。

以上不过举了几个封建贵族的例子。他们身为王侯，过着骄奢淫逸的生活，不但享尽人间富贵，死后也要带入坟墓，形成了严重的厚葬之风。而社会上有所谓“上行下效”者，那些官僚、地主、富商必然竞相模仿，风会越刮越大。当厚葬之风刮向坟墓的牢固和永久，并联系到艺术的表现时，画像石显示出了它的优异性，在这里得到发展。

第二节 ◎ 画像石的逻辑发展

衣食摄生，丧葬送终，体现出人类的文明进程。
而厚葬之风则是『灵魂不灭』迷信的产物。
不同时代和地区的丧葬形式，
取决于人们的直接经验，在相互比较中进行优选。
画像石在徐州地区的产生和流行，便是这一过程的结果。

画像石是谁发明的呢？是怎样发展了这种特殊的艺术形式呢？这是现代人带着“专利注册”观念的思维模式。在古代，情况要复杂得多，其中不但涉及一些社会关系，并且与丧葬文化直接关连。这不是现代概念的艺术家的创作，其作者是以当时的“石匠”身份参与丧葬活动。在目前发现的数以万计的画像石中，找不到几个具体的名字。从这一意义上说，它是一项历史的、地域性的集体创造。

徐州地区的画像石，和山东西南部的画像石连成一片，特别是在微山湖周围，其出土地点有的相隔不过几十里，不可能像现在的行政区划分得那么明显。事实上，画像石的风格特点是非常接近的。

就目前所知的资料，不论在徐州还是在山东，最早的画像石都是出于西汉。《江苏考古五十年》里谈到，“1990年代初，徐州睢宁县官山竖穴岩坑墓的竖穴墓壁上发现一幅雕凿的画像。画像阴线刻，画面为两株长青树，左侧树下有一玉璧。长青树与玉璧是早期画像石常见的图案，寓意生命之树常青。该墓未遭盗扰，墓内出土陶鼎、壶、罐、仓、圈、俑头和铁镇等，根据器物组合、陶俑头和铁镇的形制，该墓的时代应为西汉中期偏早阶段。虽然这种竖穴岩坑画像石墓的发现还是孤例，但是徐州地区楚王和列侯在西汉早期就已经开凿巨大的洞室墓和竖穴岩坑墓，具备开凿画像石墓的技术、物质条件。”“官山竖穴岩坑画像石墓的出现并非偶然，画像的内容和画像装饰的位置具备画像石墓的基本要素。因此我们认为苏北地区的画像石可能起源于竖穴岩坑墓，至少起源可能是多元的，即起源于岩坑墓和石椁墓。其二，苏北画像石墓产生的时间并非西汉末年，而是西汉中期。这仍然较邻近的鲁南临沂庆云山西汉早期画像石椁墓、滕州岗头镇韩楼西汉画像石椁墓为晚。”

长青树与璧
睢宁县官山西汉岩坑墓画像石

不论什么艺术的发生与发展，从来都不是平衡的，也不可能按照一个既定的模式。我们现在把画像石当作艺术进行研究，说它是一种意识形态，是一种雕刻，是一种墓室装饰等，但是汉代人不一定与我们的看法相同。就目前所知,在西汉历届楚王的巨大石室中并没有画像石,上面所举的睢宁官山岩坑墓画像石,其墓主人的身份也不高。只是到了东汉,才有两个墓主人享有“铜缕玉衣”和“二千石”官吏。按照《后汉书·礼仪志》所记载的制度,只有列侯、大贵人和长公主方可使用“铜缕玉衣”;“二千石”俸禄的级别较高,属于高官。也就是说,在徐州一带的画像石墓,其墓主人的身份,高者不多,并没有形成普遍的风气。更多使用画像石的可能是无官爵的豪富巨贾。所以,画像石的使用并不标志人的社会地位,应属于民间风习。

以上所指“二千石”,有一方墓志出土,虽然文字有的已漫漶不清,但大体能看出其内容,了解到一些实际情况,这在徐州画像石中是不多的。由此不仅说明具体画像石与墓主人的关系,而且证明画像石已被上层社会所认可,已进入到高官和贵族的生活。

关于“二千石”,即彭城相缪宇,他的墓在今邳州燕子埠。墓由前室、后室和回廊三部分组成;原有墓垣,有一个二百五十平方米的墓园,地面已破坏殆尽。墓室的前后室有石刻画像七幅,分别为庖厨、舞乐、弋射、宴饮、狩猎、车马、守阁、祥瑞等。有的石刻曾涂绘朱色。画面大部分已风化剥落,浸泐不清。墓志刻在后室横额上。全文共十一行,字数不等,有的模糊不清,为:

故彭城相行长史事吕守长缪宇. 字叔异.
岩岩缪君. 礼性纯淑. 信
心坚明. □□□备. 循京
氏易经□□□. 恭俭
礼让. 恩惠□□□□告
□远近敬芗少秉里(?)
□□府召退辟□□执
念闾巷□相□□□贤
知命复遇坐席要舞黑绋.
君以和平元年七月七日物故. 元嘉

元年三月廿日葬.

由上可知,墓主缪宇,字叔异,为彭城相,行长史事,并兼任吕守长。彭城国为东汉诸侯王国之一,首府在彭城(今徐州市)。领有彭城、吕、留、傅阳、武原、梧、菑丘、广威八城,户八万六千一百七十,口四十九万三千二十七。据《后汉书》载:“皇子封王,其郡为国,每置傅一人,相一人,皆二千石。”“相如太守,有长史,如郡丞。”又:“成帝省内史治民,更令相治民。”

吕县较小,位于今铜山县境内,其地临泗水,是首府彭城东南的交通、军事要地。所以缪宇任彭城相,行长史事,又兼领吕守长。缪宇死后不葬于彭城、吕县,而葬于此,这里是东汉时期的武原县,说明他可能是武原县人。他的死期是和平元年七月七日,这个年号只有一年,即公元150年。第二年即元嘉元年(公元151年),葬于三月二十日。

缪宇墓的画像石,所见有两方,另有两幅摹本,只是构图复杂,已失去原有的气势。有拓片的狩猎图,从府邸到深山,有的端庄骑马,有的持毕徒步,跟随着成群的猎犬,一看那架势都不是专业的捕猎者,并非以此为生,不过是他们的一种娱乐方式。

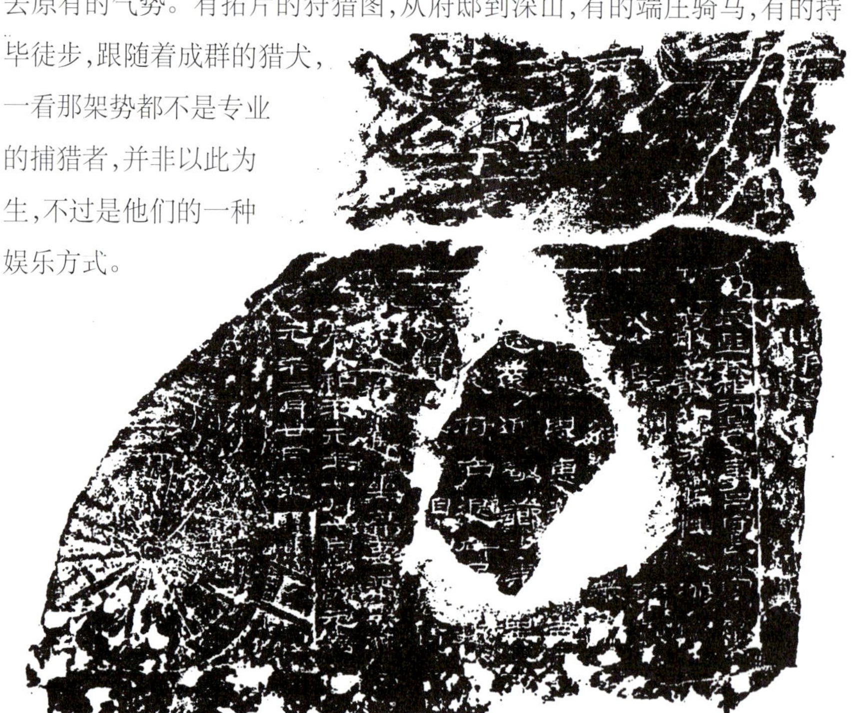

彭城相缪宇墓志铭

邳州燕子埠缪宇墓出土,东汉元嘉元年(公元151年)

守阁吏与祥禽瑞兽铭

邳州燕子埠缪宇墓出土

缪宇的墓志在后室的大门之上，墓志旁原刻丧车，仅存半个车轮和一些碎片。右侧刻“守门吏”，左侧刻“守阁吏”；右者已毁，左者基本完好。画分四格，上二格为人物，下二格为祥禽瑞兽。第一格有五人跽坐，左起第二人后有题榜，即“守阁吏”；他双手向前，正在向对方的抄手者诉说什么。“守阁吏”是个什么职务呢？《说文》说：“阁，门旁户也。”以别处的画像石相参照，应是放置随葬品的地方及其管理人员。第二格的四个站立攀谈者也是如此。从他们的衣着和举止判断,似乎不是一般的粗佣杂役之人。他们所保管的可能有珍贵的无价之宝,并且还要负责鉴定。甚至可以推想,这幅画的下两格有骐驎(麒麟)、福德羊、朱鸟、玄武等祥瑞,也在他们的管理之内。否则,就看不出他们合在一个画面中的道理了。

总之,缪宇墓及其画像石为我们提供了一种研究汉代的标尺,让我们能较深入地认识那个活跃的社会和社会中的各色人等。

就以上材料可知,汉代人对于画像石的看法,是从属于丧葬观念的,并没有将画像石当作独立的艺术看待。《后汉书 · 郡国志》注引伏滔《北征地》:“城北六里有山,邻泗,有桓魋石椁,皆青石,隐起龟龙鳞凤之像。”这是有关徐州画像石的最早记载,它是同“石椁”联系在一起的。

中国丧葬的棺椁制度,由来已久。其本身存在着一个演进过程。《易 · 系辞传下》说:“古之葬者厚衣之以薪,臧(藏)之中野,不封不树。”只是将尸体遮盖一下,丢在荒野,既不封土,也不种树。安葬和保护尸体是在产生鬼神迷信之后,以为人死后灵魂不灭,可到另一个世界中生活。因此,不但不能使他的尸体受到损伤,还要让他带走一些生活资料和钱财。至于装殓尸体的用具,也是由多种形式逐渐演化,才有了木制的棺椁。《说文 · 木部》说:“棺,关也,所以掩尸。”又云:“椁,葬有木亨(椁)也。”段玉裁注:“木亨者,以木为之,周于棺。”实际上,木制的棺就是一个装人的木匣。在棺外围以椁,间隔起来可以放置各种不同的随葬品。一般的椁是没有盖的;后来加了盖板,便像是一座小房子了。

木制的棺椁埋入土中,容易腐朽,尤其是南方地势潮湿,木质更不能持久,有的便将木棺改成石棺。石棺不易腐烂,但过于笨重,再说若将一块巨大的石料挖空,其工程量是很大的。我在四川看到过这样的石棺,四面都刻有画像,制作倒很精致,但是相当笨重。可见那时的人对此是非常实在、非常认真的。可能在后来,又有人用薄薄的石板围在棺外,代替木椁,所以后来出现了大量的石椁墓。

在有画像石之前,虽然都是棺椁,但使用的材料和制作的方法不尽相同。从出土的汉代棺椁看,确实存在着各种不同的样式。如果我们将

日月星象图（摹本）
西汉木刻画像，江苏盱眙县东阳出土

其综合起来观察思考，便不难发现其中的一个逻辑关系。

譬如说，长沙马王堆汉墓出土的三座木椁墓，棺为套棺，椁室庞大。有的椁室用厚重的松木大板构筑，长 6.73 米，下置垫木和两层底板，再树四块壁板和四块隔板，便形成居中的“棺房”和四周的边箱，上部覆盖顶板和两层盖板。在三号墓木椁棺房的两壁，各挂一幅帛画，长 2.12 米，宽 0.94 米；一边是画车马仪仗图，有上百的人物、几百匹马和数十辆车；另一边是画墓主的生活场面。从这两幅帛画的内容和悬挂的位置看，犹如墓室的壁画，其作用也是相同的。然而它又是挂在木椁的板壁上，按照逻辑，为什么不直接画在木板上呢？

1970 年代，江苏盱眙县东阳发现西汉墓群，清理木椁墓七座。其中有一椁单棺和一椁双棺；单棺墓的棺室与边箱隔板开凿出窗棂，显然是模拟房屋的建筑，在那里开一个窗口，以便通气。这是生者为死者着想，不难想象地下密不通风，人是受不了的。最为少见的是，椁室顶板上刻有图画，显然也是模仿居室的建筑。其中有“日月星象图”、

泗水捞鼎图
西汉木刻画像，江苏盱眙县东阳出土

"泗水捞鼎图"、"百戏和斗兽图"等。日轮与金乌相叠,旁有九个小太阳和追奔的人,当与"日中有乌"、"后羿射日"和"夸父追日"的神话有关;月轮中刻一弦线,并有蟾蜍和玉兔,也是与神话有关,旁边有七颗小星和吹风的风伯,也有的说不是风伯,而是彗星;在日月之间,有三条并列的鱼,有人说可能象征天河,也可能代表着人间的幸福。"泗水捞鼎图"的泗水是断面式的,作对称形的构图,桥上有马车,河两岸的人列队拉紧绳索,当鼎快要升起时,从鼎中伸出了一个龙头,咬断了绳索;这是汉朝人讽刺秦始皇暴政无德,不配得九鼎的传说。"百戏和斗兽图"分上下两格,上格为乐舞、倒立等表演,下格为两头猛兽格斗,两人参与其间。

颇有意味的是,这种"木刻画像"与"石刻画像"(画像石),采用了相同的题材和非常近似的构图与手法,估计最初的艺术效果也是很接近的,只是使用的材料不同而已。遗憾的是,经过两千多年,那木板已干瘪朽蚀得露出了木筋,失去了原来的风貌。既然如此,明知木板易腐,按照逻辑,为什么不刻在石板上呢?

逻辑归逻辑,是后人综合起来思考;事实归事实,当时的实践者并无其他可比较。说明这是一个多种形式共存的时代,相互之间一旦了解了这种情况,必然会引起积极的思考。当画像石的优越性能被逐渐认识,它的兴旺期也就开始了。

汉代的绘画,有许多还没有摆脱实用性艺术的羁绊,但在两个方面已看出它的强势,即墓室壁画和画像石。在丧葬文化中,木椁与石椁,已兼有墓室的部分功能,并成为墓室的象征。当真正的墓室在地下修造起来时,石椁上的画像也自然转向了墓室。或是在墓门和门楣上,或是在砖壁间,而有的竟是全然的石室,也就登峰造极了。

我们现在所见到的画像石,除了个别刻在石棺、石阙、石祠和墓室的墙上之外,大部分是已经倒塌了的一块块石板。多是将一面磨平刻制,也有的以平行的"剁纹"为地,但在理解上,它应是墓葬构建的一部分。

第三节 ◎ 地下与地上

石棺、石椁和墓室上的画像石，都是埋在地下的，其对象是死者，活着的人看不到。为了纪念和祭祀死者，也是为了展示，又在地面上建起了石阙和祠堂，因而构成了丧葬设施的全部。画像石是依附于丧葬文化而发展的。

在丧葬文化中，原始人已知道掩埋死者的尸体，但一般不在地面上留下痕迹。直到西周时期，地表上还没有明显的坟丘。崔寔在《政论》中说："文武之兆，与平地齐。"像周文王、周武王这样的大人物，他们的墓地兆域与平地一样齐。据说坟丘最初出现在江南，是因为地势低，向下挖掘土坑容易渗水，便在平地上掩尸，堆起了高高的坟头，以后坟墓连称，成了丧葬文化的主要标志。

在古代，"寝"原是贵族居室中饮食起居的处所，由于迷信死者的灵魂藏在冢墓之中，便在墓边为死者建"寝"，便于死者灵魂"饮食起居"。

帝王之寝高大辉煌，一般平民不敢称"寝"，多是在坟前建一个小的祠堂，供祭奠之用。这种小祠堂确实很小，大者不过一人高，有的高不过人，汉朝人称作“食堂”、“享堂”。一般的食堂用五块石板搭成。最大的一块为背墙，两边为山墙，房顶两块可扣出屋脊，雕出屋檐瓦当，俨然就是一所小房子，只是前面敞开，不设门窗，以便看清里面所刻的画像。这种用画像石搭起的小房子，在江苏北部和山东南部画像石密集的地区，以前很多，如著名的山东嘉祥武氏家族墓地（距徐州不远），至少就有四个，包括武梁祠和吴荣祠在内。只是随着时间的推移，大都倒塌、解体了，埋入了地下。现在保存完好的只有一处，就是山东长清孝堂山石祠。

孝堂山石祠在山东长清县西南孝里铺南傍的孝堂山上，为我国现存唯一完整的画像石祠堂，建于公元 1 世纪的东汉早期。这是两开间单檐悬山顶石屋。外墙面宽 4.14 米、进深 2.50 米、高 2.64 米，系石祠中之大者。该祠堂曾因长期讹传为孝子郭巨的祠堂而闻名，在祠堂的外壁，又刻有北齐武平元年（公元 570 年）陇东王胡长仁的《感孝颂》，将此当作郭巨的墓祠来敬仰拜谒，一千多年来一直不断。据考证，在后壁下部新发现了主车榜题“二千石”的一列完整的车骑出行图；另外画面中的“大王车”出行图，只是表示祠主生前曾参加过随王驾出行的荣耀经历，并非是他

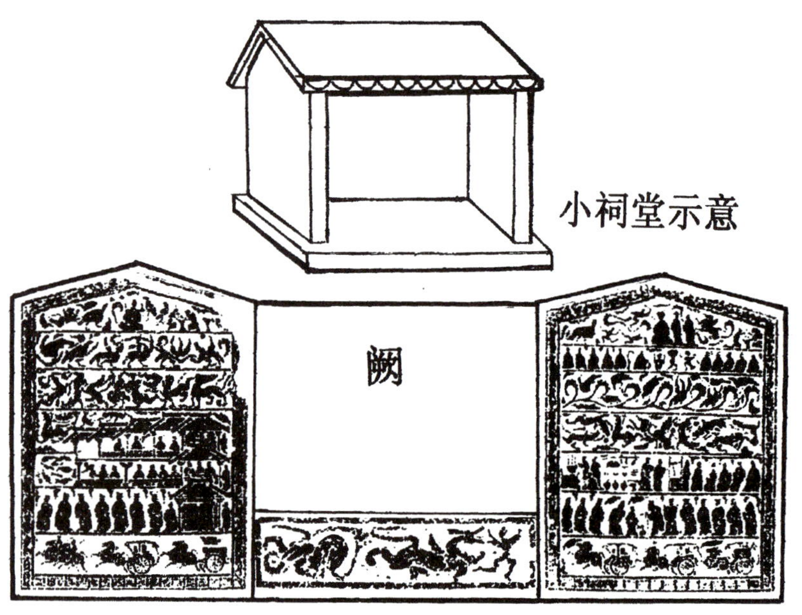

铜山县白集汉墓祠堂

两边山墙画像内容丰富，均高 160 厘米，宽 120 厘米，屋脊明显，背墙与顶板刻石不明

本人。由此说明，孝堂山石祠可能是曾任郡国相、傅一类的二千石官吏。他与徐州的缪宇南北呼应，是使用画像石的两位高官。

徐州地区的画像石祠堂，未见有完整的遗存，出土者均已散乱不全。铜山县洪楼出土的画像石，可分祠堂与墓室两部分，两者相距4.5米。墓室较完整，祠堂之石散乱，无法见其原貌，可能是规模较大的。其他祠堂，从画像石的尺寸看，多是较小型的，有的高度只有五十多厘米，可能在祭祀时摆点供品。

二鹭衔鱼门阙

高79厘米，宽27厘米，铜山县汉王乡东沿村出土

在古代建筑中，"阙"是壮观的，建于门前，显示气派。最初兴起于皇宫，天子、诸侯的宫门外筑台，台上建屋，称为"阙"，也称"观"，可以登临远观。《说文》："阙，门观也。"《广韵》说："阙在门两旁，中央阙然为道也。"《韵会》说："为二台于门外作楼观于上，上圆下方，以其悬法谓之'象魏'。象，治象也。魏者，言其状魏之然高大也。使民观之，因为之观。两观双植，中不为门，又宫门、寝门、家门皆曰阙。"《古今注》说："阙，观也。古每门树两观于其所，以标宫门也。其上可居，登之则可远观，故谓之观。人臣将至此，则思其所阙，此谓之阙。"由此看来，宫廷的阙除了登高望远之外，还可以在上面挂布告，让人们远远地可以望见，因而又成为国家宣布法令、刑法的场所。

阙又有单阙、双阙之分，还有的在大阙之旁建立小阙，称为"子母阙"。在汉代，不仅宫廷建阙，一些大户豪宅也在门前建阙，或是在先人的墓前建阙，并将门阙连称，以图壮观。一般在墓地的石阙也刻以画像。如距徐州不远的山东嘉祥有武氏石阙，阙旁还有一对石狮子。

徐州地区还未见有地面上实建的门阙，但在画像石上刻画的门阙很多。有的是作为墓门，有的是在庄园建筑群的大门高高竖起，甚至连卖酒的酒肆也建有门阙。可能与图画的夸张有关，不少门阙很高大，颇有气派。譬如铜山县汉王乡东沿村出土的《二鹭衔鱼门阙》（前页），是公元1世纪的墓门石刻。所刻单阙双檐，是装饰化了的，仿佛有一道流云穿过。阙内有一门吏，头戴笼冠，袖手跽坐。阙顶上有两只鹭鸟共衔一鱼。鹭衔鱼在汉画中是常见题材，多用来象征家世兴旺，子孙众多。

画面左侧有阴刻铭文一行："元和三年三月七日．三十示大人子侯世子豪行三年如礼治冢．石室直□万五千．"东汉元和三年为公元86年，是比较早的一幅画像石。

又如同地出土的另外一幅《双鹭子母阙》。画面中刻一子母单阙，阙内有一持戟者守卫。阙上方已残缺不全，有两只鹭鸟和一只雏凤。这种构图比较奇特，如果说雏凤站在阙顶，是表示吉祥，那么，两只鹭鸟本应在池边寻鱼，竟也站到上面来了。由此可见，汉代人处理艺术的组合关系，首重寓意内容，不仅不顾形象之间的比例，对方位也是不注重的。

在两只鹭鸟之间，还刻有铭文五行："□□元年九月十八日．／室直钱／

双鹭子母阙

高80厘米，宽26厘米，铜山县汉王乡东沿村出土

双阙门吏图

睢宁县锅山汉墓墓门南侧壁石（局部）

七千八．夫命有给始．就／命不恨．君之厚祖．／重宗者也．”

以上铭文可惜失去了年号，无法判断具体的年代。后边所记，除了刻石的费用之外，不知是对死者，还是对生者。

《双阙门吏图》出土于睢宁县锅山汉墓，原石在墓门之南的壁间，此为画面的下半部，上半部是三条青龙。该图刻双阙并列，建筑粗大雄伟，旁有二门吏。一个手执盾牌，一个手举扫帚；这是画像中门阙旁的常见人物。执盾者负责守卫是当然的；但他的形象特别高大，可能为了强调安全，连盾牌都超过了门阙的宽度。两阙中间的举扫帚者，叫做“拥彗（huì，旧读suì）”，也不是单纯为了打扫卫生。古代礼仪中，“拥彗”举起扫帚以示敬意，在迎候尊贵的客人。

第四节 ◎ 金石味的拓印画

画像石是雕刻的，但又不是真正意义上的雕刻艺术；它附属于建筑，却又不是一般的建筑装饰。它的发展，不论在内容上，还是在形式上，都已超越了丧葬文化的特点，而我们所欣赏的则主要是它的拓片。连汉朝人都不会想到，这是版画性质的拓印画。

为了说明徐州画像石，我们已经绕了很大的圈子，一个是徐州地区的历史发展和文化背景，一个是画像石怎样在丧葬文化中产生。绕过圈子之后，我们还要说一下中国的造纸和印刷，有了它们，才能将画像石的"拓片"拓印出来。

有汉四百年，确实出现了一种大汉之风，人文创造也是多方面的，纸的发明便是其中的一项。没有纸便不会有后来的印刷，它在文化上的意义是巨大的，不仅之于中国，也影响到全世界。由于纸的发明，甚至改变了"学富五车"的概念。试想，一卷一卷编连起来的竹简，即使装它五车，能有多少呢？如果用纸抄写，后来又用纸印刷，一卷竹简不过几页纸。

据考古学的材料证明，西汉时期的古纸残片已在西北地区发现多次。如 1934 年在新疆罗布淖尔（罗布泊）发现的麻纸；

1957 年在陕西西安灞桥发现的古纸碎片；1974 年在甘肃居延金关地区、1978 年在陕西扶风中颜村、1979 年在甘肃敦煌马圈湾等地，都有西汉纸的发现。1986 年在甘肃天水放马滩出土的一幅纸地图，绘有墨笔山水和道路图形；1990 年在敦煌悬泉置汉代遗址发现的写有药名的字纸，说明西汉时期已经用纸书写和绘图。

历史上所说的"蔡伦造纸"，确切地说，应是对造纸技术的改进与推广。蔡伦是东汉桂阳（今湖南郴州市）人。汉和帝时为中常侍，曾任主管制造御用器物的尚方令。他总结西汉以来用麻质纤维造纸的经验，改进技术，采用树皮、麻头、破布、旧鱼网为原料造纸，于元兴元年（公元 105 年）奏报朝廷，时有"蔡伦纸"之称。《后汉书 · 蔡伦传》说："自古书契，多编以竹简；其用缣帛者，谓之为纸。缣贵而简重，并不便于人。伦乃造意，用树肤、麻头及敝布、鱼网以为纸。"这是真正"纸"的产生，所以后世相传蔡伦为造纸的发明者。

自蔡伦之后，中国的纸张逐渐普及，不但用于书写，并且用纸墨研究出一种"拓印术"，可以将石碑上镌刻的文字拓印下来，广为流传。

这时期，碑刻流行。文学家、书法家蔡邕等奉汉灵帝之诏，于熹平四年（公元 175 年）写定"六经"文字，蔡邕亲自书丹于石，立碑于太学门外，世称"熹平石经"。《后汉书 · 蔡邕传》说：

> 邕以经籍去圣久远，俗儒穿凿，疑误后学，熹平四年，乃与五官…… 奏求正定《六经》文字。灵帝许之。邕乃自书丹于碑，使工镌刻，立于太学门外。于是后儒晚学，咸取正焉。及碑始立，其观视及摹写者，车乘日千余两（辆），填塞街陌。

这是一千八百年前洛阳城里的一道风景线，可说是中国文化史上的一件大事，尤其为书法家所称道。关于以上引文所说"摹写"，一般系指书法、绘画等的临摹。印章或称"摹印"，翻刻法帖、书籍称作"摹刻"。有人以为那时已有了"拓印"。李兴才《论中国雕版印刷史的几个问题》中，引了"熹平石经"的摹写后说："因在万头攒动的拥挤情况下，摹写不易，

汉熹平石经残片

东汉熹平四年（公元 175 年）刻石，选自《雕版印刷源流》印刷工业出版社出版，1990 年

遂有好事者创拓印之法。惟拓印与盖印章不同，因石碑文字是正书刻成阴文，印章文字则不论刻成阴文或阳文，均是反书；拓印是在碑上覆盖纸张，再将印墨涂在纸上，盖印则是将印油涂于印章，再转压在纸上。”

印刷的发明，最初是为了加速文字的抄写和复制。不论从逻辑还是从实际上，都是取法于印章和拓印：

盖章是“捺印”，印章实际上就是小型的印刷，因为太小，采用捺印。

拓片是“拓印”，被拓的石板是阴文正字，故在纸上拓墨。

雕版是“刷印”，实际是印章的扩大，只好刷墨覆纸刷印。

前两种启发了后一种，然后三种并行发展。

碑刻拓印的方法究竟开始于什么时代，并无确实的根据，即使起源于东汉，也主要是拓印经文和书法，不会拓印画像石。就目前所知的文献资料看，直到宋代，画像石才引起人们的注意，而且是着重于画面中的文字，作为书法汇集。宋代赵明诚的《金石录》和洪适的《隶释》、《隶续》，虽然用木版摹刻了部分画像石，也仍然是看重画像石的榜题。清代道光年间，冯云鹏等编的《金石索》，用木版摹刻了嘉祥武梁祠的部分画像，是为古籍中收录画像石较多的。真正认识画像石在历史上的价值和在艺术上的伟大成就，已是晚近的事。

两汉是中国封建社会蓬勃上升的时代，许多艺术还在发生与发展着，有的未经定型，有的分类不清。按照现代的艺术体系，画像石跨到了雕刻、建筑和绘画之间，连艺术史家都不知划到哪一边为好。本来，“画像石”三个字就够特殊，还有人再分为“拟浮雕”和“拟绘画”。对于汉朝人来说，这个“拟”字很不妥当，因为他们放手直干，决不会有意去“拟”什么，“拟”显然是现代人强加的。

鲁迅说：“世界上版画出现得最早的是中国，或者刻在石头上，或者刻在木版上，分布人间。”这里所指的“刻在石头上”的版画，也就是画像石。对于木刻版画，已为世界所公认；但拓印版画，就很少提及，因为在外国找不到这种形式和做法，所以多用“画像石”这个中国式的名称。

汉代士人在拓印石经

选自《雕版印刷源流》，印刷工业出版社出版，1990年

当然，视画像石为“版画”，说得清楚点，是指由画像石拓印下来的拓片而言，而不是画像石本身。作为版画艺术，它的艺术载体有两层含义，一是制作过程中的载体，即石头与雕刻；二是拓印之后的载体，已经转化到纸面上。纸面的“拓印画”不但没有损伤画像石的艺术意趣，反而使刀斧凿刻的金石味跃然于纸上，使版画的特点更浓。这是一种历史性的创造，并非是画像石作者的原来意图，而是后来人的审美体现。

至于原有的刻石，以及与建筑、墓葬等的关系，考古家、雕刻家、建筑家等尽可以从不同的角度研究，相互之间并不冲突。以拓片为表现形式的版画已经从综合中抽象出来了。

为了说明画像石的原石与拓片的关系，我们从徐州画像石中选两件作品比较，便可看出两者的异同。

《长青树与交龙穿璧》,这是一座墓室的门楣画像,石头的下侧面雕有枢窝,以转门轴;可见是结合实用,并非单纯地为了装饰。即使是装饰,也并非单纯地为了美观,而是赋予深刻的人文内涵,既带吉义,又符合丧葬的需要。说明艺术是带有功利目的的。

《长青树与交龙穿璧》原石

高 106 厘米,宽 200 厘米,厚 35 厘米,铜山县王山散存,徐州汉画像石馆藏

门楣呈半圆形,画面分上下二格。上格为凤鸟和长青树,下格为“交龙穿璧”。不论龙与凤,刻石太浅,竖在墓门之上便看不清楚。由于图案程式化的格局较强,不易看出深刻的内涵。

下页是《长青树与交龙穿璧》的拓片,经过四边剪裁,撤去了门楣的实用功能,成为一幅完整的装饰画,不仅画面清楚,黑白分明,两只凤鸟也显得特别有精神。

龙与凤,虽是虚拟的动物,但是长期以来,古人却是大都信以为真,并视为祥瑞。如果有凤凰(长尾大鸟)栖在谁家的树上,便以为是吉兆。所谓“长青树”,实际上是松柏之类,因为耐寒,不畏霜雪,经冬不凋,用以隐喻坚贞寿考。孔子就说过:“岁寒,然后知松柏之后凋也。”在古代,帝王的陵园多种松柏,影响及于民间,成为我国丧葬的传统。此画中表现一对凤鸟守护着一棵翠柏,对称而有变化;凤鸟造型生动,其中一只还衔着小虫,颇带浓郁的生活气息。

长青树与交龙穿璧 铜山县王山散存

龙为祥瑞，玉以表德。但是，龙为什么穿“璧”呢？这是当时人们逻辑思维的结果。譬如，人死后要升天，没有翅膀，怎样才能升上去呢？升到天上，天有天门，怎样才能进得去呢？长沙马王堆西汉墓出土的帛画“非衣”告诉我们，汉朝人已经找到了升天的办法，即是乘龙带璧。所谓“非衣”，作“T”形，可用竹竿撑起，为送葬时“引魂升天”的旗幡。旗幡上画着死者生前的影像，由交龙穿璧托起。按照道教的说法，有“乘跻”之法。“跻道”有三，为龙跻、虎跻、鹿跻，其中以龙跻可以升天，“周流天下，不拘山河”。至于升到天上之后，按照礼仪，以“苍璧礼天”，带着至尊的玉璧作为见面礼，上天还能不给面子吗？

画像石的石料有粗有细。一般地说，常用的石灰岩大青石，质地较细，可以磨光；另一种粗沙石比较松软，石面上有细微的沙孔。凿刻的工具也有粗有细，有利有钝。在石头上刻同一根线条，不同材料和工具所产生的效果大不一样。再说有的长期埋入地下，在地面上的则经受风吹雨打和日晒，因此石面上出现一些斑驳效果，且不说人为的撞击和意外的残破。这些现象都直接影响着画面。就像商周青铜器的铜锈，古玉器埋入地下的土沁，瓷器釉面微裂的开片，蜡染折断的冰花等；有的朦胧，有的苍茫，有的给人以厚重之感，有的会产生一种韵律美。这是大自然的协同创作，会使人产生种种联想。不论是物质性能的、自然变化的、意外损伤的，用墨拓印时都会显露出来。而对于拓印者来说，墨轻墨重和拓子的平打斜压，全靠他的眼力和手上功夫，所出的作品也大不一样。

石头的破损和斑点，有的因色地统一而不显露，但拓印在宣纸上，却是黑白分明，反差很大。如果一视同仁，拓出来可能花麻，可以适当有所取舍，但要看破损的程度和取舍的效果。画国画的人都知道，一条挺拔的线条，不等于是光滑的线条；一条流动的断线，气韵依然连接，不会中断。所谓“刀斧痕”、“金石味”，有两种情况，一是笨拙技艺的显露，二是有意表现出稚趣。这在画像石尤其是它的拓片中，最为明显。

《二人对谈图》，构图比较简单，有趣的是，竟在画面中开了一个真正的窗口，并有五根窗棂，反而增加了墙壁的厚重感。相比之下，拓片不但显得单薄，而且暴露出各种形象缺乏有机联系，成为一些符号的组合。

建筑：房屋狭小，楹柱短粗，设备简陋，室内没有垂幛和长榻，室外没有用人，说明是个小康之家。

人物：两人在室内对谈，每人各举一手，手中好像拿着什么东西，对他们来说，可能是很重要的。

房外树：枝干交错，并且带有观赏性；房外植树视为传统。

树上鸟：一只凤凰，头戴大冠，站在枝头；是家庭之吉兆。

窗外树：窗棂表示建筑

二人对谈图（原石）

高 104 厘米，宽 100 厘米，1988 年铜山县义安征集

二人对谈图（拓片）
高 104 厘米，宽 100 厘米，1988 年铜山县义安征集

内外的连接，与大自然合在一起；窗外之“长青树”，点明了周围的环境，已是冥冥世界了。

墙外鸟：冥冥世界中并不寂寞，你看墙外的四只鸟儿，排成一行，动作各异，它们也好像各有所思。

每个形象就是一个符号，代表着特定的内容。如果将这些符号组合在一起，与人沟通会意，可把情况说得很完整。只是作为艺术，那些形象缺乏“关系性的律动”，构图也就松散了。

下面，我们将要从版画（拓印画）的角度重点介绍徐州画像石，包括它的丰富内涵与多样形式，分析它的艺术成就。一个伟大的时代造就了辉煌的艺术；它和其他地区的画像石一起，在中国美术史上构成了显赫的篇章。

为了从俗，遵照一般的习惯，仍然使用“画像石”和“拓片”的名称。

第四章 ◎ 社会层面的真实反映

第一节 ◎『一部绣像的汉代史』

汉代的画像石，虽然是依附于丧葬文化而产生和发展，但在艺术表现上，并没有受到限制和束缚。画像石标志着中国绘画的成熟，通过艺术形式，几乎表现了一个汉代社会。故有人说它是『一部绣像的汉代史』。

在中国的文化史上，人们对于画像石的认识虽然较晚，但既经开端，也就爱不释手，不但看到它所反映的历史，以及活生生的各个社会层面，并且在艺术上感受到汉代艺术家的聪明才智，画像石好像有无穷的创造活力。史学家审视中国历史，虽然也常以古代艺术品作为例证，但如画像石那样整体感动史学家的，恐怕无出其右。翦伯赞先生在所著《秦汉史》序言中说：

"汉代的石刻画像，如武氏祠、孝堂山祠、两城山及武阳石阙等石刻画像，皆传世已久；但并未引起历史家的注意。晚近南阳一带汉墓中，又发现了大批的汉代石刻画像，始有若干学者开始对石刻画像作艺术的研究。我以为除了古人的遗物以外，再没有一种史料比绘画雕刻更能反映出历史上的社会之具体的形象。同时,在中国历史上,也再没有一个时代比汉代更好在石板上刻出当时现实生活的形式和流行的故事来。汉代的石刻画像都是以锐利的低浅浮雕,用确实的描写手法,阴勒或浮凸出它所要描写的题材。风景楼阁则俨然逼真,人物衣冠则萧疏欲动;在有些歌舞画面上所表示的凸像,不仅可以令人看见古人的形象,而且几乎可以令人听到古人的声音。这当然是一种最具体最真确的史料。”

翦先生写这段话的时间,是1944年7月15日,在巴县歇马场的刘家院子里。正是抗日战争的艰苦时期,他在四川农村,研究历史非常困难。所举出的一些石刻画像(画像石)之所以有名,主要是发现得早。武氏祠在宋代已为人知,孝堂山祠早在南北朝时已有人拜谒题记;南阳画像也比徐州画像发现得早。徐州画像石虽然早有记载,但真正目睹具体的石刻已是晚清,许多石头也已不知去向。现在所见到的数以千计的徐州画像石,绝大部分是新中国成立后收集和出土的。因此,有些学者对徐州画像石了解不多,但抗战时期远在四川农村的翦伯赞先生对画像石已经深有研究。他在上文中继续举例说:

“例如从石刻画像中楼阁宫室的构图,我们便了然于桓宽所说的汉代贵人之家‘兼并列宅,隔绝闾巷,阁道错连,足以游观;凿池曲道,足以骋骛’之语。从石刻画像中的乐舞图像,我们便了然于仲长统所说的豪人之室,‘妖童美妾,填乎绮室;倡讴伎乐,列乎深堂’之语。看侏儒舞的画像,则《徐乐传》所谓‘帷幄之私,俳优侏儒之笑’如在目前;看戏兽的画像,则张衡《西京赋》所谓‘熊虎升而拏(拿)攫,猿狖超而高援’之态,跃然纸上;看乐队的画像,则流徽鸣鼓,如闻其音;看战争的画像,则矛挺搏击,如历其境。此外,还有许多描写风俗、记录传说、鼓励道德、宣传信仰的画像,不及备举。总之,这些石刻画像假如把它们有系统地搜集起来,几乎可以成为一部绣像的汉代史。”

其实,汉代画像石所表现的并不限于汉代的社会,虽然社会的不同层次和各色人等已经复杂得多。除此之外,还有大自然中的鸟兽虫鱼,以及神仙的世界,充分表现了汉代人对大自然的观念和丰富的想象力。

为了全面展示和了解汉代人的社会生活,我们将徐州画像石中有关的画面分作以下几组，便于赏鉴，即：深宅大院与小康人家，男耕女织与尚武精神，历史故事的启迪教化，乐舞百戏与休闲生活，社会底层的人们，敬送死者“升天”。

第二节 ◎ 深宅大院与小康人家

在厚葬成风的汉代，为死者构筑豪华的墓室，并以画像石为饰者，无疑是有权有势和财力充盈的贵族富豪，起码是小康人家，穷苦人是做不到的。社会阶层不同，其生活的差异也很大，反映在画像石上则是各不相同的情景。

两汉时期，徐州一带是经济和文化比较发达的地区之一；又是汉高祖刘邦的桑梓故里，历代皆为诸侯王的封国，贵族世家很多。他们所住的是楼台亭阁，建筑栉比，连成一片，形成深宅大院。出门则是车马成行，前呼后拥。所谓“奢其生者必崇其死”，死后修造高坟大寝，庐墓祠堂，密植松柏。同时，州郡豪族富商乃至小康之家，也竞相仿效。反映在画像石上，可以看出，不乏规模宏伟的建筑群。

《豪宅楼宇图》是铜山县茅村汉墓出土的一幅画像，它将一座庄园式的建筑群作了并列式的展开。门阙高立，阙下有卫士持戈守护，表明它是一所高级官员的官邸；自右而左，依次排开，是高高低低的建筑。楼上楼下，屋间过道，都有人物活动。

车马出行图

高 58 厘米，宽 200 厘米，铜山县茅村汉墓出土，门楣背面

豪宅楼宇图

高 56 厘米，宽 270 厘米，铜山县茅村汉墓出土，中室南壁

有谒见者、宴客者、庖厨者、饲马者、侍从者等，共四十多人，场面可谓壮观。该图的上下，是两幅车骑出行图，同出于一座墓葬，亦即同属于一个主人。上图车骑出行，前有二导骑，后有三驾马的骖马轩车，随后有辎车和棚车。下图车骑出行，前有二人持棨戟前导，后有骑从四人，辎车、轺车各一辆。途中遇到了另一辆轺车，车上的人正在伸出手来打招呼。这可能是他们之间的一件重要之事，或是巧遇，或是谈话，值得纪念，否则不会刻在石头上。

儒家将文化和人的修养分作“大道”和“小道”。所谓大道，是哲学和政治，“大道之行也，天下为公。”小道则是指各种技艺和“末作”，诸如

轺车相遇图

高 55 厘米，宽 272 厘米，铜山县茅村汉墓出土，中室北壁

医学、巫术、百工，也包括文学艺术。孔子以为“君子不器”，是说君子研究的学问要大，不能像某种器物，只有一种用途，无法用于广泛。他的学生子夏也说：“虽小道，必有可观者焉，致远恐泥，是以君子不为也。”不干小事，想做大事，但“仕途”的路并不好走。汉代时还没有实行科举制，而是由地方“举孝廉”，选拔人才。读经做官者都挤在一条不宽的小路上。“在朝”者因得意而炫耀，“在野”者因失意而颓丧，难以摆得平衡，所以孔子又提出了“文质彬彬”的要求。他说：“质胜文则野，文胜质则史。文质彬彬，然后君子。”质是质地朴素，容易显得粗野；文是文采，易于导致华丽，应该使两者结合起来。但是在朝者往往夸张虚饰，以炫耀自己。就目前所知，画像石墓主的身份不是太高，最高者不过“二千石”。即汉代官吏的俸禄等级，内自九卿部将，外至郡守尉，都是二千石。但是他们炫耀起来，其场面也是很可观的。

睢宁县墓山出土的《显赫的仪仗》，所表现的可能是一个二千石以下的官吏出行时铺张而显赫的场面。画面的最下一行是车骑。由一辆无帷轺车前引，二导骑高举缀以五彩羽毛的旌旗，漫天招展；其后为加幡轺车，即《汉书 · 景帝纪》中所记：“令长吏二千石车朱两耳，千石至六百石

显赫的仪仗

高 116 厘米，宽 210 厘米，睢宁县墓山汉画像石墓出土（1 号墓前室）

朱左幡。”不仅标志着高级身份，也确实显得隆重光彩。画面中间是高大的建筑群，从门阙到楼阁，渐次深进，层层叠叠，分不出是高是远；建筑上鸟兽成群。所有人的活动都集中到出行仪式中：官吏们持幢列队，这是“将军刺史之仪”；院外的场地上作建鼓表演，并且有倒立者和“蹴鞠之戏”。蹴鞠在汉代是军队中普遍的活动，刘向《别录》所谓“兵艺也，所以讲武知有材也”。既是一种游戏，又是对于体质的训练。这使我们联想到现代的足球。整个画面充满了庄严活泼的气氛。鼓乐齐鸣，好不热闹。连那些站在房顶屋脊上的夔龙凤鸟，本是衬托以兆吉祥，雕刻者竟然也让它们在高处排起队来，构成了仪式的一部分。

住在深宅大院的人们，虽然是社会的少数，但他们控制着权力，并拥有最大的财富，包括郡侯贵族、地方士绅、文官武将、商贾富豪，成为社会的上层，掌握着社会的命运。他们纠集在一起，在一个城市或一个地区，交往频繁，相互利用，以谋取更大的利益。在平时，则是沉浸在酒色之中；有的宾宴场面很大，百戏乐舞占满了宽阔的庭院。他们挥霍无度，形成了社会表层最富的一面。在画像石中，构图最复杂、场面最壮阔的也是这一类，无不呈现出一种豪华的气派。

《拜谒宾宴图》是铜山县洪楼祠堂中的一幅，置于后壁正中，可能与墓主人的身份有关。一般的谒见是下级拜见上级，或晚辈拜见长辈，无名小吏拜见有名望者；或是禀告、陈说，或是有所请求。这位主人表现自

拜谒宾宴图

高 103 厘米，宽 214 厘米，铜山县洪楼祠堂后壁，徐州汉画像石馆藏

送礼者

高 101 厘米，宽 194 厘米，睢宁县墓山画像石墓 1 号墓出土

己平易近人，并且以酒宴待客，显示出一种豁然大度，使人感到亲近。

《送礼者》在睢宁县墓山出土。画面所在是一处环境优雅之地，周围鸟儿成群。墓主人的身份较高，送礼者的礼物也较重。他们排列成行，手中捧着贵重之物，用人抬着酒坛和鱼肉。那条大鱼几乎与人等高，连空中的鸟儿也感到好奇，下来俯视。

《迎候贵宾车骑》画面是一个深宅大院，楼阁层叠，长廊内人们忙碌地走来走去；院右竖起了高大的建鼓，艺人正在表演。从下面一格走来的一行车骑知道，这是在迎候贵宾，有一个持盾的门吏鞠躬迎接。可惜该石残破严重，已看不完整。

在全幅的大画面中，中上方又套了一个小画面，经修整可以看出是两个人物。两人之间有一只高脚豆，豆盘中似有两个圆形物；一人正要

迎候贵宾车骑

高 91 厘米，宽 143 厘米，睢宁县双沟散存（右边“民国”字样为后来所加）

弯腰伸手去取，另一人双臂叉起表示愤然。我们猜想，这情节会不会是春秋时“二桃杀三士”的故事呢？但应该有三个武士，才能显出分桃的不公，如果两人分两只桃子，也就不会出现矛盾冲突。是否因历史久远，传闻有讹；在此不过是主人自比，说明自己讲义气罢了，所以才有这样组合的画中套画。

《谒见图》，徐州出土画像石，画面分上下四格。最上格为谒见图，中间一人似为官员，旁有华盖，看其手势好像很激动；两旁的十多人有的跪拜，有的作揖，肯定发生了什么事情。

第二格是一行骑士，有一个骑马者负伤，躺在马背上；对面押送而来的是一个反手被绑的人。不知是刑事事件还是军事事件，原因无从知道，可能与上格有关。

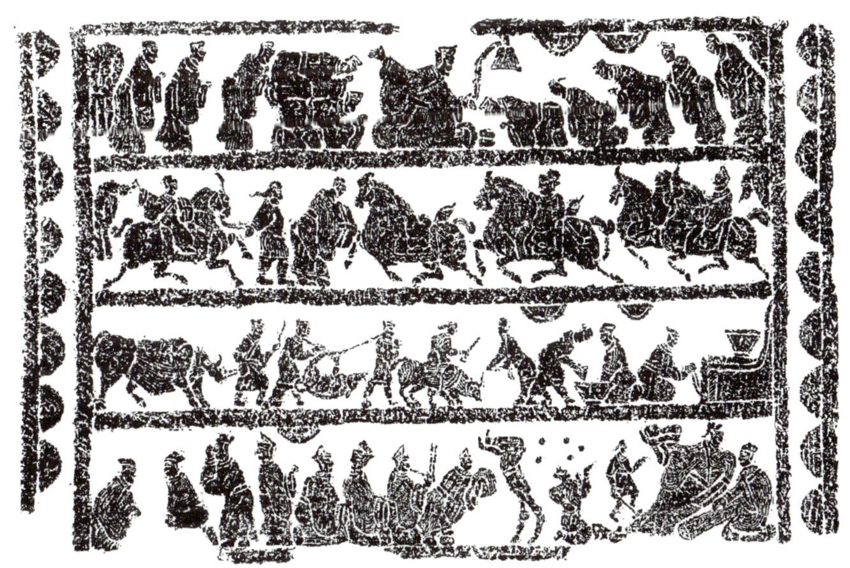

谒见图

高宽94厘米，徐州画像石，选自《中国汉画像拓片精品集》

第三格与第四格，是庖厨和杂技。庖厨者正准备杀猪宰牛；杂技者有倒立、弄丸等。这虽是画像石中常见的题材，但同以上画面合在一起，颇不寻常。正好应了“文恬武嬉”的成语。在和平环境中，文官武将习于逸乐，荒于职守，一旦出了事情，也就慌了手脚，不可收拾了。

《宴宾与缉凶》画像石，出土于邳州市陆井乡庞口村，从画面所表现

宴宾与缉凶

高 105 厘米，宽 148 厘米，邳州市陆井乡庞口村汉墓出土

的内容看，墓主人可能是个军事首领。

画面分两格，如同话分两面说。一面是迎宾待客，男主人与男宾在客厅进行六博，边弈边饮；女主人与女宾在楼上对谈对饮。右边的高大建鼓绑上滑竿，艺人们在上面翻腾，乐队高奏，连两个鼓手都疯狂了。左边的庖厨正在紧张地准备宴席。一片温馨欢乐气氛。

另一面是兵吏持刀在前，车马跟随在后。可能是缉凶的队伍，最前边有三个缚手者跪伏在那里。

两格画面形成强烈的对比。

《车马出行》和《车马行 · 云中鸟》都带有仪仗性质，并非单纯地为了交通和方便。古代官员出行，所乘车辆和马匹，按照礼制，不同级别都

车马出行

高 25 厘米，宽 165 厘米，铜山县茅村散存（墓室门额），徐州汉画像石馆藏

车马行·云中鸟

高 74 厘米，宽 169 厘米，选自《中国汉画像拓片精品集》

有相应的严格规定，但往往多有僭越，以此衬托自己的身份高，有气派。这一类的现象很多，也是在画像石中常见的题材之一。《车马行·云中鸟》虽然较简，但画面中有树有云，连续的云朵中隐现出鸟头，在艺术上处理得颇为巧妙。

人在社会中生活，从个人到家庭，一生之中总会遇到各种得、失、利、害。所谓“夜不闭户，路不拾遗”，只是一种理想，或说相对而言，偷盗的事是不可避免的。因此，缉拿盗贼便成为维护地方治安的一件大事。

按我国古代官制，战国时，为防御敌人侵扰，在各诸侯国之间的接壤处设“亭”，置亭长。秦汉时，每隔十里设一亭，置亭长一人。“十里一亭，十亭一乡”，为古代行政区划最小的单位。亭长的职务，是主事诉讼，收捕盗贼，维护地方治安；兼管行旅宿止，并治理民事。按规定，亭长可以带剑佩刀，持盾被甲。

汉高祖刘邦曾当过“泗水亭长”，常到乡村小酒馆里喝酒不付钱。亭长的部下只有二人，应劭解释说：“旧时亭有两卒，其一为亭父，掌开闭扫除；一为求盗，掌逐捕盗贼。”

此墓在石椁的三面刻了长达八米的缉盗画面，当与上述情况有关。内容包括审讯、押解和迎接三个部分。论案情，不过是抓了两个盗贼，看“迎接”，也只有两人，请他们吃顿饭。场面如此壮观，显然是夸大了的。在农业社会中，虽说是重本抑末，不提倡手工业和商业，但在实际掌握上

缉盗归案图

高 96 厘米，宽 790 厘米，厚 22 厘米
徐州贾汪区青山泉汉墓出土，石椁三面
徐州汉画像石馆藏

只是当作一种政策，要看需要而定。因此，一些富商的深宅大院，并不比中等官员差。以纺织为例，除大量为了家庭自给的农村副业之外，也有以商品生产为目的的手工业工厂，有的规模很大。《汉书 · 张汤传》中，就记载着一对叫张安世的夫妇，经营纺织，有七百多个工人，“皆有手技作事”，所获利润，可与当时辅政的大将军霍光比富。

翦伯赞说：“东汉王朝的创立者刘秀，不像西汉王朝的创立者刘邦是一个半路出家的商人地主，而是丝毫不假的一个商人地主。同时，东汉的衮衮开国元勋，也不像西汉一样是一群小地主和流氓无产者，而是南阳和其他各地的富商大贾。因此东汉的统治者，一开始便能‘鸾辂龙旗’、‘朱轮华毂’，摆出贵族的派头。决不像西汉之初，‘自天子不能具醇驷，而将相或乘牛车’。即因东汉开国者集团，本身就是富商大贾，所以他们用不着学西汉的开国者集团一样，必须要抑压前代的商人，一直到那一群贫穷的新贵也变成了商人地主以后，才废除抑商政策；而是一开始就让商人自由发展。”

缉盗归案图（局部两段）

百戏表演的两边

高 216(残破) 厘米，宽 99 厘米，铜山县洪楼祠堂

盛大宴会的中央展示

高 90 厘米，宽 120 厘米，铜山县张集乡征集

《百戏表演的两边》和《盛大宴会的中央展示》，都是在豪华的庄园里饮宴贵客，丰盛的酒食和精彩的百戏自不必说，很突出的一点是对纺织的展示。《百戏表演的两边》，是两座高大的建筑，右边的室内高朋满座，主人陪着客人看百戏的表演。建鼓高高竖起，五彩的羽葆华盖飘动；鼓声阵阵，鼓手和着节拍起舞。左边的室内也很紧张，但不是观舞者，而是纺织女工在劳作，还有人在向客人介绍。另一幅《盛大宴会的中央展示》也是如此，深宅大院里处处都有人活动，室内室外，百戏仪仗，鸟兽飞舞；但在画面中央的高大建筑中，最显眼的是三个纺织女工。中间的一个坐在织机上，两边的正在摇动络车和纬车。两幅画像石说明，在将近两千年前，徐州一带具有先进的纺织技术，这也是商贾的一条发财之路。

历史告诉我们，人类社会的不公，主要表现在权力的过分集中和贫富不均。而历代统治者在物质生活中所炫耀的，也正是地位和财富。权

高楼饮美酒

高 102 厘米，宽 148 厘米，铜山县出土

力决定了地位之高，财富支撑着优越的享受。前页《高楼饮美酒》中的建筑，结构非常奇特，整座房屋由多层斗拱支撑，往下逐渐递减，最后集中于一根木柱上；为了保持平衡和稳定，由两边的楼梯加固。这一木结构的建筑即使可行，也让人疑惑是现实，还是出于画家标新立异的想象。对于居住者来说，坐在上面，飘飘然如在空中，确实会产生居高临下之感。你看下面的人物活动，不论建鼓舞者、奏乐者，还是从楼上翻身而下者，不都是在下的芸芸众生吗？至于他，或者包括他的配偶，高高在上，饮着美酒；上面有祥禽瑞兽作陪，下面的楼梯上有侍从列队伺候；在人间，还有更高的享受吗？

我们从画像石的画面中了解到，汉代人的生活享受是有限的，根本

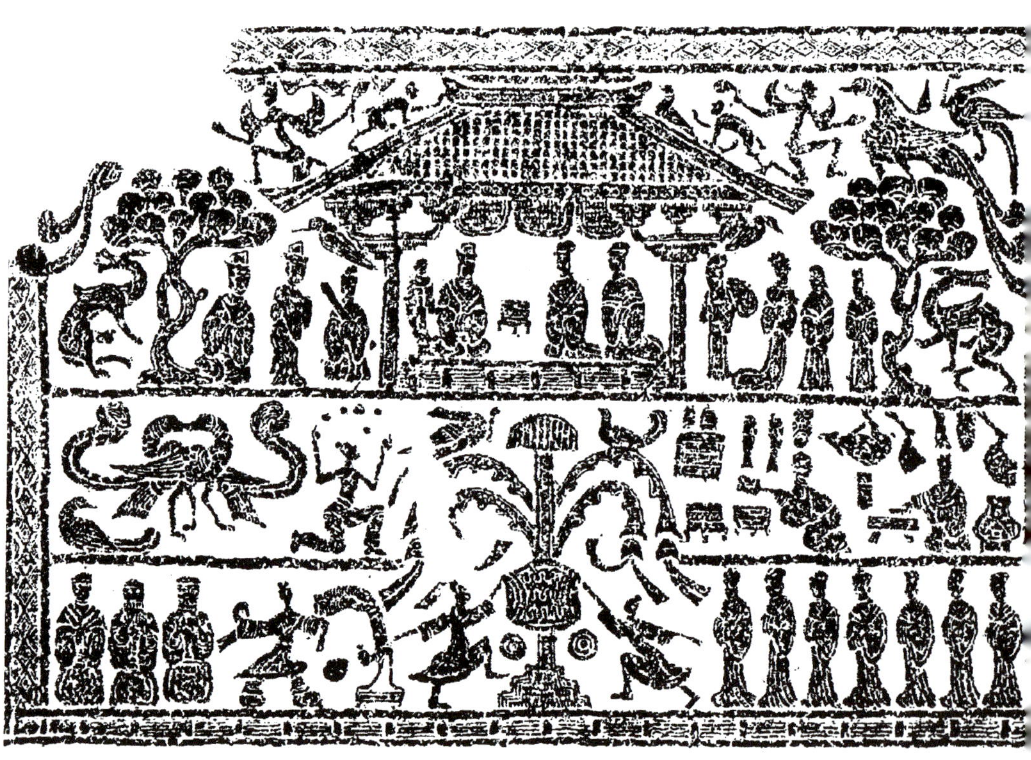

明堂观百戏

高 107 厘米，宽 164 厘米，徐州画像石，选自《中国汉画像拓片精品集》

无法与现代生活相比。论物质，其庖厨不过是猪牛鱼肉，以及烤羊肉串之类；论精神，其百戏也不过是建鼓、几种杂技和长袖舞等，恐怕现代的年轻人看了要不耐烦了。

然而汉朝人是为此自豪的，以故在画像石上多刻庖厨图和百戏图，陈陈相因，甚至形成一种公式。因为他们超越了他们的前人，站在了两千年前的历史高峰，推进了文化和文明的发展。

《明堂观百戏》将这些内容层层摆开，包括妻妾成群，侍从成行，享尽了人间的荣华富贵。并且上有龙凤、羽人，已与仙界相邻，是值得炫耀的。

画像石的造型，都是二维度的平面，在构图上多采用组合的方式。一般画面多分两类，一类是直观相连，另一类是分格表出。分格者有的内容相关，有的并无关系。下页《鱼贯拜见图》结构特别，右边是高耸的门阙，两边的鸟儿直飞攀上，站在阙顶上的几只，已在开心远望；下面的持戟门吏，孤寂地站在那里，好像被嵌进了冰冷的墙壁中。

画面的左侧却很热闹，分成五格表述。第一格是一座大厅式的建筑，大厅之上有"二龙穿璧"，这是与墓主人升天有关的。厅中扶几而坐的正是这位德高望重的长者，两分长髯，侍者用便面为他扇凉；第二格的左首有楼梯通向楼上，有九人或持笏、或执物，鱼贯而行，正要登楼；已有三人登上楼去，行跪礼相拜。

第四格与第五格为庖厨场面，有汲水、椎牛、炊火、刮鱼、抬物和烤肉串等。这种为饮食的操劳是画像石中所常见的，其用意很明显，可想而知。

惟难理解的是第三格，中间夹着一个"周公辅成王"的故事。上有榜题；周公在成王之后，前有五人跪拜。周公系周文王之子，曾辅助其兄周武王灭纣，建立了周王朝；武王死后，成王年幼，周公又辅助成王。不知刻此石的目的，是效法周公呢，还是自比于周公。

古代农业社会，希求"风调雨顺，国泰民安"，只要不激化矛盾，让人民的生活有所余裕，社会必然安定。所谓"小康之家"，最基本的条件是衣食无虞。家庭是社会的细胞，每个家庭丰衣足食，过得幸福，也就是国家富强的基础。

鱼贯拜见图

高 117 厘米，宽 92 厘米

邳州市庞口村出土

温馨家庭（下为局部）

高 100 厘米，宽 212 厘米，徐州贾汪区青山泉散存，徐州汉画像石馆藏

《温馨家庭》所表现的，是一个小康之家的幸福生活。

封建社会时代的婚姻制度重男轻女，有许多不合理的弊端。但在男女之间的情感上，有一般就有个别，有的悲剧连生，也有的幸福美满。从画面看，这是一个殷实之家。在居室建筑的两边，一边是夫君乘着马车，久别归来；一边是车停马歇，让马吃挂在树上的草料。室内是一片欢欣，夫妻对坐在榻上，正在逗引怀抱的孩子。汉代的绘画不强调物象的大小比例关系，也不重视环境的空间虚实，而是强调绘画的主题和突出所要表现的内容。因此，夫妇二人的相对而坐，就把整个居室占满了，只有上面的帐幔垂下形成三个圆弧，反而增强了欢乐的气氛。所有的侍奉人员都在室外；屋顶

燕居观舞图

高 57 厘米，宽 100 厘米，厚 14 厘米，徐州凤凰山汉墓小祠堂
徐州汉画像石馆藏

上、天空中有龙与各种鸟兽，衬托出大自然的一片生机和谐，在汉代人的心目中，也带有吉祥的意味。

《燕居观舞图》也是表现一个小康之家的美满生活。

原石是一个小祠堂的后壁，高不过半米多，画面是以小祠堂表现大厅堂。堂上坐有夫妇二人，中间放着酒具；男士扶案，女士披彩，两人正在对话。可能是遇到了喜事，或是纪念什么日子，气氛是愉快的。堂下有乐伎献舞，长袖飘动，琴声悠扬，连两旁站立的侍者也动起来了。

下页《二人对饮图》和《亲朋交谈图》出自一个墓室，表现的可能是墓主人生前最关心的事。他们是什么关系和谈的什么，我们无从知道，但从周围的环境和产生的气氛，可以推测均为喜庆之事。如前者在屋脊上放一条大鲤鱼，是子孙众多和富贵有余的象征。后者的长案上摆着酒具，两人正在对饮；其中一人将双臂举起，似乎很激动。在客厅的深处，有三位女性，其中两位手拉着手，很是亲热。由此看来，室内的气氛颇为

二人对饮图

高 101 厘米，宽 67 厘米，铜山县茅村汉墓，中室西壁

亲朋交谈图

高 105 厘米，宽 78 厘米，铜山县茅村汉墓，中室北壁

牛车会友

高 93 厘米，宽 120 厘米，邳州市陆井乡庞口村汉墓出土

欢畅。房顶上有群鸟舞动，其中有一对作“交颈”之式，这是一种表示友爱的象征，就像现在人在新婚喝“交杯酒”一样。

在农耕时代，交通和战争均靠马匹，骑马、乘马车成为主要形式。牛的力气虽大，但动作不够灵活，故牛车多是运物，很少载人。《史记 · 平准书》说：秦汉以来，连年战争，马匹被征用，连天子用的马都不足，“而将相

牛车会友图中的牛和童子

童子坐在凳子上

或乘牛车”。到了东汉时期，情况好转，马匹也多了，但乘牛车的习惯却流传下来，特别是一些文人和隐士，坐着牛车，慢慢悠悠，以此标新立异。如果乘着牛车会友，别是一种乐趣，而且做当时社会流行的“六博”游戏，以此表示风雅。

《牛车会友》是一种展示性的构图：客厅中帷幔高挂，两人坐在长榻上对弈，似已进入决战时刻；左边一人气势非凡，扬手作进攻状，对方只好摊开双手，不知是争还是求，总之处于被动状态。气氛紧张而又景象和泰，连祥禽异兽都聚拢来了。在建筑的右侧停放着一辆大车，左侧是赶车的童子与牛逗乐。值得注意的是那童子所坐的坐具，现在看来不过是一只普通的小木凳，也称“杌子”，但在那时却是不寻常的新事物，意味着席地而坐的生活习惯开始改变。画家为了表现坐者的倾斜姿势，将杌子腿画得一长一短，实际是一样长的。

顺便讲一下当时的起居习惯。汉代时人们普遍还是席地而坐，高贵者坐在榻上，可扶在几上做事，榻与几都是很矮的家具。古人席地而坐不是盘腿，而是两膝着地；臀着于蹠（足跟、脚掌）者为坐，伸直腰股者为跪（或说股不着脚跟为跪，跪而耸身直腰为跽）。直到宋代，家具开始升高，并有了桌椅之类。现在的日本、韩国、朝鲜有的仍是席地而坐，我国已经改变；只是在北方的炕上设有“炕几”，人们跽坐于炕上，但炕也升高了。

至于那童子所坐的小木凳（杌子），在当时可能主要用于上马、上车；汉代有上马石，这个也可称作“上马凳”，还没有普及到生活的其他方面。徐州地区出土的画像石，以中小型的墓葬较多，有的是未经科学发掘的散存者。结合对画像内容的推测，有不少属于小康之家。一般都比较简单，多是画寥寥几人，或是表示对家人的恩爱，或是纪念对友朋的和好。由此可以看出当时中下层人士的社会关系。

《墓门展示》的原石是墓门的横额，画面饰有连续的植物花纹，并以亭子为中心，表出三组内容：二人交谈、六博和假面傩舞。舞者持剑，戴着牛首假面，正在与野兽搏斗。

《抚琴者》一人在亭中抚琴，三人聆听；亭外有二人作长袖舞。亭左

墓门展示

高 83 厘米，宽 232 厘米，徐州贾汪区散存

有树，树上挂着喂马的食具，有一匹马在食草，树旁一人，当是驭者。如是，怎么会有马、有驭者而无车呢？可能是为了纪念一次野外的畅游，留住美好的回忆，就不顾那些细节了。

《二人博戏》的主人，家有门阙和侍从。但在两阙之间，有人据原石说是刻了猫捕老鼠。不知是主人还是刻者的趣味。

抚琴者

高 87 厘米，宽 138 厘米，邳县白山汉墓散存

二人博戏

高 57 厘米，宽 56 厘米

徐州凤凰山汉墓小祠堂（左壁）

第三节 ◎ 男耕女织与尚武精神

在古代，农业社会的基本生产模式是男耕女织。

汉文帝刘恒说：『农，天下之本，务莫大焉。』（《史记·孝文本纪》）

强调农业是国计民生的根本，要当作最重要的事情来抓。

他采取了『与民休息』的政策，

减轻地税和赋役，使农业生产得以恢复和发展。

一个国家的富强、经济实力的提升，主要靠生产力的发展。汉代四百年，在冶炼、纺织等方面，发展很快，规模也很大。铁农具的使用和推广，以及用牛耕田的开展，使生产效率倍增。在当时，徐州一带是比较富裕的地区之一，牛耕虽较中原为晚，一旦实行起来，发展很快。

中国古代以农立国，视农业为本，而在生产中推行牛耕，起了很大的促进作用。在汉代画像石上表现牛耕，是当作先进生产力赞美的。

史学家翦伯赞在《秦汉史》中说："在西汉时，牛耕虽已普遍于中原，但中原以外的世界并未普遍，据史载，直至东汉之初，'江淮之有猛兽，犹北土之有鸡豚也。'而且这样的情形，一直继续到东汉的中叶。至若东南沿海一带，南至交趾，还是处于火耕水耨的阶段。…… 据《后汉书》所载，今日安徽庐江一带的人民，直至东汉之初，虽已知耕植，但尚不知牛耕。到建初八年（公元 83 年），才由一位贤良的太守王景教以牛耕之法。从此，‘垦辟倍多，境内丰给’。同书又载，今日安南北部一带，当时的九真，人民皆以狩猎为生，不知牛耕。后来也是由于一位贤明的太守任延告诉他们铸作田器，学习牛耕。这些史实就指明了牛耕的方法在东汉时，已逐渐从黄河流域扩展到长江流域乃至珠江流域了。”

以上所说的情况，正是包括了徐州一带。在江淮地区，当画像石进入繁盛时期，牛耕也正得以发展，很大程度地促进了农业生产。在当时，利用牛力耕田，不仅是一件新事物，是以前从未有过的新鲜事情，更重要的是明显地提高了农业生产效率，受到农民的普遍欢迎。这幅《牛耕图》便是最有力的说明。

牛耕图

高 80 厘米，宽 106 厘米，睢宁县双沟散存，徐州汉画像石馆藏

从画面中可以看出，由牛耕的劳作带动了一个家庭的忙碌。这是一个普通的家庭，有四口人参加田间劳动；有三头牛和一辆牛车，还养着一条狗。他们赶着牛车下田，将车停在田头；先套二头牛拉犁，让另一头牛在田边吃草。汉字中出现的“犁”（犂）字，已经表明用刀收禾为“利”，以牛耕田加利。两头牛拉一架犁是很轻松的，走得很快，扶犁人只好迈开大步，甚至用杖支撑。跟在犁后的是一个少年，随墒播种。远处一人正在举锄耘草。他们紧张地劳动，只有那条狗感到无聊，躺在车旁；

丝帛乐业图

高 118 厘米，宽 60 厘米，睢宁县官山征集，睢宁县博物馆藏

车上落了几只乌鸦。有一人挑着箪食壶浆，送来了饭食，很快就要歇晌了。这是两千年前一个农村家庭劳作的画面，曾在中国延续了很久，如今看了并不陌生。

本图的上边两格，一格是仙人骑鹿和鹿驾云车；另一格是官员的会见，画面都很模糊。

在纺织方面，家庭副业性的丝织等非常活跃。从左页《丝帛乐业图》可以看出，农民是实得其惠的。

画分三格，上格表现一男一女，似为夫妻。女的穿着华丽，梳着两个大发髻；手持束丝，欣悦欲舞。男的随后，手举一束丝帛。两人如此兴奋，似乎带有炫耀意味，这是他们的劳动成果；不仅保证了家庭经济的来源，也可显见他们的手艺技巧。中国农业社会小农经济的特点，“男耕女织”的分工和生产模式，包括植桑养蚕、缫丝织绸，形成了当时社会自然经济的自给自足。

丝帛乐业图（主题部分）

早在战国时期的孟子，就给中国古代农家设计了一种生产与生活的模式，即所谓“五亩之宅，树墙下以桑，匹妇蚕之”；“五母鸡，二母彘，无失其时”；“百亩之田，匹夫耕之”。这种理想，用现在的话说也就是“多种经营”，不但为封建社会所乐道，也是历代统治者所提倡的。从汉代画像石的某些题材看，徐州地区是做得很好的。

画面的中格与下格，为对鸟和对兽。对鸟作接喙状，这是画像石中常见的一种造型，表示两者相亲相爱。对兽似龙，相对漫舞，也是一种相

家庭纺织图

高 103 厘米，宽 92 厘米

徐州市贾汪区青山泉散存

互友好的动作。

东汉两百年，是在西汉的基础上继续发展的。随着社会的相对安定，农业生产和其他经济也得到一定发展。小农经济的特点是男耕女织、自给自足。以家庭为单位，当然也会有所侧重。《家庭纺织图》是一幅表现以纺织为主的家庭的画，房顶上落下吉祥鸟，主人在客厅里接待客人，说不定是在商谈纺织生意的事。上边的一格是表现纺织的情景，有四个织女在劳作，一件件的丝团挂在壁间，说明她们的劳绩。一个妇女抱着婴儿，正要递给织机上的母亲，可能是要喂奶了；母亲从织机上扭过身来，双手接孩子，孩子高兴得手舞足蹈。看了这幅画，深深感到她们的紧张劳动和愉快生活，母子之间的人伦之爱和对生活的知足；同时也可看出，汉代的画家在刻画人物和表现情节上，已经非常细微。

反映汉代纺织题材的画像石，全国以徐州出土者最多，目前已有八幅。其中有规模较大的家庭手工业，但更多的是以自给为主的农家副业。如《纺织图》是一块大画像石的一部分，与其他画面在内容上没有联系。在纺织方面有织机、纺车等，规模不大，却很完备，显得很生动。

纺织图

新沂市炮车乡出土画像石（局部）

下页《愉快的纺织业》说明了这个行业的兴旺，高兴的当然是经营手工业的业者，不一定全是工人。从画面可以看出，他们有自己的纺织作坊，有车马，有条件观歌舞，已是很优裕的生活了。

徐州古为东夷，曾属吴楚，地势重要，又是兵家必争之地。这里的人民经受磨练，养成了崇文尚武的传统。练武者强调武德，以强身自卫为本，因而重视切磋武艺，既是功夫交流，也有助于增进友谊。

愉快的纺织业

高 117 厘米，宽 92 厘米

邳州占城白山汉墓出土

《邀看比武图》表现比武，并邀请友人观看；画分四格，自上而下为：

（一）邀看比武；

（二）四人同行；

（三）二人比武；

（四）揖客告别。

情节连续，表现了邀看比武的全过程，勿须说明。此可谓中国最早的连环画。

邀看比武图

高 127 厘米，宽 56 厘米，徐州市郊寒山散存

《武者聚会图》画的可能是个切磋武术的场所，类似现代的武术馆。画分三格，下格的大厅中表现人物会见情景，有的拱手问候，有的在交谈，显得很热闹。上两格分列十几位武士，各执不同的兵器，三三两两的交谈，从他们不同的姿态中，可以想见也是谈得很起劲的。在汉代画像石中，表现比武和切磋武艺的题材，为徐州地区所独有，或说是最突出。

武者聚会图

高 76 厘米，宽 115 厘米

铜山县耿集汉墓出土，徐州汉画像石馆藏

教练武术

高42厘米，宽168厘米

铜山县十里铺汉墓出土(门楣)

《教练武术》画像，原是一座墓的门楣石，它表现一个武术师傅正在教练学徒。画左边一人高大魁梧，穿着整齐，手持长戟，向右面的空手者刺去；空手者赤膊，招架不住，躲闪开来，作逃跑状。地上放着他的衣服和武器，可能是个学徒，正在练习某一种招数。画右边有一尊者坐在榻上，上有华盖，旁有酒樽，手举环首刀，气宇不凡；前面有三人跪拜，似是武术师傅在向徒弟训话。

习武，练武，比武，反映在画像石上，是难得见到的。它说明这种健身自卫之术具有悠久的历史，在徐州一带非常普遍。从《比武图》可以看

比武图

高57厘米(横断局部)，铜山县苗山汉墓(中室东壁)

演武图（局部）
铜山县茅村汉墓出土

出，人们不但武术技艺准确而灵活，艺术技巧也很熟练。《演武图》的表现技巧差一些，且比武是带表演性的。

第四节 ◎ 历史人物与传说故事

中华民族尊重传统，善于从传统中吸取经验，所谓『以史为鉴』。古代的思想家和有成就的人都受到尊重，人们也从一些历史故事和民间传说中得到启迪。这是一种很好的教化形式，并表现在画像石上。

自从汉武帝实行“罢黜百家，独尊儒术”的政策以来，以孔子为代表的儒家学说成为汉代社会的主导思想，并一直贯穿于整个封建社会。至东汉时，画像石进入流行盛期，在内容上必然受到影响。就各地出土的画像石看，在题材上除了黄老思想还占有一定比例外，也反映出一些儒家的意识。范文澜说：“西汉政治有三个时期的变化，与政治相适应的学术思想也有三个变化。前期行黄老刑名之学，符合与民休息的社会需要，中期独尊儒术，罢黜百家。所谓儒学，就是儒学为主、刑名学为辅的董仲舒《春秋公羊学》。公羊学的盛行，说明多欲政治代替了前期的无为政治。后期行纯儒学。所谓纯儒学，就是依据孔子所传在周天子统治下承认封建割据合法存在的原始儒家思想，

祠堂故事画像

高 140 厘米，宽 110 厘米

邳州占城出土（祠堂右面山墙）

其中以提倡宽柔温厚的《诗》学为最盛行。这正是中央集权衰弱、豪强割据势力兴起的反映。汉宣帝教训汉元帝说："我们汉家的制度，一向杂用霸（刑名）王（儒）道，怎能学西周政治用纯儒学呢！乱我汉家制度的一定是你了。"

直到东汉，这种思想反映在画像石上，依然是杂乱的。画像石除了埋入地下墓室的之外，还有在地上坟前建立的祠堂。这些祠堂有大有小，大者人可入内，小者仅是一个不及半人高的小龛。在一些较大的祠堂中，左右两壁间多刻历史人物故事，一格一格地表现出来。既反映出墓主人的思想和崇拜对象，也是一种宣传。

邳州占城出土的《祠堂故事画像》，原是一面山墙，但高不及人，说明祠堂不大，在这一面小小的山墙上，刻了五个画面，自上而下依次是：西王母、二桃杀三士、孔子见老子；另外两格的故事内容不明。从故事的排列次序看，当时孔子还没有被摆到显赫的地位。有关孔子的故事，主要是"孔子见老子"，并且从中带出了一个孔子的"小老师"。

"孔子见老子"也就是史书上所说的"孔子问礼"。孔子和老子是同时代人，都生活在春秋末期，但老子可能比孔子大许多岁。在中国文化史上，正是诸子辈出、"百家争鸣"的时代。孔子名丘，字仲尼，公元前551年生于鲁国，年轻时虽然做过小官，但其抱负一直得不到实现。他在鲁国，因不满于当时的政治所为而去周游列国，又不为所用。于是便聚徒讲学，开创了私人办学之风。对于老子，人们对他的生平并不了解，只知道他姓李，名耳，字聃，写了一部著名的《道德经》（即《老子》）。他们两

孔子见老子

邳州占城出土祠堂画像部分

人代表着两个著名的学派：老子代表道家，孔子代表儒家。而孔子拜见老子，正是标志着两种思想和主张的交流。

孔子的思想中心是"仁"，但要以"礼"为规范。他之问礼于老子，是因为老子曾做过周朝的"守藏室之吏"，即管理国家藏书的史官。孔子尊重老子，在他"适周问礼"之前曾说："吾闻老聃博古知今，通礼乐之原，明道德之归，则吾师也。"孔子办学，弟子三千，真正学有成就的七十多人。他去洛阳，只带了五个学生。《庄子》说："老子孔子，从弟子五人。……子路，勇且多力；其次，子贡为智，曾子为孝，颜回为仁，子张为武。"汉代画像石所刻绘的，两人相见多是在郊外，往往天上有飞鸟相伴；可能是老子出来迎接的缘故，两人的后边各有一群人，排列成行，有的还画了马车。

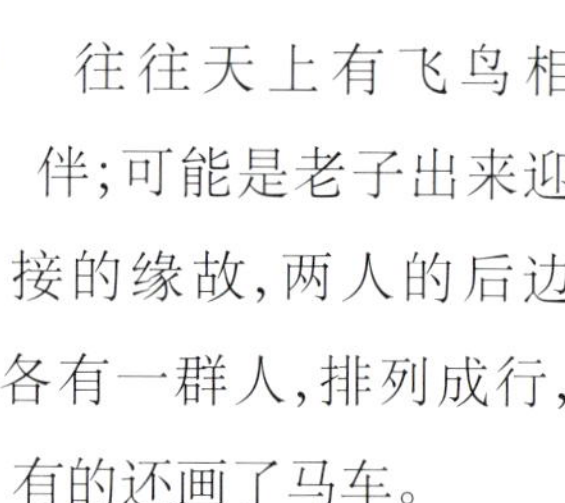

子路
孔子见老子（局部）

《孔子见老子》的故事虽然在《史记·孔子世家》等书中有所描述，画像石中也不少，但其画面情节都很简单。孔子和老子面面相对，孔子手中捧着一只大雁，这是古代的一种"贽敬"之礼；后面的人揖手排队，只有一个子路与众不同：头上戴着公鸡冠，腰上挂着一只小公猪，即所谓"冠雄鸡，佩豭豚"，摆出一副勇武好斗的架势。《孔子家语·七十二弟子解》说："仲由，弁（卞，今山东泗水）人，字子路，少孔子九岁。有勇力才艺，以政事著名。为人果烈而刚直，性鄙而不达于变通。仕卫为大夫，遇蒯蒉与其子辄争国，子路遂死辄难。孔子痛之，曰：'自吾有由，而恶言不入于耳。'"孔子很喜欢子路的直爽勇敢。好像画像石的作者也着意表现这种性格，不拘小节，非常生动洒脱。

在《孔子见老子》的画像中，孔子与老子之间，多画一个推着玩具鸠车的儿童，仰首与孔子谈话，将老子隔在了后边。这个孩子就是孔子的“小老师”，名字叫项橐（或作项托、项陀），年仅七岁。

本来，这是另外一个故事，说明孔子谦虚好学，不但强调“每事问”，并且请教所有的人，包括儿童在内。这个故事与“适周问礼”是无关的，不可能有项橐参与。可是，为什么汉朝人将他们刻在一起呢？刻画者没有将故事的情节内容弄清楚是有可能的，譬如在山东画像石中有一幅《击磬于卫》便是这种情况。另一方面，由于当时儒家被官方定为主导地位，如道家之流被抑，一些浅薄者不服气，便借孔子向老子请教，抬高自己。实际上，恰好证明了孔子的美德。为了加强说明孔子的谦虚，也把项橐拉进来了。

关于项橐，文献中多有提及，如：

《史记·甘茂传附甘罗传》：“项橐生七岁，为孔子师。”

《战国策》七：“甘罗曰：夫项橐生七岁而为孔子师。”

《淮南子·修务训》：“夫项托七岁为孔子师，孔子有以听其言也。”

《新序·杂事五》：“秦项橐七岁为圣人师。”

《淮南子·说林训》高诱注：“项托年七岁，穷难孔子，而为之作师。”

《论衡·实如》：“夫项托七岁教孔子。”

这就是历史上所传的“孔子问师”的美谈。在画像石中除了画在《孔子见老子》的画面之中外，也有的单独画《孔子问师》图。至于具体内容，我们并不知道。只是在《列子·汤问篇》中，记载了一段孔子“观小儿辩”的故事：

孔子东游，见两小儿辩斗。一儿曰：“我以日始出时去人近，而日中时远也。”一儿以日初出远，而日中时近也。一儿曰：“日初出大如车盖，及日中，则如盘盂，此不为远者小而近者大乎？”一儿曰：“日初出沧沧凉凉，及其日中如探汤，此不为近者热而远者凉乎？”孔子不能决也。两小儿笑曰：“孰为汝多知乎？”

这确实是一个有趣的科学问题。孩子是纯真的，他们能发现问题，并试图加以解释。孔子有鉴于此，细心观察，正表现出他的可贵处。《孔子问师》即表现这一题材。另一图《东王公》，东王公是西王母的配偶，不

东王公·孔子问师图

高 99 厘米，宽 90 厘米，邳州庞口村出土（祠堂左壁）

见有什么故事。

孔子主张礼教，崇拜西周初年的政治家周公。周公是周武王之弟，名旦。曾助周武王灭商；武王死后，其子成王世袭，但成王年幼，由周公摄政。这就是“周公辅成王”的起因。

在此期间，他的兄弟管叔、蔡叔、霍叔等人不服，联合武庚和东方夷族反叛，周公出师东征，平定反叛；大规模分封诸侯，营建洛邑（今河南洛阳）作为东都，巩固政权。相传他制礼作乐，建立了一套典章制度。孔子很羡慕这套制度，甚至在梦中与之“交流”。待到他的晚年，曾感叹地说：“甚矣吾衰也，久矣吾不复梦见周公。”

早在孔子“适周问礼”时，他曾在洛阳参观。《孔子家语 · 观周》说：“孔子观乎明堂，睹四门墉有尧舜与桀纣之象，而各有善恶之状、兴废之诫焉。又有周公辅成王，抱之负斧扆南面以朝诸侯之图焉。孔子徘徊而望之，谓从者曰：‘此周公所以盛也。夫明镜所以察形，往古者所以知今。……’”

“周公辅成王”是儒家竖起的实行礼制的标志，汉代既经尊儒，因而在画像石上必然表现出来。其实，画像石上的情节并不复杂，总是成王在前，周公随后，前面的谒见者跪拜，表现一种仪式而已。

周公辅成王

邳州庞口村出土画像石一部分

二桃杀三士
邳州占城出土祠堂画像部分

《二桃杀三士》是春秋时的故事，传说齐景公将两只桃子赐给三位勇士，让他们论功分食。三人互不相让，争论起来，先后自杀。后人常用此语比喻使用阴谋手段借刀杀人。但这个故事在各地画像石中都有，不知汉朝人如何理解；是颂扬三勇士的为人呢，还是警惕害人者的阴谋手段？

故事出自《晏子春秋 · 谏下》，大意说：公孙接、田开疆、古冶子三位勇士，以搏虎闻名，一起为齐景公做事。但三人也有些傲气，见晏婴来而不起坐。晏婴便建议齐景公除去这三人，说是“蓄勇”有害；设计将两只桃子赐给三人，让他们三人“计功而食桃”。

先是公孙接和田开疆居功拿桃。古冶子也摆功论说：“以食桃而无与人同。”于是，拔出剑来，让他俩反桃。两人说：论勇、论功，我们并不比你差，但取桃不让是贪，不死是无勇；两人不仅反其桃，并且刭颈而死。二人死后，古冶子说：自己独生是“不仁”，别人会说是争“不义”，恨乎不死是

二桃杀三士
残石，部分，徐州出土

“无勇”。于是，他也反其桃子，自刎了。

从艺术的角度看“二桃杀三士”，人物造型都很洒脱豪放，颇有勇者气概。徐州出土的残石虽然画面不全，仍可看出其中两人正在取桃，表现得轻松自信，但跪在旁边的两个小吏，却吓得呆若木鸡，不知如何是好了。在十里铺出土的一角残石中，恰好有三个勇士，其中两个取桃的已经放回，旁边抄手而立者可能是古冶子。

马是食草役用家畜，四肢强健，古代为车骑的重要工具。相传伯乐善于观察品评马的优劣，能识千里马，所谓“得其精而忘其粗，得其内而亡其外”。曾有《相

二桃杀三士（残石）

徐州十里铺汉墓画像石

右上之特写人物可能是勇士古冶子

相马图

下为局部

高 80 厘米，宽 80 厘米，邳州市栖山出土

东汉初期石椁墓，中棺头档，徐州汉画像石馆藏

马经》流传，实际上“伯乐”不止一人。这幅《相马图》过去曾解释为伯乐相马。由此画像的排列与安放位置看，上有铺首衔环一对，下有两人对谈，显然是表示在大门之前；也就是说，它是一种标志，就像武术指导在门前练武图一样，说明相马者的所在。

古人崇敬勇士、武士、力士。传说中有一些力大无比的力士，如战国时的乌获、孟贲、任鄙等，有的与动物搏斗能“生拔牛角”，有的能举千钧之重，他们的力量远远超过了常人。在四川有“五丁力士”的传说，他们拉着巨大的石牛，可以荡出一条路来。徐州和北邻山东的画像石中，多画力士成群，各人显示一种本领。这幅《力士图》也可称作“七大力士”，表现七人成行，分别为持剑、骑虎、拔树、背牛、举鼎、抱鹿、捧壶等。尤其是其中的拔树者，使人联想到《水浒传》中花和尚鲁智深倒拔垂杨柳的故事。

力士图

高 63 厘米，宽 232 厘米，铜山县洪楼祠堂（三角隔梁）
下图“拔树、背牛”者为其中的一部分

第五节 ◎ 乐舞百戏与休闲生活

汉代人的乐舞百戏，即音乐、舞蹈、杂技等，较前有很大发展，文化生活也相应丰富。自汉武帝打通西域以来，吸收了一些边疆地区和西方的艺术，不但有了轻歌曼舞，并且有角觝、幻化、假面等。所谓休闲生活，主要还是富人茶余饭后的娱乐。

古代周礼的音乐，大半多是用于宗庙的“乐神之乐”。汉初流行楚歌，则是乐人之乐。歌词平易通俗，而又慷慨激越；据说那些文化修养不高的新贵，包括汉高祖刘邦，都非常喜欢。《汉书 · 礼乐志》说：“高祖乐楚声。故《房中乐》楚声也。”

翦伯赞在《秦汉史》中介绍说：“一般说来，武帝以前汉代流行的歌舞，皆系楚歌、楚舞。到武帝时，随着国际商路的开通，边疆和外国乐舞的传入，于是汉朝的音乐和歌舞便起了很大的变化。最主要的是新的乐器的输入。新的乐器的出现，必然要改变歌舞的内容。正犹如新的武器的发明，必然要改变军队的组织一样。我们知道，中国古乐中最主要的乐器是打击乐器，如钟鼓磬钲之类。像这一类的乐器，在今日的音乐中只是用于

双人舞

东汉初期石椁墓，侧面画像局部
铜山县范山汉墓出土

敲出音乐的节奏，并不能独立奏出一种乐曲。固然在中国古乐中，也有笙簧一类的管乐，琴瑟一类的弦乐：但乐队的构成，还是非常简单。到武帝时，许多西域的乐器，如箜篌、觱篥、羯鼓、羌笛之类，都加入了汉朝的乐队。这新的乐器之输入，要求与之相适应的乐曲和歌词。为了改编乐曲和歌词，当时武帝设立了一个音乐院，谓之曰乐府，派人到赵、代、秦、楚各地，采集民歌。民歌不一定都能协于新乐之作，于是当时的歌人李延年，奉派为协律都尉，出现为汉代的作曲名家。同时，司马相如等文学家，也就担负起雅化民歌的任务了。"

抚琴起舞

东汉墓室画像局部，铜山县白集汉墓出土

翦先生风趣地继续写道:"汉代的歌声,我们现在已经听不见了。当时美丽如花的歌女,我们即使能够偶尔碰见,也是一堆腐骨而已,她再也不能向我们唱出那清脆的歌曲了。但是汉代的乐器和舞蹈,却在汉石刻画像上留下不少的形象。这些形象几乎再现出当时轻歌曼舞的场面。"

虽然如此,汉朝人在生活中是很懂得物质的满足和精神的享受的。人们对艺术的欣赏,早在战国时代已有了"雅俗"之分。在画像石中,既有"阳春白雪"式的雅致,也有"下里巴人"式的粗犷。两者并非水火,但是有区别的。所谓"阳春无和者,巴人皆下节",并不恰当。

六博助兴图
高108厘米,宽58厘米,沛县古泗水出土

《六博助兴图》画面分三格,所表现的可能是两个书生,一个到另一个家里做客,宾主在客厅里进行"六博";两人玩得很紧张,也很开心。他俩一边博弈,一边饮酒,并有乐舞助兴。在上格,抚琴者和吹奏排箫者奏乐;两个舞人起舞:

一个挥动长袖，一个在几上倒立，彩云飘绕其间。这乐舞可能属于雅乐之类，不过倒立者用今天的眼光看，已属于杂技了。

下格是客人的车马，驭者在车旁扶树休息，马也吃饱了，离开了挂在树上的草料袋；右边的马车并不特别，但画得很别致。由于是平面造型，画家竟舍弃了容易表现的侧面不画，而画难表现的正面。说实在的，正面画得很不错。

《乐舞图》是一幅贵族式的娱乐画面。大约是在一处优雅的地方，有守卫者骑马在旁。乐队中有的吹竽，有的吹笛，有的人吹奏排箫和抚琴；在一片丝竹之声中一人翩翩起舞；观赏的人聚精会神，还有人拍手击节。连那些祥禽瑞兽也来聆听，有九尾狐、三足乌等，他们是西王母身边的侍从，可助人长寿，羊则是代表着“吉祥”。为了讨取吉利，什么都会组合进来。

对于艺术的欣赏，人们是有习惯性的，加之各人的文化背景和修养不同，必然表现出差异。在徐州地区的画像石中，乐舞中表现最多，也最热闹的是“建鼓舞”。遥想那鼓声是激昂的，令人振奋；如果你到山西晋中一带听一听民间的“威风锣鼓”—— 据说那是古代战士出征的音乐，便可感受到古代徐州人的勇武和情感了。

鼓在古代是种重要的乐器。小者曰“鼗”(táo，音陶)，如现今的拨浪鼓；大者曰“建鼓”，需要用柱穿其径而竖起。竖起的柱，商周时叫“楹”，所以也称“楹鼓”。最初的建鼓，下有四足，故又称“足鼓”。以后在柱下

乐舞图

高 56 厘米，宽 150 厘米，铜山县苗山汉墓出土

改足为兽，多雕成虎形，以示其威风。在汉代画像石中所刻的建鼓，不但柱下有虎座，而且在鼓上竖起高高的羽葆华盖，用美丽的羽毛和彩绸装饰起来；在华盖之上还饰以鹭鸟。高承《事物纪原》引“《诗》云：振振鹭，鹭于飞；鼓咽咽，醉言归。古之君子，悲周道之衰，颂声辍，饰鼓以鹭，存其风流，未知孰是”。这不过是宋朝人的一种猜想。今见画像石所刻者，不仅是一种乐器，更重要的是一种舞具。下图两个击鼓者持桴而舞，和着鼓声起舞，舞蹈的动作很大，有的还配以别的乐器，或者与其他舞人共舞，在汉代“百戏”中成为重要的节目。

建鼓舞

高 51 厘米，宽 52 厘米
铜山县散存，徐州汉画像石馆藏

观察汉代的画像石，对于音乐、舞蹈、杂技、魔术乃至马戏等，几乎是不分的，表演时也混杂在一起，可统称乐舞百戏。其中的“建鼓舞”之所以被重视，主要是架势大，震撼力强。现今贵州苗族有一种双人鼓，虽然不叫建鼓，鼓面很大，鼓手是边舞边敲的；而且舞蹈的动作很大，有的像杂技，还夹杂着歌唱。用现在的观点看，实际上是将打击乐器和舞蹈、歌唱、杂技结合起来了，因而看起来有声有色，视听兼和，并不单调。

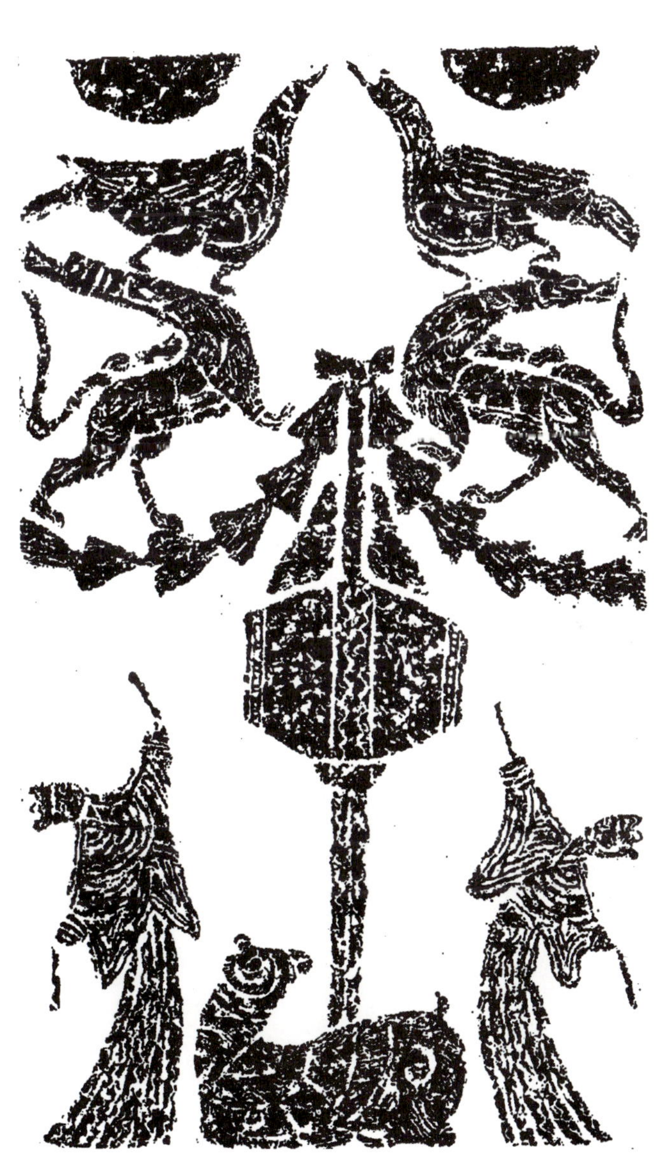

建鼓图

高100厘米，宽60厘米，徐州贾汪区青山泉出土

右图《建鼓图》好像带有某种仪式性质，鼓手专门摆了对称的姿势，连天上的青龙和飞鸟也来凑热闹，成对排列。这是由画家所构想的一种“借景”手法，可使简单的画面复杂化，并增强装饰感。

翦伯赞说：“汉代不仅从西域传入了新的乐舞，而且又传入了新的西洋把戏。《史记·大宛列传》云：武帝元封六年安息‘以大鸟卵及黎轩善眩人献于汉。……是时上方数巡狩海上,乃悉从外国客……大觳抵,出奇戏诸怪物……及加其眩者之工,而觳抵奇戏岁增变,甚盛益兴,自此始。’按角抵者,应劭曰:‘角者,角技也;抵者,相抵触也。’据此,则武帝时已有安息的马戏班来到中国,表演角力、杂耍、戏兽等技艺。又《后汉书·南蛮西南夷列传》云:安帝‘永宁元年,掸国王雍由调复遣使者诣阙朝贺,献乐及幻人,能变化吐火,自支解,易牛马头。又善跳丸,数乃至千。自言我海西人,海西即大秦也,掸国西南通大秦。’大秦即罗马也。据此,则在东汉中叶,罗马的魔术团,也来到中国了。”

所谓“角抵”,亦作“角觝”、“觳抵”,原是两人角力,类似现在的摔跤,相扑。起源于我国,秦代始名“角觝”。汉代时吸收了一些西域的杂技形式和体育表演,统称为“角觝戏”。汉武帝在元封三年作角觝戏,“三百里内皆观”,可见其盛况。

东汉张衡在《西京赋》中对角抵戏写得很详细。“临迥望之广场,程角觝之妙戏。”这种在广场上的大型表演,有各种奇妙的形象,是一般人做不到的,也是一般人看不到的。如:

“乌获扛鼎,都卢寻橦”——乌获是战国时秦国的勇士,能够举鼎,后以其名统称力士,类似现在的举重。都卢是南海一带的古国,其人善攀登;寻橦即爬竿。

虎车等百戏图

高131厘米,宽215厘米(左下角残)

铜山县洪楼汉墓祠堂(屋顶坡面)

龙车等百戏图

高 149 厘米，宽 282 厘米，铜山县洪楼汉墓祠堂

“冲狭燕濯。胸突铦锋。”——冲狭是穿刀圈，燕濯即燕子戏水。胸突铦锋是以胸冲撞锋利的刀刃。

“跳丸剑之挥霍，走索上而相逢。”——跳丸剑即抛掷铁丸短剑，上下飞动的样子曰“挥霍”。走索即是走钢丝。

“转石成雷，礔砺激而增响，磅礚象乎天威。”——滚动石头，模拟雷声；霹雳隆隆，雷霆万钧，有似天威。

“吞刀吐火，云雾杳冥。”——将刀插入喉管，或从口中喷出烟火；云雾昏暗。

凡此种种，表演花样繁多。有许多能在画像石中看到。

徐州铜山县洪楼汉墓的墓主人，可能是东汉时徐州地区的一个商贾巨富。在他的祠堂画像中有两幅百戏图——《虎车等百戏图》和《龙车等百戏图》，这两幅画像是作为祠堂天花板设置的，仿佛是天上各种神异的活动。前者在虎车上有一头大熊持桴击鼓，另有仙人骑麒麟、鱼戏、龟戏、风伯、弄蛇者、祥禽等。后者有三龙驾鼓车、三鱼

跳丸　徐州画像石局部，选自《中国汉画像拓片精品集》

建鼓·跳丸·后空翻

高 67 厘米，宽 200 厘米，睢宁县官山征集

驾云车，另有雨师布雨、转石成雷、象奴驯象以及弄蛇者等。这样大场面的百戏表演，不仅在徐州地区，在其他地区也是极为少见的。

用现代的眼光看事物，舞蹈、杂技、武术、体育的各项活动是有区别的，甚至可以说它们的专业性都很强，主旨也不同。然而，若从人体活动的特点出发，既要灵活、准确，符合人体动作的规律，又要稳健、优美，技巧熟练，使人看了得到一种视觉的满足，说明古人的综合是有一定道理的。事实上，以上的几种专业，正在相互借鉴、吸收，以达到自身的完美。

对于饱食终日、无所用心的人来说，使用“休闲”这个词可能不太准确。那些贵族高官和商贾巨富尽管生活优越，仍然有其自身的规律。当然，他们的人生观和幸福观绝不同于一般的平民百姓。总的来说，吃、穿、玩这些因素是不可缺少的。

盘舞·倒翻

徐州画像石局部，选自《中国汉画像拓片精品集》

一个穿着漂亮的美貌女子，梳着高高的发髻，戴着贵重的步摇，走出门阙之外做什么呢？因为后边拿着扫帚的“拥彗”者证明了她的所在；而她低头沉思和左脚迈出，说明举步未停。一定是心中有事，着急了；还是在等待出门的丈夫，已到了约定的归期？这就是《美貌女子的沉思》。

“六博”是古代的一种博戏。共十二棋，六黑六白，两人相博，故名六博，或叫“陆博”。类似后来的象棋。从下页《六博图》画面看，两个下棋者都是颇有身份的人，穿着讲究，有一人留着长须。室内有带花纹的丝绸垂帐，案上放着棋盘和酒樽。两人席地而坐，一边下棋，一边对饮。那时的饮酒用的是“耳杯”，作椭圆形，两边各有一个平耳，也称“羽觞”；酒在铜樽内，要用勺子向耳杯舀酒。可能棋局告一段落，两人正在争论什么，一人张开双手，显得无可奈何的样子，另一人

美貌女子的沉思

高 115 厘米，宽 60 厘米，睢宁县张圩散存

六博图

高 45 厘米，宽 50 厘米，
铜山县台上村出土（左上角残缺）
徐州汉画像石馆藏

郊游骑猎图（部分）

邳州燕子埠彭城相缪宇墓画像石，东汉元嘉元年（公元 151 年）

好像不以为然。在汉代画像石中,表现“六博”的画面很多,说明在当时很流行,是一种消遣的重要方式。

古人重视狩猎。对一般人来说,农闲时节,捕捉一些飞鸟和野兔之类,可为一部分生活资料的来源;对于上层贵族和官员,已成为一种消遣和娱乐。娱乐式的狩猎多是骑马射箭,称作“骑猎”,目标是一些较大的动物,如野猪和鹿等,并且有猎犬跟随着。捕猎小动物属于“田猎”。每年的秋季九月,也是天子“教于田猎,以习五戎(五种兵器)”的军事训练活动时间。在邳州燕子埠出土的彭城国相缪宇墓,画像石中有郊游和骑猎的画面,气势很大,简直是一幅隆重的出行图,可惜原

全家福

高 79 厘米,宽 75 厘米,厚 30 厘米
铜山县汉王乡东沿村出土,徐州汉画像石馆藏

石破碎严重，画面已不完整，只能看到一部分。刻画的技巧也较高。

在图画中表现牛车、骑猎和六博、对饮，固然显得雅致，但毕竟是少数人的作为。一般人的观念，更希望展现出全家人的幸福美满。古代没有照相，但可以画“全家福”。上页《全家福》所揭示的，将全家人排列成一行，两男四女，并有侍者在旁打扇；在阖家观舞的同时，厨房里已经忙碌地杵米、剖鱼、烤肉串，准备酒食了。

文化的传统影响着人们的习惯和爱好。对于汉朝人来说，一般欣赏乐舞仍以建鼓和杂技为主；就像今天的汉族人，不论结婚还是出殡，婚礼、葬礼上的音乐是少不了唢呐的。在民间，不仅有专门的曲调，而且那

乐舞与庖厨

高 77 厘米，宽 75 厘米，厚 27 厘米

铜山县汉王乡东沿村出土，徐州汉画像石馆藏

庖厨与建鼓
高 78 厘米，宽 74 厘米，厚 26 厘米
铜山县汉王乡东沿村出土，徐州汉画像石馆藏

声音早已入耳，即所谓喜闻乐见吧。遥想汉代的徐州人也是如此。有人以此论高下，是不恰当的。

汉代人的饮食，大体上是北方以粟为主，南方以稻为主；徐州人可能大米、小米兼食。副食的来源除蔬菜外，动物多为驯养的家畜，有猪、羊、牛，还有鸡、狗和鱼等。汉朝人驯养的犬有三种：家犬、猎犬、食犬。狗肉以食犬为主。另外，在画像中还见有鹿，当时可能很多。酒是少不了的，而且烧烤很普遍，也就是现在的烤羊肉串。

随着生产力的提高，城市商业也兴旺起来。为了人们交往的方便，汉代不但有专业的酿酒作坊，而且出现了酒肆，类似现代的酒馆，居民可以来此零买，朋友可以来此小聚，商人可以在此谈交易；甚至有了供旅居

酒肆图

高 94 厘米，宽 93 厘米，铜山县利国汉墓出土（东侧室东壁）

贩酒图

高88厘米，宽92厘米
铜山县利国汉墓出土
（东侧室南壁）

的客栈和娱乐的场所。

铜山县利国汉墓于1964年清理，是一座有前、中、后三室和侧室的砖石墓，出土了二十七块画像石。在这些画像石中，竟然有五块与“酒”有关。由于该墓早年被盗，墓室全空，没有留下其他文物。仅从画面推测，原来墓主人的职业可能与此有关，即酿造酒、经营酒、开酒肆，甚至开设了客栈、酒楼和歌舞娱乐场所。规模很大，管理有方，他由此而发财，成为富商，也为此而炫耀，刻了这些画像石。这五幅画像是：

《酒肆图》，楼层重叠，门阙高耸，有吉祥鸟站立在楼顶。这是一种剖视的建筑示意图。楼下是两女守护着巨大的酒壶，左右是酿酒坊和庖厨间。楼上是一间间的客房，有男有女，有的谈话，有的对饮。确实是一个

客栈图

高97厘米，宽95厘米，铜山县利国汉墓出土（西侧室南壁）

消遣小聚的好去处。

《贩酒图》分两格：上格是二女守护大酒壶，下格是送走贩酒的车马。

《客栈图》是豪华的楼阁建筑，上有双凤栖息。三间大门面，中间有侍者接待客人；两边是客人的马匹歇息，其中一匹马的鞍具还没有卸下。楼上是舒适的客房，上有垂幛，下有方榻，客人们成对地坐在榻上谈话。对于“旅次兼百忧”的人来说，这是一个安享之地。

迎送图

高 96 厘米，宽 94 厘米，铜山县利国汉墓出土（西侧室南壁）

《迎送图》分两格：上格是安排好客人住宿，下格是送别客人。

《十二美女图》，俗说佳丽如云，多是散散点点，如若将十二个美女排成一行，并有持戟者守护，可说是绝无仅有的。十二个美女聚在一起说

十二美女图

高 38 厘米，宽 220 厘米，铜山县利国汉墓出土（中室横额）

聚会观艺图

高 63 厘米，宽 130 厘米，睢宁县双沟散存

明了什么呢？显然不是一个家庭的成员。她们可能是酒肆的店员，也可能是客栈的侍女；而看她们的装束仪表，说不定是歌舞艺人。其中有一位身着异服，头饰特大，可能是个著名的演员。

睢宁双沟散存的一块画像石《聚会观艺图》，画面为半圆形，楼阁的隔间装有栏杆，各坐两三人。可能是一处观赏乐舞百戏的场所。

第六节 ◎ 社会底层的人们

在古代，财富悬殊不均，产生出人分贵贱的观念，甚至归结到『天命』，以为都是命里注定的。因此，社会上一部分人享受荣华富贵，另一部分人则过着贫苦的生活。处于社会底层的穷人，为人操劳一生，能够维持温饱，就算不错的了。

从丧葬的角度看，能够修造画像石墓的人家都是富裕的，且不说贵族达官和商贾巨富，最低也是无忧无虑的小康之家。因而画像石所反映的、所表现的多是他们的生活，绝不会揭示社会的不公和人民的疾苦。我们所说的社会底层的人们，只是从画面中观察到的侍者、杂佣、庖厨、门吏和跟在车马之后追跑的人。当然，那些乐舞演奏和百戏表演者也属于这一阶层；他们创造的欢乐是献给别人的，把痛苦留给了自己，在轻歌曼舞与欢笑的背后，不知有多少眼泪和苦难。

睢宁县朱集有一个地方叫“九女墩”，不知是九个女子还是第九个女子，她们的事迹已不可考，只剩下一座空空的墓室，却留下了一批珍贵的画像石。在清理废物中得知，有一些“铜

九女墩墓门

高 15 厘米，宽 129 厘米

睢宁县九女墩汉墓（墓门东扉）

门前小吏

睢宁县九女墩汉墓
墓门西扉局部

缕玉衣”的碎片，原来是一座贵族成员的墓葬。按照汉朝的葬礼，铜缕玉衣应属于列侯、大贵人和长公主的级别，其生前无疑是养尊处优的。画像石的墓门刻得特别繁密，除了那庞大的“兽首衔环”代表门环之外，填充了密密麻麻的祥禽瑞兽。龙凤，飞鸟，祥云，灵芝，一切美好的东西都聚在这里了。在中国画像石的墓门之中，可谓最为复杂的一种，也是最有气派的了。墓门紧闭，在一门环的左边和右边，将三个人刻在门上，也就是关在了门外。右边是一个持戟的门吏，驼背弓腰，年龄已老，可能是在冰冷的门外守了一辈子，只有一只小鸟在他身边飞过。另一边有两个人，一老一少，都托着食盘，正要向主人送什么食物。这种情况，绝不会只有一次，如若天天如此，流水如年，他们也就在送食中度过一生。雕绘者深知这一点，好像着意刻画了他们，那位在前的老者，并不瘦弱，平面的侧影显得自若，有趣的是，在侧面的面部又刻出了完整的双眼、口鼻五官。说明这种“毕加索式”的造型，在将近两千年前就有了。它体现了汉代人的一种艺术思维和审美意识，既要反映出直观的

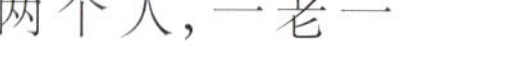

门外的送食者

睢宁县九女墩汉墓，墓门东扉局部

执盾躬迎的小吏
睢宁县墓山汉墓
车马图局部

人物形象，又要表现出观念的人物整体，因而使两种方法在一个位置上重叠出现，不理解的人可能感到奇怪，实际上是观念所然，其中也涉及欣赏的习惯。

《执盾躬迎的小吏》是睢宁出土的一幅车马出行图中的一个人物，居于画面的左下角。他奉命迎接一支车马队；车辆和马骑迎面而来，他毕恭毕敬，深弯着腰，只能侧面偷偷地看对方一眼。《奔跑的持戟导卒》是铜山一座祠堂画像中的一个人物。他持戟在前，后边是疾驶的轺车；驾车者拉紧了缰绳，马儿加快了速度，可怜的导卒只好在前急奔。

《持戟门卫》是个严于职守的小吏，端庄地站在那里。他的主人似有喜事临门；门前云龙旋绕，兵器上扎着彩结；在他的腰上还挂着两个袋子，不知装

奔跑的持戟导卒
铜山县散存祠堂画像局部

持戟门卫
高 37 厘米，宽 77 厘米，铜山县散存（上残）

的是什么。连附近的两只小鸟都感到新鲜，好奇地从画外探进头来，看个究竟。另一个《执盾亭长》与此相反，表面貌似谦恭，俯身执盾而立，却把头扭向一边，好像想到了别处。他是个只管十里地面的小官，但在地方上颇为活跃，拥有相当的权力。由于汉朝的开国皇帝高祖刘邦出身于此，无疑也会引以为荣，并形成一种“光荣传统”。东家请吃饭，西家喝老酒，乡村小店里猜酒令，是从来不付钱的。

执盾亭长
高103厘米，宽82厘米
铜山县茅庄散存

右页图是一个文职小吏，被刻在墓门上。门上有兽首衔环，仙人、龙凤飞舞，祥云缭绕。他手捧笏板，站在门环的旁边，不是看那祥瑞云气，而是接待来访者，并记录其身份和事由，汇报给主人，决定接见与否。孤寂单调，谨言慎行，就像一件工具，做一个看门人。

记事小吏

高 99 厘米，宽 94 厘米

徐州画像石，选自《中国汉画像拓片精品集》

杨若德画像

高65厘米，宽117厘米

徐州画像石，选自《中国汉画像拓片精品集》

这是一个普通汉朝人的画像，旁边有题记，带有墓志性质，可惜字迹模糊，已经不能通读。我们由此所知道的是：此人叫杨若德，死于东汉明帝永平十七年，即公元74年，遭难于兵灾；生前可能是个小官，但死后无葬身之费，得到别人帮助，才有了这个结果。从画面看，艺术技巧虽然一般，但能看出此人面带笑容，仪态自然，为人友善，可能交友甚广，以至死后有人帮助，不但入土为安，还为他刻了这块画像石，也就是题记最后所刻的“始得神道”。古人男士佩剑，有趣的是，他的剑是后刻的，并没有“装”在身上。

俗说“民以食为天”。自古以来，在农耕制度下，人们把“丰衣足食”视为生活的最高标准。只要“风调雨顺，政通人和”，平民百姓就会有好日子过。因此，在画像石中，表现人与人的交往，不论是会见、燕居，除了百戏图，便是庖厨图。从文化史的角度进行考察，并非是汉代的这两方面特别发达，而是它们最能代表人民的富足和国家的安定。百戏和庖厨，一个是物质文化，一个是精神文化，确实是生活的两个重要方面。这两个方面的创造者和承担者，均为社会底层的人们。

庖厨图

睢宁县张圩汉墓散存（局部）

以上《庖厨图》，原石的画面分三格，上两格的内容都是饮宴，此格系供饮宴的作场。屋梁的吊杆上挂满了鱼肉，还有一只盛食物的篮子。有六个人在屋内忙个不停：一人切肉，一人淘洗，一人在推柴烧火，一人在往釜中添放食物，一人在井边汲水，还有一人捧着送菜的圆盘。现在的读者可能对那圆盘的画法不理解，为什么将盘竖起，盘中的六个碗碟不就掉下来了吗？这是平面造型艺术的一个特点，也是一种手法，因为那时候还没有透视法的运用，不会用“成角透视”表现物体，如果将盘端平，只能看到侧面是一条横线，盘中的碗碟便看不见了。为了说明盘中有物，只好将圆盘竖起来。这种组合式的画法，现代人在视觉上已不习惯，但对汉朝人来说，却是司空见惯的。还有，从构图上看，六个人的劳作虽是平列，但布局妥帖，颇有节奏感。如果孤立看此画面，在中上边还有一个人的半身，好像悬空挂在那里，其实，他的上半身画到上格去了。在汉画中这种处理是不多的，可能是有意而为：可能是沟通庖厨房与宴会厅的侍者，也有可能是炊事人员劳动的监督人。

炊火蒸煮

铜山县汉王乡东沿河出土画像石局部

剖鱼和烤肉串

铜山县汉王乡东沿河出土画像石局部

卖鱼者与担酒者

睢宁县墓山出土画像石局部

汉代画像石的雕刻者，在当时只是一种职业，与其他的石工、石匠是一样的。据其他地区的材料证明，他们除了刻画之外，也同样从事石料的开采、磨制和运输，最多在内部有师徒与画刻的区别。所以，他们的社会地位，也同其他劳动者一样，属于同一个阶层。正因如此，他们熟悉其他劳动者，刻画起来非常自然。由于这些劳动者在画像石中多处于次要地位，不被重视，因而刻起来也没有拘束，自由得多。当我们看这些形象时，有的非常生动，刀凿传神，铿锵有力；留下的刀斧痕显示出一种力量，金石味隽永，充分表现出拓印版画的艺术魅力。

第七节 ◎ 敬送死者『升天』

人死后希望『入土为安』，既标志着一种文明，也反映了人们的一种心理。『灵魂不灭』的观念在人类的历史上是普遍存在过的，其表现形式也不一样。对于汉代人来说，一是将死者送入另一个世界；二是使其灵魂尽快升天。

丧葬文化，就其性质而言，都是为了死者，实际上又是表现人间关系。画像石仅是其中的一部分，在地下的棺椁墓室是为死者“生活”；地面上的门阙祠堂则是纪念死者。在画像中，很少有出殡、送葬和与死者告别的画面；只见有招魂的和由仙人迎送死者升天的。安徽灵璧县九顶镇出土的画像石中，有一幅殡葬的画像：牛拉灵车，车前有执戟者前导；车后是举幡者和送葬的家人。一个女子扶车軨痛哭，在她身后的小孩，抓住她的衣服，也在哭啼。像这样表现悲痛的画面，仅见一例。这说明，画像石所表现的内容，主要不是人间的生死离别，除了颂扬死者在生前的事迹之外，是要为死者创造一个美好的生活环境，可以在此安息。

我们在前已经提及，1990 年代初，睢宁县官山西汉岩坑墓出土的画像石，刻了两株长青树和一件玉璧。这是徐州地区目前发现最早的画像石，时间是西汉中期，相当于公元第一个世纪。画面虽简，但意义重大，说明了对死者的安葬，建立起一个安息之处。三角形的“长青树”即是松柏之类，它植于坟冢周围，成为一种标志，树上常立小鸟，富有生气，说明那里并不寂寞。

十字穿环

高 74 厘米，宽 264 厘米，石椁边档，徐州万寨西汉墓出土

《十字穿环》纹与《房屋圆环》纹，出自西汉晚期的同一座墓葬，原是刻在石椁的档板上。直到百年之后，画像石已经布满墓室，所刻内容无所不包，可是还有人按照老规矩，刻房屋、长青树和“十字穿环”。由此可见，这是安葬死者的必需，也是最初刻制画像石的意图。

房屋圆环

高 74 厘米，宽 156 厘米，石椁头档，徐州万寨西汉墓出土

夫妇平安图

高 78 厘米，宽 83 厘米，徐州贾汪区东汉墓散存

《夫妇平安图》画分二格。下格表现夫妇二人在室内对坐，互敬祥和；室外有侍从和长青树；上格是“十字穿环”。

为什么要刻画“十字穿环”呢？

它像窗格一样，富有装饰性，但不是一般的装饰纹样，而是一种寓意符号，有一定的内容。“十字”和“圆环”实际上是双龙和玉璧的简化。

龙与璧

高 26 厘米，宽 83 厘米，睢宁县双沟散存

龙与璧，在古人的传统观念中都是瑞应之物。龙是想象的万兽之长，能大能小，能上天能入渊；璧为玉之首，玉有“七德”，既为君子所佩，又以“苍璧礼天”。本来，龙与璧是不相干的，是因为人要升天，只有借助这两者。长沙马王堆西汉墓出土的“非衣”告诉我们，出殡时在灵前所打的引

龙穿璧
高 127 厘米，铜山县黄山汉墓

魂幡，上面画着两条龙，交叉穿在玉璧的好孔中，上面形成一个平台，站着墓主人长沙王的妻子。因为她不会飞，只有乘“龙跻”升天。那么玉璧起什么作用呢？我们知道，“天界”是人想象出来的圣洁之地，天有天门，并非随便什么人都能进入。在神话中，美丽的嫦娥奉天帝之命，陪着她的丈夫后羿下凡，拯救人间苦难；但她嫌人间太苦，偷食了西王母给后羿的“长生不死”之药，飘飘然升到天界，却又进不了天门，最后只好躲进了

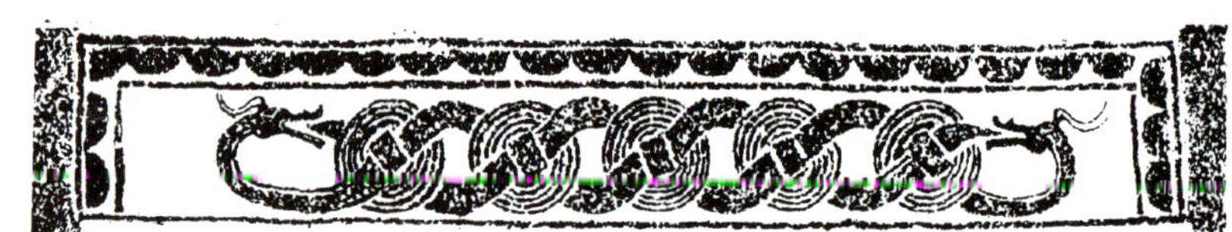

二龙穿璧

高 42 厘米，宽 249 厘米，徐州十里铺汉墓出土

穿璧与祥瑞

高 43 厘米，宽 162 厘米
徐州县十里铺汉墓出土

月宫，冷清孤寂，只有一个年迈的吴刚和捣药的玉兔陪伴。所以后代的李商隐说："嫦娥应悔偷灵药，碧海青天夜夜心。"

有鉴于此，人们便想到了"苍璧礼天"，以最高的礼节敬天，因而解决了"升天"之难。所以在画像石中，用"龙穿璧"编结成装饰性的纹样，有条带形的二方连续，也有大面积的四方连续。它是装饰的，更是升天的工具和象征。

由"二龙穿璧"到"十字穿环"，是形象思维的演绎和简化，实际上也就是抽象化和符号化。中国是一个符号文化的大国，连数万个汉字都是一个个不同的符号；有的象形，有的会意，有的假借，有的谐声，等等。人们在交往和诗词歌赋中，无不使用隐喻和象征，显得深厚含蓄，就像汉朝人手执"便面"，那扇面偏重于一边，并不单纯为了扇风，而是有话不便当面说时，便将面部遮起，形成一种社交方式，是很有意思的。

可能有人会说，明明是十字交叉线，怎么能说是龙呢？这是在同一前提下作形象比较的结果。如若没有写实的二龙穿璧，便不会将"十字穿环"说成是二龙穿璧的抽象化，其间有一定的逻辑关系。颇有意味的是，1986年，在山东平阴县新屯出土的一块画像石上，在格子式的“十字穿环”中，有一条龙飞了进来，正要钻进一个圆环。因此，我们遥想，是否汉朝人也曾提出过这样的疑问呢？刻画者将一条龙画在“十字穿环”中，不是有意对此的解释和说明吗？

由升天的思想将龙与璧联系起来，“二龙穿璧”又简化成“十字穿环”的符号。有了这符号，就可以像“标签”一样贴用，成为丧葬文化的一种特殊标志。譬如说《三盘鱼祭》，三只圆盘，每只中放一条鱼；下面衬以四方连续的“十字穿环”，好像是一个几案。祭奠的具体内容是什么呢？如果不了解“十字穿环”的含义，很容易将其当作一般的装饰。现在知道了它是二龙穿璧的简化符号，很明显，是为死者升天所做的准备，并祝升天顺利。

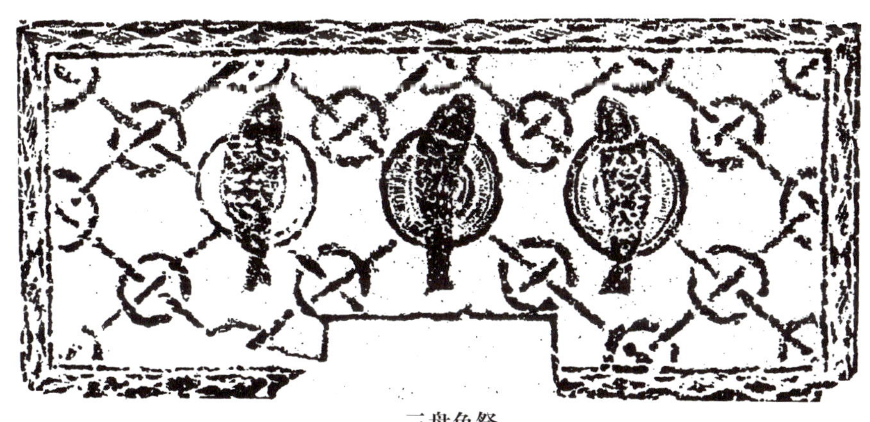

三盘鱼祭

高130厘米，宽60厘米，铜山县青山泉散存
选自江苏美术出版社《徐州汉画像石》

同样，下页《车向何方》也是如此。画面的下部只刻一辆疾驶的轺车，即使能够看出坐车的高大人物是一个官吏，仍然感到没有什么意义，画面太一般了。但如果你了解画面上部的那个“十字穿璧”纹，便会想到，他是急于“升天”，所以心急如焚，马车疾驶，不顾一切了。

阴阳观念是我国古代哲学的一对范畴，后来经宗教的演绎，出现了“阴间”与“阳间”两个世界。阳间即人世，阴间为冥界；人死后进入阴间，须经过一定的审查与考验，才能得到“超度”，升入“天堂”。天上有“天

车向何方

高 95 厘米，宽 60 厘米
徐州贾汪区大泉乡散存，徐州汉画像石馆藏

庭”，地下有“地府”，是古人按照人间社会虚构出来的虚幻世界。所谓“天地三界十方万灵”，在迷信者的意识中，形成了一个庞大的鬼神系统，影响很大。

汉代的宗教思想已逐渐浓厚，尤其到了东汉时期，道教已经形成，佛教已经传入，儒家的谶纬迷信也泛滥起来。这些都影响及于民间，并不同程度地反映到画像中来。譬如说人死后进入阴间，那么，阴阳两界的界线在哪里呢？所谓“升天”论者，是一种抄近路的做法。按照宗教的说法，应是先进入阴间，再经过“超度”，才能“升天”。唐代已出现“奈河”的说法，即人死后要过“奈河桥”，过得桥去，才是进入阴间，据说这条奈河是很恐怖的，“其水皆血，而腥秽不可近”；而过桥也不容易，要看各人

过桥
高 127 厘米，宽 108 厘米
徐州画像石，选自《中国汉画像拓片精品集》

的造化。所谓“金桥、银桥、奈河桥”；劝善者说：善人过金桥，好人过银桥，恶人过奈河桥。可见，奈河桥是不易过的。在汉代，这种善恶因果报应的思想还未形成，但过桥与渡水的观念可能已经出现。如上页《过桥》的画面，下面是一道“十字穿环”相托，上面是乘着马车过桥。河水是平静的，有鱼也有兽，但在另一格中多是一些怪异的形象，有人头兽，尾巴上也长头，可能就是另一个世界了。

渡水

高 92 厘米，宽 76 厘米

选自《中国汉画像拓片精品集》

《渡水》,一个妇人,安详地跽坐在"十字穿环"的中央,在另外的空间有大鱼游动,说明正在乘龙渡水。画面上格画的是驯象图,不知有无联系。汉朝时,据说在淮海地区还有象的出没,但已非常少见,被人们视为珍奇。此图画象,不知与这位妇人生前有无关系,还是以其为吉祥,或者用以表示力量和信心呢?

乘龙渡水

高 62 厘米,宽 218 厘米
铜山县大彭镇散存

《乘龙渡水》图,分作上下两格,上格是"十字穿环",下格有五龙在空中飞腾,之下是水浪翻滚。有二人骑在一条龙上,那龙倒也安稳,但雕刻者也将它刻成人样了。

第五章 ◎ 大自然的生灵

第一节 ◎ 人与动物和谐相处

在地球上，有生命的生物很多，人类不过是其中的一种。但因为我们有了智慧和思想，曾有人声称是地球的主宰者。在人与动物之间，作为人的认识，在不同地区和不同时代是大不一样的。从画像石上可以看出汉朝人与动物的和谐相处。

初看画像石，有一个明显的感觉，便是动物特别多，几乎所有的画面上都有动物。各种飞禽走兽与人们和谐相处，好像有共同的语言，在对话，表现得特别亲昵。当一个守门的小吏寂寞地站在那里，谁会想到有小鸟飞到他的身边呢？

这说明，那个时代的各种动物确实很多，而另一方面，艺术家也有意去表现它们，甚至用它们隐喻人间的事。

据《后汉书·宋均传》载：东汉之初，江淮一带的农民还不知牛耕，仍然靠人力耕田，生产力很低。宋均到这一带当太守，发现“郡多虎豹，数为民患，常募设槛阱而犹多伤害”。也就是说，为了阻止野兽而往往害了自己。宋均对他的下属知县说：“夫虎豹在山，鼋鼍在水，各有所托，且江淮之猛兽，犹北土之

谒见图
高 104 厘米，宽 90 厘米
铜山县茅村汉墓（中室北壁）

有鸡豚也。”说明当时的野兽很多。既提倡牛耕，又与虎豹和平相处，使生产得到发展。

我们可以设想，一个人在家庭里有家人，在社会上有亲戚朋友、东邻西舍，社会关系有来有往；一旦去世，埋在野外的坟墓中，即使阴宅墓室豪华，也是不见阳光，空荡荡、孤寂寂，与之为伴的只有室外的松柏和树上的小鸟，以及跑来跑去的野兽，在阴间的亲朋能有几个呢？铜山县茅村汉墓的画像石说明了这一点。墓主人可能是一个高级官吏，《谒见图》

对饮图

高 121 厘米，宽 102 厘米
铜山县茅村汉墓（中室东壁门北）

和《对饮图》置于同一个墓室，谒见客人和与老友对饮，不知是在新居还是念旧。在室内好像依然如故，但在室外的屋顶上和天空中，却是群兽乱舞。环境变了，邻居也变了。那些鸟兽，将是他的新交。

《对饮图》边框之外的水鸟、女娲和“铺首衔环”，是门扉的象征。女娲既是人的创造者，也是人的守护神。

车马出行，凤鸟云集

高97厘米，宽197厘米，铜山县洪楼汉墓出土

车马出行,神兽群舞

高 78 厘米,宽 140 厘米,徐州画像石
选自《中国汉画像拓片精品集》

在古代,车马是主要的交通工具,而车马出行排列成行,也成为一种仪容。按照官位,前有导卒,后有守卫;有的持戟徒步,有的骑马执幡;浩浩荡荡,好不气派。但这只是就近距离的平视而言,画像石的作者懂得,如果将车马出行的队伍如实地画下来,即使画得再长,也是单调的一条线。于是,他们将一路所见,尤其是天上的飞鸟和地上的走兽,以吉祥为

车马出行,双龙交颈

高 100 厘米,宽 191 厘米,睢宁县墓山汉画像石 1 号墓

旨，组织起来，也成为一支浩浩荡荡的队伍。当画面上出现两支行列，不但壮观，而且气氛不同，更有意义了。

两幅车马出行图，一幅衬以无数的凤鸟，一幅配以成群的神兽，不仅使车马行列增添了几分神秘色彩，而且也显得更有气势。

《车马出行，双龙交颈》，那些神兽已经不是单纯地来凑热闹，而是帮助画面“点题”了。动物“交颈”是人为的一种借喻，表示亲密友好；你看那车马出行，持盾人深躬迎接，不是明显说明来者在作友好访问吗？

《鹿车疾驶，神兽跟随》更是一种特殊情况。“鹿车”是由鹿驾辕的一种小车。一般人不乘鹿车，凡乘鹿车者多是“乐独善寂”、不近人众而深居于山林的隐者。他们即使乘鹿车，也应是悠哉游哉，不急不慌；如此疾驶，肯定有重要事情发生；连路边的鸟儿也不知所以然，跟着慌张起来，那些神兽的动作也加速了。东汉时期，佛教已经传入，佛经上说，修道者的接受能力不一，进度也不一样，便用牛车、羊车、鹿车作比喻，叫做“三乘”。鹿车是谓“独觉乘”，即对于隐士而言。鹿车疾驶，是否意味着乘车者接受了佛教，由此觉悟了呢？

鹿车疾驶，神兽跟随

高 78 厘米，宽 173 厘米，
选自《中国汉画像拓片精品集》

在中国绘画中，以抒发胸中逸气为特点的山水画，汉代还没有出现。但是，人们已经认识到大自然的山水树木等对人的陶冶作用，影响很大。西汉梁孝王是汉文帝之子，他所建造的“菟园”，据说“方三百余里”。《西京杂记》说:“梁孝王好营宫室苑圃之乐,作曜华宫。筑菟园。园中有百灵山,山中有肤寸石、落猿岩、栖龙岫。又有雁池,池间有鹤洲凫渚。其诸宫观相连,延亘数十里,奇果异树,瑰禽怪兽毕备。王日与宫人宾客弋钓其中。”

东汉边让作《章华台赋》,说楚灵王游览著名的“云梦之泽”,站在荆台之上,“前方淮之水(淮河之水),左洞庭之波(洞庭湖的波浪),右顾彭蠡之隩(鄱阳湖的水岸弯曲),南眺巫山之阿(巫山的山阿处)。”他放眼

近水台榭

高116厘米,宽96厘米.徐州画像石
选自《中国汉画像拓片精品集》

远看，整天不离；然后对下属说："盛哉斯乐，可以遗老而忘死也！"大自然的魅力，由此可见。这说明，有钱人不遗余力地营造园林，也是为了这种享受。

徐州画像石《近水台榭》是一幅优美的风景画，原石安置在一座小祠堂的侧壁，显然带有炫耀的性质。看来水榭的范围很大，在左下角的门外还有捕鱼的人，一个侍女开了一扇门，把门向外观望。园内是高台楼阁，只有两个主人端坐在中央。水中的游鱼，空中的飞鸟，房顶上的朱雀和猴子，占满了画面；连仙界的羽人也不甘寂寞，来与凤鸟为伴。见此情景，忽然想到，这个世界到底属于谁呢？如果那些各式各样的生灵都消失了，只剩下人类，将会显得多么单调，多么寂寞，即使那水榭再美，不也是空荡荡的吗？

第二节 ◎ 勇健就是力量

在武器——包括古代的刀剑和后来的枪炮，以及各种现代化武器发明之前，不论个人、集体之间的较量，还是人与大动物的搏斗，均是靠勇敢和强健。勇健是强者的标志，是一种威慑力量。不但对人，视动物也是如此。

动物学上的动物，种类繁杂，生态万千，而且分布的地区不同。此一地区的人，有的终生没有见过彼一地区的某一动物。我们所说的动物，只能是即时即地所常见的和所知的。人的聪明在于，早在数千年之前，就把动物分成两类，一类是将某些动物圈养起来，逐渐驯化成“家畜”。农业社会所说的“六畜兴旺”，有牛、马、羊、猪、鸡、犬等。有的食用，有的役力，有的运输。对于家畜之外的动物，称作野禽和野兽，它们多是躲在深山老林之中，与人隔绝；冲突是会有的，人也会进行狩猎活动，但其次数不多，在正常情况下是相安无事的。

有些较大的动物，如虎、豹、熊等，凶猛有力，连人都要怕它几分。古代的勇士、武将甚至以它们命名，打它们的旗号。中

老牛秣草
高 50 厘米，宽 70 厘米
铜山县散存（小祠堂石壁，上残）

国不产狮子，因此不熟悉狮子的威武；所谓“兽中之王”，是因为佛教借其威力，将佛说法时比喻为“狮子吼”；狮子的传说随佛教传入我国之后，人们是依据想象塑造了狮子，就像虚拟的龙凤、麒麟一样，威武而慈祥，让它把守大门去了。

狮子的形象在中国出现，大约也就在东汉时期。距徐州之北不远的山东嘉祥，著名的汉代武氏墓园门阙之旁，就有一对立体雕刻的石狮子；在石阙上并记有铭文：“建和元年，…… 孙宗作师（狮）子，直（值）四万。”这是汉代记有具体时间、地点、作者和费用的雕刻作品。即公元 147 年，在嘉祥的“武家林”，石工孙宗雕刻石狮一对；各高 124 厘米，长 145 厘米，共值钱四万。当时的一对子母阙值钱十五万，可见石狮子的造价不低，在当时也是较新鲜的，但不普遍。

家畜对人类的贡献自不待言，尤其是牛马出力最大。在农耕时代，由于牛的耕田，提高了粮食的产量；马拉车载人，特别是战马与战车，在古代战争中起很大的作用。中国历史上曾有两个少数民族统治全国达几百年，他们自称是“马上的民族”，是“骑马打天下”。

画像石中，牛马的形象很多，尤其是马的造型，其形态之丰美，结构之圆润，已达炉火纯青的地步。但我们选了《老牛秣草》（前页）和《小马进食》两幅，是想说明人对它们的爱护。老牛在树下悠闲地吃草，值得注意的是这幅画被刻在一座小祠堂的壁间，非同一般。小马也是正在吃草，食袋挂在树上；那树是一棵吉祥的连理树，树旁还有特别的连体鸟。

在中国人的心目中，最有威力的动物莫过于老虎，被称为“百兽之王”。虎为猛兽，《说文》称它是“山兽之君”；《易·乾》说“风从虎”，以其

小马进食

宽 60 厘米（原石下半段）

睢宁县张圩散存

比喻威武勇猛。古代的勇士称作"虎士",勇将称作"虎将"。在民间,怀抱婴儿下地走路时要穿"虎头鞋",希望孩子脚跟站稳,像虎一样,"虎虎有生气"。汉语的成语中有一句"为虎作伥",比作帮助坏人做坏事,这是"伥鬼"所为。传说被老虎咬死的人变成鬼,叫做伥鬼;其鬼魂为虎所驱使,作虎的前导,帮助老虎寻食,势必助其为恶。

《山兽之君》画像系原石的一半。原石的画面为上下两格,上格系四只异兽交错和一只朱鸟;此为下格。俗说"如虎添翼",这正是一只有翼之虎;空间绕以云纹,气势非凡。在艺术造型上,值得注意的是,侧面的虎头刻了两只眼睛,实际上是人的观念与视觉习惯在艺术上的矛盾统一。这是一种艺术思维,人们看侧面的老虎(其他也是如此),只看到一只眼睛,但它确实有两只眼睛,另一只在背后,视觉上被遮住了。但在平面造型上仍然表现出两只眼睛,显得更有精神。作为艺术的一种表现手法,不仅在古代艺术中所常见,在现代民间艺术(如剪纸)中依然如此,并不奇怪。

在美术中,不论绘画还是装饰纹样,有两种基本造型方法,即在平面上作二维度或三维度处理。我们知道,平面就是二维度,在平面上作二维度描绘,等于说画出来的形象仍然是平面的。所谓三维度,是运用透视法和明暗法,在平面上画出立体效果。这是两种不同的视觉感受,并无高下之分。有人说前者简单,后者科学,是不准确的,因为艺术的意韵并非以简、繁或平整、凹凸为标准,应视其手法的巧妙而定。从艺术的创造而言,应是各有千秋的。

平面造型易于进行夸饰和增饰等手法。所以在进行造型时多采取单一角度,如画动物,即选取侧面或正面,而不采用三维度的半侧面。如此,有的侧面容易表现,有的正面容易表现,要看具体的对象而定。动物的侧面比正面好画。有些大的走兽,头大身长,正面画出来会感觉失去常态,有的索性只画面部,即所谓"兽面纹"。这种纹样很多,从商周的青铜器到秦汉的铺首、瓦当,直到现代民间的儿童虎头鞋、虎头帽等,非常普遍。

画像石上的"兽首衔环",即是刻画出的门环及其铺首;它虽有门环

山兽之君

高 105 厘米，宽 62 厘米（下半部分）
睢宁县双沟散存

之形，但已失去门环的实用功能。真正的双门门环是金属的，或铜或铁，可以拉动，因此，必须牢固地钉在门扇上，“铺首”是对于环钉的加固。一般的门环都是圆形的，但铺首的式样很多。有的为几何形、花朵形，也有的为兽头形。兽头粗眉大眼，巨鼻露齿，面圆形或圆中见方，显得威武有力，寓意把守门户。

铺首之兽究竟是什么具体的动物呢？是虎豹还是神兽，抑或是未见过的雄狮，都有可能，又都不肯定。这种都是又不是，正是综合了猛兽的共性，其目的是表现勇猛，显示力量，不必指明是具体的什么。在商周时代的青铜器上，也有一种普遍的兽面纹，过去叫做“饕餮”，也是如此。

“饕餮”之名见于《左传·文公十八年》：“缙云氏有不才子，贪于饮食，冒于货贿，侵欲崇侈，不可盈厌，聚敛积实，不知纪极，不分孤寡，不恤穷匮，天下之民以比三凶，谓之‘饕餮’。”传说黄帝时以云纪官，夏官为缙云氏，因以为族氏。缙云氏之子不才，贪食贪财，穷奢极欲，祸害百姓；与另外三个帝系的不才子孙（浑敦、穷奇、梼杌），被全国人合称为“四凶”；舜为臣时，将他们流放到四门（边疆），投诸四裔。《吕氏春秋·先识览》将西周青铜器上的兽面纹与饕餮附会起来，说：“周鼎著饕餮，有首无身，食人未咽，害及其身，以言报更也。”

《吕氏春秋》此文，并不是专门论说饕餮的危害及其形象，不过是以此为“不善”之例。问题是说错了“周鼎著饕餮，有首无身”，并与“食人未咽，害及其身”联系起来，从表面看，就将《左传》讲的传说混为一谈了。换句话说，他是在谈论别的问题时，出了这么一个岔子，但影响很大，误解及于后代。

所谓“周鼎著饕餮”，即青铜器上的兽面纹，并非起于西周，早在商代已经非常普遍。《吕氏春秋》成书于战国末期，距商代有一千四百年左右，距周初也有八百年了。吕不韦的门客议论政治，忽略了历史，更不懂得工艺装饰及其铸造。仔细观察那些兽面纹，虽然有的只是一个头部，但也有的下面还有身子与腿爪；而且有的像牛，有的像猪，有的像虎等。但总的说，大都是综合的带有抽象意义的兽面。如果联系到鼎的用途，它并非一般的日用品，而是一种主要的礼器，用以祭天祀祖。这是最严肃、最庄重的活动，怎么能够设想，在上面铸上“饕餮”的纹样，如同警告上天和祖先：你们不要贪吃、贪财，贪多了会烂掉肚子的。按照人之常情，有这样向上天和祖先敬献的吗？

因此，“周鼎著饕餮”的论断是不符合事实的，完全是想当然的牵强附会，兽面纹既非全是兽面，更不是“饕餮”。它与饕餮的传说无关。

当我们了解了青铜器上的兽面纹之后，再回头来看画像石上的“兽首衔环”，尽管在具体用途上和艺术处理上都不一样，但有一个相似点，就是对于“兽面”的理解。它虽然画着门环，并没有门环的实际作用，而是一种表号；它虽然画的主要是兽首，实际上是代表了兽的整体。不仅

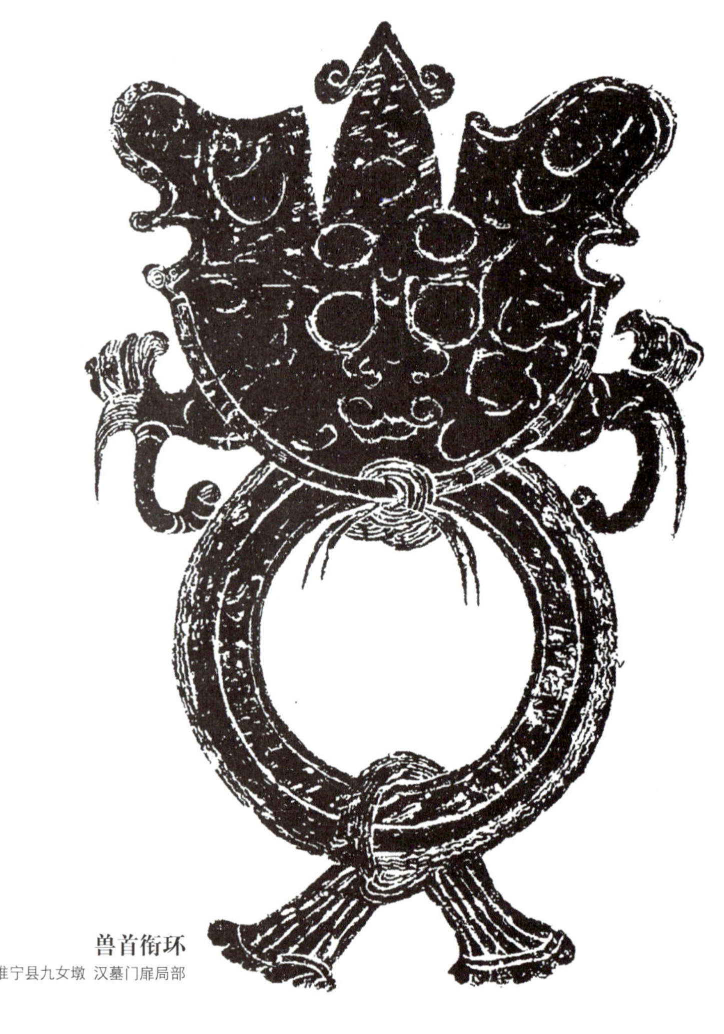

兽首衔环

睢宁县九女墩 汉墓门扉局部

兽首衔环与十字穿璧
高84厘米，宽87厘米，选自《中国汉画像拓片精品集》

如此，从其造型可以看出，就像持戟小吏站在门前一样，它被刻在门扉上，也是带有武者性质的。如果你注意所有的“兽首衔环”，那兽首的头顶，为什么都似是“山”字形呢？

这与古代的兵制有关。古代武冠称弁，也称“武弁”，两边插以貂尾，中间为金铛。又有称作“旄头”者，“发正上向而长”，在中间高高束起，颇有怒发冲冠之势，以此表示勇武。所以，在顶上出现了“山”字形，并且越演越高。古代相术认为，人的额上有“鼎角”，即日角、月角和伏犀三骨。在额上入发际处，

系绶带的“兽首衔环”
高 48 厘米，铜山县散存

三道须的“兽首衔环”
高 103 厘米，铜山县散存

有长须的“兽首衔环”
高 103 厘米，铜山县散存

兽首衔环（三种）
（左）高 90 厘米，睢宁县张圩出土
（中）高 100 厘米，铜山县茅村出土
（右）睢宁县双沟散存（局部）

形如鼎足，据说隆起者为贵相，可至高官。这些人事，也加在了动物的头上。三角高起，不但命有贵相，而且如戴武弁，勇猛无敌，威力无比，还有比这样更理想的守门者吗？

正面之兽（二幅）

（上）铜山县白集汉墓画像石（局部）
（下）徐州市利国汉墓画像石（局部）
均取自《徐州汉画像石》，江苏美术出版社出版

在汉代墓葬中，凡有画像石者，不论多少，几乎必有"兽首衔环"，因为它是门的标志，同时也是守护者。所谓"兽首衔环"，只是在形式上的笼统概括，既非都是兽首，也非全是衔环。由于它是画出的门环，不具备真正门环的作用，因此在形式处理上要灵活得多。除了兽头之外，有不少还画了两条腿，甚至有的将爪子紧抓住门环；所谓"衔环"，也非全衔。有的挂在颔下，有的索性穿在鼻孔中。

平面造型艺术有其自身的规律，不是简单或复杂的问题，最主要的是如何处理对立体物的空间压缩。就像制作植物标本，左右生长的枝叶最好处理，前后生长的枝叶便难安排，更难表现出其间的深度。有一种表演手影的艺术，也是平面的；是用双手与简单的道具映出的影子，可模拟许多动物乃至人物的动作。由于是平面化的，又要表现出艺术的意趣，

正面鸟与群鸟

徐州十里铺汉墓画像石(局部)

多是选择最具特征的角度。一般画鸟兽大都是侧面的描绘,很少采取完全正面的角度。除非艺术家要标新立异,有意突破,想在艺术上有所创造。

令人惊奇的是,徐州画像石中有不少是对动物的正面描写。有飞鸟,也有走兽。走兽头大,居于画面中心,身躯和四肢怎么处理呢?现代人的"写生"已无能为力,只有顺势组合。鸟喙的尖长怎样正面表现呢?只好将它竖起来,又怕别人看了不习惯,再画两个侧面的头说明可左右摇摆;这样一来,反而有人说这是神话中的"三头鸟"了。

任何时代,对于不同的艺术手法,均存在欣赏习惯的问题,所谓"接受美学",也是这个意思。现代艺术中的夸张、变形,以及形形色色的"前卫派",人们之感到古怪,主要是不理解作者的意图,往往以欣赏"写实派"艺术的观

正面鸟

徐州市利国汉墓画像石(局部)
选自《徐州汉画像石》

念衡量，容易得出相反的评价。两千年前的徐州人已存在这个问题。而画像石作者的创造精神是非常可贵的。新的意匠，出现新的造型，必然会引发出新的思维。

在哺乳动物中，象可谓是个庞然大物。高约三米，肢粗如柱，体重力大，但性情温顺；特别是它那长长的鼻子和一对露在外边的大门牙，不常见的人看了会感到奇怪。据说，殷商时期在我国黄河流域还有象的活动，甲骨文中的“象”字就是个象形字；安阳出土的骨板中有一片刻了两头象，大象和小象，非常写实逼真，说明刻者对象很熟悉。以后随着气候的变化，象逐渐向南迁移，现在只能在云南南部西双版纳一带偶尔见到。

驯象图

高 84 厘米，宽 32 厘米，徐州汉画像石馆藏

印度产象，并且驯练来帮助人们劳动，搬运起东西来是力大无比的。我国汉代画像石中所刻之象，有人认为与佛教的传入有关，佛经中曾记载六牙白象是佛的化身。但观其图，并无迹象，却另有两种说明。一是驯象图，可能是偶得野象而驯其顺从；二

大象与骆驼

铜山县茅村汉墓出土(局部)

是视象为难得的动物,如同骆驼、犀牛之类,将它们看作稀少吉祥之物,与各种神异珍奇聚在一起。

前页《驯象图》的环境是在野外,有五个人骑在象背上,可能在试验它的负重能力;其中第一人拿着长长的铁钩,即是驯象的工具,说明曾产生过威力。周围无人围观,只有一群怪兽狂舞;不知是它们的安定生活被

赶兽图

高 79 厘米,宽 144 厘米,徐州贾汪区征集

惊动了，还是看到五个人骑在象背上感到好奇。

《大象与骆驼》是一幅长条画的一段。原石长二米四，刻有羽人、异兽和朱雀、九头兽以及连理树等。显然，当时的徐州人是将大象和骆驼视为珍奇的。

《赶兽图》是一幅分格式构图，仍能看出相互之间的联系：天上的飞鸟和流云，地上的走兽，水中的游鱼，分层而不感割裂。不知为什么，一个持戟者正在赶走三只不知名的野兽；看那样子，既非狩猎，也非刺杀，动作并不激烈，只是驱赶而已。

古代马车前置有横木，可以扶手，叫做“式”。男子立在车上向人致敬时可以凭式，因以“式”为致敬之称。韩非子说：“越王勾践见怒鼃而式之。御者曰：‘何为式？’王曰：‘鼃有气如此，可无为气乎？’士人闻之曰：‘鼃有气，王犹为式；况士人之有勇者乎？”鼃即蛙，在路边鼓起大肚子，昂着头，怒气冲冲，越王勾践以为“勇”，向它致敬。待他举兵伐吴时，勇者随从甚重。所以韩非子说：“由此观之，敬之足以杀人矣。”

徐人重武，羡慕动物的勇健。龙虎是最明显的，姑且不论，尚有犀兕之类。“犀”即犀牛；“兕”类犀牛，有的说是雌犀。犀牛体大于牛，鼻上有一角或二角者，也间或有三角的。身无毛而皮坚厚，古人多用以制作甲盾。画像石《二兽相斗》图，画的很像是犀兕之类。因为在当地很少见，

二兽相斗

高57厘米，宽110厘米，徐州贾汪区征集

已为珍奇之物，画家无法把握真实形象，好在目的是表现其勇健和力量。两兽相斗，不分上下，形健而线美，对称中无处不有变化，犹如一部急速的乐章。

第三节 ◎ 飞禽走兽以龙凤为代表

龙与凤，都是由人的想象而虚拟出来的。

按其性质应属于神异之类，但在画像石中有一个特殊现象，它们常与现实的飞禽走兽在一起，并成为领头者。

与此相反，大自然中的各种动物，除少数知名者外，不论怎样显示其壮美和秀美，多不标出名称。

现代人谈龙凤，常联系到远古的图腾，但就传统而言，可能是已经断了线的文化记忆。也就是说，到了封建社会时期，龙凤的性质已经改变，连其形象也改变了。闻一多说："就最早的意义说，龙与凤代表着我们古代民族中最基本的两个单元——夏民族与殷民族，因为在'鲧死，……化为黄龙，是用出禹'和'天命玄鸟（即凤），降而生商'两个神话中，我们依稀看出，龙是原始夏人的图腾，凤是原始殷人的图腾（我说原始夏人和原始殷人，因为历史上夏殷两个朝代，已经离开图腾文化时期很远，而所谓图腾者，乃是远在夏代和殷代以前的夏人和殷人的一种制度兼信仰）。……可惜这层历史社会学的意义在一般中国人心目中并不存在，而'龙凤'给一般人所引起

龙
睢宁县九女墩汉墓
墓门西扉（局部）

的联想则分明是另一种东西。”

闻一多所说的“另一种东西”是什么呢？是进入封建社会之后，成为“帝王与后妃的符瑞，和他们及她们宫室舆服的装饰‘母题’，一言以蔽之，它们只是‘帝德’与‘天威’的标记。”两千多年以来，龙与凤已为封

凤
睢宁县九女墩汉墓
墓门西扉（局部）

仙人喂凤

宽 129 厘米（墓门上层），睢宁县九女墩汉墓墓门东扉

建帝王所专有，所谓“真龙天子”，皇家成了龙族；儒家谶纬的宣扬更使其笼罩了一层神秘之纱。

在儒家的经典中，表明了对于龙凤等的功利态度。《礼记·礼运》说：“何谓四灵？麟、凤、龟、龙，谓之四灵。故龙以为畜，故鱼鲔（wěi，音伟。即鲟鱼，长者丈余）不淰（shěn，音审。水动鱼骇貌）；凤以为畜，故鸟不獝（xù，音序。鸟惊飞）；麟以为畜，故兽不狘（xuè，音血。兽惊走貌）；龟以为畜，故人情不失。”——什么叫四灵呢？麟、凤、龟、龙，为毛、羽、介、鳞各种动物之首，均有灵性，称作“四灵”。所以养了龙，

鸟儿从龙的身边飞过

徐州十里铺汉墓出土（局部）

乘龙之前的告别

高 44 厘米，宽 175 厘米（右端残缺）

徐州市贾汪区征集

水中的大鱼小鱼就不会惊惧；养了凤，鸟就不会飞走；养了麟，兽就不会惊走；龟可以卜知吉凶，所以讲“人情不失”。

对于古人来说，他们是相信龙、凤、麒麟等这些祥瑞动物之存在的，并不认为是由人所虚拟。“四灵”为帝王的仁政而来，社会安定、天下太平，应包括各种动物在内，那么，它们就要在动物中起统领的作用。因此，画像石上刻画的动物，除了明显的龙凤之外，只感到动物成群，有的表现了雄壮之美，有的显示出秀丽之美，但叫不出是什么鸟或什么兽。

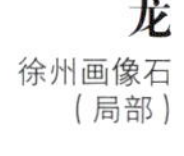

龙
徐州画像石
（局部）

画像石中的龙凤，由于造型是虚构的，还没有最后定形，不像唐宋以来龙凤之神秘化。龙的形象，基本上还是猛兽的体形，只是将身躯拉长，尤其是颈部；加了角和鳞，有的还加了双翼。依据对偶的观念，除了龙凤配对之外，与龙并举的多是虎，所谓“云从龙，风从虎”，用以显示威武和力量。如果将虎的身躯适当拉长，与龙并列，两者近似，一个头稍圆，一个头稍长，区别不大。凤的造型也是如此，在画像石中，凤凰、朱雀、青鸟与凤鸟是难以区别的。据说凤鸟就是凤凰，亦即朱雀，但有时又可单独分为雌雄。它们的共同特征是大冠长尾。而尾羽的“金翠钱纹”，明显说明其原型是孔雀。汉代有所谓“四神”者，为青龙、白虎、朱雀、玄武，以此四者定为四方的守护神。其中的玄武为龟蛇合体。另外的龙、凤（朱雀）和虎，在画像石中特别多。

翼虎
高40厘米，宽95厘米
铜山县出土
徐州汉画像石馆藏

画像石《龙与虎》的原石是墓室的横额，画面为龙虎相对，中间有一回首的小兽，不知是它们两个的争夺物，还是共同关心的对象。左端有一棵长青树，树上站着一只小鸟；它们的足下是如水流动的云气，

龙与虎
高35厘米，宽160厘米，徐州十里铺汉墓出土

仙人与天马

铜山县茅村汉墓出土（局部）

云中的小鸟有的探出头来。仿佛表明，它们是在守护着这里的安全。

在我们所知道的现实世界中，有些动物虽然是现实存在的，又往往成为神仙世界的成员，好像游离于两个世界之间。当然，这是由远古的神话传说造成的，归根到底还是出自人的想象。譬如虎、象、熊、鹿、羊、狐、乌鸦、猫头鹰等，连马也有“天马”，为仙人所驯养。它们生活在天与地、人与神之间，不知是有意沟通还是特别安排，说明两者之间是可以来往的。

汉代人在画像石上刻人物和动物，刻神仙和祥瑞。那些人间故事和神话传说，今人大都可以解读，了解其中的内涵，甚至产生共鸣；虽然历史久远，相隔两千年，仍然能够进行思想的沟通。但是也有一些内容是难以理解的：不知

仙人与仙鹿 · 双龙与白虎

高 118 厘米，宽 42 厘米，睢宁县散存

龙凤鸟兽和睦相处

高127厘米，宽271厘米，铜山县黄山汉墓门楣

为什么，竟然在巨大的石头上刻画满篇的动物；或是一些不知名的异兽翻腾，或是一些不知名的鸟禽飞舞，也有混杂在一起的，看不出主题；其中能够看出特征的，主要是龙凤。难道这就是《礼记》中所说的畜养龙凤，其他飞禽走兽就不会受到惊吓和产生紊乱吗？既如此，又与墓葬何干呢，为什么要把它装置在死者的墓室中？看来只有一种解释，即保持墓室中的“生活”平静，避免动物的干扰。不但希望人与动物和睦相处，也希望动物之间友好。

群兽与鸟禽

高94厘米，宽165厘米，邳县散存

鸟兽共舞

高 76 厘米，宽 130 厘米，徐州市贾汪区存画像石

徐州画像石中的动物虽多，但现实生活中的知名者并不多，多是一些叫不出名字的飞鸟异兽。家畜中的马当然最多，其他如猪、羊、鸡、犬等，只是在庖厨中所见。又如兔子，作为西王母的侍者，“玉兔捣药”是较多的，但现实生活中的兔子只见一例，即《关心幼子的双兔》，是在一幅大的画像中，不显眼的一角，但刻得很好。下刀肯定，刀锋流利；表现两只兔子相对，正在为生病的幼子发愁。这种表现动物亲情的内容，与和谐的整体思想是一致的，但不是主要的题材。画像石中最常见的动物是飞鸟，虽然多数叫不出名字，但很生动，在画面中好像是补

关心幼子的双兔

徐州画像石（局部）
选自《中国汉画像拓片精品集》

空子的填充物，或是在画框边上伸出一个鸟头，或是在云朵中露出一个鸟头，无不显示出刻画者的用心和艺术趣味。

中国的绘画，至画像石（后来拓印成版画）而成熟。无所不包的内容和无所不能表现的题材，使它成为真正的绘画。在形式上，强调画面的匀称，完整，周密，结构清晰；显得丰富，饱满，充实，深沉大度。这种做法，形成一种完美的意识，一股传统的巨流，尤其在民间，两千多年来，一直延续不断，诸如墓室壁画、宗教壁画，直到晚近的民间木版年画，不仅逐渐使其完善，丰富了它的形式，表现力也加强了。宋代以后“文人画”的兴起，推行了写意的手法；强调以虚带实，寓意含蓄，“意到笔不到”和“似与非似之间”；并将诗、书、画、印熔为一炉，使其共生互补，相得益彰。满纸清淡如水，一叶孤舟从远处漂来，那是诗人所创造的意境。“阳春白雪”与“下里巴人”并非是对立的。雅俗无高下，辩证互为尊。这是艺术传统的两个方面。如果你把徐州的鸟儿呼来，聚在一起，是俗呢，还是雅呢?

马与鹭鱼·祥禽瑞兽

高 60 厘米，宽 256 厘米，铜山县散存墓室门额

徐州汉代画像石中的飞鸟(汇集)

第四节 ◎ 以动物寄情喻人

人们表达情感，常常是情不直表，话不直说。有的要绕个弯子，有的是借物譬喻，原因也是多方面的。这也是艺术上常用的一种手法。就像猜谜语一样，让你去联想，去醒悟，意味深长。画像石中所刻画的动物，有许多即是如此。

古来论《诗》，有赋、比、兴。赋是铺叙其事，即所谓"敷陈其事而直言之者也"；比是指物譬喻，也就是"以彼物比此物"；兴是借物以起兴，即"先言他物以引起所咏之词"。艺术的手法是多样的，惟其如此才能引起观赏的兴味。

"比"是比喻，即是一种"隐喻"的方法。比喻有本体和喻体之成分，又有明喻和隐喻之区别。从形式上看，明喻的本体和喻体只是相类的关系，而隐喻则是相合的关系。

闻一多说："隐在《六经》中，相当于《易》的'象'和《诗》的'兴'（喻不用讲，是《诗》的'比'），预言必须有神秘性（天机不可泄露），所以占卜家的语言中少不了象。《诗》——作为社会诗、政治诗的雅和作为风情诗的风，在各种性质的沓布

(taboo,"禁忌"之意——作者注)的监视下,必须带着伪装,秘密活动,所以诗人的语言中,尤其不能没有兴。象与兴实际都是隐,有话不能明说的隐,所以《易》有《诗》的效果,《诗》亦兼《易》的功能,而二者在形式上往往不能分别。"

他又说:"隐语的作用,不仅是消极的解决困难,而且是积极的增加兴趣,困难愈大,活动愈秘密,兴趣愈浓厚,这里便是隐语的,也便是《易》与《诗》的魔力的泉源。但如果根本没有隐藏的必要,纯粹地为隐藏而隐藏,那便是兴趣的游戏,魔力的滥用,结果便成了谜语。"

隐喻的方法不但在文学上用得很多,同样也用在美术上。作为造型艺术,如果你看到鱼就以为是盘中美味,看到捕鱼者就以为是为食而劳,虽然不能说是错误的,至少是没有理解画的内容和用意。因为其中还隐藏着另一层含义。闻一多曾举了打鱼、钓鱼、烹鱼、吃鱼和吃鱼的鸟兽,在诗词和民歌中的隐语,非常具体而细微。在美术中,以鹭鸶和其他水鸟为多。他有一段"探源"的文字写得很好:"为什么用鱼来象征配偶呢?

兽首衔环·双凤衔鱼

高 104 厘米,宽 148 厘米

铜山县白集汉墓出土(西后室后壁)

这除了它的蕃殖功能似乎没有更好的解释，大家都知道在原始人类的观念里，婚姻是人生第一大事。而传种是婚姻的唯一目的，这在我国古代的礼俗中表现得非常清楚，不必赘述。种族的蕃殖既如此被重视，而鱼是蕃殖力最强的一种生物，所以在古代，把一个人比作鱼，在某一意义上，差不多等于恭维他是最好的人，而在青年男女间，若称其对方为鱼，那就等于说：‘你是我最理想的配偶！’现在浙东婚俗，新妇出轿门时，以铜钱撒地，谓之‘鲤鱼撒子’，便是这观念最好的说明，上引《寻甸民歌》‘只见鲤鱼来撒子’，也暴露了同样的意识。文化发展的结果，是婚姻渐渐失去保存种族的社会意义，因此也就渐渐失去蕃殖族的生物意义，代之而兴的，是个人享乐主义，于是作为配偶象征的词汇，不是鱼而是鸳鸯，蝴蝶和花之类了。幸亏害这种‘文化病’的，只是上层社会，生活态度比较健康的下层社会，则还固执着旧日的生物意识。这是何等鲜明的对照。”

在徐州画像石中，画鱼者很多，而且衔鱼者多是双鸟，其隐喻的意义是明显的。如《兽首衔环·双凤衔鱼》的画像石，衔环者之兽表示看守大门，衔鱼者之凤象征子孙繁盛。又如《双鹭衔鱼》的画像石，既然画鹭鸶衔鱼，按理说应该画在近水之处。为什么不画在池塘边，而画在门阙的屋顶之上呢，难道屋顶上有鱼吗？表面上的不切实际，正是实际所在。那是一种标识，可能这一人家刚添了后代，高兴之余，便站在高处展示出“双鹭衔鱼”，比在池塘边要风光得多。

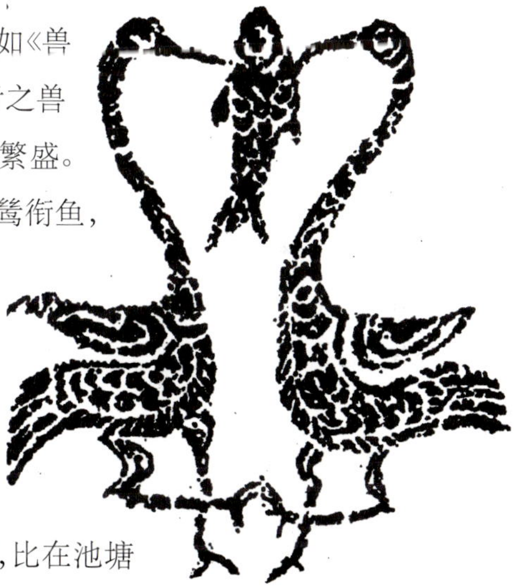

双鹭衔鱼

宽27厘米(原石的阙顶)
铜山县汉王乡东沿村出土

画像石的作者画动物时不关心具体对象的名称，并非粗心大意，是因为没有必要。相反，在描绘对象的形体上和性情上，观察入微，并找到了动物与人的某些共同之处。譬如说鸟兽的“温情”与“情爱”，看到它们相互依偎在一起，或者理一理对方的羽毛，舔一舔对方的脸，这类小小的动作，也正是人之常情，但表现很难。怎么

对鸟与对兽

原石分三格，此为上格。铜山县茅庄散存

办呢？寄情于物，以物寓意，以意喻人。也就是说，通过动物的动作传达人的情感。虽然在画像石上多是分格处理，然而一眼便知其间的联系。

诸如画像石《对鸟与对兽》和《亲密凤凰》中的动作姿态，在现实生活中还能够看到近似者，它们两两靠拢，相互依偎着，显得很亲密；待到二鸟“引颈交喙”，已有明显的艺术加工了。

《龙飞凤舞》是一块完整的画像石，所刻三龙三凤，并夹杂着两只小

亲密凤凰

徐州画像石局部

选自《中国汉画像拓片精品集》

鸟。上龙下凤,布局匀称,然而最明显的是两只凤鸟的引颈交喙。两只尖嘴竖起,由笔直的长颈推向高处,就像两个箭头射向同一个目标,在那里结合在一起。整体看两鸟并在一起,对称中稍有变化,连其他的鸟兽都为之羡慕。也由此确定了这幅画的主题,是动物之间的友好和谐。我们因而联想到,为什么在画像石中会有成群的鸟兽画面,因为它们的和谐相处,对于人的生活来说,也就创造了一个平和的环境。

在徐州画像石中,表现二鸟“引颈交喙”的画面很多。它虽然只是画像石的一部分,但大都单独成为一格,亦即有相对的独立性。好像在这里有一个隐性的规定,凡是有人物活动而要表示友好亲密时,其临近画格中,多半是二鸟“引颈交喙”,或者是动物的“交颈”、“交尾”之类,画面虽非一格,却起了点题的作用。

画像石《鸟兽同欢图》,上有铭文,为汉安二年(公元 143 年)

龙飞凤舞
高100厘米,宽34厘米
铜山县利国汉墓出土

二鸟引颈对喙

（上）睢宁县散存。原石中心纹，外围花边
（中）睢宁县官山散存。原石分三格，此为中格
（下）睢宁县墓山出土。原石之上半部分，下半为二人对饮

鸟兽同欢图

高60厘米，宽78厘米，汉安二年(公元143年)徐州画像石
选自《中国汉画像拓片精品集》

作品。刻画了二鸟二兽，有的交颈，有的交尾，相互连接成一行。这并非是动物自身的行为，而是由人安排做出的，因而所体现的也是人的思想和观念。

人有七情六欲，也有不愿告人的隐私。虽然在个别地方的画像石中也刻有秘戏、野合之类，但为数甚少，因为不符合人们的习惯。然而人又要表现自己，于是找到了以动物为隐喻的方法。在徐州画像石中，刻画鸟兽“交颈”、“交尾”的画面很多。从形式上看，这种画自占一格，好像是独立的，但在另一格的画面中，必有人物场景。那场景并不复杂，多是夫妇二人端庄对坐，或是六博、饮酒，明显看出生活的单调；为了打破这种单调，就在这一画面的上一格，配一格动物的对喙图或交颈、交尾图；也有的统成一个画面，将动物安排在屋顶上。一看便知，他们夫妇恩爱很深，形影不离。有一幅《燕居并坐图》最能说明这一点。

《燕居并坐图》原石下部残缺，只剩上格完整。描绘一对夫妇，并坐在一所大建筑中。房屋的两边有一对重檐双阙，室内帐幔下垂，夫妇两人坐在木榻上；室外左右都有侍者，说明这是一个殷富之家，但人口不多。

燕居并坐图
高77厘米，宽155厘米
睢宁县张圩散存

整个画面的构图，作对称式处理。建筑居中间，双阙高起突破了画框；屋脊上有两只小鸟，一只正在远望，另一只探下头去，与下边的鸟儿呼应。天上流云飘动，两边的空间相等。左边两只凤鸟站立，紧靠在一起，两条长颈扭在一起，犹如麻花一般，互相注视着；右边有两个鸟头，也有两个鸟身，好像重叠在一起，但只有两条腿，不明其意的人可能以为这是传说中的双头鸟。佛经中确有一种叫做“迦陵频迦”的双头鸟，译为“共命鸟”，据说原是一个寓言。说是二鸟一身，有事共同商量，非常协调，生活得很好。一天，甲鸟睡着了，乙鸟遇到了香花，本应同甲鸟商量后再吃；后来一想，反正是吃好东西，它也会得到同样的享受，索性让它睡吧，便没有叫醒它，私自将香花吃了。甲鸟以为在

二鸟交颈
《燕居并坐图》局部
睢宁县张圩散存

形影不离
《燕居并坐图》局部，睢宁县张圩散存

梦中吃到美味，醒来后告诉乙鸟，乙鸟笑着说是真的吃了香花。结果甲鸟生气，埋怨乙鸟不与它商量。自此以后，二鸟互不信任，并且相互猜忌，不久，二鸟都因忧郁而死了。

双凤交颈
睢宁锅山画像石

这幅画独具匠心，左边的两只鸟，交颈亲热，不是如同人间婚礼上的"交杯酒"吗！右边的两只鸟，若影重叠，不是说明他们亲爱得"如同一人"吗！有人考证，两边云朵之下的黑点，是"牛郎、织女"的星座，不仅使内涵更为丰富，其用意也更明显了。

往时婚礼，新婚夫妇交换酒杯饮酒，叫做"交杯"，也叫"合卺（jǐn，音仅）"、"交卺"。宋代王得臣《尘史·风俗》记载："古者婚礼合卺，今也以双杯彩丝连足，夫妇传饮，谓之交杯。"所饮的酒也就叫"交杯酒"。但不知这里所说的"古者"在什么时代，也不知汉代有无形成这种风俗。宋代孟元老《东京梦华录·娶妇》说："用两盏以彩结连之，互饮一盏，谓之交杯酒。"现在民间所称的"交杯酒"，是男女双方各举酒杯，两人挽臂饮酒，反而像画像石上的鸟儿交颈。

凤凰交颈
睢宁画像石局部

有的鸟禽颈长，两者扭结起来虽系人的想象，并非现实的鸟禽动作，但看起来很自然，不感到勉强。从装饰艺术的角度看，这种手法是非常高明的。美好的内容和形式结合得越紧密，越会产生艺术的魅力，使徐州的画像石增添了光彩。

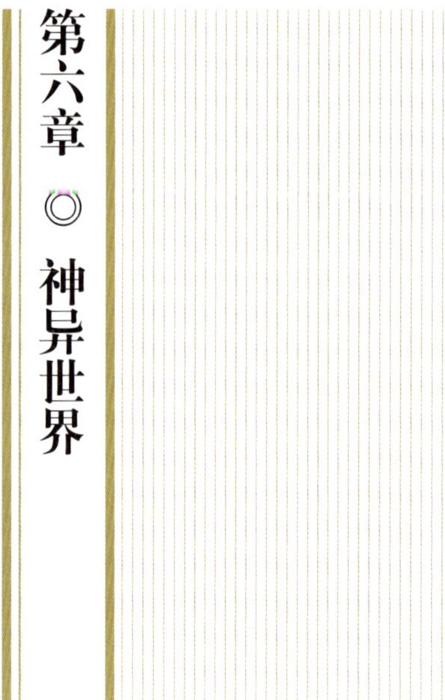

第六章 ◎ 神异世界

第一节◎传说中的人祖和远古帝王

每个民族都有自己的神话，那是在人类童年时代的传说。神话不是现实生活的科学反映，而是人们在生产力水平很低的情况下，借助想象和幻想，把自然力拟人化的产物。有对自然的斗争，有对理想的追求，包括我们祖先的来源和业绩。

人活在世界上，除了维持生活的物质条件外，还有精神方面的需求。而文化像个万花筒，不但映现出实在的生活，也有过去的历史和虚幻的东西。在徐州画像石中，既有远古的神话，也有汉代所流传的神仙怪异，它们都是形象化了的，同样表现出一个神异的世界。

传说的历史是在洪荒时代的人们想象出来的。最早的宇宙混沌一团，像是一个鸟卵。是盘古将鸟卵打开，开天辟地，以后才有了三皇五帝，使中华民族在神州大地上兴旺起来。

我国古代的“三皇五帝”，是传说中远古的帝王。现代史学家多认为是我国原始社会末期部落或部落联盟的首领。但具体人名，说法不[illegible]。在“二皇”中，分别有伏羲和女娲；在“五帝”中有黄帝、神农、尧、舜等。

据说伏羲始画八卦，教民捕鱼畜牧。那时候天地初开，还没有人类，是他与女娲一起创造了人。另一说法是女娲按照自己的模样，用黄土和水，塑造了人，所以我们中国人都是黄皮肤。民间的老人常说：“我们从黄土中来，还要回到黄土中去。”便是指的这种关系。

因为传说中的伏羲女娲造人是在遥远的洪荒时代，他们是具有神灵性的，其形象也不同于一般的人。战国时期大诗人屈原在《天问》中就问起：“女娲有体，孰制匠之？”王逸注说：“女娲人头蛇身。”直到汉代，大多数人还是这种看法。

他们既然是人的始祖，能够创造人，就一定能够保护人，并帮助人口繁衍。因此，汉代人将伏羲女娲刻在画像石上，既是祈求保护，也是希望兴旺。他们不仅人首蛇身，而且多是交缠在一起，隐含着阴阳交合、男女生殖的观念。下方的小人便是证明。

徐州画像石中，刻有不少“伏羲女娲”像，也有的将他们刻在相关的画面中。这幅《伏羲女娲》，外绕花边，两人面面相对，亲昵拥抱，两尾交缠在一起。在中国流传的古代神话中，也有说他俩原是兄妹的。远古时期洪

伏羲女娲

高90厘米，宽28厘米

睢宁县双沟散存征集，徐州汉画像石馆藏

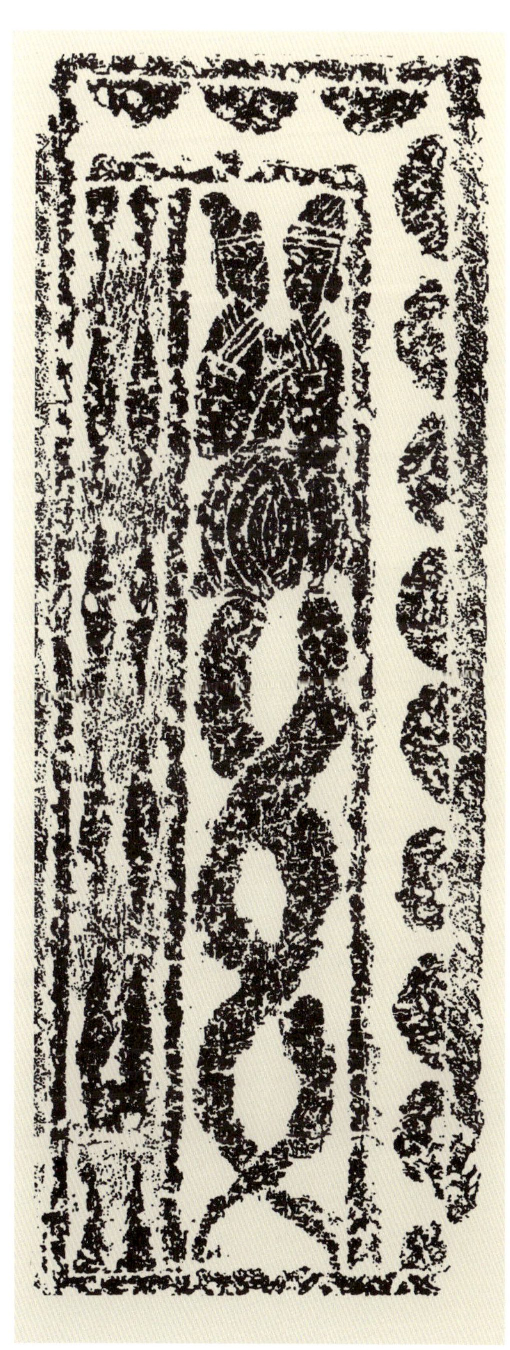

伏羲女娲
高98厘米，宽34厘米，
徐州汉画像石馆藏

水泛滥，经过大洪水的漂流之后，荒无人烟，为了延续后代，他们两个结成了夫妻，生男育女，才有了后来的人。

在徐州附近的山东嘉祥画像中，伏羲女娲同样是人首蛇身，蛇体缠在一起，两人的手中分别持有规和矩；隔栏上刻有榜题，曰："伏戏（伏羲）仓精，初造王业，画卦结绳，以理海内。"现今河南淮阳县有一座纪念伏羲女娲的"人祖庙"，每年春天的庙会，人山人海，各地不孕的妇女都想得到女娲的帮助。

作为艺术，语言艺术和造型艺术在视觉上的效果是不一样的。譬如说"三头六臂"这个成语，本指佛的法相，后转用以比喻特别大的本领。讲述他的本领，可以同时做几件事，气势很大；在此时，说书人有一句解释，叫做"话分两头说"，只能一件一件地表述。绘画虽然能够全部画出来，但集中在一个人身上，不可能造成雄大的气势。同样，人之为人在形体上是亿万年造就的，不消说改变某一部位，即使比例有所参差，也会感到奇怪。为什么说“画鬼容易画人难”呢？因为谁也没有见过鬼，可以随意画，画得越怪越好；但画人不能随意，如果画得不像，就会受到指责。由此，使我们联想到人祖伏羲女娲的“人首蛇身”，那是在数千年之前的传说，在演绎过程中会不会有变化呢？

就画像石的造型而言，伏羲女娲的形象很多，但大体保持了“人首蛇身”的特点，其上身穿着汉代的衣服，做相关的动作，或者手执规矩，或者手托日月，也有作舞蹈动作的，但下身仍是蛇体交缠。四川出土的画像中，有的将伏羲和女娲都加了两条腿，但仍拖着一条长长的大尾巴。值得注意的是，在徐州画像石中，伏羲女娲的形象有了根本性的改变。

右页是一块破碎了的画像石，收录在《中国汉画像拓片精品集》中，原石高70厘米、宽140厘米，已破成数块，仍能看出画面的内容。画分上下两格。上格为“二桃杀三士”故事。下格中间是一座新建筑，有侍女站立或倚门观望。建筑左边，有一对中年夫妇从树下走来；建筑右边，便是伏羲女娲。

这幅画的下格原题《仕女盈门》，与内容不确，实际上是“迎候新主人”。伏羲女娲是作为守护神而画入的。骤然看去，并列的伏羲女娲张开双臂，似在欢迎建筑的新主人，仍然拖着一条“长尾”，只是没有交缠在一起。但仔细观察，能惊奇地发现，那“长尾”不是蛇身，而是与他们分离开的两个倒立的小人。伏羲女娲盘腿坐在那里，从他们的足下落下了两个人；就像跳水运动员从高台上落下一样，飘飘然地来到了人间。务实的徐州人，竟然要改变人祖的形象！这是新的演绎，将会更美好。

我国古代传说，大约还在上古的原始部落时期，有一些“帝王”，他们也就是各部落的首领。我们现在所称谓的“炎黄子孙”，就是指炎帝和黄帝的后代。当时他们是中原地区的部落首领。

炎帝，传说中上古姜姓部族的首领，在黄帝之前，也是中原地区各部落联盟的领袖。号烈山氏，一作厉山氏，又号神农氏。据说他与黄帝同为姙姒所生，但年龄相差很大。神农氏长于农业和医药，不善于征伐和战争。司马迁《史记·五帝本纪》说：“轩辕之时，神农氏世衰。诸侯相

伏羲女娲造人图

徐州画像石局部，
选自《中国汉画像拓片精品集》

侵伐，而神农氏弗能征。”后来被黄帝于阪泉之野战败。但作为华夏民族的祖先，直到现在，仍然以“炎黄”连称。

有关炎帝神农氏的传说和文献很多，其事迹多是侧重于农业生产和医药方面。《初学记》引《帝王世纪》说：炎帝“人身牛首，长于姜水，有圣德，以火承木，位在南方，主夏，故谓之炎帝。”《周书》说：“神农之时，天雨粟，神农遂耕而种之。作陶冶斧斤，为耒耜锄耨，以垦草莽。然后五谷兴助，百果藏实。”《拾遗记》说：“炎帝时，有丹雀衔九穗禾，其坠地者，帝乃拾之，以植于田，食者老而不死。”在医药方面，最重要的传说是“尝药”和“鞭药”。《淮南子》说：“神农尝百草之滋味，一日而遇七十毒。”《搜神记》说：“神农以赭鞭鞭百草，尽知其平毒寒温之性，臭味所主，以播百谷。”反映了华夏民族在原始时代由游牧向农耕的转化，以及在生活中与疾病斗争的艰苦过程。

右页画像石《炎帝神农氏》，图中的炎帝，身躯魁梧高大，头戴斗笠，手持木锸，并非是传说中的“人身牛首”；相随的两只动物，看似孔雀和犀牛，很可能是汉朝人所想象的凤凰与神牛的形象。

此石原为墓门的一扇画像，右上方刻一月轮，中有玉兔和蟾蜍；与左边的另一扇画像配套，即炎黄二帝，日月升华。在墓门上不但刻炎帝和黄帝，而且刻上日月，气势很大。

早在上古原始时代，中国有“五帝”之说。五帝中黄帝居中，“执绳而制四方”。据说黄帝之初，四方作乱，黄帝乃灭四帝，成为中原地区各部落联盟的首领。后代被奉为各族的共同祖先。

传说中的黄帝，司马迁在《史记·五帝本纪》中说他“姓公孙，名轩辕。生而神灵，弱而能言，幼而徇齐（通慧），长而敦敏，成而聪明。”古史因他原居轩辕之丘，故称“轩辕氏”；又居姬水，因改姓姬；其部族为有熊，又号“有熊氏”。在他被推举为各部族联盟的首领之前，中原地区以炎帝神农氏为首领。据说炎帝和黄帝是同母兄弟；黄帝因有“土德之瑞”，故称黄帝。当时的“有熊”可能带有图腾的性质，在后来的传说中也多是突出一个“熊”字。相传黄帝训练熊、罴、貔、貅、貙、虎，率领它们作战。这些猛兽之名，也可能是部族的图腾。总之，他在阪泉之野（今河北涿鹿东

炎帝神农氏

高105厘米，宽54厘米，厚10厘米，铜山县苗山汉墓
前室南壁门西石刻，徐州汉画像石馆藏

黄帝有熊氏

高105厘米，宽64厘米，厚10厘米，铜山县苗山汉墓
前室南壁门东石刻，徐州汉画像石馆藏

南）打败了炎帝；以后又在涿鹿之野（今属河北）消灭了蚩尤，赢得了各部族的拥戴。

左页画像石《黄帝有熊氏》，所画的黄帝，其形象还处于半兽状态，不但手脚为利爪，大耳，并且长着翅膀和尾巴，能够呼风吐火。伴随他的是飞黄和大象。飞黄亦名"乘黄"、"訾黄"，是一种神马。《汉书·礼乐志》云："訾黄其何不徕下？"应劭注："訾黄，一名乘黄，龙翼而马身，黄帝乘之而仙。"当时中原地区有象，以为动物中之最大者，成为力量的象征。

这是汉朝人的想象。但《史记·封禅书》说：黄帝升天不是骑着飞黄，而是他在首山采铜，在精山下铸鼎；将鼎铸好之后，有龙从天上垂下胡须，他拉着龙须上去的。在后来史书的记载中，他由部族首领被拥戴为中原的部族联盟领袖之后，人文大为发展，如养蚕、舟车、文字、音律、医学、数学等，都创始于黄帝时期，所以说，他也被誉为中华人文的始祖。

此石原为墓门的一扇画像，左上方刻一日轮，中有三足乌；与右边的另一扇画像配套，很有气势。

第二节 ◎ 西王母及其随从

神话原为口传文学，最早可能有其体系。到了汉代，道教兴起，建立了一套神仙系统，糅进了一部分神话，也删除了其他神话；而儒家思想居为正统，不讲鬼神，以致神话零散殆尽。西王母之在汉代流传，主要是因为她手中掌有『不死之药』。

当画像石进入兴旺期，儒家思想也在汉代巩固了。但汉初崇信黄老，影响及于民间，至东汉而未衰。因此，将西王母作为“长生不老”的主宰而加以崇拜，在画像石上表现得特别多。

在中国古代神话中，西王母是西方仙人之首。就早期的记载，《山海经》说：“玉山，是西王母所居也。西王母其状如人，豹尾，虎齿，善啸；蓬发戴胜，是司天之厉及五残。”说明她是掌管刑罚的，而且还带有一些野兽的特征。按照思维逻辑，掌管命运之神也必然能够延长人的寿命。在小说《穆天子传》和《汉武故事》中，周穆王曾会见过西王母，汉武帝也曾拜见过西王母，都与祈求长寿有关。周穆王驾八骏西征，执白圭玄

西王母玉山图

高115厘米，宽100厘米，铜山县茅村北洞山散存，祠堂山墙石，徐州汉画像石馆藏

璧以见西王母，西王母还为他唱了一首歌，祝他长寿。汉武帝拜见西王母，西王母赐给他三千年结一次果的蟠桃。这时的西王母已褪去了那种虎豹般的野性，而成为雍容华贵的贵妇人了。按照传统的对偶观念，还给她塑造了一个配偶“东王公”。东王公空有其名，没有事迹可寻。

汉代画像石中表现西王母的题材很多，大都是一位端庄的女性，或者坐在玉山之上，或者坐在龙虎墩上；只是为了说明她掌握着"长生不死"之药，那些为她采药捣药的玉兔、蟾蜍、九尾狐、三足乌和羽人等，一直在她周围。有两只捣药的兔子，甚至被单独表现，因为它们所捣的是长寿之药，关系着人的生命，为人们所关注。

徐州画像石《西王母玉山图》（上页），原石是一座小祠堂的一面山墙，表现的是西王母的动物世界。她坐在玉山上，有羽人献药、玉兔捣药；山中有各种鸟兽群居；双龙交颈，表示生活得快乐自在。全石共分四格，只有最下一格是人间的车骑，是否意味着前往西方，与之沟通呢？

《青鸟·九尾狐·三足乌》三种动物，一是九条尾巴的狐狸，二是三条腿的乌鸦，只有青鸟看起来顺眼，反倒是人间没有的。它们都是西王母的侍者，有的取食传信，有的采药，一直跟随西王母，形影不离，被视为祥

青鸟·九尾狐·三足乌
高110厘米，宽37厘米
睢宁县散存

瑞。其中的青鸟赤头黑目，原就住在“西王母之山”上。或有人问：三足乌是否即“日中之精”的踆乌呢？九尾狐是否即大禹治水时为其婚瑞的“九尾白狐”呢？很抱歉，各自出处不同，神话是难以回答的。

《西王母施药图》是一块画像石的三格之一。画面中央端坐者为西王母，展示她的“长生不死之药”。一手高举药盘，盘中盛着六颗药丸。过去有人认为是一位妇女手举镜子，非也。汉代的绘画还没有解决“成角透视”，只好将物面竖起，以便看清物象的内容，成为两个角度的组合；这种“平面造型”的通用手法，在画像石中是用得很多的。西王母的上方和左上方，有蟾蜍和玉兔捣药，蟾蜍也拿着一只同样的药盘，是明显的证明。西王母的右边有一人，双手抱一药盘，疑是求药者；左边

西王母施药图

睢宁县张圩画像石之一部分

有一个似人似兽的形象，手舞足蹈，有人说是嫦娥，右边的人是后羿，因而称此画为“月宫图”。统观整体，这样命名是不恰当的，因为月宫并非是西王母活动之地，只是她曾将“不死之药”给了后羿，被嫦娥偷吃之后升入月宫，与西王母也无直接关系。因而定此幅内容为“西王母施药图”。原石的另外两格，与此图内容无直接关系。

徐州画像石《拜见西王母图》，原是棺椁内壁的画像。画面横长，中间以大树划分为两个世界。左边为神仙世界，西王母在楼上凭几端坐，楼下有青鸟献食，楼外有二仙人捣药，其上有三足乌、九尾狐等；再外有四个拜见者：有人首蛇身者、人身马首者和人身鸡首者，只有后边的拄杖者完全是人的模样。从这四者可以看出，前者和后者是人祖与人（可能就是棺中的死者）；中间的两位，即是人间供奉的“金马碧鸡”，据说能给人幸福。《汉书 · 郊祀志下》记载：汉宣帝时，“益州（今四川广汉北）有金马碧鸡之神，可醮祭而致，于是遣谏大夫王褒，使持节而求之。”同书《地理志》也说越嶲郡（今四川西昌地区）青蛉县禺同山有金马碧鸡。

拜见西王母图

高 80 厘米，宽 265 厘米，厚 14 厘米
徐州栖山汉墓中棺右侧内壁，徐州汉画像石馆藏

如淳注曰："金形似马，碧形似鸡。"可巧的是，他们都来拜见西王母，是否都有求于"长生"，与西王母的"不死之药"有关呢？

在人间，画面中间的大树，树上有鸟，树下有射者。那是一棵"立官桂树"，树下的弯弓者并非是单纯射鸟，而是象征涉猎功名，在"举孝廉"中升官发财，树对面的一位长者不是正在看着他吗？人间社会是很复杂、很热闹的。有高大的建鼓舞，可供有钱人饮酒作乐；有练武的可以健身，有斗鸡的可以消遣。在画面的右上角，还有坟冢累累，那是死去的人，供后人凭吊。人为什么要死呢？寿命如此短促，只有几十年。在世间能够得到享受的人，谁愿意如此匆匆地离开呢？

这幅画的构思，是关系人生和命运的。可能是感慨于生命的短促，而企图以图画的形式，在右边提问，向左边求答，而最终的希望无疑是在西王母那里。

第三节 ◎ 形形色色的神异

西汉黄老思想盛行，东汉又兴起了道教和佛教。儒家的谶纬迷信也在这一时期活跃起来。在人们的观念中，不仅灵魂不灭，而且万物有灵。直到现代民间，仍要在传统节日中祭奠『天地三界十方万灵』，不难想见，汉朝人是更为虔诚的。

《山海经》是我国一部重要的神话典籍。鲁迅说："中国之神话与传说，今尚无集录为专书者，仅散见于古籍，而《山海经》中特多。《山海经》今所传本十八卷，记海内外山川神祇异物及祭祀所宜，以为禹益作者固非，而谓因《楚辞》而造者亦未是；所载祠神之物多用糈（精米），与巫术合，盖古之巫书也，然秦汉人亦有增益。其最为世间所知，常引为故实者，有昆仑山与西王母。"

在徐州画像石中，除西王母之外，也有一些奇形怪状的半人半兽或鸟兽合体的形象。如虎身九首的开明（陆吾、肩吾），《山海经 · 海内西经》说："昆仑南渊深三百仞。开明兽，身大类虎而九首，皆人面，东向立昆仑上。"这个体大如虎、生着九个人头的山神为“昆仑之守”，或即“陆吾”。《山海经 · 西次三经》说：“昆仑之丘，是实惟帝之下都。神陆吾司之。其神庄虎身而九尾，人面而虎爪。是神也，司天之九部，及帝之囿时。”袁珂说：“陆吾‘虎身九尾’，此（开明兽）则‘类虎而九首’；两者神职又同为昆仑之守。至于‘九尾’而为‘九首’，亦神话传说之演变，《太平御览》卷八八六引《山海经》陆吾‘九尾’正作‘九首’。”又：《庄子 · 大宗师》：“肩吾得之，以处大山。”释文引司马彪云：“山神不死，至孔子时。”对《山海经》中之“陆吾”，郭璞注曰：“即肩吾也。”

开明与犀兕

高 55 厘米，宽 245 厘米，徐州拉犁山汉墓墓室门楣

画像石《开明与犀兕》，原石是墓室的门楣，可能借其威力以镇墓。画面中主要是两只异兽，另有两只小鸟陪衬。开明四肢健壮，有翼；尾高高翘起，与沉重的头部保持平衡。头作人面，是在一个主头上长出八个小头，犹如折扇的扇面。犀兕是犀牛、犀渠和兕的统称，既可分别，又为一类。《山海经 · 海内南经》：“狌狌西北有犀牛，其状如牛而黑。”《南次三经》云：“祷过之山，…… 其下多犀。”郭璞注：“犀似水牛，猪头庳脚，脚似象，有三蹄。大腹，黑色。三角：一在顶上，一在额上，一在鼻上。在鼻上者小而不坠，食角也。好噉棘，口中常洒血沫。”《山海经 · 中次四经》：“厘山，…… 有兽焉，其状如牛，苍身，其音如婴儿，是食人，其名曰犀渠。”郝懿行云：“犀渠，盖犀牛之属也。”《山海经 · 海内南经》：“兕在舜葬东，湘水南，其状如牛，苍黑，一角。”《南次二经》云：“祷过之山，其

上多金玉，其下多犀兕，多象。"郭璞注："犀似水牛，兕亦似水牛，青色，一角，重千斤。"

以上，是《山海经》中关于开明、犀兕等的记载。述说不同，其形象也有差异。不知汉代人是怎样解释这类怪异形象的。有一点可以肯定，因为它们都是怪异的神兽，或者力大勇猛，或者有特殊的本领，将它们画在墓室，不外是借用其法力，以保护自己。

犀兕

新沂瓦窑画像石（局部）

《昆仑仙境图》原石是一块长条，排列了"昆仑山"中的仙禽瑞兽。其中最突出的是九头的"开明兽"和双头人面兽。开明兽已如前述，此

昆仑仙境图

高 42 厘米，宽 232 厘米，徐州十里铺汉墓出土

双头兽有说是《山海经·海外南经》中的“二八神”。原文说:“有神人二八,连臂,为帝司夜于此野。在羽民东。其为人小颊赤肩,尽十六人。”郭璞注:“昼隐夜见。”杨慎补注:“南中夷方或有之,夜行逢之,土人谓之夜游神,亦不怪也。”有说是为西王母司夜者,但此兽并不住在昆仑之山。也有的推测,原是二人连臂,将二人误读为“二八”了。因此,对于这类传说,只能姑妄听之。如果仔细看此兽的造型,便会发现,它的尾端变成了一个鸟头,说不定出自雕刻者的演绎。

在神话传说中,一兽两头、一鸟两头或鸟兽人头的形象很多,也必然有许多名目。可能带有“两人合力”的含义,譬如一个人的智慧和力量很大很强,而两个人合起来,不就更大更强了吗?

在这幅画像石中,除了以上二兽之外,还有羽人戏凤、飞仙、双头鸟、鸟头兽、玉兔、仙树等。这是一个想象的世界,在不同的历史时代,可能都有一些怪异的形象被创造出来,但能否持久,被后代所接受,延传下去,却很难说。汉代兴起的“谶纬”也是如此。

翦伯赞在《秦汉史》中说:“与古文经的出现同时或稍后,大约在西汉末至东汉初的这一时期中,又出现了一种谶纬之学。《四库提要》说:‘纬者,经之支流。’这种‘经之支流’和古文经同时出现,是值得注意的。谶和纬,虽然是二而一的东西,但谶之被称为纬,则是长期发展的结果。因为所谓谶,即是当作神灵启示人们的一种预言,实际上,天何言哉?故所谓谶者,也不过是某一特定时代的人民或统治者对于自己的愿望之宣言。而纬则是对经而言,纬而谓之谶纬,即总集过去所有的具有一定性质的预言,而用以解释一般性质的儒家经典,使那些预言与儒家经典相交织,在儒家哲学的经线上,加上一些预言做纬线,换言之,即把预言紧紧地织进儒家哲学之中,使圣人的教条与上帝的启示合而为一。这样,圣经就变成了天书,孔子就变成了神人。”“谶纬的出现,在主观上,是西汉末年商人地主中的贵族,企图把所有的神话与传说,都贯穿在儒家经典之中,使儒家学说,由《圣经》变成天书,使孔子由圣人变成神人。在客观上,则是汉代大一统的局面形成以后,各种族间文化交流之结果。自此以后,儒家学说,遂蒙上了一层神学的云雾。”

谶纬迷信，在整个东汉时代都甚为流行，将一些自然界的偶然现象，包括动植物的变态，附会成"天人感应"，为封建帝王歌功颂德。直到南北朝才开始禁止，到隋炀帝全部焚毁了。但其影响，尤其是谶纬留在儒家经典上的"玄学作料"，一直存在至今。

作为"二十四史"之一的《宋书》，有《符瑞志》三卷，开头便说："夫体睿穷机，含灵独秀，谓之圣人，所以能君四海而役万物，使动植之类，莫不各得其所。百姓仰之，欢若亲戚，芬若椒兰，故为旗章舆服以崇之，玉玺黄屋以尊之。以神器之重，推之于兆民之上，自中智以降，则万物质为役者也。…… 夫龙飞九五，配天光宅，有受命之符，天人之应。《易》曰：'河出图，洛出书，而圣人则之。'符瑞之义大矣。"

这种"受命之符，天人之应"，不胜枚数。仅《宋书·符瑞中》就归纳有九十七种之多。如说麒麟："麒麟者，仁兽也。牡曰麒，牝曰麟。不刳胎剖卵则至。麕身而牛尾，狼项而一角，黄色而马足。含仁而戴义，音中钟吕，步中规矩，不践生虫，不折生草，不食不义，不饮洿池，不入坑阱，不

符瑞图

高29厘米，宽116厘米，睢宁九女墩汉墓出土（后室门额）
自右而左为：麒麟，花卉，羽人持珠，华平，羽人持杖，萐莆，仙果树等。原石右端破损，还有一兽的头部。

行落网。明王动静有仪则见。”所谓“麒麟”，实际上就是鹿、牛之类的变种，被儒家宣扬为“仁兽”。《宋书·符瑞中》记载，从汉武帝元狩元年获“白麟”起，至晋成帝咸和八年于辽东见麒麟，在四百五十五年之间，共出现麒麟七十五次之多。其他如凤凰，“汉章帝元和二年以来，至章和元年，凡三年，凤凰百三十九见郡国”。又“黄龙四十四见郡国”。统治者以此炫耀其政绩，儒家宣传谶纬之灵验，影响所及，即后来吉祥文化的发端。

徐州画像石之《符瑞图》，原石为一贵族墓的后室门额，刻有“麒麟”、“华平”、“萐莆”、羽人、花卉等。其中麒麟已如前述。《宋书·符瑞下》说：“华平，其枝正平，王者有德则生。德刚则仰，德弱则低。”“萐莆，一名倚扇，状如蓬，大枝叶小，根根如丝，转而成风，杀蝇。尧时生于厨。”这个“萐莆”的设计富有想象力，其性状颇像现代的电风扇，只是缺少电的动力，只好长成树的模样，让树叶转动。画面中的两个羽人，不知是管理这些符瑞的，还是各有专职。左边的一个羽人跽坐执杖，面对萐莆；萐莆正吹凉一盘长在树上的鲜果。右边的一个羽人，蹲在那里，长杖上有三颗大的圆形物，另一只手托着六颗小的圆形物，面对华平。华平枝干平正，枝头上长着圆形的果实。树下有猴、鸟相戏。不知羽人手中的圆形物与华平有没有关系。在羽人之后、麒麟之前，有一株花，长叶花大，非常美丽，这是汉代画像石中极为少见的。在画像中动物特多，植物很少。植物中有些树画得很好，树的枝干交错，具有图案的“便化”之美，但很少画花卉。

拜树
铜山县白集汉墓出土（局部）

见有一个“拜树”者，面对一棵高大之树而拜，连鸟儿都感到好奇，飞来与他做伴。但那树虽高，树干并不明显，究竟是木本植物还是禾本植物，分不清楚。以故有人说是“三株树”，也有人说是“嘉禾”。前者属于神话，后者则是谶纬了。

《雨过天晴》是刻在祠堂顶盖上的画像，原石的背面还刻有屋脊和瓦垄。可能嫌墓室太暗了，在上空画出了两道彩虹。按照神话传说，这彩虹是一条两头的长龙，跨过天空去饮大海的水。彩虹之下是雨师出行，可能是巡查雨后的情景吧，由三条大鲤鱼驾车，车轮是一条蟠蛇。画面的两边，是纹样化的莲花和游鱼。正面绽开的莲花在画像石中很少；有人说是否因佛教传入才出现？不是的，至少这一幅不是的。因为是雨过

雨过天晴

高84厘米，宽248厘米，厚28厘米，邳州占城出土，祠堂顶盖

天晴，你看那水中的鲤鱼，正在围着莲花作回旋式的游动。有一首古歌唱道："江南可采莲，莲叶何田田。鱼戏莲叶间。鱼戏莲叶东，鱼戏莲叶西，鱼戏莲叶南，鱼戏莲叶北。"那回旋的音调随着鱼的游动而飘荡。这里不是江南，看那雨后的清澈，不是如若江南吗？

现在回到丧葬文化，看下页画像石《青鸟·龙跻·鸱鸮》。三种动物，既有写实的，也有虚拟的。按照古人的观念，生者并非是全都喜爱它们，但它们对于死者却有密切的关系。因此，将它们表现在墓门上，说明升天的引导、升天的方式和在冥冥世界中的生活，都有了保障。

青鸟是西王母的侍者，在汉画中常为王母取食。《汉武故事》说："青鸟如鸾，夹侍王母旁。"龙跻为"三跻"之首，为修炼者升天最快的工具，并且畅行无阻。鸱鸮即猫头鹰，在人间被视为"恶鸟"，是因为它在夜间活动，可引导死者的灵魂升天。所以，人在活着的时候不喜欢猫头鹰，可是一进入阴界，又必须求助于它；它站在阴阳的交界处。

这是一幅设计奇特而又别致的构图。作者强调了青鸟的冠羽和尾羽，两只大鸟虽不对称，但是它们的冠羽和尾羽却定到了对称的部位；在中间站着一只鸱鸮，下面是一只小青鸟站在龙背上。就像预演一样，已经排定了，在左上方不显眼的边上，有一个人首蛇身的人物，是否说明，人类自古以来就是这样的呢？

在一个厅堂中，一对夫妇正在话别。虽然几案上摆着酒菜，却挡不住说不尽的话语；从房顶的凤鸟看，可能是女性要走。不是临时出门，而是要到另一个陌生的世界，送行的人已在门外等候多时了。房屋左右的

青鸟・龙跃・鸥鹨
高 106 厘米,宽 103 厘米
铜山县散存,墓门门扉,徐州汉画像石馆藏

两棵连理树告诉我们,恩爱夫妻,依依不舍,谁能经得住人间的永别呢?

这是一种象征性的语言。单从构图上看,结构并不复杂,而且采取了对称式的手法,是在一座建筑中两人对坐。徐州的画像石,小型墓葬多采用这种格式,不仅是夫妻间的欢聚,也有朋友间的对谈、对饮和对弈。在这种程式化的描绘中,看不出更深一层的关系。于是,用隐喻象征的方法,在室外或房顶上,如两只鸟的引颈对喙和交颈相亲,两只鹭鸶衔鱼,以及龙凤对舞、彩云环绕等,可使我们进一层了解他们之间的关系。

在我国的传统文化中，非常重视人伦关系。孝敬父母自不必说，在夫妻之间和兄弟之间，也是强调和睦友爱。因此，常以几种动植物的性状作形容，主要有比目鱼、比翼鸟、连理枝（木连理）等，比喻它们相互依靠，合二而一，密不可分。

《尔雅 · 释地》说："东方有比目鱼焉，不比不行，其名谓之鲽。"郭璞注："状似牛脾，鳞细，紫黑色，一眼；两片相合乃得行。"又说："南方有比翼鸟焉，不比不飞，其名谓之鹣鹣。"郭璞注："似凫，青赤色，一目一翼；相得乃飞。"

古代谶纬主要是对帝王的颂德。《宋书 · 符瑞下》说："比目鱼，王者德及幽隐则见。"又说："木连理，王者德泽纯洽，八方合为一，则生。"谶纬如此，但民间多取为譬喻，以其两者的比翼、比目、连理，象征人与人的友爱、和好、亲密。上面所说《话别图》，以"连理树"比喻夫妇之间的百年好合，相敬恩爱，并且用图像的形式表现出来；这样的象征手法在艺术上是较早的。晚到唐代，白居易的《长恨歌》中吟咏爱情："在天愿作比

话别图

高75厘米，宽135厘米

铜山县汉王乡东沿村出土（祠堂后壁）

方相氏打鬼

高106厘米，宽102厘米，厚16厘米
徐州贾汪区散存，徐州汉画像石馆藏

翼鸟，在地愿为连理枝。”这种象征才扩展开来，不但在诗文上比喻形影不离的爱侣，也普遍用于各种艺术。

鬼神问题，包括丧葬在内，数千年来，一直是人们头脑中一个解不开的情结。可能是出于一种心理反应和情感因素，画像石《方相氏打鬼》是为死者清理门户，在那里得以安生。

迷信者以为人死后精灵不灭，称之为“鬼”。那是在另一个世界里，如同人间一样，有善良的鬼，也有害人的恶鬼。恶鬼不仅在阴间做坏事，也到阳间来害人，所以人间便有“打鬼”的仪式。《周礼·夏官·方相氏》说：“方相氏掌蒙熊皮，黄金四目，玄衣朱裳，执戈扬盾，帅百隶而时难，以索室驱（驱打）疫。大丧，先柩（棺）；及墓，入圹，以戈击四隅，驱方良。”方良即“魍魉”，有说是山野草泽中的鬼怪，吃死人的脑髓。由此看来，方相氏的职责，是戴着黄金的面具，披着熊皮，不但要带兵搜查住室，驱逐鬼疫，并且对死者的墓葬也要打鬼。

此图正是表现这种仪式。图分上下两格，上格为两个扮演方相的人，戴着面具，头大而圆，手举刀剑，正在驱鬼，有人将此视为戏剧的起源；下格左侧似是一个发胖的老年妇女，在室内扶案而坐，旁边有侍女伺候；室外还有送食的、跳舞的和守卫的。从右侧的那棵柏树和树上站立的小鸟看，可能是在荒野之中，已是冥冥的另一个世界了。

人的思想是复杂的，想象力也由此而生，并逐渐丰富。既然人死了为“鬼”，由鬼“超度”而进入天界，那么，那些不能超度的鬼，死了是什么呢？《聊斋志异 · 章阿端》说：“人死为鬼，鬼死为聻。鬼之畏聻，犹人之畏鬼也。”所以，古代风俗，有在门上画虎头、写“聻”字者，据说可以辟除鬼疫。段成式《酉阳杂俎 · 续集 · 贬误》说：“俗好于门上画虎头，书聻字，谓阴刀鬼名，可息疫疠也。予读《汉旧仪》，说傩逐疫鬼，又立桃人、苇索、沧耳、虎等。聻为合沧耳也。”由此看来，在鬼域也存在“打鬼”的问题，说明两千年前汉代的徐州人是想得很周到的。

◎结语

（一）

中国的画像石，最初是依附于丧葬文化而出现的。西汉早中期已见有简单的刻画，大都与墓葬有直接的关系，如建筑、松柏、玉璧和立在树上的小鸟等，多带有符号的性质。东汉时盛行起来，表现的内容越来越丰富，画面也越来越复杂，其范围远远地超越了墓葬文化本身，已涉及社会的多个层面。东汉之后，这种石刻大都脱离了丧葬文化，在墓葬中已是星星点点；有的转向了佛教的造像碑，有的从事其他刻石，而作为绘画，已向绢、纸的载体独立发展了。

将近四百年，画像石虽然没有流遍全国，但其地域也不小。主要分布在山东南部、江苏北部、河南南部、陕西北部和四川。

另外在安徽、山西、河北、浙江等地区也有少量的画像石发现。从艺术的风格特点和人文背景看，山东南部和江苏北部比邻，苏北的徐州一带和鲁南的曲阜、嘉祥、临沂等地直接连成一片，在历史上也有密切关系。尤其是微山湖周围，出土画像石很多，湖的两边是两个省，但在文化上是难以分清的。两地出土的画像石风格完全相同。

（二）

徐州地处江淮，地势险要，经济比较富庶；最早属于东夷的一个强悍部族，以后又为吴楚之地；北临鲁国，深受儒家文化的影响。当年的楚汉之争也在这里展开，这里同是项羽和刘邦的故土。汉代的徐州，有不少独特之处，它不像曲阜的儒学中心，南阳的巨富集中，四川的天府之国和陕北的屯兵封疆，而具有全面的优势。所以，画像石在此出现并得以发展，居于前列，并不是偶然的。

（三）

从艺术的角度看画像石，是在绘画未经独立的情况下进行的。那时的所谓帛画、壁画、漆画，并不具有现代的概念。一方面都没有脱离实际的应用，另一方面，在内容和形式上还是带有仪式性的。画像石也是如此，它多是建筑的石料和构件，系建筑的一部分，但不是一般的建筑装饰；又是雕刻的，却不同于现代概念的圆雕和浮雕，而是在平整的石板上刻画，所以仍然带有绘画的性质和特点。画像石的发展轨迹告诉我们，它一直是沿着绘画的道路往前走，并且走向了成熟。

（四）

在我国的造型艺术中，作为二维度的平面造型，画像石走在了所有形式的艺术之前，在人物与动物等的形象塑造、情节处理，即所谓“关系性的律动”，以及构图、章法等方面，创造了一系列的手法与格式，丰富了它的表现力和感染力，不论什么题材、主题、情节的故事内容，都能表现出来，细微而生动。在汉代的各种造型艺术中，还没有任何一个画种超越它。连历史学家都说:画像石刻画出了“一部绣像的汉代史”。所以说,通过画像石,我们看到了两千年左右之前的徐州人与他们所做的事,几乎是一个多层面的社会。能够做到这一点的不多,全国也仅有几处。

(五)

鲁迅说:“世界上版画出现得最早的是中国,或者刻在石头上,或者刻在木版上,分布人间。后来就推广而为书籍的绣像,单张的花纸,给爱好图画的人更容易看见。”这里所指的“刻在石头上”的,主要便是画像石的拓片;“刻在木版上”的,就是雕版印刷的木版画。由于“画像石”和“拓片”这两个称谓在我国已经形成,很少有人意识到它是版画,实际上是很标准的一种“拓印版画”。

当年雕刻画像石的人并不知道,也不会想到,汉代人发明了造纸,不久后又发明了使用纸墨的拓印术,先是拓印石碑上的书法,以后又拓印画像石上的图画,成为人类最早的版画。汉代之后,画像石转向了造像碑,又转化为各种形式的石刻;拓印版画继续发展,直到现代,在民间木版年画中,还有一种“墨拓年画”,一直延续着这一传统。

(六)

汉代刘向写《新序》,曾记录下了一首《徐人歌》,他们追念古旧,不忘春秋吴国的季札,歌中唱道:

“延陵季子兮不忘故,
脱千金之剑兮带丘墓。”

艺术传统延续流传,两千年前的风采犹存。文化与文明在这里厚积,徐州人是值得骄傲的。

参考书目

《中国美术分类全集·中国画像石全集》（六卷本）

俞伟超主编/山东美术出版社、河南美术出版社出版/2000年6月。

主要参考第四卷《江苏、安徽、浙江汉画像石》/汤池主编。

《徐州汉画像石》（一函二册）

武利华主编/线装书局出版/2002年9月。

《徐州汉画像石》

徐州市博物馆编/江苏美术出版社出版/1985年6月。

《中国汉画像拓片精品集》

顾森主编/西北大学出版社出版/2007年5月。

《汉画故事》

张道一著/重庆大学出版社出版/2006年10月。

《画像石鉴赏》

张道一著/重庆大学出版社出版/2009年1月。